ISBN 978-1-334-42829-6
PIBN 10634525

This book is a reproduction of an important historical work. Forgotten Books uses
state-of-the-art technology to digitally reconstruct the work, preserving the original format
whilst repairing imperfections present in the aged copy. In rare cases, an imperfection in
the original, such as a blemish or missing page, may be replicated in our edition. We do,
however, repair the vast majority of imperfections successfully; any imperfections that
remain are intentionally left to preserve the state of such historical works.

1 MONTH OF
FREE
READING

at
www.ForgottenBooks.com

By purchasing this book you are eligible for one month membership to ForgottenBooks.com, giving you unlimited access to our entire collection of over 700,000 titles via our web site and mobile apps.

To claim your free month visit:
www.forgottenbooks.com/free634525

English
Français
Deutsche
Italiano
Español
Português

www.forgottenbooks.com

Mythology Photography **Fiction**
Fishing Christianity **Art** Cooking
Essays Buddhism Freemasonry
Medicine **Biology** Music **Ancient
Egypt** Evolution Carpentry Physics
Dance Geology **Mathematics** Fitness
Shakespeare **Folklore** Yoga Marketing
Confidence Immortality Biographies
Poetry **Psychology** Witchcraft
Electronics Chemistry History **Law**
Accounting **Philosophy** Anthropology
Alchemy Drama Quantum Mechanics
Atheism Sexual Health **Ancient History**
Entrepreneurship Languages Sport
Paleontology Needlework Islam
Metaphysics Investment Archaeology
Parenting Statistics Criminology
Motivational

Aus den früheren Vorworten.

Aus den Vorworten zur ersten Auflage (4. Juli 1905) und zur zweiten (7. Februar 1906) sei hier erwähnt, daß als Ziel der zunächst aus zehn Vorträgen entstandenen Arbeit betont wurde, in engem Anschluß an die allgemeine wirtschaftliche Entwicklung Deutschlands und unter Vermeidung einer Häufung technischer Details, in großen Zügen ein tunlichst anschauliches Gesamtbild des Entwicklungsganges der deutschen Großbanken sowie ihrer Stellung Aufgaben und Ziele innerhalb der Gesamtwirtschaft für weitere Kreise zu entwerfen.

Aus der dritten Auflage (8. April 1910) sei hervorgehoben, daß sie zuerst von der Wiedergabe der ursprünglichen zehn Vorträge ganz Abstand nahm und zu einer systematischen Gesamtdarstellung überging, unter Heranziehung auch der bis dahin naturgemäß ausgeschieden gewesenen banktechnischen und geschäftlichen Gesichtspunkte und Fragen.

Vorwort zur vierten Auflage.

Der dritten Auflage, welche im April des vorigen Jahres erschien, folgt diese vierte rascher nach, als ich es hatte annehmen können. Während an Plan und Anlage des Buches wesentliche Änderungen glücklicherweise nicht erforderlich waren, sind Änderungen und Zusätze naturgemäß durch die reiche Fülle der inzwischen eingetretenen Ereignisse in ziemlich erheblichem Umfange notwendig geworden, und zwar sowohl im Text des Buches wie in den Beilagen.

Ich bin besonders erfreut, daß die Kritik fast einstimmig anerkannt hat, daß dies Buch, was ich in der Tat nach dem Vorwort zur dritten Auflage anstrebte, eine zuverlässige Grundlage für eine

solche Würdigung der Leistungen unserer Großbanken bildet, die
sich von Überschätzung ebenso wie von Unterschätzung frei hält.

Daß ich die Anregungen und Ausstellungen sachlicher Kritiker
zu würdigen weiß, wird auch diese neue Auflage fast in jedem Abschnitt zeigen. Den Herren Dr. Berthold Breslauer und Refe-
rendar Hermann Ohse in Berlin, die mir bei der Durchsicht und
Ergänzung namentlich des statistischen Teils des Textes, des Sach-
registers und der gesamten Beilagen wiederum ihre freundliche Unterstützung haben zu teil werden lassen, sage ich auch an dieser Stelle
herzlichsten Dank.

Eine englische Ausgabe dieses Buches ist inzwischen (auf der
Grundlage der 3. Auflage) seitens der National Monetary Commission
des Senats der Vereinigten Staaten von Amerika herausgegeben
worden.

Jugenheim (Bergstraße), 17 September 1911.

Dr. Riesser.

Inhaltsverzeichnis.

Abschnitt I.

Abschnitt II.

Die erste Epoche (von der Mitte des 19. Jahrhunderts bis zum Jahre 1870).

Erstes Kapitel.

Zweites Kapitel.

Abschnitt III.

Die zweite Epoche (von 1870 bis zur Gegenwart).

Erstes Kapitel.

Abschnitt IV.

Die Konzentrationsbewegung im deutschen Bankwesen während der zweiten Periode (1870 bis zur Gegenwart).

Erstes Kapitel.

Zweites Kapitel.

Drittes Kapitel.

Abschnitt V.

Abschnitt I.

Einleitung.

Die Aufgaben des Bankwesens im Wirtschaftsleben.

1. Im allgemeinen.

In seinem 1890 erschienenen vortrefflichen Buche über „Die Technik des Emissionsgeschäfts" berichtet Walther Lotz auf S. 60): „Einer der bedeutendsten Berliner Finanzmänner bemerkte mir einmal, sein Beruf werde von der sozialen Frage, die man sonst als Wichtigstes in der wirtschaftlichen Entwicklung betrachte, nicht berührt; die Emissionsbanken stünden derselben neutral gegenüber."

Dieser Ausspruch beweist nach meiner Überzeugung, daß jener Berliner Finanzmann die Stellung und die Aufgaben des deutschen Bankwesens innerhalb der „kapitalistischen Wirtschafts-ordnung"[1] in befremdlicher Weise verkannt hat. Dies im einzelnen nachzuweisen, ist nicht eine der letzten und nicht eine der unwichtigsten Aufgaben der nachstehenden Arbeit.

Innerhalb der kapitalistischen Wirtschaftsordnung fällt den Banken und Bankiers eine ganze Reihe wichtiger wirtschaftlicher Sonderaufgaben zu:

Es ist zunächst das Kapital in seinem „Popularbegriff", also es sind die Geldbeträge, welche Bestandteile des werbenden Vermögens sind und der Einkommensbildung gewidmet werden sollen[2], die sich in den Kassen der Banken und Bankiers ansammeln, deren Beruf es ist, dieses Kapital nicht nur aufzubewahren, sondern auch

---

[1] Unter „kapitalistischer Wirtschaftsordnung" in der populär gewordenen Bedeutung dieser Worte ist nicht etwa nur diejenige Produktionsweise zu verstehen, welche auf die Erzeugung von Kapitalgütern gerichtet ist, sondern diejenige, „welche unter der Herrschaft und Leitung der Eigentümer des Kapitals, der Kapitalisten, vor sich geht". (E. Böhm-Bawerk, Kapital, im Handwörterbuch der Staatswissenschaften, 3. Aufl., 1910, Bd. V, S. 783).

[2] Carl Menger, Zur Theorie des Kapitals. (Jahrb. f. Nat.-Ökon. u. Statistik. N. F., Bd. XVII, S. 1—49).

nutzbar zu machen, insbesondere dadurch, daß sie es anderen zu wirtschaftlichen Zwecken zur Verfügung stellen.

Die Banken haben die ihnen zufließenden Kapitalien behufs Anlage und produktiver Verwendung aufzunehmen und auf dem Wege der Kreditgewährung in die richtigen Kanäle zu leiten. Sie tun dies insbesondere dadurch, daß sie Beziehungen anknüpfen einerseits zu dem Kapitalisten, der ihnen seine verfügbaren Gelder behufs produktiver Verwendung anvertraut, also ihr Gläubiger wird, andererseits zu dem Unternehmer, der von ihnen jene Gelder erhält, deren er für seine Unternehmungen bedarf, der also ihr Schuldner wird.

Im Verhältnis zwischen dem Kapitalisten und dem Unternehmer spielen somit die Banken eine ähnliche und für die Gesamtwirtschaft ebenso wichtige Rolle, wie sie der Handel im allgemeinen übernimmt, wenn er zwischen dem Produzenten und Konsumenten vermittelnd auftritt und seinerseits wieder an der werterhöhenden Arbeit durch Überführung von Gütern aus Gegenden größeren Angebots nach Orten größerer Nachfrage, mit oder ohne Zwischenverarbeitung, selbständig teilnimmt. Ebenso übertragen die Banken auch diejenigen Mittel, welche an einem Orte verfügbar geworden sind, nach solchen Gegenden, welche bereiter Mittel zu wirtschaftlicher Ausnutzung bedürfen.

Im Rahmen der in solcher oder ähnlicher Weise zustandekommenden Kreditaufnahme (passives Bankgeschäft) und Kreditgewährung (aktives Bankgeschäft) spielt sich das sogenannte reguläre, richtiger das laufende Bankgeschäft ab (Depositen-, Kontokorrent-, Wechsel-, Report-, Lombard- und Kommissionsgeschäft).

Die Aufgabe geht, soweit es in diesem Rahmen möglich ist, dahin, direkt die Produktionskraft aller produktiven Gewerbe, zu welchen nach Vorstehendem auch der Handel zu rechnen ist[1]), indirekt die Kaufkraft aller Schichten der Nation zu heben[2]) und dahin zu streben, daß der verfügbare Überschuß der Kapitalien in wirtschaftlich angemessener Weise angelegt und in ebensolcher Weise im Kreditverkehr nutzbar gemacht werde.

Die Banken und Bankiers haben weiter, soweit dies nicht in den Pflichtenkreis besonderer öffentlicher Banken fällt, für eine gesunde, sichere und stetige Regelung des Geldumlaufs und der Geldausgleichungen im Zahlungsverkehr Sorge zu tragen. Sie haben

---

1) Vgl. insbes. Richard Ehrenberg, Der Handel. Seine wirtschaftliche Bedeutung, seine nationalen Pflichten und sein Verhältnis zum Staate, Jena, G. Fischer, 1887.

2) Vgl. Ad. Wagner, Beiträge zur Lehre von den Banken, Leipzig, Leop. Voß, 1857, S. 70.

auch um eine bankmäßige Organisation des ganzen gewerblichen Zahlungswesens bemüht zu sein und namentlich um eine
Vermehrung der geldersparenden Formen des Zahlungsverkehrs, also besonders des Scheck-, Überweisungs-(Giro-) und
Abrechnungs-(Clearing-)Verkehrs [1]).

Sie haben endlich für eine organische Verbindung des
Kredit- und Zahlungsverkehrs zu sorgen; letzteres insofern, als
sie vermöge ihrer Kreditgewährung die Forderungspapiere ihrer
Kundschaft (Wechsel, Schecks, Anweisungen usw.) zu sichern und
überall umlaufsfähigen Wertpapieren gestalten, also in bares Geld
umwandeln, und dieses dann wieder zur Einlösung fälliger Zahlungsverpflichtungen verwenden [2]).

Die geschichtliche Entwicklung des deutschen Bankwesens hat
den Kreis dieser Aufgaben noch erheblich erweitert.

Die um die Mitte des 19. Jahrhunderts beginnende Umgestaltung des gesamten Verkehrswesens durch die mit Dampf betriebenen Schiffe und Eisenbahnen (s. unten S. 32/33) und die damals
einsetzende Umwälzung vieler industrieller Betriebe durch den Einzug der Dampfmaschine ebnete, im Verein mit der Schaffung
großer und einheitlicher deutscher Wirtschaftsgebiete durch den
Zollverein (1833), den Ausdehnungs- und Weltmarkts-Tendenzen
der deutschen Industrie und damit in vielen Zweigen der letzteren
dem industriellen Großbetriebe die Wege.

Zur Erhaltung und Ausdehnung dieses Großbetriebes war
die Hingabe sowohl von Kapitalien wie von Betriebs- und Anlagekrediten in bisher selten dagewesener Höhe und Dauer erforderlich,
die meistens nur im Wege einer Ausgabe von Aktien oder Schuldverschreibungen ermöglicht werden konnte.

Es stellte sich ferner in stets wachsendem Umfange die Notwendigkeit heraus, behufs Erhöhung des Einzelkredits oder behufs
Erweiterung der Produktion oder Arbeitsteilung, sowie behufs Aufnahme des Wettbewerbs mit dem Auslande usw., bisherige Einzel-
unternehmungen in Aktiengesellschaften umzuwandeln oder neue
industrielle Unternehmungen in der Form der Aktiengesellschaft,
der zuverlässigsten Dienerin des kapitalistischen Großbetriebes, zu
begründen.

Sich hierbei direkt und dauernd zu beteiligen, war in dieser
Zeit in Deutschland das Privatpublikum im allgemeinen weder imstande, da es, anders wie in England, verfügbare Mittel in größerem

---

1) S. Heinrich Rauchberg, Der Clearing- u. Giro-Verkehr in Österreich-
Ungarn u. im Auslande (Wien, Alfred Holder, 1897), und hier namentlich: Die Be-
deutung der geldlosen Ausgleichung für die Abwicklung des volkswirtschaftlichen
Zahlungsprozesses und die Reform des österreichischen Zahlungsverkehrs, S. 180 ff.

2) Vgl. Heinrich Rauchberg a. a. O., S. 204.

Umfange nicht besaß, noch auch nur gewillt. Der Privatmann scheute sich, seine Kapitalien in Unternehmungen anzulegen, er begnügte sich lieber mit weniger Zinsen und kaufte sichere Staatspapiere[1]).

An eine ausgiebige Hilfe der schon bestehenden Noten-banken[2]), deren Vermehrung man allerdings schon seit langer Zeit im Interesse einer Vermehrung der Zahlungsmittel lebhaft verlangt hatte, war behufs Befriedigung der Kapital- und Kredit-bedürfnisse naturgemäß nur in ganz engen Grenzen, die ihnen durch ihre besonderen Aufgaben gesteckt waren, zu denken.

Ebenso konnte auch zu diesem Zwecke der damals, wenigstens in einigen Zentralpunkten, sehr mächtige Privatbankierstand (s. unten S. 37) nur in bescheidenem Umfange Mittel bereitstellen, da die letzteren weder auf die Dauer hierzu ausreichten, noch eine längere Festlegung gestatteten. Überdies war die damalige Organisation des Bankgeschäftes zu derart weitsichtigen und schwierigen Unternehmungen im allgemeinen weder geeignet, noch vorbereitet (s. unten S. 5/6).

Aus diesen inneren Gründen blieb für die Befriedigung der gewaltigen neuen Bedürfnisse nur die Schaffung besonderer Organe übrig, also von Aktienbanken, die behufs Befriedigung dieser Bedürfnisse ins Leben gerufen wurden. Diese konnten und mußten auch in immer steigendem Umfange durch genaueste Beobachtung der Geldmärkte und der Absatzmöglichkeit neu geschaffener Werte, sowie der Aufnahmefähigkeit ihrer Klientel immer mehr zu besonders sachverständigen, berufsmäßigen Vermittlern für die Befriedigung jener Bedürfnisse werden. Zugleich boten sie, schon durch ihre an sich unbegrenzte Dauer, die beste Gewähr da-

---

1) Dies wird für Sachsen ausdrücklich bezeugt von Rud. Banck, Geschichte der Sächsischen Banken, S. 5, war aber nichts für Sachsen Eigentümliches.

2) Die bis 1859 errichteten deutschen Notenbanken waren (unter Angabe des Gründungsjahrs) die folgenden: 1765 die Preußische Bank; 1824 die Ritterschaftliche Privatbank in Pommern zu Stettin; 1820 die Lübecker Privatbank; 1835 die Bayerische Hypotheken- und Wechselbank in München; 1839 die Leipziger Bank; 1847 die Anhalt-Dessauische Landesbank; 1848 die Städtische Bank in Breslau und die Chemnitzer Stadtbank; 1850 die Bank des Berliner Kassenvereins und die Rostocker Bank; 1853 die Weimarische Bank, die Homburger Bank und die Braunschweigische Bank; 1854 die Frankfurter Bank in Frankfurt a. M.; 1855 die Bank für Süddeutschland in Darmstadt, die Geraer Bank, die Kölnische Privatbank in Köln; 1856 die Mitteldeutsche Creditbank in Meiningen, die Bremer Bank, die Thüringische Bank in Sondershausen, die Niedersächsische Bank in Bückeburg, die Hannoversche Bank, die Privatbank in Gotha, die Magdeburger Privatbank und die Commerzbank in Lübeck; 1857 die Danziger Privat-Aktien-Bank und die Provinzial-Aktien-Bank in Posen. (Vgl. Adolf Soetbeer. Deutsche Bankverfassung, Erlangen, Palm & Encke, 1875, Tabelle zu S. 2.)

für, daß sie auch, wie es die Rücksicht auf ihren Emissionskredit nach deutschen Anschauungen erforderte, ein dauerndes Interesse an den durch ihre Vermittlung geschaffenen Unternehmungen und an den auf den Markt gebrachten Werten nehmen würden.

Es ist deshalb offensichtlich zu eng und sonach unrichtig, anzunehmen [1]), daß für alle oben geschilderten Aufgaben „die Hilfe eines an Zahl, Intelligenz und Geldmitteln gleich reichen Privatbankierstandes . . . völlig ausgereicht hätte", und daß die deutschen Kreditbanken lediglich oder fast ausschließlich deshalb entstanden seien, weil sich das Publikum „wie toll auf die allerspekulativsten Werte stürzte und man dieser spekulativen Jagd nach Eisenbahnaktien, Bergwerks- und Hüttenanteilen so viel wie möglich entgegenkommen wollte". Es ist jedoch ohne weiteres zuzugeben, daß diese Tatsachen mitgewirkt haben, insbesondere der Wunsch, sich durch den spekulativen Erwerb von Bankaktien an diesen, also indirekt auch an der durch die neuen Banken geförderten Industrie, selbst wenn man nur kleine Kapitalien besaß, zu beteiligen. („Spekulation auf die Spekulation".)

Immerhin steht es nach einer Reihe von Zeugnissen fest, daß es nicht eine lediglich örtliche Erscheinung ist, wenn für Sachsen bezeugt wird, daß, wenn es auch eine für die damalige Zeit beträchtliche Anzahl von Privatbankiers gegeben habe, „doch ihre Kräfte zur Befriedigung des Kreditbedürfnisses ungenügend waren" [2]), und selbst ohne solche Zeugnisse würde ein Blick auf die zur Befriedigung dieser Bedürfnisse in der ersten Epoche aufgelegten Emissionen dasselbe lehren.

Es wird ferner bezeugt, daß damals „gerade seitens der Privatbankiers die Notwendigkeit einer Kapitalkonzentration am meisten gefühlt und auf Abhilfe gesonnen wurde [3]), und wir wissen, daß fast in allen deutschen Staaten in den Komitees, welche die Konzession zur Errichtung von Noten-

---

1) So Alfr. Langsburgh (in der Zeitschr. „Die Bank", Nov. 1908, S. 1079 u. 1083) und in einer besonderen Schrift unter der Bezeichnung: „Das deutsche Bankwesen", Charlottenburg 1909, S. 48/49 u. S. 52. Wenn hier darauf verwiesen wird, daß Krupp sich auch ohne Inanspruchnahme einer Großbank den Namen eines „Kanonenkönigs" erworben habe, so ist zu erwidern, daß gerade Krupp in der ersten Zeit, wo eine Bankintervention nicht stattfand, sich überaus langsam entwickelt hat, vgl. Otto Jeidels, Das Verhältnis der deutschen Großbanken zur Industrie (Leipzig, Duncker & Humblot), S. 2.

2) Rud. Banck a. a. O., S. 5/6. Vgl. Herm. Schumacher, Die Ursachen und Wirkungen der Konzentration im deutschen Bankwesen (in Schmollers Jahrb. XXX, Heft 3), S. 5. Über die besonderen Gründe, weshalb man in Frankreich damals die Gründung des Crédit Mobilier in weiten Kreisen und auch seitens der Regierung besonders begrüßt und gefördert hat, vgl. unten S. 45.

3) So für Sachsen von Rud. Banck a. a. O., S. 6.

banken und von Kreditbanken — in Preußen bekanntlich lange
vergeblich — nachsuchten, zu einem großen Teile gerade Privatbankiers gesessen haben[1]). Schäffle[2]) geht sogar noch weiter,
wenn er in einer 1856 veröffentlichten Abhandlung ausführt:

> „Ist die Entwicklung der Volkswirtschaft in demjenigen
> Stadium angelangt, in welchem die Großindustrie ihr Kapital
> zum großen Teil durch Sammlung der kleinen Kapitalien
> erzielen muß, so müssen auch eigene volkswirtschaft-
> liche Organe zur Entwicklung kommen, welchen die
> spezielle Funktion der Initiative in der Aktien-
> industrie obliegt. Dieses Organ ist da in der Unter-
> nehmungsbank.
>
> Solange diese für die volkswirtschaftliche Berechtigung
> der Unternehmungsbank aufgestellten Prämissen nicht wissen-
> schaftlich widerlegt sind, sollten insbesondere Männer der
> Wissenschaft es vermeiden, sich mit dem Crédit mobilier wie
> Kinder mit dem Wauwau schrecken zu lassen."

So wurde in Deutschland nach der geschichtlichen Entwicklung das
Emissions-, Gründungs- und Umwandlungsgeschäft bei den Banken
zu einem regulären, d. h. zu einem dem regelmäßigen Geschäftsbetrieb angehörenden Geschäftszweig der Kreditbanken,
welche zugleich das sogen. laufende Geschäft betrieben. Dagegen
verzichtete man angesichts des — jedenfalls relativ — geringen
Betrages der zu rein bankmäßiger Anlegung verfügbaren Mittel
auf die Gründung besonderer Depositenbanken, deren Rentabilität
unter diesen Umständen nur eine sehr geringe sein konnte. —
Auch der, welcher der ganzen kapitalistischen und industriellen
Entwicklung, wie sie in den letzten Jahrzehnten bei uns in die Erscheinung trat, grundsätzlich ablehnend gegenübersteht, wird die
Tatsache jener Erweiterung des regelmäßigen Geschäftsbetriebs der
deutschen Banken unerquicklich finden, bedauern oder tadeln können,
aber er wird sie nicht zu ändern vermögen, solange die Gründe
vorliegen, die dazu geführt haben.

Diese aber werden nach meiner Überzeugung vorläufig fortbestehen, und zwar sowohl angesichts unseres erheblichen Bevölkerungszuwachses und unseres, jedenfalls im Vergleich mit anderen
Ländern, noch immer nicht bedeutenden Reichtums, wie angesichts

---

1) So u. a. bei dem Gesuch um die Konzession zur Errichtung der „Frankurter
Vereinsbank" vom Jahre 1864 (Geschichte der Handelskammer zu Frankfurt a. M.,
1707—1708, S. 669); vgl. den § 1 der Satzungen der Bank für Handel und Industrie
(Darmstädter Bank) in Darmstadt von 1853.

2) Das heutige Aktienwesen im Zusammenhang mit der neueren Entwicklung
der Volkswirtschaft (Deutsche Vierteljahrsschrift, Heft 3, 1856, J. G. Cotta), S. 296/297.

unserer Stellung in der Weltwirtschaft, die überaus schwer zu erringen war, aber noch viel schwerer auf die Dauer zu erhalten sein wird. – Schon aus der Schilderung dieser geschichtlichen Entwicklung des Wirkungskreises der deutschen Banken geht hervor, daß eine richtige und gesunde, d. h. eine dem Gemeinwohl entsprechende Handhabung und Gestaltung der verschiedenen, tief in den wirtschaftlichen Organismus der Nation eingreifenden Zweige des Bankbetriebes, insbesondere gerade der letzterwähnten Zweige, in schärfstem Gegensatz zu der von Lotz mitgeteilten Äußerung, sogar zu den wichtigsten sozialen Fragen — denn es gibt so viele soziale Fragen, als es soziale Betätigungen gibt — gehören und die meisten sozialen Fragen nahe berühren muß.

2. Im besonderen.

a) In normalen Zeiten.

Es ist erforderlich, den zuletzt aufgestellten Satz durch Erörterung der Hauptrichtungen der bankmäßigen Tätigkeit noch im einzelnen zu beweisen.

Sicherlich liegt es nicht in der Hand eines Einzelnen, nicht in der des Gesetzgebers und nicht in der Hand des Leiters der größten Bank, zu bewirken, daß nur die guten Seiten der kapitalistischen Wirtschaftsordnung im Wirtschaftsleben zur Geltung gelangen. Aber es ist die dringendste und vornehmste Pflicht der Banken und Bankiers, wenigstens innerhalb ihres Wirkungskreises und nach Maßgabe ihrer Kräfte, dahin zu streben, daß das Gewinn- und Verlustkonto der kapitalistischen Wirtschaftsordnung mit einem Saldo zugunsten des wirtschaftlichen Fortschritts abschließe.

Sie haben zunächst die nationale Wirtschaft in allen ihren Betätigungen, also alle produktiven Stände ohne Unterschied, zu fördern, soweit die von diesen in Anspruch zu nehmenden Dienste und Kredite bankmäßiger Natur sind und nicht mit den notwendigen Voraussetzungen einer gesunden Bankpolitik in Widerspruch stehen; diese letzteren Bedingungen werden namentlich für die Art und den Umfang der Unterstützung maßgebend sein, welche die Kreditbanken der Landwirtschaft zu gewähren in der Lage sind.

Sie haben ferner die Höhe der einzuräumenden Kredite in angemessenen Grenzen zu halten und ungesundem Kreditbegehr nach Maßgabe ihres Könnens Widerstand zu leisten. Sie müssen daher versuchen, sich über die Gesamtlage der auf ihre Förderung in erster Linie angewiesenen Geschäftszweige der Industrie und des Handels jederzeit genau zu unterrichten, um notwendige Bedürfnisse von unrichtigen Vergrößerungs- und Erweiterungsgelüsten unterscheiden und einschreiten oder doch zurückhaltend und einschrän-

kend wirken zu können, wo die Formen und der Umfang des in
Anspruch genommenen Kredits eine ungesunde Entwicklung befürchten lassen.

Sie müssen dem Anlage suchenden Publikum gegenüber die
Rolle des getreuen Maklers spielen, der es auf Vorteile und Gefahren
der gesuchten Kapitalanlage auf Grund seiner Erfahrung und sachverständigen Kenntnis aufmerksam zu machen und ihm insbesondere
die mit höher verzinslichen oder Dividenden tragenden Wertpapieren
verbundenen Gefahren in sachlicher Weise klarzulegen hat.

Sie sollen ihr Akzept nur für wirtschaftlich angemessene Zwecke
zur Verfügung stellen und das Effektenkommissionsgeschäft ebenso
wie das Report- und Lombardgeschäft — innerhalb der Grenzen des
Möglichen, und soweit ihnen die beabsichtigten Zwecke erkennbar
sind — so gestalten, daß es nicht einer wüsten und ungesunden
Spekulation Vorschub leiste.

Sie haben im Emissionsgeschäft besondere Vorsicht zu
beobachten, um nicht durch eine Überproduktion von Werten oder
durch unsolide Emissionen den Markt zu belasten und nicht nur die
Abnehmer, sondern auch gleichzeitig ihren eigenen Emissionskredit
dauernd und schwer zu schädigen. Sie dürfen insbesondere nur
solche Unternehmungen in Aktiengesellschaften umwandeln, die sich
nach ihrer Natur zu dieser Gesellschaftsform eignen, und sie müssen
vor der Entschließung über Gründung oder Umwandlung von Unternehmungen eine überaus vorsichtige Schätzung der zu erwartenden
Rentabilität des einzelnen Unternehmens eintreten lassen und überdies die augenblickliche Lage des gesamten in Frage kommenden
Industrie- oder Geschäftszweiges und, soweit möglich, auch die Zukunftsaussichten und Gefahren desselben untersuchen.

Sie haben endlich nicht nur eine gesunde Dividendenpolitik,
sondern auch eine angemessene Wirtschaftspolitik zu betreiben,
also, ungeachtet verlockender Augenblicksgewinne, Geschäfte dann
zu unterlassen, wenn sie nicht zugleich wirtschaftlich richtig erscheinen, oder wenn sie der Gesamtwirtschaft schädlich werden müssen.

Die Aufgaben, welche hiernach die deutschen Banken in normalen
Zeiten zu lösen hatten, sind schrittweise immer ausgedehnter und
immer schwieriger und verantwortlicher geworden; die Zahl dieser
Aufgaben und der Wirkungskreis der deutschen Banken wuchs mit
der Größe, der Einheit und der Macht des Vaterlandes. Ihnen, und
hier wieder vor allem den Großbanken, lag es ob, die 1875/76 errichtete Reichsbank in ihrer Währungs- und Diskontpolitik in
ihren Bemühungen um Einführung und Hebung des Giro-, Ab-
rechnungs- und Scheckverkehrs verständnisvoll zu unterstützen,
was häufig nicht in vollem Umfange geschehen ist; ferner mittels
der von ihnen gegründeten Hypothekenbanken und Terraingesell-

schaften die staatliche und kommunale Bodenpolitik, was nicht
immer als nötig angesehen wurde, gegenüber rein spekulativen und
dem öffentlichen Interesse nicht Rechnung tragenden Bestrebungen
zu unterstützen. Sie hatten auf unzähligen Wegen, namentlich durch
eine lebhafte Beteiligung bei der Ausgestaltung des Staats- und
Kommunal-Kredits, die Erfüllung wichtiger Aufgaben des
Staats und der Selbstverwaltung, den Aufschwung der
deutschen Städte und den Ausbau unserer Häfen, Bahnen
und Verkehrswege, zu ermöglichen. Sie mußten für das Fortschreiten der deutschen Binnenschiffahrt, für den Ausbau des
deutschen Eisenbahnnetzes und für die gewerbliche Verwertung
von elektrischem Licht und elektrischer Kraft Sorge tragen.

Sie hatten dem als Pionier deutschen Handels über See ziehenden
Kaufmann mit Rat und Tat zur Seite zu stehen, der industriellen
Exportpolitik die Erfüllung ihrer für die Ernährung und Beschäftigung des Bevölkerungsüberschusses notwendigen Aufgaben zu
erleichtern und die wirtschaftliche Entwicklung unserer Kolonien
sowie unsere überseeischen Kabelverbindungen durch eine Reihe
von nicht unmittelbaren Erfolg versprechenden Unternehmungen zu
fördern. Sie hatten, wenn auch unter manchen schweren Erfahrungen,
durch Eintritt in den von den meisten großen Nationen bereits
längst zuvor begonnenen Wettbewerb um die Übernahme ausländischer Anleihen, durch die Begründung auswärtiger Unternehmungen und durch Anknüpfung oder Vermittlung internationaler geschäftlicher Beziehungen unseren finanziellen
und damit unseren politischen Einfluß im Auslande zu stärken. Sie
hatten dem deutschen Namen im Auslande durch Unterstützung unserer
Seeschiffahrt und durch Errichtung eigener Banken im Auslande zu früher ungeahnter Bedeutung mit zu verhelfen und durch
diese Tätigkeit die deutsche geschäftliche und politische Einflußsphäre zu erweitern. Sie hatten endlich unsere finanzielle Kriegsbereitschaft und Kriegsführung durch eine vorsichtige Finanzpolitik vorzubereiten.

Es wird im folgenden zu erörten sein, inwieweit und in welcher
Weise die deutschen Banken diesen auf S. 7—9 angedeuteten Aufgaben gerecht geworden sind. —

Ist schon die Schwierigkeit und Fülle der nach außen zu
lösenden Aufgaben eine ungemein große, so ist sie es nicht minder
im Innern. Denn hier gilt es vor allem, zwei Grundsätze nicht nur
zu erkennen und zur Grundlage des geschäftlichen Wirkens zu
machen, sondern auch in allen Wechselfällen, in der Hast des Tages,
in der Jagd nach Geschäften, in der Auffindung der Wege und
Mittel zur Lösung sich stürmisch drängender neuer Aufgaben un-

erschütterlich festzuhalten: das Prinzip der Risikoverteilung auf der einen und der Liquidität der Mittel auf der anderen Seite. Der bei weitem größte Teil der Fehler, die auf dem Gebiete des deutschen Bankwesens gemacht, und der Vorwürfe, die gegen dasselbe erhoben wurden, läßt sich auf eine dem Bankwesen zur Last fallende oder ihm doch vorgeworfene Verkennung oder Verletzung dieser Grundlagen jeder gesunden Bankpolitik zurückführen. Der Grundsatz der Risikoverteilung ist fast auf allen Gebieten bankmäßiger Tätigkeit, also sowohl bei der Kreditgewährung auf dem Wege kurzfristigen oder langfristigen Kredits, wie im Gründungs-, Umwandlungs-, Emissions- und Konsortial-Geschäft, zu beachten. Er fordert u. a., daß nicht ein Zweig des laufenden Geschäfts in übermäßiger und ungesunder Weise auf Kosten eines anderen einseitig gepflegt werde; daß nicht der Gesamtbetrag der auf Grund sorgfältiger Auswahl eingeräumten Blankokredite in ungesundem Verhältnis zu den gedeckten Krediten stehe; daß die einem einzelnen Industriezweig oder einem einzelnen Unternehmen eingeräumten Kredite nicht zu hoch seien; daß bei jeder Übernahme und Emission von Werten, da stets mit der Möglichkeit eines Umschlags der politischen und wirtschaftlichen Verhältnisse oder der für den Einzelfall in Betracht kommenden Konjunkturen und Aussichten zu rechnen ist, auf eine angemessene Abgabe von Beteiligungen, also auf eine Verminderung des Risikos, selbst bei aussichtsreichsten Geschäften und glänzendster Marktlage, Bedacht zu nehmen ist, u. a. m.

Was die Liquidität der Bilanz angeht, so gehört deren Erreichung und Festhaltung ebenso zu den notwendigsten, wie, angesichts der kaum übersehbaren Fülle der an die Mittel der Banken und Bankiers gestellten Ansprüche und der von ihnen zu verfolgenden Ziele, zu den schwierigsten Aufgaben der Bankpolitik.

Sie ist um so schwieriger, als die Herstellung des richtigen Verhältnisses der sofort greifbaren Aktiven zu den Passiven, insbesondere zu den jederzeit oder in absehbarer Zeit fälligen Verpflichtungen, nicht immer lediglich von dem Willen und der Einsicht der Bank abhängt. Denn es ist stets mit der Möglichkeit zu rechnen, daß z. B. eine bei stark gestiegenem Geschäftsumfang zur Herstellung der nötigen Liquidität der Bank an sich erforderliche Ausgabe neuer Aktien in schlechten oder kritischen Zeiten unmöglich ist, die Bank also gerade dann festgelegt sein würde, wenn sie vor allem berufen wäre, die allgemeine Bedrängnis durch richtiges Einschreiten zu mildern.

Es gilt also, die Liquidität der Bilanz durch immer erneut aufzustellende Generaldispositionen, wie sie auch stets bei den deutschen Großbanken mit der größten Sorgfalt und in kürzesten

Zwischenräumen neben den täglichen Kassendispositionen aufgestellt werden[1]), beständig nachzuprüfen; die Summe der alsbald
greifbaren Mittel durch eine richtige Zusammensetzung des Effektenkontos und des Wechselportefeuilles zu vermehren, die Reserven —
ausgewiesene und innere — zu stärken und die Höhe der Verbindlichkeiten sowie ihr Verhältnis zu den liquiden Mitteln in steter
Wachsamkeit zu regeln.

Man kann wohl sagen, daß in allen diesen Richtungen gerade
bei den deutschen Banken und besonders bei den Großbanken —
im Durchschnitt jedenfalls — manches geschehen ist und täglich
geschieht. Hierdurch werden aber auch am wirksamsten die Einwendungen entkräftet oder doch auf ein bescheidenes Maß zurückgeführt, die immer wieder gegen die Einbeziehung des Depositengeschäfts in den Wirkungskreis unserer Banken erhoben werden.
Denn jedenfalls kann von einer „Gefahr" nicht mehr die Rede sein,
wenn den Depositen und den übrigen sofort oder rasch fälligen
Verpflichtungen durchweg eine mehr als ausreichende Deckung in
sofort greifbaren Aktiven gegenüber steht, und wenn noch dazu
auch bei der Auswahl der eigenen Effekten besondere Vorsicht gebraucht wird, wie z. B. die Deutsche Bank ausweislich ihres Abschlusses
per 31. Dez. 1910 unter ihren Effekten in Höhe von 47,9 Mill. M.
etwa 37,2 Mill. M. an deutschen Staatspapieren aufführen konnte.

Wir werden später diese Frage eingehender zu erörtern haben[2]).

b) In kritischen Zeiten.

Wenn der Kreis der bankmäßigen Aufgaben, welche wir hier
natürlich nur in den wesentlichsten Richtungen und in ganz großen
Zügen haben zeichnen können, bereits in normalen Zeiten ein ungemein
weit ausgedehnter ist, der eine große Fülle von Einsicht und Vorsicht, von Kenntnissen und Erfahrungen bedingt, so erhöht sich der
Umfang und die Schwierigkeit dieser Aufgaben noch sehr erheblich
vor, bei und nach den Krisen, die von Zeit zu Zeit den Wirtschaftskörper bei uns und in anderen Staaten zu erschüttern pflegen.

---

1) Bei jenen Generaldispositionen findet auch, wie beiläufig gegenüber der
Anzweiflung Warschauers (Zur Aufsichtsratsfrage in Conrads Jahrb., III. Folge,
Bd. XXVII, S. 794/795) festgestellt sei, eine dauernde Mitwirkung der Aufsichtsräte statt. Gerade bei den Großbanken, auf die Warschauer exemplifiziert,
um die völlige Ohnmacht des Aufsichtsrats hinsichtlich der Dispositionspolitik zu
erweisen, wird dem Aufsichtsrat seitens des Vorstands in jeder Sitzung, also
mitunter jeden Monat, eine Generaldisposition vorgelegt, welche in dieser
Sitzung nicht nur geprüft, sondern, soweit Anlaß gegeben ist, auch eingehend erörtert
wird.

2) Siehe unten Abschnitt III, Zweites Kapitel, § 2 unter 1 A,: Das
Depositengeschäft.

Eine dauernd krisenlose Zeit wird es wohl so wenig jemals geben, wie den ewigen Frieden. Aber wie es die Pflicht der Staatsmänner und der Staatspolitik ist, die Möglichkeit und Wahrscheinlichkeit von Kriegen durch vorsichtige Beseitigung, Verhinderung oder Milderung aller politischen Gleichgewichtsstörungen mit der Zeit immer mehr zu verringern, so ist es die Aufgabe der Leiter der großen Banken, welche in immer wachsendem Umfang eine genaue Kenntnis der innern Verhältnisse der Industrie und des Handels, der Börse, der finanziellen und wirtschaftlichen Markt- und Weltlage besitzen müssen, den plötzlichen Eintritt von Krisen, also von wirtschaftlichen Gleichgewichtsstörungen, durch eine sorgsame vorbeugende Geschäftspolitik auf allen oben angedeuteten Gebieten, soweit dies auf Grund äußerer Einwirkung geschehen kann, immer mehr zu verhindern.

Hierzu gehört vor allem eine genaue Kenntnis derjenigen Erscheinungen, welche gleich Sturmvögeln dem heraufziehenden Gewitter vorauseilen, es also dem kundigen Blick anzukündigen pflegen.

Die Wissenschaft vermag in neuerer Zeit mit Hilfe besonders empfindlicher Instrumente, Erdbeben, sowie auf Grund genauer Kenntnis der für eine Witterungsänderung maßgebenden Faktoren und der Berichte der Wetterstationen, Stürme vorauszusehen und so die Beteiligten rechtzeitig zu warnen.

In ähnlicher Weise sollten kundige Beobachter auf Grund neuerer wissenschaftlicher Hilfsmittel und der Kenntnis früherer Krisen, unbeirrt vom Flusse der Erscheinungen, auch auf wirtschaftlichem Gebiet nach und nach dahin gelangen können, Gleichgewichtsstörungen wie in einem wirtschaftlichen Seismographen abzulesen und so das Herannahen von Kriesen voraussagen.

Das Studium der Geschichte der Krisen[1]), in denen im wesentlichen längere und erhebliche Störungen der Grundlagen entweder des Produktions- oder Bedarfs- oder Absatz-Systems, oder des Zahlungs- oder Kredit-Systems, oder des gegenseitigen Verhältnisses dieser Systeme zueinander zu erblicken sind, läßt in oft geradezu

---

1) Eine Krisentheorie zu geben, liegt selbstverständlich außerhalb des Rahmens dieser Arbeit. Hierüber möge aus neuerer Zeit namentlich verglichen werden: Michael von Tugan-Baranowsky, Studien zur Theorie und Geschichte der Handelskrisen in England (Jena 1901, Gust. Fischer) und Ludwig Pohle, Bevölkerungsbewegung, Kapitalbildung und periodische Wirtschaftskrisen (Göttingen 1902, Vandenhoeck & Ruprecht) sowie die Kritik beider Theorien von Arthur Spiethoff (Schmollers Jahrb. f. Gesetzgebung usw., 27. Jahrg., Heft 2, S. 331 ff.).

Ein sehr ausführliches Verzeichnis der bis 1899 erschienenen Schriften und Artikel, die sich mit der Krisenfrage beschäftigen, s. bei Theodore E. Burton, Financial Crises and Periods of Industrial and Commercial Depression (New-York 1902, D. Appleton & Co.). S. 347—377; leider sind aber in dieses Verzeichnis auch ganz wertlose Arbeiten aufgenommen.

überraschender Weise erkennen, daß da, wo gleiche Ursachen vorhanden sind, auch die Wirkungen sich in derart ähnlicher Weise abspielen, daß es mitunter aussieht, als habe die eine Krisis der anderen den Text so „abgeschrieben", wie ein Schüler dem anderen zuweilen seine Aufgabe oder, was auch nicht allzu selten vorkommt, ein Gesetzgeber dem anderen seinen Gesetzentwurf abschreibt.

Aus der Geschichte der unter jedem Banken-System im In- und Ausland eingetretenen Krisen [1]), deren Kenntnis ich als ein

---

1) Über die englischen Krisen vgl. das überaus lehrreiche Buch von J. W. Gilbart (vorm. Direktor der London- and Westminsterbank): „The History, Principles and Practice of Banking" (ed. 1901, London, George Bell & Sons), und zwar über die Krisis von 1825, eod. I, S. 310/11; über die Krisis von 1836, eod. I, S. 311 ff.; über die Krisis von 1857, eod. II, S. 361 ff. und über die Krisis von 1866, eod. II, S. 342 ff.

Im Jahre 1836 waren allein in Liverpool und Manchester 70 neue Gesellschaften jeder möglichen Art in drei Monaten begründet worden. Die Leichtigkeit des Kredits und die dadurch hervorgerufene Ermutigung der Spekulation führten Preiserhöhungen von 25—100% für alle Hauptverbrauchsartikel und die Rohstoffe der Industrie herbei. Im Juli 1836 erhöhte die Bank von England ihren Diskont auf 4½, im September auf 5%. Gleichzeitig lehnte sie es ab, eine große Anzahl amerikanischer Wechsel auf erste Häuser zu diskontieren, was Erregung verursachte. Die Preise fielen, eine Reihe von Handelshäusern, besonders solche zweiten Ranges, fallierten. Die Banken hielten mit ihren Mitteln zurück und vermehrten so die Krisis. Die Joint Stock Banks hatten sich riesig vermehrt, hatten große Kapitalserhöhungen vorgenommen und der Spekulation Vorschub geleistet. Dies wurde in einem „Report of the Secret Committee of the House of Commons" in sehr unfreundlichem Tone hervorgehoben, was, in Verbindung mit der herrschenden Niedergeschlagenheit, das Mißtrauen des Publikums hervorrief. Im November 1836 stellte dann die Agricultural & Commercial Bank of Ireland ihre Zahlungen ein, was einschränkende Maßregeln gegenüber den Joint Stock Banks zur Folge hatte, die sonst gewöhnt waren, ihre Wechsel in London rediskontieren zu lassen. Im Dezember 1836 mußte die Northern & Central Bank of Manchester mit einem eingezahlten Kapital von 800 000 £ die Hilfe der Bank von England nachsuchen. Eine Londoner Privatbank, drei große Agenturen amerikanischer Firmen und sehr viele achtbare Handlungshäuser folgten.

Im Jahre 1857 (eod. II, S. 361 ff.) fielen in England 30 Häuser mit etwa £ 9 080 000 (also über 180 Mill. M.) Verbindlichkeiten; zuerst die Borough Bank in Liverpool (Oktober 1857) mit £ 1 200 000 Depositen, wovon £ 800 000 at call; dann — am 9. Nov. 1857 — die Western Bank of Scotland, eine sehr bedeutende schottische Depositenbank mit 161 Filialen in Schottland, die noch 1856 9% Dividende verteilt hatte. Sie hatte an vier insolvent gewordene Handlungshäuser allein £ 1 603 000 zu fordern, während ihr ganzes Nominalkapital nur £ 1 500 000 betrug, und hatte einen Betrag von £ 260 000 in den veröffentlichten Bilanzen unter den „good assets" aufgeführt, den die Managers nach aufgefundenen Notizen selbst als uneinbringlich bezeichnet hatten. Die von einem der vier insolvent gewordenen Häuser ausgestellten Wechsel waren von 124 verschiedenen Personen akzeptiert worden; nur hinsichtlich 37 dieser Akzeptanten hatte die Bank Erkundigungen eingezogen und von letzteren waren 21 entweder unbefriedigend oder positiv schlecht ausgefallen.

Im Jahre 1864, also kurz vor der Kredit- und Spekulationskrisis des Jahres 1866 (eod. II, S. 342—357), waren in England 263 Gesellschaften mit einem Nominalkapital von £ 78 135 000 gegründet worden, darunter 27 Banken und 15

unumgängliches Erfordernis für jeden Bankleiter ansehe, kann nun aber vor allem mit Sicherheit festgestellt werden, daß fast aus-

„discount companies". Der Bankdiskont, welcher noch Mitte 1865 3% betragen hatte, ging am 2. Okt. 1865 auf 5, am 7. Okt. 1865 auf 7% hinauf, während gleichzeitig die Bank von Frankreich ihren Diskont von 4 auf 5% erhöhte. Anfang 1866 brach die Joint Stock Discount Company zusammen; April 1866 die Barneds Bank in Liverpool mit 3½ Mill. £ Verbindlichkeiten, was eine Panik hervorrief. Am 8. Mai 1866 erhöhte die Bank von England den Diskont auf 8, am 9. Mai auf 9%. Am 20. Mai 1866 brach das große Diskonthaus Overend Gurney & Co. zusammen mit 10 000 000 £ Verbindlichkeiten; der Bankdiskont wurde auf 10% erhöht. Es fielen dann rasch hintereinander die Bank of London, die Consolidated Bank, die Agrar & Mastermans Bank — sämtlich Depositenbanken! — ferner die English Joint Stock Bank, die Imperial Mercantile Credit Company, die European Bank u. a. m. Die Bank von England hatte in zehn Tagen für 12 225 000 £ Vorschüsse auf Wechsel gewährt und Wechsel diskontiert; es wurde ihr gestattet, über die gesetzliche Grenze hinaus Noten auszugeben. Die Turen der respektabelsten Bankhäuser wurden belagert, die umlaufenden Gerüchte schonten die besten Namen nicht und vergrößerten das Übel. — Man hatte ohne Wahl Kredite gegeben und die Spekulation nach jeder Richtung teils selbst getrieben, teils begunstigt: „Die Menschen wollen eben so rasch als möglich reich werden. Das ist nichts Neues, es ist überall und in allen Ländern ebenso gewesen. Es ist nur jetzt öffentlicher denn je. Die Menschen leben, wie sie reisen, mit Eisenbahngeschwindigkeit" (eod II, S. 356). Siehe ferner Max Wirth, Geschichte der Handelskrisen, 2. Aufl., Frankfurt a. M. 1874, und für die Krisis von 1857; Otto Michaelis, Volkswirtschaftliche Fragen, Bd. I (Berlin, F. A. Herbig, 1873), S. 237—372: Die Handelskrisis von 1857 (dieser letztere Artikel ist geschrieben vom März 1858 bis Mai 1859). —

Sehr interessantes Material wird jetzt für die Vereinigten Staaten von Amerika beigebracht von O. M. W. Sprague, History of Crises under the National Bankig System (in den Publikationen der National Monetary Commission, Document Nr. 538, Druck 1910 im Government Printing Office), und zwar insbesondere über die Krisen von 1873, 1893 u. 1907 sowie uber die Panik vom März 1884 und die „financial stringency" von 1890.

Wahrend der Krisis von 1873 kamen 10 National Banks unter den Receiver (eod. Tab. zu S. 81); im Laufe der Krisis von 1893 suspendierten ihre Zahlungen nicht weniger als 158 Nationalbanken, die ein Gesamtkapital von $ 30 350 000 besaßen = 4,09% der uberhaupt bestehenden Nationalbanken und ungefähr 4,3% des eingezahlten Aktienkapitals aller Nationalbanken. Von jenen 158 kamen 65 mit einem Gesamtkapital von $ 10 935 000 unter receivership. (eod. S. 190 ff u. 400 ff.: Report of the Comptroller of the Currency 1893, p. 10—12). Während der Krise von 1907 trat im November, beginnend bei den New-Yorker Banken, eine „teilweise Einstellung oder Einschrankung der Barzahlungen fast im ganzen Lande ein" (teilweise suspension oder restriction), eod. S. 286. Nicht nur im Verkehr zwischen den Banken sondern zum Teil, wenn auch nicht in großem Umfang, auch im Verkehr von Banken mit Privaten, traten clearing house loan Certificates an die Stelle von Barzahlungen. Von den 106 Clearing houses gaben 60 derartige Certificate aus (eod. S. 290). In Providence RJ, war eine große Trust Company mit Depositen im Betrage von $ 25 000 000 genötigt, zu schließen, die St. Francisco Trust Company mit $ 9 000 000 Depositen mußte im November, die National Bank of Commerce in Kansas City im Dezember den Konkurs erklären. Die verschiedenen Westinghouse-Gesellschaften kamen in die Hande von receivers und die Pittsburger Börse ebenso wie die in New Orleans schloß ihre Räume im ganzen November und Dezember. Obwohl die Regierung fast die Hälfte der Beträge, welche die New-Yorker National Banks auf Drängen

nahmslos jeder Krisis (Börsen-, Kredit-, Handels-, Produktions- usw. Krisis) ein mehr oder minder starkes Hinaufschnellen des Satzes für kurzfristigen Kredit, also des Diskonts, vorauszugehen pflegt. Ebenso wird fast durchweg — als wesentlichste Ursache jener Diskontsteigerung — eine über die vorhandenen Befriedigungsmittel weit hinausgehende, erhebliche Zunahme des Kreditbegehrs zu bemerken sein, der, sobald eine staatliche Zentralnotenbank existiert, auch in starker Vermehrung der Inanspruchnahme der Mittel dieser Bank seinen Ausdruck finden wird.

Ob mit dieser Zunahme des Kreditbegehrs, wie dies meist der Fall sein wird, ein erhebliches Anwachsen der börsenmäßigen Spekulation Hand in Hand geht, sind gerade die Banken auf Grund ihrer genauen Kenntnis der Börsenlage, des Kursniveaus, der Reports und Deports, der Sätze für tägliches und Ultimogeld usw., in erster Linie zu erkennen in der Lage. Sie können auch, und zwar je größer ihr Kundenkreis und ihr Geschäftsumfang wird, um so sicherer, aus der Höhe und Art der Inanspruchnahme ihres Wechsel-, Akzept- und Kontokorrentkredits, sowie aus der Höhe der Report- und Lombardkonten ihrer Kundschaft Schlüsse auf das Vorhandensein oder das Herannahen einer Überspekulation ziehen, die den Ausbruch einer Börsenkrisis befürchten läßt.

Das Herannahen einer industriellen oder Handelskrisis kann aber nicht nur aus allgemeinen wirtschaftlichen Verhältnissen, sondern gleichfalls aus einer Reihe von Vorgängen erkannt oder geschlossen werden, die sich im bankmäßigen Verkehr abspielen oder hier erkennbar werden:

In erster Linie aus der überhandnehmenden Inanspruchnahme der Kreditmittel der Zentralnotenbank und, bei der immer zunehmenden engen Verbindung der Industrie mit der Bankwelt, aus einer Reihe von im inneren Bankbetrieb sowie in der Verschlechterung der Liquidität der Bankbilanzen und in der Verminderung der

---

der nicht einheimischen Banken hatten zurückzahlen mussen, in den 2 Wochen, die mit dem 2. November 1907 endeten, diesen Banken zur Verfügung stellte ($ 25 000 000 am 24. Oktober und $ 36 000 000 am 31. Oktober 1907), hatten doch die solventen New-Yorker Banken während dieser 2 Wochen noch $ 36 000 000 aus ihren Reserven den einheimischen Depositen-Gläubigern einschließlich der Trust Companies auszuzahlen (eod. S. 264).

Während der „Panik" von 1884 schloß zunächst die Marine National Bank (City of New-York) ihre Bureaus am 6. Mai. Bei der Prüfung der Bücher ergab sich, daß eine einzige Firma der Bank $ 2 430 500, mehr als das Sechsfache des Bank-Kapitals, schuldete; ein Teil der Schulden lief auf den Namen vorgeschobener Personen, so von Angestellten der Firma und Verwandten der Inhaber. —

Die Vergleiche mit entsprechenden deutschen Krisen liegen auf der Hand. Die Erinnerung an die Krisen scheint freilich häufig rascher zu vergehen als die Wunden, die sie schlagen, aber diese Tatsache sollte keine Geltung haben für die Leiter der Banken, welche aus jeder Krisis Lehren ziehen müßen

verfügbaren Barmittel sich wiederspiegelnden Vorgängen, die natürlich nicht immer sämtlich, noch weniger gleichzeitig vorhanden
sein müssen. Hierzu gehört insbesondere: die sprunghafte und immer
auffälliger werdende Vergrößerung der Kreditbedürfnisse und die
starke und schließlich völlige Zurückziehung der Barguthaben;
die Verdrängung des kurzfristigen Kredits durch den langfristigen;
die überhandnehmende Erneuerung fälliger Wechsel; das immer
zunehmende Angebot minder guter und nicht bankmäßiger Sicherheiten; die — allerdings zunächst schwer erkennbare — Inanspruchnahme bankmäßigen Kredits, insbesondere des Akzeptkredits, seitens
der Industrie nicht für laufende Betriebszwecke, sondern zur Divi-
dendenzahlung oder zur erheblichen Vermehrung der stehenden
Kapitalien (Erweiterung der Anlagen, Anschaffung von Maschinen,
Terrains usw.)[1]); die fortgesetzte Entnahme von Vorschüssen ohne
Angabe oder mit Verschleierung des Verwendungszwecks; die immer
stärker werdende Verzögerung des rechtzeitigen Eingangs fälliger
Zahlungen und der sogenannten „Spezifikationen"[2]) in der Industrie
(die allerdings den Banken meist erst nach und nach und selten
im ganzen Umfange bekannt wird); ferner die starken und raschen
Veränderungen der Preise, insbesondere das Emporschnellen der Roh-
stoff- und Warenpreise; endlich ein Übermaß von Gründungen, Umwandlungen und Emissionen und die massenhafte Errichtung von bloßen
Hilfsgesellschaften, von Tochter-, Finanz- und Trustgesellschaften.

Auch die Höhe der Goldproduktion und der Gold-Ein- und
Ausfuhr hat man, obwohl diese Faktoren, wenigstens in der überwiegenden Mehrzahl der Fälle, wie Helfferich[3]) besonders für die
letzte deutsche Krisis mit mathematischer Schärfe nachgewiesen hat,
nicht die ihr von Sombart zugeschriebene Bedeutung haben dürften,
beständig im Auge zu behalten; ebenso wie die Schwankungen der
Wechselkurse und des Diskonts (des Bank- und Privatdiskonts).

Endlich ist neuerdings — dies vor allem meinte ich, wenn ich
oben (S. 12) die neueren wissenschaftlichen Hilfsmittel erwähnte — durch
wertvolle Arbeiten, in Deutschland zuerst in den von J. Jastrow,

---

1) Dies zeigte sich besonders deutlich in der deutschen Krisis von 1900 und in
der deutschen und amerikanischen von 1873. Von der letzteren sagt Theodore E,
Burton (a. a. O. S. 287): „There was an enormous absorption of circulating
capital in fixed capital. Railways as well as docks, buildings and factories,
had been constructed on an unprecedented scale. All the equipment for future pro-
duction was increasing at a more rapid pace than ever before. In these expenditures
we have the effect of capital invested for objects not immediately remunerative."
2) S. § 375 HGB.
3) Der deutsche Geldmarkt 1895—1902 in den Schriften des Vereins f.
Sozialpolitik, Bd. CX: (Die Störungen im deutschen Wirtschaftsleben während der
Jahre 1900 ff., Bd. VI: Geldmarkt, Kreditbanken), S. 3—80.

dem Herausgeber des „Arbeitsmarktes', später in den von amtlicher Seite im Reichsarbeitsblatt veröffentlichten Berichten über den Arbeitsmarkt, speziell über Angebot und Nachfrage bei den öffentlichen Arbeitsnachweisen und über die Arbeitslosen, ein (mindestens in gewissem Umfange und unter verschiedenen Vorbehalten) sehr wesentliches und wichtiges Hilfsmittel für die Erkenntnis des Herannahens industrieller oder Handelskrisen geschaffen worden, welches nicht übersehen werden darf [1]).

Ein Mangel in der Beobachtung und Beachtung dieser Ursachen, zumal wenn er etwa durch Unkenntnis der früheren heimischen und auswärtigen Krisen hervorgerufen wird, ist einer der schwerwiegendsten und bedenklichsten Fehler, die Bankleitern zur Last fallen können. Er ist um so weniger verzeihlich, je weiter mit zunehmendem Macht- und Kapitalzuwachs der Banken der Umfang des Gebietes wird, auf dem die erforderliche Einsicht in die allgemeine wirtschaftliche Lage gewonnen werden kann, und je größer dann zugleich der Einfluß ist, den eine vorsichtige Geschäftspolitik in solchen Fällen ausüben kann und muß. Denn jener Mangel verhindert die Bankleitung, rechtzeitig, d. h. also vor Ausbruch der Krisis, diejenigen Maßregeln zu ergreifen, welche eine Krisis, wenn auch freilich nicht auszuschließen, aber doch zu mildern ermöglichen, Maßregeln, deren Art, Umfang und Rechtzeitigkeit mehr, als alles andere einen sicheren Rückschluß auf die Tüchtigkeit, Vorsicht und Voraussicht einer Bankleitung gestatten.

Denn während der Krisis ist es schwierig, oft unmöglich, überdies meistens ein schwerwiegender, die Ausdehnung und die Folgen der Krisis ungemein vergrößernder Fehler, restriktive Geschäftspolitik zu treiben, Ausstände einzuziehen, Kredite zu kündigen, Wechseldiskontierungen und Akzepte abzulehnen, wodurch die geradezu verhängnisvolle Meinung entstehen könnte, als sei Geld und Kredit nicht nur teuer, sondern überhaupt nicht zu haben [2]). Worauf es ankommt, ist eine präventive Politik, ein

---

1) Vgl. insbesondere die grundlegende Schrift: „Die Krisis auf dem Arbeitsmarkt" (Bd. CIX der Schriften des Vereins f. Sozialpolitik und Bd. V der überaus verdienstlichen Enquête dieses Vereins über: „Die Storungen im deutschen Wirtschaftsleben während der Jahre 1900 ft."). Mit Beiträgen von J. Jastrow, A. Heinecke, R. Calwer, K. Singer, L. Cohn, Landsberg, W. Bloch. — S. auch das Diagramm auf S. 140 des oben (S. 12, Anm. 1) zitierten Werkes von Theodore E. Burton (nach George H. Wood im Journal of the Royal Statistical Society pro 1899), betreffend die Employment-Statistik im Vereinigten Konigreich von Großbritannien in den Jahren 1860—1900, sowie die Annual Extracts of Labour Statistics, official documents compiled by the Labour Department of the Board of Trade.

2) Vgl. Walter Bagehot, Lombard Street. Ed. 1896, S. 199: „What is wanted, and what is necessary to stop a panic, is to diffuse the opinion, that, though money may be dear, still money is to be had."

vorsichtiges Eingreifen vor dem Ausbruch der Krisis. Hierzu gehören rechtzeitige Warnungen vor der Vergrößerung der Engagements, der Trassierungen und Kredite, rechtzeitige Hinweise auf die oben geschilderten, das Herannahen einer Krisis wahrscheinlich machenden Anzeichen und die langsame und vorsichtige, aber beständige Vermehrung der Liquidität der Bank. Geschieht dies, so kann im Moment der Krisis nicht nur die Bank selbst allen Gefahren ruhig entgegensehen, sondern sie ist dann auch zur Unterstützung da imstande, wo Zusammenbrüche an sich gesunder Unternehmungen, augenblickliche Verlegenheiten in der Kundschaft und schwere Störungen des Marktes entweder durch nach außen nicht bemerkbare Hilfe oder umgekehrt durch weithin erkennbares kräftiges Eingreifen vermieden oder gemildert werden können.

Auf diese Weise wird sowohl die Plötzlichkeit des Ausbruchs wie der Umfang, die Dauer und die Schwere der Krisis gemindert und ferner bewirkt werden können, daß sich nicht nach der Krisis eine lange Zeit schleichenden Siechtums einstellt, welche oft schlimmer als die Krisis selbst ist und die Erholung, d. h. die Rückkehr zu normalen Zeiten, überaus erschwert. Zuzugeben ist allerdings, daß denjenigen, die sich mitten im Getriebe des Verkehrs und der Praxis befinden und vielfach sich scheinbar widersprechenden oder nicht leicht erkennbaren Erscheinungen gegenüberstehen, die Erkenntnis des Herannahens einer Krisis meist viel schwerer werden muß, als den Kritikern, welche nach ausgebrochener Krisis die nun meist klar und im Zusammenhang zutage liegenden Ursachen und Anzeichen naturgemäß leichter zu übersehen vermögen.

Immerhin werden bedrohliche Erscheinungen, wie wir sie oben (S. 15/16) als fast regelmäßige Vorboten einer Krisis schilderten, in der Regel wenigstens, dann nicht verkannt werden dürfen, wenn sie nicht vereinzelt auftreten, sondern zusammenhängende oder doch sich gegenseitig ergänzende Anzeichen einer schweren Erkrankung des Wirtschaftskörpers darstellen.

Eine vornehme Pflicht aber besonders der Großbanken ist es, alsbald nach Ausbruch der Krisis vorbeugend, stützend und wiederaufbauend auch da einzugreifen, wo es sich nicht um die eigene Kundschaft und auch nicht um eigene Interessen, sondern darum handelt, einer bevorstehenden oder eingetretenen schweren Störung des Marktes durch ein weithin sichtbares und um deswillen bebesonders wirksames energisches Eingreifen zuvorzukommen.

Es wird stets ein Ruhmestitel für die großen Berliner Banken und Bankhäuser bleiben, durch ihr Einschreiten unmittelbar nach dem Sturz der Preußischen Hypotheken-Aktien-Bank, der Deutschen Grundschuld-Bank und der Pommerschen Hypotheken-Aktien-Bank einem völligen Zusammenbruch des gesamten Pfandbriefmarktes mit fast unmittelbar günstiger Wirkung vorgebeugt und durch die Neugestaltung dieser Unternehmungen[1]) die Verluste weiter Kreise an den von jenen Gesellschaften ausgegebenen Werten auf ein möglichst geringes Maß zurückgeführt zu haben. Ähnliches ist von dem Eingreifen gelegentlich der Krisis in Sachsen zu sagen[2]), und auch in neuester Zeit (1910) ist eine Hilfsaktion der Berliner Bankwelt zugunsten der kleineren Gläubiger der in Konkurs geratenen Niederdeutschen Bank in Dortmund mit gutem Erfolg durchgeführt worden.

c. In Kriegszeiten und in der Vorbereitung für einen Krieg (Finanzielle Kriegsbereitschaft und Kriegsführung[3]).

Auch für den Kriegsfall ist, soweit angängig, schon im Frieden Vorsorge zu treffen; dem Aufmarsch der militärischen Kräfte auf Grund eines lange vorbereiteten Mobilmachungsplanes hat der Aufmarsch der finanziellen Kräfte auf Grund eines gleichfalls tunlichst schon in Friedenszeiten zu entwerfenden Planes für die finanzielle Mobil-

---

1) Hierüber vgl. Ernst Kritzler, Preußische Hypotheken-Aktien-Bank, Deutsche Grundschuld-Bank, Pommersche Hypotheken-Aktien-Bank, Krisis und Sanierung. Schriften des Vereins f. Sozialpolitik, Bd. CXI. Krisenenquete, Bd. II; Störungen im deutschen Wirtschaftsleben, Bd. VII (1903), S. 1—82.

2) Vgl. Kreuzzeitung vom 30. Juni 1901, Nr. 301 (1. Beilage): ,,Es soll nicht verkannt werden, daß die Haute banque durch ihre rasche und energische Inschutznahme des berechtigten kaufmännischen Kredits, speziell in Sachsen, die Folgen der Leipziger Katastrophe sehr gemildert hat. Dafür kann ihr nur aller Dank und alle Anerkennung gezollt werden."

3) Vgl. insbesondere Moriz Ströll, Über das deutsche Geldwesen im Kriegsfalle (Schmollers Jahrb., Bd. XXIII, 1899, S. 173—195 u. S. 197—226); ferner: Oberst a. D. Dr. Ritterv. Renauld, Die finanzielle Mobilmachung der deutschen Wehrkraft (Leizig 1901, Duncker & Humblot) und den Artikel Finanzielle Mobilmachung des nämlichen Verfassers im Bankarchiv, 4. Jahrg., No. 3, vom Dez. 1904, wozu jedoch die Einwendungen im Deutschen Ökon. vom 14. Jan. 1903 (23. Jahrg., No. 1151) zu vergleichen sind; Karl Helfferich, Das Geld im russisch-japanischen Kriege (Ernst Siegfried Mittler & Sohn, Berlin, 1906) und Derselbe, Die finanzielle Seite des Russisch-Japanischen Krieges (Marine-Rundschau vom Okt. 1904); Max Schinckel, Nationale Pflichten der Banken und Kapitalisten im Kriegsfalle (Bank-Archiv, 5. Jahrg , No. 4, S. 41 ff. vom 15. November 1905); Gen. der Inf. v. Blume, Militärpolitische Aufsätze (Berlin 1906, Ernst Siegfr. Mittler & Sohn), Abhandlung I, 4: Mobilmachung. Soziale und wirtschaftliche Folgen, S. 14—30; Max Warburg, Finanzielle Kriegsbereitschaft u. Börsengesetz (Referat auf dem III. Allgem. Deutschen Bankiertage zu Hamburg, 7. Sept. 1907; Riesser, Finanzielle Kriegsbereitschaft u. Kriegsführung (Jena, Gust. Fischer, 1909) u. Voelcker, Die deutsche Volkswirtschaft im Kriegsfalle (Leipzig, Verlag von Dr. Werner Klinkhardt, 1909); Arthur Dix, Deutschlands wirtschaftliche Zukunft in Krieg und Frieden (Conrads Jahrb., III. Folge, Bd. XL, Heft 4. S. 433—482); Otto Neurath, Die Kriegswirtschaft, im V. (16.) Jahresbericht der Neuen Wiener Handelsakademie. Eine ,,immobiliare Kriegsbereitschaft" will Franz Hoeniger, Der Einfluß des Krieges auf den Grundbesitz (Berlin, Puttkammer & Mühlbrecht, 1910).

machung zu entsprechen. Schwächen und Lücken des finanziellen Aufmarsches können sich ebenso bitter rächen wie Fehler des taktischen Aufmarsches, da auch für jenen der Satz gelten muß, daß man nicht ohne schwere Verluste sich erst angesichts des Feindes in Gefechtsformation setzen darf.

Die wesentlichste Vorbereitung für die finanzielle Mobilmachung besteht darin, daß bereits in Friedenszeiten das Kreditsystem in so elastischer Weise gestaltet wird, daß es den im Falle eines Krieges in stürmischer und plötzlicher Weise sich steigernden Kreditbedürfnissen gewachsen ist.

Es müssen zu diesem Zweck schon in Friedenszeiten Reserven geschaffen werden, die rasch und in erheblichem Umfange liquid gestellt, also „mobil gemacht" werden können. Zu diesen Reserven ist ein starker Besitz einerseits an einheimischen mündelsicheren Papieren, insbesondere Staats- und Kommunalpapieren, zu rechnen, die im Kriege, soweit dies nötig oder gewünscht wird, seitens der Kriegslombardkassen[1]) in Pfand genommen werden können; andererseits an ausländischen Goldvaluten, und zwar sowohl an Golddevisen, d. h. im Auslande in Gold zahlbaren Wechseln, und an sonstigen Goldguthaben, wie an guten ausländischen in Gold zahlbaren Wertpapieren, die auch an ausländischen Börsen gehandelt werden, also einen internationalen Markt haben[2]). Durch die Verwertung dieser ausländischen Goldvaluten und durch Kündigung ausländischer Guthaben, also durch Heranziehung jener Rücklagen (deren Wert in solchen Fällen auch der Unkundigste begreift), wird in der Regel einer Panik vorgebeugt werden können. Eine solche wird der ausländische Gegner in der Regel noch zu vermehren suchen, und zwar durch plötzliche Einziehung von Guthaben, durch illimitierte Verkäufe einheimischer Wertpapiere und durch sonstige Versuche, uns Gold zu entziehen, unsere Kapital-, Wechsel- und Effektenmärkte zu stören und die Grundlagen unseres Zahlungs- und Kreditsystems zu bedrohen. Eine solche Panik kann leicht in den ersten Tagen nach einer Kriegserklärung dann entstehen, wenn dem stürmisch auftretenden Verlangen nach Barmitteln und „Angstreserven"[3]), welches vielfach zu kopflosen Zurückziehungen von Giro- und Kontokorrent-Guthaben und Depositen, zu Kündigungen von Krediten und zu Angstverkäufen von Waren und

---

1) Vgl. Riesser, Finanzielle Kriegsbereitschaft und Kriegsführung, S. 54.

2) S. hierüber u. a. Max Schinckel, Nationale Pflichten der Banken und Kapitalisten im Kriegsfall (Bankarchiv, V. Jahrg., Nr. 4 vom 15. November 1905), S. 42—43; Riesser a. a. O. S. 25—26 und die Darlegungen im Abschnitt III, 2. Kap. unter II G d, α des vorliegenden Buches.

3) Vgl. Moriz Ströll, Über das deutsche Geldwesen im Kriegsfall (Schmoller's Jahrb. f. Gesetzg. usw., XXIII) S. 176 und Riesser a. a. O. S. 2—4 und S. 41.

Effekten führt, nicht alsbald ausreichend entsprochen wird. Es muß alsdann seitens der Banken vor allem dahin gestrebt werden, daß dieser Zustand, dieses fieberhafte Zusammenraffen von Barmitteln aus allen Sammelstellen und Schlupfwinkeln, so rasch als irgend möglich zum Stillstand gebracht und damit der gewöhnliche Zustand wieder hergestellt werde, wonach alle den Bargeldumlauf ersparenden Einrichtungen und Ersatzmittel wieder in den Vordergrund des Verkehrs treten.

Hierzu ist vor allem die Beobachtung derjenigen Geschäftspolitik erforderlich, welche wir oben (S. 17/18) für den Fall einer wirtschaftlichen Krisis als unerläßlich bezeichnet haben und welche bereits in den Zeiten der Spannung und Erregung anzuwenden ist, die in der Regel einem Kriege lange vorausgehen. Dahin gehört die Vermeidung einschränkender Maßregeln, wie der Kündigung von Krediten, der Ablehnung des Akzepts von Tratten oder der Diskontierung von Kundenwechseln u. dgl. m.; dagegen ein sofortiges weithin sichtbares Eingreifen am Markte und die Einschlagung aller derjenigen Wege, auf denen allmählich das Vertrauen des Publikums zu den Grundlagen unseres Finanz- und Kreditsystems wiedergewonnen werden kann. Dieses Vertrauen ist nicht allein zur Annahme aller Geldersatzmittel erforderlich, welche in so viel reicherem Maße als das bare Geld zur Verfügung stehen, sondern auch zu der Entschließung, die schwebenden Verpflichtungen durchzuhalten oder doch nur langsam und vorsichtig abzuwickeln, die Depositen nicht zu kündigen, die Wertpapiere nicht, zu vielleicht stark gesunkenen Kursen, auf den Markt zu werfen u. dgl. m.

In allen diesen Richtungen müssen und können die Großbanken nicht nur durch ihren Rat, also durch die Einwirkung auf ihre Kundschaft, sondern auch durch ihr Beispiel tätig werden, so durch äußerste Zurückhaltung sowohl in der Zurückziehung von Giroguthaben wie in der Einreichung von Wechseln bei der Reichsbank zur Rediskontierung.

Außerdem haben sie diejenigen „finanziellen Hilfsmaßregeln" innerhalb ihres Wirkungskreises zu unterstützen, welche im Kriegsfalle behufs Erleichterung des Marktes und des Kreditverkehrs sowie behufs Erhaltung der Grundlagen unserer Goldwährung und der Umlaufsfähigkeit unserer Banknoten nötig sein werden[1]).

Alle diese Aufgaben werden in Deutschland für den schwierigsten Zeitraum, die unmittelbar auf die Kriegserklärung folgenden Wochen, dadurch einigermaßen erleichtert, daß, wie ich an anderer Stelle nachzuweisen suchte[2]), auf Grundlage des uns

---

1) Riesser, Finanzielle Kriegsbereitschaft und Kriegsführung, 1909, S. 59 sub. b bis 66.

2) Riesser a. a. O. S. 45—55.

im Kriegsfalle voraussichtlich zur Verfügung stehenden Metall-
bestandes, einschließlich des im Juliusturm zu Spandau lagernden,
allerdings nicht sehr lange reichenden baren Kriegsschatzes von
120 Mill. M [1]), der Mobilmachungsbedarf [2]), soweit dies heute zu übersehen ist, durch Banknotenausgabe vorläufig gedeckt werden
kann [3]). Dies hat die erfreuliche Folge, daß in jener besonders
kritischen Zeit nicht auch noch der Staat mit weitgehenden Bargeld-
ansprüchen an die Reichsbank heranzutreten braucht, und daß er,
soweit er nicht vorzieht, den späteren Bedarf teilweise im Wege
von Steuererhöhungen zu decken [4]), für die alsdann zur Deckung
der Kriegskosten erforderlichen Anleihen [5]) eine ruhigere und günstigere Gestaltung des Geldmarktes abwarten kann.

Die wichtigste Folge dieser Tatsache ist, daß bei der Begebung
dieser Anleihen [6]) auf die Mitwirkung und Vermittlung der Großbanken und großen Bankhäuser in weit erheblicherem Umfange
und mit weit stärkerer Sicherheit gerechnet werden kann, als
wenn diese Begebung gleich in den ersten Tagen nach der Kriegs-

---

1) Dieser Kriegsschatz ist sofort nach der Kriegserklärung an die Reichsbank
abzugeben, welche daraufhin nach § 17 des Bankgesetzes vom 14. März 1875 das
Dreifache, also 360 Mill. M Banknoten, ausgeben kann. Ich habe, da eine Vermehrung
dieses Kriegsschatzes in Gold zurzeit kaum durchführbar sein durfte, zur Erwägung
gestellt (a. a. O. S. 45, Anm. 1), ob nicht eine weitere Kriegsreserve von 120 Mill. M
in Silber angesammelt werden könnte.

2) Riesser a. a. O. S. 41/42.

3) Riesser a. a. O. S. 49/50.

4) Im Gegensatz zu Japan, welches von Anfang an sich bemühte, „einen
möglichst großen Teil der für den Krieg erforderlichen Gelder im Wege einer erhöhten
Besteuerung aufzubringen" (Helfferich, Das Geld im russisch-japanischen Kriege,
Berlin, Siegfr. Mittler & Sohn, 1906, S. 143), hat Rußland zur Deckung der Kosten
des letzten Krieges mit Japan Steuererhöhungen nur zur Deckung der Zinsen der
Kriegsanleihen eintreten lassen, im übrigen aber sich auf Anleihen, Entnahmen aus
den (nicht unerheblichen) verfügbaren Mitteln der Finanzverwaltung und auf Verminderung der Ausgaben beschränkt. Vgl. im übrigen Riesser a. a. O. S. 96—101.

5) Vgl. hierüber Riesser a. a. O. S. 5—11, insbesondere S. 10.

6) Hier spielt die richtige Festsetzung des Typus und des Kurses der Anleihen eine ungemein wichtige Rolle. Vgl. Riesser a. a. O. S. 98/99 und S. 77—92.
In Deutschland ist leider selbst in normalen und guten Zeiten der Erfolg von Anleihe-
subskriptionen in einer für den Staatskredit wenig erfreulichen Weise häufig dadurch
in Frage gestellt worden, daß man sich nicht entschließen konnte, „sich um den
Preis momentaner Opfer dauernde Vorteile zu sichern", wie dies Rußland in Friedens-
und Kriegszeiten nicht zu seinem Schaden wiederholt getan hat (Helfferich a. a. O.
S. 89). Bei dem Mißerfolge der 5 % igen Kriegsanleihe vom Juli 1870 in Höhe von
100 Mill. M war sowohl die Zeit der Auflage, wie der Typus und der Kurs der Anleihe unrichtig gewählt — der Kurs sogar gegen den ausdrücklichen Rat der zu den
Vorbereitungen zugezogenen Vertreter der Bankwelt — und es war zudem wenig
angebracht, die Bankiers und Banken, obwohl die letzteren damals nur eine relativ
geringe Kapitalmacht darstellten, nicht als Zeichnungsstellen zu benennen (vgl.
Riesser a. a. O. S. 102 u. 103).

erklärung zu erfolgen hätte, in welchen eine riesige Fülle von Anforderungen an die Banken herantritt.

Die Reichsbank kann in Deutschland, wo die Großbanken
einen so wichtigen Bestandteil der Gesamtwirtschaft darstellen, ihre
ebenso zahlreichen als schwierigen Aufgaben im Kriegsfalle ohne
Hilfe der Großbanken unmöglich glatt und erfolgreich durchführen;
diese aber müssen sich schon in Friedenszeiten in der obigen geschilderten Weise vorbereiten, diese Hilfe im Kriege auch tatkräftig leisten zu können. Eine völlige „Kriegsbereitschaft",
die ihre Geschäftsbereitschaft teilweise ausschließen oder lahmlegen würde, läßt sich allerdings von den Banken nicht verlangen[1]).

Bei Erwägung der oft überaus schwierigen finanzpolitischen
Maßnahmen, welche zur Erhaltung unserer Währung und unseres
Kredits, sowie zur Erleichterung des Marktes und des Geld- und
Kreditverkehrs in Kriegszeiten zu treffen sind[2]), werden es in erster
Linie die Leiter der Großbanken und der großen Bankhäuser sein,
welche auf Grund ihrer praktischen Erfahrungen, ihrer intimen
Fühlung mit der Lage und Aufnahmekraft des Geldmarktes, sowie
ihrer genauen Kenntnis der Bedürfnisse und Leistungsfähigkeit
ihrer Kundschaft der Leitung des Reichsschatzamtes und der Reichsbank als finanzieller Generalstab, der am besten schon im Frieden
periodisch zu berufen wäre, zur Seite zu stehen haben. —

Hiermit ist wohl, wenigstens in den wesentlichsten Richtungen
und in großen Zügen, der weit ausgedehnte Kreis der Aufgaben
vorläufig gekennzeichnet, denen sich die deutschen Kreditbanken[3]),

---

1) Vgl. Riesser a. a. O. S. 28.

2) In allen diesen Richtungen können wir aus der von England im Burenkriege
(Oktober 1899 bis Mai 1902) und von Rußland und Japan im russisch-japanischen
Kriege (Februar 1904 bis Ende August 1905) geübten Finanzpolitik wichtige Lehren
ziehen; vgl. Riesser a. a. O. S. 75—79 und S. 79 sub 2 bis S. 93. Ich denke hierbei
ganz besonders an das „von der russischen Finanzverwaltung mit besonderer Geschicklichkeit durchgeführte System, das Geld für die im Inlande und auf dem Kriegsschauplatze zu leistenden Kriegsausgaben im Inlande zu beschaffen und für
die im Auslande zu bewirkenden Zahlungen Auslandsanleihen aufzunehmen, um auf diese Weise weder dem inlandischen Verkehr durch Geldsendungen
nach außerhalb Mittel zu entziehen, noch den ausländischen Geldmarkt, auf dessen
gute Stimmung man angewiesen war, durch starke Goldentnahmen zu bedrohen"
(Helfferich a. a. O. S. 219).

3) Aus unserer Erörterung scheiden sowohl die Notenbanken wie die Hypothekenbanken (auch die gemischten), ferner die Bau-, Makler- und Versicherungsbanken und ebenso diejenigen Institute aus, welche sich lediglich mit der Finanzierung
industrieller Unternehmungen befassen. Was die Verbleibenden „Banken" betrifft,
so ist in der Literatur für diese eine wahre Musterkarte von Bezeichnungen vorhanden:
die gebräuchlichste, deren ich mich im folgenden in der Regel auch meinerseits bedienen werde, ist wohl: Kreditbanken. (So jetzt auch die Bekanntmachung des Reichskanzlers v. 4. Juli 1910, § 4 Ziff. 5.) Es stehen aber auch die Namen: Industriebanken (im vorigen Jahrhundert vielfach gebräuchlich); Anlagebanken (Plenge);

aus überaus bescheidenen Anfängen zu immer höheren Zielen auf-
steigend, in ebenso mühevoller wie rastloser Arbeit zu unterziehen
hatten; in der ersten Epoche (1848—1870) noch dazu in beständigem Kampfe mit den schweren Hemmungen, die ihrer Art und
ihrem Fortschreiten durch Krisen und europäische Kriege, durch
unsere politische Ohnmacht und Zersplitterung, durch unsere geringe Kapitalkraft und durch die Buntscheckigkeit unserer Münz-
und Währungsverhältnisse auf Schritt und Tritt bereitet wurden.

Wie sich diese Aufgaben verteilten auf die beiden sich von
selbst ergebenden Epochen der allgemeinen wirtschaftlichen Entwicklung und der Entwicklungsgeschichte der deutschen Kreditbanken (besonders der Großbanken), also von der Mitte des 19. Jahrhunderts ab bis zum Jahre 1870 (erste Epoche) und von da ab bis

---

Effektenbanken (Schmoller und Sattler); Emissionsbanken (Loeb); Unter-
nehmungsbanken (Schäffle); Spekulationsbanken (Weber) oder Crédit Mobilier-
Banken (Max Wirth) zur Wahl und noch spezialisiertere Bezeichnungen zählt Knies
(Geld und Kredit, 2. Abt., 1899, S. 223) auf: „Es ist üblich geworden, auch die Banken
selbst ... als Leihbanken, Giro-Wechsel- oder Diskonto-Banken, Deposit-
Kontokorrent-Check-Banken usw. zu bezeichnen". Alle diese Bezeichnungen
können aber nicht den Anspruch auf eine Gesamtcharakterisierung der Tätigkeit der deutschen Banken, wie sie sich historisch entwickelt hat, erheben; vielmehr
paßt die eine oder andere Bezeichnung auf die eine oder andere Bank dann und
so weit, wenn und insoweit sie die damit bezeichnete Tätigkeit (die Spekulation,
das Anlage-, das Emissions- oder das Effektengeschäft) in den Vordergrund ihrer
Gesamttätigkeit gestellt hat. Aber auch dies trifft dann gewöhnlich nicht auf die
Gesamtentwicklung der einzelnen Bank zu, da nicht nur die einzelnen Banken
sich ganz verschieden entwickelt haben, sondern auch innerhalb einer und derselben Bank der Charakter und die Richtung ihrer Tätigkeit in den verschiedenen
Phasen ihrer Entwicklung, je nach der von den Leitern befolgten Geschäftspolitik,
eine verschiedene, mitunter von der vergangenen grundsätzlich abweichende,
war. — Will man aber, wie dies Ad. Weber in seiner Gegenüberstellung von „Depositenbanken und Spekulationsbanken" offenbar beabsichtigt, von dem Gegensatze
zwischen reinen Depositenbanken und den in Deutschland auf Grund der historischen
Entwicklung anders gearteten deutschen Banken in der Definition ausgehen, also
betonen, daß die letzteren keine reinen Depositenbanken sind, so läge es näher,
ebenso zu verfahren, wie bei den Hypothekenbanken, bei denen seit Erlaß des Hypothekenbankgesetzes vom 13. Juli 1899 unterschieden wird zwischen reinen Hypothekenbanken und solchen mit gemischtem Geschäftsbetrieb, welche auf Grund der
Übergangsbestimmung des § 46 Abs. 1 von den einschränkenden Vorschriften des
§ 5 befreit sind. Von diesem Gesichtspunkte aus würden also die heutigen deutschen
Kreditbanken auch bezeichnet werden können als Banken mit gemischtem
Geschäftsbetrieb (kombinierte oder gemischte Banken). Wichtiger aber
als diese formalen Definitionsfragen bleibt die bereits aus dem obigen sich ergebende
grundsätzliche Feststellung, daß die im folgenden sich findenden allgemeinen Urteile und Folgerungen hinsichtlich der deutschen Banken, insbesondere der Großbanken, stets nur mit dem stillschweigenden Vorbehalt gegeben und
zu verstehen sind, daß das Gesamtbild bei der Einzelbetrachtung,
also in bezug auf einzelne Banken, starken Änderungen (Abschwächungen
oder Verschärfungen) unterworfen sein kann.

heute (zweite Epoche), und wie sie sich allmählich vergrößerten und erweiterten, soll nunmehr in großen Zügen darzustellen versucht werden.

In welcher Weise und mit welchem Erfolge sich eine jede einzelne der Großbanken an der von der Gesamtheit geleisteten Arbeit beteiligt hat, werde ich wenigstens insoweit kurz zu schildern versuchen, als nicht durch solche Einzelschilderungen das Gesamtbild des Entwicklungsgangs der deutschen Großbanken verwischt oder verdunkelt wird. Eine bis in alle Einzelheiten zutreffende Würdigung des Werdegangs der einzelnen Großbanken wird sich freilich mit Sicherheit erst dann geben lassen, wenn für alle Großbanken ausführliche Einzeldarstellungen vorliegen [1]).

Die wesentlichste in der vorliegenden Arbeit benutzte Literatur ist in der Beilage I am Schlusse dieses Buches zusammengestellt.

---

1) Dies ist bis jetzt hinsichtlich der eigentlichen Großbanken nur bei der Disconto-Gesellschaft der Fall; vgl. ,,Die Disconto-Gesellschaft 1851—1901, Denkschrift zum 50jährigen Jubiläum", Berlin 1901. — ,,Die Nationalbank für Deutschland zu Berlin 1881—1909" schildert die Schrift des Ingenieurs Dr. Max Levy (Berlin, Karl Curtius, 1911).

Abschnitt II.

Die erste Epoche (von der Mitte des 19. Jahrhunderts bis zum Jahre 1870).

Erstes Kapitel.

Skizze der wirtschaftlichen Zustände in Deutschland zur Zeit der Begründung der ältesten heutigen Kreditbanken[1]).

Im Jahre 1848, dem Beginn unserer Epoche, waren bereits 200 Jahre seit dem Ende des 30jährigen Krieges (1618—1648) vergangen.

Noch aber war in dem damals in so gründlicher Weise ausgesogenen und ausgeplünderten deutschen Lande, das infolge seiner geographischen Lage von jeher und so auch im 30jährigen Kriege ein beliebter Kriegsschauplatz für ganz Europa gewesen war, eine Erholung nicht eingetreten.

Denn eine Wiederherstellung des völlig zerstörten Handels und des zerrütteten Wohlstands war auch in der Zeit von 1648 bis 1815 infolge einer Reihe europäischer Kriege, insbesondere der Feldzüge Ludwig XIV., des spanischen Erbfolgekrieges, des siebenjährigen Krieges und der Kämpfe gegen Napoleon I., unmöglich gewesen. Jene Kriege und Feldzüge waren eben wiederum vielfach auf deutschem Boden durch mächtige Gegner ausgefochten worden, die, wie Ludwig XIV., auch Teile dieses Bodens (so Straßburg 1681) an sich gerissen und andere Teile, wie die Pfalz und sonstige rheinische Länder, aufs neue furchtbar verwüstet hatten. In den letzten Jahren jener Epoche aber (1806—1815) hatten abermals die mit wechselndem Kriegsglück geführten Feldzüge gegen Napoleon I.,

---

1) Vgl. außer den sonstigen im folgenden zitierten Werken namentlich Werner Sombart, Die deutsche Volkswirtschaft im neunzehnten Jahrhundert, 7. Aufl. (Berlin, Georg Bondi) 1909; Ludwig Pohle, Die Entwicklung des deutschen Wirtschaftslebens im letzten Jahrhundert, 2. Aufl. (Leipzig, B. G. Teubner) 1908; Walther Lotz, Verkehrsentwicklung in Deutschland 1800—1900) fortgeführt bis zur Gegenwart), 3. Aufl. (Leipzig, B. G. Teubner), 1910; Eugen von Philippovich, Die Entwicklung der wirtschaftspolitischen Ideen im 19. Jahrhundert (sechs Vorträge, Tubingen, K. B. Mohr [Paul Siebeck] 1910).

die schließlich mit dessen Absetzung und Verbannung endeten, den Beginn einer Erholung verhindert. Erst in den etwa drei Dezennien ungestörten Friedens (1815—1848), welche der nun zu schildernden Wirtschaftsepoche (1848—1870) unmittelbar vorausgingen, hatte die endlich einmal aufatmende deutsche Bevölkerung die ersten Versuche machen können, an der Wiederherstellung des Handels, der Industrie und der Landwirtschaft zu arbeiten.

Die aus dieser längeren Friedensarbeit erwachsenen wirtschaftlichen Zustände Deutschlands um die Mitte des 19. Jahrhunderts können natürlich hier nur in ihren Hauptmomenten und nur insoweit skizziert werden, als sie für die Entwicklung und die Aufgaben des deutschen Bankwesens besondere Bedeutung hatten.

Die Bevölkerung Deutschlands betrug etwa 35 Millionen Köpfe, sie war also damals nicht stärker wie die Frankreichs (34,5 Millionen). Das Kapitalvermögen war gering; man schätzte 1848 in Preußen 720 M auf den Kopf der Bevölkerung, während eine ungefähr gleichzeitige Schätzung (1845) in England 2860 M auf den Kopf der Bevölkerung annahm[1]). England hatte um diese Zeit bereits den Übergang zur Großindustrie fast vollendet und befriedigte mehr als die Hälfte des gesamten Weltbedarfs; es hatte schon zu Anfang des 19. Jahrhunderts eine jährliche Kohlenförderung von etwa 10 Mill. Tonnen, während Deutschland noch gegen Schluß des Jahrhunderts kaum mehr als 120 Mill. Tonnen förderte.

In der Landwirtschaft hatte nach französischem Vorgang in der ersten Hälfte des 19. Jahrhunderts, in allerdings nur langsamem Fortschritt, die Leibeigenschaft und die, namentlich im Osten Deutschlands, seit Jahrhunderten festgewurzelte Erbuntertänigkeit der Bauern aufgehört. Mit dem Wegfall der letzteren war nicht nur die Verpflichtung zu Hand- und Spanndiensten zugunsten der Rittergutsbesitzer, sondern auch, was wirtschaftlich immer größere Bedeutung erlangte, die Verpflichtung der Bauern beseitigt, das Gut oder die zum Gute gehörigen Dörfer nicht verlassen zu dürfen.

Im deutschen Gewerbe war, ungeachtet bescheidener Reformversuche der Landesgesetzgebung, im allgemeinen das Zunftwesen die noch vorherrschende Form; nur einzelne deutsche Staaten, wie Preußen seit den Gesetzen von 1810 und 1811, und Nassau, hatten bereits grundsätzlich, unter Abschaffung des Zunftzwanges und des Befähigungsnachweises, die Gewerbefreiheit eingeführt, gegen die aber bereits 1848 seitens eines Handwerker-Parlaments, welches vom 15. Juli bis 18. August in Frankfurt a. M. tagte,

---

1) Gust. Schmoller, Grundriß der allgem. Volkswirtschaftslehre, Bd. II (1. bis 6. Aufl., Leipzig 1904, Duncker & Humblot), S. 182 u. 183; Schmoller hält allerdings diese Schätzung des Kapitalreichtums Preußens für zu niedrig.

lebhaft protestiert wurde. Die Messen bewahrten in einigen Städten, wenigstens für eine Anzahl von Warengattungen, auch noch nach 1850 eine größere Bedeutung[1]. Der Handel war überwiegend Lokohandel, Markt- und Meßhandel. Der Lieferungshandel (nach Probe) war jedoch bereits teilweise zum Durchbruch gelangt.

Für eine Reform des gesamten wirtschaftlichen Lebens waren aber schon durch die Begründung des deutschen Zollvereins (1834) für den größten Teil der deutschen Staaten die Voraussetzungen geschaffen. Man kann wohl sagen, daß erst mit dieser von Preußen ausgegangenen großen Schöpfung, welche aus den beteiligten deutschen Staaten nach Aufhebung der Binnenzölle ein einheitliches Wirtschaftsgebiet herstellte, die mittelalterliche Wirtschaftsordnung in Deutschland definitiv begraben war. Auch war erst jetzt eine einheitliche Wirtschaftspolitik in den beteiligten Staaten möglich, welche sich bald in dem Schutze der nun erst kräftig aufblühenden Industrie gegenüber der drückenden wirtschaftlichen Übermacht Englands energisch geltend zu machen wußte.

Der Wert der Einfuhr in das Gebiet des Zollvereins wird im Durchschnitt der Jahre 1842—1846 auf 210303000 Tlr., also etwa auf 630 Millionen M, der Wert der Ausfuhr auf 170089000 Tlr., also etwa auf 510 Millionen M, von K. H. Rau (Grundsätze der Volkswirtschaftslehre, 8. Aufl., 2. Abt., S. 318) berechnet, was aber nur unter Vorbehalt wiedergegeben werden kann. In der letzten Dekade dieser Epoche hob sich die Ausfuhr in sehr erheblicher Weise. In der Industrie herrschte noch die Hausindustrie vor, und zwar in erster Linie die ländliche, zu der besonders auch die Textilindustrie (Spinnerei und Weberei) gehörte[2]. Namentlich auf dem Lande war man noch immer gewohnt, den eigenen Bedarf an Kleidungsstücken, Wäsche und sonstigen Produkten der Textilindustrie vorzugsweise selbst herzustellen. Auf der Textil- und der Montanindustrie, die beide damals ihren Sitz vorwiegend noch auf dem Lande hatten, beruhte zu jener Zeit fast ganz der Schwerpunkt der deutschen Industrie[3]; die Zahl ihrer Arbeiter[4] übertraf bei weitem die Zahl der in allen übrigen Industrien beschäftigten Arbeiter.

---

1) In Frankfurt a. M. für inländische Manufaktur-, Kurz- und Quincaillerie-waren nach dem viel interessantes Material enthaltenden Buche von Hugo Kanter: Die Entwicklung des Handels mit gebrauchsfertigen Waren von der Mitte des 18. Jahrhunderts bis 1866 zu Frankfurt a. M. (Tübingen u. Leipzig 1902, J. C. B. Mohr), S. 125.

2) Werner Sombart, D. mod. Kap. I, S. 429 u. 424 25. Es waren in der Weberei-Hausindustrie noch verwendet 585 815 Webstühle, in Fabriken nur 217 388.

3) von Reden, Erwerbs- und Verkehrsstatistik (1853), S. 281 und Sombart, D. mod. Kap. I, 424 425.

4) In der Weberei waren in der Hausindustrie beschäftigt 754 735 Arbeiter in Fabriken 325 277 Arbeiter (W. Sombart, D. mod. Kap. I, S. 424 25).

Die Gesamtzahl der Arbeiter, welche im Gebiet des (am 1. Januar 1834 begründeten) Zollvereins in der Montanindustrie Mitte des 19. Jahrhunderts beschäftigt waren, betrug 60 800 [1]); auf Preußen entfielen (im Durchschnitt der Jahre 1848—1857) 48 659 gegenüber 101 908 nach der Berufszählung von 1895 [2]).

1840 hatte die Industrie innerhalb des deutschen Zollvereinsgebiets nicht ganz 500 Dampfmaschinen in Benutzung, während man in England schon 1810 rund 5000 Dampfmaschinen zählte.

Nach dem preußischen statistischen Jahrbuch [3]) waren 1852 in der gesamten Industrie Preußens nur 2124 Dampfmaschinen mit 43 051 Pferdekräften tätig, wovon fast die Hälfte (der Anzahl und Kraft) auf den Bergwerks- und Hüttenbetrieb entfiel; die Maschinenfabriken kamen erst an vierter Stelle.

Im Königreich Sachsen [4]) betrug 1846 die Zahl der Dampfmaschinen für gewerbliche und landwirtschaftliche Zwecke nur 197 mit zusammen 2446 Pferdekräften.

Gegen Ende dieser Epoche (1866) waren aber in Deutschland schon rund 92 000 Motore mit 0,10 Mill. PS. in Verwendung, während 1907 8,8 Mill. PS. arbeiteten, wovon rund 7,8 Mill. PS. allein auf die Industrie entfielen.

Für 1840 wurde der gesamte deutsche Güterverkehr (mit Ausnahme des See-, Stadt- und Feldmarkenverkehrs) auf etwa 2 Milliarden Tonnenkilometer berechnet, während er im Jahre 1900 auf über 40 Milliarden Tonnenkilometer, also auf mehr als das zwanzigfache, geschätzt wurde [5]).

Die gesamte industrielle Produktion kam 1860 erst etwa der Hälfte der französischen gleich, während sie heute in Europa direkt nach England (also an zweiter Stelle) und in der Welt nach England und Amerika, also an dritter Stelle, rangiert.

Das Verhältnis der Industriearbeiter [6]) zur Gesamtbevölkerung betrug um die Mitte des 19. Jahrhunderts in Preußen — Mühlenindustrie und alle Hausindustrien einbegriffen — nur 2,98 %.

Der gewaltige industrielle Aufschwung, der kurz nach Schaffung des Zollvereins einsetzte, war aber nicht ausschließlich der Begrün-

---

1) W. Oechelhäuser, a. a. O. S. 124 u. 128.

2) Demgegenüber sei festgestellt, daß im Jahre 1910 in Preußen 527 Betriebe mit 194 582 Arbeitern allein in der Großeisenindustrie vorhanden waren (Vgl. Ernst Wiskott, Die Durchführung der Bekanntmachung des Reichskanzlers v. 19. Dez. 1908 betr. den Betrieb der Anlagen der Großeisenindustrie in Conrads Jahrb., III. Folge, Bd. XLII, Heft 4 [Okt. 1911] S. 5/2, Tab. I).

3) Vgl. W. Sombart, D. mod. Kap., Bd. I, S. 462.

4) E. Engel, Das Zeitalter des Dampfes, 2. Aufl., 1881, S. 130.

5) Karl Lamprecht, Zur jüngsten deutschen Vergangenheit (Bd. II, 1. Hälfte seiner deutschen Geschichte, Freiburg i. B., Herm. Heyfelder, 1903), S. 153.

6) von Reden a. a. O. S. 281.

dung des letzteren und seinen wirtschaftlichen Maßnahmen, sondern vor allem dem seit 1835 mit dem Bau der Eisenbahnlinie Nürnberg-Fürth einsetzenden (privaten) Eisenbahnbau zu danken. Hierdurch wurde zunächst eine fieberhafte Bewegung in der Montan-und Maschinen-Industrie sowie in den verwandten Industriezweigen hervorgerufen.

Die Nachfrage nach Roheisen war bereits um die Mitte des vorigen Jahrhunderts, hauptsächlich infolge des seit 1835 (Nürnberg-Fürth) begonnenen Eisenbahnbaus, recht bedeutend. Nach Oechel-häuser[1]) absorbierte der letztere schon von 1836 bis zum Beginn unserer Epoche (1850) über 17 $^1/_2$ Millionen Ztr. Roheisen, aber der inländische Gesamtbedarf wurde von der inländischen Produktion nicht gedeckt. Denn in der Produktion von Roheisen hatte England[2]) einen überaus starken Vorsprung, da es schon im 18. Jahrhundert zum Betrieb der Hochöfen mit Koks, an Stelle des weit kostspieligeren Holzkohlenbetriebs übergegangen war, welch letzterer in Deutschland um die Mitte des 19. Jahrhunderts noch fast überall vorherrschte; im Siegerland war anfangs der 40er Jahre überhaupt noch kein Koksofen vorhanden, im Ruhrrevier wurde der erste Koksofen 1847 errichtet; überdies waren die existierenden Hochöfen noch überaus wenig leistungsfähig[3]).

Der Eisenverbrauch betrug 1847 im Gebiete des Zollvereins 28 Zollpfund auf den Kopf der (mittleren jährlichen) Bevölkerung gerechnet (Sering a. a. O., S. 51), gegen 309,8 Pfund 1899.

Die Produktion an Roheisen blieb noch im Jahre 1850 hinter der von Frankreich und sogar hinter der von Belgien zurück, sie betrug 208 Millionen kg (1875: 2029 Millionen kg).

Die Produktion an Steinkohle betrug 1850: 5,8 Millionen Tonnen (1900: 109,22 Millionen kg)[4]).

---

1) Oechelhäuser, Vergleichende Statistik der Eisenindustrie aller Länder und Erörterung ihrer ökonomischen Lage im Zollverein, 1852.

2) Zum folgenden vgl. Max Sering, Geschichte der preußisch-deutschen Eisenzölle von 1818 bis zur Gegenwart, in Schmollers Staats- und Sozialwissenschaftl. Forschungen, Bd. III (1882), S. 53—62, der auf S. 94/95 auch die interessante Tatsache hervorhebt, daß die Finanzkrisis von 1847 den Übergang zum Koksbetrieb unterbrochen habe.

3) Nach Lürmann, Die Fortschritte im Hochofenbetrieb seit 50 Jahren, Düsseldorf 1902, ist die Leistungsfähigkeit der Hochöfen seit 1852 (pro Tonne des Inhalts) im Verhältnis von 1 : 7 gestiegen. Nach Peter Mischler: Das deutsche Eisenhüttengewerbe, Bd. I (1852), S. 150, produzierte Mitte des 19. Jahrhunderts ein englischer Hochofen jährlich 70000, ein deutscher dagegen jährlich nur 7000 Zentner (gegen 618000 a. 1899).

4) W. Sombart, D. mod. Kap., II, S. 3.

Im Kreise Siegen wurden im Jahre 1850 38 880 Tonnen Eisenstein im Werte von 124 974 Tlr. gefördert, gegenüber 997 680 Tonnen im Werte von 11 857 775 M im Jahre 1900[1]). Noch 1858 wurde (nach Sering a. a. O., S. 82) von dem gesamten Hochofenerzeugnis Preußens erblasen:

56,9 % (1 328 429 Ztr.) mit Holzkohlen,
37,2 % (1 527 989 „) mit Koks,
5,9 % (243 516 „) mit Koks und Holzkohlen.

Mineralisches Brennmaterial (Steinkohle) wurde vor 1844 nur in Schlesien, und auch da nur in geringem Umfange, benutzt.

Infolgedessen erreichte bis gegen Mitte des vorigen Jahrhunderts die englische Eiseneinfuhr zwischen 52 und 55 % des deutschen Gesamtbedarfs, was sich erst änderte mit dem Überhandnehmen der Steinkohlenverwendung in Deutschland in Verbindung damit, daß 1844 in den Staaten des deutschen Zollvereins, der insoweit von der freihändlerischen Politik abging, auf die Einfuhr des bis dahin zollfrei gewesenen Eisens ein Zoll gelegt wurde. Es ist in erster Linie der tatkräftigen Unterstützung der Industrie durch die deutschen Kreditbanken zuzuschreiben, daß es von da ab nicht allzulanger Zeit bedurfte, bis die Prophezeiung des Geschäftsberichts des A. Schaaffhausen'schen Bankvereins vom Jahre 1856 (S. 53) wörtlich in Erfüllung ging:

„Die Eisen- und Kohlenproduktion Westfalens und der Rheinlande wird nach Verlauf weniger Jahre hinter der Belgiens nicht zurückbleiben und in einer weiteren Zukunft mit England erfolgreich auf dem Weltmarkt konkurrieren, wenn der nötigen Vorbedingung dieser Konkurrenz, der Herstellung billiger Kommunikationsmittel, die gebührende Aufmerksamkeit geschenkt wird."

Was das Verhältnis der erwerbtätigen Bevölkerung zur Gesamtbevölkerung angeht, so gehörten damals (1843) in Preußen[2])
zur landwirtschaftlichen   60,84—61,34 %,
zur gewerblichen aber nur   23,37 % und
zur handeltreibenden   0,97 %.

Im Jahre 1846 kam ein Erwerbstätiger in Industrie und Handel erst auf 12,2 Einwohner, im Jahre 1850 aber schon einer auf 8,5.

In Städten wohnten 1849 in Preußen nur etwa 28 % der Gesamtbevölkerung[3]), Berlin hatte 1840 (ohne Militär) 331 894[4]) und 1858 noch nicht 500 000 Einwohner und beschäftigte 1840 nur 3000,

---

1) „Es ist also im Kreise Siegen die Eisensteinproduktion in 50 Jahren der Menge nach um mehr als das 25fache und dem Werte nach um mehr als das 31fache gestiegen." Mollat, Zur Würdigung der Siegerländer Industrie, Siegen im Sept. 1908.
2) von Reden, Vergleichende Kulturstatistik, 1848, S. 412 ff.
3) W. Sombart, D. mod. Kap., Bd. II, S. 176 u. 177.
4) Vgl. Ludwig Geiger, Berlin 1688—1840 (Berlin, Gebr. Paetel, 1903). Bd. I (1903), S. 463, Anm. *.

1856 aber schon 10 242 Arbeiter[1]). Städte von über 30 000 Einwohnern hatte Preußen damals (1849) überhaupt nur 15[2]).

Von den heutigen Hauptindustriestädten hatten (abgesehen von Berlin) die größte Einwohnerzahl:

Aachen . . . . mit ca. 46 000 Einwohnern,
Elberfeld . . . . . . „ „ 35 000 „ während
Crefeld . . . . nur „ 30 000 Einwohner,
Chemnitz und Düsseldorf etwa 26 000 „
Dortmund, Duisburg, Essen und
Solingen nur etwa je . . . . 7 000 „
zählten[3]).

In den deutschen größeren Städten (zuerst in Hannover und Berlin) hatte seit 1826, aber sehr langsam, die Gasbeleuchtung sich Schritt für Schritt, zunächst mit Hilfe ausländischen (englischen) Kapitals, Boden errungen[4]), erst von 1859 ab begann sich die Petroleumbeleuchtung, insbesondere in den Mittelschichten, einzubürgern.

In ganz anderem Tempo ging es von der Mitte des 19. Jahrhunderts ab mit dem Bau von Eisenbahnen vorwärts, nachdem von 1835—1842 nur Eisenbahnen von geringer Länge und von nur lokaler Bedeutung (zwischen zwei größeren Städten) in der Gesamtlänge von 87 Meilen geschaffen worden waren, und zwar waren dies: 1835: Nürnberg-Fürth; 1838: Berlin-Potsdam und Braunschweig-Wolfenbüttel; 1839: Leipzig-Dresden; 1840: Leipzig-Magdeburg, München-Augsburg, Mannheim-Heidelberg, Frankfurt-Mainz; und 1841: Berlin-Anhalt, Düsseldorf-Elberfeld und Cöln-Elberfeld; es handelte sich dabei fast durchweg um Privatbahnen.

Auch bis 1855, also bis zum Eingreifen der ersten deutschen Kreditbanken, waren nur 7800 km gebaut[5]), was für die 20 Jahre von 1835 ab nur 390 km auf das Jahr bedeutet.

Dagegen war 1865, also nach weiteren 10 Jahren, fast die doppelte Kilometerzahl (13 900 km) fertiggestellt, somit **610 km** für

---

1) Vgl. Beiträge zur Geschichte des Berliner Handels- und Gewerbefleißes aus der ältesten Zeit bis auf unsere Tage. Festschrift zur Feier des funfzigjährigen Bestehens der Korporation der Berliner Kaufmannschaft am 2. März 1870, S. 83.
Anfang Dezember 1910 betrug die Zahl der Krankenkassenmitglieder Berlins 819 964.
2) Vgl. W. Sombart, D. mod. Kap., Bd. II, S. 176 u. 177.
3) eod. II, S. 214. Über die heutige Einwohnerzahl vgl. unten S. 80.
4) Erst 1834 waren die Schwefelhölzer aufgekommen; die Nähmaschine bürgerte sich in Deutschland erst zu Anfang der 60er Jahre ein.
5) Auch in Frankreich waren am 31. Dezember 1852 erst 3685 km in Betrieb; 1870 17 440 km.

ein Jahr dieses zehnjährigen Zeitraumes, in welchem die deutschen Kreditbanken schon erheblich mitwirkten.

Bis 1875 aber, also nach weiteren 10 Jahren, waren ·nicht weniger als 27 981 km im Betriebe, also wiederum etwa die doppelte Kilometerzahl.

Dem entspricht die überaus starke Vermehrung der in dieser Epoche im deutschen Eisenbahnbau investierten Kapitalien:

Vom Beginn dieser Epoche ab bis zur Krisis von 1857 sind nach Wirth[1]) Aktien im Betrage von nom. 140 Mill. Tlr., zuzüglich 206 Mill. Tlr. Prioritäten, zusammen 346 Mill. Tlr. oder 1038 Mill. M, also etwas über eine Milliarde M, ausgegeben worden, während nach v. Reden 800 Mill. Tlr. im Jahre 1853 auf die gesamten in Eisenbahnen angelegten Werte zu veranschlagen waren[2]).

Dagegen beliefen sie sich (einschließlich der Prioritäten) am Ende dieser Epoche (1870) nach Engel's Berechnung bereits auf über vier Milliarden M (4 072 167 621 M).

Was die Beförderungswege betrifft, so wurden auf den Chausseen Deutschlands, die 1857 nur 30 000 km (gegen rund 150 000 im Jahre 1900) umfaßten, noch vielfach bis in die Mitte der 60 er Jahre Chausseegelder als Beitrag zu den Herstellungs- und Erhaltungskosten erhoben; in Frankfurt a. M. z. B. wurde das Chaussee- und Wegegeld erst am 18. Mai 1866 beseitigt.

Die Binnenzollschranken aber waren bereits 1834/35 in den meisten deutschen Staaten durch die Gründung des Zollvereins gefallen, der sich auf wirtschaftlichem Gebiete ebenso segensreich erwies, wie auf dem Rechtsgebiete die in den 50 er und 60 er Jahren im Wege der Landesgesetzgebung erfolgte Einführung der Allg. Deutschen Wechselordnung und des Allg. Deutschen Handelsgesetzbuchs.

Was die Beförderungsmittel angeht, so hatte die Dampfschiffahrt schon 1817 auf der Weser, 1818 auf dem Niederrhein und der Elbe in zunächst sehr bescheidenem Umfange begonnen, um dann Mitte des 19. Jahrhunderts etwas stärker einzusetzen.

Auf dem Gebiete der Post[3]) waren noch am Ende der 50 er Jahre in Deutschland neben dem preußisch-österreichischen Postverein nicht weniger als 17 verschiedene selbständige Postverwaltungen vorhanden; erst im Jahre 1867 erlosch das Thurn- und Taxis'sche Postregal durch den Übergang auf Preußen.

----

1) Max Wirth, Geschichte der Handelskrisen (2. Aufl.), 1874, S. 292.

2) Vgl. Bernhard Brockhage, Zur Entwicklung des preußisch-deutschen Kapitalexports, 1. Teil (Leipzig, Duncker & Humblot, 1910), S. 205.

3) Zum folgenden vgl. W. Sombart: D. mod. Kap., Bd. II, S. 284—287 und Otto Bähr, Eine deutsche Stadt [Cassel] vor 60 Jahren, Leipzig, Fr. Wilh. Grunow, 1884, S. 64 ff.

Bis 1844 konnten innerhalb des Königreichs Preußen einfache Briefe noch 19 Sgr. kosten, in der Zeit von 1844—1855 noch 6 Sgr. und es war ein sehr bedeutender Fortschritt, als 1850 ein Vertrag mit Österreich geschlossen wurde, nach dem in der weitesten der drei dort vorgesehenen Zonen, nämlich bei einer Beförderung von über 20 Meilen, das Porto für einfache, nicht mehr als 1 Lot wiegende Briefe auf nur 3 Sgr. oder 9 Kreuzer festgesetzt wurde. Erst infolge dieses Vertrages, also zu Anfang der 50er Jahre, wurden in Preußen die Briefmarken eingeführt, während man bis dahin das Porto stets bar bei dem Postschalterbeamten erlegen mußte; die Post war aber noch in den 40er Jahren meist nur an einigen Tagen der Woche offen. Briefträger gab es noch nicht, und zwar nicht einmal in den Städten, geschweige denn auf dem Lande, so daß man auf der Post nach etwa angekommenen Briefen nachfragen mußte. Briefkasten kamen erst nach 1850 in allgemeinen Gebrauch.

Wie langsam die Fortschritte der Post damals waren, geht am besten aus der von Karl Lamprecht[1]) mitgeteilten Tatsache hervor, daß in Sachsen, „dem Lande der Leipziger Messe", von 1713 bis 1859 eine und dieselbe Postordnung in Geltung war.

In Großbritannien hatte man schon seit 1840 das Einheitsporto, und zwar ein solches von einem Penny, während man es in Österreich erst 1861, im Norddeutschen Bunde erst 1868 zu einem Einheitsporto brachte.

Die Ankunft eines Briefes mußte noch bis zur Mitte des vorigen Jahrhunderts, abgesehen etwa von größeren kaufmännischen Geschäften, als ein kleines Ereignis angesehen werden, denn es entfielen in Preußen auf den Kopf der Bevölkerung noch 1842 nur 1,5 Briefe und selbst im Jahre 1851, also zu Beginn unserer Epoche, nur etwa 3 Briefe im Jahr.

Der Telegraph[2]) wurde in Preußen (Aachen) erst 1843, in Bayern und Sachsen 1850, in Württemberg und Baden 1851, in Hannover 1852, in Mecklenburg 1854 dem öffentlichen Verkehr übergeben; die Kosten waren aber noch sehr erhebliche. „Denn der Telegraphentarif war kostspielig und nicht rationell. Noch der Zonentarif von 1858, obwohl anscheinend bereits verbilligt, forderte z. B. für 20 Worte von Frankfurt a. M. nach Nürnberg mit 2 Gulden 6 Kreuzern fast ebensoviel wie nach Amsterdam oder Como mit 2 Gulden 48 Kreuzern; das kleinste Telegramm nach Bochum kostete mit 4 Gulden 12 Kreuzern fast soviel wie das nach Tilsit oder Orsowa mit 4 Gulden 54 Kreuzern[1])." Im Jahre 1850 zählte man in Preußen nur 35 000, im Jahre 1865 schon 1 1/2 Mill. Depeschen.

1) a. a. O. S. 143.
2) Vgl. K. Knies, Der Telegraph als Verkehrsmittel, 1857, S. 161 ff.

An Aktiengesellschaften jeder Art waren in Preußen von 1826—1850, also in 24 Jahren, nur begründet worden: 102 mit einem Gesamtaktienkapital von etwa 638 Mill. M, also im Jahresdurchschnitt nicht ganz 27 Mill. M [2]).

Dagegen wurden im Verlauf der Epoche von 1851 bis zur ersten Hälfte des Jahres 1870, somit in 19 Jahren, in Preußen 295 Aktiengesellschaften, fast die dreifache Zahl, mit einem Gesamtaktienkapital von etwa 2405 Mill. M [3]), also mit fast dem vierfachen Kapital, begründet, im Jahresdurchschnitt mit einem Kapital von mehr als 124 Mill. M, demnach mit mehr als dem vierfachen Jahresdurchschnittsbetrage.

Unter den deutschen Börsen war zu Beginn dieser Epoche noch die Börse zu Frankfurt a. M. die maßgebendste für Staatsanleihen und ähnliche Fonds, während die Berliner Börse in dem Handel in Eisenbahnaktien, die allerdings noch nicht allzu zahlreich waren, die Führung hatte [4]). An der Berliner Fondsbörse wurden 1850 nur 63 Effekten notiert, gegen 309 im Jahre 1870 und gegen 1872 Effekten im Jahre 1900.

In Frankfurt a. M. entstanden auch die ersten Fachblätter in Bank- und Handelsfragen, so am 1. Januar 1854 der „Aktionär" und am 21. Juli 1856 der „Frankfurter Geschäftsbericht", aus dem am 27. Aug. 1856 die „Frankfurter Handelszeitung" (später „Frank-

---

1) Geschichte der Frankfurter Zeitung 1856—1906, S. 17.

2) Über die Verhältnisse in Baden, wo schon zu Anfang des 19. Jahrhunderts das Aktienrecht gesetzlich geregelt war, vgl. Th. Bauer, Die Aktienunternehmungen in Baden, (Karlsruhe 1903, Macklotsche Buchhandlung), S. 14 u. 15.

Danach bestanden dort bis zur Mitte des 19. Jahrhunderts nur ganz vereinzelte Aktiengesellschaften, so die Spinnerei u. Weberei Ettlingen, begr. 1835; die Badische Gesellschaft f. Zuckerfabrikation in Waghäusel, begr. 1836; die Mechanische Weberei in Thiengen, begr. 1843; die Badische Gasaktiengesellschaft, begr. 1845, und die Karlsruher Gasgesellschaft, begr. 1848. Von 1853 ab folgen: Aktiengesellschaft für Uhrenfabrikation in Lenzkirch, begr. 1853; Verein chemischer Fabriken in Mannheim, begr. 1854; die französische Compagnie de manufactures de glaces etc., begr. 1854 f. d. Spiegelglasfabrikation; die Badische Zinkgesellschaft in Mannheim, begr. 1855; die Draht- und Schraubenfabrik Falkau, hegr. 1856; die Badische Gesellschaft für Tabak-Produktion und -Handel in Karlsruhe, begr. 1857 und einige andere von geringerer Bedeutung. Als einziges aus einem schon bestehenden größeren Betrieb in die Aktiengesellschaftsform umgewandeltes Unternehmen nennt Bauer die Maschinenbaugesellschaft Karlsruhe, hegr. 1848, umgewandelt 1852. Lebhafter wurde die Gründungstätigkeit erst nach Einführung des auf Gewerbefreiheit und Freizügigkeit beruhenden Gewerbegesetzes von 1862. Zu dieser Zeit (1865) erfolgte auch die Gründung der bekannten Badischen Anilin- und Sodafabrik in Mannheim-Ludwigshafen.

3) Engel, Die erwerbstätigen juristischen Personen usw. (Berlin, Verlag des kgl. statist. Bureaus, 1876, S. 10 u. 11).

4) Vgl. Geschichte der Frankfurter Zeitung 1856—1906, S. 15.

furter Zeitung und Handelsblatt") hervorging. Inzwischen war
aber (vor dem „Frankfurter Geschäftsbericht") in Berlin am 1. Juli 1855
die „Berliner Börsen-Zeitung" mit der Donnerstagsbeilage „Berliner Börsen-Courier" erschienen.

Was das Münz-, Geld- und Bankwesen betrifft, so dürften
folgende Angaben von Interesse sein:

In dieser ganzen Epoche und bis zum Ausbau der deutschen
Münzverfassung im Anfang der 70er Jahre bestanden in den einzelnen deutschen Staaten nicht weniger als sieben Münzsysteme,
die, mit Ausnahme des in Bremen geltenden, durchweg auf der
Silberwährung beruhten. Zwischen der süddeutschen Guldenund der norddeutschen Talerwährung hatte man auf der Allgemeinen
Münzkonferenz von 1838 (Dresdner Konvention) lediglich ein
rechnungsmäßiges Verhältnis eingeführt[1]). Zudem war kein
Vertragsstaat verpflichtet, die Münzen eines anderen Vertragsstaates
zuzulassen.

Die Mannigfaltigkeit der Münzsysteme und Währungen im In-
und Auslande war zweifellos einer der Hauptgründe, weshalb damals
die Bankiers, die man nach ihrem Hauptgeschäft meist Geldwechsler
nannte, wenigstens in den Zentralstellen des Verkehrs, sowohl ein
gut situierter, wie ein zahlreich besetzter Erwerbsstand waren. In
dem für das Geldwechslergeschäft in erster Linie in Betracht
kommenden Zentralpunkte Mittel- und Süddeutschlands, der damals
Freien Stadt Frankfurt a. Main, gab es 1855 109 Privatbankiers
auf 1131 überhaupt vorhandene Firmen und gegen Schluß unserer
Epoche, im Jahre 1868/69, 192 Privatbankiers auf 1829 überhaupt
vorhandene Firmen[2]).

Diese Privatbankiers, die übrigens vielfach gleichzeitig Kommissionsgeschäfte oder Kommissions- und Speditionsgeschäfte betrieben, bildeten denn auch besonders in Frankfurt a. Main, und
zwar schon lange vor unserer Epoche, einen überaus angesehenen
Stand, der sich mit den allgemeinen kaufmännischen Interessen solidarisch fühlte, wie dies wohl am schlagendsten ein Vorgang beweist, welcher sich schon 1810 dort abgespielt hatte: „Auf Napoleons Befehl hatten [zur Zeit der Kontinentalsperre] zwei französische Beamte in Frankfurt 185 Kisten mit englischer Ware, die
Frankfurter Kaufleute als ihr Eigentum auf Lager hatten, konfisziert und vor den Toren verbrannt. Daraufhin diskontierten
Frankfurter Bankiers keine französischen Wechsel mehr
und bewirkten dadurch zahlreiche Fallissements in Straßburg, Nancy,

1) Karl Helfferich, Geschichte der deutschen Geldreform (Leipzig 1898,
Duncker & Humblot), S. 6 ff. und dessen Beiträge zur Geschichte der deutschen
Geldreform, S. 78 ff.
2) Hugo Kanter a. a. O. S. 112 u. 113.

Reims und anderen Plätzen"[1]). Die Kontinentalsperre wurde daraufhin bald in Frankfurt a. M. aufgehoben.

Was aber für Frankfurt a. M. galt, darf nicht ohne weiteres auch auf andere Städte und Gebiete ausgedehnt werden. In Stuttgart z. B. bezeichneten sich 1855 im ganzen nur 14 Firmen (einschließlich der Kgl. Hofbank), in Heilbronn und Ulm je eine Firma als Bank und Wechselgeschäfte, "zum Teil jedoch ausdrücklich in Verbindung mit anderer Erwerbstätigkeit, insbesondere mit dem Speditionsgeschäft". "Wie klein diese Firmen waren, geht daraus hervor, daß im Bankiergewerbe bei der Gewerbeaufnahme von 1852 — in der Zwischenzeit bis 1855 sind keine nennenswerten Veränderungen in ihm zu verzeichnen — 25 Geschäftsinhaber gezählt wurden, denen nur 68 Gehilfen gegenüberstanden"[2]).

Im gesamten Königreich Preußen (alten Bestandes) betrug dagegen im Jahre 1858, also zu einer Zeit, in der bereits mehrere Jahre starken wirtschaftlichen Aufschwungs ihre Wirkung getan hatten, die Zahl der im Geld- und Kredithandel erwerbstätigen Personen — Prinzipale und Gehilfen zusammengerechnet — nur etwa 1800 (1774), und diese verteilten sich nur auf 602 Geschäfte, so daß auf 602 Prinzipale 1172 Hilfspersonen, durchschnittlich also auf ein Geschäft etwa zwei Hilfspersonen kamen.

Von diesen etwa 1800 Personen entfielen allein auf den Zentralpunkt Berlin 384[3]).

Der Zahlungs- und Kredit-Verkehr war im allgemeinen noch recht unentwickelt; so war insbesondere der Giro- und Kontokorrentverkehr zu Beginn unserer Epoche — abgesehen von besonderen Verhältnissen, wie sie z. B. in Hamburg herrschten — "so gut wie unbekannt", und selbst in einem so großen Handelsplatze wie Frankfurt a. M. konnte man noch zu Anfang der 50er Jahre des 19. Jahrhunderts "zu jeder Stunde des Vormittags" zahlreiche Karren und Lastträger mit Säcken und Fässern Silbergeld in den Straßen in Bewegung sehen[4]). Die Diskontierung von Wechseln war in Deutschland, mit Ausnahme etwa der Haupt-Handels- und Börsenplätze, "noch sehr wenig in Übung"[5]). Noch weniger existierte eine systematische Pflege des Depositengeschäfts, und zwar weder bei den Kreditbanken (s. unten S. 60/61 u. 64) noch bei den

---

1) Hugo Kanter a. a. O. S. 41.

2) Rud. Kaulla, Die Organisation des Bankwesens im Königr. Württemberg, 1908, S. 6.

3) W. Sombart, Die deutsche Volksw., 2. Aufl., S. 190/191.

4) Geschichte der Handelskammer zu Frankfurt a. M. (1767—1908), Frankfurt a. M., Jos. Baer & Co., 1908, S. 659.

5) W. Sombart, Die deutsche Volkswirtschaft, 2. Aufl., S. 196. Dagegen war das Diskont- und Inkassogeschäft in Frankreich von jeher die Grundlage des Bankwesens, da dort der Gebrauch des Wechsels sich schon sehr früh auch in den

zu Beginn der Epoche existierenden Notenbanken. Der Depositenbestand z. B. der Preußischen Bank belief sich im Jahre 1850
auf nur ca. 23 Mill. Tlr. (22,74) = 67,22 Mill. M[1]) und war bei den
übrigen Zettelbanken meist noch ungemein viel geringer[2]), ungeachtet des zum Teil auch nach Deutschland gelangten Kapitalzuflusses
infolge der Entdeckung neuer Goldminen in Kalifornien (1848) und
Australien (1851), sowie der gleichzeitigen Entdeckung neuer Queck-
silberminen in Mexiko.

Immerhin waren aber auch starke Momente des Aufschwungs
vorhanden:

In erster Linie hatte die schon oben (S. 27) erwähnte, noch
selten so lange in Deutschland erlebte Friedensära (von 1815 bis
1848) doch eine relativ starke Kapitalansammlung zur Folge gehabt,
die nach produktiver Anlage drängte.

Schon 1844 hatte die erste Industrieausstellung der Zollvereins-
staaten den Industriellen manche Anregung gegeben. 1851 aber
bot die Weltausstellung in London eine Zusammenfassung der
neuesten industriellen Fortschritte und Erfindungen, die auch für
Deutschland von nachhaltigster Wirkung war. Wenige Jahre darauf
(1856) fand die große Umwälzung in der Eisenindustrie statt, als
Bessemer lehrte, „Roheisen in geschlossenen birnenförmigen Räumen
(Convertern) durch Zuführung erhitzter Luftmengen aus einem starken
Gebläse ohne Anwendung von Menschenkraft in Stahl zu verwandeln"[3]), ein Verfahren, welches 1865 durch Martin auch auf
weniger gute (nicht ganz phosphorfreie) Erze und 1879 von Thomas
und Gilchrist durch Verbesserungen auch auf phosphorreiche Erze
anwendbar gemacht wurde.

In den Jahren 1834—1858 wurden die Anilinfarben, 1868 die
Alizarinfarben entdeckt.

1840 wurden durch Liebigs agrikulturchemisches Lehrbuch die
Grundlagen der modernen Landwirtschaft geschaffen. In der Zeit
von 1831/40 bis 1871/80 war, mit geringen Unterbrechungen, ein
fast dauernder Aufschwung der Landwirtschaft festzustellen.

---

mittleren und unteren Schichten des Verkehrs eingebürgert hatte. (Bernh. Mehrens,
Die Entstehung u. Entwicklung der großen französischen Kreditinstitute, Stuttgart
u. Berlin, I. G. Cotta Nachfolger (Münchener Volksw. Studien, herausgeg. von Lujo
Brentano und Walther Lotz. 107tes Stück) 1911, S. 9.

1) Am 1. Oktober 1851 kündigte sogar die Preußische Bank ihre Depositen,
nach W. Sombart (Deutsche Volksw., 2. Aufl., S. 85) angeblich deshalb, „weil sie
nicht wußte, was sie mit dem Gelde anfangen sollte". Bei Beginn der zweiten Epoche
(1870) betrugen die Depositen der Preußischen Bank sogar nur 15,77 Mill. Taler
= 47,31 Mill. M.

2) Vgl. Lexis, Banken (im Handwörterbuch der Staatswissenschaften 1909,
3. Aufl., Bd. II, S. 400).

3) Karl Lamprecht a. a. O. S. 183.

Es stiegen in dieser Zeit, also von 1831—1880, in den altpreußischen Provinzen die Preise von Roggen um 69, von Weizen um 60 und von Gerste um 90 %, die Verkaufspreise des Grund und Bodens um nicht weniger als 2—300 %; die Pachtzinsen der preußischen Domänen von 4,5 Mill. M = 13,9 M pro ha im Jahre 1849 auf 10,2 Mill. M = 35,6 M pro ha im Jahre 1879, also um 156 %, und diese Steigerungen übertrafen häufig noch die Erhöhung der Preise der landwirtschaftlichen Produkte und die Produktivität der landwirtschaftlich genutzten Flächen [1]).

Einzelne Industrien, so die Baumwollspinnereien, begannen bereits zu Anfang dieser Epoche, wie wir sahen, zum Großbetrieb überzugehen, der in der Montanindustrie schon in weit früheren Zeiten vielfach vertreten war, ohne daß es jedoch dem Großbetrieb in dieser Epoche schon gelungen wäre, in der gesamten Industrie, in welcher noch die Hausindustrie vorherrschte, eine führende Rolle zu erlangen. In der letzten Dekade dieser Epoche sehen wir auch schon den Beginn einer alsdann immer stärker werdenden industriellen Ausfuhrbewegung, deren stürmische Entwicklung in der zweiten Epoche nach und nach eine völlige Verschiebung des Charakters unserer Gesamtwirtschaft herbeiführt.

Schon etwas früher bereitete sich für die Landwirtschaft, Hand in Hand mit dem überaus starken Wachstum der Bevölkerung, jener schwerwiegende und tiefgreifende Umschwung vor, der allmählich dahin führt, daß ein sehr bedeutender Teil des heimischen landwirtschaftlichen Bedarfs vom Auslande gedeckt wird, während noch zu Beginn dieser Epoche die Ausfuhr wichtiger Bodenprodukte, wie namentlich von Getreide (Roggen ausgenommen), die Einfuhr noch wesentlich überstiegen hatte. (In Roggen betrug schon 1860 die Mehreinfuhr 259000 Tonnen [2])).

Die Industrie, namentlich die Montan-Maschinenbau-Metall-Industrie usw., erhielt durch den stark überhandnehmenden Eisenbahnbau überaus große Aufträge und wurde — zum Teil wenigstens — durch die Maßnahmen des Zollvereins gegenüber dem Auslande geschützt und gestärkt. Die Ausdehnung der Industrie und ihr dadurch bedingter stärkerer Übergang zum Großbetrieb wurde zur unbedingten Notwendigkeit behufs Ernährung und Beschäftigung der gerade bis zum Beginn dieser Periode im größten Umfange gestiegenen und alsdann weiter zunehmenden Bevölkerung.

Von 1816—45 war diese von 24,8 auf 34,4 Millionen, also um 9,6 Millionen = 38,7 % gewachsen, während sie sich von

---

1) Walter Troeltsch, Über die neuesten Veränderungen im deutschen Wirtschaftsleben, Stuttgart, W. Kohlhammer, 1899. S. 32 u. 45.

2) Vgl Karl Lamprecht a. a. O. S. 43.

1845—75 nur um 8,3 Millionen = 24,1 % und sogar von 1865—95 nur um 31,8 % gehoben hat.

Dieses Wachstum erfolgte in den meisten deutschen Staaten bis gegen oder in die Mitte des vorigen Jahrhunderts beinahe durchweg zugunsten der ländlichen Bevölkerung, wobei jedoch nicht außer Augen gelassen werden darf, daß auch ein großer Teil der Industrie, wie wir oben (S. 28) sahen, ihren Sitz damals noch vorwiegend auf dem Lande hatte. Hieraus erklärt es sich, daß um jene Zeit fast überall in überaus lebhafter Weise über „zu viel Menschen auf dem Lande" geklagt und vielfach mit der allergrößten Entschiedenheit erklärt wurde, daß das Land und die Landwirtschaft eine derartige Bevölkerungszahl nicht zu ernähren vermöge und daß man auf Abhilfe bedacht sein müsse [1]).

In der Tat nahm die Bevölkerung der vorwiegend ländlichen Bezirke, insbesondere der ostelbischen, in der Zeit von 1816—1871 um fast 91 %, der industrielle westliche und südliche Teil Deutschlands aber nur etwas über 23 % zu, während sich in der Zeit von 1871—1900 das Verhältnis umkehrte (26 und 79 %) [2]).

Unter solchen wirtschaftlichen Zuständen und Voraussetzungen sind die ersten deutschen Banken entstanden. —

Zweites Kapitel.

Die deutschen Banken in der ersten Epoche (1848—1870).

Den überaus starken Einfluß, den die zu Beginn dieser Epoche, also in den 50er Jahren, einsetzende starke und sprunghafte Entwicklung des deutschen Eisenbahnnetzes vor allem auf die Montan- und Maschinenbauindustrie ausüben mußte, können wir uns gerade heute leicht vorstellen. Wir brauchen uns nur an die Umwälzungen zu erinnern, die noch nach unser aller Erinnerung in der zweiten Epoche, also bei ganz anderem Kapitalreichtum und ganz anderer Bankentwicklung, der stürmische Aufschwung der elektrischen Industrie, wiederum besonders in der Montan- und Maschinenbauindustrie, hervorgebracht hat. In beiden Fällen waren aber auch schwere Krisen (1857 und 1900), für die allerdings noch andere Ursachen maßgebend waren, die nächste Folge jener plötzlichen Entwicklung.

Die Montanindustrie ist es vor allem, von der aus sich die Umwandlung vollzogen hat, deren staunende Zeugen wir gewesen

1) W. Sombart, D. mod. Kap., Bd. II 148—151.
2) Ludwig Pohle a. a. O. S. 27

sind [1]); sie hat in erster Linie das Umsichgreifen des Großbetriebes und des Kapitalismus, sowie nach und nach die tief einschneidende Richtungsänderung der allgemeinen wirtschaftlichen Zustände Deutschlands veranlaßt [2]). ͏

Die gewaltigen Anforderungen, welche der Bedarf der neu errichteten Eisenbahnen an Eisen, Kohlen, Schwellen, Lokomotiven, Wagen usw. stellte, konnten bei der damaligen Lage der Industrie auch nicht entfernt mit den vorhandenen Mitteln gedeckt werden. Neue Unternehmungen aller Art, große Erweiterungen der bestehenden waren erforderlich; Zahlen und Bedürfnisse aber wurden noch zehnfach höher angenommen, wie dies bei stürmischen Zeiten und überhitzten Köpfen stets geschieht, in denen auch die zu erwartende Rentabilität sich fast immer in riesengroßen Ziffern zu bewegen pflegt. So entsteht denn zu Beginn unserer Epoche, wie auf dem Gebiete des Eisenbahnwesens, so auf vielen anderen Gebieten, in rascher Folge und in buntem Durcheinander eine große Fülle neuer Aktiengesellschaften, vor allem im Bereiche der Montan- und Maschinenbau-Industrie und des Bankwesens.

Diejenigen deutschen Kreditbanken, welche in den ersten acht Jahren dieser Epoche (von 1848—1856) mit, wenigstens für die damalige Zeit, teilweise recht erheblichen Aktienkapitalien errichtet wurden, sind in der Beilage II am Schlusse dieses Buches zusammengestellt.

Unter ihnen nahmen schon damals, nach der Höhe ihrer Kapitalien, eine hervorragende Stellung folgende Kreditbanken ein:

1) 1848 der A. Schaaffhausen'sche Bankverein in Cöln, begründet behufs Rekonstruktion des alten Bankhauses Abraham Schaaffhausen, das durch die Wirren des Jahres 1848 schwer erschüttert war, mit einem Aktienkapital von Tlr. 5 187 000 oder rund Tlr. 5 200 000 = M. 15 600 000, wovon rund Tlr. 3 000 000 (3 199 800) gleich ausgegeben wurden;

2) 1851 die Disconto-Gesellschaft in Berlin, diese jedoch zunächst nur als „Kreditgesellschaft". Erst 1856 wurde sie

---

1) „In den Kohlen- und Eisenlägern Deutschlands liegt ...... die Erklärung, weshalb die deutsche Volkswirtschaft eine so entschiedene Schwenkung zur gewerblichen Tätigkeit während des letzten halben Jahrhunderts unternommen hat, nicht minder auch für die Intensität seiner kapitalistischen Entwicklung" (W. Sombart, Deutsche Volkswirtschaft, 2. Aufl., S. 103).

2) Vgl. Hans Gideon Heymann: Die gemischten Werke im deutschen Großeisengewerbe. Ein Beitrag zur Frage der Konzentration der Industrie. Stuttgart und Berlin 1904, J. G. Cotta Nachf. (Münchener Volksw. Stud., herausgeg. von Brentano und Lotz, 65. Stück), S. 4:

„Erst die Steinkohle als Schmelzmaterial und als Kraftquelle brach dem Großbetrieb und dem Kapitalismus Bahn" (s. auch S. 62).

in die jetzige Form einer Kommanditgesellschaft auf
Aktien unter der Firma „Direction der Disconto-Gesellschaft" umgewandelt mit einem Kommanditkapital von
Tlr. 10 000 000 = M 30 000 000, welches in 2 Abschnitten
von je 5 Mill. Tlr. emittiert wurde;

3) 1853 die Bank für Handel und Industrie, welche ihren
Sitz in Darmstadt nahm, weil eine Konzession für eine
Bank-Aktiengesellschaft damals weder in der Freien
Stadt Frankfurt a. M., noch in Preußen zu erhalten war.
Das Nominalkapital betrug fl. 25 000 000 = M. 42 750 000,
von welchem jedoch zunächst nur fl. 10 000 000 =
M 17 000 000 ausgegeben wurden; erst im Jahre der Um-
wandlung der Disconto-Gesellschaft (1856) kam es auf
die erstgedachte Höhe;

4) 1856 die Mitteldeutsche Creditbank in Meiningen mit
einem Kapital von Tlr. 8 000 000 = M 24 000 000, wovon
jedoch Tlr. 3 000 000 = M 9 000 000, im Portefeuille der
Bank blieben, also in Wahrheit nur Tlr. 5 000 000, eingeteilt
in 50 000 Aktien à Tlr. 100, ausgegeben waren, von denen
überdies schon 1859 Tlr. 1 000 000 zurückgekauft wurden;

5) 1856 die Berliner Handelsgesellschaft mit einem Aktienkapital von Tlr. 15 000 000 = M 45 000 000, wovon jedoch
zunächst nur ein kleiner Teil eingezahlt wurde, nämlich
Tlr. 3 740 150, von welchen zudem noch Tlr. 800 000
(4000 Aktien à 200 Tlr.) im Besitz der Gesellschaft blieben.

Allein in den fünf Jahren 1853—1857 entfiel auf die eingezahlten Aktienkapitalien der in den verschiedenen deutschen
Staaten neu gegründeten Eisenbahngesellschaften, die damals
fast durchweg im Privatbetriebe standen (s. oben S. 32), ein Kapital
von über 140 Mill. Tlr. und auf Bankaktiengesellschaften ein
Kapital von über 200 Mill. Tlr.

Von 259 in der ersten Epoche vorhandenen Bergwerks-, Hütten-,
Dampfschiffahrts-, Maschinenbaugesellschaften sowie Zuckersiedereien,
Spinnereien usw. mit einem Gesamtkapital von über 260 Mill. Tlr.
(780 Mill. M) wurde mehr als die größere Hälfte in diesen
vier Jahren (1853—1857) begründet[1].

Konzessioniert wurden aber allein in Preußen und allein
im Jahre 1856 neue Aktiengesellschaften mit einem Nominalkapital
von etwa 150 Mill. Tlr.

Um jedoch den Sturm, der sich hier erhoben hatte, ganz zu
verstehen, muß man sich gegenwärtig halten, daß in dieser ganzen
Epoche, also in etwa 20 Jahren, von 1851 bis zur ersten Hälfte des

---

1) Max Wirth, Geschichte der Handelskrisen (2. Aufl.), S. 292.

Jahres 1870, wie wir oben (S. 35) sahen, in Preußen nur 295 Aktiengesellschaften mit einem Gesamtkapital von ca. 2405 (2404,76) Mill. M gegründet worden sind. Hiervon entfiel fast die Hälfte, nämlich (340 Mill. Tlr.) = 1020 Mill. M, allein auf die in diesen fünf Jahren (1853—1857) in Preußen gegründeten Eisenbahn- und Bankaktiengesellschaften! Im ganzen entfielen von dem in Preußen 1851—1870 (erstes Semester) in Aktiengesellschaften investierten Kapital von 2404,76 Mill. M auf:

Bergbau, Hütten- und Salinenwesen   275,41 Mill. M.

Banken . . . .   94,65 „   „

Versicherungsgesellschaften . . .   158,46 „   „

Eisenbahnen . . . .   1722,44 „   „

also zusammen allein auf diese vier gewerblichen Betriebe 2250,96 Mill. M, somit 92,7 % aller in dieser Epoche in Preußen begründeten Aktiengesellschaften[1]).

In diesem großen Umwandlungsprozeß, der sich in ähnlicher Weise auch in den anderen deutschen Staaten vollzog, konnte bis 1856 kaum an eine andere Hilfe gedacht werden, als an die der 1853 durch Gustav Mevissen und Abraham Oppenheim in Cöln[2]) begründeten Bank für Handel und Industrie in Darmstadt, die wir in der Folge nach ihrem Sitz und gemäß der Gewohnheit des Publikums Darmstädter Bank nennen wollen. Denn die im Jahre 1851 begründete Disconto-Gesellschaft trat erst 1856 aus dem engen Rahmen der auf Gegenseitigkeit beruhenden „Kreditgesellschaft" heraus, während die schon 1848 errichtete A. Schaaffhausen'sche Bankverein naturgemäß in diesen Jahren vor allem mit der inneren Festigung der Verhältnisse der in ihn aufgegangenen Firma Abraham Schaaffhausen sich zu beschäftigen hatte.

Die Darmstädter Bank aber hatte, zu Beginn jenes Umwandlungsprozesses (1853) begründet, bewußt den Namen: Bank für Handel und Industrie angenommen: „Die Bank", so führte ihr erster Geschäftsbericht (für 1853) aus, „hat keineswegs die Aufgabe, der Agiotage Vorschub zu leisten und das Kapital zu unproduktivem

---

1) S. Engel, Die erwerbstätigen juristischen Personen, insbesondere die Aktiengesellschaften im preußischen Staate (Berlin, Verlag des kgl. statist. Bureaus, 1876), S. 10/11.

2) Präsident des ersten Verwaltungsrats war Gustav Mevissen, Ehrenpräsident Prinz Felix von Hohenlohe-Oehringen, Vizepräsident Abraham Oppenheim; der Verwaltungsrat umfaßte 18 Mitglieder darunter 9 Kölner (u. a.: D. Leiden, J. vom Rath, L. Th. Rautenstrauch, V. Wendelstadt) und mehrere Frankfurter (darunter M. v. Bethmann, B. H. Goldschmidt, Ph. Schmidt-Polex). Direktoren waren H. Hess und Th. Wendelstadt sowie (von 1855 ab) Dr. Parcus. Das Konzessionsgesuch hatte Moritz v. Haber eingereicht (vgl. Jos. Hansen, Gustav von Mevissen, Berlin, Georg Reimer, 1906, Bd. I, S. 650 bis 651 und Anm. 1 sowie S. 654 ff u. Bd. II, S. 522—551).

Börsenspiel anzuregen. Sie ist vielmehr berufen, durch **eigene Beteiligung** und durch Anlage fremder Fonds solide und große Unternehmungen zu fördern und nach Kräften durch die auf einem hohen Standpunkte sich darbietende klare Einsicht in die Gesamtlage der deutschen Industrie dazu mitzuwirken, daß Unternehmungsgeist und Kapital in die richtigen, dem Bedürfnisse des Augenblicks entsprechenden Bahnen geleitet werden. Ihre Organe im In- und Ausland sollen den **Export** und die tausend anderen Beziehungen der deutschen Industrie zum Geldmarkte vermitteln. Sie hat das Recht und die Aufgabe, das Kapital, welches bei dem einen Industriellen zeitweilig disponibel, dem andern, welcher dasselbe im gleichen Augenblicke bedarf, zuzuführen und durch diesen steten Austausch die industrielle Tätigkeit zu beleben und zu steigern. Wie bei den großartigen Unternehmungen der Industrie, so ist sie auch berechtigt, bei den großen Schöpfungen und bei den **Geldgeschäften der Staaten** sich zu beteiligen und das Placement fremder Fonds auch auf diesem Gebiete zu vermitteln".

Dieses Programm stand offensichtlich **teilweise**, ebenso wie ein Teil der statutarischen Bestimmungen[1]), so die Obligationenidee[2]) und die Bemessung der Höhe des Kapitals, unter dem Einfluß der Organisation und der Ziele des im November 1852 mit einem Kapital von 60 000 000 Frcs. begründeten Crédit mobilier (Société générale de Crédit mobilier), zu dessen Gründern auch Abraham Oppenheim aus Cöln, einer der Mitbegründer der Darmstädter Bank, zählte und zu dessen höheren Beamten einer der ersten Direktoren der Darmstädter Bank (Heß) gehört hatte.

Es ist nicht ohne Interesse, festzustellen, daß jenes französische Institut, welches bestimmt war, unter der Leitung der Pereire die St. Simonistischen Ideen in die Praxis zu übertragen, damals sowohl bei der Regierung, als in den weitesten Kreisen des Publikums als **Gegengewicht gegen die übergroße Macht der Privatbankiers, insbesondere des Hauses Rothschild,** betrachtet und vor allem deshalb freudig begrüßt wurde.

„Der Begründung der Reportbank oder des Crédit mobilier" — so führt eine in Deutschland 1856 erschienene Abhandlung[3])

---

1) Eine finanzielle Beteiligung des Crédit mobilier bei der Gründung der Darmstädter Bank läßt sich nicht nachweisen. Es bestand nur ein „unseliger" Vertrag, der dem Crédit mobilier auf 6 Monate das alleinige Verkaufsrecht der ersten Aktien-Emission der Darmstädter Bank für Rechnung des Übernahme-Syndikats übertrug (Jos. Hansen, Gustav von Mevissen, Bd. I, S. 654 u. 656 Anm. 1).

2) Vgl. Geschäftsbericht der Darmstädter Bank pro 1853, S. 9. Die Idee ist glücklicherweise nie verwirklicht worden.

3) Die 1856 in der „Deutschen Vierteljahrsschrift", 3. Heft (Stuttgart und Augsburg, J. G. Cotta), S. 255 ff. erschienene (anonyme) Abhandlung: „Die modernen Kreditbanken".

diesen Gedanken aus —, „lag ein tiefer und wahrer Gedanke zugrunde, der unserer Zeit ganz angehört. Es hatten sich an verschiedenen Punkten Europas in den Händen einzelner Bankhäuser
enorme Kapitalien angesammelt. Sie beherrschten durch das Massen-
verhältnis ihres Kapitals alle Geschäfte . . . Sie stellten dann auch
ihre Bedingungen, wie die Besitzer eines Monopols . , . Nirgends
war abzusehen, welche Schranken dieser Tendenz gesetzt wären.
Das Monopol ließ sich nur brechen, wenn man dem großen
Kapital ein noch größeres entgegenzusetzen hatte, und
dieses größere war nur durch Assoziation vieler kleiner
Kapitale herbeizuschaffen. So wurde am 12. November 1852
die Gesellschaft des Crédit mobilier mit einem Kapital von 60 Millionen Francs, verteilt auf 120000 Aktien à 200 Frcs., eröffnet.“

Die französische Regierung aber wollte gleichzeitig die angeblich durch das Haus Rothschild vertretenen bourbonistischen und
orleanistischen Bestrebungen durch Konzessionierung einer Banque
gouvernementale schwächen, welch' letztere auch den Rentenkurs
beeinflussen sollte — natürlich nur nach oben!

Das Haus Rothschild hat denn auch, nach anfänglichem Zusammengehen, schon 1855 behufs Bekämpfung des Crédit mobilier
ein sehr mächtiges Syndikat von Privatbankiers gebildet.

Es ist in erster Linie dieser „Crédit mobilier“, dessen Organisation und Tätigkeit einerseits, und dessen beispielloser Aufschwung
und Niedergang in dem kurzen Zeitraum von 15 Jahren andererseits die öffentliche Meinung in einem solchen Maße beeinflußt hat,
daß man nach ihm bis in die neueste Zeit hinein[1]) die deutschen
Banken fast unterschiedslos als Crédit-mobilier-Banken bezeichnet, also nach dem Namen eines Instituts charakterisiert hat,
dessen Gründung und Wirksamkeit noch in unseren Tagen —
wenigstens teilweise[2]) — einem der großartigsten französischen
Romane, L'argent von Zola, in nicht gerade schmeichelhafter Weise
zugrunde gelegt worden ist.

Hierbei ist nicht ohne großen Einfluß gewesen die Ansicht
der Zeitgenossen, die unter dem Eindruck des Zusammenbruchs naturgemäß nur völlig abfällige Urteile abgaben[3]), und hier

---

1) So von Conrad, Grundriß zum Studium der politischen Ökonomie (4. Aufl.,
Jena, Gust. Fischer, 1902), Teil I, § 72 (S. 299 ff.): „Die Crédit mobilier- oder Emissions-
und Industriebanken“.

2) In erster Linie liegt wohl die Union générale (Bontoux) zugrunde.

3) Während man hinter einem Leichenwagen hergeht, sollte man
weder philosophieren, noch Gesetze machen. Jhering würde, wenn er dies be-
herzigt hätte, sicherlich nicht sein großes Werk: „Der Zweck im Recht“ durch die
unmittelbar nach der Krisis des Jahres 1873 niedergeschriebene Generali-
sierung entstellt haben: „Die Verheerungen, die sie (die Aktiengesellschaften) im Privat-

vor allem das im Jahre des Zusammenbruchs des Crédit mobilier
(1867) veröffentlichte umfangreiche Werk Aycards[1]). Dieses 595
Seiten zählende Buch, welches leider fast beständig als Quelle benutzt wurde und noch benutzt wird, ist aber — ich stimme da
ganz mit Plenge[2]) überein — nichts weiter als ein Pamphlet von
Anfang bis zu Ende. Es ist ein aus einem Gemisch von Gehässig-
keit und Neid hervorgegangenes, von Wiederholungen und Übertreibungen strotzendes Machwerk eines kleinen Bankiers von geringer wirtschaftlicher Urteilskraft, die dem Verfasser nicht ermöglichte, neben den unleugbaren Fehlern und Sünden, welche dem
Crédit mobilier zur Last fallen, auch die Verdienste zu erkennen,
die dieser sich um den wirtschaftlichen Fortschritt seines Landes
ebenso unleugbar erworben hat.

Der Crédit mobilier, der nach der Höhe seines Kapitals und
den programmatischen Äußerungen seiner Berichte und seiner leitenden Direktoren niemals dazu bestimmt war, lediglich eine „Effekten-

---

besitz angestiftet haben, sind ärger, als wenn Feuer und Wassersnot, Mißwachs, Erdbeben, Krieg und feindliche Okkupation sich verschworen hätten, den nationalen
Wohlstand zu ruinieren." (Bd. I, S. 223). — Es ist ebenso befremdend als bedauerlich,
daß Ruhland (System der polit. Ökonomie, Bd. III, S. 8) diese Worte, welche lediglich
vor Kritiken, philosophischen Schlüssen und gesetzgeberischen Eingriffen unmittelbar nach einer Krisis oder einem Zusammenbruch, also wenn oder besser: während
man noch „hinter dem Leichenwagen hergeht" — warnen, folgendermaßen (mit einem
Anführungszeichen) wiedergibt: Der Wunsch von Riesser ... „hinter einem
Leichenwagen weder zu philosophieren, noch Gesetze machen zu wollen und die
Wirkungen der Börsenkrisen nicht zum Ausgangspunkte reformatorischer
Aktionen zu wählen (!), kann" usw. Die hier gesperrten Worte finden sich, ungeachtet der Anführungszeichen, nicht nur nicht in der von Ruhland zitierten
Stelle (Anm. 3 auf S. 38 der zweiten Auflage dieses Buches), sondern sie stellen
auch, was jedem aufmerksamen Leser meines Buches klar ersichtlich ist, nicht einmal entfernt das dar, was hier gesagt war. Hiernach läßt sich die wissenschaftliche
Begründung und Unterlage des als Folgerung unmittelbar sich anschließenden Ruh-
landschen Satzes ermessen: „Der Sozialpolitiker, welcher als Arzt den erkrankten
volkswirtschaftlichen Körper zu heilen hat, würde sich der schwersten Pflicht-
verletzung schuldig machen, wenn er nach dem Wunsche des jetzigen Professors
Riesser die schwersten und für die Erhaltung des Lebens bedenklichsten Symptome
verschweigen oder übersehen wollte!" Dabei ist kaum bedacht, daß es das
ABC einer wissenschaftlichen Polemik sein muß, nicht erst Ansichten auf Grund
völlig falscher Zitate zu konstruieren und diese dann zu bekämpfen.

    1) M. Aycard, Histoire du Crédit mobilier 1852—1867, Bruxelles 1867.
    2) Joh. Plenge, Gründung und Geschichte des Crédit mobilier. Zwei Kapitel
aus Anlagebanken, eine Einleitung in die Theorie des Anlagebankgeschäftes (Tübingen,
H. Laupp, 1903). Diese Abhandlung, die als Vorläufer eines leider noch nicht erschienenen größeren Werkes bezeichnet wird, welches das letztere Thema (Theorie des
Anlagebankgeschäfts) ausführlich behandeln soll, gibt sehr viel mehr, als der Titel
verspricht und zeichnet sich, neben einer Fülle interessanten Materials, durch besonders scharfe Beobachtung aus. Vgl. auch Maurice Wallon, Les Saint-Simoniens
et les chemins de fer, 1908.

bank" zu werden, hatte von vornherein sein Arbeitsgebiet und seine Ziele, und zwar in fast phantastischer Weise, viel zu weit gesteckt. Denn dieses Programm, wenn es auch wohl überlegt gewesen sein mag, war nicht ein mit den gewöhnlichen Bankmitteln erreichbares, da es eine im größten Stile gedachte wirtschaftliche Reform des Eisenbahn-, Industrie- und Kreditwesens bezweckte.

Der Crédit mobilier hat sich ferner außerordentlich selbst geschädigt durch die zu spät als verkehrt erkannte Ausschüttung viel zu großer Dividenden (1855 über 40 Proz.) sowie durch hartnäckiges Festhalten an seinem Projekt der Obligationen-Ausgabe, welches in der Regel im Rahmen einer jeden Bank unausführbar ist, jedenfalls aber im Rahmen einer Bank, die so viele Ziele verfolgen sollte, völlig unmöglich war und wegen des Widerstands der Regierung mit Recht nie ausgeführt wurde. Er hat sich dadurch vor allem außerstand gesetzt, durch eine dem allmählichen Anwachsen des Geschäftsumfangs angepaßte schrittweise Vermehrung des Aktienkapitals[1]) und durch eine entsprechende Stärkung der Reserven diejenige Liquidität der Bilanz zu erreichen, welche allein zur Verfolgung immer größerer Aufgaben befähigt und berechtigt.

Der Crédit mobilier hat auch zweifellos durch zu hastiges Vorgehen und durch den Versuch, alle Teile seines Programms fast gleichzeitig durchführen zu wollen, wozu er der Mitwirkung der Börse in immer steigendem Umfange bedurfte, ebenso aber auch durch die Förderung einer Überproduktion neuer Werte und Gesellschaften[2]), dem Börsenspiel, der Agiotage und direktem Aktienschwindel in nicht geringem Umfange Vorschub geleistet. Letzteres auch dadurch, daß die Geschäftsberichte, was Aycard mindestens für einen großen Teil mit Recht, aber auch hier wieder in endloser Wiederholung gerügt hat, sehr häufig geradezu ein Paradigma unzulässiger Verschweigungen und reklamehafter Beeinflussungen waren, was wesentlich dazu mitwirkte, daß die Aktien des Crédit

---

1) Diese erfolgte erst, als es zu spät war (1866), und alsdann gleich aufs Doppelte, also auf 120 Mill. Frcs. Die Reserven stellten sich auf nur 4 Mill. Frcs.

2) Bereits am 9. März 1856 sah sich die Regierung veranlaßt, jede weitere Emission von Wertpapieren an der Pariser Börse zu untersagen. Nach Plenge (a. a. O. S. 91) wurden vom 1. Juli 1854—1855 in Frankreich nicht weniger als 457 neue Kommanditgesellschaften mit einem Kapital von 1000 Mill. (nicht 100 Mill.) Frcs. gegründet, darunter 457 Kommanditgesellschaften auf Aktien mit einem Kapital von 968 Mill. Frcs. Die Fusionspolitik auf dem Gebiete der Industrie, welche der Bericht des Crédit mobilier von 1854, in richtiger Voraussicht der mit dem Großbetrieb untrennbar verbundenen Konzentrationsbestrebungen, ankündigte, ist seitens des Instituts nur in sehr geringem Maße verwirklicht worden. Dagegen sind unter seiner Mitwirkung einige bedeutende Eisenbahngesellschaften konsolidiert worden (vgl. Plenge a. a. O. S. 104).

mobilier von Anfang an nicht ohne Einwirkung des Instituts ein
Spielpapier ersten Ranges gewesen sind[1]).

Der Crédit mobilier hat das reguläre Kundengeschäft in
keinem irgendwie nennenswerten Umfange gepflegt. Er hat dagegen die großen Depositengelder (bis 145 Millionen Francs), die
ihm seitens der von ihm errichteten großen Eisenbahngesellschaften
zugingen, zu einem sehr erheblichen Teile wieder in Eisenbahnaktien, Industriewerten aller Art und in den Werten der zahlreichen
Tochtergesellschaften angelegt[2]).

Dieser Umstand vor allem mußte, in Verbindung mit e n o r m e n
und d a u e r n d e n V o r s c h ü s s e n an diese Tochtergesellschaften, insbesondere an die von ihm begründete Société immobilière, die v ö l -
l i g e I m m o b i l i s i e r u n g des A k t i e n k a p i t a l s und damit den Untergang der Bank herbeiführen und hat ihn auch tatsächlich im Jahre
1867 herbeigeführt.

Zudem hatte, in engster Verbindung mit dem gewaltigen Umfang der festliegenden Werte, eine starke eigene Spekulation der
Bank[3]) stattgefunden, aus der mitunter große Gewinne, vielfach aber
auch, und wohl in der überwiegenden Mehrzahl der Fälle, erhebliche Verluste erwuchsen.

Dem gegenüber darf nicht vergessen werden, daß es in erster
Linie der Wagemut und die zähe Energie der Pereire gewesen ist,
welche den enormen Ausbau des französischen und teilweise auch
auswärtigen Eisenbahnnetzes in der Zeit von 1850 ab (wo die Pereire
selbständig tätig waren) bis 1860[4]) herbeigeführt[5]), welche der französischen Industrie neue Betätigungswege eröffnet und ihr eine
bis dahin ungeahnte Kraft, Ausdehnung und organisatorische Ausgestaltung verliehen hat.

---

1) Vgl. die Kurstabelle bei P l e n g e (a. a. O. S. 111).

2) Schon im Jahre 1859 hatte der Crédit mobilier bei 60 Mill. Frcs. Kapital
und 2 Mill. Frcs. Reserven für etwa 77 Mill. Frcs. Werte aller Art im Portefeuille;
im Jahre 1862 war die Summe dieser Werte (worunter sich „rentes" nur in sehr geringem Maße befanden) auf etwa 148 Mill. Frcs. angewachsen.

Die Vorschüsse an die Tochtergesellschaften betrugen 1858 etwa
29½ Mill. Frcs., im Jahre 1866 aber beinahe 73 Mill. Frcs.

3) Für das Jahr 1856 glaubt A y c a r d , der dafür eine sehr feine Witterung
hat, einen lediglich aus Spekulationen herrührenden Gewinn von über 11 Mill. Frcs.
annehmen zu können. Damit sind sicherlich nicht Emissionsgewinne mit umfaßt,
wie sie bei P l e n g e (a. a. O. S. 150) erwähnt werden.

4) Konzessioniert waren bereits 1851 3910 und 1857 14 227 km (P l e n g e
a. a. O. S. 91).

5) Vgl. die Liste bei P l e n g e , S. 59 ff. u. S. 62. Beispielsweise seien erwähnt:
1852—1854 Französische Südbahn, 1854 Österr. Staatsbahn, Paris-Mülhausen, Dôle-
Sahns, 1857 Ungar. Franz-Joseph-Bahn, Schweizer Zentralbahn u. Westschweizer
Bahn, Dauphiné-Bahnen, Russ. Eisenbahn, Cordova-Sevilla, Spanische Nordbahn usw.

Überdies muß es dem Crédit mobilier zum Lobe angerechnet werden, daß er, was selbst Aycard zugibt, grundsätzlich seine schützende Hand dauernd über den von ihm gegründeten Unternehmungen und den von ihm emittierten Werten gehalten hat, und daß gerade die hartnäckige Übertreibung dieses an sich nicht tadelnswerten Geschäftsprinzips die Hauptschuld, wenn auch freilich nicht die alleinige Schuld, an seinem Untergange trug.

Dieser Untergang aber ist nicht dadurch verhindert worden, daß die von mancher Seite als Heilmittel ersten Ranges empfohlene Kontrolle seitens der Aktionäre gerade beim Crédit mobilier durch die statutarische Vorschrift ungemein erleichtert war, daß schon 10 Generalversammlungsmitglieder durch schriftlichen Antrag jeden Gegenstand auf die Tagesordnung setzen konnten.

Er ist überdies — und dies ist nicht minder wichtig festzustellen — weder vorhergesehen, noch verhindert worden durch die materielle staatliche Kontrolle, welche kein Geringerer als Adolf Wagner, unter dem frischen Eindruck der Krisis von 1900 (s. oben S. 45 Anm. 3) in Gestalt eines „Reichskontrollamts" gegenüber allen deutschen Banken glaubte vorschlagen zu sollen[1]) und welche gerade dem Crédit mobilier gegenüber von Anfang an bereits in einer Weise bestanden hat, die jene Wagner'schen Wünsche teils erreichte, teils überschritt.

Die Konzession vom 20. Nov. 1852 enthielt über die Staatsaufsicht, die durchaus „kein bloßer Schein" war[2]), folgende Vorschriften:

Art. 3. La société sera tenue de remettre, tous les six mois, un extrait de son état de situation au Ministère de l'Intérieur, de l'Agriculture et du Commerce, au préfet du Département de la Seine, au préfet de police, à la chambre de Commerce et au greffe du Tribunal de commerce de Paris.

---

1) Ad. Wagner, „Bankbrüche und Bankkontrollen" in der Deutschen Monatsschrift für das gesamte Leben der Gegenwart (ed. Jul. Lohmeyer), 1. Jahrg., Heft 1 (Okt. 1901), S. 74—85 u. Heft 2 (Nov. 1901), S. 248—258, insbes. S. 255. Siehe hiergegen u. a. den Deutschen Ökonomist vom 19. Okt. 1901 und 1. Febr. 1902, sowie Richard Rosendorff, Bankbrüche u. Bankkontrollen in Hirths Annalen des Deutschen Reiches 1902, Nr. 3, S. 182—197.

2) Vgl. Plenge a. a. O. S. 14. In der Tat hat die französische Regierung wiederholt eine starke Hand gegenüber dem Crédit mobilier gezeigt: sie hat die erst auf Mitte September und dann auf den 5. Oktober 1855 bereits angekündigt gewesene Obligationenemission von 240 000 Obligationen à 500 Frcs. 9 Tage vor der Subskription verhindert; sie hat am 9. März 1856 jede fernere Wertpapieremission an der Pariser Börse generell verboten; sie hat in der Konzessionsurkunde dem Crédit mobilier sogar untersagt, ohne Regierungsgenehmigung Zeichnungen auf ausländische öffentliche Anleihen einzulegen u. a. m.

Art. 4. En outre, la Société devra fournir au Ministre des
Finances sur sa demande, ou à des époques périodiques
par lui déterminées, les mêmes états présentant la
situation de ses comptes et de son portefeuille,
ainsi que le mouvement de ses opérations.
Les opérations et la comptabilité de la Société
seront soumises à la vérification des délégués du
Ministre des Finances, toutes les fois que celui-ci le
jugera convenable. Il sera donné communication
à ces délégués du régistre des délibérations, ainsi
que de tous les livres, souches, comptes, documents et pièces appartenant à la société. Les
valeurs de caisse et de portefeuille lui seront égale-
ment représentées.

Ich hoffe, in vorstehendem, wenn auch nur in gedrängter
Kürze, doch alles Wesentliche mitgeteilt zu haben, was den Aufschwung und den Niedergang, die Fehler und Vorzüge des Crédit
mobilier zu beurteilen gestattet, auch nichts Wesentliches von dem
übergangen zu haben, was den Kritiken Sattler's[1]) und Max
Wirth's[2]) zugrunde liegt. Und es wird mir nunmehr, wie ich
hoffe, unschwer möglich sein, zu erörtern, ob und inwieweit es
richtig ist, die deutschen Banken, speziell die der ersten Epoche,
ohne weiteres und ohne Ausnahme als „Crédit-mobilier-Banken"
zu bezeichnen[3]).

Was zunächst das der Errichtung der Darmstädter Bank (Bank
für Handel und Industrie) zugrunde gelegte Statut betrifft, so ist
festzustellen, daß es im großen und ganzen, d. h. in der überwiegenden
Mehrheit seiner Bestimmungen, nicht dem des im Jahre zuvor
begründeten Crédit mobilier, sondern bewußt, vielfach sogar
wörtlich, dem Statut des 1848 begründeten A. Schaaffhausen'schen
Bankvereins nachgebildet ist, also in allen wesentlichen Teilen nicht
auf französischer, sondern auf deutscher Grundlage beruht und aus
deutschen geschäftlichen Anschauungen erwachsen ist.

Dies gilt insbesondere — ich kann hier natürlich nur einiges
hervorheben — von dem wichtigsten Teil, dem das Programm

---

1) a. a. O. S. 71—98, § 10: Der Pariser Crédit mobilier von 1852—1867. Dieser
Darstellung und Kritik tritt Plenge (VII u. 17) in, wie mir scheint, etwas allzu
scharfer Form entgegen.

2) a. a. O. S. 249—267.

3) Auch das zuerst 1857 erschienene Buch von Max Wirth, Geschichte der
Handelskrisen, beweist durch eine starke, in manchem Abschnitt fast auf jeder
Seite zutage tretende Voreingenommenheit gegen die deutschen „Crédit-mobilier-
Banken", daß es ganz unter dem Eindruck der schweren 57er Krise und der voraus-
gegangenen spekulativen Ausschreitungen geschrieben ist.

enthaltenden, sehr in die Einzelheiten gehenden Titel III: „Wirkungskreis und Befugnisse der Bank" (§ 10)[1]), der beinahe wörtlich
dem entsprechenden Abschnitt des Schaaffh. Statuts (§ 20) abgeschrieben ist. Es ist auch in beiden Statuten eines der Grundprinzipien richtiger Bankpolitik vorangestellt (im § 10 Abs. 1
des Statuts der Darmstädter Bank und § 20 des Schaaffh. Statuts),
mit den Worten:

> „Die Bank ist befugt zum Betrieb aller Bankiergeschäfte,
> mithin zu solchen Geschäften, aus denen sie ihre Gelder, so-
> bald sie deren bedarf, zu jeder Zeit leicht zurückziehen
> kann."

Interessant sind die — offenbar mit Rücksicht auf die Zeit-
bedürfnisse[2]) und, worauf ich schon oben hinwies, zum Teil auch
mit Rücksicht auf den desfallsigen Abschnitt des Crédit mobilier-
Programms[3]) — im Statut der Darmstädter Bank hinzugesetzten
Vorschriften dieses Titels III, welche in dem fünf Jahre früher und
unter anderer wirtschaftlicher Konstellation errichteten Schaaffhausen'schen Statut fehlten[4]), wonach die Bank insbesondere befugt
sein soll:

> i) „alle Anleihen oder öffentlichen Unternehmungen ganz
> oder teilweise für eigene Rechnung zu übernehmen, sie weiter
> zu zedieren und zu realisieren oder sich bei deren Übernahme
> zu beteiligen, sowie bis zum Belaufe ihrer Übernahme oder
> Beteiligung Schuldscheine auf den Namen oder Inhaber
> lautend in Umlauf zu setzen" und
>
> k) „die Vereinigung oder Konsolidierung verschie-
> dener anonymer Gesellschaften, sowie die Umgestaltung von

---

1) Der § 10 hat ebenso wie die §§ 8, 11, 12, 16, 17, 18, 19, 21, 23, 30, 32, 36
und 40 durch Beschluß der Generalversammlung vom 31. Mai 1860 eine etwas andere
Fassung erhalten.

2) Auf diese wird auch in dem oben wiedergegebenen programmatischen
Geschäftsbericht der Darmstädter Bank pro 1853 ausdrücklich Bezug genommen,
wenn es heißt: „dazu mitzuwirken, daß Unternehmungsgeist und Kapital in die
richtigen, dem Bedürfnisse des Augenblicks entsprechenden Bahnen geleitet werden". Es erhellt von selbst, daß dieser Wortlaut zu eng und so, wie er gefaßt
ist, wirtschaftlich unrichtig ist.

3) Vgl. namentlich den Art. 5 des Statuts des Crédit mobilier.

4) In dem in dieser Beziehung viel weiter gefaßten Statut der Berliner Handelsgesellschaft vom 2. Juli 1856 hieß es im § 2, Zweck der Gesellschaft sei der „Betrieb
von Bank-, Handels- und industriellen Geschäften aller Art". Ihre Wirksamkeit
solle sich insbesondere auch erstrecken auf „industrielle und landwirtschaftliche
Unternehmungen, auf Bergbau, Hüttenbetrieb, Kanal-, Chaussee- und
Eisenbahnbauten, sowie auf die Begründung, Vereinigung und Konsolidation
von Aktiengesellschaften und die Emission von Aktien oder Obligationen solcher
Gesellschaften".

industriellen Unternehmungen in anonyme Gesellschaften zu vermitteln und zu bewirken[1]".

Das Programm der beiden größten Banken dieser Epoche[2] — das Statut der Disconto-Gesellschaft zog, ihrer Entstehung aus der Kreditgesellschaft entsprechend, keineswegs weitere, sondern eher engere Grenzen — war somit weder phantastisch, noch dazu bestimmt, umwälzende Reformen zu verwirklichen.

Diese prägnanten Unterschiede in Statut und Programm konnten aber in den 50er Jahren naturgemäß kaum beachtet, noch weniger gewürdigt werden.

Denn die Lage der allgemeinen wirtschaftlichen Verhältnisse war damals in Frankreich und Deutschland insofern fast identisch, als die nämlichen oben geschilderten Ursachen in beiden Ländern die nämlichen Folgen zeitigten. Dort, wie hier, zeigte sich etwa von 1852/53 ab ein stürmisches Vorwärtsdrängen auf fast allen Gebieten der Industrie, insbesondere aber, veranlaßt durch die Überhastung mit dem Ausbau des Eisenbahnnetzes, auf dem Gebiete der Montan- und Maschinenbauindustrie. Dort, wie hier, drängte sich eine sehr bedeutende Menge von Gründungen, Umwandlungen und Emissionen in ganz kurzer Zeit zusammen, für die man der Hilfe und Vermittlung der neu begründeten Banken, die darin eine reiche Gewinnquelle sehen mußten, naturgemäß und notwendig bedurfte. Hinzu trat, daß — wiederum auf Grund der nämlichen Ursachen, zu denen in beiden Ländern das fieberhafte Eingreifen der stets sprungbereiten und, wie es scheint, nie auszurottenden Spekulation sich hinzugesellte — nun bald, in Konsequenz des übergroßen Kapitalbedarfs, der Diskont stark anzog. Der Diskontsatz der Bank von Frankreich, der damals mit dem der Bank von England auch für Deutschland in erster Linie mitbestimmend sein mußte, hatte noch 1852 (vom März ab) etwa 3 % betragen, während der Satz der Bank von England von April-Dezember 1852 sogar nur 2 % betrug[3]. Im Verlauf des Jahres 1853 stieg aber der Satz der Bank von England (vom 29. Sept. bis 21. Dezbr.) allmählich auf 5 %; im Jahre 1855, und zwar vom Herbst bis Ende Dezember, auf 5½ und 7 %,

---

1) Im Jahre 1860 wurde der ganze Wortlaut des § 10 teils geändert, teils ergänzt. In den Darlegungen des Textes habe ich, einer berechtigten Ausstellung Warschauer's (in Conrad's Jahrbuch, 3. Folge, Bd. XXXI, S. 705) folgend, wesentliche Kürzungen vorgenommen.

2) Es ist hier daran zu erinnern, daß bis zur Einführung des Allgem. Deutsch. Handelsges.-Buchs (1862), also in der ersten Dekade der Tätigkeit der Darmstädter Bank, die Geschäftsführung nicht in der Hand der Direktion, die nur ausführendes Organ war, sondern ausschließlich in der Hand der „Bankverwaltung" lag, die aus 18 Mitgliedern bestand.

3) Max Wirth, Geschichte der Handelskrisen, 2. Aufl., S. 244 u. 295.

um dann, mit einigen Schwankungen, Ende 1856 wieder auf 7 % zu gehen, welcher Satz vom 19. Oktbr. 1857 ab auf 8, am 5. Novbr. auf 9, am 9. Novbr. 1857 aber sogar auf 10 % hinaufging — eine genügend deutliche Signalisierung eines heraufziehenden schweren Gewitters. Ähnlich waren die Verhältnisse bei der Bank von Frankreich, während der höchste Satz der Hamburger Bank im Jahre 1857 sogar 12 % erreichte [1]).

Eine Börsenkrisis, die durch schwere Handelskrisen in Nordamerika und England sehr verstärkt wurde, brach dann gleichzeitig in Frankreich, England und Deutschland im Jahre 1857 aus.

Zur Börsenkrisis hätte sich die Lage in den beiden letztgedachten Ländern infolge der Überproduktion in Gründungen, Umwandlungen und Neuemissionen und des dadurch bedingten Zusammenbruchs der normalen Organisation des Kredits und Geldmarkts auch ohne die gleichzeitige Handelskrisis in Nordamerika und England entwickeln müssen [2]).

Der Verlauf an der Börse war der stets und überall wiederkehrende. Zuerst hatte die berufsmäßige Spekulation auf Grund ihrer an der Börse zusammenströmenden Nachrichten über die starke Besserung der wirtschaftlichen Lage diese in den Kursen nicht genügend ausgedrückt gefunden und demgemäß das Kursniveau durch starke und dauernde Käufe beständig heraufgesetzt. Dann erst, wie immer, griff auch das Publikum ein, für dessen Entschluß meist der Kurszettel die einzige Grundlage und Veranlassung bildet. Das Publikum aber pflegt in Zeiten sichtbaren wirtschaftlichen Aufschwungs, bei geringerer Sachkenntnis, aber größerer Neigung, das zu glauben, was es hofft, stets das bestehende, wenn auch noch so hohe Kursniveau als Ausgangspunkt für immer phantastischere Berechnungen des inneren Wertes der Papiere anzunehmen.

Hatte so die wirtschaftliche und börsenmäßige Entwicklung in beiden Ländern damals im wesentlichen die gleichen Wege beschritten und war in beiden Ländern die Teilnahme der Banken an den jedes vernünftige Maß überschreitenden Gründungen, Umwandlungen und Emissionen, vor allem auf den Gebieten des Eisenbahnwesens und der Montanindustrie, die zur Krisis den ersten Anlaß gegeben hatten, mit Händen zu greifen, so lag die Folgerung gleichfalls auf der Hand, daß auch Charakter und Art dieser Banken identisch sei.

---

1) Max Wirth a. a. O. S. 296.

2) Einige Zeit später, im Jahre 1866, finden wir, wie wir oben sahen, wiederum ganz ähnliche Zustände in England, welches auch im Jahre 1857 eine schwere Krisis durchgemacht hatte, nachdem es solche Krisen schon 1825, 1836, 1839 und 1847 hatte erleben müssen.

Diese Folgerung schoß aber über das Ziel hinaus. Allerdings hatte man sich seitens der in dieser Epoche entstandenen Banken bewußt und von vornherein Recht und Pflicht vindiziert, in kräftigster Weise Handel und Industrie, auch durch Teilnahme an Emissionen, Gründungen und Umwandlungen, zu fördern. Es hatte auch speziell die Darmstädter Bank von vornherein in Aussicht genommen, in erster Linie zu diesem Zwecke „Organe im In- und Auslande"[1]) zu schaffen.

Demgemäß[2]) ist denn auch diese Bank schon in den ersten Jahren ihres Bestehens in großem Umfang an die Schaffung solcher Organe herangetreten. Zwar scheiterte die in den verschiedenen deutschen Staaten alsbald versuchte Gründung von Filialen meist an dem Widerstand der Regierungen, welche eigene Banken der Niederlassung von Filialen fremder Institute vorzogen[3]), so daß auch in Frankfurt am Main 1854 nur eine Agentur errichtet werden konnte, an deren Stelle erst 1864 eine Filiale trat. Lediglich in Mainz, also im Großherzogtum Hessen, wo sich auch der Sitz des Instituts befand, konnte man schon 1854 eine Filiale errichten, während im nämlichen Jahr (1854) bereits eine Kommandite in Newyork (G. von Baur & Co.) eingerichtet wurde, der dann in den Jahren 1856 und 1857 weitere Kommanditen in Berlin, Heilbronn, Mannheim, Breslau und Leipzig und in den sechziger Jahren auch in Hamburg, Stuttgart und Wien sich anreihten[4]). Das Konto der „Kommanditen, Filialen und Agenturen" wies denn auch bereits im Jahre 1856 den Betrag von 8 433 701,43 fl. auf.

Aber die Förderung der Industrie war bei den damaligen Banken durchaus nicht das einzige Ziel. Es war vielmehr von vornherein auch mit Nachdruck darauf hingewiesen worden, daß es ebenso in ihrem Programm liege, sich „bei den großen Schöpfungen und den Geldgeschäften der Staaten" zu beteiligen. Dies war ein Geschäftsgebiet, welches der Crédit mobilier, soweit er nicht mit Rücksicht auf die Erhaltung der ihm zugedachten und von ihm angestrebten Stellung als „banque gouvernementale" dazu genötigt war,

---

1) Geschäftsbericht pro 1853 (Programm), S. 7 u 10.

2) Es ist deshalb unrichtig, daß die Bank „genötigt" gewesen sei, Zweiganstalten und Kommanditen zu errichten, „nur um ihr Kapital nutzbringend anzulegen" (Max Wirth a. a. O. S. 272). Die „halbbankerotte Kattunfabrik in Heidenheim", deren Umwandlung in eine Aktiengesellschaft Max Wirth der Bank mit dem Bemerken zum Vorwurf macht, daß man „von deren Erträgnissen bis jetzt noch nichts gehört" habe, ist die noch heute blühende und angesehene Aktiengesellschaft Württembergische Kattunmanufaktur in Heidenheim (Württemberg).

3) S. Felix Hecht, Bankwesen und Bankpolitik in den süddeutschen Staaten usw., S. 166/67.

4) Fernere (in Petersburg, London, Konstantinopel, Smyrna und Prag) waren geplant.

gegenüber den Eisenbahn- und Industriegeschäften stets ungemein vernachlässigt hat, während alle deutschen Banken, insbesondere auch die in dieser Epoche begründeten, gerade dieses Gebiet des öffentlichen (staatlichen, provinzialen, kommunalen) Anleihekredits von jeher und in jeder Epoche ihrer Wirksamkeit mit besonderem Eifer und sehr bedeutendem Erfolge gepflegt haben.

Ein Verzeichnis der wesentlichsten Anleihegeschäfte der Darmstädter Bank und der Disconto-Gesellschaft, welche Banken in dieser Epoche im Vordergrunde standen, gibt die nachfolgende Tabelle [1]):

Staats- und Stadtanleihen.

Darmstädter Bank.

1854 Badische Staatsanleihe	1866 Bayerische Staatsanleihe.
— Bayerische „	— Sächsische „
1858 Bremer	— Württembergische Staatsanleihe
— Schwedische „	1868 Hessische „
1860 „ „	— Braunschweigische (Eisenbahn-)
1861 „ Hypothekenanleihe.	Anleihe.
— (Lotterie) Anleihe des Kantons	— Preußische 4% Staatsanleihe.
Freiburg.	— Hamburger 4½% „
1862 Wormser Stadtanleihe.	
1864 Österreichisches Staatslosegeschäft (Rothschild-Konsortium).	

Disconto-Gesellschaft.

1859 Preußische (Mobilmachungs-) Anleihe (30 Mill. Tlr.), zusammen mit den großen Berliner Banken und Bankhäusern unter Führung der Disconto-Gesellschaft, was die erste Anregung zu dem späteren sogenannten „Preußen - Konsortium" gab.	1867 4% Badische Prämienanleihe (12 Mill. Tlr.).
	1868 4½% Mannheimer Stadtanleihe (3 200 000 fl.) für den Bau der Mannheim-Karlsruher Bahn, zusammen mit den Bankhäusern W. H. Ladenburg & Söhne und M. A. v. Rothschild & Söhne in Frankfurt a. Main.
1866 4% Badische Anleihe (40 Mill. Tlr.), zusammen mit der Seehandlung und dem Bankhause von W. H. Ladenburg & Söhne in Mannheim.	— Preußische Staatsanleihen von 40 Mill. Tlr. u. 5 Mill. Tlr. (Preußen-Konsortium unter Führung der Seehandlung).
— 4% Bayerische Prämienanleihe (35 Mill. fl.), zusammen mit der Kgl. Bayerischen Bank und dem Bankhause von Erlanger & Söhne in Frankfurt a. Main.	1869 Danziger Stadtanleihe.
— Braunschweigische Anleihe (2 Mill. Tlr.).	— Preußische Anleihen (Rezeß mit Frankfurt a. Main) von 4 450 000 Tlr. und 550 000 Tlr.

---

1) Die übrigen Banken haben sich hieran meist beteiligt oder sind, wenn auch in dieser Epoche nur in geringerem Umfange, selbständig vorgegangen. Hierüber unten (S. 62 ff.) näheres.

Ebenso wie der Crédit mobilier es getan hat, wurden auch von den deutschen Banken schon in dieser Epoche industrielle Gesellschaften begründet. So übernahm die Darmstädter Bank die Gründung der Wollmanufaktur Mannheim (eingez. Aktienkap. 400000 fl.), der Württembergischen Kattunmanufaktur (eingez. Aktienkap. 500000 fl.), der Oldenburgisch-ostindischen Reederei (eingez. Aktienkap. 250000 fl.), der Kammgarnspinnerei und Weberei zu Marklissa (eingez. Aktienkap. 300000 fl.), der Ludwigshütte bei Biedenkopf (eingez. Aktienkapital 360000 Tlr., zusammen mit der Mitteld. Creditbank) und beteiligte sich bei der Umwandlung der Maschinenfabrik und Eisengießerei Darmstadt in eine Aktiengesellschaft (eingez. Aktienkap. 200000 fl.), sowie bei der Heilbronner Maschinenbaugesellschaft.

Und auch darin folgte man dem Beispiel des Crédit mobilier, daß man Tochtergesellschaften ins Leben rief; so begründete die Darmstädter Bank am 5. November 1855 die hessische Notenbank, Bank für Süddeutschland, mit einem Kapital von 20000000 fl. Endlich hatte es sich auch die Darmstädter Bank, gleich dem Crédit mobilier, von vornherein zum feststehenden Geschäftsprinzip gemacht, die von ihr begründeten Gesellschaften nicht nur durch Delegation von Mitgliedern ihrer Direktion in deren Verwaltung dauernd zu überwachen, sondern auch an diesen Gesellschaften durch größeren Aktienbesitz, der ihr auch oft schwere Verluste gebracht hat, dauernd interessiert zu bleiben. So hat sie sich bei den sieben im Jahre 1856 mit einem Gesamtkapital von 1580000 fl. von ihr begründeten oder umgewandelten industriellen oder kommerziellen Gesellschaften mit etwa je $1/_3$ des Aktienkapitals (813157,35 fl.) beteiligt.

Aber die deutschen Banken haben sich, im Gegensatz zum Crédit mobilier, fast niemals in dieser Epoche hinreißen lassen, ihre Mittel durch ungemessene Vorschüsse an solche Tochtergesellschaften oder affiliierte Gesellschaften festzulegen[1]).

Sie sind ferner in jenen ersten Jahren stürmischen Aufschwungs zum Teil wohl ebenso wie der Crédit mobilier in zu raschem Tempo und zu großem Umfange Engagements in Eisenbahn- und Industrie-Werten und -Unternehmungen eingegangen, aber haben sich doch hierdurch auch ihrerseits zweifellos sehr große und dauernde Verdienste erworben. Die nachstehenden Tabellen sollen speziell über

---

1) Einmal allerdings (1859) hat die Darmstädter Bank sich verleiten lassen, an industrielle und Eisenbahngesellschaften langfristige Vorschüsse in Höhe von etwa 4½ Mill. fl. zu geben und hat dadurch große Verluste erlitten. Hier aber hatte sie sich Sicherheiten geben lassen, deren Wert dann in unvorhergesehenem Umfange sank, ohne daß Nachschüsse zu erlangen waren. (S. Paul Model, Die großen Berliner Effektenbanken [ed. Ernst Loeb], Gust. Fischer, Jena 1896, S. 60 u. 61.)

die wesentlichsten Eisenbahngeschäfte, an welchen die Darmstädter Bank und die Disconto-Gesellschaft in dieser Epoche Anteil nahmen, einen Überblick geben:

Darmstädter Bank.

1854 Österr. Staatsbahn (Aktienübernahme.)

1855 Erweiterung der Rheinischen Bahn von Nymwegen bis Bingen.
— Übernahme von Aktien der Theißbahn.

1856 Finanzierung d. Eisenbahn Bingen-Aschaffenburg (über Mainz) und Begründung der Elisabeth-Bahn (Aktienübernahme).

1859 4½% staatsgarant. Obligationen der Rhein-Nahe-Bahn von 4 500 000 Tlr. (mit der Disconto-Gesellschaft).

1861 Prioritäten der Köln-Mindener Bahn.
— Freihändiger Verkauf von Aktien und Obligationen der Hess. Ludwigs-Eisenbahn.

1862 Plazierung von Obligationen der Livorneser Eisenbahn.
— Konvertierung der 4½% thüring. Eisenbahnprioritäten.
— Emission von 1 200 000 fl. Prioritäten der Hess. Ludwigs-Eisenbahn.

1863 Steuerfreie Silberprioritäten der Galiz. Karl Ludwigs-Bahn (Rothschild-Konsortium) von 6 Millionen fl.
— 5% staatsgar. Prioritätsanleihe der Moskau-Rjäsan-Eisenbahn von 5 000 000 Rbl.
— 4% Prioritäten d. Hess. Ludwigs-Eisenbahn ca. 3 Millionen fl.
— Silberprioritäten der Galiz. Karl Ludwigs-Bahn von 5 Mill. fl. (Rothschild-Konsortium).

1866 Aktien der Hess. Ludwigs-Eisenbahn.
— Aktien der Magdeburg-Leipziger Bahn Lit. B.
— Aktien der Altona-Kieler Bahn.
— Prioritäten der Oberschles. u. der Süd-Norddeutschen Verbindungsbahn (Reichenb.-Pardubitz).

1867 Aktien und Prioritäten der Eisenbahn Fünfkirchen-Bares und Ausbau dieser Linie, sowie der Siebenbürgener und Franz-Josephs-Bahn (Rothschild-Konsortium).
— Stammprioritätsaktien der Magdeburg-Halberstädter Bahn.
— Obligationen der russischen Kozlow-Woronesch- und Poti-Tiflis-Bahn.

1868 Aktien d. Hess. Ludwigs-Eisenbahn (1 Mill. Tlr.).
— Staatsgar. 5% Obligationen d. Hess. Ludwigs-Bahn (4 Mill. Tlr.).
— 5% Prioritäten der Hess. Ludwigs-Bahn.
— Begründung der Alföld-Bahn (Rothschild-Konsortium).
— Bau der Linie Arad-Temesvar (Rothschild-Konsortium).
— Aktien u. Obligationen der Österr. Nordwestbahn (Rothschild-Konsortium).
— Aktien der Rheinischen Eisenbahn Lit. B. von 5 Mill. Tlr.

1869 5% Prioritäten der Berlin-Potsdam-Magdeburger Bahn von 7 Mill. Tlr.
— 5% Prioritäten der Oberschles. Eisenbahn von 13 305 000 Tlr.
— 4½% garant. Aktien der Thüring. Bahn Lit. C von 4 Mill. Tlr.
— Aktien der Köln-Mindener Bahn Lit. C. von 9 068 200 Tlr.

1869/70 Kauf der gesamten Braunschweigischen Eisenbahnen von der braunschweig. Regierung namens eines Konsortiums zum Preis von 11 Mill. Tlr. und einer Jahresrente von 875 000 Tlr. für 64 Jahre und Übertragung des Betriebes und der Erweiterung der Linien an eine besonders begründete Gesellschaft.

Disconto-Gesellschaft.

1855 5% staatsgarant. Obligationen der Moskau-Kjäsan-Eisenbahn V. 5 375 000 Tlr. unter Mitwirkung der Darmstädter Bank, des Bankhauses Sal. Oppenheim jun. & Co. und eines Petersburger Bankhauses.	1866/68 Aktien und Obligationen der Bergisch-Märkischen Eisenbahn.
	1867 Stammprioritätsaktien der Nordhausen-Erfurter Bahn.
1856 3½% Obligationen d. Oberschles. Eisenbahngesellschaft.	1868 Aktien der Alsenz-Bahn.
1857 4½% Obligationen d. Cosel-Oderberger Bahn von 1½ Mill. Tlr.	— 5% Obligationen d. Charkow-Krementschug-Bahn von 1 716 000 £ (zusammen mit J. H. Schröder & Co. London).
1859 4½% staatsgarant. Obligationen der Rhein-Nahe-Bahn V. 4 500 000 Kronen (mit der Darmstädter Bank).	

Bei Beurteilung dieser großen Übernahme- und Emissionstätigkeit der damaligen Banken ist nicht zu vergessen, daß es sich dabei, wie ein Blick auf die Tabellen zeigt, fast durchweg um erstklassige Werte handelte, deren Einführung ein großer Vorteil für den deutschen Anlagemarkt gewesen ist. Auch darf nicht übersehen werden, daß die ganze Arbeit des in diese Zeit fallenden überaus großen Ausbaues unseres Eisenbahnnetzes lediglich durch Appell an das damals nicht sehr starke Privatkapital und durch Vermittlung von Banken mit (jedenfalls in Ansehung des Umfanges der Aufgaben) überaus geringen Aktienkapitalien geleistet worden ist.

Die damaligen deutschen Banken haben aber fast durchweg bei großen Engagements sofort alles getan, um das Gleichgewicht in ihren Bilanzen zu erhalten und die Liquidität herzustellen, während der Crédit mobilier derartige Versuche bis zu dem seinem Zusammenbruch unmittelbar vorausgehenden Geschäftsjahr sehr zu seinem Schaden unterlassen hatte.

So hat die Darmstädter Bank schon im Jahre 1856 ihr Kapital, welches 1855 in der ersten Serie mit 10 000 000 fl. voll bezahlt worden war, auf 25 000 000 fl. erhöht, während der Versuch, es im Jahre 1857 auf die im § 4 vorgesehene Höhe von 50 000 000 fl. zu bringen, also zu verdoppeln, infolge der Krisis des Jahres 1857 fast gänzlich scheiterte[1]).

Sie hat deshalb, was wirtschaftlich sicherlich richtig, geschäftlich aber bedenklich war, ihre Kontokorrentdebitoren von 4½ Mill. fl. Anfang 1857 bis etwa auf 360 000 fl. Ende 1859 reduziert und setzte solche Reduktionen auch bei den „Lombard- und bedeckten

---

1) Die wirkliche Erhöhung betrug nur 46 000 fl., so daß das Kapital von 1856 ab 25 046 000 fl. = 42 936 000 M ausmachte; die „Berechtigungsscheine", welche darüber hinaus ausgegeben waren, mußten allmählich zurückgezogen werden. Mit der Ausgabe jener Scheine sind wenig erfreuliche Vorgänge verknüpft gewesen, vgl. Model a. a. O. S. 58.

Krediten", den „Darlehen und Hypotheken" und namentlich bei den „illiquiden Forderungen", welche sie in ihren Bilanzen stets besonders angab, bis in das Jahr 1864 energisch fort[1]), obwohl sich die Direktion über die geschäftlichen Bedenken solcher Reduktionen ohne allen Zweifel völlig im klaren war.

Auch die Disconto-Gesellschaft hatte schon 1856, also etwa ein Jahr nach ihrer Umwandlung in die neue Form, beschlossen, ihr Kommanditkapital von 10 000 000 Tlr. auf 20 000 000 Tlr. zu erhöhen; aber auch dieser Beschluß konnte wegen der Krisis des Jahres 1857 nur zum kleinsten Teil ausgeführt werden und ist später rückgängig gemacht worden[2]).

Gleich dem Crédit mobilier begingen auch diese deutschen Banken in den ersten Jahren ihres Bestehens (1855 und 1856) mitunter den Fehler, zu große Dividenden auszuschütten, wozu sie wohl wesentlich durch den von der Spekulation inzwischen hinaufgetriebenen Kurs ihrer Aktien veranlaßt wurden, statt weniger auszuschütten und den Mehrgewinn zur Stärkung ihrer inneren Position und zu Reserven zu verwenden. So verteilte die Darmstädter Bank 1855 10,66% und 1856 15%, die Disconto-Gesellschaft 1856 13$\frac{1}{3}$% (10% für 9 Monate) Dividende. Das rächte sich natürlich, insbesondere dadurch, daß die Dividenden der nächsten Jahre überaus schwankende waren und bei schlechteren Zeiten mehr oder weniger heruntergehen mußten. Die Dividenden der Darmstädter Bank und die der Disconto-Gesellschaft in dieser Epoche (bis incl. 1860) sind aus nachfolgender Tabelle ersichtlich:

Dividenden in der ersten Epoche [3])

der Darmstädter Bank	der Disconto-Gesellschaft
%	%
1854: 5$\frac{1}{2}$	—
1855: 10$\frac{1}{2}$	—
1856: 15	10 (für 9 Monate)
1857: 5	5
1858: 5$\frac{1}{4}$	5
1859: 4	4
1860: 4	5$\frac{1}{2}$
1861: 5	6

1) Sie reduzierte ihre „Lombard- und bedeckten Kredite" von 1 400 000 fl. im Jahre 1859 bis zu 90 000 fl. im Jahre 1864, ihre „Darlehen und Hypotheken" von 4 710 000 fl. im Jahre 1859 bis zu 400 000 fl. im Jahre 1864 und ihre „illiquiden Forderungen" von 910 000 fl. im Jahre 1859 bis zu 114 000 fl. im Jahre 1864.

2) So der vielfach interessante Bericht: Die Disconto-Gesellschaft 1851—1901. Denkschrift zum fünfzigjährigen Jubiläum (Berlin 1901, J. Guttentag), S. 15. (Im Folgenden als Jubiläumsbericht zitiert.)

3) Die Dividenden, welche die Darmstädter Bank und die Disconto-Gesellschaft von 1856—1900 verteilten, sind in einer Tabelle bei Ad. Weber, Depositenbanken und Spekulationsbanken, Duncker & Humblot, Leipzig 1902, S. 209 u. 210 zusammengestellt, die der Disconto-Gesellschaft überdies im Jubiläumsbericht, S. 261.

der Darmstädter Bank   der Disconto-Gesellschaft

	%	%
1862:	6½	7½
1863:	5½	6½
1864:	6	6½
1865:	6½	6½
1866:	4½	8
1867:	6½	8
1868:	8	9
1869:	10	9½

Der Durchschnittsbetrag der Dividenden der Darmstädter Bank war:

in der ersten Dekade ihres Bestehens (1853—1862): $6^3/_4$ %

„ „ zweiten „ „ „ (1863—1872): $8^7/_{10}$ %[1])

bei der Disconto-Gesellschaft:

in der ersten Dekade ihres Bestehens als Kommanditaktiengesellschaft (1856—1865): 6,55 %

in der zweiten Dekade (1866—1875): 13,15 %[2]).

Beide Banken haben es aber dem gegenüber auch an Versuchen nicht fehlen lassen, ihre Reserven zu erhöhen, die z. B. bei der Disconto-Gesellschaft sich von 16 660 M im Jahre 1852 auf 2 640 495 M im Jahre 1860, bei der Darmstädter Bank von 39 109,8 fl. im Jahre 1854 auf 1 553 363,18 fl. im Jahre 1868 gehoben haben.

Was das laufende Geschäft angeht, so wurde es in dieser Epoche, im Gegensatz zum Crédit mobilier, von beiden Banken, allerdings nicht in gleichem Umfange, mit großer Sorgfalt und mit gutem Erfolge gepflegt, wenn es auch mitunter in dieser Epoche, speziell bei der Darmstädter Bank, hinter dem Gründungs- und Emissionsgeschäft zurücktrat[3]).

Die Entwicklung des laufenden Geschäfts bei der Disconto-Gesellschaft und der Darmstädter Bank in der Periode zeigen die nachfolgenden Tabellen (s. S. 61/62).

Wir sehen daraus unter anderem auch, daß am 31. Dez. 1869 die Depositen bei der Disconto-Gesellschaft den Betrag von

---

1) In den ersten 50 Jahren ihres Bestehens (1853—1903): $7^6/_{10}$ %.

2) In der Zeit vom 1. April 1856 bis 31. Dezember 1900: 9,51 %; von 1856 (1. April) bis 1904: 9,42 %.

3) Model a. a. O. S. 68 gibt eine Tabelle über das laufende Geschäft der Darmstädter Bank von 1859—1864 und hebt gerade hier hervor, daß die Verwaltung auf „Pflege und Entwicklung des Kontokorrentgeschäfts und auf Abwicklung längerer Engagements" den Hauptwert gelegt habe. Diese Tabelle scheint mir aber im ganzen mehr für die letztere als für die erstere — allerdings vorhanden gewesene — Tendenz beweisend. — Das laufende Geschäft der Darmstädter Bank erbrachte im Jahre 1856 ca. 8 % des Gesamtgewinnes von 15 %.

2 274 228 M, bei der Darmstädter Bank im Jahre 1869, also am Schluß dieser Epoche (jedoch wohl nur aus besonderen, also vorübergehenden Gründen, (vgl. S. 64) sogar die Höhe von 10 800 268,34 fl. erreicht haben.

Auch die übrigen hier in Betracht kommenden Banken, deren Wirken in dieser Epoche bisher in der Literatur so gut wie unberücksichtigt geblieben ist[1]), zeigen im ganzen eine erfreuliche und nicht unerhebliche Entwicklung:

Laufendes Geschäft der
1. Disconto-Gesellschaft 1852—1861 und 1869.

(Nach dem Jubiläumsbericht, S. 260.)

Jahr	Debitoren	Kreditoren	Depositen	Ertrag aus Zinsen, Effekten und Wechseln	Ertrag aus Provisionen
1852	1 470 817	1 482 731	1 921 233	54 441	69 597
1853	3 307 677	967 450	2 229 633	144 162	117 690
1854	4 732 728	2 854 736	2 145 345	215 538	103 791
1855	5 785 026	2 998 599	2 281 473	281 478	131 445
1856	31 035 731	8 095 688	1 691 520	1 849 979	284 597
1857	31 635 345	4 952 709	1 657 200	2 049 073	554 319
1858	27 542 475	4 718 695	2 321 886	1 990 306	452 745
1859	25 904 374	6 152 549	2 550 347	1 235 670	417 327
1860	31 718 296	12 724 215	3 586 030	1 755 198	394 545
1861	35 307 447	14 737 308	4 339 420	2 002 307	461 387
und am Ende dieser Periode also 1869	24 270 623[2])	29 596 211	2 274 228[3])	3 146 167	801 940

1) Auch Model erwähnt von den übrigen Banken nur die Berliner Handelsgesellschaft. —

2) Der von 1867 ab und dann in den Jahren 1868 und 1869 weiter zurückgegangene Betrag der Debitoren hob sich im Jahre 1870 wieder auf 30 526 471 M und im Jahre 1871 auf 62 771 967 M.

3) Der im Jahre 1867 auf 7 466 212 M (gegen 1866: 2 716 187) heraufgegangene Betrag der Depositen fiel 1868 auf 4 384 850 M und 1869 sogar auf den oben angegebenen Betrag (von 2 274 228 M). Er hob sich aber 1870 wieder auf 3 676 343 M, um dann 1871 sofort auf den Betrag von 14 779 269 M und 1873 sogar auf 64 788 366 M zu steigen, ohne sich jedoch in den folgenden Jahren auf dieser Höhe halten zu können.

2. Darmstädter Bank.

Jahr	Kreditoren	Debitoren	Verzinsliche Depositen auf Kündigung
		in Gulden	
1853	212 457,21	935 431,33	412 430,31
1854	632 079,21	2 754 870,35	868 000,00
1855	388 864,34	5 605 238,53	Angabe fehlt
1856	2 538 430,8	8 972 184,27	do.
1857	713 507,58	7 043 015,22	1 307 506,30
1858	226 269,39	8 668 037,41	3 337 667,41
1859	674 952,58	7 999 386,39½	1 289 928,7
1860	619 384,19	5 674 302,57½	1 292 170,48
1861	570 775.55	4 670 961,2	1 276 218,5
1862	935 795,37½	3 701 974,15	1 292 170,48
1863	1 228 338,14	2 724 939,47	1 732 989,33
1864	736 860,42	2 261 145,19	Angabe fehlt
1865	816 519,45	2 961 320,2	1 183 879,18
1866	511 963,36	3 464 719,8	Angabe fehlt
1867	828 939,41	3 243 465,15	do.
1868	785 450,58	9 136 926,28	do.
1869	2 244 432,41	7 429 533,03	10 800 268,34

Der im Jahre 1848 begründete A. Schaaffhausen'sche Bankverein, dessen Geschäftskapital, wie wir sahen (S. 42) 5 187 000 Tlr.
betrug, von welchen jedoch nur 3 199 800 Tlr. alsbald ausgegeben
wurden, wußte unter W. L. Deichmanns, Gust. Mevissens und
Victor Wendelstadts ebenso vorsichtiger wie sachkundiger Leitung, schon in der ersten Zeit seines Bestehens[1]) wichtige industrielle
Unternehmungen und zahlreiche Verbindungen mit der Industrie,
insbesondere in Rheinland-Westfalen, ins Leben zu rufen. So beteiligte er sich bereits im Jahre 1851 in erheblichem Umfange behufs Mobilisierung der industriellen Beteiligungen der Firma A.
Schaaffhausen an der Gründung des Hörder Bergwerks- und
Hüttenvereins in Cöln[2]), im Jahre 1852 an der des Cölner
Bergwerkvereins[3]) sowie an der Errichtung der Cölnischen
Baumwollspinnerei und Weberei, der Cölnischen Maschinen-

---

1) Der Aufsichtsrat hatte schon in seiner ersten Sitzung (30. Oktober 1848)
auf Vorschlag der Direktion als den Höchstgesamtbetrag für Einzelkredite 4 Mill. Tlr.,
für anzunehmende Depositen 2 Mill. Tlr., für eigene Effekten 1 Mill. Tlr.,
für eigene Geldanweisungen 1 Mill. Tlr. bezeichnet (Ernst Koenigs Erinnerungs-
schrift zum 50jährigen Bestehen des A. Schaaffhausen'schen BankVereins vom
Oktober 1898, S. 26).

2) Die Direktion bemerkt dazu (im Geschäftsberichte pro 1852, S. 1): „Wir
begrüßen freudig jedes neue großartige Institut in dieser Stadt und im Lande, überzeugt,
daß dauernd der Flor des BankVereins von dem Gedeihen und Blühen der rheinischen
Industrie in allen Zweigen unzertrennlich sein wird." (Vgl. Geschäftsbericht für
1853, S. 3.)

3) „Zur Ausbeutung der so reichhaltigen Kohlenminen des Essener Reviers"
(Geschäftsbericht für 1852, S. 3).

bau - Aktiengesellschaft, der Cöln-Müsener Bergwerks-Aktiengesellschaft und der Cölnischen Rückversicherungs-gesellschaft. „Die Direktion", so sagt der Geschäftsbericht für 1852, S. 3, „ist dabei von dem Grundsatze ausgegangen, daß es die Aufgabe eines großen Bankinstituts sei, nicht sowohl durch eigene große Beteiligung neue Industriezweige ins Leben zu rufen, als durch die Autorität ihrer auf gründlicher Prüfung beruhenden Empfehlung die Kapitalisten des Landes zu veranlassen, die müßigen Kapitalien solchen Unternehmungen zuzuwenden, welche, richtig projektiert, wirklichen Bedürfnissen entsprechend und mit der Garantie einer sachkundigen Leitung versehen, eine angemessene Rentabilität in Aussicht stellen."

Schon im Jahre 1851 betrug das Konto: „Beteiligung bei industriellen Unternehmungen" 434 706 Tlr.

Bis zum Jahre 1858 traten den erwähnten Gründungen noch folgende hinzu: Concordia, Cölnische Lebensversicherungs-gesellschaft; Agrippina, Cölnische Transportversicherungs-gesellschaft und die Cölnische Hagelversicherungsgesell-schaft.

Auch an der Gründung der Bank für Handel und Indu-strie (Darmstädter Bank) und der Bank für Süddeutschland in Darmstadt sowie der Cölnischen Privatbank in Cöln war der A. Schaaffhausen'sche Bankverein beteiligt.

Ferner wirkte er damals mit an der Zusammenfassung der Rheinischen, der Bonn-Cölner und der Cöln-Crefelder Eisenbahngesellschaft zu einem einheitlichen Netz mit dem Zentralbahnhof in Cöln.

Die Entwicklung der meist aus industriellen und kaufmännischen Kreisen von Rheinland-Westfalen sich zusammensetzenden Kontokorrent-Verbindungen läßt folgende Tabelle erkennen:

		Debitoren		Kreditoren
		in laufender Rechnung		
1852 [1])	Zahl der Konten	472	Zahl der Konten	624
1853		604		590
1854		643		611
1855		632		630
1856		636		639
1857		665		621
1858		653		639
1859		613		622
1860		614		675
1861		616		676
1862		619		708
1863	Gesamtsumme	Tlr. 6 959 285,58	Gesamtsumme . .	Tlr. 5 345 243,98
	und Zahl der Konten	651	und Zahl der Konten	692

1) Angaben aus den früheren Jahren finden sich nicht. Auf jedes einzelne Kontokorrentkonto entfielen im Jahre 1852 bei den Debitoren im Durschschnitt 6804 Tlr., bei den Kreditoren 5255 Tlr.

| | Debitoren | | Kreditoren |
	in laufender Rechnung		
1864	Gesamtsumme [1]) Tlr.	7 212 472,05	Gesamtsumme Tlr. 5 924 497,66
1865	,, ,,	8 252 631,32	,, ,, 6 270 191,84
1866	,,	7 339 369,58	,, ,, 5 661 290,25
1867	,,	7 113 866,39	,, 5 599 028,11
1868	,,	7 051 485,26	,, 6 849 356,88
1869	,, ,,	8 433 753,36	,, 6 555 008,56

Was die Depositen angeht, so war eine starke Vermehrung derselben in dieser ersten Epoche nach denjenigen Grundsätzen so ziemlich ausgeschlossen, welche
damals — es ist wichtig, diese Tatsache als Folge einer be-
wußten Geschäftspolitik festzustellen — sowohl bei dem
A. Schaaffhausen'schen Bankverein, als bei den meisten
anderen Kreditbanken in Geltung waren.

„Depositen" — so bemerkt der Geschäftsbericht des Bankvereins pro 1850 (Anl. 2 zum Protokoll der Generalversammlung
vom 14. Sept. 1850) — „werden nach den mit dem Verwaltungs-
rate beratenen Grundsätzen nur auf eine feste Kündigungsfrist von
3, 6 und 12 Monaten angenommen, und nur diesen Grundsätzen
neben niedrigem Zinsfuße ist es zuzuschreiben, wenn die Summe
derselben gegen früher höchst gering geblieben. Wir erachten
es im Interesse vollkommener Sicherheit unseres Instituts nicht für zweckmäßig, durch erleichternde Bedingungen auf eine Steigerung der Depositen hinzuwirken, da wir es weit vorziehen, den Betrieb der Geschäfte, so weit als dies bei der Natur des Bankverkehrs
möglich und mit dem Interesse der Korrespondenten
vereinbar, nur mit eigenen Mitteln zu bewirken." Die
Depositen betrugen am Schlusse dieser Periode (1869) beim Bankverein 883 616,80 Tlr.

Die Dividenden, welche in dieser Epoche beim Bankverein
auf die Aktien Lit. B entfielen (für Kapital und für die feste
Dividende von $4\frac{1}{2}\%$ der Aktien Lit. A bestand laut § 10 des
Statuts eine Staatsgarantie), betrugen:

	%		%		%
1848—1851	4	1858	6	1865	$7\frac{1}{2}$
1852	$6\frac{1}{8}$	1859	6	1866	$7\frac{1}{2}$
1853	$6\frac{1}{2}$	1860	6	1867	$7\frac{1}{2}$
1854	$6\frac{3}{4}$	1861	$6\frac{1}{2}$	1868	$7\frac{1}{2}$
1855	9	1862	7	1869	8
1856	$9\frac{1}{2}$ [2])	1863	7	1870	$8\frac{1}{2}$
1857	9	1864	$7\frac{1}{2}$		

1) Vom Jahre 1864 ab werden nur die Gesamtsummen, aber nicht mehr die
Zahlen der Konten angegeben.

2) Aus diesem der 1857er Krisis vorausgehenden Jahre hebt der Geschäftsbericht besonders hervor, daß Ende September die Preußische Bank „einige Tage
hindurch fast jede Diskontierung verweigert" habe.

Die Rentabilität des Geschäftsbetriebes war also eine recht befriedigende[1]).

Der Reservefonds belief sich schon am 31. Dez. 1857 auf 320 388,63 Tlr.

Die Ausdehnung des Geschäfts durch Begründung von Filialen, Agenturen oder Kommanditen hatte man schon im Jahre 1853 ins Auge gefaßt (Geschäftsbericht für 1853, S. 3), und die ordentliche Generalversammlung vom 29. Sept. 1855 hatte beschlossen, dem Statut einen § 82 hinzuzufügen, in dessen erstem Satze es heißen sollte: „Die Gesellschaft wird ermächtigt, eine Filiale in Berlin, sowie Agenturen und Kommanditen im Auslande zu errichten." Die Ausführung dieses Beschlusses scheiterte jedoch daran, daß das preußische Ministerium der Finanzen und des Handels die erforderliche Genehmigung zu dieser Statutenänderung verweigerte. —

Die 1856 begründete Berliner Handelsgesellschaft, deren Kapital 15 000 000 Tlr. betragen sollte, wovon aber nur 3 740 150 Tlr. (1859 3 786 200 Tlr.) eingezahlt wurden, von welchen überdies 800 000 Tlr. (4000 Anteile von je nom. 200 Tlr.) im Portefeuille der Gesellschaft blieben, widmete gemäß § 2 ihres Statuts (s. oben S. 51 Anm. 4) von vornherein und mit gutem Erfolg dem Emissionsgeschäft besondere Aufmerksamkeit.

Schon im Jahre 1856 beteiligte sie sich bei der (1858 mit der Lombardischen Bahn vereinigten) Kärntner Eisenbahn; 1862 bei der Konvertierung der 4 $1/_2$ % Prioritätsobligationen der Hamburger, Berlin-Potsdam-Magdeburger und Thüringer Eisenbahn:

1867 bei der Emission der Badischen 4 $1/_2$ % Staatsanleihe und
„ „ „ „ „ 4 % Prämienanleihe,
„ „ „ „ Magdeburg-Halberstädter Stamm-Prioritäten und
„ „ „ „ Thüringischen Eisenbahnaktien,

und vermittelte ferner die Begebung der

5 % Koslow-Woronesch-Prioritätsobligationen,
4 % Ostpreuß. Südbahn- „ „ .

Im Jahre 1868, in welchem das auf 7 500 000 Tlr. reduzierte Kommanditkapital, von welchem damals 3 786 200 Tlr. ausgegeben waren, bis zur Höhe von 5 625 000 Tlr. eingezahlt wurde, beteiligte sie sich an der Emission

---

1) Was die Bilanzierung betrifft, so verdient der § 57 des Statuts besondere Erwähnung, welcher bestimmte:

„Das jährlich anzufertigende Inventar soll das Vermögen der Sozietät nach seinem reellen Werte darstellen und dabei eher eine Unterschätzung als eine Überschätzung stattfinden."

der 4 $1/_2$ % Oberschlesischen Prioritäten,

„ Russischen Bodenkredit- Pfandbriefe,

„ Jelez-Orel Prioritätsobligationen,

„ 4 $1/_2$ % preußischen Staatsanleihe von 1867 Lit. D.

im Betrage von 24 Mill. Tlr., von welcher ein Teilbetrag im Jahre 1868 emittiert wurde, und vermittelte außerdem durch von gutem Erfolg begleitete öffentliche Subskriptionen die Plazierung der

5 % (staatl. garantierten) Prioritätsobligationen der Schuja-Iva-novo, Kursk-Charkow und Charkow-Azow-Eisenbahn,

4 $1/_2$ % Prioritätsobligationen der Breslau-Schweidnitz-Frei-burger Bahn,

7 $1/_2$ % Rumänischen Eisenbahnobligationen und eines Teils der Stammprioritäten der Halle-Sorau-Gubener Bahn.

Im Jahre 1869 endlich war sie en nom beteiligt bei der Über-nahme von

5 % Obligationen der Moskau-Smolensk.-Eisenbahn,

5 % Prioritätsobligationen der Ostpreußischen Südbahn,

4 $1/_2$ %   „   „   „ Magdeburg-Cöthen-Halle-Leipziger Bahn, von Aktien der Breslau-Schweidnitz-Freiburger Bahn und von Gothaer Prämien-Pfandbriefen, während sie unterbeteiligt war bei der Übernahme von: Schlesischen Zinkhütten-Stammaktien und Prioritätsaktien, Aktien der St. Petersburg-Baltishport-Bahn und von Anleihen der italienischen Regierung auf die Kirchengüter.

Die Provisionen im laufenden Geschäft betrugen:

1857	13 219 Tlr.	10 Sgr.			1864	68 106 Tlr.	22 Sgr.
1858	27 440 „	14 „	6 Pf.		1865	67 449 „	28 „
1859	73 201 „	18 „	10^1) „		1866	82 210 „	21 „
1860	67 046 „	— „	1 „		1867	78 735 „	16 „
1861	61 393 „	18 „	11 „		1868	128 034 „	26 „
1862	74 060 „	— „	1 „		1869	134 654 „	27 „
1863	68 360 „	3 „	3 „				

Die Dividenden betrugen:

	%	
1857	5$1/_8$	
1858	5$1/_2$	
1859	5	(etwa zur Hälfte durch Inanspruchnahme des Res.-Fonds)
1860	4$1/_4$	
1861	5	(etwa zur Hälfte durch Inanspruchnahme des Res.-Fonds)
1862	9	
1863	8	
1864	8	
1865	8	
1866	8	
1867	8	
1868	10	
1869	10	

1) Dies geht aus dem Geschäftsbericht für 1860, S. 2, hervor.

Für die Errichtung von „Kommanditen an anderen Plätzen" waren nach dem Geschäftsbericht pro 1857 schon in letzterem Jahr alle Einrichtungen getroffen worden, sie mußten jedoch wegen der Krisis abgebrochen werden.

Lediglich das Bankhaus Breest & Gelpcke in Berlin wurde seit Anfang Januar 1857 für Rechnung der Berliner Handelsgesellschaft betrieben, hatte aber im Jahre 1863 durch das Fallissement eines Exporthauses in Danzig sehr starke Verluste. —

Die Mitteldeutsche Creditbank[1]), welche 1856 mit einem Kapital von 8 000 000 Tlr. begründet wurde, wovon 3 000 000 Tlr. im Portefeuille der Bank blieben, während von dem verbleibenden Kapital von 5 000 000 Tlr. 1859 noch 1 000 000 Tlr. zurückgekauft wurden (s. oben S. 42), gehört eigentlich, wie wir schon hervorhoben, insofern nicht hierher, als sie in dieser Epoche Notenbank war. Die Notenemission betrug bereits 1857 1 688 660 Tlr. und im Jahre 1868 4 000 000 Tlr. In Frankfurt a. M. wurde bereits 1856 eine „Agentur" (August Siebert) eingerichtet, welche 1872 in eine Filiale umgewandelt wurde.

Die Bank beteiligte sich schon bald nach ihrer Gründung an einer Reihe von industriellen, Staats- und Eisenbahngeschäften, nicht immer mit Erfolg.

So partizipierte sie 1856 zu einem Drittel am Ankauf der Ludwigshütte bei Biedenkopf, die 1858 unter der Firma: Oberschlesischer Hüttenverein mit einem Kapital von 600 000 fl. in eine Aktiengesellschaft umgewandelt wurde und den beiden Sozien (zu zwei Dritteln nahm die Darmstädter Bank teil) in der Folge sehr große Verluste brachte.

Auch eine im Jahre 1856 übernommene Beteiligung an einer Zigarrenfabrik zu Wasungen im Herzogtum Meiningen ging nicht gut aus.

Dagegen hatte sie befriedigenden Erfolg bei ihren gleichzeitigen Beteiligungen an der Hochheimer Fabrik moussierender Weine (Burgeff & Co.), die 1857 in eine Aktiengesellschaft umgewandelt wurde; an der Negoziierung einer schwedischen $4\frac{1}{2}\%$ Anleihe (in Gemeinschaft mit der Darmstädter Bank) und eines von der österr. Regierung garantierten 100 fl.-Lose-Anlehens, sowie bei der Übernahme einer Prioritätsanleihe der Werra-Eisenbahn von

---

1) Aus den Geschäftsberichten ist hervorzuheben, daß die Bank während der ganzen ersten Epoche 10 % Tantième an die Gründer aus dem Nettogewinn zahlte. Der Vergessenheit verdient auch entrissen zu werden, daß in der im Jahre 1860 abgehaltenen ordentlichen Generalversammlung ein Aktionär den Wunsch aussprach (S. 3 des Protokolls), „in Zukunft mochte der Verwaltungsrat der Bank, nicht die Generalversammlung, die Dividende bestimmen".

1 000 000 Tlr. und bei ihrer Beteiligung an der Errichtung der Versicherungsgesellschaft Providentia zu Frankfurt a. M.

An der Entwicklung der Braunkohlenindustrie in der
Niederlausitz nahm sie von den ersten Anfängen dieser Industrie
an Interesse, so an der Eintracht, Braunkohlenwerke und
Brikettfabriken, und an der Ilse, Bergbau-Aktiengesellschaft.

Im Jahre 1858 war sie beteiligt an der Übernahme eines Rest-
betrages der Werra-Prioritäten von 250 000 Tlr., einer $4\frac{1}{2}\%$
Anleihe der Stadt Bremen und einer $4\frac{1}{2}\%$ Prioritätsanleihe
der Frankfurt-Hanauer Eisenbahn.

Im Jahre 1862 wirkte sie wesentlich mit bei der Begründung
der Deutschen Hypothekenbank in Meiningen.

Während des größten Teils dieser Epoche widmete sie sich
aber der Pflege des regulären (laufenden) Geschäfts. Die Umsätze
betrugen:

	bei der Zentrale.	bei der Agentur Frankfurt a. M.
1858	96 095 137,01 Tlr.	84 818 800,50 Tlr.
1859	73 318 091,32 „	115 343 418,70 „
1860	61 213 709,22 „	113 077 193,43 „
1861	57 790 084,68 „	104 037 760,17 „
1862	125 932 187,58 „	122 826 361,49 „
1863	165 869 918,46 „	90 335 317,34 „
1864	159 529 216,46 „	103 733 794,54 „
1865	159 087 084,14 „	105 770 692,99 „
1866	138 819 867,94 „	102 528 831,20 „
1867	119 031 959,50 „	95 355 576,96 „
1868	184 301 389,66 „	166 972 868,90 „
1869	263 770 732,68 „	234 008 308,20 „

Die Provisionen ergaben:

1857	58 067,39 Tlr.	1864	115 046,66 Tlr.
1858	23 660,02 „	1865	101 401,46 „
1859	28 962,48 „	1866	76 664,87 „
1860	34 930,77 „	1867	73 268,79 „
1861	73 175,81 „	1868	115 407,34 „
1862	206 847,58 „	1869	146 407,43 „
1863	114 998,13 „		

Auf Kontokorrentkonto waren verbucht:

	Kreditoren	Debitoren
1857	469 268,20 Tlr.	1 594 721,11 Tlr.
1858	578 029,84 „	1 441 089 „
1859	592 810,82 „ (Anzahl 210)	981 676,98 „ (Anzahl 348)
1860	688 059,09 „ („ 205)	1 642 790,67 „ („ 399)
1861	768 511,91 „ („ 216)	2 289 436,34 „ („ 415)
1862	1 200 912,81 „ („ 278)	2 673 483,57 „ („ 547)
1863	1 561 300,64 „ („ 312)	2 879 205,88 „ („ 687)
1864	1 901 955,53 „ („ 309)	3 152 198,46 „ („ 726)
1865	1 853 521,41 „ („ 347)	2 949 646,69 „ („ 709)
1866	1 254 110,70 „ („ 316)	2 990 217,87 „ („ 677)
1867	1 553 950,14 „ („ 239)	3 011 208,17 „ („ 493)
1868	1 588 043,88 „ („ 285)	2 933 362,84 „ („ 588)
1869	1 947 910,74 „ („ 316)	4 658 450,31 „ („ 656)

An Dividenden wurden verteilt (in Prozenten):

1857	1858	1859	1860	1861	1862	1863	1864	1865	1866	1867	1868	1869
6	6	4	4	6	7	7	$7\frac{1}{4}$	7	6	7	$8\frac{1}{2}$	10

Die Depositen hoben sich von 490 599,54 Tlr. im Jahre 1858 auf 756 465 Tlr. im Jahre 1869.

Das „Kommanditenkonto" wies bereits im Jahre 1858 einen Betrag von 1 103 111 Tlr. auf, ohne daß die Kommanditen genannt sind. Erst der Bericht pro 1860 führt eine Berliner Kommandite (A. Wolffsohn & Co.) auf, an deren Stelle im Jahre 1866 eine andere (G. Müller & Co. in Berlin) trat. Diese wurde 1873, gleichzeitig mit der Frankfurter Agentur, in eine Filiale der Bank umgewandelt.

In den Jahren 1869, 1870 und 1871 wurde das auf 4 000 000 Tlr. reduzierte Grundkapital der Bank wieder auf 8 000 000 Tlr., im Jahre 1872 auf 16 300 000 Tlr. = 48 900 000 M[1]) gebracht.

Die Liquidität der Bank wurde fast immer aufrecht erhalten, manchmal durch energisches Eingreifen. So gelang es der Bank, nachdem ihr Bestand an eigenen Effekten Ende 1859 sich auf 179 813,32 Tlr. erhöht hatte, diesen in einem Jahre (1860) um 132 210,32 Tlr., also auf 47 603 Tlr. herabzumindern.

Das Verhalten der Banken während der Krisis von 1857 ist meist ein wirtschaftlich richtiges gewesen. Die Darmstädter Bank z. B. konnte in ihrem Berichte pro 1857 darauf hinweisen, daß sie in diesem Jahre in der Lage gewesen sei, durch Zurückhaltung von industriellen Gründungen und durch angemessene Interventionen an der Börse — durch die sich freilich ihr Effektenbestand von $8\frac{1}{2}$ auf $10\frac{1}{2}$ Mill. fl. im Jahre 1858 und auf $12\frac{1}{2}$ Mill. fl. im Jahre 1859 hob, was ihr später große Verluste brachte — erleichternd und mildernd zu wirken. Sie vermochte in diesem Jahre sowohl dem Hamburger Senat als auch mehreren Banken erhebliche Summen vorzustrecken und bewies damit, daß sie rechtzeitig und mit Erfolg die Liquidität ihrer Bilanz zu stärken gewußt hatte.

Auch der A. Schaaffhausen'sche Bankverein hob im Geschäftsbericht für 1857 (S. 1) hervor, daß es ihm „die großen paraten Mittel .... erlaubt [hätten], im Moment der Krisis sowohl früher gewährte solid gebliebene Kredite unbeschränkt zu belassen, als auch dieselben da, wo es geboten erschien, noch angemessen zu verstärken". Ebenso erklärte der Geschäftsbericht der Berliner

---

1) Über die weiteren Reduktionen und Erhöhungen vgl. den Jubiläums-Geschäftsbericht der Mitteldeutschen Creditbank für 1905 (1856—1906), S. 2.

Handelsgesellschaft für 1857 (S. 2): „Während der Krisis haben
wir durch rechtzeitig gewährte Unterstützung in verschiedenen
Fällen zur Beseitigung eingetretener Verlegenheiten mitgewirkt,
wenn für die Sicherstellung der geleisteten Unterstützungen Gewähr
geleistet wurde."

Bei aller Emissions- und Gründungstätigkeit hatten aber die
damaligen Banken auch schon früh den Wert und die Notwendigkeit des Grundprinzips aller vorsichtigen Bankpolitik, der Risikoverteilung, klar erkannt, an dem manche Banken bei ihren Emissionsgeschäften sogar bis zur Ängstlichkeit und oft sehr zum Nachteil
ihrer Gewinne festgehalten haben.

Im Jahre 1859 bildete die Darmstädter Bank, behufs Übernahme mehrerer — im Jahre 1860 zur Abwicklung gelangter —
Engagements (insbesondere der Rhein-Nahebahn-Obligationen), wohl
zum ersten Male ein „Banken-Konsortium"[1]), was denn auch
in dem 1860er Geschäftsberichte mit den Worten besonders erwähnt wird: „Diese Form hat ihre entschiedenen Vorzüge, indem
sie das Risiko der Einzelnen vermindert und zugleich die Durchführung erleichtert[2])."

Was die Geschäftsberichte jener Zeit angeht, so ließ schon
deshalb, weil man die richtigen Formen erst zu finden hatte, ihre
Klarheit und Übersichtlichkeit manches zu wünschen übrig[3]), und
es fehlte nicht an berechtigten, aber auch nicht an unberechtigten
Vorwürfen. Es muß jedoch festgestellt werden, daß sie fast durchweg alle reklamehaften Anpreisungen unterließen, daß sie sogar oft
Warnungen vor übertriebenen Erwartungen enthielten[4]), und daß

---

1) Konsortien von Privatbankiers hatte es schon früher vielfach gegeben.

2) Unter den Berliner Banken und Bankhäusern wurde dann noch im nämlichen Jahre (1859) zur Übernahme eines Teils der für die Mobilmachung des preußischen Heeres erforderlichen Anleihe von 30 Mill. Tlr. ein Konsortium unter Führung
der Disconto-Gesellschaft gebildet, was die erste Anregung zur Gründung des späteren
sogenannten „Preußen-Konsortiums" gab (Jubiläumsbericht der Disconto-Gesellschaft, S. 29). Vgl. oben S. 55.

3) Immerhin enthielten schon der Geschäftsbericht der Darmstädter Bank
für 1862, S. 11 u. 12 und die folgenden Berichte ein Verzeichnis der Kategorien von
Papieren, aus welchen das Effektenkonto bestand, unter Hinzufügung der Werte
und der Vergleichssummen des Vorjahres, und zwar umfaßte dieses Verzeichnis:
1. Amerikanische Bonds, 2. Staatspapiere und Lose, 3. Prioritätsobligationen, 4. Eisenbahnen, 5. Notenbankaktien, 6. Kredit- und Diskontobanken, 7. Schiffahrtsaktien,
8. Kommunalobligationen und Pfandbriefe.

4) Vgl. z. B. Geschäftsbericht der Darmstädter Bank für 1855, S. 6: „Rasche
Erfolge auf diesem (dem industriellen) Gebiet können wir jedoch nicht in Aussicht
stellen und den allzu sanguinischen ... Anschauungen nicht gerecht werden"; Geschäftsbericht pro 1857, S. 2: „freilich werden die überschwenglichen Erwartungen,
die der Schwindel an die neuen Erscheinungen (der „Industriebanken") geknüpft,
nicht gerechtfertigt werden".

es z. B. Model (a. a. O. S. 56) ohne weiteres möglich gewesen ist, aus den Geschäftsberichten der Darmstädter Bank, denen spezifizierte Gewinn- und Verlustkonten erst vom Jahre 1859 ab beigegeben wurden, die Gewinn- und Verlustkonti der Jahre 1853—1856 aufzumachen.

Auch die Geschäftsberichte des A. Schaaffhausen'schen Bankvereins können als gründlich uud eingehend bezeichnet werden.

Im ganzen kann man von den geschilderten Banken dieser Epoche sagen, daß sie in der Organisation und Pflege des Kundengeschäfts gute Fortschritte gemacht und daß sie, weit mehr als industrielle Geschäfte, Staats-, Finanz- und Eisenbahngeschäfte größeren Stils mit wachsendem Erfolge gepflegt haben.

Es dürfen daher von allen jenen Banken, mindestens von den in dieser Epoche im Vordergrund stehenden, die Worte gelten, in denen ein besonders zuständiger Sachverständiger[1]), gelegentlich einer kritischen Betrachtung des Wirkens der Darmstädter Bank in der ersten Epoche, sein Urteil über diese Bank zusammengefaßt hat, daß sie „insbesondere um die Ausbildung des europäischen Staatskredits und um die Durchführung der großen Eisenbahnbauten sich verdient gemacht" haben.

Beim Rückblick auf die im obigen skizzierte große Arbeit, welche die deutschen Banken bereits in dieser ersten Epoche schrittweise und tastend, nicht ohne viele Mängel und Fehler, aber auch nicht ohne große und dauernde Erfolge, ungeachtet empfindlicher Störungen durch Kriege[2]) und schwere Krisen[3]), geleistet haben, wird man doch sehr zweifeln können, ob Ad. Webers Ansicht sich wird aufrecht erhalten lassen: „In Deutschland kann man von einem ausgebildeten Aktienbankwesen erst seit Anfang der 70er Jahre sprechen" (a. a. O. S. 47).

Allerdings wird man sich bei Abgabe seines Urteils über die Banktätigkeit dieser Epoche nicht auf den Standpunkt des zeitgenössischen süddeutschen Kritikers Max Wirth stellen dürfen, der in seinem — überhaupt sehr wenig objektiv gehaltenen — Buche

---

1) Felix Hecht, Bankwesen und Bankpolitik in den süddeutschen Staaten 1819—1875 (Jena 1880, Gustav Fischer), S. 172.

2) So namentlich durch die Revolution von 1848, den Krieg mit Dänemark von 1849, den russisch-türkischen Krieg von 1853, den Krimkrieg von 1854, den Krieg Österreichs gegen Italien von 1859, den amerikanischen Sezessionskrieg von 1861—1865, den französisch-mexikanischen Krieg von 1861—1867, den österreichisch-preußischen Feldzug gegen Dänemark von 1864 und den Krieg Preußens gegen Österreich und dessen Verbündete von 1866.

3) So insbesondere durch die Krisen von 1856, 1857 u. 1866.

über Handelskrisen (S. 271) die Tatsache, daß die Darmstädter Bank
sich 1857 bei der Gründung des Norddeutschen Lloyd beteiligte,
unter der Rubrik: „Das Bedürfnis der Industrie und des Handels"!
mit einem Ausrufungszeichen vermerkt, und der ihr die Gründung
der noch heute in Blüte stehenden „Concordia-Spinnerei und Weberei"
(vormals S. Woller) in Bunzlau und Marklissa als „Gründung einer
Kammgarnspinnerei im fernen Norddeutschland" mit sichtlicher
Entrüstung verübelt. —

Abschnitt III.
Die zweite Epoche (von 1870 bis zur Gegenwart).

Erstes Kapitel.
I. Tabellarische Übersicht über die für die Entwicklung des deutschen Bankwesens in der zweiten Epoche maßgebendsten Ereignisse.

1871—1872 Beendigung des deutsch-französischen Krieges; plötzliches Einströmen der 5 Milliarden Frcs. Kriegsentschädigung; sprungweiser Ausbau des deutschen Privatbahnnetzes; stürmische Steigerung der Produktion, der Arbeitslöhne und fast aller Preise, insbesondere der Preise von Rohmaterialien und Montanprodukten; starke spekulative Bewegung auf allen Gebieten; Beginn der industriellen Kartellbewegung.

Bildung der Provinzial-Disconto-Gesellschaften in Berlin, Hannover, Aachen, Bernburg, Elberfeld, Hamburg, Duisburg, Ludwigshafen.

1871 Gründung der Deutschen Bank und damit Beginn einer planmäßigen Entwicklung des Depositengeschäfts, der industriellen Exportpolitik der Kreditbanken und der energischen Konzentration im deutschen Bankwesen. Proklamation der Goldwährung.

1873 Produktions- und Börsenkrisis; 9. Juli: Erlaß des Münzgesetzes, Begründung einer einheitlichen Reichs-(Gold-)Währung.

1874—1878 Wirtschaftliche Depression.

1875 Gründung der Deutschen Reichsbank (Geschäftsbeginn 1. Jan. 1876), gleichzeitig mit dem Inkrafttreten der Reichs-(Gold-)Währung.

1876 Rückgang des Bankdiskonts in Berlin auf 3½ %.

1877/78 Russisch-türkischer Krieg.

1879—1882 Wirtschaftlicher Aufschwung; Abwendung vom Freihandel durch Wiedereinführung landwirtschaftlicher und industrieller Schutzzölle (Gesetz vom 15. Juli 1879);

Gründung von Eisenbahnen im Ausland und Emission
ausländischer Anleihen.

1879 Rückgang des Bankdiskonts in Berlin bis auf 3 %.

1879 Beginn der Konvertierungen deutscher Staats-Eisenbahn-
und Stadt-Obligationen.

1879 Beginn der Verstaatlichung der preußischen Privat-
eisenbahn-Gesellschaften (der bayrischen schon 1875, der
sächsischen 1876).

1879 Bund mit Österreich.

1883—1887 Depression auf allen Gebieten; Fortsetzung der ·Emission
ausländischer Werte.

1887 Bund mit Italien.

1888—1890 1889 Erste Erneuerung des Reichsbank-Privilegs; 1890
Hausse, erhebliche Gründungen, Umwandlungen, Emissionen, Börsenspekulationen.   Zahlungsschwierigkeiten
hinsichtlich der Staatsanleihen Argentiniens, Portugals,
Griechenlands u. a. m.

1891—1894 Depression und Stagnation auf fast allen Gebieten; die
Caprivischen Handelsverträge.

1891 Zusammenbruch mehrerer Berliner Bankgeschäfte.

1893 Bildung des rheinisch-westfälischen Kohlensyndikats.

1893 Zusammentritt der Börsen-Enquête-Kommission.

1895   Beginn der Aufwärtsbewegung; Steigerung des Kurses
der 3 % Reichsanleihe bis auf 100,30 und der 3 %
preußischen Konsols bis auf 100,40; Beginn einer planmäßigen Industriepolitik der Banken; Gründungen,
Umwandlungen, Emissionen; Kapitalserhöhungen der
meisten Großbanken.

1896 u. 1897 Verstärkung der Aufwärtsbewegung; glänzende Ent-
wickelung der elektrotechnischen Industrie; Weiterausbau des deutschen (Staats-) Eisenbahnnetzes; Vermehrung der Kriegsflotte, preußisch-hessische Eisen-
bahn-Betriebsgemeinschaft vom 1. April 1897 ab.

1897 Bildung des rheinisch-westfälischen Roheisensyndikats;
Herstellung einer Interessengemeinschaft zwischen der
Deutschen Bank einerseits sowie der Bergisch-Märkischen
Bank in Elberfeld und dem Schlesischen Bankverein
in Breslau andererseits behufs Förderung der industriellen
Bankpolitik, und damit Beginn der engeren Verbindung
der Großbanken mit der Industrie und der Verstärkung
der Bankenkonzentration.

1898—1900 Hochkonjunktur; Steigerung des durchschnittlichen Bankdiskonts in Berlin bis auf 5,33% und des Privatdis-

konts bis auf 4,41 % (1900); Steigerung des Geldbedarfs durch das seit Erlaß des Börsengesetzes vom 1. Januar 1897 an Stelle des Termingeschäfts in der Börsenspekulation vorwiegende Kassageschäft.

1898 Ausbruch des spanisch-amerikanischen Krieges.

1899 Höhepunkt der Umwandlungen, Gründungen und Emissionen. Verlängerung des Reichsbankprivilegs.

1899 Ausbruch des Burenkrieges.

1900 Rückgang des Kurses der 3 % deutschen Reichsanleihe bis auf 86,74 (gegenüber einem Kurse von 99,63 der $2^3/_4$ % englischen Konsols und von 100,60 der 3 % französischen Rente).

1900 Übernahme von 200 Mill. deutscher Reichsanleihe und preußischer Konsols durch die Deutsche Bank.

1900/1901 Krisis, Kurssturz der Montanwerte (Ende März—Anfang Juli); Zusammenbruch der Pommerschen Hypotheken-Bank, der Mecklenburg-Strelitzschen Hypotheken-Bank, der Preußischen Hypotheken-Aktien-Bank, der Deutschen Grundschuldbank, der Dresdner Bank für Handel und Gewerbe, der Leipziger Bank und vieler Unternehmungen aus dem Gebiete der Industrie und insbesondere der Elektrotechnik. Energische Intervention der Großbanken, Verstärkung der Konzentrationsentwicklung; Begebung von 80 Mill. M. 4 %iger, 1904 und 1905 rückzahlbarer Reichsschatzanweisungen an ein amerikanisches Konsortium; Aufrechterhaltung des niedrigen Bankdiskonts ($3^1/_2$ %) bis Ende September.

1901/1902 Fortdauerndes und besonders hohes Geldbedürfnis des Reichs, der Einzelstaaten und Kommunen; Ausbruch der chinesischen Wirren; Gründung der United States Steel Corporation (1901).

1902 20. Dez. Neues Zolltarifgesetz.

1902—1906 Erholung; Rückgang des Bankdiskonts auf 3 % (Febr. 1902), alsdann Steigerung bis 4 % (Okt. 1902).

1904 9. Febr. Ausbruch des russisch-japanischen Krieges.

1904 Gründung des Stahlwerksverbands in Düsseldorf; stürmische Konzentrationsentwicklung.

1905 Gründung des Oberschlesischen Stahlwerksverbands.

1907 Amerikanische Krisis, starke Diskonterhöhungen bis auf $7^1/_2$ % (Durchschnitt 6,03 %).

1908 Bank-Enquête-Kommission; Beendigung der akuten Krisis in Amerika; Erholung; Geldflüssigkeit; Rückgang des Bankdiskonts von $7^1/_2$ % im Januar bis auf 4 % im Dezember, Durchschnitt 4,76 %.

1909 Verstärkung der Geldflüssigkeit; politische Störungen durch Konflikt zwischen Österreich und Serbien; Novelle zum Bankgesetz; in den letzten Monaten des Jahres Beginn einer Besserung in einigen Industriezweigen, insbesondere in der Montanindustrie; Verlängerung des Reichsbankprivilegs.

1910 Fortschreitende Besserung der wirtschaftlichen Verhältnisse; durchschnittlicher Bankdiskont von 4,346 %; Zusammenbruch der Niederdeutschen Bank in Dortmund und der Frankfurter Vereinsbank in Frankfurt a. O. Vorschläge zur Hebung des Kurses der deutschen Staatsanleihen.

II. Skizze der wirtschaftlichen Zustände in Deutschland von 1870 bis heute[1]).

Als Siegespreis des gewaltigen deutsch-französischen Krieges erwuchs im Jahre 1871 das Deutsche Reich.

Es brachte auch im wirtschaftlichen Leben allmählich die Einheit: Maß und Gewicht, Münzsystem und Währung[2]), Gerichtsverfassung, Verfahren und Recht[3]) wurden nach und nach einheitlich gestaltet, Heer und Flotte[4]) zur Wahrung der errungenen Güter fest zusammengeschlossen; eine Zentralnotenbank, die Reichsbank[5]), zur Regelung des Geldumlaufs, zur Erleichterung

---

1) Vgl. die oben S. 26, Anm. 1 zitierte Literatur.

2) Gesetz betr. die Ausprägung von Reichsgoldmünzen v. 4. Dezember 1871; Münzgesetz vom 9. Juli 1873 nebst Ergänzungen v. 20. April 1874, 6. Januar 1876, 1. Juni 1900 und 19. Mai 1908 (Neue Fassung des Münzgesetzes vom 1. Juni 1909); Gesetz betr. d. Ausgabe v. Reichskassenscheinen v. 30. April 1874 nebst Novelle vom 5. Juni 1906 (Abschnitte v. 10 M u. 5 M). Verordnung betr. die Einführung d. Reichswährung vom 22. September 1875.

3) Gerichtsverfassungsgesetz vom 27. Januar 1877 u. 17. Mai 1898; Zivilprozeßordnung vom 30. Januar 1877 u. 17. Mai 1898; Strafprozeßordnung vom 1. Februar 1877; Konkursordnung vom 10. Februar 1877 u. 17. Mai 1898; Gesetz über die Angelegenheiten der freiw. Gerichtsbarkeit vom 17. Mai 1898.

4) Wehrgesetz vom 9. November 1867 mit Novellen vom 11. Februar 1888, 8. Februar 1890 u. 15. April 1905; Militärgesetz vom 2. Mai 1874 (abgeändert durch die Novellen vom 6. Mai 1880, 11. März 1887, 27. Januar 1890, 26. Mai 1893, 25. März 1899 u. teilweise durch BGB.); das Kontrollgesetz vom 15. Februar 1875. Gesetz über die freiw. Gerichtsbarkeit in Heer und Marine vom 28. Mai 1901 u. Verordnung vom 20. Februar 1890; Militärstrafgesetzbuch vom 20. Juni 1872; Militärstrafgerichtsordnung vom 1. Dezember 1898.

5) Bankgesetz vom 14. März 1875 mit Novellen vom 18. Dezember 1889, 7. Juni 1899 und 1. Juni 1909; Statut der Reichsbank vom 21. Mai 1875 nebst Verordnung vom 3. September 1900; Gesetz betr. die Ausgabe von Banknoten vom 21. Dezember 1874; Gesetz vom 20. Februar 1906 betr. die Ausgabe von Banknoten zu 50 u. 20 M.

der Zahlungsausgleichungen und zur Nutzbarmachung verfügbarer Kapitalien begründet und ein höchster Gerichtshof für das Reich[6]) geschaffen.

Freizügigkeit und freier Wettbewerb, die in verschiedenen deutschen Einzelstaaten schon in den 60er Jahren im Wege landesgesetzlicher Gewerbeordnungen Zugang gefunden hatten, wurden zuerst auf dem Wege der Bundes-, dann der Reichsgesetzgebung überall eingeführt.

Die so beginnende Epoche stellt eine der größten wirtschaftlichen Revolutionen dar, die sich wohl je in einem modernen Kulturstaate abgespielt haben; sie erschöpfend schildern zu wollen, liegt außerhalb der Grenzen dieses Buches. Aber der Umfang und die Entwicklung der Aufgaben, die in dieser Epoche von den deutschen Banken zu lösen waren, könnte kaum ohne eine kurze Darlegung wenigstens derjenigen Hauptmomente der wirtschaftlichen Entwicklung verstanden werden, die auf den Werdegang des deutschen Bankwesens von besonderem Einfluß waren, und nur insoweit soll eine solche Skizzierung im folgenden versucht werden.

Soweit sich angesichts der großen Zahl und Verschiedenheit der treibenden Kräfte der Wirtschaftsentwicklung Deutschlands in dieser Epoche eine Gesamtcharakterisierung geben läßt, möchte ich sie dahin versuchen:

Sie steht unter dem Zeichen

einerseits der größten Expansion auf fast allen Gebieten der öffentlichen und privaten Betätigung, verbunden mit einer weiteren Verschiebung des Schwerpunktes der Gesamtwirtschaft von der Landwirtschaft nach der Industrie;

andererseits der intensivsten Konzentration der Kräfte, Unternehmungen und Kapitalien.

Dies wird sich des näheren bei der nachstehenden Einzelbetrachtung ergeben:

Die fieberhafte Schnelligkeit der wirtschaftlichen Entwicklung dieser Epoche ist in erster Linie Folge, aber auch Ursache der fieberhaften Vermehrung der Bevölkerung, für welche Nahrung und Beschäftigung gefunden werden mußte.

Die Bevölkerung betrug im Jahre 1816 etwa 25 Mill., am Anfang dieser Epoche (1870) über 40 Mill. und 1907 62,1 Mill. Köpfe; am Schlusse (1. Dezember) des Jahres 1910 hat sie 64,7 Mill.

---

1) §§ 125 ff. des Gerichtsverfassungsgesetzes u. Gesetz über den Sitz des Reichsgerichts vom 11. April 1877.

betragen. Sie ist in den letzten Jahren um durchschnittlich rund
852 000 Köpfe jährlich gewachsen, gegenüber einem durchschnittlichen Jahreszuwachs in England von jetzt etwa 373 000 [1]) und in
Frankreich von jetzt nur rund 46 000 Köpfen [2]).

Jene gewaltige Bevölkerungszunahme in Deutschland ist aber
nicht etwa, was besonders betont werden muß, einer Zunahme der
Geburten zuzuschreiben, deren Zahl vielmehr seit fast drei Jahrzehnten
im Verhältnis zur Bevölkerung zurückgegangen ist, sondern in
erster Linie dem weit erheblicheren Rückgang der Sterblichkeit,
also der Tatsache, daß, namentlich infolge hygienischer Verbesserungen und der Fortschritte der medizinischen Wissenschaft, die
Zahl der Verstorbenen im Verhältnis zur Bevölkerung erheblich rascher zurückgegangen ist als die Zahl der Ge-
borenen [3]). Ändert sich dieses Verhältnis, was früher oder später
eintreten muß, so kann, bei gleichbleibendem oder stärkerem Rückgang der Geburtsziffern, von dem bisherigen Fortschritt in der Bevölkerungsvermehrung nicht mehr die Rede sein. In der Periode
von 1905—1910 ist der Geburtenüberschuß in der Tat stetig gesunken, und zwar von 14,88 auf je 1000 der Bevölkerung im Jahre 1905
auf 13,84 im Jahre 1909. Zudem kann in Zukunft der Einwanderungs-
überschuß, der sich in den Jahren 1895—1900 zum ersten Male
gezeigt hat [4]) und der noch anhält, sich wieder in einen Aus-
wanderungsüberschuß verwandeln, wie wir ihn in der Zeit von

------

1) Die Gesamtbevölkerung des Vereinigten Königreichs Großbritannien nach
dem Stande vom 2. April 1911 betrug nach der Labour Gazette vom Juni 1911
45 192 865 gegenüber 41 458 721 im Jahre 1901, also in zehn Jahren, was in diesem
Zeitraum eine Zunahme von 7,02 % bedeutet.

2) Im Jahre 1889 betrug der Geburtenüberschuß in Frankreich sogar nur
13 000 Köpfe, nach der Zählung vom 4. März 1906 rund 58 000 Köpfe, was eine
Zunahme während der letztvorhergegangenen Zählungsperiode von 0,15 % der
mittleren Bevölkerungsziffer ergibt.

3) Vgl. Ludwig Pohle, a.a.O. S. 140 u. 141 und die dort abgedruckte Tabelle;
jetzt aber vor allem: ,,Deutsche Sterbetafeln, Bd. CC der Statistik des Deutsch.
Reiches (Prof. Rahts) für die Jahre 1881—1890 u. 1891—1900. Die mittlere Lebensdauer ist in Deutschland bei dem männlichen Geschlecht in den 90er Jahren gegenüber den 70er Jahren auf 40,56 gegen 35,58, also um 14,0 %, bei dem weiblichen
auf 43,97 gegen 38,45, also um 14,4 % gestiegen. Die wahrscheinliche
Lebensdauer stieg in den 90er gegenüber den 70er Jahren bei dem männlichen
Geschlecht auf 48,9 Jahre gegen 38,1 Jahre, bei dem weiblichen auf 54,9 Jahre
gegen 42,5 Jahre.

4) Vgl. Ernst von Halle, Die deutsche Volksw. an der Jahrhundertwende
(Berlin 1902, Ernst Siegfr. Mittler & Sohn), S. 73. — Nach dem statist. Jahrb. f. d.
Deutsche Reich (32. Jahrg., 1911), S. 29, Tab. 13 u. Anm. 1, ergab die überseeische Auswanderung Deutscher über deutsche und fremde Häfen im Jahre 1910
25 531 Köpfe, während gleichzeitig 154 393 Personen über deutsche Häfen eingewandert
waren.

1871—1895 in Höhe von 2½ Mill. Köpfen gehabt haben. Endlich kann die Bevölkerungsvermehrung aufhören, oder es kann deren Prozentsatz abnehmen, falls in Zukunft die Produktivität unserer Gesamtwirtschaft sich vermindern sollte, welche sowohl eine der Wirkungen wie eine der Ursachen jener Vermehrung war.

Von der deutschen Bevölkerung lebten zu Anfang dieser Epoche (1871) etwa 64% auf dem Lande und rund 36% (gegenüber nur 28,04% in Preußen im Jahre 1849) in Städten. 1893 aber stand die Zahl der ländlichen und städtischen Bevölkerung sich bereits ungefähr gleich, und 1905 betrug schon die Landbevölkerung nur 42,58%, die Stadtbevölkerung dagegen 57,42% der Gesamtbevölkerung[1]).

Nach der Berufszählung vom 14. Juni 1895 waren von der Gesamtbevölkerung erwerbstätig[2]) (im Haupt- und Nebenberuf) rund 26 Mill. Köpfe oder 42,7% der (damaligen) Gesamtbevölkerung. Im Hauptberuf waren damals erwerbstätig

20 770 875 Köpfe = 40,12% der Gesamtbevölkerung

gegen 17 632 008 = 38,99% der Gesamtbevölkerung nach der Berufszählung von 1882.

Nach der Berufszählung vom 12. Juni 1907[3]) waren im Hauptberuf erwerbstätig

26 827 362 Köpfe = 43,46% der Gesamtbevölkerung,

was eine Steigerung der Erwerbstätigen im Hauptberuf gegen 1895 um 6 056 487 oder 29,16% bedeutet, während diese Steigerung im Jahre 1895 gegen 1882 nur 17,80% betragen hatte.

Die Zunahme der erwerbstätigen Bevölkerung war von 1895—1907 (29,16%) erheblich größer als die der Gesamtbevölkerung (19,22%)[4]), welches Ergebnis wesentlich durch das Wachstum der Frauenarbeit herbeigeführt ist[5]).

---

1) Vgl. die Tabelle bei Ludwig Pohle, a. a. O. S. 146 sub II.

2) Vgl. die „Materialien zur Beurteilung der Wohlstandsentwicklung Deutschlands im letzten Menschenalter" (Anlageband III zu den Reichsfinanzreformvorlagen von 1908), S. 50.

3) Statistik des Deutschen Reichs, Bd. CCII, S. 5; Reichsarbeitsblatt 1909, S. 99 ff.

4) Vgl. Friedr. Zahn, Deutschlands wirtschaftliche Entwicklung (in den Annalen des Deutschen Reichs 1910, Nr. 6, S. 424).

5) Vgl. Albert Hesse, Berufliche und soziale Gliederung im Deutschen Reiche (Conrad's Jahrb., III. F., Bd. XL, Heft 6, Dezember 1910, S. 724—727 u. 742/43).

Die Einwohnerschaft der Hauptindustriestädte[1]) hatte sich bis zum Ende des Jahres 1910 im Vergleich zu den Jahren 1843 oder 1849 ungemein stark vermehrt, so u. a. die

von Aachen	auf rund	156 000	gegen rund	46 000	
„ Dortmund	„ „	214 000	„ „	7 600	
„ Chemnitz	„ „	287 000	„ „	26 000	
„ Essen	„ „	295 000	„ „	7 000	
„ Düsseldorf	„ „	350 000	„ „	26 000 [2])	

Bei der ersten Volkszählung im Deutschen Reiche (am 1. Dez. 1871) gab es 9, im Jahre 1895 : 28, im Jahre 1905 schon 41, im Jahre 1910 : 48 Städte mit mehr als 100 000 Einwohnern. Berlin, das um die Mitte des 19. Jahrhunderts noch nicht 500 000, 1870 etwa 774 000, 1880 nicht ganz $1^1/_4$ Mill. und 1890 etwa $1^1/_2$ Mill. Einwohner zählte [3]), hat seit dem Dezember 1904 die zweite Million überschritten [4]). Der Anteil der großstädtischen Bevölkerung an der Gesamtbevölkerung vermehrte sich von 9,5 % im Jahre 1885 auf 19,0 % im Jahre 1905.

Eine wissenschaftlich unanfechtbare Feststellung der heutigen Höhe des deutschen Volksvermögens erscheint aus den von Ad. Wagner[5]) entwickelten Gründen derzeit ebenso schwierig, wenn nicht unmöglich, wie die der Höhe des heutigen deutschen Volkseinkommens und die der jährlichen Ersparnisse der Nation. Dies ergibt sich aus folgenden Tatsachen:

Neuerdings (1908) ist bei Anwendung der relativ sichersten Methode, nämlich bei Zugrundelegung der preußischen Ergänzungssteuer, also einer direkten Vermögenssteuer, das preußische Nationalvermögen auf 130 Milliarden M und demgemäß, unter Umrechnung nach dem Bevölkerungsverhältnis ($^3/_5$)[6]), das (von Mulhall 1895 in seinem Dictionary of Statistics auf 7 500 Mill. £

---

1) W. Sombart, Das mod. Kapit., Bd. II, S. 214. Vgl. R. Kuczynski, Der Zug nach der Stadt in den Münchener Volkswirtschaftl. Studien, herausgeg. v. Lujo Brentano u. Walther Lotz, 24tes Stück.

2) In der (bayerischen) Pfalz vollzog sich nach Emil Herz, a. a. O. S. 44 die Entwicklung ganz ähnlich. So stellte sich die Bevölkerung

von Kaiserslautern 1900 auf 48 306 gegen 8250 im Jahre 1842
„ Pirmasens 1900 „ 30 194 „ 6410 „ „ 1842

3) Vgl. den Bericht der Ältesten der Kaufmannschaft im Berliner Jahrb. f. Handel u. Industrie für 1904, Bd. I, S. 26. —

4) Die Einwohnerzahl Groß-Berlins betrug am 1. Dez. 1910: 3 712 554.

5) Ad. Wagner, Zur Methodik der Statistik des Volkseinkommens und Volksvermögens (in der Zeitschr. des Kgl. Preuß. Statist. Bureaus, 44. Jahrg., 1904, S. 41—122) und in seinem Gutachten an das Reichsschatzamt, welches gelegentlich der Reichsfinanzvorlagen vom November 1908 (Nr. 1043) in den „Materialien zur Beurteilung der Wohlstandsentwicklung Deutschlands im letzten Menschenalter" veröffentlicht ist und zwar sub II, S. 122—132.

6) Eine solche Umrechnung lediglich nach dem Bevölkerungsverhältnis ist aber deshalb anfechtbar, weil nicht überall im Deutschen Reiche gleiche Verhältnisse herrschen.

= 150 Milliarden M geschätzte) deutsche Nationalvermögen auf 216 Milliarden M, oder zur Verhütung von Übertreibungen auf 200 Milliarden M berechnet worden [1]). Aber schon 2 Jahre vorher (1906) war es von Evert [2]) gleichfalls auf 200 Milliarden M geschätzt worden, während es ungefähr gleichzeitig von Ballod (1908) [3]) auf 251—266, in den „Materialien (des Reichsschatzamtes) zur Beurteilung der Wohlstandsentwicklung Deutschlands im letzten Menschenalter" (1908) auf mindestens 250 Milliarden M und von Steinmann-Bucher (1908) [4]) auf 314 und in einer ein Jahr später veröffentlichten Schrift (350 Milliarden deutsches Volksvermögen, Berlin 1909) sogar auf 350—360 Milliarden M angenommen ist, so daß sich zwischen dem höchsten und niedrigsten neueren Schätzungsbetrag (200—360 Milliarden M), obwohl meist sorgfältig und vorsichtig vorgegangen wurde, Differenzen von nicht weniger als 160 Milliarden M ergeben [5]), was natürlich gegen alle diese Schätzungen bedenklich machen muß.

---

1) In den „Grenzboten", Nr. 28 vom 9. Juli 1908, S. 55—57; R. G. May schätzt (in Schmollers Jahrb. f. Gesetzg., 33. Jahrg., Heft 4, S. 135) für 1907 das deutsche Nationalvermögen auf 281, das deutsche Privatvermögen auf 240 Milliarden Mark.

2) In der „Woche" vom 23. August 1906, Nr. 34 (ebenso in der Konservativen Monatsschrift vom Oktober 1908).

3) In der „Täglichen Rundschau" von 1908, Nr. 541. Der Ausgangspunkt für die Berechnung der einzelnen Vermögensteile ist hier die Versicherungsstatistik.

4) Zur Reichsfinanzreform, Berlin (Oktober) 1908. Auch hier ist die Versicherungsstatistik die Grundlage der Berechnung der einzelnen Vermögensobjekte, ebenso in der Schrift: 350 Milliarden deutsches Volksvermögen (Berlin 1909, Otto Elsner).

5) Differenzen von vielen Milliarden ergaben sich auch bei näherer Prüfung der Einzelposten jener Berechnungen. So, wenn z. B. der Wert des in ausländischen Unternehmungen und in ausländischen Wertpapieren angelegten deutschen Kapitals für 1904/05 von der Denkschrift des Reichsmarineamts über: „Die Entwicklung der deutschen Seeinteressen im letzten Jahrzehnt" vom Dezember 1905 auf mindestens 24—25 Milliarden M und ebenso von Ballod auf 25 Milliarden M geschätzt wird, während Steinmann-Bucher diesen Wert auf 40 Milliarden schätzt. Dabei ist zu erinnern, daß im Jahre 1892/93 der preuß. Finanzminister v. Miquel allein den preußischen Besitz an ausländischen Wertpapieren auf 15 Milliarden M geschätzt hat (Haus der Abgeordneten, 17. Legisl.-Per., V. Session, Anlage zu den stenogr. Berichten, Nr. 6, S. 535 u. 536), was freilich viel zu hoch war, während der „Deutsche Ökonomist" vom 27. Juni 1908 den deutschen Besitz an ausländischen Wertpapieren auf 10—15, und Sombart (Deutsche Volksw., 2. Aufl., S. 416) ihn auf 12½—13 Milliarden M annimmt. Die vorgedachte Denkschrift des Reichsmarineamts vom Dezember 1905 setzt 7,7—9,2 Milliarden M für den Wert des in ausländischen Unternehmungen und mindestens 16 Milliarden M für den Wert des in ausländischen Wertpapieren angelegten deutschen Kapitals ein. Den Besitz Frankreichs an Wertpapieren überhaupt schätzte Neymark im Bericht an den internationalen statistischen Kongreß in Kopenhagen von 1907 (Statistique Internationale des Valeurs Mobilières, La Haye 1908) für 1906 auf 97—100 Milliarden Frcs. mit einem Zinsertrag von 4½ Milliarden Frcs.

Wählt man bei Berechnung des heutigen deutschen Volkseinkommens — gleichfalls unter Zugrundelegung einer direkten
Steuer, nämlich der Ergebnisse der preußischen Einkommensteuer-
veranlagung pro 1907 — die relativ sicherste Methode, wonach
das Gesamteinkommen der preußischen Bevölkerung 1907 17 990
Mill. M (einkommensteuerpflichtige 11 747, einkommensteuerfreie
Bevölkerung 6243 Mill. M) betrug, und wonach, umgerechnet nach
dem Bevölkerungsverhältnis auf das Reich, das deutsche Volkseinkommen heute etwa 25—30 Milliarden M betragen dürfte[1]),
so darf auch diese Schätzung, nach welcher etwa 484 M Jahresein-
kommen auf den Kopf der Bevölkerung entfallen würden, nicht ohne
starke Vorbehalte wiedergegeben werden[2]). Noch höher wird freilich
das deutsche Volkseinkommen von Steinmann-Bucher (in der Schrift:
350 Milliarden deutsches Volksvermögen S. 107) geschätzt, nämlich auf
35 Milliarden M für 1908 ein Betrag, den Friedr. Zahn[3]) für 1910
annimmt. Die obigen Vorbehalte sind auch zu machen gegenüber
den Schätzungen der jährlichen deutschen Ersparnisse, also
des Betrages, um den jährlich das deutsche Nationalvermögen durch
Erübrigungen aus dem deutschen Volkseinkommen vermehrt wird.
Dieser Betrag wird von Schmoller[4]) auf 2½—3 und von dem
Verfasser des oben (S. 81 Anm. 1) erwähnten Grenzboten-Artikels,
unter Zugrundelegung des (nach dem Durchschnitt verschiedener
Perioden berechneten) jährlichen Zuwachses an ergänzungssteuer-

---

1) R. E. May (Schmoller's Jahrb. f. Gesetzg., 33. Jahrg., Heft 4, S. 115a,
1909) rechnet pro 1907 rund 41 Milliarden.

2) So ist insbesondere klar, daß in den Einkommensteuergesetzen, welche in
den verschiedenen deutschen Bundesstaaten, die überhaupt eine allgemeine und
direkte Einkommensteuer besitzen, bestehen, ganz verschiedene Grundsätze für die
Deklaration, Veranlagung und Kontrolle sowie für die Nichtheranziehung kleinerer
Einkommen maßgebend sind, und daß hinsichtlich der Art und Weise der Wert-
berechnung der von der Einkommensteuer nicht erfaßten Vermögensteile weitere
große Differenzen entstehen können. Daß aber auch hier die einfache Umrechnung
der preußischen Ergebnisse auf das Reich nach dem Bevölkerungsverhältnis anfechtbar ist, braucht kaum hervorgehoben zu werden.

3) Friedr. Zahn, Deutschlands wirtschaftliche Entwicklung in den Annalen
des Deutschen Reichs ,44. Jahrg. (1911), 3/4. Er geht aus von der preußischen Veranlagung zur Einkommensteuer für 1910, welche für die einkommensteuerpflichtigen
Zensiten (19,0 Millionen) M. 14 540 Millionen M annahm. Das Einkommen eines
einkommensteuerfreien Zensiten auf 750 M und ferner angenommen, daß auf einen
Zensiten etwa 2½ Köpfe in der Bevölkerung entfallen und daß die einkommensteuerfreie Bevölkerung 21,1 Mill. umfaßte, gelangt er zu 300 M pro Kopf der einkommensteuerfreien Bevölkerung, zusammen je 21,1 × 300 = 6330 Mill. M. Danach hätte
das Gesamteinkommen der preußischen Bevölkerung 1910 betragen: 14 540 + 6330
= 20 870 Mill. M und dasjenige des deutschen Volkes etwa 35 Milliarden M.

4) Grundriß (1.—6. Aufl.), Bd. II, S. 184 (in fine).

pflichtigem Vermögen in Preußen von 1,7 Milliarden M[1]), auf 3,7 **Milliarden M** geschätzt. Es erhellt von selbst, daß die gleichen Bedenken oder ähnliche nicht minder ernster Art gegen alle Schätzungen erhoben werden können, welche nach allen vorgedachten Richtungen auch für das Ausland versucht worden sind[2]).

Will man jedoch nur einen allgemeinen Anhalt für die Wohlstandsentwicklung in Deutschland während der zweiten Epoche geben, so kann man u. a. wohl darauf hinweisen, daß das Gesamteinkommen der physischen Personen in Preußen (einschließlich eines Zuschlags für die nicht steuerpflichtigen Censiten) im Jahre 1907 bei einer Bevölkerung von 38 421 000 Köpfen rund 16 Milliarden M betragen hat, und daß es sich gegenüber 1896, wo dieses Einkommen bei

---

1) Hinzugerechnet werden für jährliche Neueinlagen in Genossenschaftsbanken, welche im allgemeinen, da sie meist auf Vermögen unter 6000 M entfallen, der Vermögenssteuer nicht unterliegen, 150 Mill. M, womit sich ein Betrag von 1,850 Mill. Mark für Preußen, oder (zu $^8/_5$ auf das Reich umgerechnet) ein Betrag von 3,080 Mill. M für das Reich ergibt. Dieser Betrag wird aber durch die jährlichen Neueinlagen in die Sparkassen (die zum größten Teil auch nicht der Ergänzungssteuer unterliegen), um die vorsichtig gerechnete Summe von 620 Mill. M erhöht, wodurch sich, ohne Berücksichtigung der zur Vermögenssteuer nicht herangezogenen Vermögensteile, der obige Betrag von 3,7 Milliarden M ergibt. Die Probe auf dieses Exempel macht der Verfasser durch den Hinweis auf die jährliche Neuemission von Börsenwerten in Höhe von 3,15—3,20 Milliarden M.

2) Es gilt dies insbesondere von den Schätzungen des französischen Volksvermögens durch Mulhall (1895) auf 198, durch de Foville (1902) auf 161,6, durch Yves-Guyot auf 190,4 Milliarden M; ferner durch Leroy-Beaulieu (1906) auf 205—210 Milliarden M und Edmond Théry (Les progrès économiques de la France, 6. Aufl., Paris 1908, S. 322 ff.) für das Jahr 1906 auf 201 Milliarden Frcs. = 161 Milliarden M. Die jährlichen französischen Ersparnisse, abzüglich der Kapitalverluste, werden von Paul Leroy-Beaulieu neuerdings auf 2½ Milliarden Frcs. geschätzt (Economiste français vom 7. Aug. 1909 u. 7. Mai 1910). Das gesamte französische Volkseinkommen dürfte sich danach jetzt (1911) auf etwa 25—30 Milliarden Frcs. belaufen.

Nicht anders steht es mit den Schätzungen des Volksvermögens von Großbritannien und Irland durch Sir Rob. Giffen (1885) auf rund 204½ oder durch Mulhall (1895) auf rund 235 Milliarden M und durch L. G. Chiozza Money (1908 für 1902/03) auf rund 228 Milliarden M, und nicht sehr viel anders dürfte es endlich auch stehen mit der 1904 erfolgten, offensichtlich sehr vorsichtigen amtlichen Schätzung des „true Value" des Volksvermögens der Vereinigten Staaten von Amerika (mit rund 83 Mill. Einwohnern) auf $ 107 Milliarden oder rund 430 Milliarden M seitens des Census-office des Department of Commerce and Labour für das Jahr 1904.

Noch anfechtbarer aber erscheint unter diesen Umständen, angesichts der völligen Verschiedenheit der Ausgangspunkte, Grundlagen und statistischen Methoden, jede Vergleichung dieser ausländischen mit den deutschen Schätzungen des Volksvermögens und Volkseinkommens, obwohl eine solche Vergleichung (mit den alsdann erforderlichen Vorbehalten) mitunter wünschenswert und wohl auch nach manchen Richtungen fruchtbar sein kann.

einer Bevölkerung von 32379000 Köpfen etwas über 10 Milliarden M betrug, um 156 % erhöht hat, während die Bevölkerung sich in diesem Zeitraum nur um 119 % vermehrt hatte (das Jahr 1896 bei beiden Vergleichen mit 100 eingesetzt).

Das zur Vermögenssteuer in Preußen veranlagte Vermögen aber betrug 1905 rund 82 ½ Milliarden M, hat sich also gegenüber 1899, wo es rund 70 Milliarden M ausmachte, um (das Jahr 1899 mit 100 eingestellt) 117 % erhöht, ein Bild, welches von anderen deutschen Bundesstaaten in ähnlicher Weise entworfen werden kann [1]).

Soll, was namentlich in diesem Buche nahe liegt, ermittelt werden, welcher Betrag des deutschen Nationalvermögens in Börsenwerten angelegt ist, so sind auch hier die Schwierigkeiten sehr große, ungeachtet der in dankenswerter Weise gelegentlich der Reichsfinanzreformvorlage von 1908 nach dieser Richtung gesammelten Unterlagen [2]).

Wollte man nämlich von der Tabelle ausgehen, in welcher der „Nominalbetrag und Kurswert der an der Berliner Börse gehandelten Werte" nach dem Stande vom 30. Juni 1906 im Bericht der Ältesten der Kaufmannschaft von Berlin [3]) zusammengestellt ist und welche als Nominalbetrag dieser Werte rund 92 ½ Milliarden und als Kurswert rund 94¾ Milliarden M angibt, so zeigt sich ohne weiteres, daß diese Tabelle für unseren Zweck teils zu viel zu hohen, teils zu viel zu niedrigen Ergebnissen führt. Zu viel zu hohen Ergebnissen u. a. deshalb, weil in jener Tabelle bei den festverzinslichen Werten auch die Beträge berücksichtigt sind, welche im Laufe des Jahres 1906 durch Rückzahlung aus dem Verkehr gezogen sind, und weil darin ferner nicht der deutsche Besitz an ausländischen Werten, sondern der zum Handel an der Berliner Börse zugelassene Betrag ausländischer Werte verzeichnet ist. Ein sehr erheblicher Teil dieser Werte ist aber von vornherein nicht in deutschen Besitz gelangt, wie z. B. ein großer Teil der russischen und argentinischen Staatspapiere sowie der russischen und amerikanischen Eisenbahnpapiere [4]). Ein anderer Teil dieser Werte,

---

1) Dies nach dem schon erwähnten Anlagebande III zu den Reichsfinanzreformvorlagen vom Jahre 1908: Materialien zur Beurteilung der Wohlstandsentwicklung Deutschlands im letzten Menschenalter, S. 4—15, jedoch mit den Vorbehalten, welche sich aus dem Obigen und überdies aus S. 2—4 dieser „Materialien" selbst ergeben.

2) Vgl. insbesondere den Anlageband IV zu den Reichstagsdrucksachen Nr. 1887: Materialien zur Beurteilung der Zusammenhänge zwischen dem öffentlichen Schuldenwesen und dem Kapitalmarkte, S. 247—249.

3) Jahrbuch für Handel und Industrie, Jahrg. 1907, Bd. I, S. 213.

4) Vgl. S. 248 der in Anm. 2 auf dieser S. 84 zitierten „Materialien": „Der genaue Betrag der zur Anlage in Effekten ins Ausland geflossenen sehr erheblichen Kapitalien kann auch nicht annähernd geschätzt werden".

so der italienischen, österreichischen und ungarischen Staatspapiere, ist bis zum 30. Juni 1906 infolge von Konversionen oder infolge des ausländischen Bedarfs aus dem deutschen in ausländischen Besitz, insbesondere in den Besitz des Heimatlands, gelangt oder zurückgelangt.

Umgekehrt kommt man bei Zugrundelegung jener Tabelle zum Teil zu viel zu niedrigen Ergebnissen, weil viele Effekten nicht in Berlin, sondern an anderen deutschen Börsen, viele aber, wie namentlich Schuldverschreibungen kleiner industrieller Aktiengesellschaften, an gar keiner deutschen Börse notiert sind.

Der „Deutsche Ökonomist"[1]) versucht deshalb, dem Problem auf andere Weise beizukommen. Er geht davon aus, daß nach der Einkommensteuerstatistik Preußens das (allerdings viel zu niedrig veranschlagte) preußische Einkommen aus Kapitalvermögen für 1907 auf 1610 Mill. M ermittelt worden sei, was, zu $4\,^0/_0$ kapitalisiert, einem Kapital von 40 Milliarden M für Preußen entspreche, und nimmt an, daß von diesen 40 Milliarden etwa 20 Milliarden in Hypotheken angelegt seien, so daß auf den Effektenbesitz in Preußen etwa 20, und dementsprechend in Deutschland etwa 30 Milliarden M entfielen.

Diese Art der Berechnung führt aber gleichfalls nicht zu einwandfreien Ergebnissen, u. a. schon deshalb nicht, weil eine Statistik der in Deutschland aufgenommenen Hypotheken, deren Betrag für Preußen auf 20 Milliarden M geschätzt wird, überhaupt nicht existiert, so daß jede Schätzung mehr oder weniger unsicher sein muß, und weil ferner eine rein schematische Übertragung der preußischen auf die allgemeinen deutschen Verhältnisse nicht angängig ist.

In der Tat wird denn auch in den mehrerwähnten Anlagebänden zu den Reichsfinanzreformvorlagen von 1908[2]) angenommen, daß im Jahre 1907 im Besitze des deutschen Publikums gewesen seien allein an deutschen öffentlichen und halböffentlichen Papieren, sowie an Grundschuld- und Kommunalobligationen der deutschen privaten

Hypothekenbanken	35½	Milliarden M,
ferner an Industrieobligationen rund . .	2½	„ „
und an Aktien der effektive Betrag von	6¾	„ „

was einen deutschen Besitz allein an diesen

Effekten von . . . . 44¾ Milliarden M, also 14¾ Milliarden M mehr ergibt, als die obige Schätzung des gesamten deutschen Effektenbesitzes beträgt.

---

1) D. Ökonom. vom 27. Juni 1908 (26. Jahrg.), S. 395, wo auch die Bedenken gegen die Verwendung der im Text erörterten Tabelle erhoben werden.

2) Anlageband IV zu den Reichstagsdrucksachen No. 1087 von 1908, S. 247 u. 248.

Im allgemeinen wird man, da die statistischen Unterlagen, insbesondere die Ergebnisse des Reichsstempels, sichere Ergebnisse
nicht ermöglichen[1]), auf Grund einer Reihe von Anhaltspunkten
wohl davon ausgehen können, daß von dem deutschen Nationalvermögen mindestens $\frac{1}{3}$ in Effekten angelegt ist[2]), was allerdings wiederum, je nach der Schätzung dieses Nationalvermögens
(200—360 Milliarden M, s. oben S. 81), zu der Annahme von
etwa 66—120 Milliarden M, also zu sehr erheblich abweichenden
Zahlen, führt. Man wird dies auch deshalb annehmen dürfen, weil,
wenn man von der Emissionsstatistik ausgeht, die allerdings lücken-
haft ist, mit einiger Wahrscheinlichkeit festgestellt werden kann,
daß von den jährlichen Ersparnissen der Nation etwa der
Betrag von 1200 Mill. M, also gleichfalls ungefähr $\frac{1}{3}$, jährlich in
Wertpapieren angelegt wird. —

In bezug auf die Entwicklung der deutschen Einkommens-
verhältnisse in dieser Epoche hat besonders Adolph Wagner
wiederholt erhebliche Bedenken nach der Richtung geäußert, daß
sie eine im wesentlichen plutokratische und geldaristokratische
sei und daß von dieser „immer stärkeren Einkommenskonzen-
tration — nicht gerade nur bei einzelnen besonders Reichen,
sondern bei der Zahl nach stark zunehmenden .... höheren und
höchsten ökonomischen Volksschichten"[3]) der gesamten wirtschaftlichen Entwicklung Deutschlands schwere Gefahren drohten.

---

1) Vgl. die Anlage zur Bankenquête 1908/09: Zur Frage der Emissionsstatistik,
Berlin 1909, S. 6 u. 7.

2) Vgl. u. a. v. Halle, Die deutsche Volkswirtschaft an der Jahrhundertwende, Berlin 1902, S. 56/57, u. Mor. Ströll a. a. O. S. 194.

3) In der Zeitschrift des Kgl. Preuß. Statist. Bureaus, 44. Jahrg., 1904, S. 92.
Hier ist wenigstens der Ausdruck vermieden, den Wagner wiederholt in derSchrift:
Die Reichsfinanznot, Berlin 1908, z. B. auf 13/14 u. 41 benutzt, indem er von den
„sich bereichernden" (statt reicher gewordenen) Elementen oder Klassen spricht,
Worte, die schon aus dem Reicherwerden ohne weiteres einen Vorwurf ableiten, was
allerdings einer starken Strömung entspricht, aber deswegen nicht weniger unrichtig
ist. Auch wird hier gesagt (auf S. 23), es sei „zu verlangen, daß die mittleren
und vollends die oberen Klassen nicht nur mindestens ebensoviel im Verhältnis zu ihrer, namentlich in der Einkommenhöhe liegenden Leistungsfähigkeit im
ganzen an Steuern tragen, wie die unteren, sondern daß sie verhältnismäßig mehr
tragen". Damit vergleiche man den freilich nicht für das Reich, aber für Preußen
geführten Nachweis des preuß. Finanzministers Freiherrn v. Rheinbaben im Ab-
geordnetenhause vom 20. Jan. 1909 (Reichsanzeiger vom 21. Jan. 1909), welcher in
der amtlichen Feststellung der Ergebnisse der Veranlagung zur preußischen Einkommensteuer für 1908 (Erste Beilage zum Reichsanzeiger vom 11. Febr. 1909,
Nr. 36) seine Bestätigung und nähere Ausführung gefunden hat. Im Jahre 1910
waren (nach dem Statist. Jahrbuch f. d. preuß. Staat 1910, S. 294 ff.) vollkommen
steuerfrei (weil das Einkommen den Betrag von 900 M nicht überschritt): 167 681 54
Köpfe oder 42,8 % der preußischen Bevölkerung von 39 145 135 Köpfen für das

Noch im Jahre 1908 hat er in einer von patriotischem Geiste getragenen Schrift[1]) mit sichtlichem Bedauern darauf hingewiesen, daß es in Preußen (jetzigen Bestandes) um die Mitte des 19. Jahrhunderts nur etwa 100 physische Personen mit über 100 000 M Einkommen gegeben habe, dagegen im Jahre 1891: 1400—1500, im Jahre 1902: 2800, im Jahre 1905: 2900 und im Jahre 1907: 3600. An anderer Stelle hat er ausgeführt, daß das Nationalvermögen und Nationaleinkommen sich ungemein zugunsten der oberen, zumal der obersten Klassen, und nicht unerheblich zugunsten der unteren, insbesondere der Arbeiterklasse, entwickelt habe, während gerade die großen Mittelschichten sich sehr schwer in der Zahl der überhaupt noch Steuerpflichtigen erhielten und in bezug auf ihren Anteil am Nationaleinkommen in eine immer ungünstigere Lage gerieten[2]).

Man wird diesen Bedenken kaum nach allen oder auch nur nach den wesentlichsten Richtungen beitreten können.

Was zunächst die m. E. an sich einen überaus erfreulichen Ausdruck unserer wirtschaftlichen Entwicklung darstellende Vermehrung der Einkommen über 100 000 M betrifft (in Preußen heutigen Umfangs von etwa 100 um die Mitte des vorigen Jahrhunderts bis zu 3600 im Jahre 1907), so erscheint mir diese, angesichts der riesigen Bevölkerungszunahme in diesen 57 Jahren, nicht besonders beträchtlich, sogar als relativ unbeträchtlich.

Man würde m. E. gerade umgekehrt aus einer geringeren Steigerung der Einkommen über 100 000 M erhebliche Bedenken

Jahr 1910, Von der verbleibenden Bevölkerung waren in der niedrigsten Einkommensteuergruppe (mit einem Einkommen von mehr als 900 M bis zu 3000 M) veranlagt: von 16 707 681 Köpfen oder 42,6 % der preußischen Bevölkerung 5 537 741 Zensiten, welche zusammen mit 7 675 639 425 M Einkommen, also mit einem Steuerbetrage von 87 173 404 M oder 33,48 % des gesamten veranlagten Steuerbetrages, veranlagt waren. Es blieben also nur etwas über 2¼ Millionen (2 305 215) Köpfe = 5,9% der Bevölkerung übrig. Von diesen brachten 703 743 Zensiten nicht weniger als 66,52 % der gesamten Einkommensteuer auf, während die in dieser Zahl einbegriffenen Zensiten mit einem Einkommen von über 9 500 M = 1,79 % aller Zensiten 42,68 % des gesamten Steuersolls aufbrachten. Dazu kommt dann aber noch die kommunale Belastung, so daß für Preußen (und ähnlich liegen wohl die Verhältnisse auch in den anderen Bundesstaaten) Wagners Behauptung nicht begründet ist, es sei zu bezweifeln, daß durch die Steuerverfassung im Reich, Einzelstaaten und Gemeinden zusammen der Grundsatz der Besteuerung nach der Leistungsfähigkeit verwirklicht sei. Für Gewerbe, Handel und Industrie, welche den bei weitem größten Teil des Steueraufkommens tragen, treten aber noch hinzu die geradezu gewaltigen Lasten, die sich aus der sozialen Gesetzgebung ergeben.

1) Die Reichsfinanznot und die Pflichten des deutschen Volkes wie seiner politischen Parteien. Ein Mahnwort eines alten Mannes (Berlin, Puttkamer & Mühlbrecht, 1908), S. 14.

2) So u. a. in den veröffentlichten Verhandlungen der Bank-Enquête-Kommission zu den Punkten III—V des Fragebogens, S. 86.

in bezug auf die Entwicklung des Nationalwohlstandes ableiten müssen, auch angesichts des Umstands, daß in diesen etwa 60 Jahren sich doch zugleich die gesamte Lebenshaltung, der gesamte Verbrauch, also auch der Ausgaben-Etat des Einzelnen, ohne jeden Zweifel stark erhöht hat.

Auch im übrigen kann es kaum auffällig erscheinen, daß gerade die (von Wagner angenommene) oberste Steuerstufe im Vergleich zu den übrigen Steuerstufen erheblich zugenommen hat, da diese oberste Stufe keine reicher gewordenen Glieder mehr an höhere Steuerstufen abgeben kann.

Endlich muß doch auch darauf hingewiesen werden, daß gerade in dieser Epoche die Zahl derjenigen in stetem Steigen begriffen war, welche aus einer unteren Steuerstufe in eine höhere vorrückten[1]), und daß ferner relativ, d. h. im Verhältnis zur Bevölkerung, die Zahl derer in dieser Epoche fast durchweg zugenommen hat, die aus dem Kreise der Nichtsteuerzahler (also in Preußen Einkommen bis 900 M) in den Kreis der Steuerzahler aufrückten[2]).

Dies läßt sich auch im einzelnen nachweisen:

Nach Schmoller[3]) versteuerten in Altpreußen ein Einkommen von über 3000 M:

> 1852: 43 489 Personen
> 1867: 72 983   „

und im jetzigen Preußen:

> 1873: 123 284 Personen
> 1894: 319 317   „
> 1902: 449 741   „

Hier ist also allerdings eine absolute Vergrößerung der Zahl der Zensiten mit einem Einkommen von mehr als 3000 M festzu-

---

1) So hat sich in Preußen nach dem Statist. Jahrb. f. d. preuß. Staat 1907, S. 222 u. 1910, S. 297 allein von 1907 auf 1910 die „einkommensteuerpflichtige Schicht" im Verhältnis von 49,7 auf 57,2 erhöht.

2) Nach den Berechnungen von R. E. May (in Schmoller's Jahrb. f. Gesetzgebung und Verwaltung 1899, S. 271—314) entfiel Ende der 90er Jahre im Deutschen Reich:

etwa die Hälfte des gesamten Volkseinkommens auf diejenige ($18^1/_8$ Mill. Köpfe umfassende) erwerbstätige Bevölkerung, welche durchschnittlich ein geringeres Einkommen als 900 M p. a. besaß, mit $12^3/_4$ Milliarden M;

etwas mehr als $1/_4$ des gesamten Volkseinkommens auf diejenige ($3^3/_8$ Mill. Köpfe umfassende) erwerbstätige Bevölkerung der dann folgenden Klasse (900—3000 M) mit . . . . $6^1/_2$ Milliarden M;

nicht ganz $1/_4$ des gesamten Volkseinkommens auf diejenige ($1/_2$ Mill. Köpfe umfassende) erwerbstätige Bevölkerung, welche durchschnittlich mehr als 3000 M besaß, mit . . . . $5^3/_4$ Milliarden M.

3) Grundriß II, S. 460/61.

stellen, deren steuerpflichtiges Gesamteinkommen, minus der gesetzlich gestatteten Abzüge, im jetzigen Preußen [1]) sich

von 2 792 345 342 M im Jahre 1892 gehoben hat

auf 5 156 245 432 „   „   „   1907.

Auf der anderen Seite hat sich in Preußen (jetzigen Bestandes) das zur Steuer herangezogene Einkommen der Zensiten der untersten Einkommengruppe (Einkommen von mehr als 900—3000 M) erhöht

von 2 911 981 421 M im Jahre 1892

auf 7 675 639 425 „   „   „   1910 [2]).

Und allein in den Jahren 1907 und 1908 ist die „einkommensteuerfreie Schicht" (Einkommen unter 900 M) im Verhältnis von 5555 zu 5242 zurückgegangen; die Zahl der Einkommensteuerpflichtigen aber, also der Personen mit einem Einkommen von über 900 M, vermehrte sich in Preußen von 1892/93 bis 1898/99 um 19,5 %, während die Bevölkerung sich in diesem Zeitraum nur um 8,2 % vermehrt hatte [3]).

Auch für die sächsische Einkommensteuer, welche bis 1894 alle Personen betraf, welche mindestens ein Einkommen von 360 M besaßen, kann festgestellt werden, daß von 100 eingeschätzten Personen ein Einkommen hatten von

weniger als 300 M:	7,1%	im Jahre	1879	und	5,6%	im Jahre	1894
300—800 „	76,3%	„	„	1879	,	65,3%	„	„	1894
800—3300 „	20,9%	„	„	1879	,	31,1%	„	„	1894
3300—9600 „	2,3%	„	„	1879	,	,2,8%	„	„	1894
und von über 9600 „	0,5%	„	„	1879	,	,0,8%	„	„	1894

Das heißt: es haben die zur untersten Gruppe gehörigen Einkommensteuerpflichtigen abgenommen und die zu den übrigen Gruppen gehörigen zugenommen, und zwar derart, daß die Zunahme der mittleren Gruppe (500—3300 M), also derjenigen, die Ad. Wagner als besonders gefährdet annimmt, in jener Epoche am stärksten gewesen ist.

Das steuerpflichtige Einkommen der physischen Personen überhaupt hat sich in Preußen von 10 147 578 035 M im Jahre 1896 auf 15 873 774 007 M. im Jahre 1907 erhöht.

---

1) Bd. III der Anlagen zu den Reichsfinanzreformvorlagen vom Jahre 1908: Materialien zur Beurteilung der Wohlstandsentwicklung Deutschlands im letzten Menschenalter (Nr. 1043 der Reichstagsdrucksachen von 1908), S. 14 u. 15; nach dem Reichsanzeiger vom 11. Februar 1909 betrug das veranlagte steuerpflichtige Einkommen dieser Gruppe 5 450 975 235 M.

2) Statist. Jahrb. f. d. pr. Staat 1910, S. 296.

3) Walter Troeltsch, Über die neuesten Veränderungen im deutschen Wirtschaftsleben, S. 144. Allerdings bleibt daneben noch die oben (S. 86 Anm. 3) mitgeteilte Tatsache bestehen, daß in Preußen im Jahre 1908 immer noch etwa 18 Millionen Köpfe oder 47,22% der Bevölkerung von rund 38 Millionen Köpfen steuerfrei waren und daß von der verbleibenden Bevölkerung noch immer rund 16 Millionen Köpfe oder 42,54 % der Bevölkerung in der niedrigsten Einkommensgruppe (mit einem Einkommen von mehr als 900 bis zu 3000 M) veranlagt waren.

Auch die Denkschrift des Reichsmarineamts vom Dezember 1905 über: „Die Entwicklung der deutschen Seeinteressen im letzten Jahrzehnt" stellt auf S. 238 für Preußen „eine ganz enorme Aufwärtsbewegung der Einkommen" fest, „an der nicht etwa nur die reicheren Klassen, sondern in fast gleichem Maße auch die geringeren Einkommen (von 900—3000 M) teilgenommen haben. Die Zunahme des Volkseinkommens übersteigt bei weitem das Anwachsen der Bevölkerung".

Daß in der Tat nicht nur die unteren Einkommensklassen, zu denen übrigens durchaus nicht lediglich die arbeitenden Klassen, sondern auch die mittleren Klassen gehören, an jener Aufwärtsbewegung tatsächlich kräftig teilgenommen haben, läßt sich auch [1]) aus der Sparkassenstatistik hinsichtlich der deutschen öffentlichen und Privaten Sparkassen beweisen:

Von den über 9 Millionen Sparkassenbüchern [2]), welche Ende 1901 in Preußen vorhanden waren, entfiel fast $\frac{1}{4}$ auf Spareinlagen bis zu 60 M, etwa $\frac{1}{7}$ auf Einlagen von 60—80 M, dagegen nur etwa $\frac{1}{8}$ auf Einlagen von 150—3000 M und nur $\frac{1}{30}$ auf Einlagen von mehr als 3000 M (hier beginnen übrigens schon bald diejenigen, welche ihre Ersparnisse in Effekten anlegen).

Die Zahl der Sparkassenbücher betrug [3]):

in Württemberg	1891	349 354 = 17,1	auf	100	Einwohner
	1896	424 500 = 20,3	„	100	„
	1908	697 228 = 30,2	„	100	„
in Preußen	1908	697 228 = 30,2	„	100	„
	1882	3 345 000 = 12,1	„	100	„
	1897	7 643 000 = 23,4	„	100	„
	1904	10 211 976 = 27,71	„	100	„
	1906	11 095 276 = 29,24	„	100	„
	1908	11 842 692 = 29,78	„	100	„
	1909	12 362 140 = 31,04	„	100	„

Sie hatte sich also in Preußen in der Zeit von 1882—1897 verdodpelt und bis Ende 1909 annähernd vervierfacht.

---

1) Mit den — nicht sehr ins Gewicht fallenden — Vorbehalten, die in den mehrfach zitierten „Materialien zur Beurteilung der Wohlstandsentwicklung Deutschlands im letzten Menschenalter" auf S. 17 gemacht sind.

2) Es ist dabei allerdings (ebenso wie bei den folgenden Angaben für Württemberg) zu berücksichtigen, daß eine Person mehrere Sparkassenbücher haben kann.

3) Vgl. für die Zeit von 1891—1897 Walter Troeltsch a. a. O. S. 197; in Preußen für 1904, 1906 und 1907 das Statist. Jahrb. f. d. preuß. Staat für 1908 (Berlin 1909), S. 144 und für 1907, S. 153; für 1908 die Veröffentlichungen in der Zeitschrift des Kgl. Preuß. Statist. Landesamtes 1910; für 1909 die Statistische Korrespondenz v. 24. Dez. 1910.

Die Sparkassenguthaben betrugen:

in Württemberg	1891	137	Mill. M
	1896	190	,, ,,
	1908	438	,, ,,
in Preußen	1882	1,697	,, ,,
	1897	4,967	,, ,,
	1904	7,762	,, ,,
	1906	8,788	,, ,,
	1907	9,120	,, ,,
	1908	9,571	,, ,,
	1909	10,355	,, ,,

Sie hatten sich also in Preußen in der Zeit von 1882—1896 nicht ganz verdreifacht und bis Ende 1907 mehr als verfünffacht. Es entfiel in Preußen 1882 ein Sparkassenbuch auf jeden achten Einwohner, Ende 1901 aber schon ein Buch auf jeden vierten Einwohner und Ende 1909 sogar beinahe̷ auf jeden dritten Einwohner.

Der Bestand der Guthaben erhöhte sich im Deutschen Reiche von rund 1869 Mill. M im Jahre 1875 auf rund 13 889 Mill. M im Jahre 1907, was — das Jahr 1875 mit 100 eingesetzt, — eine Steigerung auf 743,05 % in jenen 33 Jahren bedeuten würde, und wuchs seit dem Jahre 1883 bis 1907, also in 25 Jahren, von rund 3187 Mill. auf rund 13 889 Mill. M, also um das 4¼ fache; Ende 1909 betrug er rund 15½ Milliarden Mark[1]).

Seit dem vorerwähnten Jahre 1883 bis zum Jahre 1910 sind übrigens auch die Depositen bei den deutschen Kreditbanken sehr erheblich gestiegen, und zwar bei den Kreditbanken mit einem Kapital von mindestens 1 Mill. M, die für das Depositengeschäft hauptsächlich in Betracht kommen[2]), von rund 498 Mill. M Ende 1893 bis rund 3240,92 Mill. M Ende 1910, was einer Vermehrung in diesen 28 Jahren um rund das 6½ fache gleichkommt.

---

1) In Frankreich betrugen die Einlagen bei den Sparkassen am 1. Jan. 1908 rund 5 Milliarden Frcs. (4 976 000 000 Frcs.), welche sich auf 12 828 847 Sparkassenbücher verteilen, deren Durchschnittseinlage 387 Frcs. per Buch betrug. Davon entfielen 395 Mill. Frcs. und 1 797 542 Bücher auf Paris und das Département de la Seine.

Mehr als 4 Millionen, also mehr als ¹/₃ jener 12 828 847 Sparkassenbücher, zeigten nur ein Guthaben von 20 Frcs., etwa 2½ Millionen ein solches von 21 — 100 Frcs. und ungefähr 1 100 000 ein solches von 101 — 200 Frcs.

Den höchsten zulässigen Betrag von 1001 — 1500 Frcs. hatten nur 1 100 000 Einleger eingelegt.

1869 betrug die Gesamteinlage bei den französischen Sparkassen 711 Mill. Frcs., von 1850 — 1869 wuchs sie um 576 Mill. Frcs, von 1870 — 1908 um 4 265 000 000 Frcs. (Alfred Neymark in Maurice Patron: The Bank of France in its Relation to National and International Credit, Document No. 494 der Veröffentlichungen der National Monetary Commission des Senats der Vereinigten Staaten 1910, S. 165 ff.)

2) Im Jahre 1910 betrug die Zahl der Kreditbanken mit einem Kapital von mindestens 1 Mill. M 165.

Es läßt sich annehmen (hierüber später Näheres), daß diese Bankdepositen, zum größten Teil — etwa zu $^2/_3$, wahrscheinlich aber zu einem
größeren Prozentsatz — aus Betriebsreserven von Gewerbetreibenden bestehen, und zwar ohne Zweifel auch von mittleren Gewerbetreibenden, und ferner aus vorübergehend zu Bankdepositen,
demnächst aber zur Anlage in Wertpapieren, Hypotheken usw. bestimmten Mitteln größerer Kapitalisten, und nur zum kleinsten
Teil (etwa zu $^1/_3$) aus eigentlichen Spareinlagen.

Der jährliche Zuwachs der Spareinlagen bei den deutschen
Kreditgenossenschaften, deren Zahl am 1. Jan. 1908 16 092
betrug und deren Mitglieder vorwiegend den kleinen und mittleren
Gewerbetreibenden angehören dürften, wird auf 225 Mill. M geschätzt[1]. —

Der deutsche Außenhandel (d. h. Ein- und Ausfuhr im
Spezialhandel) ist nach der Denkschrift des Reichsmarineamtes vom
Dezember 1905 über „die Entwicklung der deutschen Seeinteressen
im letzten Jahrzehnt" (Seite V) „in dem Jahrzehnt von 1894—1904 von
7,3 Milliarden M auf 12,2 Milliarden M gestiegen, dem Gewichte
nach um 60%, dem Werte nach um 66%. In diesem Zeitraume
hat der Spezialhandel Englands um 38%, der der Vereinigten Staaten
um 59%, der Frankreichs um 28% und der Rußlands um 23%
zugenommen. In den letzten 25 Jahren[2] hat der deutsche
Spezialhandel sich genau verdoppelt!"

Die Gesamtzahl der Betriebe im Handel und Gewerbe[3]
betrug nach der Zählung von 1907 etwa 3¼ Mill., in denen etwa
14 Mill. Menschen beschäftigt waren.

Von den 3¼ Mill. Betrieben entfielen $^9/_{10}$ — aber nur mit
ca. 5 Mill. Personen — auf Kleinbetriebe, und nur etwa 32 000
auf mehr als 50 Personen beschäftigende Betriebe, also auf Großbetriebe, in denen aber rund 5¼ Mill., also etwa 35% aller
Erwerbstätigen, beschäftigt waren. Gegenüber der Zählung von
1895 hatte sich im Jahre 1907 das Verhältnis des Großbetriebes
zum Mittel- und Kleinbetrieb erhöht:

bei Bergbau und Hüttenwesen um . . . . . 1,8 %
bei der chemischen Industrie um . . . . . . 1,81 %
bei der Industrie der Leuchtstoffe um . . . . 2,9 %

---

1) Vgl. die in Anm. 1 auf Seite 90 zitierten „Materialien" S. 21.
2) Also von 1880 bis Ende 1905.
3) Vgl. für die folgenden Angaben Stat. Jahrb. f. d. Deutsche Reich (29. Jahrg.
1908, S. 46, 47; 31. Jahrg. 1910, S. 52 u. 53) u. H. v. Scheel, Die deutsche Volkswirtschaft am Schlusse des 19. Jahrhunderts (Berlin 1900, Puttkammer & Mühlbrecht), S. 91.

während sich das Verhältnis von 1882 bis 1895 erhöht hatte:

bei Bergbau und Hüttenwesen um 28,3%
bei der chemischen Industrie um . . . . . . 3,6% und
bei der Industrie der Leuchtstoffe um . . . . 2,2%.

Von den rund 32 000 Großbetrieben mit etwa 5¼ Mill. Menschen gehörte die überwiegende Mehrzahl der Industrie an.

Die Anzahl der bei den gewerblichen Berufsgenossenschaften in Handel und Industrie durchschnittlich beschäftigten Betriebsbeamten und Arbeiter betrug in runden Zahlen:

1886	1895	1905	1909
3 467 000	5 341 000	8 036 000	9 003 008.

An Dampfmaschinen waren 1907 in den deutschen Betrieben (abgesehen von der Land- und Forstwirtschaft) im Deutschen Reiche vorhanden: **124 074**, mit einer Leistungsfähigkeit von **7 587 650** Pferdestärken (PS)[1]), welche, wenn man die effektive Kraft einer Maschinenpferdestärke (PS) während eines Normalarbeitstages nur der Arbeit von 10 Menschen gleichstellt, die Arbeitsleistung von 75 Mill. Menschen ersetzen.

Von jenen 124 074 Dampfmaschinen mit 7 587 650 PS verwendete allein die Gewerbegruppe Bergbau- und Hüttenwesen **27 291** Dampfmaschinen mit **3 065 223** PS, die Textilindustrie 11 039 Dampfmaschinen mit 934 763 PS, die Maschinenindustrie 8066 Dampfmaschinen mit 891 088 PS. —

Von der Gesamtbevölkerung entfielen nach der Berufszählung von 1895:

	1843	1895	1907
Auf die Landwirtschaft 35,74%; dagegen in Preußen allein[2])	60,84—61,34	36,12	28,59
Auf Industrie und Bergbau 39,1%; dagegen in Preußen allein	23,27	38,73	42,76
Auf Handel und Verkehr 11,5%; dagegen in Preußen allein	0,97	11,39	13,17

Die land- und forstwirtschaftliche Bevölkerung des Reiches, zu welcher nach der Zählung von 1882 noch rund 19¼ Mill. (19 225 455) Köpfe = 42,5% der Bevölkerung gehörten, war in den Jahren von 1882—1895, in denen sich die Gesamtbevölkerung um 14,48% vermehrt hatte, auf 18½ Mill. (18 501 307) Menschen = 35,80% der Bevölkerung, also um rund **700 000** Köpfe = 3,77% der Gesamtbevölkerung, zurückgegangen; die Zahl der Landarbeiter hatte

---

1) Materialien zur Beurteilung d. Wohlstandsentwicklung Deutschlands usw., S. 46 u. 47. 1895 hatten die Kraftmaschinen in sämtlichen deutschen Betrieben nach v. Halle a. a. O. S. 48 u. 49 nur beinahe 3½ Mill. Pferdekräfte.

2) Für 1843 vgl. oben S. 31; für 1895 und 1907 vgl. die Statistische Korrespondenz vom 3. Februar 1909 (Jahrg. XXXV), S. 2.

in jenen 13 Jahren um mehr als 254 000 Köpfe abgenommen. Es geschah dies, obwohl in diesen Jahren sowohl die landwirtschaftlichen Betriebe wie die landwirtschaftlich benutzten Flächen beständig zugenommen hatten.

In der gleichen Zeit (1882—1895) war die Zahl der industriellen Bevölkerung um 26,12%, die der handeltreibenden Bevölkerung sogar um 31,62% gestiegen.

Es war also schon durch die Berufszählung von 1882 nachgewiesen worden, daß in Deutschland ein wirtschaftlicher Rollenwechsel eingetreten war; die frühere industrielle Minderheit war zur Mehrheit, die frühere landwirtschaftliche Mehrheit war zur Minderheit geworden.

Nach der Berufszählung vom 12. Juni 1907 hat sich diese Tatsache inzwischen noch erheblich verschärft.

Die Gesamtzahl der landwirtschaftlich Tätigen (also der im Hauptberuf Tätigen einschließlich der Dienstboten für häusliche Dienste und der Angehörigen) ist noch weiter zurückgegangen, und zwar auf rund 17½ Mill. (17 681 176) Köpfe, gegenüber 26 386 537 in der Industrie u. 8 278 239 im Handel tätigen Personen. Fast die Hälfte der Vermehrung der Erwerbstätigen kam der Industrie, etwa 2 Mill. dem Handel u. Verkehr zugute.

Von 100 Köpfen der Gesamtbevölkerung des Deutschen Reiches entfielen:

	1882	1895	1907
Auf die Landwirtschaft (einschl. Gärtnerei, Viehzucht, Forstwirtschaft und Fischerei)	42,5	35,8	28,6
Auf die Industrie (einschl. Bergbau und Baugewerbe)	35,5	39,1	42,8
Auf Handel und Verkehr (einschl. Gast- und Schankwirtschaft)	10,0	11,5	13,4

Von 100 Erwerbstätigen im Reiche aber entfielen:

	1882	1895	1907
Auf die Landwirtschaft (einschl. Gärtnerei, Viehzucht, Forstwirtschaft und Fischerei)	34,4	36,2	32,7
Auf die Industrie (einschl. Bergbau und Baugewerbe)	33,7	36,1	37,2
Auf Handel und Verkehr (einschl. Gast- und Schankwirtschaft)	8,3	10,2	11,5

Mit den gleich zu erwähnenden Vorbehalten ist also nach den Zahlen unserer Berufsstatistik jedenfalls jetzt der Satz richtig, daß unsere Bevölkerung, von der 1907 nur noch 28,6% auf die Landwirtschaft entfielen, zu zwei Dritteln nicht mehr landwirtschaftlich tätig ist[1]).

---

1) Vgl. für die Berufszählung von 1895: Paul Voigt, Deutschland und der Weltmarkt. Preuß. Jahrbücher, Bd. XCI (Jan., April 1898), S. 271.

Alle diese Tatsachen dürfen aber nicht, worauf, neben Olden-
berg, Ballod[1]) und anderen, namentlich Traugott Müller in
einer sehr lesenswerten Schrift[2]) hingewiesen hat, in einseitiger
Weise zur Stütze der durchaus unrichtigen Behauptung verwandt
werden, daß ein Rückgang der deutschen Landwirtschaft eingetreten sei und unser Heil allein in der Industrie, und zwar in der
Exportindustrie, liege.

Wir haben schon zuvor erwähnt, daß in dieser Epoche sowohl
die landwirtschaftlichen Betriebe[3]) als auch die landwirtschaftlich
benutzten Flächen[4]) zugenommen haben, und das gleiche gilt im
allgemeinen auch von der Viehzucht[5]), wie fast von der gesamten
landwirtschaftlichen Produktion, insbesondere der Produktion von
Futtermitteln und Kartoffeln. Hierzu hat erheblich mitgewirkt eine·
stetige Verbesserung der Bewirtschaftungssysteme und Arbeits-
methoden, sowie die stark gewachsene Verwendung von mit Dampf
und Elektrizität betriebenen Arbeitsmaschinen[6]). In der Zeit von
1882—1895 stieg beispielsweise einerseits die Zahl der Dampfpflüge

---

1) Vgl. jetzt auch Ballod, Die Produktivität der Landwirtschaft (Schriften
des Vereins f. Sozialpolitik, Bd. CXXXII, 1910, S. 427 ff.).

2) Geh. Ober-Reg.-Rat Dr. Traugott Müller, Industriestaat oder Agrarstaat? Ein Beitrag zur wirtschaftlichen Wertschätzung der deutschen Landwirtschaft (in dem landwirtschaftl. Hilfs- und Schreibkalender von Mentzel und von
Lengerke, 55. Jahrg. 1902, Teil II, S. 55—85).

3) Vgl. Statist. Jahrb. f. d. Deutsche Reich (29. Jahrg.) 1908; S. 27: 5 558 317
landwirtsch. Betriebe im Jahre 1895 (letzte veröffentlichte Zählung) gegenüber
5 276 344 im Jahre 1882. Im Jahre 1907 waren 5 736 082 landwirtschaftliche
Betriebe vorhanden mit einer Gesamtfläche von 43 106 486 ha, davon landwirtschaftlich benutzte; 31 834 874 ha = 73,9 % (eod. 32 Jahrg. 1911, S. 34).

4) 43 243 742 ha im Jahre 1895 gegenüber 40 178 681 ha im Jahre 1882. Im
Jahre 1907 43 106 486 ha.

5) eod. S. 39 Tab. IV: Viehstand in den Bundesstaaten nach der Zählung
von 1907: Die Zahl der Schafe ist danach allerdings von 24 999 406 Anfang 1873
zurückgegangen auf 9 692 501 Ende 1900 und 7 681 072 am 2. Dez, 1907. während
sich in der gleichen Zeit vermehrte: die Zahl der Pferde von 3 352 231 Anfang 1873
auf 4 195 361 I. Dez. 1900 und 3 367 298 am 2. Dez. 1907 nach definitiver Zählung
(eod. 32. Jahrg., 1911, S. 33), des Rindviehs von 15 776 702 Anfang 1873 auf 18 939 692
Ende 1900 und 17 053 642 (nach definitiver Zählung, eod. 32. Jahrg., 1911, S. 33), der
Schweine sogar von 7 124 088 Anfang 1873 auf 16 807 014 Ende 1900 und 13 562 642
(nach definitiver Zählung, eod. 32. Jahrg. 1911, S. 33), Trotzdem muß z. Z. auch
,,der inländische Fleischbedarf eine nicht unwesentliche Ergänzung (7 % des Bedarfs)
von Seiten des Auslands erfahren" (Fr. Jahn, Deutschlands wirtschaftliche Entwicklung, Annalen des Deutschen Reiches 1910, No. 8, S. 591). Nach dem Reichsanzeiger vom 11. Februar 1910 betrug z. B. der Wert des Einfuhr- Überschusses an
Rindvieh 69 799 000 M. und an Schweinen 20 704 000 M.

6) Durch Herstellung und Ausbildung dieser landwirtschaftlichen Maschinen
ist es der deutschen Industrie gelungen, die deutsche Landwirtschaft auf diesem Gebiete fast ganz vom Auslande unabhängig zu machen, vgl. Fr. Zahn a. a. O.

von 836 auf 1696 und die der Dampfdreschmaschinen von 75 690
auf 259 364. Andererseits stieg nach dem Jahre 1870 (nach K. Lamprecht a. a. O., S. 187) allein in den ostelbischen Landesteilen die
Zahl der Großbrennereien, infolge der Erfindung des Druckkessels
zum Dämpfen von Kartoffeln, um das Fünffache.

Auch die Intensität der landwirtschaftlichen Bebauung ist
stark gewachsen, und fast durchweg auch der durchschnittliche
Ernteertrag, so (pro ha in 100 kg) im Jahre 1899 gegen die
Periode von 1879 bis 1888 bei Roggen von 9,80 auf 14,9, bei
Hafer von 11,40 auf 17,2 und bei Kartoffeln von 81,00 auf 122,9.

Nach Ballod's Abhandlung über Deutschlands wirtschaftliche
Entwicklung seit 1870 ist die deutsche Eigenproduktion in allen
Getreidearten in den letzten drei Dezennien um 36% gestiegen,
während sich die Bevölkerung nur um etwa 18% vermehrte [1]).

Die Leistungsfähigkeit der deutschen Landwirtschaft ist
also sehr erheblich gewachsen. Dagegen hatte der Reinertrag, also
die Rentabilität der landwirtschaftlichen Betriebe, unter den verschiedensten Ursachen, namentlich unter der starken Erhöhung der
inländischen Produktionskosten, und unter der (durch geringere
Produktionskosten und billigere Frachtkosten im Land- und Seeverkehr überlegenen) ausländischen Konkurrenz, in einem erheblichen
Teile Deutschlands stark gelitten. Er verbesserte sich erst in den
letzten Jahren, zum Teil wohl auch in Verbindung mit der in den
letzten Handelsverträgen durchgesetzten starken Erhöhung der Agrar-
zölle. Bis dahin war, sehr zum Schaden der Gesamtwirtschaft, in
weiten Teilen Deutschlands die Lage der Landwirtschaft in dieser
Epoche, bei starkem Preisrückgange der Hauptprodukte [2]) und
wachsender Verschuldung des Grundbesitzes [3]), eine recht bedenk-

---

1) Vgl. Ballod Jahrb. f. Gesetzg. u. Verwaltung, Bd. XXII, S. 179ff. u. XXIV,
S. 493 ff. (1898 u. 1910). Trotzdem reicht die Getreideproduktion zur Befriedigung
des heimischen Bedarfs nicht hin, wie schon aus den ausländischen Zufuhren von
insbesondere Weizen und Gerste erhellt.

2) Während in den Perioden von 1831/1840—1871/80 in den alten preußischen
Provinzen die Durchschnittspreise von Weizen um etwa 60, von Roggen um etwa 69
und von Gerste um etwa 90% zugenommen hatten, sind gegenüber den Preisen
von 1876—1880 in Preußen die Preise

bei Weizen 1881—1885 um 10%, 1886—1890 um 20% und 1896 um 36%,
   „ Roggen 1881—1885 „ 4%, 1886—1890 „ 15% „ 1896 „ 29% u.
   „ Gerste 1881—1885 „ 7%, 1886—1890 „ 17% „ 1896 „ 21%
zurückgegangen, ungeachtet hoher Getreidezölle, die 1879 eingeführt und 1887
erhöht, aber allerdings bei den Handelsverträgen von 1892 und 1894 wieder herabgesetzt wurden (vgl. Troeltsch a. a. O. S. 32 u. 36).

3) Nach Troeltsch (a. a. O. S. 44) haben in Preußen in den Gemeinden
ländlichen Charakters von 1886—1897 die Mehreinträge an Hypotheken um
190 Mill. p. a., also im ganzen um 2100 Mill. M, zugenommen und ist die Ver-

liche geworden, was natürlich auch auf den Umfang der landwirtschaftlichen Produktion[1]) nicht ohne Einfluß bleiben konnte. Diese Umstände riefen, bei dem großen Einfluß agrarischer Kreise auf unsere Politik und Gesetzgebung, Maßregeln hervor, die — zum Teil ohne Not — andere Stände schädigten, ohne daß sie der Landwirtschaft den erwünschten oder gewünschten Nutzen zu bringen vermochten.

Endlich sind einzelne Verbesserungen des landwirtschaftlichen Kreditsystems eingeführt worden, teils auf dem Wege der Gewährung von Staatshilfe, so in Preußen durch die Gründung der Preußischen Zentral-Genossenschaftskasse (1895), teils durch Begründung der Raiffeisen'schen Darlehnskassenvereine und der Schulze-Delitzsch'schen Vorschuß- und Kreditvereine, also auf dem Wege genossenschaftlicher Selbsthilfe. Auf diesem Wege kann und muß aber noch viel geschehen, obwohl man am 1. Febr. 1908 bereits 21 420 ländliche Genossenschaften in Deutchland zählte.

Denn auf Kreditgewährung seitens der Reichsbank, die mit Rücksicht auf ihre kurzfristigen Verpflichtungen in der Regel nur kurzfristigen Kredit gewähren darf, kann seitens der Landwirtschaft, angesichts der Länge des landwirtschaftlichen Produktionsprozesses, naturgemäß lediglich in Ausnahmefällen gerechnet werden; die Landwirtschaft bedarf vielmehr eines ihren eigenartigen Produktionsbedingungen sich anpassenden Kreditsystems. Daß ein solches Kreditsystem ihr dauernd zur Verfügung steht, liegt aber ebenso im Interesse der Landwirtschaft selbst, wie im allgemeinen Interesse der Gesamtwirtschaft, denn dieses fordert gebieterisch, daß nicht

---

schuldung der Landwirte in 126 württembergischen Landgemeinden von 1874—1894 um 40% gewachsen.

Troeltsch stellt hierbei die auch anderwärts oft beglaubigte Tatsache fest, daß 80—90% der ländlichen Hypothekenschulden von 1886—1897 dadurch entstanden sind, daß der Übernehmer bei Kauf oder Erbschaft infolge zu geringen Kapitals oder zu großer Ansprüche der Miterben gezwungen wurde, zu viele oder zu hohe Schulden einzugehen, und daß dieses Übel noch verschärft wurde durch eine infolge ungesunder Entwicklung der Bodenpreise entstandene Überschätzung der Bodenwerte. — Von 1886—1904 ist die Verschuldung in den ländlichen Bezirken Preußens um 5245 Mill. (ca. 5¼ Milliarden M) gewachsen.

1) Zur Erhöhung der landwirtschaftlichen Produktion kann und muß noch sehr viel geschehen, einerseits durch landwirtschaftliche Ausnutzung der namentlich im nordwestlichen Deutschland noch sehr erheblichen Heideflächen und durch Austrocknung und Bebauung der etwa 500 Quadratmeilen umfassenden Moore, von denen ungefähr 400 Quadratmeilen für die landwirtschaftliche Bebauung gewonnen werden könnten. Allerdings ist das nicht durchführbar ohne ausreichende Förderung nicht nur des Eisenbahnbaus, sondern auch des bedauerlicherweise von landwirtschaftlicher Seite oft verhinderten Kanalbaus (vgl. Max Schinckel in den Stenographischen Berichten der Bank-Enquêtekommission zu Punkt III—V des Fragebogens S. 77).

Riesser, Die deutschen Großbanken. 4. Aufl.

nur die Interessen der Konsumenten, sondern auch die der Produzenten geschützt werden.

Auch nach anderen Richtungen muß vor einseitiger Verwertung der oben (S. 94/95) mitgeteilten statistischen Zahlen gewarnt werden.

Es ist zunächst zu beachten, daß ein großer Teil der gewerblichen Tätigkeit, die in unserer Statistik zur Industrie gerechnet wird, teils vorwiegend landwirtschaftlicher Natur ist, wie die Rübenzucker- und Stärkefabriken, die Branntweinbrennereien, Brauereien, Mühlen u. a. m., teils erheblich an der Landwirtschaft interessiert ist, wie die Bäckereien, Fleischereien, die Brauereien sowie anderer Zweige der Nahrungs- und Genußmittelindustrie, die Ziegeleien u. a. m.[1]).

Weiter kommt in Betracht, daß in unserer Statistik die nicht geringe Zahl derer nicht berücksichtigt ist, die nur nebenberuflich oder nebenher landwirtschaftlich tätig sind, deren Zahl im Jahre 1895:3,7 Mill., im Jahre 1907 sogar 5,6 Mill. ausmachte.

Ferner ist nicht zu vergessen, daß in der Landwirtschaft, obwohl sich die Zahl der selbständig Tätigen von 1882—1895 (auf 1000) um 2,9 vermehrt hatte, die Zahl der Abhängigen in der gleichen Zeit (auf 1000) um 16,1 zurückgegangen war, da die Arbeiter in andere Berufe, besonders in die Industrie, abwanderten, und zwar meist, ohne zurückzukehren und ohne ersetzt zu werden[1]). Das Verhältnis hat sich freilich inzwischen nach der Zählung von 1907 wieder geändert. Endlich haben sich, was schon in der vorigen Wirtschaftsperiode (1848—1870) begonnen hat, in dieser Periode viele gewerbliche Tätigkeiten, die sich ursprünglich in der Form ländlicher Hausarbeit vollzogen hatten, die also zur Landwirtschaft gerechnet wurden, wie die Spinnerei und Weberei, nach und nach zu selbständigen Industriezweigen entwickelt und haben auch aufgehört, ihren Schwerpunkt auf dem Lande zu haben.

Auf diese Weise verminderte sich statistisch die Zahl der in der Landwirtschaft erwerbstätigen Personen, ohne daß doch in Wahrheit die Landwirtschaft als solche oder die Zahl der in ihr tätigen Personen abgenommen hatte.

---

1) Freilich darf man auch hierin nicht zu weit gehen, wenn man nicht zu uferlosen Trugschlüssen zugunsten der Landwirtschaft gelangen will. Das geschieht aber, wenn man mit einigen Schriftstellern (vgl. Traugott Müller a. a. O. S. 61) sogar die Eisenbahn-, Post- und Telegraphenbetriebe zu den landwirtschaftlichen Betrieben nnd demgemäß die in ihnen tätigen Personen zu den „im Nebenberuf landwirtschaftlich tätigen Personen" rechnet.

2) In direktem Gegensatz zu Handel, Industrie usw., wo sich in der gleichen Zeit die Zahl der Selbständigen (auf 1000 Seelen) um 12,6 vermindert, die Zahl der Abhängigen aber um 30,5 vermehrt hat.

Auch darf nicht außer Acht gelassen werden, daß selbst die heutige, stark gegen früher geminderte Zahl der land- und forstwirtschaftlich tätigen Personen (rund 17 ½ Mill. nach der Berufszählung von 1907) lediglich von den Ziffern Rußlands und der Vereinigten Staaten übertroffen wird[1]).

Man muß sich also hüten, aus den oben (S. 94/95) mitgeteilten Prozentsätzen der aus der erwerbstätigen Bevölkerung zur Landwirtschaft, zur Industrie und zum Handel gehörigen Personen allzu weitgehende Schlüsse zu ziehen und demgemäß die Ausdrücke: „Agrarstaat" und „Industriestaat" (die immer mehr, was stets bedenklich ist, zu Schlagworten werden) der Wahrheit zuwider als völlig unversöhnliche Gegensätze schroff gegenüberzustellen. Nur, wenn man diese Fehler vermeidet, wird man auch den Anteil der für unsere Gesamtwirtschaft so überaus bedeutsamen Landwirtschaft am Nationalvermögen und an der Werterzeugung richtig einschätzen können[2]) und zum Schlusse kommen, daß gerade die in Deutschland derzeit vorhandene Mischung landwirtschaftlicher, industrieller und kommerzieller Bevölkerung im Interesse einer gesunden Entwicklung der Gesamtwirtschaft besonders zu begrüßen ist.

Alle diese Erwägungen verhindern freilich nicht, daß der oben (S. 77) ausgesprochene Satz seine Richtigkeit behält, daß sich in dieser Wirtschaftsperiode der Schwerpunkt der Gesamtwirtschaft in starkem Maße weiter verschoben hat von der Landwirtschaft nach der Industrie[3]). Die Ursachen dieser Tatsache, die übrigens in fast

---

1) Vgl. Albert Hesse a. a. O. S. 732.

2) Vgl. Ludwig Pohle a. a. O. S. 22, und Derselbe, Deutschland am Scheidewege (Leipzig, B. G. Teubner, 1902), S. 43 ff.; Dietzel im Handwörterbuch der Staatswissenschaften, 3. Aufl., Bd. I, S. 226 ff.; Ballod, Bd. XXII, S. 179 ff. u. Bd. XXIV, S. 493 ff. des Schmollerschen Jahrb. f. Gesetzg., Arthur Dix, Deutschlands wirtschaftliche Zukunft in Krieg und Frieden (in Conrads Jahrb., 3. Folge, Bd. XL, S. 433 ff. (Oktober 1910).

3) Irrig ist die oft aufgestellte Behauptung, daß die Landwirtschaft, und sogar sie allein, neue Werte schaffe. Völlig neue Werte kann auch die Landwirtschaft nicht schaffen, da der landwirtschaftlichen Tätigkeit ebenso mindestens der von ihr nicht produzierte Samen, wie der industriellen Tätigkeit irgend ein Rohstoff, zugrunde liegt. Sowohl bei der landwirtschaftlichen wie bei der industriellen Tätigkeit, soweit sie auch im einzelnen auseinandergehen, handelt es sich also immer nur um eine Umwandlungs- oder Veredelungsarbeit, die bei beiden nur den Wert bereits vorhandener Elemente oder Stoffe erhöht. Rechnet man um deswillen Landwirtschaft und Industrie zu den „produktiven Ständen", so wird aus genau dem gleichen Grunde auch der Handel mit dazu zu rechnen sein, da dessen werterhöhende Tätigkeit in der Überführung von Gütern aus Gegenden größeren Angebots nach Orten größerer Nachfrage, mit oder ohne Zwischenverarbeitung, besteht; vgl. insbesondere Richard Ehrenberg, Der Handel. Seine wirtschaftliche Bedeutung, seine nationalen Pflichten und sein Verhältnis zum Staate (Jena, Gust. Fischer, 1887).

allen wirtschaftlichen Staaten gleichermaßen bemerkbar ist [1]), sind ganz verschiedener Art.

Je mehr die deutsche Bevölkerung und der Vermehrungs-koeffizient zunahm, um so weniger war die deutsche Landwirtschaft imstande, sie allein zu beschäftigen und zu ernähren.

Es ist richtig, daß bis zum Beginn dieser Epoche die deutsche Landwirtschaft noch einen erheblicheren Teil ihrer Produkte (insbesondere von Getreide, mit Ausnahme von Roggen) nach dem Auslande, namentlich nach England, Frankreich, den Niederlanden und der Schweiz, ausführen konnte, als sie bei uns einführte [2]). Aber es steht andererseits doch fest, daß in unserer Epoche sich immer schärfer die Notwendigkeit herausstellte, fremde Bodenerzeugnisse, insbesondere Getreide und vegetabilische Rohstoffe, vom Auslande einzutauschen gegen eigene Arbeit (Fabrikate) [3]), und daß die Landwirtschaft, ungeachtet großer Anstrengungen und großer Erfolge, bisher nicht imstande war, ihre Getreide- und Vieh-produktion auch nur annähernd in dem Umfange und in der Schnelligkeit zu steigern, wie sich die Bevölkerung vermehrte. Das hierdurch entstehende landwirtschaftliche Produktionsdefizit, welches 1898, ungeachtet aller Schutzzölle, noch über 2 Milliarden M p. a. und im Durchschnitt der letzten 4 Jahre (von Ende 1910 zurückgerechnet) über 1½ Milliarde M betrug, mußte sonach vom Auslande gedeckt werden [4]).

Ebenso war und ist auch die deutsche Industrie nicht entfernt in der Lage, ihren Bedarf, speziell an Rohstoffen, im Inlande zu decken, da hier die benötigten Rohprodukte entweder überhaupt nicht oder doch, soweit unsere Kolonien herangezogen werden können, nur in bescheidenem Umfange vorkommen. Die deutsche Industrie muß also, von einzelnen Industriezweigen abgesehen, einen großen,

---

1) Vgl. die bei Fr. Zahn, Deutschlands wirtschaftliche Entwicklung (Annalen des Deutschen Reichs 1910, No. 6, S. 432 u. 433) aus den vergleichenden Übersichten des Kaiserl. Statistischen Amts mitgeteilten Tabellen.

2) Ludwig Pohle a. a. O. S. 23. Viel weniger weitgehend Max Sering, (Handels- und Machtpolitik, Stuttgart 1900, J. G. Cotta Nachf., Bd. II, S. 5), wenn er darauf hinweist, daß wir „schon seit Anfang der 50er Jahre mehr Roggen und seit der Hälfte der 70er Jahre mehr Weizen einführen, als wir an das Ausland abgeben". 1860 betrug die Mehreinfuhr an Roggen schon etwa 250 000 Tonnen. Im Jahre 1908/1909 mußten 43,9 % des einheimischen Bedarfs an Gerste und 29,9 % des einheimischen Bedarfs an Weizen durch ausländische Zufuhr (insbesondere von Rußland und Amerika) gedeckt werden, vgl. Vierteljahrshefte z. Statistik des Deutsch. Reichs 1910, Bd. I, S. 87.

3) Werner Sombart, Deutsche Volkswirtschaft, 2. Aufl., S. 411.

4) Der Einfuhrüberschuß betrug für 1909 u. a. immer noch bei: Rindern, Schweinen, Schafen und Ziegen zusammen etwa 88½ Mill. M (Abnahme gegen 1908 um ca. 2½ Mill. M); Milch und Molkereiprodukten 145,79 Mill. M. Vgl. Reichsanzeiger vom 11. Febr. u. 20. April 1910.

teilweise sogar den größten Teil ihres Bedarfs an Rohstoffen gleichfalls durch ausländische Einfuhr decken, wofür besonders die im Vordergrund unserer Exportindustrien stehende deutsche Textilindustrie das sprechendste Beispiel ist, die fast $9/10$ ihres Bedarfs an Rohprodukten (Baumwolle, Jute, Seide) bisher aus dem Auslande beziehen mußte [1]).

„Im Durchschnitt der letzten 4 Jahre (von Ende 1906 zurückgerechnet) hat der Wert der Mehreinfuhr von Rohstoffen für Industriezwecke und Halbfabrikate ungefähr $3\frac{3}{4}$ Milliarden M betragen" [2]).

Jener jährliche Einfuhrbedarf der deutschen Landwirtschaft und Industrie an Nahrungs- und Genußmitteln und Vieh, sowie an Rohstoffen und Halbfabrikaten, also an Produktionsmitteln, die für den unmittelbaren Verbrauch oder die industrielle Verarbeitung verwandt werden, konnte, falls wir nicht allmählich verarmen wollten, nicht aus den Barmitteln unseres Nationalvermögens, sondern mußte in anderer Weise „gedeckt" werden.

Die Deckung erfolgte zu einem unwesentlichen Teile durch Hingabe solcher inländischer Rohstoffe an das importierende Ausland, die wir selbst für den heimischen Bedarf nicht benötigten, zum wesentlichsten Teile aber dadurch, daß unsere Industrie dem uns Lebensmittel und Rohstoffe — also Bodenerzeugnisse — einführenden Ausland Fabrikate, also Ergebnisse der heimischen Arbeit, im Wege der Ausfuhr (des Exports) lieferte [3]), hauptsächlich Woll- und Baumwollwaren, Zucker, Maschinen, Seidenwaren, grobe Eisenwaren, chemische Produkte u. a. m. Im Jahre 1908 entfiel der weit überwiegende Teil unserer gesamten Ausfuhr (im Spezialhandel), nämlich rund 65%, auf die Ausfuhr von Fabrikaten, und nur rund 25% auf Rohstoffe und rund 10% auf Nahrungs- und Genußmittel. welche wir unsererseits nach dem Ausland exportieren.

„Wir müssen ausführen, um einführen zu können, und müssen einführen, um arbeiten und leben zu können" [4]).

Die hierdurch in erster Linie sich erklärende „Industrialisierung", welche zunächst durch die Vermehrung der Bevölkerung, die ernährt und beschäftigt werden mußte, verursacht wurde, dann aber

---

1) Mit Recht sagt Huber (a. a. O. S. 109), daß für unsere Textilindustrie mit der überseeischen Zufuhr von Wolle und Baumwolle der ganze Export stehe und falle.

2) Vgl. Albert Hesse in Conrads Jahrb., 3. Folge, Bd. XL, S. 734/735.

3) Vgl. Werner Sombart, Die deutsche Volkswirtschaft, 2. Aufl., S. 417: „Die pièce de resistance unserer Ausfuhr bilden heute Fabrikate hoherer Ordnung, worunter ich solche verstehe, in denen ein großer Arbeitswert und ein geringer Bodenwert ... steckt. Deutschland bezahlt also ... in wachsendem Umfange.. fremden Boden mit heimischer Arbeit".

4) Albert Hesse a. a. O. S. 735.

wieder diese Vermehrung ihrerseits hervorrief[1]), wurde verschärft durch den Umstand, daß gleichzeitig der Bedarf der Industrie an Produktionsmitteln im zunehmenden Umfange erhöht wurde durch die in der modernen Technik immer mehr aufkommende, von Sombart prägnant und richtig gekennzeichnete Verdrängung der organischen Materie durch die unorganische. Der Baum im heimischen Wald muß zu Bauzwecken dem eisernen Träger, zu Brennzwecken der Kohle weichen; die Düngung und die Arbeitsleistung durch Tiere wird durch den künstlichen Dünger (Thomasmehl, Kali, Chilisalpeter u. a. m.) und durch die Dampfmaschine und den elektrischen Motor verdrängt; die mit Krapp bebauten Ackerflächen werden durch das Aufkommen der Anilinfarben für anderweite Bebauung frei. —

Ende 1910 standen nun die Dinge so, daß die Ausfuhr (im Spezialhandel) aus dem deutschen Zollgebiet[2]) fast 7,5 Milliarden M (7475 Mill. M) und die Einfuhr in dieses Gebiet (im Spezialhandel) fast 9 Milliarden M (8934 Mill. M) betrug, während K. H. Rau im Durchschnitt der Jahre 1842—1846 für den deutschen Zollverein die Ausfuhr auf etwa 510 Mill. M und die Einfuhr auf etwa 630 Mill. berechnet hatte[3]).

Es betrug Ende 1910 der Überschuß der ausländischen (nicht ganz zur Hälfte aus den Vereinigten Staaten, Großbritannien, Österreich-Ungarn und Rußland stammenden) Einfuhr im Spezial-

---

1) Insoweit dürfte der Ausspruch von Albert Hesse (a. a. O. S. 734 a. 1910): „Nicht das Kapital ist die treibende Kraft zu weltwirtschaftlicher Ausdehnung, sondern die Entwicklung der Bevölkerung" zu modifizieren sein.

2) Die Ausfuhr im Spezialhandel umfaßt seit 1. März 1906 die Ausfuhr aus dem freien Verkehr des Wirtschaftsgebiets einschließlich der (unter Steuerüberwachung ausgehenden, einer Verbrauchs- oder Stempelabgabe unterliegenden) inländischen Waren: Bier, Branntwein, Salz, Schaumwein, Spielkarten, Tabak und Zucker, sowie die Ausfuhr aus dem Wirtschaftsgebiet nach der Veredelung für inländische Rechnung. Wirtschaftsgebiet im Sinne dieser neuen Statistik ist das Deutsche Reich (ohne Helgoland und die badischen Zollausschlüsse), ferner das Großherzogtum Luxemburg und die österreichischen Gemeinden Jungholz und Mittelberg.

Die Einfuhr im Spezialhandel umfaßt einerseits die Einfuhr in den freien Verkehr dieses Wirtschaftsgebiets unmittelbar oder mit Begleitpapieren, auch von Freibezirken, Niederlagen, Konten usw., sowie die Einfuhr von Gegenständen zum Schiffbau usw. und den Bedarf an ausländischen Waren für ausgehende deutsche Schiffe; andererseits die Einfuhr in das Wirtschaftsgebiet zur Veredelung auf inländische Rechnung (Statist. Jahrb. f. d. deutsche Reich 1907 unter VII: Auswärtiger Handel u. folgende Jahrgänge).

3) Ließen sich diese Rau'schen Zahlen unserer heutigen amtlichen Ein- und Ausfuhrstatistik gegenüberstellen, was aber, mangels Übereinstimmung der Gebiete sowie der sonstigen Rechnungsgrundlagen und der Rechnungsmethoden unzulässig ist, so würde sich in der Zeit von etwa 1842—1910 sowohl unsere Einfuhr wie unsere Ausfuhr um mehr als das Vierzehnfache erhöht haben, während sich seitdem unsere Bevölkerung nur verdoppelt hat.

handel über unsere Ausfuhr (die nicht ganz zur Hälfte nach jenen Ländern geht), also die Passivität unserer Handelsbilanz (Warenverkehrsbilanz), etwa 1½ Milliarden (1895:800 Millionen) M.

Wir finden nun aber[1]), daß sich im Jahre 1910 und den vorhergehenden Jahren bis 1882 die Einfuhr im großen und ganzen in weit stärkerem Verhältnis vermehrt hatte als die Ausfuhr, während im großen und ganzen in der Zeit vor 1882 das umgekehrte Verhältnis bestanden hatte.

Wir sehen ferner, daß die Ausfuhr (an Fabrikaten) von etwa 1882 ab einen in der Regel immer mehr abnehmenden Teil der deutschen industriellen Produktion überhaupt — diese als Ganzes betrachtet — darstellt.

Endlich können wir feststellen, daß die deutsche industrielle Produktion — mindestens in den wesentlichsten Industriezweigen — von 1882 ab rascher zugenommen hat, als die bei derselben durchschnittlich beschäftigt gewesenen Personen, und daß die Vermehrung dieser erwerbstätigen Personen seit etwa 1885 durchweg stärker war als die Bevölkerungsvermehrung und fast durchweg[2]) stärker als die Produktionsmengen und der Wert und die Mengen der Ausfuhr.

Alle diese Momente zusammen berechtigen zu der Annahme, daß etwa seit Beginn der 80er Jahre die Aufnahmefähigkeit der deutschen Bevölkerung, also der innere Markt, sich rascher und kräftiger entwickelt hat, als der äußere Markt[3]).

Es wird kaum bezweifelt werden können, daß der wesentlichste Grund dieser Tatsache in der seit etwa dem nämlichen Zeitpunkt zu beobachtenden stärkeren Kapitalansammlung, also der bedeutenderen Entwicklung des Wohlstands der Nation, beruht.

Diese aber hat in erster Linie die Produktionskraft der gewerblichen Bevölkerung einerseits und die Kaufkraft der Nation andererseits erhöht und es ihr außerdem gestattet, einen Teil der weiter verfügbaren Mittel zu Verbesserungen unserer Zahlungsbilanz zu benutzen.

Diese Verbesserungen erfolgten in den letzten 25 Jahren namentlich durch Erwerb ausländischer Papiere, aus deren Zinsen das Ausland uns tributpflichtig wurde, und durch Gewährung kurz-

---

1) Vgl. für 1907 Anlageband III zu den Reichsfinanzreformvorlagen von 1908: Materialien zur Beurteilung der Wohlstandsentwicklung Deutschlands im letzten Menschenalter, S. 52.

2) Näheres bis 1907 einschl. in dem in Anm. 1 zitierten Anlageband III zu den Reichsfinanzreformvorlagen von 1908, S. 43.

3) eod. S. 37, 38 u. 53.

und langfristiger Kredite an das Ausland, ferner durch die erhebliche Erhöhung der Leistungsfähigkeit unserer Reederei und durch unsere Beteiligung an ausländischen Unternehmungen; wir werden die Notwendigkeit und Nützlichkeit dieser Verbesserungen unserer Zahlungsbilanz, insbesondere der erstgedachten Verbesserungen (Erwerb ausländischer Wertpapiere), in dem diesen Fragen gewidmeten besonderen Kapitel (§ 7) noch eingehend zu erörtern haben.

Darüber aber kann kaum ein Zweifel bestehen, daß die Passivität der Wirtschaftsbilanz (Handelsbilanz) eines Staates für diesen um so gefahrloser wird, je günstiger seine Zahlungsbilanz ist, denn um so unbedenklicher kann er alsdann andere Staaten „für sich arbeiten lassen", sich namentlich von ihnen Rohstoffe und Lebensmittel liefern lassen.

Wenn in den allerletzten Jahren, wie aus gewissen Anzeichen, mit großer Wahrscheinlichkeit zu entnehmen war, auch unsere Zahlungsbilanz zwar nicht etwa, wie man behauptet, durchweg passiv war, aber doch eine gewisse, mehr oder minder große Tendenz zur Passivität gezeigt hat[1]), so muß dies nur als Mahnung dienen, die steigende Kapitalansammlung noch mehr wie bisher in erster Linie zur Kräftigung des inneren Marktes zu verwenden. Sie ist also zunächst (s. unten S. 103/104) zur Steigerung der heimischen Produktions- und Kaufkraft und zur Vermehrung der landwirtschaftlichen Produktion von Lebens- und Nahrungsmitteln sowie unserer kolonialen Produktion von industriellen Rohstoffen und nur in zweiter Linie zu den Zwecken des Kapital-Exports zu benutzen[2]).

Dabei ist seitens der Industrie, des Handels und der Banken nicht zu vergessen, daß auch die Stärkung der Landwirtschaft und ihrer Aufnahmefähigkeit für industrielle Produkte eines der unerläßlichsten Mittel zur Kräftigung des gesamten inneren Marktes bildet, wie die Landwirtschaft ihrerseits nicht außer Augen lassen darf, daß auch die Pflege der Exportindustrie innerhalb des durch die zunächst erforderliche Stärkung des inneren Marktes gezogenen Rahmens, zu den im Interesse der Gesamtwirtschaft notwendigen nationalen Aufgaben gehört.

Die aus dem Vorstehenden für die deutschen Kreditbanken zu ziehenden Folgerungen sind m. E. klar zu erkennen:

----

1) Eine dauernd passive Zahlungsbilanz ist überhaupt unmöglich, d. h. sie würde den Bankerott bedeuten.

2) Dann, aber auch nur dann, wird sich die Befürchtung Ludwig Pobles (a. a. O. S. 26) nicht verwirklichen, daß das Steigen der Aufnahmefähigkeit des inneren Marktes ... keine Zunahme der wirtschaftlichen Selbständigkeit Deutschlands, sondern im Gegenteil sich steigernde Abhängigkeit vom Auslande bedeutet".

Einerseits, was die Vergangenheit angeht, daß sie, indem sie zu einem wesentlichen Teile an der zweifellos eingetretenen Kräftigung des inneren Marktes (durch Erhöhung der Produktions- und Kaufkraft der Nation) und an den auf S. 103/104 geschilderten Verbesserungen unserer Zahlungsbilanz beteiligt waren, sich in hohem Grade um den Fortschritt der nationalen Wirtschaftsentwicklung verdient gemacht haben. Dies sollte auch da, wo es sich um günstige Wirkungen der Tätigkeit der Kreditbanken handelt, besonders von denen zugegeben werden, die in recht erheblicher Übertreibung so ziemlich für alles Ungünstige, was in der bisherigen industriellen und kommerziellen Entwicklung Deutschlandsgeschehen ist, die deutschen Kreditbanken verantwortlich gemacht haben.

Andererseits ist, was die Zukunft angeht, zu betonen, daß die deutschen Kreditbanken mehr noch, wie dies bisher und namentlich in den letzten Jahren geschehen ist, bemüht sein müssen, den Kapital-Export besonders in den Momenten einzuschränken, in welchen der heimische Markt, soweit dies objektiv erkennbar ist, der verfügbaren heimischen Kapitalien bedarf. Auch werden sie die Formen, in welchen der Kapital-Export sich betätigt, so insbesondere den Termin der Ausgabe ausländischer Wertpapiere und deren Zinsfuß, soweit dies irgend tunlich und mit Deutschlands internationalen wirtschaftlichen und finanziellen Beziehungen verträglich ist, so zu regeln haben, daß auch hierbei die Interessen der heimischen Wirtschaft und des heimischen Geld- und Kapitalmarktes gewahrt werden. —

Wir fahren nunmehr in der Schilderung dieser Wirtschaftsepoche fort.

Was die Gründung von Aktiengesellschaften betrifft, so sahen wir oben (S. 35) daß in Preußen von

1826—50 im ganzen nur 102 Aktiengesellschaften mit etwa 638 Millionen Kapital
1851—70 (1. Hälfte) aber 295 „ „ „ 2404,76 „ „
begründet worden sind.

Von 1867—1873 wurden allein an deutschen Aktiengesellschaften 1005 konzessioniert und 682 neu begründet, von 1870 (zweite Hälfte) bis 1874 857 Aktiengesellschaften mit einem Aktienkapital von 3306,81 Mill. M errichtet. Es darf daher angesichts dieser Überproduktion, welche, wie im Jahre 1857, zusammen mit den plötzlich einströmenden 5 Milliarden französischer Kriegsentschädigung und der dadurch hervorgerufenen Geldfülle, Unternehmungs- und Spekulationswut, einer der wesentlichsten Gründe der Krisis von 1873 gewesen ist, nicht wundernehmen, wenn von diesen 857 Gesellschaften bis

Sept. 1874 bereits 123 sich in Liquidation und 37 in Konkurs befanden [1]).

Gegenüber den Aktienkapitalien der 1851—1870 erfolgten Gründungen von Aktiengesellschaften erhöhte sich das **Verhältnis der Kapitalien der Aktiengesellschaftsgründungen** in den vier Jahren 1870—1874 [2]).

im Baugewerbe	um fast das 27 fache			(von 17,42 Mill. M auf 486,64 Mill. M)	
im Brauereigewerbe	um etwa ,,	24	,,		
in der Industrie der Steine und Erden	,, ,, ,,	19	,,		
im Bankgewerbe	,, ,, ,,	9	,,	(von 94,65 Mill. M auf 838,27 Mill. M)	
in Metallverarbeitung und Maschinenbau	,, ,, ,,	7	,,		
in der Landwirtschaft	,, ,, ,,	5	,,		
in der chemischen, Heiz- u. Leuchtstoffindustrie	,, ,, ,,	4	,,		
in den Zuckerfabriken	,, ,, ,,	2	,,		

In der hier nicht besonders angeführten **Montanindustrie** ist zwar die Zahl der Gründungen von 1870—1874 auch eine überaus erhebliche, sie rücken sogar mit einem 1870—1874 neu geschaffenen Aktienkapital von **394,95** Mill. M in eine der ersten Reihen [3]). Aber das **Verhältnis** der Kapitalien der Gründungen dieser Industrie in den Jahren von 1870—1874 zu denjenigen der Gründungen der Jahre 1851—1870 kann naturgemäß nicht so auffällig erscheinen, wie bei den übrigen Industrien, weil 1851—1870 die Aktienkapitalien der in der Montanindustrie errichteten Gesellschaften bereits 275,31 Mill. M betragen hatten.

Die Zahl der 1870—1874 neu begründeten **Eisenbahnaktiengesellschaften** tritt selbstverständlich, da das deutsche Eisenbahnnetz schon am Ende der vorigen Epoche in erheblichem Umfang ausgebaut war, mit ca. 778 Mill. gegenüber ca. 1722 Mill. M (1851 bis 1870) weit zurück.

Im Jahre **1883** veröffentlichten **1311** Aktiengesellschaften mit ca. 3918 Mill. M ihre Bilanzen; hiervon gehörten 128, also ungefähr der zehnte Teil, mit einem Kapital von 571,25 Mill. M, also etwa dem siebenten Teil des Gesamtkapitals jener Aktiengesellschaften, der **Montanindustrie** an [4]).

In den darauffolgenden Jahren zeichnen sich besonders die Jahre guter industrieller Konjunktur 1889 und 1890 durch stärkere Gründungen aus.

---

1) **Engel**, in der Zeitschr. des Statist. Bureaus, Berlin 1875, Heft 4, S. 356.
2) **W. Sombart**, D. mod. Kap., Bd. II, S. 16.
3) **Engel** a. a. O. S. 457 ff.
4) **Deutscher Ökonomist** vom 21. Februar 1885, S. 72.

Im Jahre 1896 bestanden 3712 Aktiengesellschaften mit einem eingezahlten Aktienkapital von 6845,76 Mill. M[1]). Hiervon entfielen[2]) allein:

235 wieder auf Bergwerks- und Hüttengesellschaften mit einem Kapital von 1022,33 Mill. M (oder inkl. Anleihen und Reserven 1381,86 Mill. M) und gleichfalls

235, aber mit einem Kapital von 324,72 Mill. M, auf die Maschinenbauindustrie[3]),

259 mit 414,91 Mill. M Kapital auf die Textilindustrie,

378 „ 367,2 „ „ „ „ „ Brauereien[4]),

164 „ 172,76 „ „ „ „ „ Baugesellschaften,

98 „ 1240,3 „ „ „ „ „ Banken mit mehr als 1 000 000 M Kapital,

108 „ 332,87 „ „ „ „ „ chemische Industrie u.

39 „ 195,61 „ „ „ „ „ elektrische Industrie.

Von 1897 bis zum Jahre 1900, wo die Krisis ausbrach, zeigt sich wieder eine Hochflut von Gründungen, und zwar wurden in diesen vier Jahren allein 1208 Aktiengesellschaften, mit einem Kapital von 1,73 Milliarden M, neu begründet[5]), darunter 53 Banken mit einem Gesamtkapital von 124 776 000 M.

Im Jahre 1900 betrug die Gesamtzahl aller deutschen Aktiengesellschaften etwa 5400; für etwa 4600 wurde ein eingezahltes Aktienkapital von 6,8 Milliarden und, mit den Anleihen und Reserven, ein Kapital von etwa 7,8 Milliarden M festgestellt[6]).

Welche Überproduktion in Gründungen aber, ebenso wie in den der Krisis von 1873 vorausgegangenen Jahren, vor der Krisis von 1900 stattgefunden hat, haben wir schon durch Anführung der Gründungen von 1897—1900 im Einzelnen nachgewiesen. Hier können wir zusammenfassend noch feststellen, daß von 4000 Aktiengesellschaften, deren Gründungsjahr ermittelt werden konnte, mehr als 1600 auf die Jahre 1890—1900 entfallen.

Fast $^9/_{10}$ aller Aktiengesellschaften gehörten der Industrie an, fast der ganze Rest aber dem Bankwesen, abgesehen

---

1) Van der Borght, Artikel: Aktiengesellschaften im Handwörterbuch der Staatswissenschaften (Jena, 3. Aufl., 1909, Gust. Fischer), Bd. I, S. 309.

2) Über die Verteilung auf die einzelnen Branchen vgl. insbesondere Ed. Wagon, Die finanzielle Entwicklung deutscher Aktiengesellschaften von 1870—1900 (Jena 1903, Gust. Fischer), und hier wieder namentlich S. 41 ff.; 56 ff.; 73 ff; 107 ff.

3) Die Maschinenbauindustrie hatte noch 1883 nur 104 Gesellschaften mit 193,24 Mill. M Kapital.

4) Von 1870—1874 wurden 59 Bierbrauerei-Aktiengesellschaften mit 72 Mill. M Kapital begründet (Ed. Wagon a. a. O. S. 107).

5) Deutscher Ökonomist vom 26. Januar 1901, S. 45.

6) v. Halle a. a. O. S. 94.

von etwa 150 Versicherungsgesellschaften, die freilich beinahe ein Drittel des Aktien- und Obligationenkapitals beanspruchten.

Ende 1910 belief sich die Zahl der gesamten von 1871 ab begründeten Aktiengesellschaften gemäß der auf S. 109 abgedruckten die Einzelzahlen für alle Jahre von 1871 ab angebenden Tabelle[1]) auf:

6524 Gesellschaften mit einem Aktienkapital von 9902,02 Mill. M, was wiederum gegen 1900 ein Wachstum allein der Aktienkapitalien von beinahe 2½ Milliarden M bedeutete. Rechnet man dagegen nur die heute noch in Tätigkeit befindlichen Gesellschaften, so bestanden Ende 1910 5295 (tätige) Gesellschaften mit einem Nominal-Aktienkapital von 5466,3 Mill. M.

Das durchschnittliche Dividendeneinkommen eines Aktionärs[2]) betrug in den Jahren von 1870—1900 bei den Gesellschaften, deren Werte an der Berliner Börse notiert waren, und zwar in:

	%			%
der Kohlenindustrie	7,65	Reineinkommen (V. 1880/1900)		7,42
„ Eisenindustrie	5,82	„	(V. 1880/1900)	5.34
„ Industrie d. Steine u. Erden (Baumaterialien, Glas, Porzellan)	7,62	Reineinkommen[3])		5.39
„ Metallindustrie[4])	8,86	„		7,75
„ Maschinenindustrie	7,05			4,18
„ Chemischen Industrie	9,81			9,33
„ Elektrischen Industrie (V. 1883 bis 1900)	8,38			8,38
den Webereien und Spinnereien	5,64			5,13
„ Brauereien	7,34			6,44
„ Banken	6,74	„	(V. 1880/1900)	6,70
der Lebensversicherung	11,24	„		11,24

Hieraus ist es erklärlich, weshalb in dieser Periode, insbesondere in den Zeiten des großen industriellen Aufschwungs von 1886 bis 1889 und 1895 bis 1899, eine so starke Nachfrage nach Industrieaktien geherrscht hat, die dann wieder die Überproduktion der Unternehmungen mit beförderte, zumal das Kapital von 1879 ab durch die Verstaatlichung der Eisenbahnen und große Konversionen der Staatsanleihen beständig und in sehr großem Umfange aus seinem Beharrungszustande aufgerüttelt worden war.

---

1) Vgl. Vierteljahrshefte zur Statistik des Deutschen Reichs (seit 1907) und Ergänzungsheft II zu 1910.

2) Ed. Wagon a. a. O. S. 166 u. 167 (jedoch Reduktion der Rente bei Erwerb zu höherem, als dem Nennbetrag). Über die Grundsätze, nach welchen die Berechnung des Einkommens des Aktionärs zu erfolgen hat, vgl. E. Moll, Die Rentabilität der Aktiengesellschaften (Jena, Gustav Fischer, 1908), S. 163 ff. u. S. 275 ff.

3) Begriff des „Reineinkommens", bei Ed. Wagon a. a. O. S. 12: Dividenden-Einkommen abzüglich der aus den Bilanzen ersichtlichen oder aus Liquidationen und Konkursen ergebenden Verluste.

4) Von 1872—1900, exklus. der Maschinenfabriken und der Fabriken für Eisenbahnbedarf.

Tabelle der Gründungen von Aktiengesellschaften
1871—1910.

Im Jahre	Zahl der gegründeten Aktiengesellschaften	Aktienkapital	
		insgesamt	durchschnittlich auf jede Gesellschaft
		Millionen Mark	
1871	207	758,76	3,65
1872	479	1477,73	3,85
1873	242	544,18	2,25
1874	90	105,92	1,18
1875	55	45,56	0,83
1876	42	18,18	0,43
1877	44	43,52	0,99
1878	42	13,25	0,32
1879	45	57,14	1,27
1880	97	91,59	0,94
1881	111	199,24	1,80
1882	94	56,10	0,60
1883	192	176,03	0,92
1884	153	111,24	0,72
1885	70	53,47	0,76
1886	113	103,34	0,92
1887	168	128,41	0,76
1888	184	193,68	1,02
1889	360	402,54	1,12
1890	236	270,99	1,16
1891	160	90,24	0,56
1892	127	79,82	0,63
1893	95	77,26	0,81
1894	92	88,26	0,96
1895	161	250,68	1,56
1896	182	268,58	1,48
1897	254	380,47	1,50
1898	239	463,62	1,40
1899	364	544,39	1,49
1900	261	340,46	1,30
1901	158	158,25	1,02
1902	87	118,43	1,36
1903	84	300,04	3,57 (Krupp)
1904	104	140,65	1,35
1905	192	386,00	2,02 *)
1906	212	474,51	2,22
1907 [1]	212	253,79	1,26
1908 [2]	151	162,5	1,08
1909 [2]	179	230,8	1,28
1910 [2]	186	241,4	1,29
in Summa 1871—1910	6524 Gesellschaften mit einem Kapital von	9902,02 Mill. M	1,52

*) (Hohenlohe-Werke, A.-G., 40 Mill. M!)

Zu demjenigen Industriezweige, der bereits in der Gesamtentwicklung der ersten Epoche eine so große Rolle gespielt hat, der Montanindustrie, ist folgendes zu bemerken:

1) Nach den Ermittlungen des Kaiserl. Statist. Amts waren es 217 Gesellschaften mit 260,7 Mill. M.

2) Diese Ziffern beruhen auf den Ermittlungen des Kaiserl. Statist. Amts.

Die deutsche Roheisenproduktion betrug im Jahre 1870 nur 23 % der englischen, deren Eisenindustrie bis zur letzten Dekade des 19. Jahrhunderts den ersten Platz in der Welt eingenommen hatte, während sie von da ab (1890) den ersten Platz der amerikanischen abtreten mußte. Im Jahre 1880 betrug unsere Roheisenproduktion schon 35 %, im Jahre 1890 bereits 59 % und im Jahre 1900 93 % der englischen, die aber ihrerseits wieder im gleichen Jahre (1900) nur 63 % der amerikanischen ausmachte[1]).

Nach Ablauf der 50er Jahre hatte die deutsche Roheisenproduktion die belgische, im Jahre 1870 auch die französische (s. oben S. 30) überholt; jetzt (1911) kommt sie annähernd der Gesamtproduktion von Großbritannien und Frankreich gleich.

Von Beginn dieser Epoche ab bis Ende des Jahres 1910 ist die Roheisenproduktion des Deutschen Reiches (einschl. Luxemburg) von 1 346 000 t (1870) gestiegen auf 14 794 000 t im Jahre 1910. In demselben Jahre betrug dagegen die Roheisenproduktion

von Frankreich . . . .   4 001 000 t
und diejenige von Großbritannien und Irland . . .   10 547 000 t
während die der Vereinigten Staaten von Amerika
nicht weniger als . . . .   27 737 000 t

ausmachte[2]). Was das letztere sagen will, läßt sich erst ganz verstehen, wenn man berücksichtigt, daß noch im Jahre 1875 Deutschland und die Vereinigten Staaten ungefähr das gleiche Quantum Roheisen (rund je 2 Mill. t) produzierten, während Ende 1910 die Roheisengewinnung der Vereinigten Staaten fast das Doppelte derjenigen des Deutschen Reiches (einschl. Luxemburg) ausmachte, und wenn man ferner berücksichtigt, daß vom Juli 1903 bis Juli 1907 die Roheisenproduktion der Vereinigten Staaten um nicht weniger als 140 000 t per Woche = 7 Mill. t pro anno gewachsen ist[3]).

Ungeachtet der auch in Deutschland sehr erheblichen Steigerung der Roheisengewinnung in dieser Epoche konnte die letztere doch auf die Dauer den inländischen Roheisenbedarf nicht decken, es mußte vielmehr die ausländische Einfuhr, insbesondere die Englands, in steigendem Maße herangezogen werden. Die Einfuhr stieg im Jahre 1907 auf 443 624 t, ist aber wieder auf 134 230 t im Jahre 1909 und auf 136 326 t im Jahre 1910 zurückgegangen.

Der deutsche Roheisenverbrauch (bei Umrechnung der Ein- und Ausfuhr von Eisenwaren in Maschinen und Roheisen), stieg,

---

1) Vgl. L. Glier, Zur neuesten Entwicklung der amerikanischen Eisenindustrie in Schmoller's Jahrb. für Gesetzgeb. usw., 27. Jahrg., Heft 3, S. 229 u. 230.

2) Statist. Jahrb. f. das Deutsche Reich, 32. Jahrg., 1911, Anhang, S. 27 *, Tab. 19.

3) L. Glier, Zur gegenwärtigen Lage der amerikanischen Eisenindustrie in Conrads Jahrb., 3. Folge, Bd, XXXI, S. 591 (Februar 1908).

insbesondere in den letztvergangenen Jahren dieser Epoche in erheblichem Maße, und zwar (bei dieser Berechnung) von über $6\,^1/_2$ Mill. t oder 111,50 kg auf den Kopf der Bevölkerung, im Jahre 1904 auf $9\,^1/_4$ Mill. t oder 147,60 kg auf den Kopf der Bevölkerung[1]).

Was das Verhältnis von Ein- und Ausfuhr betrifft, so wiederholt sich das Bild, das wir oben (S. 103) von der Entwicklung der Industrie im allgemeinen zeichneten, auch hier:

Infolge der starken Erhöhung des inländischen Verbrauchs konnte, ungeachtet der erheblichen Roheisenproduktion, die Ausfuhr nicht dauernd steigen; sie beträgt aber doch nach einem beträchtlichen Rückgang im Jahre 1907 nunmehr (1910) 786 855 t.

Die deutsche Steinkohlenförderung[2]) ist im Verlauf der zweiten Epoche von . . . . 26 398 000 t im Jahre 1870 bis zu rund . . . . 148 800 000 t im Jahre 1909 gewachsen (hinzu kommen im Jahre 1909 68 658 000 t Braunkohle). Sie betrug dagegen in Frankreich im Jahre 1909 . . . . 37 253 000 t In Großbritannien und Irland betrug sie (einschl. der Braunkohlen) für das Jahr 1909[3]) . . . . . . 268 000 t und in den Vereinigten Staaten, wo sie 1907 bis auf 425 156 000 t im Jahre 1909 emporgeschnellt war, 411 897 000 t. Im Jahre 1909 machte also die deutsche Kohlenförderung nur etwa die Hälfte der englischen und nur etwa $^2/_5$ derjenigen der Vereinigten Staaten aus.

Der Kohlenverbrauch betrug in Deutschland im Jahre 1909 etwa 210 Mill. t[4]).

---

1) Henry Voelcker, Eisen u. Stahl in der Zeitschr. die Weltwirtschaft ed. von Halle, 3. Jahrg., 1908, II. Teil, S. 78. Nach der Reichsstatistik betrug der Verbrauch 1904: 166,1 kg und 1906: 197,8 kg auf den Kopf der Bevölkerung. Die Reichsstatistik zieht nämlich bei ihren Verbrauchsberechnungen zwar die Ausfuhr von Roheisen, nicht aber die Ausfuhr von Eisenwaren ab und kommt dadurch zu einem größeren Verbrauch pro Kopf.

2) Vgl. Ludwig Pohle, Die Entwicklung des deutschen Wirtschaftslebens im letzten Jahrhundert, Anhang, S. 145; ferner Statist. Jahrb. f. d. Deutsche Reich, 31. Jahrg., 1910, Anhang, S. 24*, 29. Jahrg., 1908, Anhang, S. 29*, Tab. 18 (für die Zeit 1887—1907) u. für den Wert: E. Jüngst, Bergbau, in der Zeitschr. die Weltwirtschaft ed. von Halle, 3. Jahrg., 1908, II. Teil, S. 61. Im Jahre 1908 betrug die deutsche Steinkohlenförderung 148 537 000 t (Statist. Jahrb. f. d. Deutsche Reich, 30. Jahrg., 1909, Anhang, S. 27*, Tab. 19).

3) Vgl. Friedr. Zahn, Deutschlands wirtschaftliche Entwicklung (Annalen des Deutsch. Reichs 1911, No. 3/4), S. 185. Im Jahre 1910 betrug danach die deutsche Steinkohlenförderung 152 828 t und die deutsche Braunkohlenförderung 69 474 t. (nach den Statist. Jahrb., 32. Jahrg., 1911, S. 103: 145 458 516 t Steinkohlen und 64 931 942 t Braunkohlen).

4) Vgl. Jahresbericht des Vereins f. d. bergbaul. Interessen im Oberbergamtsbezirk Dortmund für 1909, S. 32.

Der Gesamtwert aller deutschen Bergwerkserzeugnisse hat sich von 31,4 Mill. M im Jahre 1871 auf fast 2 Milliarden (1 980 469 000 M) im Jahre 1909[1]) gehoben.

Die Gesamtproduktion der deutschen elektrotechnischen Industrie, deren gewaltiger Aufschwung (von der Mitte der 90 er Jahre ab) eine so überaus starke Rückwirkung auf andere Industrien ausgeübt und dann auch die zur Krisis von 1900 führende Überproduktion zu einem wesentlichen Teile mit verschuldet hat, belief sich bereits 1898 auf 228,7 Mill. M. Hiervon kamen 211,1 Millionen, also 92,3 % auf Fabrikate der Starkstromtechnik, die noch 20 Jahre vorher so gut wie keine Rolle gespielt hatte, und nur 17,6 Mill. M auf die Schwachstromtechnik.

Im Jahre 1883 wurde die erste Aktiengesellschaft in dieser Industrie begründet, die Emil Rathenau auf Grund seiner auf der Pariser Weltausstellung von 1881 gewonnenen Überzeugung von der Tragweite der neuen Erfindung mit Siemens & Halske zusammen errichtete: die „Deutsche Edison-Gesellschaft für angewandte Elektrizität", die 1884 von Siemens & Halske völlig unabhängig wurde und 1887 die heutige Firma Allgemeine Elektrizitäts-Gesellschaft erhielt. Ihr gelang es, das Drehstromsystem derart zu verbessern, daß sie im Jahre 1891 300 PS mit sehr günstigem Nutzeffekt 175 km weit nach der Ausstellung in Frankfurt a. M. zu leiten vermochte, was großen und nachhaltigen Eindruck machte.

Im Jahre 1896 bestanden schon, wie wir oben (S. 107) sahen, 39 Elektrizitätsaktiengesellschaften mit 195,61 Mill. M Kapital, während im Jahre 1900 an deutschen Börsen bereits die Aktien von 34 Aktiengesellschaften der elektrischen Industrie mit 436 Mill. M Kapital notiert waren, in Berlin allein 22 mit 396,70 Mill. M Kapital.

Das Dividendeneinkommen des Aktionärs betrug für jene 34 Aktiengesellschaften in der Zeit von 1883—1900: 8,38 %.

In den 90 er Jahren, bis zur Krisis des Jahres 1900, herrschte innerhalb der Elektrizitätsindustrie, die sich in der kürzesten Zeit nicht nur im Inlande, sondern auch in der Welt die angesehenste Stellung zu erringen gewußt hat, eine fieberhafte Tätigkeit und eine kaum übersehbare Fülle, geradezu ein Chaos von Unternehmungs- und Finanzierungsformen. Mit Recht sagt Eberstadt[2]), daß damals die großen Elektrizitätsgesellschaften „zugleich Maschinenbau-anstalten, Energielieferanten und Finanzinstitute" waren, und es gibt kaum eine Betriebs- oder Finanzierungsform, die nicht auf dem Gebiete der Elektrizitätsindustrie in den 90 er Jahren angewandt[2])

---

1) E. Jüngst a. a. O. S. 60 und Statist. Jahrb. f. d. Deutsche Reich, 32. Jahrg., 1911, S. 91.

2) Rud. Eberstadt, Der deutsche Kapitalmarkt, Leipzig 1901, S. 64.

worden wäre. Konsortien und Tochter- sowie Trustgesellschaften[2]), namentlich solche, welche den Banken einen Teil ihrer sonst kaum erträglichen finanziellen und sonstigen Aufgaben auf elektrischem Gebiete abnehmen sollten[1]), reine Betriebsgesellschaften[2]) und Fabrikationsgesellschaften sowie Finanzierungsinstitute; Kapitalserhöhungen und -reduktionen, stille Beteiligungen und Kommanditierungen, Emissionen und freihändige Verkäufe, Fusionierungen, Gewinngemeinschaften, Aktienkäufe, Separationen und Zusammenlegungen, selbständige und konsortiale Unternehmertätigkeit im Auslande, Konventionen, Syndikate und Kartelle im In- und Auslande, kurz, alles findet sich auf diesem Gebiete derart zusammen, daß der Außenstehende in manchen Jahren wohl den Eindruck gewinnen konnte, daß hier noch weit mehr Papier, als Licht und Kraft fabriziert werde.

Heute, nachdem inzwischen eine gewisse Ruhe oder doch ein gewisser Abschluß jener ganzen Bewegung eingetreten ist, sehen wir, daß der Wirkungskreis der elektrotechnischen Industrie bei einer relativ geringen Anzahl dominierender Gesellschaften (s. unten Abschn. V, sub. II, 1 a) ein ungemein umfangreicher geworden ist.

Namentlich absorbieren jetzt der Handel und die Industrie und an deren Spitze die Bergwerksindustrie, ferner die erhebliche Anzahl der elektrisch betriebenen Kleinbahnen und in neuerer Zeit

---

2) So 1894 die Gesellschaft für elektr. Unternehmungen Berlin (zur Union-Elektr.-Ges. — Loewe-Gruppe — gehörig);
1895 die Akt.-Ges. für elektr. Anlagen u. Bahnen Dresden (Kummer);
1895 Continentale Gesellschaft für elektr. Unternehmungen (Schuckert);
1895 Bank für elektr. Unternehmungen Zürich (Allgem. Elektr.-Ges.);
1896 Deutsche Ges. f. elektr. Unternehm. Frankfurt a. M. (Lahmeyer);
1896 Schweizerische Ges. für elektr. Industrie (Siemens & Halske);
1897 Elektrische Licht- und Kraftanlagen A.-G. (Siemens & Halske);
1897 Aktiengesellschaft für Elektricitätsanlagen (Helios);
1898 Elektra, Dresden (Schuckert).

1) Vgl. hierzu und zu allem obigen: Friedr. Fasolt, „Die sieben größten deutschen Elektrizitätsgesellschaften, ihre Entwicklung und Unternehmertätigkeit", Dresden 1904; ferner Jos. Loewe, „Die elektrotechnische Industrie" in: Störungen im deutschen Wirtschaftsleben, Bd. III, S. 77—155 (Schriften des Vereins für Sozialpolitik, Bd. CVII), 1903; Ed. Wagon a. a. O. S. 73 ff.; Max Jörgens, „Finanzielle Trustgesellschaften" (Stuttgart 1902, J. G. Cotta Nachf.), S. 116 ff.; H. Hasse, Die A. E. G. (Heidelberg, Winter, 1903).

2) 1896 „Siemens" Elektrische Betriebe G. m. b. H. (Siemens & Halske);
1897 Elektricitätslieferungsgesellschaft (Allgem. Elektricitäts-Gesellschaft);
1898 Bayerische Elektricitätswerke A.-G. (Helios);
1898 Süddeutsche Elektricitätswerke (Kummer);
1898 A.-G. Süddeutsche elektrische Lokalbahnen (Kummer);
1900 Elektricitäts-Werke-Betriebs-Aktiengesellschaft (Kummer).
Alle diese Gründungen (1896—1900) erfolgten in den Zeiten des Aufschwungs, in denen auch für die Aktien solcher Institute im Publikum ein erhebliches Interesse bestand.

auch die Landwirtschaft eine stets wachsende Fülle von Licht und Kraft. Die Umwandlung auch der Vollbahnen in elektrische Bahnen, welche in absehbarer Zeit wird erfolgen müssen, wird gleichfalls der elektrotechnischen Industrie neue lohnende Beschäftigung schaffen.

Im Jahre 1907 betrug die Ausfuhr auf dem Gebiete der deutschen elektrotechnischen Industrie dem Werte nach rund 153, die Einfuhr rund 8 Mill. M[1]). Im Jahre 1910 betrug der Wert der Ausfuhr rund 218 Mill. M, derjenige der Einfuhr rund 7½ Mill. M. Es waren 1907 in dieser Industrie beschäftigt: 100 966 (Voll-) Arbeiter gegen 54 417 im Jahre 1898.

Nach einer im Jahre 1899 seitens des Reichsamts des Innern behufs Herstellung einer Produktionsstatistik veranstalteten Umfrage betrug damals der Wert der Gesamtproduktion der deutschen elektrotechnischen Industrie 228,7 Mill. M gegenüber einem Werte von 45 Mill. M im Jahre 1891, was also eine Steigerung auf das Fünffache in 8 Jahren bedeutet.

Was die chemische Industrie[2]) angeht, so waren nach Hübner's Jahrb. f. Volksw. u. Statistik (Bd. LIX, S. 146) zwar bereits in den Jahren 1854—1859 neun deutsche chemische Aktiengesellschaften mit 7,3 Mill. M Aktienkapital vorhanden; die Aktien wurden aber in den 70er Jahren nicht mehr an der Börse notiert.

Der ungeheuere Aufschwung in der chemischen Industrie und der Beginn ihrer Weltstellung datiert im wesentlichen erst vom Anfang der 70er Jahre. Vom Sommer 1870 bis Ende 1874 wurden 42 Gesellschaften mit 42 Mill. M. Kapital begründet.

---

1) Diese Zahlen nach E. Budde, Elektrotechnik (in der Zeitschr. Die Weltwirtschaft ed. von Halle, 3. Jahrg., II. Teil, 1908, S. 88). Die hier nach den „Monatlichen Nachrichten über den auswärtigen Handel Deutschlands" angeführten Einzelzahlen bedürfen aber nach dem Statist. Jahrb. f. d. Deutsche Reich, 29. Jahrg., 1908, S. 157 u. 158 vielfacher Korrekturen (z. B. Ausfuhr von Glühlampen 1907 nicht 8 382 000, sondern 10 478 000 M u. a. m.).

2) Vgl. Ed. Wagon a. a. O. S. 62; Gust. Müller, Geh. Ober-Reg.-Rat, Die chemische Industrie, Leipzig 1909, B. G. Teubner. Soweit im folgenden Angaben aus den Berichten über die Verwaltung der Berufsgenossenschaft der chemischen Industrie wiedergegeben sind, darf nicht außer Augen gelassen werden, daß diese Berufsgenossenschaft, welche auf Grund des Unfallversicherungsgesetzes vom 16. Juli 1884 errichtet ist (wonach der Unternehmer verpflichtet ist, seine Arbeiter gegen im Betrieb erlittene Unfälle zu versichern), außer der chemischen Industrie selbst noch eine Anzahl anderer, allerdings weit weniger bedeutsamer, Industriezweige umfaßt. Es sind dies die Industrien der Leuchtstoffe, Fette, Seifen und Öle; ferner die Salinen, soweit sie nicht landesgesetzlich bestehenden Knappschaftsverbänden angehören; weiter die Dachfilz- und Dachpappenfabriken, die Verfertiger von Gummi- und Guttaperchawaren, die Imprägnierungsanstalten, mit Ausnahme derjenigen, welche vorwiegend Holzimprägnierung betreiben, und die Fabrikation von künstlichen Mineralwässern (vgl. Gust. Müller a. a. O. S. 27).

1883 hatten nach dem deutschen Ökonomist (1885, S. 75) schon 51 Gesellschaften mit 127,22 Mill. M Kapital ihre Abschlüsse veröffentlicht.

1896 waren bereits 108 Aktiengesellschaften mit 332,89 Mill. M Kapital vorhanden, so daß sich ihre Zahl gegen 1883 mehr als verdoppelt hatte.

Die Zahl der Fabriken, in denen mehr als 100 Personen beschäftigt sind, hatte sich von 1888—1898, also in 10 Jahren, um 65 % (von 156 auf 247) gehoben.

Im Jahre 1907 gab es 7727 Unternehmungen mit 165 434 Arbeitern gegen 1902: 7539 Unternehmungen mit 160 841 Arbeitern und einem Gesamtlohn von rund 164 Mill. M gegen 1894: 5758 Unternehmungen mit 110 348 Arbeitern und einem Gesamtlohn von 98 621 506 M und 1888: 4464 Betriebe mit 85 143 Arbeitern und 67 300 000 M Löhnen.

Von 1895—1907, also in 12 Jahren, hatte sich die Zahl der in der chemischen Industrie beschäftigten Personen um 48,7 % vermehrt gegenüber 61 % in der Zeit von 1882—1895.

Die Zahl der versicherten Betriebe war 8702.

Es waren damals (1907) gegenüber 1895 in der chemischen Industrie vorhanden:

	1907	1895		1907	1895
Kleinbetriebe			durchschnittlich beschäftigte Per-		
(1—5 Personen):	7389	8228	sonen	17 362	18 122
Mittelbetriebe			durchschnittlich beschäftigte Per-		
(6—50 Personen):	2060	1781	sonen	30 323	25 993
Großbetriebe (51			durchschnittlich beschäftigte Per-		
Personen u. mehr):	523	376	sonen	119 985	71 116
Insgesamt . .	9962	10 385	Betriebe, in denen durchschnittlich 167 670		115 231

beschäftigt gewesen sind[1]). Die Großbetriebe stellten also nur einen äußerst geringen Teil aller Betriebe dar, beschäftigten aber fast $^2/_3$ aller in der chemischen Industrie tätigen Personen.

Im Jahre 1907 gehörten 8816 Betriebe mit 207 704 Vollarbeitern zu den in der staatlichen Zwangsversicherung versicherten, also der Berufsgenossenschaft der chemischen Industrie angehörigen Betrieben[2]).

Ende 1909 betrug die Gesamtzahl der in der deutschen chemischen Industrie versicherungspflichtigen Arbeiter und Betriebsbeamten 219 601[3]). Die Summe der Löhne und Gehälter aller versicherten Personen betrug 253 757 300 M.

Die Summe der in der chemischen Industrie an Arbeiter und Betriebsbeamte gezahlten Löhne betrug 1907: 230 223 733 M.

---

1) Statist. Jahrb. für das Deutsche Reich 1908, 29. Jahrg., S. 47 u. 1911, 32. Jahrg., S. 62 ff.

2) Vgl. Richard Brauer, Chemische Industrie, in der Zeitschrift Die Weltwirtschaft ed. v. Halle, 3. Jahrg., 1908, II. Teil, S. 91.

3) Statist. Jahrb. f. d. Deutsche Reich, 32. Jahrg., 1911, S. 383.

Die Einfuhr von Rohstoffen und Halb- und Ganzfabrikaten der chemischen Industrien betrug 1907 rund 43 586 417 Doppelzentner im Werte von rund 552 414 000 M, die Ausfuhr rund 31 539 353 Doppelzentner im Werte von rund 640 481 000 M [1]).

In diesem Jahre 1907 war aber die Einfuhr etwas, die Ausfuhr erheblich gegen 1906 zurückgegangen; nur die Ausfuhr künstlichen Indigos zeigte 1907 eine überaus starke Zunahme [2]).

Eine am 1. Jan. 1908 in Kraft getretene Änderung der englischen Patentgesetzgebung, welche sich direkt gegen die deutsche chemische Industrie richtete, deren Vorrang man brechen wollte, verlangt, daß jeder Patentinhaber in einer Frist von 4 Jahren nach Anmeldung des Patents in England die patentierte Erfindung in England selbst ausführen müsse. Da dieser Gesetzesvorschrift auch noch rückwirkende Kraft beigelegt worden war, derart, daß innerhalb von 12 Monaten nach Annahme des Gesetzes mit der Ausführung begonnen werden mußte, so sind die deutschen chemischen Fabriken vielfach dazu übergegangen, Zweigniederlassungen in England zu errichten.

Dies erhöht natürlich die Generalunkosten, bewirkt aber auf der anderen Seite, daß die in England hergestellten Fabrikate der englischen Filialen deutscher chemischer Fabriken die Vorzugszölle mitgenießen können, welche einzelne englische Kolonien dem Mutterlande eingeräumt haben [3]).

Es ist zudem natürlich auch unsererseits England gegenüber eine entsprechende Änderung des deutschen Patentgesetzes vorgenommen worden [4]), so daß auch dieser nicht sehr erfreuliche Vorstoß der englischen Konkurrenz — ebenso wie s. Z. der Zwang der Anbringung der Worte: Made in Germany auf den eingeführten deutschen Fabrikaten — der englischen Industrie mehr Schaden als Nutzen bringen dürfte. — Über die Konzentrationsbewegung in der chemischen Industrie wird unten (Abschn. V, sub II, 1a) näheres gesagt werden.

In der Textilindustrie waren nach der Zählung vom 12. Juni 1907 vorhanden [5]):

---

1) Unrichtig Rich. Brauer a. a. O. S. 91, der nicht nur irrig Tonnen an Stelle von Doppelzentnern einsetzt, sondern auch Industriezweige mit berechnet, die gar nicht zur chemischen Industrie gehören.

2) eod. S. 91.

3) Vgl. Rich. Brauer a. a. O. S. 92.

4) Gesetz betr. den Patentausführungszwang vom 6. Juni 1911 (RGBl., S. 243, No. 31). Nach art. I, Abs. 2 dieses Gesetzes kann ein Patent, so weit nicht Staatsverträge entgegenstehen, zurückgenommen werden, wenn die Erfindung ausschließlich oder hauptsächlich außerhalb des Deutschen Reiches oder der Schutzgebiete ausgeführt wird.

5) Statist. Jahrb. für das Deutsche Reich 1911, 31. Jahrg., S. 53.

122 039 Kleinbetriebe (1—5 Personen), in denen
   durchschnittlich beschäftigt waren . . . 172 058 Personen
10 108 Mittelbetriebe (6—50 Personen), in denen
   durchschnittlich beschäftigt waren . . . 181 834 „
4 217 Großbetriebe (51 und mehr Personen), in
   denen durchschnittlich beschäftigt waren 734 388 „

Zusammen also 136 364 Betriebe, in welchen durchschnittlich 1 088 280 Personen beschäftigt gewesen sind, während nach der Zählung vom 24. Juni 1895 noch 205 292 Betriebe mit 993 257 durchschnittlich tätigen Personen vorhanden waren[1]).

Ungeachtet dieser Abnahme geht die überaus bedeutende Stellung, welche die Textilindustrie in der deutschen Industrie einnimmt, aus diesen Zahlen klar hervor, da nach der Zählung von 1907 die Gesamtzahl der deutschen Gewerbebetriebe überhaupt 3 265 623 betrug, in welchen durchschnittlich 14 435 739 Personen beschäftigt waren[2]).

Von den 1895 noch in der Hausindustrie beschäftigt gewesenen zwischen 450 000 und 490 000 Personen entfiel auf die Textilindustrie noch immer fast die Hälfte, obwohl hier die Zahl der hausindustriell tätigen Personen in der Zeit von 1882—1895 fast um 90 000 Personen, und zwar in manchen Zweigen der Textilindustrie um $1/_5$—$3/_4$ des früheren Bestandes, abgenommen hatte. Da aber ungeachtet dieser in der Textilbranche erfolgten großen Abnahme der Hausindustrie, welche infolge des fabrikmäßigen, also des im wesentlichen maschinellen Großbetriebs vollzogen hat, in der deutschen Industrie im ganzen 1895 nur eine Abnahme der hausindustriell beschäftigten Personen von 18 000 Personen gegen den Stand von 1882 sich gezeigt hat, so steht fest, daß in einer Reihe von deutschen Industriezweigen die Hausindustrie nicht abgenommen, sondern zugenommen hat und Ludwig Pohle hat mit Recht auf diese interessante Tatsache und auf jene Zahlen ganz besonders aufmerksam gemacht[3]). Dem entsprechen auch die Ergebnisse der Zählung von 1907[4]), die bei einem Gesamtrückgang um $1/_3$, in der Textilindustrie nur einen solchen um $1/_4$ zeigt, während im Bekleidungsgewerbe die Hausindustrie sogar zugenommen hat.

Hervorzuheben ist auch der Umstand, daß die Zahl der Hausindustriellen in den Großstädten von 1882—1895 von 31 000 auf 71 000 Personen gestiegen ist, also in diesen 13 Jahren sich mehr als verdoppelt hat[5]).

---

1) Statist. Jahrb. 1908, 29. Jahrg., S. 47.
2) Statist. Jahrb. 1910, 31. Jahrg., S. 52.
3) Ludwig Pohle, Die Entwicklung des deutschen Wirtschaftslebens im letzten Jahrhundert, S. 70 ff., insbesondere S. 72 u. 73.
4) Statist. Jahrb. 1910, 31. Jahrg., S. 73.
5) a. a. O. S. 77.

Von den 3 265 623 Gewerbebetrieben, die man nach obigem im Jahre 1907 im Deutschen Reiche zählte, in denen durchschnittlich 14 435 739 Personen Beschäftigung fanden, waren [1]):

2 975 583 Kleinbetriebe (1—5 Pers.) [Allein- u. Gehilfen-Betriebe], in denen durchschnittlich beschäftigt wurden . . .	5 236 324	Personen
259 482 Mittelbetriebe (6—50 Pers.), in denen durchschnittlich beschäftigt wurden	3 515 726	,,
30 558 Großbetriebe (51 und mehr Personen), in denen durchschnittlich beschäftigt wurden	5 683 689	,,
Zusammen also 3 265 623 Betriebe, in welchen durchschnittlich beschäftigt wurden	14 435 739	Personen

Angesichts der relativ unbedeutenden Zahl der gewerblichen Großbetriebe, die sich aber immerhin im Jahre 1907 gegen 1882, wo sie nur 9974 betrug, um nicht weniger als 306% gehoben hatte, fällt die Tatsache besonders ins Auge, daß in diesen industriellen Großbetrieben mehr als $1/3$ aller industriell tätigen Personen beschäftigt ist. —

Wenn wir nun die gewaltige Entwicklung des Verkehrswesens in dieser Epoche betrachten und uns zunächst zu den Eisenbahnen wenden, so wissen wir (s. oben S. 33), daß das Netz deutscher Bahnen bereits 1875 etwa 27 981 km umfaßte; es war, soweit Normalbahnen in Betracht kommen, im wesentlichen in den 80 er Jahren vollendet. In unserer (zweiten) Epoche fand in allen deutschen Ländern die Verstaatlichung der meisten Privateisenbahnen statt, und es umfaßte das Netz der normalen (vollspurigen) Haupt- und Nebenbahnen Deutschlands [2]) Ende 1909: 58 215,5 km, darunter 54 611 km Staatsbahnen und für Rechnung des Staats verwaltete Privatbahnen, und 3 604,5 km Privatbahnen [3]). Von diesen 58 215,5 km entfielen 1910 allein auf die preußisch-hessische Eisenbahngemeinschaft 34 557,1 km [4]).

Das in diesen vollspurigen Haupt- und Nebenbahnen investierte Kapital betrug Ende 1902 rund 13½ Milliarden M, Ende 1909 rund 16¾ Milliarden M, so daß Ende 1902 258 800 M und Ende 1909 288 700 M auf 1 km Bahnlänge entfielen.

Ende 1909 wurden auf diesen Bahnen befördert: 1 457 097 000 Personen und 519 156 000 t Güter [5]). Im Jahre 1909 entfielen auf jeden Bewohner Deutschlands 22 Eisenbahnfahrten.

---

1) Statist. Jahrb. für das Deutsche Reich 1911, 32. Jahrg., S. 62 u. 63.

2) Bei diesen vollspurigen Haupt- und Nebenbahnen sind sowohl die Staatsbahnen wie die für Rechnung des Staates verwalteten und reinen Privatbahnen mitgerechnet.

3) Statist. Jahrb. f. d. Deutsche Reich, 32. Jahrg., 1911, S. 155.

4) Statist. Jahrb. f. d. Deutsche Reich, 1911, S. 154/155. Ende 1903 umfaßte dieses Netz 52 814,2 km. — Es wurden auf vollspurigen Haupt- und Nebenbahnen Ende 1903 befördert: 949 290 000 Reisende und 390 741 000 Tonnen Güter.

5) Statist. Jahrb. f. d. Deutsche Reich, 32. Jahrg., 1911, S. 157, Tab. 2 d.

Die gesamten Betriebseinnahmen der vollspurigen Eisenbahnen betrugen im Jahre 1909 rund 2843 Mill. M, die gesamten Betriebsausgaben rund 2007 Mill. M, der Betriebsüberschuß 836 Mill. M. Die Rente betrug also 5,09 %. Das Verhältnis der Betriebsausgaben zu den Betriebseinnahmen (Betriebskoeffizient) betrug 1909 etwa 70,6 %.

Der Inlandsbedarf der deutschen Eisenbahnen allein an rollendem Material betrug 1909 rund 294 Mill. M; für die letzten 50 Jahre wird der für Betriebsmittel und den Oberbau der deutschen Eisenbahnen benötigte, im wesentlichen also von der deutschen Montan- und Maschinenbauindustrie gedeckte Bedarf auf etwa 5 Milliarden M berechnet[1]).

Die Gesamtzahl der Beamten und Arbeiter des deutschen Eisenbahndienstes (einschl. der Handwerker, Lehrlinge und Frauen) betrug 1909 rund 697 000 Köpfe.

Neben den vollspurigen Haupt- und Nebenbahnen waren Ende 1909 noch an dem öffentlichen Verkehr dienenden Straßenbahnen 4132 km im Betriebe, und an nebenbahnähnlichen Kleinbahnen 9643,4 km[2]). Hinzu kommen noch die schmalspurigen Staats- und Privatbahnen (mit 2173 km Ende 1909)[3]) und die nicht dem öffentlichen Verkehr dienenden Anschluß-, Montanindustrie- und land- und forstwirtschaftlichen Bahnen.

Was die Post betrifft, so sahen wir oben (S. 34), daß in Preußen im Jahre 1851 nur etwa drei Briefe auf den Kopf der Bevölkerung entfielen; im Jahre 1909 entfielen dagegen im Deutschen Reiche (mit Bayern und Württemberg) bei insgesamt etwa 5,8 Milliarden (5821 Millionen) eingegangenen Briefen 91,39 Briefe auf den Kopf der Bevölkerung. Dabei sind Drucksachen (Zeitungen, Warenproben), sowie Pakete und Wertsendungen nicht mitgezählt[4]).

Ende 1909 gab es in Deutschland 40 769 Postanstalten; es entfiel also eine Postanstalt auf 1592 Einwohner und 13,26 qkm.

In der Telegraphie entfiel 1882 eine Telegraphenanstalt auf 133,7 qkm, 1909 eine auf 12,39 qkm; bei 44,8 Mill. aufgegebenen Telegrammen entfielen im Jahre 1909 0,73 Stück auf den Kopf der Bevölkerung. Zu derselben Zeit (1909) gab es in Deutschland 43,680 Telegraphenanstalten[5]).

In der Telephonie[6]), die in dieser Epoche neu hinzutrat, gab es im Deutschen Reiche Ende 1909 35 638 Orte (1899 13 157) mit

---

1) W. Sombart, Deutsche Volksw., 2. Aufl., S. 267.
2) Statist. Jahrb. f. d. Deutsche Reich, 32. Jahrg., 1911, S. 160.
3) Eod. S. 159, Tab. 3.
4) Eod. S. 153, Tab. 1 b.
5) Eod. S. 154, Tab. 1 b u. S. 153, Tab. 1 a.
6) Eod. S. 153.

Fernsprechanstalten. 8770 (1899 1964) Orte konnten Ende 1909 telephonisch miteinander verkehren; über 927 Mill. Gespräche wurden im Jahre 1903 und 1670 Mill. Gespräche wurden im Jahre 1909 geführt. Auf den Kopf der Bevölkerung entfielen 1909: 26,2 Gespräche. Berlin allein hatte schon 1898 über 40 000 Sprechstellen und 68 000 km Anschlußleitungen, auf denen täglich 38 000 Gespräche vermittelt wurden. 1909 entfiel eine Fernsprechanstalt auf 15,1 qkm und 1821 Einwohner. —

Der Gesamtwert der deutschen Handelsflotte betrug 1897 etwa 300 Mill., Ende 1899 etwa 500 Mill.[1]), Ende 1905 etwa 810 Mill. M (gegen 1895 290 Mill. M, 1898 426 Mill. M). Am 1. Januar 1911 besaß Deutschland 4675 Seeschiffe (Kauffahrteischiffe) mit einem Raumgehalt von 2 930 570 (Netto-)Registertonnen und einer Besatzung von 73 993 Mann.

Unter den 4675 Kauffahrteischiffen waren 2371 Segelschiffe mit 403 241, 331 Schleppschiffe mit 103 596 und 1973 Dampfschiffe mit 2 396 733 Registertonnen netto[2]).

Die Zahl der Netto-Registertonnen der deutschen Handelsdampfer wuchs von 375 000 t im Jahre 1884 auf 2 349 557 t im Jahre 1910[3]).

Nach der Denkschrift des Reichsmarineamts vom Dezbr. 1905 über: „Die Entwicklung der deutschen Seeinteressen im letzten Jahrzehnt (Einleitung S. VI) hat sich der Schiffahrtsverkehr der deutschen Häfen in den Jahren 1893—1903 von 27½ auf fast 42 Mill. Netto-Registertonnen, d. h. um über 52% gehoben; im Jahre 1907 betrug er rund 56 129 000 Netto-Registertonnen. Nach der-

---

1) Nach der dem Reichstag anläßlich der FlottenVorlage von 1899 übergebenen Denkschrift: „Die Steigerung der deutschen Seeinteressen von 1896—1898", welche diese Schätzung enthält — hatte sich ihr Wert von 1896 bis Ende 1899 um 66²/₃% erhöht. Der Neubeschaffungswert der deutschen Handelsflotte im Falle eines Verlustes war danach 1899 auf mindestens ¾ Milliarden zu schätzen (S. 147). Alsdann hatte sich in einem Jahre die Dampferflotte wieder um 14 % vergrößert, die Segelflotte um 3 % verkleinert. Der Wert der deutschen Handelsflotte war also Ende 1900 etwa auf 640—650 Mill. M zu schätzen. Nach der oben zitierten Denkschrift des Reichsmarineamts vom Dezember 1905 ist der Wert der deutschen Handelsflotte Ende 1905 der oben angegebene von 810 Mill. M während der Neubeschaffungswert auf sehr viel mehr als 1 Milliarde M zu veranschlagen sein dürfte. — Nach dem Ergänzungsheft II der Vierteljahrshefte 3. Statistik d. Deutschen Reichs: Die Geschäftsergebnisse der deutschen Aktiengesellschaften im Jahre 1909/10, S. 8, waren am 30. Juni 1910 Aktiengesellschaften vorhanden: 63 für Fluß- und Küstenschiffahrt mit: M 74 919 000 Grundkapital und M 18 097 000 Anleihekapital. 51 für Seeschiffahrt mit: M 410 642 000 Grundkaqital und M 187 046 000 Anleihekapital.

2) Statist. Jahrb. f. d. Deutsche Reich, 1911, S. 183.

3) Vgl. Emil Fitger, Ein Jahrzehnt in Schiffsbau, Reederei und Seeschiffahrt (Berlin, Leonh. Simion Nachf.), S. 22.

selben Denkschrift schreitet der Aufschwung Deutschlands im Welt-
seeverkehr beinahe viermal so schnell wie seine Bevölkerungszunahme fort; die Vermehrung des überseeischen Verkehrs in den deutschen Häfen aber sogar beinahe sechsmal so
schnell. In der Welthandelsflotte hatte Deutschland, soweit
Dampfer in Betracht kommen, im Jahre 1874 die vierte Stelle eingenommen; während die englische, die amerikanische und die französische Handelsflotte die drei ersten Stellen besetzten.

Im Jahre 1884 hatte aber Deutschland die (damals stark zurückgegangene) amerikanische, 1889 die französische Dampferflotte
überholt und stand somit 1908 mit 2 328 000 Nettotonnen an zweiter
Stelle, allerdings nur mit 11,2 % der Welthandelsflotte (in Dampfern).
Dagegen stellte England — bei naturgemäß relativ nicht so raschem
Wachstum während jener Zeit — im Jahre 1908 mit nicht weniger
als 10 350 000 Nettotonnen allein 50,2 % der Welthandelsflotte
(in Dampfern) von 20 633 000 Netto-Registertonnen (im Jahre
1908) dar [1]).

Auf der anderen Seite kommt Deutschland 1908 in der
6 994 000 t zählenden Segelschiffahrt der Welt, in der es von
1880—1901 (mit 957 000 t 1880) noch den vierten Platz eingenommen
hatte, mit 459 000 t erst an sechster Stelle, und zwar:

nach England mit . . . . . . 1 591 000 t
„ den Vereinigten Staaten mit 1 419 000 t
„ Norwegen mit . . . . . 667 000 t
„ Rußland mit . . . . . . 569 000 t und
„ Frankreich mit . . . . . 510 000 t [2]).

Das Personal der deutschen Seeschiffe (Segel-, Schlepp- und
Dampfschiffe) an Offizieren und Mannschaften umfaßte am 1. Jan.
1911 73 993 Köpfe und zwar:

Seemännisches Personal . 34 628
Maschinen-Personal . . . 23 688
Sonstiges Personal . . . 15 677 [3]).

Subventionen werden von Deutschland erfreulicherweise lediglich für die Aufrechterhaltung der regelmäßigen Fahrten von Post-
dampfern des Norddeutschen Lloyd und der deutschen Ostafrika-
linie (die Hamburg-Amerika-Linie bezieht keine) nach Ostasien,

---

1) Vgl. die mehrfach zitierte Denkschrift des Reichsmarineamts vom Dezember
1905, S. 94 u. Ernst von Halle, Die Entwicklung und Bedeutung der deutschen
Reederei (Handels- und Machtpolitik, Bd. II, S. 129—174, Stuttgart 1900, J. G. Cotta's
Nachf.) und ferner: Reederei und Schiffahrt in der Zeitschr.: Die Weltwirtschaft
ed. von Halle, 3. Jahrg., 1908, I. Teil. Internat. Übersichten, S. 83 ff.
2) Vgl. Emil Fitger a. a. O. S. 49 u. S. 55 u. 56—61.
3) Statist. Jahrb. f. d. Deutsche Reich, 32. Jahrg., 1911, S. 187, Tab. 13ᵉ.

Australien, Ostafrika und Neu-Guinea vom Jahre 1894 ab gewährt. Sie erreichten aber im Jahre 1909 nur den überaus mäßigen, kaum ins Gewicht fallenden Gesamtbetrag von rund 8 Millionen M (7 440 000 M)[1]) = 1,85 per Registertonne. In diesen Ziffern ist zudem die Vergütung für die Beförderung der Seepost einbegriffen. Dagegen hat England 1902 der Cunard Linie allein eine jährliche Vergütung von 150 000 £ gewährt, außer einem nur mit 2¾% verzinslichen Darlehen von 2 600 000 £ und gewährt im ganzen an Subventionen rund 34 Mill. M = 1,95 M per Registertonne. Im übrigen wird an Subventionen u. a. ausgegeben: Von Frankreich 53 Mill. M = 28,00 M per Registertonne, Österreich-Ungarn 26 Mill. M = 27,70 M per Registertonne, Japan 28,5 Mill. M = 24,70 M per Registertonne[2]):

Die beherrschende Stellung nehmen unter den deutschen Seeschiffahrtsgesellschaften ein:

1. Die Hamburg-Amerikanische Paketschiffahrt-Aktiengesellschaft in Hamburg, die am 27. Mai 1847 mit einem Kapital von 300 000 M Banko begründet wurde[3]); sie fuhr von 1848 ab zunächst mit drei Segelschiffen und erst seit 1856 mit Dampfern zwischen Hamburg und Newyork.

Ihr Aktienkapital betrug Ende 1910 125 Mill. M, die Reserven betrugen per 1. Jan. 1911 16,8 Mill. M[4]).

Von dem (ursprünglich 55,5 Mill. M betragenden, später stark erhöhten) Obligationenkapital waren Ende 1910 rund 74,3 Mill. M im Umlauf. Die Zahl ihrer Ozeandampfer betrug Ende 1910: 155, mit einem Buchwert von 177 700 000 M.

2. Der Norddeutsche Lloyd in Bremen, der 1857, also 10 Jahre später als die Hamburger Gesellschaft, unter erheblicher Beteiligung von Banken und Bankhäusern mit einem Aktienkapital von 9 513 772 M (28 643 Aktien zu 100 früheren Bremischen Goldtalern) begründet wurde; er eröffnete 1859 mit vier Dampfern einen regelmäßigen 14 tätigen Dienst zwischen Bremen und Newyork.

Sein Aktienkapital betrug Ende 1910 125 Mill. M; die bis zum Jahre 1910 durch Verluste verbrauchten Reserven sind am 1. Jan. 1911 wieder auf 218 777 M gebracht worden.[5])

---

1) Vgl. Emil Fitger a. a. O. S. 61, 64—68.

2) Vgl. B. Huldermann, Subventionen der ausländischen Handelsflotten (Berlin, 1900, Ernst Siegfried Mittler & Sohn), S. 39.

3) Sie erhöhte ihr Kapital 1853, 1865, 1867, 1868, 1870, 1871, 1872, 1874, 1875 (1877 fand eine Reduktion statt), 1887, 1888, 1897, 1898, 1899, 1900, 1905.

4) Abgesehen von einem Erneuerungsfonds von 2 Mill. M, einem Konkurrenzkampf-Fonds von rund 2¹/₃ Mill. M u. einer Talonsteuer-Reserve von rund 197 000 M.

5) Abgesehen von einem Erneuerungsfonds von 300 000 M und einer Talonsteuer-Reserve von 100 000 M.

Von dem (ursprünglich 70 Millionen betragenden, später stark erhöhten) Obligationenkapital waren Ende 1910 72 800 000 M im Umlauf.

Die Zahl seiner Ozeandampfer betrug $\frac{n}{u}$ Ende 1910: 120 (+ 2 Schulschiffe) mit einem Buchwert von 180 500 000 M. — Diese beiden Gesellschaften[1]) haben nun im Jahre 1903 im wesentlichen gleichlautende Verträge[2]) mit der von amerikanischen Bankiers und Reedern am 1. Jan. 1903 mit einem Kapital von 120 Mill. $ (hiervon 60 Mill. common und 60 Mill. pref. shares) begründeten, neun amerikanische und englische Dampferlinien umfassenden **International Mercantile Marine Co.** abgeschlossen. Diese Gesellschaft, die nach der treibenden Kraft dieser Vereinigung Morgantrust genannt wird, ist befugt, bis zu 75 Mill. $ Bonds auszugeben, von denen 50 Mill. alsbald emittiert wurden. Die im wesentlichen gleichlautenden Verträge mit den beiden deutschen Gesellschaften sind auf 20 Jahre mit der Maßgabe geschlossen, daß jeder Teil das Recht hat, nach 10 Jahren eine Revision zu verlangen und, wenn sie nicht gewährt wird, mit einjähriger Frist den Vertrag zu kündigen.

Diese internationalen Verträge enthalten:

1. eine **Abgrenzung der Arbeitsgebiete.** Den deutschen Gesellschaften ist **aller Verkehr nach und von deutschen Häfen vorbehalten**; der Trust kann nur mit ihrer Zustimmung in deutsche Häfen kommen, während die deutschen von Newyork kommenden Schiffe zum **Zweck der Aufnahme von Passagieren** auch in **englische Häfen** kommen können (und zwar jede Gesellschaft 75 mal im Jahr in jeder Fahrtrichtung), und englische Häfen auch auf ihren Linien nach Südamerika, Mexiko und Westindien, oder auf ihren Linien nach denjenigen anderen Ländern berühren dürfen, mit denen der Trust keine Verbindung hat.

Dagegen verzichten die deutschen Gesellschaften im wesentlichen auf das **englisch-amerikanische Frachtgeschäft.**

Belgische Häfen dürfen die deutschen Gesellschaften bei ihren Fahrten nach Nordamerika nicht berühren, was sie auch vorher nicht getan hatten; für das Anlaufen **französischer Häfen** wird

---

1) Über die Entwicklung der sonstigen größeren deutschen Schiffahrtsgesellschaften vgl. W. Sombart, Die deutsche Volksw., 2 Aufl., Anlage 26, S. 544. Weitere Schiffahrtsgesellschaften sind namentlich: Deutsche Dampfschiffahrtsgesellschaft Kosmos; Deutsche Levante-Linie; Deutsch-Ostafrika-Linie; Hamburg-Südamerikanische Dampfergesellschaft; Deutsch-Australische Dampfergesellschaft; Woermann-Linie; Hamburg-Bremer Afrika-Linie; Dampfschiffsgesellschaft Argo; Dampfschiffsgesellschaft Hansa; Dampfschiffahrtsgesellschaft Neptun und Dampfschiffsreederei Union.

2) Das Folgende nach Karl Thieß, Organisation und Verbandsbildung in der Handelsschiffahrt (Berlin 1903, Ernst Siegfr. Mittler & Sohn).

für die deutschen und die Trustdampfer der Status quo zugrunde gelegt. Die deutschen Gesellschaften sind aber berechtigt, ihre Abfahrt aus französischen Häfen beliebig zu verstärken. Geschieht dies, so ist der Trust zu gleicher Verstärkung berechtigt.

Will eine Partei neue Linien einrichten, — die neu eingeführten der Hamburg-Amerika-Linie zwischen Newyork und Westindien und zwischen Newyork und Ostasien sind aber letzterer Gesellschaft ausdrücklich und dauernd vorbehalten —, so muß sie diese Absicht dem gemeinsamen Überwachungsausschuß unterbreiten. Dieser hat kein Vetorecht, es hat aber der andere Teil solchenfalls (abgesehen von Küstenlinien) stets das Recht, sich mit einem Drittel an den neuen Linien zu beteiligen.

Für das nordatlantische Kajütengeschäft ist vereinbart, daß alle Rückfahrkarten der einzelnen Gesellschaften auf allen dem Bund angehörigen Linien gültig sind. Auch sind Verhandlungen gepflogen worden, um einen gemeinsamen Fahrplan der erstklassigen Dampfer und alternierende Abfahrten in der stillen Zeit zu vereinbaren, die aber wohl nicht zum Ziel geführt haben.

Die Verträge enthalten:

2. eine gegenseitige Gewinnbeteiligung, derart, daß die deutschen Gesellschaften jährlich dem Trust ein Viertel der Summe vergüten, die sie über 6 % Dividende zahlen, während dieser von der Summe, die den deutschen Gesellschaften an ihrem Gewinne fehlt, um 6 % Dividende zahlen zu können, ein Viertel zuzahlen muß.

Die Verträge enthalten:

3. die Vereinbarung gegenseitiger Aushilfe in gewissen Fällen, d. h. jede Partei muß, wenn ihre Schiffe nicht ausreichen, zunächst Schiffe der anderen Partei chartern, ehe sie sich an fremde Reedereien wendet, und außerdem die Abmachung, daß sich beide Teile unter gewissen Voraussetzungen gegenseitig gegen die fremde Konkurrenz unterstützen.

Beide Teile haben sich überdies verpflichtet, weder direkt noch indirekt Aktien des anderen Teils zu erwerben, was die deutschen Gesellschaften im Jahre 1902 (nach Abschluß des Vertrages) auch durch Satzungsänderungen dahin erschwert haben, daß bei gewissen national wichtigen Fragen nur mit drei Viertel (bei der Hamburg-Amerikanischen mit vier Fünftel) Mehrheit und nur in zwei aufeinanderfolgenden Generalversammlungen Beschlüsse gefaßt werden können, und daß die Mitglieder des Vorstands und des Aufsichtsrats Deutsche sein und in Deutschland wohnen müssen.

Die Überwachung der richtigen Ausführung des Bundesvertrages liegt einem Ausschuß ob, dem ein Amerikaner und ein Engländer von der Trustleitung und die beiden deutschen Generaldirektoren angehören.

Die Verträge treten außer Kraft im Falle eines Krieges Deutschlands mit England oder Amerika oder eines solchen zwischen England und Amerika. —

Im Jahre 1908 ist nun auch zwischen der Hamburg-Amerikanischen Paketfahrt-Aktiengesellschaft (Hapag) und der Woermann-Linie einerseits und dem Norddeutschen Lloyd sowie der Hamburg-Bremer Afrika-Linie andererseits eine — zunächst nur bis zu Ende 1912 geltende — Verständigung hinsichtlich der Fahrt nach West-Afrika zustande gekommen, welche in Form einer beschränkten Interessengemeinschaft jedes einseitige Vorgehen der beteiligten Gesellschaften in bezug auf die westafrikanischen Fahrten ausschließt.

Was den von den deutschen Banken .in großem Umfang geförderten deutschen Schiffsbau betrifft[1]), so kam er erst seit den 80 er Jahren wieder in die Höhe, von wo ab er, was der englische Schiffsbau schon seit etwa 1860 mit größtem Erfolge getan hatte, als Rohmaterial in erster Linie Eisen und nicht mehr, wie früher, Holz benutzte. Der Vulkan in Stettin, die Werften von Fr. Schichau in Elbing und Danzig und von Blohm & Voß in Hamburg, sowie die Aktiengesellschaft „Weser" in Bremen stehen an der Spitze der deutschen Werften, die im Jahre 1907, soweit sie Aktiengesellschaften waren, zusammen über ein Aktienkapital von über 54 Mill. M und über ein Obligationenkapital von rund 25 Mill. M verfügten.

Nach der Berufszählung von 1907 waren im deutschen Schiffsbau 46 702 Personen beschäftigt, während die Zählung von 1895 rund 22 731 Personen ergeben hat.

Auf deutschen Werften waren im Jahre 1910[2]) 47 Kriegsschiffe, 942 Kauffahrtei-[3]) und 117 Flußschiffe für deutsche Rechnung im Bau. Davon wurden fertiggestellt insgesamt[4]) 759 Schiffe mit einem Raumgehalt von 255 012 Registertons[5]). Hinzu kommen die für das Ausland gebauten Schiffe, von denen 1910 151 mit einem Raumgehalte von 10 801 Registertons fertiggestellt wurden. Demgegenüber wurden auf ausländischen Werften im Jahre 1910 130 Schiffe für deutsche Rechnung mit 42 652 Registertons = 16,4 % des deutschen Schiffbaus fertiggestellt.

Der Anteil Deutschlands am Weltschiffsbau (lediglich von Handelsschiffen über 100 t) betrug:

---

1) Die nachfolgenden Einzelheiten im wesentlichen nach Emil Fitger a. a. O. S. 26 f.

2) Statist. Jahrb. f. d. Deutsche Reich, 32. Jahrg., 1911, S. 187.

3) Darunter 266 Dampfschiffe.

4) Nämlich 17 Kriegsschiffe, 658 Kauffahrtei- und 84 Flußschiffe.

5) Bei einem der gezählten Kriegsschiffe war der Raumgehalt nicht angegeben.

in der Periode 1892—1897: 7,3% gegen Englands 77,4%
     „   „   „   1898—1905: 9,0%   „   „   67,4%
     „   „   „   1906—1907: 13,8%   „   „   60,3%
     „   „   „   1908—1909: 14,0%   „   „   65,7%

während der amerikanische Schiffsbau sich 1906/1907 gegen 1892/1897 auf das sechseinhalbfache gehoben hat.

Wenden wir uns nun von der Seeschiffahrt und ihren gewaltigen Verhältnissen zur Binnenschiffahrt[1]), die namentlich seit den 40er Jahren des vorigen Jahrhunderts vorwärts gekommen war, so stellen wir aus deren Entwicklungsgeschichte in dieser Epoche fest, daß in den 80er Jahren 14 neue Aktiengesellschaften auch auf diesem Gebiete begründet worden sind und in den 90er Jahren weitere sechs[2]). Der wirtschaftliche Wert der deutschen Wasserstraßen wurde 1895 auf mehr als 1 ½ Milliarden M geschätzt. Am 31. Dez. 1907 zählte man 26 235 Fahrzeuge mit einer Tragfähigkeit von 5 914 020 t; unter diesen 26 235 Fahrzeugen befanden sich 22 923 Schiffe ohne eigene Triebkraft und 3312 Schiffe mit eigener Triebkraft (Dampfschiffe oder Motorschiffe)[3]). Die durchschnittliche Tragfähigkeit der Segel- und Schleppschiffe war von 182 t im Jahre 1884 auf 340 t im Jahre 1902 gestiegen. Dies ist deshalb besonders erfreulich, weil ein Rheinschiff mit einer Tragfähigkeit von 1500 t mehrere Güterzüge ersetzt, da es ebensoviel wie 150 Güterwagen von 10 t Ladefähigkeit befördern kann.

Die Gesamtlänge der schiffbaren Strecke betrug am 31. Dez. 1905[4]) 13 748,6 km[5]) oder nach anderer Schätzung 10 000 km[6]), während sie im Jahre 1909 auf rund 15 000 km berechnet wird.

---

1) Vgl. insbes. Walther Lotz, Verkehrsentwicklung in Deutschland 1800 bis 1900, 3. Aufl. (B. G. Teubner, Leipzig 1910), 5. Vortrag: Die Bedeutung der Binnenwasserstraßen in der Gegenwart, S. 78—115 und die dort auf S. 88/89 angeführte Literatur, sowie Victor Kurs, Artikel Binnenschiffahrt im Handwörterbuch d. Staatswissenschaften, 3. Aufl., S. 1 ff.

2) W. Sombart, Die deutsche Volksw., 2. Aufl., S. 284 und Anlage 25 (Organisation der Binnenschiffahrt in den Hauptzentren), S. 543.

3) Statist. Jahrb. f. d. Deutsche Reich, 31. Jahrg., 1910, S. 128 und 32, Jahrg., 1911, S. 170.

4) Walther Lotz a. a. O. S. 100/101.

5) Davon konnten befahren werden durch Schiffe mit einem Tiefgange von

1,75 m = 2437,77 km
1,50 m = 3082,12 „
1,00 m = 7064,07 „
0,75 m = 599,40 „
unter 0,75 m = 1182,83 „

Vgl. Statist. Jahrb. f. d. Deutsche Reich, 1904, S. 74. Einzelne Berichtigungen der Zahlenangaben hinsichtlich der Fahrzeuge vgl. eod. 1905, S. 71; dieselben sind im Text berücksichtigt; übereinstimmend Statist. Jahrb. f. d. Deutsche Reich 1906, S. 75, während eod., 29. Jahrg., 1908, S. 100 die Gesamtlänge der schiffbaren Strecke per 31. Dezember 1902 mit 13 793,4 angegeben wird.

6) Vgl. Walther Lotz a. a. O. S. 101/102.

Im Jahre 1905 entfielen vom Gesamtverkehr 25 % auf Wasserstraßen, 75 % auf Eisenbahnen. Der Verkehr auf 1 km stellte sich bei Wasserstraßen auf 750 000 tkm im Jahre 1895 und 1 500 000 im Jahre 1905, bei den Eisenbahnen im Jahre 1895 auf 590 000 und im Jahre 1905 auf 820 000 tkm. Im Jahre 1909 wurde der Binnenschiffahrtsverkehr nach neuen Erhebungsmethoden — zunächst noch nicht ganz vollständig — statistisch festgestellt.

Hier ergaben sich 365,3 Mill. Tonnen für den Eisenbahngütertransport und 73,4 Mill. Tonnen oder 20,1 % des Eisenbahngütertransports für den Binnenschiffahrtstransport.

Es ist aber in 2 Binnenschiffahrtsbezirken (von 62) der Wassertransport dem Eisenbahntransport im Jahre 1909 überlegen gewesen, nämlich an der Elbe bei Hamburg (und Unterelbe) und im Bezirk Ludwigshafen, Mannheim, Rheinau.

Die sehr bedeutenden Vermehrungen unserer Marine in dieser Epoche, welche wiederum einer sehr großen Reihe von deutschen Industriezweigen große Aufgaben gestellt und bedeutende Aufträge zugewiesen haben, darf ich hier als bekannt voraussetzen [1]. —

Wir gehen nun zum **Zahlungsverkehr** über:

Vor der Gründung des Deutschen Reiches bestanden 33 Banken in Deutschland, welche ermächtigt waren, Banknoten auszugeben; heute bestehen, außer der am 1. Jan. 1876 auf Grund des Gesetzes vom 14. März 1875 ins Leben getretenen Reichsbank, nur noch 4 Notenbanken (in Bayern, Sachsen, Württemberg und Baden).

Die an die Stelle der Preußischen Bank getretene Reichsbank [2]) ist eine unter Aufsicht und Leitung des Reiches stehende,

---

1) v. Halle a. a. O. S. 78. Ebenda, S. 128 u. 129, näheres über den Bestand usw. der Kriegsmarine im Jahre 1900. Vgl. ferner das Jahrbnch f. Deutschlands Seeinteressen von Nauticus (Berlin, E. S. Mittler & Sohn, 1899 ff.).

2) Vgl. zum folgenden in erster Linie die vom Reichsbankdirektorium 1901 herausgegebene Jubiläumsschrift: Die Reichsbank 1876—1900, Kommissionsverlag von Gustav Fischer, Jena (im folgenden Jubiläumsdenkschrift der Reichsbank genannt), sowie die statistischen Tabellen, welche der Bank-Enquête-Kommission von 1908 vorgelegt und weiter vom Reichsbankdirektorium veröffentlicht 1911 (Abschnitt: Geld- und Kreditwesen) worden sind, und das Statist. Jahrb. f. d. Deutsche Reich, 32. Zusammen also 136 364 Betriebe, in welchen durchschnittlich   1 088 180 Personen Jahrg., S. 307—310 und Internat. Übersichten, 64*—68*; Karl von Lumm, Die Stellung der Notenbanken in der heutigen Volkswirtschaft (Berlin 1909, J. Guttentag); Louis Katzenstein, Die 30jährige Geschäftätigkeit der Reichsbank (Berlin 1906, Leonhard Simion Nachf.). Zu den der Bank-Enquête-Kommission vom Jahre 1908 vorgelegten Fragen sind namentlich zu vergleichen: Die Verhandlungen der

mit privaten Mitteln errichtete Bank, welche keine Aktiengesellschaft, aber eine juristische Person ist und welche nach § 12 des Bankgesetzes die Aufgabe hat, „den Geldumlauf im gesamten Reichsgebiet zu regeln, die Zahlungsausgleichungen zu erleichtern und für die Nutzbarmachung verfügbaren Kapitals zu sorgen".

Das in Anteile (auf den Namen) eingeteilte Grundkapital betrug bei der Gründung 120 Mill. M und beträgt seit der Novelle vom 7. Juni 1899 180 Mill. M; der gesetzliche Reservefonds betrug am 31. Dez. 1910 M 64 813 723,75 Mill. M.

Die Leitung der Reichsbank liegt dem Reichskanzler ob und unter diesem dem Präsidenten und den Mitgliedern des Reichsbankdirektoriums, welche auf Lebenszeit ernannt werden; die Aufsicht wird von einem Bankkuratorium ausgeübt, welches aus dem Reichskanzler als Vorsitzendem und vier Mitgliedern besteht.

Die — meist nur beratende — Mitwirkung der Besitzer der Anteile (Anteilseigner) an der Verwaltung wird ausgeübt durch die Generalversammlung und dem aus deren Mitte zu wählenden aus 15 Mitgliedern (und 15 Stellvertretern) bestehenden Zentralausschuß. Dem letzteren, der mindestens einmal monatlich unter dem Vorsitze des Präsidenten des Reichsbankdirektoriums zusammentritt, werden allmonatlich Nachweise über die allgemeine Geschäftslage und Vorschläge über die etwa erforderlichen Maßregeln in bezug auf den Geschäftsgang unterbreitet (§ 32). Er ist auch über eine Reihe von Fragen, wie die Festsetzung des Diskontsatzes und dez Höchstbetrages der Lombarddarlehen, gutachtlich zu hören (vergl. § 32 a—f) und wählt aus seiner Mitte für je 1 Jahr 3 Deputierte, welche die fortlaufende spezielle Kontrolle (§ 34) über die Verwaltung der Reichsbank ausüben, zur Einsicht der Bücher der Bank und zur Teilnahme an den Sitzungen des Bankdirektoriums

---

Bank-Enquête-Kommission zu den Punkten I—V des Fragebogens, Berlin 1909 und im übrigen: Friedr. Koch, Der Londoner Goldverkehr (Stuttgart und Berlin 1905); E. Schmalenbach, Der Reichsbankausweis (Zeitschrift für handelswirtschaftliche Forschung, ed. Schmalenbach, 1. Jahrg., 1906, Heft 3, S. 77—92). Heiligenstadt, Der deutsche Geldmarkt (in Schmollers Jahrb., Bd. XXXI, S. 71 ff); Arthur Feiler, Die Probleme der Bankenquête (Jena 1908, Gustav Fischer); Ferdinand Bendixen, Das Wesen des Geldes (Leipzig 1908, Duncker & Humblot); Magnus Biermer, Die deutsche Geldverfassung (Gießen 1908); Hermann Schumacher, Die deutsche Geldverfassung und ihre Reform (in Schmollers Jahrb., Bd. XXXII, S. 1 ff.); R. Koch, Der Kredit bei der Reichsbank (Zeitschr. f. Handelswissenschaft u. Praxis, 1. Jahrg., Heft 4 (Juli 1908), S. 115—118); Heymann, Reichsbank u. Geldverkehr (Berlin 1908); A. Arnold, Die Bedeutung der Giroguthaben für die Bankpolitik (im Bank-Archiv, 6. Jahrg., No. 5, S. 55 ff.); Edgar Jaffé, Die Ursachen der letzten Geldteuerung und die Bankenquête (Deutsche Wirtschaftszeitung, 4. Jahrg., No. 13, S. 582 ff. u. No. 14, S. 626 ff.).

(mit beratender Stimme) berechtigt sind. Solche Geschäfte, welche
unter — von den allgemeinen abweichenden — Bedingungen mit
dem Reich oder deutschen Bundesstaaten abgeschlossen werden
sollen, müssen unterbleiben, falls sich nicht der Zentralausschuß mit
Stimmenmehrheit für die Zulässigkeit ausspricht.

Bei den an größeren Plätzen außerhalb Berlins errichteten
Reichsbankhauptstellen sind Bezirksausschüsse mit ähnlichen
Befugnissen, wie sie der Zentralausschuß besitzt, aus der Zahl der
Anteilseigner errichtet, die wieder ihrerseits 3 Beigeordnete zur
fortlaufenden Kontrolle der Geschäftsführung der Reichsbankhaupt-
stelle zu wählen haben.

Zweigstellen der Reichsbank sind heute etwa 500 vorhanden.

Die Reichsbank hat das grundsätzlich unbeschränkte Recht,
Banknoten nach Bedürfnis auszugeben[1]). Dieses Recht ist nur
indirekt beschränkt dadurch, daß sie nach § 17 des Bankgesetzes
für mindestens $\frac{1}{3}$ ihrer Notenausgabe Metall und Reichskassenscheine, und für den Rest diskontierte bankmäßige Wechsel als
Deckung bereit halten muß; ferner dadurch, daß sie eine Steuer
von 5% von der Notenausgabe zu zahlen hat, mit welcher sie ihren
Barvorrat (d. h. den Metallbestand und ihren Bestand an Reichskassenscheinen und Noten anderer Banken) und das ihr zustehende steuerfreie Notenkontingent überschreitet (§ 9). Das letztere betrug
ursprünglich nach dem Bankgesetz 250 Mill. und beträgt jetzt nach
der Novelle vom 1. Juni 1909 550 Mill. M. Sie ist verpflichtet, ihre
Noten jederzeit „gegen deutsche Goldmünzen"[2]) einzulösen, bei der
Berliner Hauptkasse bei Präsentation, bei den Zweiganstalten, „soweit es deren Barbestände und Geldbedürfnisse gestatten" (§ 18).

Mit Rücksicht auf diese Notenausgabe, also auf diese jederzeit
fälligen Verpflichtungen, ist der Reichsbank nur ein bestimmter
Kreis von Aktivgeschäften gestattet: der Edelmetallhandel, die
Diskontierung von höchstens 3 Monate laufenden Wechseln, aus
welchen grundsätzlich drei, mindestens aber zwei als zahlungsfähig
bekannte Personen haften, sowie nach der Bankgesetz-Novelle vom
1. Juni 1909 die Diskontierung von Schecks, aus welchen gleichfalls mindestens zwei als zahlungsfähig bekannte Verpflichtete haften[3]);
ferner der An- und Verkauf von spätestens nach 3 Monaten mit
dem Nennbetrage zahlbaren Schuldverschreibungen des Reiches,

---

1) Die Banknoten wurden nach § 3 des Bankgesetzes bis zum Jahre 1906 in
Abschnitten von 1000 und 100 M ausgegeben, während das Reichsgesetz vom 20. Februar 1906 auch Abschnitte von 50 und 20 M gestattet, deren Betrag jedoch nach
einer im Reichstage abgegebenen Erklärung vorläufig auf 300 Mill. M beschränkt ist.

2) So der Wortlaut der Bankgesetznovelle vom 1. Juni 1909 (früher: „gegen
kursfähiges deutsches Geld").

3) Es ist dies ein nicht unwesentliches Mittel zur Hebung des Scheckverkehrs.

der Bundesstaaten oder inländischer kommunaler Korporationen, die
Gewährung verzinslicher Lombarddarlehen auf nicht länger als
3 Monate gegen im Gesetz (§ 13 Ziff. 3 a—c) genau bezeichnete
bewegliche Pfänder oder Buchforderungen an das Reich oder einen
Bundesstaat; der Kauf und Verkauf von im Bankgesetz (§ 13 Ziff. 4
in Verbindung mit 3 b) bestimmt bezeichneten deutschen Schuldverschreibungen, auch wenn sie nicht schon nach 3 Monaten
fällig sind; die Besorgung von Inkassos; der An- und Verkauf
von Edelmetallen oder von Effekten aller Art für fremde
Rechnung nach vorheriger Deckung; die Annahme verzinslicher und unverzinslicher Gelder im Depositengeschäft und im
Giroverkehr mit der Maßgabe, daß die Summe der verzinslichen
Depositen den Betrag des Grundkapitals und des Reservefonds der
Bank nicht übersteigen darf; endlich die Verwahrung und Verwaltung von Wertgegenständen.

Die Reichsbank hat jeweils den Prozentsatz öffentlich bekannt
zu machen, zu welchem sie diskontiert und lombardiert (§ 15); sie
hat im übrigen, gleich allen übrigen Notenbanken (§ 8), den Stand
ihrer Aktiven und Passiven am 7., 15., 23. und letzten jeden
Monats, spätestens am fünften Tage nach diesen Terminen, und außerdem spätestens drei Monate nach dem Schluß jedes Geschäftsjahrs
eine genaue Bilanz ihrer Aktiva und Passiva sowie den Jahres-
abschluß ihres Gewinn- und Verlustkontos durch den Reichsanzeiger
zu veröffentlichen. —

Die Reichsbank hat die ihr durch § 12 des Bankgesetzes zu-
gewiesenen Aufgaben seit ihrer Gründung bis heute in einer fast
durchweg mustergültigen Weise erfüllt. Die Einzelheiten sind bekannt und hier nur summarisch anzuführen:

Um den Zahlungsverkehr hat sich die Reichsbank in erster
Linie durch den am 10. April 1876 eröffneten Giroverkehr verdient gemacht, dessen Wesen darin besteht, daß an Stelle der Barzahlung zwischen den Girokunden der Bank die buchmäßige Um-
schreibung in der Weise tritt, daß der zu zahlende Betrag von dem
Guthaben des Zahlenden abgeschrieben und dem Guthaben dessen
zugeschrieben wird, der ihn empfangen soll. Der Giroverkehr bildet
also die einfachste Art der Erledigung von Forderungen und Gegenforderungen bei der nämlichen Bank durch Übertragung von Konto
zu Konto. Seit 1883 ist für die Girokunden der sogenannte Ver-
rechnungszwang eingeführt, kraft dessen alle einem Girokunden aus
dem Wechsel- oder Lombardkredit, den ihm die Reichsbank gewährt hat, gegen diese zustehenden Forderungen nicht in bar aus-
gezahlt, sondern durch Gutschrift auf seinem Girokonto erledigt werden.

Seit 1896 ist sowohl der größte Teil der Reichskassen wie
der Staatskassen der Bundesstaaten dem Reichsbankgiroverkehr

beigetreten; gegenwärtig (1911) fehlen nur noch Mecklenburg-Strelitz, Oldenburg, Anhalt und Schwarzburg-Rudolstadt.

Die Zahl der Girokonten ist von 3245 im Jahre 1876 auf 24 982 im Jahre 1910 gewachsen, sie werden aber im wesentlichen, abgesehen von Staatskassen, von den Großbetrieben des Handels und der Industrie geführt[1]), so daß bisher der Giroverkehr der Reichsbank einen etwas plutokratischen Charakter bewahrt hat. Es ist aus diesem Grunde und im Interesse der notwendigen Bargeldersparung im Zahlungsverkehr sehr zu begrüßen, daß durch die am 1. Jan. 1909 erfolgte Einführung des Postüberweisungs- und Scheckverkehrs sich der Kreis der Firmen und Personen erheblich erweitert hat, welche ihre Forderungen und Gegenforderungen statt durch Barzahlung im Wege der Überweisung erledigen. Da die Reichsbank diesem Postüberweisungs- und Scheckverkehr beigetreten ist, so können auch Überweisungen der ein Postscheckkonto besitzenden Firmen zugunsten des Reichsbankgirokontos einer dem Giroverkehr der Reichsbank angehörigen Firma durch Vermittlung des Postscheckkontos der Reichsbank erfolgen. Ebenso können Inhaber eines Postscheckkontos, welche zugleich ein Girokonto bei der Reichsbank unterhalten, die ihrem Postscheckkonto gutgeschriebenen Beträge auf ihr eigenes Girokonto bei der Reichsbank durch Vermittlung des Postscheckkontos der Reichsbank überführen lassen.

Durch das Ineinandergreifen dieses Postscheckverkehrs und des (weiter auszubildenden) Giroverkehrs der Reichsbank und durch noch kräftigere Pflege des Scheckverkehrs, dessen Abwicklung aber nicht durch Barzahlung, sondern im Wege des Überweisungs- oder Abrechnungsverkehrs zu erfolgen hat, wird der noch sehr im Argen liegende Zahlungsverkehr in Deutschland erheblich gebessert werden.

Dies wird in besonders starkem Umfange geschehen, wenn unser Post- und Reichsbank-Überweisungsverkehr durch entsprechende Verträge mit ausländischen Postsparkassen, Zentralnotenbanken und Kreditbanken auch auf den Überweisungsverkehr mit diesen ausländischen Instituten ausgedehnt werden wird. Vom 1. Februar 1910 ab ist der Post-Überweisungsverkehr vorläufig mit den österreichischen und ungarischen Postsparkassen sowie mit den schweizerischen Postscheckbureaus, vom 1. Nov. 1910 ab derjenige mit Belgien (d. h.

---

1) Aus der von dem Reichsbank-Direktorium herausgegebenen ,,Reichsbankstatistik'' (Berlin 1911) sei festgestellt: Auf die am 31. März 1908 geführten 19 416 Girokonten der Privaten entfielen:

auf Handel, Transport und Versicherungswesen   6366 Konten
,, Industrie und Gewerbe   7763   ,,
,, die Landwirtschaft und deren Gewerbe . .   369   ,,
,, Aktienbanken   936   ,,
,, Bankiers und Geldgeschäfte aller Art . . .   2311   ,,

mit der Belgischen Nationalbank und ihren Filialen) eröffnet worden, was einen ersten Schritt auf diesem Wege bedeutet.

Im Giroverkehr der Reichsbank mit Privatpersonen, Privatfirmen und öffentlichen Kassen betrug im Jahre 1907:

die durchschnittliche Höhe des Guthabens pro Konto: 24 116 M,

„   „   „ der Umsätze   „   „   10 876 564 „

während die Gesamtumsätze der Reichsbank im Jahre 1907 die Summe von 260 656,9 Mill. M und im Jahre 1910 den Betrag von 354 150,4 Mill. M erreichten.

Im Postscheckverkehr betrug Ende 1910 die Zahl der Kontoinhaber 49 853 und deren Gesamtguthaben am 31. Dezember 94 Mill. M.

Die der Reichsbank im Giroverkehr jeweils zur Verfügung stehenden Mittel stärken zugleich ihre Betriebsmittel, also ihre Kraft, der Gesamtwirtschaft im Wege des Wechsel- und Lombardverkehrs zu dienen, und gewähren ihr die Möglichkeit, ihre Banknotenausgabe rationeller auszunutzen. Zugleich werden die durch den Giroverkehr im Zahlungsverkehr entbehrlich werdenden Barmittel dem Kreditverkehr zugeführt.

Der Giroverkehr der Reichsbank, der sich auf ihre Girokunden beschränkt, wird ergänzt und muß ergänzt werden durch den Abrechnungs- (Skontrations-) Verkehr, der die auf Zahlung von Geld gerichteten, speziell die aus Wechseln, Schecks usw. erwachsenden Forderungen und Schulden zwischen einer Reihe von Instituten und damit deren Klientel, unter tunlichster Vermeidung von Barzahlungen, im Wege der Verrechnung zu tilgen sucht.

Ein solcher Abrechnungsverkehr, den andere Staaten, namentlich England und die Vereinigten Staaten, schon lange und in weit bedeutenderem Umfange in der Form von Clearinghäusern eingerichtet haben, ist in Deutschland erst im Jahre 1883 begründet worden, in welchem Jahre die Reichsbank Abrechnungsstellen begründete, deren Zahl zu Ende des Jahres 1910 im ganzen 20 mit 222 Teilnehmern betrug. Die Stückzahl der zur Abrechnung bei diesen Abrechnungsstellen der Reichsbank eingelieferten Papiere ist von 1 979 012 im Jahre 1884 auf 12 459 474 im Jahre 1910 gewachsen, die Summen der Einlieferungen von 12 130 196 000 im Jahre 1884 auf 54 341 811 000 M im Jahre 1910.

Dagegen betrug die Summe der Einlieferungen in Mark:

(Siehe Tabelle auf S. 133.)

Daß auch jetzt noch der deutsche Abrechnungsverkehr hinsichtlich der abgerechneten Beträge sehr erheblich hinter demjenigen der beiden letztgenannten Länder zurückgeblieben ist, liegt einerseits in der erfreulichen Tatsache, daß sich in Deutschland die

	1884	1910
In Frankreich (Chambre de Compensation des Banquiers de Paris) . .	3 355 475 000	23 734 446 410
In England (London Bankers Clearinghouse, und zwar City, Country und Metropolitan Clearing zusammen) . .	118 464 479 000	299 040 805 200
In den Vereinigten Staaten von Amerika (Vereinigte New Yorker Clearinghouse Banken)	143 186 557 000	422 642 059 920[1])

Zahlungsausgleichungen im Fernverkehr in sehr großem Umfange im Wege des Giroverkehrs, also durch Umschreibungen in den Büchern der Reichsbank oder der Postscheckämter, vollziehen. Andererseits erklärt sich dies aus dem weniger erfreulichen Umstande, daß die Zahlungsausgleichungen sich bei uns noch sehr wenig auf dem Wege des Scheckverkehrs (und demnächst des Abrechnungsverkehrs) vollziehen.

Immerhin ist durch das nach langen Kämpfen durchgesetzte Scheckgesetz vom 11. März 1908 eine Reihe von Hindernissen nunmehr weggeräumt, welche bisher der Ausbreitung des Scheckverkehrs in Deutschland im Wege gestanden hatten. —

Die Gesamtumsätze der Reichsbank[2]) beliefen sich im Jahre 1910 auf 354 150 399 800 M, also auf über 354 Milliarden M, gegenüber rund 47½ Milliarden M im Jahre 1877 und rund 142 Milliarden M im Jahre 1897; bei diesen Gesamtumsätzen sind in immer intensiverer Weise die Barzahlungen durch den Giroverkehr ersetzt worden, im Jahre 1886 nur bei 41, im Jahre 1905 schon bei 188 Milliarden M, was in erster Linie die Reichsbank in den Stand setzte, selbst bei stark gestiegenen Umsätzen mit einer relativ geringen Banknotenausgabe auszukommen.

Der Banknotenumlauf betrug durchschnittlich:

	Bei der Reichsbank		Bei der Bank von Frankreich	
	Betrag	auf den Kopf der Bevölkerung	Betrag	auf den Kopf der Bevölkerung
1876—1880	681,0 Mill. M	15,4 M	1 912,7 Mill. M	51,5 M
1881—1885	736,8 ,, ,,	16,0 ,,	1 268,9 ,, ,,	59,9 ,,
1886—1890	913,4 ,, ,,	19,0 ,,	2 285,1 ,, ,,	59,0 ,,
1891—1895	1 007,4 ,, ,,	19,8 ,,	2 702,1 ,, ,,	70,4 ,,
1896—1900	1 114,8 ,, ,,	20,5 ,,	3 052,8 ,, ,,	78,8 ,,
1901—1905	1 258,6 ,, ,,	21,5 ,,	3 447,4 ,, ,,	88,2 ,,
1906—1910	1 512,7 ,, ,,	23,3 ,,	4 094,6 ,, ,,	103,7 ,,

1) Ohne die in 140 Städten ferner bestehenden Clearinghäuser, deren Umsätze sich 1910 zusammen auf 246 707 Mill. M beliefen.

2) Das sind die Umsätze in Einnahme und Ausgabe, im Giro- und Anweisungs-, Depositen-, Wechsel- und Lombardverkehr, in diskontierten und einkassierten Wertpapieren und in den sonstigen Geschäften jeder Art mit Behörden und Privaten.

	Bei der Bank von England	
	Betrag	auf den Kopf der Bevölkerung
1876—1880	571,3 Mill. M	16,8 M
1881—1885	522,6 ,, ,,	14,7 ,,
1886—1890	499,5 ,, ,,	13,5 ,,
1891—1895	523,4 ,, ,,	13,5 ,,
1896—1900	565,6 ,, ,,	14,0 ,,
1901—1905	592,3 ,, ,,	13,9 ,,
1906—1910	594,8 ,, ,,	13,2 ,,

Die Verdoppelung des Banknotenbetrages in Deutschland im Jahrfünft 1906—1910 gegenüber dem Durchschnitt der Jahre 1881 bis 1885 zeigt deutlich die in dieser Epoche, trotz starker Vermehrung der Goldprägung und ungeachtet des Umfanges des Giroverkehrs, eingetretene enorme Erhöhung des Bedürfnisses nach Zahlungsmitteln innerhalb der erheblich angewachsenen Bevölkerung. Die Deckung der Banknoten der Reichsbank betrug in Prozenten:

	In Bar			In Metall			In Gold		
	durchschnittlich	höchste	niedrigste	durchschnittlich	höchste	niedrigste	durchschnittlich	höchste	niedrigste
1876—1880	85,0	104,3	66,1	77,1	96,6	62,4	34,0	54,4	22,5
1896—1900	79,5	102,9	51,9	76,4	99,4	49,7	52,4	71,7	32,6
1906—1910	69,9	93,4	41,1	63,7	85,7	37,3	48,4	66,4	26,4

Dagegen betrug die Deckung der Banknoten:

	Bei der Bank von Frankreich		Ber der Bank von England	
	in Metall	in Gold	in Metall	in Gold
1876—1880	87,8	—	99,0	98,3
1896—1900	84,1	52,0	129,9	129,1
1906—1910	78,7	61,1	108,1	—

Die durchschnittliche Deckung der Banknoten der Reichsbank und der fremden Gelder, d. h. ihrer anderen täglich fälligen Verbindlichkeiten, also in erster Linie der Giroguthaben, betrug in Prozenten:

	In Bar			In Metall			In Gold		
	durchschnittlich	höchste	niedrigste	durchschnittlich	höchste	niedrigste	durchschnittlich	höchste	niedrigste
1876—1880	66,2	73,0	53,2	60,0	69,3	52,1	26,5	42,1	19,0
1896—1900	55,1	68 1	38,5	52,9	65,7	36,8	36,3	47,1	24,1
1906—1910	49,1	61,0	30,1	45,1	56,2	27,4	34,1	43,0	19,6

Dagegen betrug die durchschnittliche Deckung der Noten und der fremden Gelder in Prozenten:

	Bei der Bank von Frankreich		Bei der Bank von England	
	in Metall	in Gold	in Metall	in Gold
1876—1880	69,8	—	46,5	46,1
1896—1900	69,7	43,1	44,9	44,8
1906—1910	67,4	52,3	35,6	—

In dem nicht durch Barvorrat[1]) und dem nicht durch Metallvorrat[2]) gedeckten[3]) Banknotenumlauf der Reichsbank wird, da er sich den jeweiligen Konjunkturen und Bedürfnissen der Gesamtwirtschaft am engsten anschmiegt, auch in seinem jeweiligen ungemein schwankenden Bestande das getreueste Spiegelbild der jeweiligen Konjunktur und der Schwankungen des Zahlungsmittelbedarfs darstellt, mit Recht der eigentlich elastische Teil der Gesamtnotenausgabe angesehen. Die nachfolgenden Tabellen geben hierüber Auskunft:

(Siehe Tabelle auf S. 136.)

Der durchschnittliche Goldbestand der Reichsbank in Reichsgoldmünzen, Barren und Sorten betrug in der Periode:

1876—1880	231 593 000	M oder	44,1%	des gesamten Metallvorrats
1881—1885	251 092 000	,, ,,	43,5%	,, ,, ,,
1886—1890	513 574 000	,, ,,	63,6%	,, ,, ,,
1891—1895	611 296 000	,, ,,	66,1%	,, ,, ,,
1896—1900	584 091 000	,, ,,	68,6%	,, ,, ,,
1901—1905	693 561 000	,, ,,	73,8%	,, ,, ,,
1906—1910	733 368 800[4])	,,	75,5%	,, ,, ,,

1) Der Barvorrat im Sinne des § 9 des Bankgesetzes besteht in dem Metallvorrat (s. Anm. 2), ferner in Reichskassenscheinen und Banknoten deutscher Notenbanken. Die Möglichkeit der Deckung der Banknoten auch durch Reichskassenscheine sollte so bald als möglich ausgeschlossen werden. Denn eine Deckung stellen doch solche Schulden des Reiches an sich nicht dar. Heute, wo den Reichskassenscheinen nicht zugleich mit den Banknoten der Reichsbank die Eigenschaft gesetzlicher Zahlungsmittel verliehen ist, dürfte die Aufrechterhaltung dieses Deckungsmittels noch weniger logisch sein (vgl. jetzt auch H. Hartung, Inkonsequenzen, in der Zeitschr. f. Handelswissensch. u. Handelspraxis, 4. Jahrg., 1911, Heft 7, S. 220).

2) Der Metallvorrat besteht nach den §§ 9 und 17 des Bankgesetzes aus kursfähigem deutschen Geld und aus Gold in Barren oder ausländischen Münzen, das Pfund fein zu 1392 M berechnet.

3) Es ist für Deutschland unrichtig, von ,,ungedeckten Banknoten" zu sprechen, denn gänzlich ungedeckte Banknoten gibt es nach § 17 des Bankgesetzes nicht.

4) Gegenüber diesen 733 Mill. M vergleiche man den Goldbestand der Bank von Frankreich, der am 31. Dezember 1908 rund 3½ Milliarden Frcs. und Mitte Juni 1909 rund 3¾ Milliarden Frcs. betragen hat (Bernh. Mehrens a. a. O. S. 266). Kaum irgend eine andere Ziffer auf finanziellem Gebiet kann so klar den ungeheueren Unterschied in den wirtschaftlichen Verhältnissen und Gewohnheiten beider Länder kennzeichnen, ein Unterschied, der freilich nicht etwa durchweg oder auch nur vorzugsweise (vgl. meine Darlegungen in der Bankenquête-Kommission, Ver-

a) Durch den Barvorrat nicht gedeckter oder überdeckter Notenumlauf¹).

Jahr	Durchschnittlicher Stand		Höchster Stand		Niedrigster Stand		Spannung zwischen dem höchsten und niedrigst Stand in Mill.
	Betrag in Mill.	in % der Ziffern des Jahr. 1876 bzw. der Periode 1876/80	Datum	Betrag in Mill.	Datum	Betrag in Mill.	
1876/80	102,263	100,0	7./I. 76	242,201	23./III. 79 —	25,35	267,551
1881/85	117,113	114,5	31./XII.84	306,551	15 /III. 83	4,082	302,469
1886/90	73,943	72,3	31./XII.89	396,058	7./VI. 88 —	170,636	566,688
1891/95	48,879	47,8	31./XII.95	441,683	23./II. 95 —	177,764	619,447
1896/1900	228,623	223,7	30./IX. 99	664,633	23./II. 98 —	28,103	692,736
1901/05	278,736	272,4	30./IX. 05	920,285	23./II. 02 —	41,285	961,673
1906	438,461	365,4	31./XII	1 045,476	23./II.	126,136	919,340
1907	531,056	442,5	31./XII.	1 098,805	23./II.	248,242	850,563
1908	415,319	346,1	31 /XII.	927,625	22 /VIII.	148,894	778,735
1909	441,0	367,5	31./XII.	1 090,7	23./II.	87,9	1002,8
1910	462,3	385,2	31./XII.	1 084,4	23./II.	126,1	985,3
1906/10	457,6	447,5	31./XII.07	1 098,8	23 /II. 09	87,9	1010,9

b) Durch den Metallvorrat nicht gedeckter oder überdeckter Notenumlauf¹).

Jahr	Betrag in Mill.	in %	Datum	Betrag in Mill.	Datum	Betrag in Mill.	Spannung in Mill.
1876/80	156,206	100,0	31./XII.80	283,701	23 /III. 79	21,511	262,190
1881/85	159,777	102,3	31./XII.81	344,948	15./III. 83	41,743	303,205
1886/90	105,110	67,3	31./XII.89	425,957	7./VI. 88	— 137,113	563,070
1891/95	82,706	52,9	31./XII.95	467,012	23./II. 95	— 142,470	609,482
1896/1900	263,423	168,6	30./IX. 99	696,040	23./II. 98	6,388	689,652
1901/05	318,933	204,2	30./IX. 05	950,431	23./II. 02	— 4,944	955,375
1906	496,271	284,7	31./XII.	1 110,881	23./II.	181,859	929,022
1907	635,443	364,6	31./XII.	1 181,743	23 /II.	350,760	830,983
1908	506,077	289,8	31./XII.	995,243	22./VIII.	245,387	749,856
1909	530,199	304,2	31./XII.	1 156,332	23 /II.	189,996	966,336
1910	550,079	315,6	31./XII.	1 148,754	23 /II.	229,039	919,715
1906/1910	543,414	347,9	31./XII.07	1 181,743	23./II. 06	181,859	999,884

handlungen zu I—IV des Fragebogens 1909 S. 72 zuungunsten Deutschlands ausgelegt werden darf, wenn er auch in kritischen und kriegerischen Zeiten sehr zugunsten Frankreichs ins Gewicht fällt. Bei den 3 vorstehenden Tabellen ist aber nicht zu vergessen, daß eine schematische Vergleichung der Bankdiskontsätze der Reichsbank, der Bank von England und der Bank von Frankreich irreführend ware. Einerseits, weil die verschiedenen Notenbanken verschiedene Anforderungen hinsichtlich der Qualität der von ihnen anzukaufenden Wechsel stellen. so daß, bei strengeren Anforderungen, die Bankrate nur auf einen geringeren Teil der in dem betreffenden Gebiet kursierenden Wechsel anwendbar ist. Andererseits, weil auch bezüglich der Anwendung des von ihnen festgesetzten Diskontsatzes zwischen den verschiedenen Notenbanken erhebliche Verschiedenheiten bestehen. So hat die Bank von Frankreich bei Anwendung ihres offiziellen Diskontsatzes volle Bewegungsfreiheit, die ihr, in Zeiten geringerer Ansprüche an den Geldmarkt, gestattet, Wechsel weit unter dem offiziellen Banksatze zu kaufen und in geldknappen Zeiten weit über dem offiziellen Satze aufzunehmen. Die Reichsbank dagegen darf Wechsel nur zu dem öffentlich bekannt gegebenen Diskontsatz kaufen und nur bei flüssigem Geldstand, während der Dauer eines Banksatzes von weniger als 4%, eine geringe Verkürzung des Diskontabzuges bewilligen (vgl. Bank-Archiv, VII Jahrg., No. 10, 15. Febr. 1908, S. 149 Anm. der Redaktion).

1) Die überdeckten Noten sind mit vorgesetztem Minuszeichen versehen.

Im Jahre 1910 betrug:

der höchste Goldbestand ($^{23}/_5$) . . 1 183 157 000 M,

„ niedrigste „ ($^{30}/_9$) aber 907 933 000 „

Der durchschnittliche Metallvorrat betrug:

1876	510 593 000 M	1896	891 988 000 M
1880	562 091 000 „	1900	817 137 000 „
1881	556 749 000 „	1901	911 411 000 „
1885	586 131 000 „	1905	972 959 000 „
1886	693 105 000 „	1908	1 019 065 000 „
1890	801 019 000 „	1909	1 046 333 000 „
1895	1 011 763 000 „	1910	1 055 803 000 „

Der durchschnittliche Bankdiskont betrug seit dem Geschäftsbeginn der Reichsbank:

1876: 4,16	1882: 4,54	1888: 3,32	1894: 3,12	1900: 5,33	1906: 5,15
1877: 4,42	1883: 4,05	1889: 3,68	1895: 3,14	1901: 4,10	1907: 6,03
1878: 4,34	1884: 4,00	1890: 4,52	1896: 3,66	1902: 3,32	1908: 4,75
1879: 3,70	1885: 4,12	1891: 3,78	1897: 3,81	1903: 3,84	1909: 3,92
1880: 4,24	1886: 3,28	1892: 3,20	1898: 4,27	1904: 4,22	1910: 4,35
1881: 4,42	1887: 3,41	1893: 4,07	1899: 5,04	1905: 3,82	

während der durchschnittliche Bankdiskont der Bank von Frankreich und der Bank von England in der gleichen Zeit sich folgendermaßen gestellt hat:

	Bank von			Bank von			Bank von	
	Frank-reich	England		Frank-reich	England		Frank-reich	England
1876	3,4	2,61	1888	3,10	3,30	1900	2,25	3,96
1877	2,28	2,90	1889	3,09	3,55	1901	3,00	3,72
1878	2,21	3,78	1890	3,00	4,54	1902	3,00	3,33
1879	2,58	2,51	1891	3,00	3,32	1903	3,00	3,75
1880	2,81	2,76	1892	2,70	2,52	1904	3,00	3,30
1881	3,84	3,48	1893	2,50	3,05	1905	3,00	3,01
1882	3,80	4,15	1894	2,50	2,11	1906	3,00	4,27
1883	3,08	3,57	1895	2,10	2,00	1907	3,46	4,93
1884	3,00	2,96	1896	2,00	2,48	1908	3,05	3,01
1885	3,00	2,93	1897	2,00	2,63	1909	3,00	3,10
1886	3,00	3,05	1898	2,20	3,25	1910	3,00	3,71
1887	3,00	3,38	1899	3,06	3,75			

Die durchschnittliche Höhe des Privatdiskonts (Marktdiskonts) betrug in:

	Berlin	Paris	London		Berlin	Paris	London		Berlin	Paris	London
1876	3,04	2,25	2,25	1888	2,11	2,75	2,38	1900	4,41	3,17	3,70
1877	3,17	1,75	2,25	1889	2,63	2,65	2,70	1901	3,00	2,48	3,29
1878	3,07	2,00	3,50	1890	3,78	2,64	3,69	1902	2,19	2,43	,290
1879	2,60	2,25	1,75	1891	3,02	2,58	2,50	1903	3,01	2,78	3,40
1880	3,04	2,5	2,25	1892	1,80	1,83	1,47	1904	3,14	2,10	2,70
1881	3,50	3,75	2,88	1893	3,17	2,22	2,10	1905	2,85	2,10	2,60
1882	3,89	3,38	2,38	1894	1,74	1,77	0,97	1906	4,04	2,72	4,05
1883	3,08	2,56	3,00	1895	2,01	1,63	0,81	1907	5,12	3,40	4,53
1884	2,90	2,42	2,60	1896	3,04	1,83	1,52	1908	3,52	2,25	2,31
1885	2,85	2,46	2,04	1897	3,09	1,90	1,87	1909	2,87	1,79	2,28
1886	2,16	2,23	2,05	1898	3,55	2,12	2,65	1910	3,54	3,00	3,17
1887	2,30	2,42	2,36	1899	4,45	2,96	3,29				

Die Spannung zwischen dem offiziellen Bankdiskont und dem Privatdiskont (Marktdiskont) betrug im Jahresdurchschnitt fünfjähriger Perioden:

	In Berlin	Paris	London
1870—1880	1,19	0,51	0,51
1881—1885	0,98	0,43	0,64
1886—1890	1,04	0,50	0,93
1891-1895	1,11	0,55	1,03
1896—1900	0,71	0,09	0,60
1901—1905	1,01	0,60	0,43
1906—1910	1,02	0,53	0,59

Die Wechselanlage der Reichsbank betrug:

Jahr	Durchschnittlicher Stand in 1000 M
1876/80	356 518
1881/85	366 955
1886/90	463 214
1891/95	554 142
1896/1900	724 438
1901/05	839 752
1906/10	995 010

Da eine Zentralnotenbank jederzeit in der Lage sein muß, ihre (nach dem Gesetz in bestimmter Weise zu deckenden) Banknoten bei Präsentation einzulösen und ihre sonstigen täglich fälligen Verbindlichkeiten (für welche eine gesetzliche Deckungsvorschrift nicht besteht) zu erfüllen, so wird im allgemeinen der (bei den Kreditbanken in solcher Schärfe nicht durchführbare) Grundsatz von ihr festzuhalten sein, daß, soweit nicht das Gesetz Ausnahmen gestattet, ihre Aktivgeschäfte ihren Passivgeschäften entsprechen müssen.

Sie wird daher im wesentlichen nur kurzfristigen Kredit im Wege der Diskontierung kurzfälliger Wechsel und der Gewährung kurzfristiger Lombarddarlehen einräumen können.

Die Diskontierung kurzfristiger Wechsel muß im Vordergrunde der Aktivgeschäfte der Reichsbank stehen, da diese nach § 17 des Bankgesetzes verpflichtet ist, $^2/_3$ der von ihr ausgegebenen Noten durch kurzfristige Wechsel oder durch Schecks zu decken. Die Reichsbank hat im Laufe der Zeit im Diskontverkehr einen immer größeren Prozentsatz der überhaupt umlaufenden Wechsel erworben. Hierauf wird ihr die Ausdehnung ihres Notenumlaufs ermöglicht, da ihr bei Verfall der kurzfristigen Wechsel die Mittel zur Einlösung der Banknoten immer wieder zuströmen.

Sie ist aber auf dem Felde der Wechseldiskontierung, ebenso wie die Bank von England[1]) und die Bank von Frankreich[2]), von den Großbanken überflügelt worden.

---

1) Edgar Jaffé, D. engl. Bankwesen, 2. Aufl., S. 207.

2) Bernhard Mehrens, Die Entstehung und Entwicklung der großen französ. Kreditinstitute (1911), S. 263.

Die durchschnittliche Größe ihrer Platz- und Versandwechsel im Jahre 1910 (mit 2609 M bei ersteren und 1841 M bei letzteren) zeigt, daß Wechsel aus den Kreisen des Mittelstandes und des Handwerks von der Reichsbank ebenso wie von den Großbanken nicht in größerem Umfange diskontiert werden [1]).

Der kurzfristige Lombard-Kredit steht bei der Reichsbank schon deshalb erst an zweiter Stelle, weil aus naheliegenden Gründen [2]) die Lombardforderungen nicht als Notendeckung verwandt werden können. Immerhin ist, obwohl seit 1896 der Lombardzinsfuß regelmäßig 1% über dem Bankdiskont steht, der Lombardkredit, der gleichfalls nur auf 3 Monate gewährt werden darf, für den Schuldner zuweilen billiger, da die Lombardzinsen immer nur für die tatsächliche Dauer des Lombarddarlehens berechnet werden und der Schuldner das letztere jederzeit ganz oder teilweise zurückzahlen kann [3]). Die Beleihung von Waren ist gegen die Beleihung von Effekten immer mehr zurückgetreten; so waren Ende 1910 nur 5 192 400 M Darlehen gegen Verpfändung von Waren und 365 578 650 M Darlehen auf Wertpapiere (einschließlich Wechsel) gewährt. Die Summe der von der Reichsbank gewährten Lombard-Darlehen im ganzen stieg aber fast beständig; sie betrug:

	Summe der Lombard-Darlehen					Im Jahresdurchschnitt
1904	1 957 411 820 M					74 180 000 M
1905	2 093 427 625 ,,					72 033 000 ,,
1906	2 773 191 475 ,,					83 631 000 ,,
1907	3 293 201 200 ,,					98 140 000 ,,
1908 fiel sie auf	2 812 171 450 ,,	und im Jahresdurchschnitt auf				91 397 000 ,,
1909 ,, ,, ,,	2 788 913 150 ,,	,, ,,	,,			87 591 000 ,,
stieg aber im Jahre						
1910 auf . . .	3 374 395 650 ,,	,, ,,	,,			98 443 000 ,,

Die Gewährung des Lombardkredits ist für die Bank, abgesehen von den möglichen Realisierungsschwierigkeiten, deshab gefährlicher, weil sie hierbei nicht so leicht, wie bei Wechseln, die Art des nachgesuchten Kredits zu erkennen vermag.

---

1) Im Gegensatz hierzu betrug das Verhältnis der von der Banque de France in den letzten Jahren in Paris diskontierten Wechsel von 5—100 Frcs. nicht weniger als 48% der Gesamtzahl der von ihr in Paris diskontierten Wechsel (Bernh. Mehrens a. O. S. 280).

2) Über diese Gründe vgl. u. a. meine Ausführungen in der Bank-Enquête-Kommission von 1908 zu den Punkten I—V des Fragebogens (Berlin 1909). S. 259.

3) Eine Ausnahme hiervon bestand bis zum Juni 1911 für Lombarddarlehen, welche über die Quartalstermine hinaus genommen wurden auf Grund der „Allgemeinen Bestimmungen über den Geschäftsverkehr mit der Reichsbank" VI A, § 5 Abs. 2. Diese Bestimmung ist geändert worden durch Beschluß des Reichsbankdirektoriums vom 24. Mai 1911, wonach der Darlehnsnehmer für über die Quartalstermine hinaus entnommene Lombarddarlehen einen Zuschlag bezahlen muß, der den Zinsen für 10 Tage gleichkommt (vgl. Bendixen im Bank-Archiv, Jahrg. X, S. 275 ff. und Jahrg. XI., S. 33 ff.).

Die nachfolgende Tabelle, die der seitens des Reichsbankdirektoriums im Jahre 1911 veröffentlichten „Reichsbankstatistik"
entnommen ist, zeigt in anschaulicher Weise die

Gliederung der Lombardbestände nach den Berufsklassen der
Darlehnsnehmer.

Nach dem Stande vom 15. September 1909.

Berufsklassen und Geschäftsbetriebe der Darlehnsnehmer	Stückzahl der vorhandenen Pfandscheine	In Prozenten aller vorhandenen Pfand- scheine	Summe der ausstehenden Darlehne Mark	In Prozenten aller aus- stehenden Darlehen	Durchschnitt- licher Betrag des Darlehns. Mark
Banken und Bankiers	1362	21,9	20 304 200	31,1	14 908
Kaufleute u. handel- treibende Gesell- schaften.	1467	23,5	13 559 000	20,8	9 243
Industrielle u. Indu- striegesellschaften	869	13,9	15 937 500	24,4	18 340
Landwirte, landwirt- schaftliche Ge- werbe u. Fabrik- betriebe	292	4,7	3 088 900	4,7	1 058
Öffentliche Spar- kassen	298	4,8	2 104 700	3,2	706
Genossenschaften aller Art	152	2,5	1 580 600	2,4	10 399
Privatpersonen. . .	1561	25,0	6 885 600	10,5	4 411
Sonstige	232	3,7	1 868 600	2,9	8 054
Insgesamt:	6233	100,0	65 329 100	100,0	10 481

Bei Gewährung kurzfristigen Kredits wird die Reichsbank
darauf Bedacht nehmen müssen, das sich bei ihr konzentrierende
inländische Verlangen nach kurzfristigem Kredit, welches in erster
Linie in ihren Wechselanlagen zum Ausdruck gelangt, durch den
Zinsfuß, also vor allem durch den Wechseldiskontsatz, zu regulieren,
zu welchem sie den begehrten Kredit zu gewähren bereit ist.

Eine Verteuerung des Kredits in Form eines hohen Diskontsatzes, welcher letztere ohne weiteres auf den Lombardzinssatz
und nach und nach auch auf den allgemeinen Zinssatz im
Lande bestimmend einwirkt, wird also einerseits in der Regel
eine übermäßige inländische Kreditnachfrage und damit jede Überspekulation und Überproduktion und jede Überbewertung von Waren
und Wertpapieren, wenigstens einigermaßen, eindämmen können.
Andererseits wird ein hoher Diskontsatz, wenn nicht außergewöhnliche
Verhältnisse, wie im Jahre 1907, dazwischen treten, in der Regel
(falls gleichzeitig der Privatdiskont eine entsprechende Steigerung
erfährt oder einhält) auch geeignet sein, den Goldabfluß nach

dem Auslande[1]), mindestens vorübergehend, zu verhindern oder doch zu vermindern und zu verlangsamen. Dagegen wird er im allgemeinen einen Goldzufluß aus dem Auslande nicht herbeiführen, es sei denn, daß der inländische Bankdiskont stark über den ausländischen hinaus erhöht wird und sich alsdann gleichzeitig auch der Privatdiskont entsprechend erhöht oder in entsprechender Höhe erhalten wird. In sonstigen Fällen wird „das Anziehen der Diskontschraube" in der Regel keinen Goldzufluß aus dem Auslande bewirken, sondern nur vorübergehend eine weitere Steigerung der Devisenkurse und damit den Eintritt des Moments verhindern oder hinausschieben können, von welchem ab ein Goldexport lohnend wird[2]).

Der Reichsbank ist nun vorgeworfen worden, sie habe speziell im Jahre 1907 ohne Not den Bankdiskont heraufgesetzt, jedenfalls aber ihn ohne zwingende Notwendigkeit dauernd auf einer ganz außerordentlichen Höhe bestehen lassen und habe dadurch die Interessen von Handel, Industrie und Landwirtschaft schwer geschädigt.

Sie sei ferner den Kreditbedürfnissen, namentlich auch der Kreditbanken, zu sehr entgegengekommen, insbesondere habe sie an den sogenannten schweren Terminen (den Quartalsersten, sowie den Tagen vom 15.—30. Sept. und 15.—31. Dzbr.) ohne zwingenden Grund ihren Status durch zu umfangreiche Wechsel- und Lombardkredite verschlechtert, wie dies sowohl der durchschnittliche Betrag ihrer Wechselanlagen für das Jahr 1907 (in Höhe von 1 104 537 000M), wie der ihrer Lombardanlagen[3]) (in Höhe von 98 140 000 M) beweise. Sie habe ferner in ausgedehntem Umfange Finanzwechsel, Kreditwechsel und „Leerwechsel", also solche Wechsel diskontiert, welchen nicht reelle Umsätze zugrunde liegen.

Außerdem habe sie sich durch einen zu geringen Devisenbesitz außerstand gesetzt, durch Abgabe von Devisen mindestens vorübergehend einen gewissen Druck auf die Wechselkurse dann auszuüben, wenn diese den oberen Goldpunkt überschritten hatten oder zu überschreiten drohten; sie sei auf diese Weise nicht in der

---

1) Ein solcher wird in der Regel dauernd überhaupt nur erfolgen können, wenn die inländische Zahlungsbilanz ungünstig ist und demgemäß die Devisenkurse den oberen Goldpunkt zu übersteigen drohen oder überstiegen haben, so daß der Goldexport lohnend wird; vgl. u. A. meine Ausführungen in den Verhandlungen der Bank-Enquête-Kommission (Berlin 1909), S. 71.

2) Vgl. u. A. meine Ausführungen in den Verhandlungen der Bank-Enquête-Kommission, (Berlin 1909), S. 70.

3) Höchster Bestand (31. Dezember 1907): 364 297 700 M; niedrigster Bestand 23. Januar 1907): 54 090 000 M. In der Ziffer vom 31. Dezember 1907 sind Lombarddarlehn an die Preuß. Central-Genossenschafts-Kasse von 67 630 200 M enthalten.

Lage gewesen, eine — dringend notwendige — selbständige Devisenpolitik zu betreiben oder doch ihre Diskontpolitik durch eine in
gleicher Richtung einsetzende (allerdings auch nur unter gleichen
Beschränkungen wirksame) Devisenpolitik zu unterstützen und zu
ergänzen.

Ich glaube, daß nach den Verhandlungen der im Jahre 1908
auf Veranlassung des Reichstages seitens der Regierung zusammen-
berufenen Bank-Enquête-Kommission und nach den Aussagen der
von dieser gehörten Sachverständigen nur der letztgedachte Einwand, und auch dieser nur in beschränktem Maße, aufrecht erhalten
werden kann.

Der durchschnittliche Devisenbestand der Reichsbank betrug:

Jahr	Betrag in 1000 M	Jahr	Betrag in 1000 M
1876	1 672	1894	2 540
1877	1 873	1895	2 569
1878	5 351	1896	2 753
1879	3 560	1897	2 411
1880	9 584	1898	4 934
1881	7 481	1899	19 045
1882	5 590	1900	26 753
1883	4 004	1901	26 946
1884	4 631	1902	22 733
1885	7 951	1903	2 212
1886	16 961	1904	24 068
1887	7 864	1905	33 093
1888	3 316	1906	43 244
1889	3 798	1907	44 461
1890	5 420	1908	70 881
1891	5 306	1909	107 239
1892	4 715	1910	140 648
1893	4 113		

Dagegen ist als Ergebnis der Verhandlungen und Verneh-
mungen der Bank-Enquête-Kommission festzustellen, daß die Reichsbank im großen und ganzen mit der Kreditgewährung nicht zu
weit gegangen ist, wenn es auch vielfach für wünschenswert gehalten wurde, daß bei der Diskontierung von Wechseln noch strengere
Grundsätze eingehalten werden, und daß insbesondere von der Diskontierung langfristiger Wechsel und überhaupt von dauernden
Krediten wenigstens grundsätzlich Abstand genommen werden
möchte.

Ebensowenig konnte nachgewiesen werden, daß die Reichsbank
überhaupt und insbesondere im Jahre 1907 willkürlich den Diskontsatz erhöht habe; vielmehr war die Mehrheit der Mitglieder der
Bank-Enquête-Kommission und der vernommenen Sachverständigen
der Ansicht, daß diese Diskonterhöhungen lediglich die naturgemäße
und notwendige Folge der gleichfalls nicht willkürlichen, sondern,

mindestens zum großen Teile, notwendigen Kreditbedürfnisse, insbesondere derjenigen der Industrie, gewesen seien, und daß ohne diese Diskonterhöhungen eine noch viel größere Verschlechterung des Status der Reichsbank und ein noch weit erheblicherer Goldabfluß eingetreten sein würde. In der Tat hat die Diskontfestsetzung seitens der Reichsbankverwaltung in der Regel lediglich eine deklaratorische und keine konstitutive Bedeutung.

Ebenso war jene Mehrheit entschieden der Meinung, daß aus gleichen Gründen die lang andauernde Belassung des hohen Diskontsatzes eine — wenn auch bedauerliche — Notwendigkeit gewesen sei. Auch sind selbst die entschiedensten Vertreter der Ansicht, daß die Reichsbank speziell den an den sogenannten schweren Terminen stürmisch auftretenden und naturgemäß besonders durch Vermittlung der Kreditbanken an sie herantretenden Kreditbedürfnissen nicht in vollem Umfange hätte entsprechen dürfen, im Laufe der Verhandlungen von dieser Ansicht zurückgekommen.

Es läßt sich auch kaum in Abrede stellen, daß es sich gerade an den sogenannten schweren Terminen, also an den Quartalsersten, an welchen insbesondere Mieten, Hypothekenzinsen, Gehälter, Löhne, Versicherungsprämien, Zins- und Dividendenscheine sowie vielfach auch Wechsel u. a. m. nach den deutschen Gepflogenheiten fällig werden, und an den Tagen vom 15.—30. September und 15.—31. Dezember, bei denen ähnlich naturgemäße Steigerungen des Gesamtverkehrs in Frage kommen, um legitime und nicht aufschiebbare Bedürfnisse handelt, die überdies gerade dann seitens der Reichsbank fast durchweg im Wege des kurzfristigen Diskont- oder Lombardkredits zu befriedigen sind.

Daß aber gerade an diesen Terminen in besonders großem Umfange die Kreditbanken an die Reichsbank herantreten, ergibt sich mit Notwendigkeit daraus, daß sie die Vermittler der Kreditbedürfnisse von Handel und Industrie sind und daß sie demgemäß zum größten Teil diese, also fremde, und nur zum kleinsten Teile eigene Bedürfnisse zur Anmeldung bringen.

Dies hindert nicht, zuzugeben, daß die Kreditbanken des öfteren, was aber bei jedem Bankensystem eintreten kann, den Kreditbedürfnissen von Handel und Industrie in zu weitgehendem Maße entgegengekommen sind und zwar auch da, wo es sich nicht um den im Wege kurzfristiger Kreditgewährung zu befriedigenden Betriebskredit, sondern auch da, wo es sich um Anlagekredit handelte, der freilich zunächst meist in den äußeren Formen des Betriebskredits aufgetreten war und sich erst nach und nach aus diesem zum Anlagekredit entwickelt hatte.

Auch ist nicht zu verkennen, daß mehrfach die Anforderungen an den Markt und in letzter Linie an die Reichsbank auch durch eine nicht immer gerechtfertigte Überfülle von Emissionen, Gründungen und Umwandlungen gesteigert worden waren.

Was die eigenen Mittel der Reichsbank angeht, so wurde von der Mehrheit der Bank-Enquete-Kommission eine Erhöhung derselben, die aber besser nicht durch Vergrößerung des Grundkapitals, sondern durch allmähliche Verstärkung der Reserve erfolgen sollte, für wünschenswert gehalten.

Außerdem hielt man es für richtig, daß, nach dem Vorgange von England und Frankreich, unter Abänderung des § 2 des Bankgesetzes, auch die von der Reichsbank ausgegebenen Banknoten zu gesetzlichen Zahlungsmitteln erklärt würden, selbstverständlich unter Belassung und tunlichst unter noch schärferer Betonung der Verpflichtung der Reichsbank zur Einlösung ihrer Banknoten in Gold.

Nach diesen beiden Richtungen enthält das „Gesetz betreffend Änderung des Bankgesetzes" vom 1. Juni 1909 (R.G.Bl. S. 515) die erforderlichen Vorschriften (Art. 1 Nr. 2; Art. 3 u. 4). Es ist jedoch mit Unrecht die in England bestehende und auch bei uns sowohl nötige als (entgegen der Begründung S. 12) praktisch durchführbare Klausel nicht aufgenommen worden, daß der legal tender (die gesetzliche Zahlkraft der Banknoten) nicht gelten soll für alle Zahlungen, welche die Reichsbank selbst (auf Grund ihres Giroverkehrs und ihrer Noteneinlösungspflicht) zu machen hat. Das Gesetz vom 1. Juni 1909 erteilt weiter, was dem Gutachten der Mehrheit der Bank-Enquête-Kommission entspricht, der Reichsbank die Ermächtigung, auch Schecks anzukaufen, falls aus denselben mindestens zwei als zahlungsfähig bekannte Verpflichtete haften, eine Ermächtigung, die sie bisher nicht hatte. Zweifelhaft erscheint, ob es sich empfiehlt, wie dies im Art. 5 sub III des Gesetzes vom 1. Juni 1909 vorgesehen ist, auch Schecks (obwohl sie im Gegensatz zu Wechseln nicht akzeptiert werden können), als Notendeckung zuzulassen; ich verneine diese Frage auch jetzt noch, wie ich sie in der Bank-Enquête-Kommission schon entschieden verneint hatte[1]).

Endlich erhöht das Gesetz in Art. 2 das steuerfreie ungedeckte Notenkontingent der Reichsbank, das bis dahin 472829000 M betrug, auf 550 Mill. M, so daß sie die 5%ige Steuer von demjenigen Betrage zu zahlen hat, um welchen ihr Notenumlauf ihren Barvorrat (s. oben S. 135 Anm. 1) und dieses Notenkontingent von 550 Mill. M übersteigt. — Das System des steuerfreien Notenkontingents ist also, zumal dadurch die Bankverwaltung selbst in ihrer Diskont-

---

1) Bankenquête 1908, Stenogr. Berichte über die Verhandlungen der Gesamtkommission zu den Punkten I—V des Fragebogens (Berlin 1909), S. 220; vgl. H. Hartung, Inkonsequenzen (in der Zeitschr. f. Handelswissenschaft und Handelspraxis. 4. Jahrg., Heft 7, 1911, S. 221—223.

politik nicht beeinflußt wird, als solches aufrecht erhalten worden. Die Regierung ging mit der Mehrheit der Bank-Enquête-Kommission davon aus, daß in der Überschreitung des steuerfreien Notenkontingents ein Warnungssignal für das gewerbetreibende Publikum liege, obgleich diese Grenze seit dem Jahre 1881 (vorher kamen Überschreitungen nicht vor) bis 1910 einschließlich nicht weniger als 215 Mal überschritten worden ist[1]). Die letztere Tatsache hat somit nur Anlaß zur **Erhöhung** des steuerfreien Kontingents gegeben.

Bei dem Rückblick auf die Tätigkeit der Reichsbank in dieser Epoche muß anerkannt werden, daß die ihr anvertraute Regelung des Geldumlaufs und des Zahlungs- und Kreditverkehrs, sowie die Aufrechterhaltung unserer Währung in dieser ganzen Zeit in guten Händen gewesen ist, daß sie insbesondere durch eine umsichtige Diskontpolitik und durch rechtzeitiges und energisches Eingreifen sowohl im Jahre 1900 wie im Jahre 1907, also in den kritischsten Zeiten, in erster Linie dazu beigetragen hat, unseren Geldmarkt und unsere Gesamtwirtschaft vor dauernden Erschütterungen schwerster Art zu bewahren. —

Die vorstehende Übersicht über die wesentlichsten Faktoren, welche in dieser Epoche die Entwicklung des Bankwesens in Deutschland beeinflußt haben, wäre durchaus unvollständig, falls sie nicht, wenn auch nur in ganz kurzen Worten, die Bildung der **Kartelle**[2]) erwähnte, welche in dieser Epoche[3]), und zwar ins-

---

1) Kontingentsüberschreitungen sind erfolgt: 1881—1885 5mal mit zusammen 92 795 000 M; 1886—1890 10mal mit zusammen 585 771 000 M; 1891—1895 4mal mit zusammen 253 598 000 M; 1896—1900 71mal mit zusammen 8 184 274 000 M; 1901—1905 32mal mit 4 229 393 000 M; 1906 17mal mit zusammen 3 547 485 000 und 1907 25mal mit zusammen 5 376 670 000 M. Im Jahre 1907 hat der Banknotenumlauf der Reichsbank sogar im Jahresdurchschnitt ihr Kontingent um mehr als 58 Mill. M überschritten; am 31. Dezember des allerdings besonders anormalen Jahres 1907 erreichte die Überschreitung des steuerfreien Notenkontingents die Rekordhöhe von 625 974 363 M, hinter der die Beträge Ende 1909 und 1910 verhältnismäßig nur unwesentlich zurückblieben. (1909, 31. Dezember: 617 895 578 M; 1910, 31. Dezember: 611 557 584 M), Insgesamt wurde im Jahrfünft 1906—1910 das steuerfreie Notenkontingent 93 mal mit zusammen 18 827 648 459 M überschritten.

2) Die Kartell-Literatur ist kaum übersehbar, in der zweiten Auflage dieses Buches war in einer besonderen Beilage die wesentlichste Kartell-Literatur von 1883—1905 zusammengestellt. Aus neuerer Zeit ist besonders zu vergleichen Hermann Levy, Monopole, Kartelle u. Trusts, in ihren Beziehungen zur Organisation d. kapitalistischen Industrie (Jena, Gustav Fischer, 1909).

3) Menzel (Referat für die Generalversammlung des Vereins für Sozialpolitik von 1894, S. 31 ff. und: „Die Kartelle und die Rechtsordnung", S. 12 ff.) zeigt, daß es Verbände zur Einschränkung der Konkurrenz und zur Monopolisierung eines Erwerbszweiges auf dem Gebiete des Handwerks ,des Handels und der Transportunternehmung schon im Altertum und im Mittelalter gegeben hat. Aus der

besondere[1]) von 1873 — 1875 ab, und zum Teil unter direkter Einwirkung der deutschen Kreditbanken, in einem ganz ungeheuren
Umfange in der deutschen Industrie entstanden sind.

Die Kartelle entstanden, jedenfalls in der weit überwiegenden Mehrzahl der Fälle, entweder als „Kinder der Not" oder doch
unter dem Einfluß oder der Nachwirkung einer solchen[2]).

Sie sind vertragsmäßige, auf eine bestimmte Zeitdauer
abgeschlossene Vereinigungen selbständig verbleibender Unternehmungen, welche verwandten oder annähernd gleiche Interessen verfolgenden Industriezweigen[3]) angehören, zu dem Zwecke,
sowohl die Produktion, als den Absatz nach gemeinsamen
Gesichtspunkten und im gemeinsamen Interesse zu regeln.

Die Kartelle unterscheiden sich also, wenigstens äußerlich und
juristisch, scharf von den die gleichen Zwecke verfolgenden Trusts[4]),

römischen Kaiserzeit zitiert er die beiden Konstitutionen der Jahre 473 u. 483 nach
Chr. (Cod. lib. 4 Tit. 59) mit der Überschrift. „Von den Monopolen und der uner-
laubten Übereinkunft der Kaufleute, sowie von den Verbotenen und nicht gestatteten
Vereinbarungen der Handwerker, Werkmeister und Badewirte." Die des Kaisers
Zeno aus 483 hat zum Inhalt nicht nur Monopole auf dem Gebiete der Lebensmittel
(insbesondere Getreide), sondern auch auf dem Gebiete der Gebrauchsgegenstände
und Arbeitsleistungen.

In der Gesetzgebung des alten Deutschen Reiches bedrohen die Reichsab-
schiede von 1512, 1524, 1530 und 1532 und demnächst die Reichspolizeiordnungen
von 1548 und 1577 die „Monopolia und schädlichen Fürkauf" mit strengen
Strafen, „haben jedoch damit, wie es scheint, keinen sonderlichen Erfolg erzielt"
(Menzel, Referat, S. 34; Sonderausgabe, S. 14).

In der Gewerbeordnung gibt es eine Bestimmung, wie sie der § 152 für den
Arbeitsvertrag aufstellt, für die Kartelle nicht.

1) Schon 1862 bestand das Kartell der rheinischen Weißblechfabriken
sowie das Kölner Weißblechkomtor, 1863 die Deutsche Schienengemein-
schaft. Aus dem Jahre 1868 datieren dann die Anfänge des deutschen Salinen-
kartells, und aus dem Jahre 1870 die des Kalisyndikats (Bücher, Schriften des
Vereins für Sozialpolitik LXI, S. 141 u. 142).

2) Es ist also (dies gegen Sombart: Deutsche Volkswirtschaft, 2. Aufl.,
S. 344), nur eine scheinbare Abweichung von dieser Regel, wenn viele Kartelle erst
nach der Krisis und teilweise schon beim Beginn besserer Zeiten entstanden sind.
Brentano (Verhandlungen des Vereins für Sozialpolitik LXI, S. 176) nennt die
Kartelle ein „Produkt der Notwendigkeit". Er sagt: „Die Notwendigkeit der
Kartelle wurzelt heutzutage in dem fortschreitenden Zunehmen des fixen, unüber-
tragbaren Kapitals im Gegensatz zu dem früheren Vorherrschen des flüssigen Kapitals".
Hierbei ist aber natürlich, wie er auch hervorhebt, nur an die Kartelle der Produ-
zenten, nicht an die der Händler gedacht.

3) Vgl. u. a. Stieda, Schriften des Vereins für Sozialpol. LXI, S. 5; Klein-
wächter, Die Kartelle (1883), S. 126 und im Handwörterbuch der Staatswissenschaften, 2. Aufl., Jena 1900, Bd. V, S. 39; Jos. Grunzel, Über Kartelle (1902),
S. 8 u. 12.

4) Hierüber vgl. insbesondere P. F. Aschrott, Die amerikanischen Trusts
als Weiterbildung der Unternehmerverbände in Brauns Archiv f. soz. Gesetzgeb.

da diese dauernde und organisch zusammengefaßte Vereinigungen von ihre Selbständigkeit einbüßenden Unternehmungen darstellen, welche letzteren durchaus nicht immer lediglich gleichen Industriezweigen angehören, aber gemeinsame Interessen verfolgen.

Die Kartelle bilden sich in erster Linie in solchen Industriezweigen, welche, wie die Montan- und die chemische Industrie, vertretbare Artikel, und zwar Massengüter, erzeugen, am schwersten und am wenigsten in solchen Industriezweigen, welche Spezialartikel erzeugen oder die Weiterverarbeitung von Halbfabrikaten zum Gegenstand haben.

Die Kartellbildung vollzieht sich ferner überhaupt und auch unter den Massengüter erzeugenden Industrien am leichtesten und am raschesten in denjenigen Industriezweigen, welche, wie wiederum und zum Teil seit langer Zeit die Montanindustrie und in neuerer Zeit in einzelnen Beziehungen auch die chemische Industrie, sowohl organisatorisch und lokal wie kapitalistisch in einer begrenzten Anzahl von Großbetrieben oder sogar Riesenbetrieben zusammengefaßt sind.

Die Kartellbildung vollzieht sich also am langsamsten und am schwersten überall da, wo ihre beiden Voraussetzungen, die Produktion von Massengütern und eine begrenzte Anzahl von Großbetrieben, fehlen, und sie ist schwieriger und schwerfälliger überall da, wo neben den Großbetrieben noch eine große Anzahl von — vielleicht überdies zersplitterten — großen, mittleren und kleinen Unternehmungen vorhanden ist.

In Deutschland war die „Not" als Ursache der Kartellbildung vor allem während der Krisis des Jahres 1873 teils durch die wirtschaftliche Lage geschaffen, teils klar erkannt worden, und führte von da ab zur Bildung von Kartellen, um der Preisschleuderei und der Überproduktion im Innern ein Ende zu machen, während sie gleichzeitig die Zollschutzbewegung der 70er Jahre hervorrief, um die ausländische Konkurrenz abzuwehren oder zu vermindern. Eine notwendige Voraussetzung der Kartellbildung dürfte ein gleichzeitiges Schutzzollsystem, wenigstens bei kräftig entwickelten Industrien, wie das Beispiel Englands zeigt, nicht bilden, sondern lediglich eine bei schwächeren Industrien leicht erklärliche Begleiterscheinung und, bis zu einem gewissen Umfange jedenfalls, auch Förderung der Kartellbildung. Richtig ist aber, daß speziell die Eisenindustrie in bestimmten Zeiten und unter gewissen Voraussetzungen des Schutzzolls, wie dies vor allem Sering überzeugend

---

und Statistik (1889), Bd. II, S. 383—418, und Jeremiah W. Jenks, Die Trusts in den Vereinigten Staaten von Amerika (Conrads Jahrb. für Nat.-Ök. und Stat., 3. Folge, Bd. I, S. 1 ff. (1891).

nachgewiesen hat, nicht entbehren kann, und daß gut organisierte Kartelle den Schutzzoll zugunsten der Produzenten besonders zur Wirkung kommen lassen. Mehr läßt sich kaum sagen; es ist daher m. E. unrichtig, auch für die Eisenindustrie nicht richtig, zu behaupten, daß die kartellierte Eisen- oder Stahlindustrie ihre Zwecke „nur unter dem System der Schutzzölle erreichen kann"[1].

Eine amtliche Statistik über die Gesamtzahl der in der deutschen Industrie existierenden Kartelle war bis zum Ende des Jahres 1905 nicht vorhanden; die für frühere jahre sich vereinzelt findenden zahlenmäßigen Angaben sind also mit Vorsicht aufzunehmen.

Im Jahre 1896 sollen in der gesamten deutschen Industrie 250 Kartelle vorhanden gewesen sein[2], von welchen etwa je ¼ auf die deutsche Eisen- und chemische Industrie, ¹⁄₆ auf die Industrie der Erden und Steine und ¹⁄₉ auf die Textilindustrie entfallen sei.

Nach einer für die deutsche Eisenindustrie vorgenommenen, jedoch sicherlich nicht erschöpfenden Feststellung sollen im Jahre 1903 **44** Kartelle (Konventionen, Syndikate) in dieser Industrie tätig gewesen sein.

Die im Dez. 1905 dem Reichstag zugegangene „Denkschrift über das Kartellwesen" (S. 24) nimmt **385** inländische Verbände (Kartelle) in die Statistik auf, wovon entfallen: auf die Kohlenindustrie 19; Eisenindustrie 62; Metallindustrie (außer Eisen) 11; chemische Industrie 46; Textilindustrie 31; Leder- und Kautschuckwarenindustrie 6; Holzindustrie 5; Papierindustrie 6; Glas-

---

1) Die Zollpolitik ist aber, insoweit sie behufs Einschränkung falscher Geschäftspolitik der Kartelle restringierend in Frage kommt, also Einfuhrzölle auf kartellierte Waren aufheben oder ermäßigen, oder Ausfuhrzölle auf kartellierte Waren einführen soll, stets — schon wegen der Rückwirkung auf andere Gebiete — ein zweischneidiges, wegen der Stärkung der ausländischen Konkurrenz ein bedenkliches und hinsichtlich des Erfolges ein überaus fragwürdiges Mittel Nicht die Gesamtheit, aber doch ein Teil dieser Bedenken trifft auch zu auf die im Wege der Eisenbahntarifpolitik denkbare Bekämpfung einer unrichtigen Kartellpolitik, also auf die Erleichterung der Einfuhr konkurrierender Auslandswaren durch Herabsetzung oder Erschwerung der Ausfuhr kartellierter Artikel mittels Erhöhung der Frachttarife. Auf wirtschaftlichem Gebiet ließe sich zu gleichem Zweck im übrigen wohl nur denken an die Förderung von Konkurrenzunternehmungen, an die Übernahme derartiger Unternehmungen in staatlichen Betrieb und an den Versuch, durch Beteiligung des Staates an kartellierten Betrieben einen — tunlichst maßgebenben — Einfluß auf die Preispolitik der Kartelle zu gewinnen (welcher Versuch in dem vielbesprochenen Hibernia-Falle gemacht werden sollte), sowie an die Förderung von Konsumentenkartellen. Das im zollfreien Veredelungsverkehr liegende „kleinere Mittel", die weiterVerarbeitende Industrie etwas von dem Druck der Rohstoffkartelle zu befreien, hilft nur Exportindustrien, und selbst diesen nur in nicht erheblichem Umfange.

2) von Halle a. a. O. S. 47.

industrie 10; Ziegelindustrie 132; Industrie der Steine und Erden 27; Tonwarenindustrie 4; Nahrungs- und Genußmittelindustrie 17; Elektroindustrie 2; Sonstige 7. — An diesen Kartellen sind unmittelbar etwa 12000 Betriebe beteiligt (S. 25).

Die vielfachen Klagen, welche vor, während und nach der schweren Krisis des Jahres 1900 gegen die von den Kartellen befolgte Preispolitik sowohl aus den Kreisen der nichtkartellierten Industriezweige wie aus weiteren Kreisen laut geworden sind[1]) und teilweise zu sehr schweren Beschuldigungen, sowie dann, wie dies stets zu gehen pflegt, zu einer Verwerfung des Kartellsystems überhaupt als einer dem Gemeinwohl direkt schädlichen Einrichtung geführt haben, gaben zu den amtlichen Erhebungen Anlaß, welche zunächst in der Zeit vom 14. Nov. 1902 bis zum 21. Juni 1905 im Reichsamte des Innern vorgenommen worden sind. Die am 28. Nov. 1905 dem Reichstage vorgelegte, in dem nämlichen Reichsamte ausgearbeitete Denkschrift (1. Teil) gibt nur eine Übersicht über die zurzeit in Deutschland bestehenden Kartelle[2]). Es sollte sich hieran im weiteren Verlaufe der Arbeiten eine Zusammenstellung der auf die Kartelle bezüglichen Bestimmungen der inländischen und ausländischen Gesetzgebung, unter Berücksichtigung der wichtigeren Entscheidungen der obersten Gerichtshöfe, anschließen, und es sollten demnächst auch die Ergebnisse der Kartell-Enquête an der Hand einer Preisstatistik gewürdigt werden. Dabei sollte (siehe S. 18 der Denkschrift von 1905) „das Material, soweit sich die in den Verhandlungen festgestellten Verhältnisse geändert haben, ergänzt und nötigenfalls durch Ausdehnung der Untersuchung auf andere Kartelle erweitert werden".

Dem ersten Teil der Denkschrift ist ein Abdruck „aller verfügbaren Statuten, Gesellschafts-, Lieferungsverträge, Geschäftsordnungen" usw. der Kartelle beigegeben worden, „um dadurch einen Einblick in die Organisationsformen der Verbände zu ermöglichen" (S. 18/19). Aufgenommen sind neben den Produzenten- auch Abnehmer- und Händler-Verbände.

Jenem Programm entsprechend, enthält der am 25. März 1906 dem Reichstag vorgelegte Teil II der Denkschrift[3]) die Vorschriften des inländischen Zivil- und Strafrechts unter Berücksichtigung der Rechtsprechung des Reichsgerichts.

---

1) Einem Teil dieser Klagen wird nur durch Zusammenschlüsse der Konsumenten, welche gegenüber den Produzentenkartellen eine immer dringender werdende wirtschaftliche Notwendigkeit sind, und ferner durch eine bessere Organisation des Zwischenhandels abgeholfen werden können.

2) Drucksachen des Reichstages, 11. Legislaturperiode, 2. Session, 1905/06, No. 4.

3) Drucksachen des Reichstags, 11. Legislaturperiode, 2. Session, 1905/06, No. 351.

Der III. Teil, welcher dem Reichstag am 21. März 1907 vorgelegt wurde[1]), gibt lediglich eine Übersicht über die Kartelle der Kohlenindustrie. Endlich behandelt der am 3. Nov. 1908 dem Reichstage vorgelegte IV. Teil[2]), das ausländische Kartellrecht, und zwar die Europäischen Staaten, die Vereinigten Staaten von Amerika und die Britischen Kolonien, und zwar Australien, Neuseeland, Kanada und die Kapkolonie.

Es ist hier nicht der Ort, über die der Denkschrift vorausgegangenen amtlichen Erhebungen, welche übrigens nicht alle Seiten der erörterten Materien, namentlich nicht die wichtige Frage der Exportvergütungen[3]), erschöpft haben, und über deren Ergebnisse ausführlicher zu sprechen. Jedoch scheint es richtig, da die aus dieser Enquete zu ziehenden Folgerungen vielleicht auch die Gesetzgebung beschäftigen werden, mindestens zu einigen Fragen Stellung zu nehmen, wobei jedoch daran zu erinnern ist, daß in Deutschland, wo die Eisenbahnen fast durchweg Staatsbahnen sind, im Gegensatz zu Amerika, **jede Beherrschung der Eisenbahnfrachtsätze durch die Kartelle ausgeschlossen ist.**

Nach meiner Überzeugung hat die Enquête zu folgenden vorläufigen Ergebnissen geführt:

Der Vorwurf gegen das (inzwischen bis 31. Dez. 1915 verlängerte) rheinisch-westfälische Kohlensyndikat, daß es in den Jahren der Hochkonjunktur, also insbesondere 1898—1900, die Preise zu rasch und zu sehr erhöht habe, hat sich als unbegründet erwiesen, während gegenüber dem Vorwurf, daß es nach der Krisis die Preise nicht rasch und nicht durchgreifend genug herabgesetzt habe, eine völlige Klärung der entgegenstehenden Ansichten nicht herbeigeführt worden ist[4]).

---

1) Eod. 12. Legislaturperiode, 1. Session, 1907, No. 255.

2) Eod. 12. Legislaturperiode, 1. Session, 1907/09, No. 1019.

3) Vom 1. April 1910 ab hat das Kohlensyndikat die wiederholt gewährte Ausfuhrvergütung für Fertigfabrikate (nicht für Roheisen) von 1,50 M pro Tonne verbrauchter Kohle eingestellt.

4) Es ist sehr interessant, festzustellen, daß diese beiden Vorwürfe auch gegen die 1901 begründete United States Steel Corporation erhoben worden sind. Glier weist in seiner Ende Februar 1908 geschriebenen Abhandlung: Zur gegenwärtigen Lage der amerikanischen Eisenindustrie (Conrad's Jahrb., 3. Folge, Bd. XXXV, S. 587 f.) überzeugend nach, daß sich die Korporation bei der Preisfeststellung hinsichtlich der Fabrikate in der ersten Hausse (von 1901 auf 1902/03) einer großen Mäßigung befleißigt habe, obwohl gleichzeitig die Preise für Gießereiroheisen, welches die Korporation weder produzierte, noch kaufte oder verkaufte, um 34% gestiegen seien (S. 599—601), daß sie aber auch, was Glier für eine durchaus richtige Politik erklärt, in der Periode des Niederganges (1903/04) mit Zähigkeit an den hohen Preisen festhielt; eine Minderung der Preise hätte doch keine größere Nachfrage hervorgerufen.

Die Meinung, daß es unrichtig, unpatriotisch und mit dem Gemeinwohl unverträglich sei, im Auslande zu niedrigeren Preisen, als im Inlande, zu verkaufen, ist als widerlegt zu erachten. Denn bei inländischer Überproduktion ist behufs Absatzes des inländischen Produktionsüberschusses und der dadurch mindestens möglichen Erleichterung des inländischen Marktes ein Verkauf nach dem Auslande in der Regel[1]) erforderlich, während die Preisfestsetzung in diesem Fall im wesentlichen lediglich von den Weltmarktspreisen und der ausländischen Konkurrenz diktiert wird. Es kann (da an sich das Bestreben des Verkäufers jederzeit auf die Erzielung tunlichst hoher Verkaufspreise gerichtet ist) ohne weiteres davon ausgegangen werden, daß lediglich durch jene Umstände sich die an sich bedauerliche Tatsache erklärt, daß man vielfach bei jenen Auslandsverkäufen nicht nur unter die inländischen Preise, sondern teilweise sogar unter die Selbstkosten hat herabgehen müssen.

Dagegen haben meines Erachtens folgende Einwendungen sich als begründet erwiesen:

Den Kartellen überhaupt, insbesondere aber denjenigen der Montanindustrie, hat es vielfach an jeder engeren Fühlung, an jedem richtigen Zusammenhang untereinander gefehlt, so daß schon um deswillen nicht an eine gemeinsame Geschäftspolitik zu denken war, welche sich mindestens die Aufgabe zu stellen gehabt hätte, ein richtiges Verhältnis der Preise zwischen den einzelnen Industriezweigen, insbesondere ein dem Preise der Rohstoffe entsprechendes Verhältnis der Preise innerhalb der Halbfabrikatindustrie und demnächst auch der weiterverarbeitenden Industrie, herzustellen. Das Kohlensyndikat verfolgte seine — allerdings durchaus maßvolle — Preispolitik, ohne Rücksicht auf das Kokssyndikat, dieses wieder seine weniger maßvolle Preispolitik ohne Rücksicht auf das Roheisensyndikat[2]) usw.

Eine solche gemeinsame Geschäftspolitik war aber auch deshalb ausgeschlossen, weil

die Kartellierung niemals den ganzen Produktionsprozeß, also die Erzeugung der Rohstoffe, die Herstellung

---

1) Wenn die United States Steel Corporation in der letzten Krisis von Auslandsverkäufen im wesentlichen abgesehen hat und lediglich durch enorme Produktionseinschränkungen die Erholung hat herbeiführen wollen, so lag dies zunächst daran, daß das Ausland zu jener Zeit, selbst zu noch so niedrigen Preisen, nicht aufnahmefähig war. Es hat sich aber auch gezeigt, daß diese Politik die Gesundung des amerikanischen Marktes herbeizuführen nicht vermocht hat, so daß wir auch wohl von amerikanischer Seite bei neuen Krisen einer anderen Politik entgegenzusehen haben.

2) Vgl. die Ausführungen des Direktors Mannstaedt in den kontradiktorischen Verhandlungen über deutsche Kartelle. Heft 6: Verhandlungen über den Halbzeugverband am 2. und 3. Dezember 1903, S. 405. Ich halte diese Ausführungen für ebenso richtig, als wesentlich

der Halbfabrikate (des Halbzeugs) und die Weiterverarbeitung, sondern stets nur einen Teil oder einzelne Teile dieses Produktionsprozesses umfaßte, und weil überdies der Syndikatsvertrag vielfach sowohl eine Reihe von Artikeln, wie das ganze Auslandsgeschäft (den Export), vom Tätigkeitsgebiete des Kartells ausschloß.

Hieraus erklärt sich, daß die von den Kartellen der Rohstoffindustrien im Inlande festgesetzten Preiserhöhungen zunächst ausschließlich diesen letzteren Kartellen zugute kommen mußten, welche gleichzeitig den im Inland nicht abgesetzten Überschuß unter Weltmarktspreisen und teilweise sogar unter den Selbstkostenpreisen im Auslande absetzten.

Diese Tatsachen mußten in der Eisenindustrie zunächst die kartellierten Industrien des folgenden Produktionsprozesses (der Halbfabrikate) empfindlich schädigen, welche alsdann ihrerseits naturgemäß diesen Schaden wieder auf ihre Abnehmer, also auf die im Produktionsprozeß folgende Industrie, die weiterverarbeitende Industrie, abzuwälzen suchten. Hieraus aber ergab sich, daß ein Industriezweig durch die oben angedeutete — an sich naturgemäße — Geschäftspolitik der Rohstoffkartelle um so intensiver geschädigt wurde[1]), je weiter er vom Beginne des Produktionsprozesses entfernt war.

Die (nicht kartellierte) weiterverarbeitende Industrie sah sich also einerseits durch die nicht syndizierte inländische und durch die ausländische Konkurrenz, andererseits durch die ihr aufgezwungene Verteuerung der Inlandspreise für die Rohstoffe und Halbfabrikate in hohem Grade und in doppeltem Umfange geschwächt und geschädigt.

Ein erheblicher Teil dieser Übelstände, welche die an sich richtigen Absichten der Kartellbildung vielfach in das direkte Gegenteil zu verwandeln geeignet waren und schließlich die Sprengung der Kartelle hätten herbeiführen müssen[2]), ist nun, wenigstens für

---

1) Daß und warum die sog. gemischten Werke weniger gelitten haben als die reinen Werke, ist bekannt.

2) Das Rheinisch-Westfälische Roheisen-Syndikat war (wie das Siegerländer) zunächst am 1. Januar 1909 zu Ende gegangen. Es gelang aber schließlich, es im August 1911 auf 4 Jahre neu abzuschließen. Unter einer Reihe von Werken des Siegerlandes war inzwischen (am 3. Nov. 1908) eine neue Spiegeleisen-Verkaufsvereinigung zustande gekommen und außerdem war im Jahre 1910 eine Vereinigung rheinisch-westfälischer Hochofenwerke gegenüber dem Eisenwerk Kraft in Stettin und im Sommer 1910 eine „Verkaufsvereinigung deutscher Hochofenwerke" G. m. b. H. mit dem Sitz in Essen bis zum 31. Dezember 1912 zwischen dem rheinisch-westfälischen und den ostdeutschen Hochofenwerken begründet worden. Die Lothringisch-Luxemburgischen Werke, die nach Beendigung des Lothringisch-Luxemburgischen Roheisen-Syndikats

einen Teil der Industrie, durch die am 30. März (mit Rückwirkung
auf den 1. März) 1904 erfolgte Bildung des (Düsseldorfer) Stahlwerksverbandes beseitigt worden, der den Halbzeugverband,
den Trägerverband und die Schienen- und Schwellengemeinschaft
in sich vereinigt hat, und dessen Gesamtproduktion bei der
Gründung 7 900 000 t (à 1000 kg) betrug. Die Vorzüge dieses
Verbandes[1]), der am 30. April 1907 auf fernere 5 Jahre, also
bis zum 30. April 1912, verlängert worden war[2]), bestehen im
wesentlichen darin, daß er auf seinem Gebiete sowohl die gesamte deutsche Halbzeugproduktion wie einen sehr bedeutenden
Teil der Walzwerksproduktion, also auch weiterverarbeitende Industriezweige, in sich vereinigt; daß ferner die ihm angehörenden
Werke sämtlich gemischte Werke sind; daß er weiter wenigstens
einen Teil der Kartelle in sich zusammenfaßt, die voneinander abhängig sind. Endlich hat er auch den Export in die Hand genommen und sucht diesen nach allgemeinen Gesichtspunkten und
(auf Grund vertragsmäßiger Abmachungen) in Übereinstimmung mit
dem Rheinisch-Westfälischen Kohlen- und Eisensyndikat sowie unter
Einrichtung einer besonderen Abrechnungsstelle für die Ausfuhr zu
regeln. Die Exportvergütung von 2,50 M pro Tonne ist mit Wirkung vom 1. Juli 1907 in Wegfall gekommen.

Der Stahlwerksverband hat auch die ausgesprochene und durch
eine Reihe von bisherigen Maßregeln betätigte Absicht, seine Ge-
schäfts- und insbesondere seine Preispolitik mit derjenigen von Kartellen, die ihm im Produktionsprozeß folgen oder vorausgehen, tunlichst in Einklang zu bringen. Er stellt sich also namentlich, mit
Unterstützung durch die Schutzzölle, das Ziel, die Preise aller syndizierten Produkte, unter tunlichster Schonung der Interessen der

im Jahre 1910 eine Lothringisch-Luxemburgische Verkaufsgemeinschaft gebildet
hatten, haben sich im Jahre 1911 dem Rheinisch-Westfälischen Roheisen-Syndikat
bis Ende 1912 angeschlossen.

1) Zum folgenden vgl insbesondere Völcker, L'État actuel de l'industrie
sidérurgique allemande et son organisation (Revue Économique Internationale, Vol III,
No. 4, 15.—29. Dezember 1904, S. 727 ff.) und J. Kollmann, Der Stahlwerks-
Verband (in der Nation, 22. Jahrg, No. 18—22', 4.—25. Febr. 1905). — Am
20. und 21. Juni 1905 haben im Reichsamt des Innern auch kontradiktorische
Enquête-Verhandlungen über den Stahlwerksverband, Akt.-Ges in Düsseldorf,
und den Oberschlesischen Stahlwerks-Verband, G. m. b. H. in Berlin, stattgefunden. Vom letzteren waren im April 1907 die meisten oberschlesischen Werke, unter
Beitritt zum Düsseldorfer Stahlwerks-Verband, abgegangen und haben demnächst
am 27. Juni 1907 behufs gemeinsamen Verkaufs der Produkte B, der beim Düsseldorfer Stahlwerksverband freigegeben ist, die Oberschlesische Stahlwerks-
Gesellschaft m. b. H. in Berlin errichtet.

2) Die Verhandlungen wegen fernerer Verlängerung des Stahlwerksverbandes
haben bereits im Jahre 1911 begonnen.

weiter verarbeitenden Industrie, auf eine dem Preise der Rohstoffe
entsprechenden Höhe zu bringen [1]).

Nach dem Inhalte von Denkschriften, welche die reinen
Martinstahlwerke und die reinen Walzwerke im Febr. 1908 [2])
und am 5. Juni 1908 dem Staatssekretär des Innern und dem
Reichstage unterbreitet haben, wäre nun aber seitens des Stahlwerksverbandes jene Schonung der weiterverarbeitenden Industrie nach
mehreren Richtungen nicht beobachtet worden. Vielmehr habe der
Stahlwerks-Verband planmäßig behufs Unterdrückung der reinen
Walzwerke die Preise für den Inlandsverkauf von Halbzeug,
also der syndizierten sogenannten Produkte A, so hoch gehalten, daß die reinen Walzwerke bei dem Verkauf ihrer aus diesem
Halbzeug (ihrem Einsatzmaterial) weiter verarbeiteten
Produkte nicht nur keinen Nutzen, sondern mitunter direkte Verluste gehabt hätten. Denn gleichzeitig seien die Verkaufspreise
dieser Produkte — Produkte B des Stahlwerksverbandes, Bleche und
Stabeisen — welche die reinen Werke ihrerseits nicht, wie die
meisten Mitglieder des Stahlwerksverbandes, selbst herstellen können
sondern kaufen müssen, stark gefallen.

Der Stahlwerksverband baue nun aber seinerseits seine ganze
Produktion auf schutzzollfreiem Einsatzmaterial an Kohle
und Erzen auf, da er auch die letzteren, soweit er sie ausnahmsweise nicht selbst besitze, zollfrei einführe, ermögliche es also den
großen gemischten Werken (Thomas-Stahlwerken), die Selbstkosten
ihrer Fertigprodukte unter dem Stande der übrigen Werke zu halten.
Die Überlegenheit der im Stahlwerksverband vereinigten gemischten
Werke beruhe also nicht etwa nur auf den naturgemäßen Vorteilen
der Konzentration, sondern wesentlich oder ausschließlich darauf, daß

---

1) Auch die Verkürzung der Zahlungsfristen für die inländischen Ab-
nehmer: 15 Tage nach Lieferung (die ausländischen haben sofort nach Vorlage der
Schiffsdokumente zu zahlen) und die Einschränkung der Rabatte für inländische
Abnehmer (ausländische erhalten überhaupt keinen Rabatt) wird, wenn sie wirklich
durchgeführt wird, günstig wirken, und zwar weit über den Bereich des Stahlwerks-
Verbandes hinaus.

Dagegen besteht noch eine große und bedenkliche Lücke in der Organisation
des Stahlwerks-Verbandes darin, daß er (vorläufig) nur drei Gruppen der Produkte
seiner Werke selbst an den Markt bringt, während der Rest (Produkte B), also namentlich Eisenbleche (Grob- und Feinbleche), Draht, Stabeisen, Röhren, durch die Werke
selbst zu beliebigen Preisen verkauft wird, jedoch sind die Produkte durch Festlegung bestimmter Quoten für jedes Werk kontingentiert. In den Produkten B bereiten sich die Werke eine scharfe Konkurrenz, mit Ausnahme von Walzdraht, für
welches ein besonderes Syndikat besteht, während für den aus Walzdraht hergestellten gezogenen Draht seit Anfang Januar 1909 wenigstens eine Preiskonvention
zustande gekommen ist.

2) „Die Unzulänglichkeit der heutigen Schutzzollgesetzgebung für die Eisenindustrie."

diese über zollfreies Einsatzmaterial verfügenden Werke die auf der Einfuhr von Roheisen, Halbzeug und Schrott lastenden Zölle, welche nach Ansicht der reinen Werke mit Rücksicht auf die ebenso hohen ausländischen, insbesondere englischen Produktionskosten entbehrlich seien, in einseitiger und mißbräuchlicher Weise für die syndizierten Produkte ausnutzten, in denen die gemischten Werke nicht konkurrieren könnten. Jene Überlegenheit der gemischten Werke beruhe ferner darauf, daß sie den reinen Werken, obwohl deren Einsatzmaterial schon um den Schutzzollbetrag verteuert sei, die Ausnutzung des Schutzzolls für ihre Fabrikate (Bleche und Stabeisen) durch die Weigerung unmöglich machten, auch Fertigeisen, und zwar speziell Blech und Stabeisen, zu syndizieren.

Unter diesen Umständen müßten die reinen Martinstahlwerke und reinen Walzwerke einerseits die vorläufige Sistierung und demnächstige Aufhebung der Einfuhrzölle auf Roheisen, Halbzeug und Schrott (Denkschrift vom 5. Juni 1908), andererseits (Denkschrift vom Februar 1908) die Einführung von Einfuhrscheinen für Roheisen und für ausgeführte Fabrikate (also für Halbzeug bei Ausfuhr von Stabeisen, Blech und Draht) verlangen, wodurch sie sich wenigstens den Bezug des ihrerseits zu Exportzwecken weiter zu verarbeitenden Halbzeugs sichern könnten.

Der Stahlwerksverband wies demgegenüber in seinen Erwiderungen auf diese Denkschriften darauf hin, daß die gemischten Werke sowohl in bezug auf die im Auslande weit geringeren sozialen Lasten als in bezug auf die Produktionsbedingungen, insbesondere die Selbstkosten, gegenüber den ausländischen und namentlich den englischen Werken erheblich im Nachteil seien und einen Ausgleich nur in besseren technischen Einrichtungen, in Ersparnissen im Betriebe und in der Verringerung der Transportkosten erstreben könnten.

Von einer planmäßigen Unterdrückung der reinen Werke könne nicht die Rede sein. Dies folge, abgesehen von den dauernd seitens des Stahlwerksverbandes auch an die reinen Werke gezahlten Ausfuhrvergütungen, die ihnen das Überstehen schlechter Zeiten wesentlich erleichtert hätten, und abgesehen von den nachweislich gewachsenen Halbzeuglieferungen an die reinen Werke, schon aus der Tatsache, daß der Gesamtversand in Halbzeug im Jahre 1907 I 200 000 t betragen habe, während von den beschwerdeführenden Firmen im gleichen Jahre nur 340 000 t Halbzeug bezogen worden seien, zu dessen Verarbeitung von den 360 000 Arbeitern des Stahlwerksverbandes eine Zahl von 5000 Arbeitern ausreiche.

Die Preisunterbietungen in Stabeisen und Blechen seien häufig gerade von den reinen Walzwerken ausgegangen und zwar sogar

vielfach um einen die jeweils gewährten Ausfuhrvergütungen übersteigenden Betrag.

Daß man infolge des Widerspruchs einzelner Mitglieder des
Stahlwerksverbandes und infolge anderer Hindernisse die angestrebte
Bildung der Stabeisen- und Blechverbände bisher nicht habe
durchsetzen können, sei bedauerlich. Die nun von den reinen Werken
gewünschte Aufhebung der Zölle für Halbzeug, Roheisen und Schrott
werde aber nur die Auflösung des Stahlwerksverbandes zur Folge
haben können. Denn diese Zölle seien gegenüber der gewaltigen
Stoßkraft des amerikanischen Stahlwerksverbandes, ferner gegenüber
der vorwärtsstrebenden russischen Eisenindustrie und endlich gegenüber
den in England immer mächtiger werdenden Schutzzollbestrebungen
unentbehrlich. Die Aufhebung dieser Zölle werde aber zugleich, zum
Nachteil der gesamten heimischen Eisenindustrie und in erster Linie
auch gerade der reinen Walzwerke, die Aufhebung der auf
Stabeisen und Blechen ruhenden Zölle nach sich ziehen, da,
was allerdings die reinen Walzwerke ihrerseits wieder bestritten,
diese Zölle lediglich die Wirkung von Prohibitivzöllen hätten.

Endlich besäßen nach Ansicht des Stahlwerksverbandes die von
den reinen Werken geforderten Einfuhrscheine für das zu Exportzwecken weiter verarbeitete Roheisen oder Halbzeug nicht die unbedingt notwendige Anpassungsfähigkeit an die jeweilige Marktlage
und könnten leicht an Stelle der durch sie zu ersetzenden Ausfuhrvergütungen, die Natur von Ausfuhrprämien annehmen, namentlich
in den Zeiten, in denen Inlands- und Auslandspreise gleich hoch
seien.

Die nach diesen oft auch im Ton überaus erregten Auseinandersetzungen seitens des Stahlwerkverbands (mit Wirkung vom
1. Juli 1908 ab) beschlossene Herabsetzung der inländischen Halbzeugpreise um 5 M pro Tonne hat den reinen Werken um deswillen
einen wesentlichen Nutzen nicht bringen können, weil man jene
Herabsetzung der Halbzeugpreise vorausgesehen hatte und deshalb
die Verkaufspreise für Bleche und Stabeisen um 10—15 M pro Tonne,
also unter die Selbstkostenpreise der meisten reinen Walzwerke, gefallen waren. Am 27. November 1908 sind auch die Inlandspreise
für Formeisen durch Beschluß des Stahlwerksverbandes für das erste
Semester 1909 um 5—10 M pro Tonne ermäßigt worden.

Nachdem eine wesentliche Besserung der Lage der reinen
Walzwerke, die in ihren Voraussetzungen und in ihren Konsequenzen
manche überraschende Ähnlichkeit mit der heutigen Lage des
Privatbankgeschäftes gegenüber den Großbanken aufweist, bisher
nicht eingetreten ist, ist es erforderlich, Stellung zu den Forderungen
der reinen Werke zu nehmen, in deren Lager auch einzelne Großbanken, wenigstens mit einem Teil ihrer Interessen, stehen, während

der überwiegende Teil der Großbanken und ihrer Interessen wohl ohne Zweifel im Lager des Stahlwerksverbandes zu suchen ist.

Die Durchführung der Bestrebungen, welche auf Schaffung von Stabeisen- und Blechverbänden gerichtet sind[1]) und die in neuester Zeit auch von der Regierung, wie es scheint, tatkräftig unterstützt worden sind, wäre das durchgreifendste und vielleicht das einzige Mittel, welches geeignet ist, die zweifellos bedrängte Lage der reinen Walzwerke zu verbessern und welches daher im Interesse der Gesamtwirtschaft in jeder Weise zu fördern sein dürfte. Es ist aber nicht zu vergessen, daß die Bildung eines allgemeinen Blechverbandes nicht nur am Widerstand dreier süddeutscher Mitglieder des Stahlwerksverbandes (de Wendel, Maxhütte, Dillingen), sondern auch am Widerspruch einer großen Reihe kleinerer siegerländischer Werke gescheitert ist, während der Stabeisenverband bisher sowohl an dem Widerstreben verschiedener Werke als an den Forderungen von Großhändlern gescheitert zu sein scheint, welche einen bestimmten Nutzen für den Weiterverkauf garantiert haben wollten.

In zweiter Linie käme der Ausbau der reinen Walzwerke durch den Bau von Martinswerken in Betracht, der sie für den Bezug von Halbzeug vom Stahlwerksverband unabhängig machen würde, und deshalb auch in einer Denkschrift des „Vereins der Roheisen- und Halbzeugverbraucher", welche im wesentlichen den Standpunkt der Denkschriften der reinen Walzwerke gegenüber den Einwendungen des Stahlwerksverbands verteidigt, lebhaft befürwortet wird.

Dieser Bau neuer Martinswerke setzt naturgemäß die von den reinen Walzwerken gewünschte Aufhebung der Einfuhrzölle auf Roheisen, Halbzeug und Schrott voraus, wenn er seinen Zweck erreichen soll.

Es kann nun aber sehr bezweifelt werden, ob diese Aufhebung im Interesse der Gesamtwirtschaft liegt, und noch mehr, ob damit den Interessen der reinen Walzwerke durchgreifend gedient wäre

Ich habe zunächst nicht die Überzeugung gewonnen, daß diese Einfuhrzölle seitens des Stahlwerksverbandes in einseitiger und mißbräuchlicher Weise, also lediglich um die reinen Walzwerke an die Wand zu drücken, ausgenutzt worden seien. Vielmehr scheint es mir, daß der auf dem Halbzeug liegende Schutzzoll auch von dem größten Verbande im Inlande kaum je in voller Höhe dauernd zur Geltung gebracht

---

1) Eine Stabeisenkonvention, d. h. Preiskonvention, kam 1908 zustande, ist aber Ende März 1911 aufgelöst worden. Es besteht dagegen seit 1909 eine (bis Ende 1911 verlängerte) Vereinigung Rheinisch-Westfälischer Stabeisenhändler und eine Vereinigung der Berliner Stabeisenhändler, sowie seit März 1911 eine Stabeisenkonvention der Saar-Lothringer und Luxemburger Werke. Endlich besteht seit 1908 eine (bis zum 31. Dez. 1911 verlängerte) Grobblechkonvention (Preiskonvention).

werden kann, weil wir Halbzeug in der Hauptsache exportieren und jedenfalls in der Hochkonjunktur der Einfluß der Weltmarktspreise den Einfluß von Zoll und Fracht auf den Inlandspreis im wesentlichen ausgleichen wird. Selbst der Inlandspreis für Getreide, wo das Übergewicht der Einfuhr über die Ausfuhr ein weit größeres ist, hat sich nicht immer durchschnittlich genau um den Zoll und die Frachtdifferenz höher gestellt als der Auslandspreis.

Was den ausländischen Markt betrifft, so entscheidet hier für die zu erzielenden Preise im wesentlichen die, wenigstens in der Regel und auf die Dauer, durch Angebot und Nachfrage bedingte Lage des Weltmarktes, der von den im Inlande nach ganz anderen Momenten gebildeten Preisen unabhängig ist und dessen Preise aus diesem Grunde durchaus nicht den Inlandspreisen zuzüglich des Schutzzolls und der Frachtdifferenz entsprechen müssen.

Ich halte auch die Ansicht des Stahlwerksverbandes für richtig, daß, wenn einmal in das System der Eisenzölle durch die von den reinen Werken gewünschte Aufhebung der Schutzzölle auf Halbzeug und durch die Einführung der gewünschten Einfuhrscheine für die Ausfuhr Bresche gelegt ist, die Aufhebung der übrigen Eisenzölle folgen müßte, da es auf die Dauer schwer angängig sein wird, für den Exporthandel den Freihandel durchzuführen, für andere Teile der Eisenproduktion (Roheisen, Stabeisen, Bleche und Draht) aber den Schutzzoll weiter in Anspruch zu nehmen.

Eine Aufhebung der Schutzzölle auf Roheisen und Halbzeug, die, wie die Kartelle, nicht etwa nur der Aufbesserung, sondern auch der Aufrechterhaltung der Preise der inländischen Produkte dienen, scheint mir aber aus den in der Denkschrift des Stahlwerksverbandes hervorgehobenen Gründen, so wünschenswert auch prinzipiell die Entbehrlichkeit von Schutzzöllen sein mag, wie die Dinge derzeit liegen, nicht möglich zu sein. Es ist auch die Gefahr nicht ausgeschlossen, daß in absehbarer Zeit die heute zollfrei eingehenden Einsatzmaterialien des Stahlwerksverbandes, mindestens aber die Erze, auch mit einem ausländischen Zoll belegt werden. —

Es kommt hinzu, daß, solange die agrarischen Schutzzölle fortbestehen, eine einseitige Aufhebung der industriellen Schutzzölle, lediglich eine einseitige Belastung der nun dem Auslande gegenüber schutzlos gelassenen industriellen Bevölkerung bedeuten würde.

Wir kommen nun auf die weiteren Aufgaben des Stahlwerksverbandes zurück.

Der Stahlwerksverband versucht durch eine Reihe von Maßnahmen, welche den syndizierten Werken regelmäßige Arbeit sichern sollen, zur Verminderung der Produktionskosten, auf welche die bisherigen Syndikate so gut wie keinen Einfluß geübt haben, beizutragen. Er hat aber auch die Bildung von in Bezirke abgegrenzten Händlervereinigungen gefördert, speziell der Rheinisch-Westfälischen, der Mitteldeutschen und der Süddeutschen Träger-Händlervereinigung, deren infolge vielfacher Differenzen zweifelhaft gewordener Fortbestand seit dem Sommer 1907 auf weitere 5 Jahre bis zum 30. Juni 1912, gesichert ist[1]).

Der Stahlwerksverband ist überdies, sowohl infolge seiner Organisation wie infolge seiner freieren Stellung gegenüber dem Export, in der Lage, internationale Verständigungen mit den Hauptexportländern anzubahnen und hat solche auch in der Tat bereits, wenn auch zunächst leider nur auf kurze Dauer, erreicht. Es war am 28. Nov. 1904 (mit Rückwirkung auf den 11. Okt. 1904) ein Abkommen über den Schienenexport zwischen England, Deutschland, Frankreich und Belgien zunächst auf 3 Jahre (bis 31. März 1908), und am 24. Nov. 1904 ein Abkommen zwischen Deutschland, Frankreich und Belgien über den Trägerexport zunächst auf 2½ Jahre (bis zum 30. Juni 1907)[2]) zustande gekommen. Beide Abkommen sind bei Ablauf auf unbestimmte Zeit verlängert worden, und dürften, wenn kein unvorhergesehener Zwischenfall eintritt, mindestens bis zum 30. Juni 1912 (Ablauf der jetzigen Vertragsdauer des Stahlwerksverbandes) bestehen bleiben.

Dem internationalen Schienenkartell ist später noch die am 23. Febr. 1901 mit einem Kapital von 1100 Mill. Dollar begründete „United States Steel Corporation" (zugleich für die Lackawanna- und die Pensylvania-Company) beigetreten, die bisher „nur" etwa zwei Drittel der amerikanischen Stahlerzeugung umfaßt und über rund 1500 Meilen Bahnen (also nicht ganz 1% der gesamten Schienenlänge der Vereinigten Staaten) herrscht[3]).

Im Febr. 1909 ist auch ein Internationaler Zinkhüttenverband[4]), zunächst bis zum 31. Dez. 1910, begründet und alsdann

---

1) Das Kartell der westdeutschen Eisenhändler ist vorläufig bis Ende 1911 verlängert worden.

2) Im Schienenkartell wurde der Anteil der Engländer auf 53,50, der Deutschen auf 28,83, der Belgier auf 17,67 bestimmt. Wegen der nachträglich zugetretenen Franzosen wurde die Gesamtmasse auf 104,8% für das erste Jahr, auf 105,8% für das zweite und auf 106,4% für das dritte Jahr angenommen, an welcher die dann Franzosen mit 4,8 bzw. 5,8 und 6,4% für die einzelnen Jahre partizipieren. — Der deutsche Anteil beträgt nach dem (inzwischen erfolgten) Zutritt der Amerikaner 21%. In dem Trägerkartell, von dem die Engländer sich ausschlossen, wurden 73,45% für die Deutschen, 15,05% für die Belgier und 11,50% für die Franzosen bestimmt; den letzteren wurde aber eine Erhöhung ihrer Quote zugesagt, wenn der französische Export den des Jahres 1903 übersteigen sollte.

3) Vgl. L. Glier: „Zur neuesten Entwicklung der amerikanischen Eisenindustrie" in Schmollers Jahrb. f. Gesetzg. u. Verwaltung, 28. Jahrg., Heft 1, S. 150 ff.; die früheren Artikel s. eod., 27. Jahrg., Heft 3. S. 229 ff. u. Heft 4. S. 43 ff.

4) Vgl. Deutscher Ökonomist vom 10. Sept. 1910 (28. Jahrg. No. 1443. S. 555/556).

wie es scheint, auf 3 Jahre — verlängert worden. In diesem Verbande bestehen (nach der geographischen Lage der Hütten) drei Gruppen. Die Gruppe A mit allen deutschen und einigen belgischen Werken, die Gruppe B mit 10 belgischen, französischen und spanischen Hütten und die Gruppe C mit den englischen Hütten. Von der gesamten europäischen Zinkproduktion, die im Jahre 1908 rund 513 000 t betrug, entfielen damals auf Deutschland (namentlich auf Oberschlesien und Rheinland-Westfalen) 226 900 t, auf Belgien 165 000 t, auf Frankreich und Spanien zusammen 55 800 t, auf England 54 500 t. Die dem Verbande beigetretenen Werke stellten etwa 92% der europäischen Gesamtproduktion her.

Nach den neueren Abmachungen soll, ungeachtet der festen Beteiligungsziffern, jedes Verbandsmitglied in beliebigem Umfange produzieren können, mit der Maßgabe, daß, wenn sich die Lagerbestände zu bestimmten Zeiten (zuerst am 31. März 1911) auf mindestens 50 000 t belaufen, unter gewissen Voraussetzungen eine prozentuale Einschränkung der Produktion in Gemäßheit der Beteiligungsziffern erfolgen soll.

Mit diesem Ausblick auf internationale Verständigungen, zu denen zum Teil Deutschland die Anregung gegeben und in denen es sich auf Grund der bisherigen Leistungen seiner Industrie eine durchaus angemessene Stellung zu sichern gewußt hat, wollen wir den Überblick über diese Epoche abschließen. Sie ist eine Epoche nicht nur der Expansion und Konzentration, namentlich auf dem Gebiete der Industrie und des Handels, insbesondere der Banken, sondern auch größter Revolutionen auf wirtschaftlichem Gebiete: eine der nun beginnenden Welt- und Kolonialpolitik teils vorauseilende, teils sie bedingende Periode des Welthandels; eine Zeit gewaltigster Erfindungen und Entdeckungen, die ganz neue Industriezweige geschaffen und schon bestehende von Grund auf umgestaltet hat, und die der vielfach durch hohe Schutzzölle gesicherten Industrie neue große Aufgaben auf dem in weitem Umfange gewonnenen Weltmarkt gestellt hat. Der revolutionäre Charakter dieses Zeitabschnitts hat sich aber auch in zwei gewaltigen Krisen geäußert: der des Jahres 1873 und derjenigen des Jahres 1900.

Sie hat die schon in der letzten Dekade der vorigen Epoche begonnene Umgestaltung des wirtschaftlichen Charakters unserer Gesamtwirtschaft zum Abschluß gebracht. Diese aber hat, so viel sie auch mit guten oder unzureichenden Gründen bekämpft wurde, ohne jeden Zweifel das große Verdienst, vor allem auf dem Wege der Vermehrung des Exports, unserer gewaltig angewachsenen Bevölkerungszahl, welche die Landwirtschaft selbst, wie wir sahen, schon Mitte des vorigen Jahrhunderts nicht mehr ernähren zu können erklärt hatte, Nahrung und Beschäftigung gegeben zu haben. Zudem erscheint, mindestens in gewissem Umfange, die Ansicht begründet, daß die in neuerer Zeit in einer Reihe von Industriezweigen, wie wir oben (S. 103 u. 111) sahen, in noch stärkerem Verhältnis als die Ausfuhr gestiegene Einfuhr ein Zeichen dafür ist, daß die starke Produktionssteigerung der letzten Jahre auf den steigenden inländischen Bedarf zurückzuführen ist.

Es kann jedoch bei diesem zusammenfassenden Rückblick auf die Vergangenheit und dem Ausblick in die Zukunft die Frage nicht unterdrückt werden, was werden soll, wenn etwa allein die Einfuhr nach Deutschland sich stark vermehren, die Ausfuhr aber erheblich zurückgehen sollte? Eine solche Gefahr ist, jedenfalls für manche Industriezweige, als eine Wirkung vielleicht im Ausland, insbesondere in Amerika und in dem „British Empire" einzuführender hoher Schutzzölle einerseits, und der bei uns bestehenden Handelsverträge andererseits, zum mindesten als eine ernste Möglichkeit ins Auge zu fassen.

Was die neuesten Handelsverträge angeht, so bieten sie jedenfalls insoweit einen von allen Ständen zu begrüßenden und allen zugute kommenden Vorteil, als sie der Landwirtschaft die von ihr verlangte und in vielen Richtungen und Landesteilen sicherlich dringend notwendig gewesene Hilfe und Stütze nach außen zuteil werden lassen. Sie haben sie dadurch zugleich in den Stand gesetzt, nach innen durch eigene Kraft, insbesondere durch Ausbau des landwirtschaftlichen Kredit- und Genossenschaftswesens, die alte im nationalen Interesse aufs dringendste zu wünschende Blüte wieder zu erlangen und die Notwendigkeit auswärtiger Getreidezufuhren innerhalb der Grenzen der Möglichkeit immer mehr zu vermindern.

Da aber nur die staatlichen Maßnahmen dauernd und allgemein fördernd wirken können, welche die Rücksicht auf die Bedürfnisse eines Standes mit der auf die Gesamtwirtschaft zu nehmenden zu vereinen wissen, so ist vor allem zu hoffen und zu wünschen, daß jener Schutz der heimischen Landwirtschaft nicht auf Kosten der Entwicklung des Handels, des Gewerbes oder der Industrie oder auch nur wichtiger Industriezweige und des industriellen Exports erreicht sei. Es wird hier viel von der Energie des Handels, des Gewerbes und vor allem der Industrie abhängen, die nicht einen Augenblick ruhen und rasten darf. Sie muß dabei in erster Linie rechnen auf die kraftvolle und einsichtige Unterstützung der Unternehmungen, ohne deren dauernde und energische Mitarbeit die großen wirtschaftlichen Erfolge dieser Epoche auch nicht annähernd hätten errungen werden können: der deutschen Banken[1]).

---

1) Auch Sombart (Deutsche Volksw., 2. Aufl., S. 203) sagt: ,,Diesem Interesse der Banken und Bankiers für die produktive wirtschaftliche Tätigkeit, so hinderlich

Zweites Kapitel.

Die deutschen Großbanken in der zweiten Epoche (1870 bis zur Gegenwart).

§ 1.   1. Einleitung.

Die Tätigkeit des Bankwesens im Wirtschaftskörper hat man häufig mit der des Herzens im menschlichen Körper verglichen. Dieser Vergleich ist auch zutreffend. Denn wie es die Aufgabe des Herzens ist, den Kreislauf des Blutes, welches in unzähligen Adern vom Herzen aus durch den menschlichen Körper strömt und wieder zu ihm zurückströmt, durch gewisse Vorrichtungen zu regeln, so ist es auch, wie wir sahen, die Aufgabe der Banken, den Kreislauf des ihnen zuströmenden und zu ihnen zurückkehrenden Kapitals, in dem wir mit Recht das Blut des heutigen Wirtschaftskörpers sehen dürfen, durch eine Reihe wirtschaftlicher Maßnahmen zu regulieren.

Und wie wir daran, daß wir die Aufgaben uns klar machen, die jeder Teil des menschlichen Körpers im Gesamtorganismus zu erfüllen hat, am besten die Vielgestaltigkeit und Wichtigkeit der Zwecke übersehen können, die das Herz zu erfüllen hat, so haben wir bereits einen großen Teil der vom deutschen Bankwesen in dieser Epoche gelösten Aufgaben dadurch kennen gelernt, daß wir diejenigen wesentlichsten Faktoren der wirtschaftlichen Gesamtentwicklung dieser Epoche darzustellen versuchten, welche die Banken, vor allem durch ihre Tätigkeit auf den Gebieten der Kreditgewährung, des Gründungs- und Emissionswesens, gefördert haben. Es kann sich also — zumal wir wichtige Teile bankmäßiger Aufgaben auch schon in der Einleitung und in der ersten Epoche der Bankenentwicklung geschildert haben, die sich hier, wenn auch in größerem Umfange, wiederholen — nur darum handeln, hervorzuheben, welche besonderen Aufgaben die Banken in dieser Epoche erfüllt haben.

Denn nur auf diesem Wege läßt sich versuchen, das zu geben, was doch schließlich das Wesentlichste ist, ein Bild des Ganzen, ein Gesamtbild der bankmäßigen Einwirkung und Tätigkeit in beiden Epochen. Ich werde aber trotzdem in jedem Abschnitt, wenigstens in großen Zügen, darzulegen versuchen, wie sich die Gesamtaufgaben auf die einzelnen Großbanken verteilt haben. Es wird dabei zutage treten, daß, bei aller Ähnlichkeit der Ziele und der Gesamtentwicklung, doch jede einzelne Großbank einen Sondercharakter und eine Sonderentwicklung zeigt und ihre besondere Geschäfts-

---

es für die Entwicklung des eigentlichen Bankgeschäfts gewesen sein mag (?), ist zweifellos ein guter Anteil an dem Aufschwung des deutschen Wirtschaftslebens zuzuschreiben.   Die Banken sind in Deutschland geradezu Beförderer des Unternehmungsgeistes geworden, Schrittmacher für Industrie und Handel."

politik verfolgt hat (vgl. unten § 6), und daß die letztere, selbst
innerhalb der einzelnen Bank, je nach dem Wechsel der Geschäftsleitung, der Zeiten und der Aufgaben, sich vielfach — und
mitunter in einschneidender Weise — geändert hat.

Wir wollen uns zunächst nochmals vor Augen führen, welche
Kapitalien den deutschen Kreditbanken behufs Erfüllung ihres
großen Aufgabenkreises bei Beginn unserer Epoche zur Verfügung standen. In dieser Beziehung stellten wir fest, daß von den
rund 2405 Mill. M, welche die Aktienkapitalien der von 1851—1870
(erste Hälfte), also in 19 Jahren, in Preußen begründeten Aktiengesellschaften umfaßten, auf Banken 94,65 Mill. M, also nicht einmal 100 Mill. M, entfielen, auf das Jahr etwa 5 Mill. M[1]).

Von den Großbanken der ersten Epoche hatten zu Beginn
des Jahres 1870:

die Bank für Handel und In- dustrie ein Aktienkapital von	25046000 fl.	=	42936000 M
„ Disconto-Gesellschaft ein Aktienkapital von	10000000 Tlr.	=	30000000 M[2])
„ Berliner Handelsgesell- schaft ein Aktienkapital von	5625000 „	=	16875000 „
der A. Schaaffhausen'sche Bank- verein ein Aktienkapital von	5200000 „	=	15600000 „
die Mitteldeutsche Credit- bank[3]) ein Aktienkapital von	5000000 „	=	15000000 „
Im Jahre 1870 wurde die Deutsche Bank mit einem Kapital von . . .	5000000 „	=	15000000 „

konzessioniert[4]).

Im gleichen Jahre (1870) wurde die Commerz- und
Disconto-Bank in Hamburg begründet mit
einem Nominalkapital von 30 Mill. M und einem
eingezahlten Kapital von . . . . 15000000 M

---

1) Vgl. oben S. 35.

2) Die Angabe bei Paul Wallich a. a. O. S. 6 u. 25, daß die Disconto-Gesellschaft zu Beginn des Jahres 1870 das größte, die Darmstädter Bank das zweit-
größte Kapital gehabt habe, ist nach den im Text wiedergegebenen Kapitalbeträgen
nicht richtig.

3) Das Kapital der Mitteldeutschen Creditbank betrug ursprünglich (1856)
8000000 Tlr., wovon 3000000 Tlr. im Portefeuille der Gesellschaft blieben, während
im Jahre 1859 1000000 Tlr. eigene Aktien zurückgekauft wurden. Das Verbleibende
umlaufende Kapital von 4000000 Tlr. wurde im Jahre 1869, also am Ende unserer
Epoche, um 1000000 Tlr., also um 5000000 Tlr. = 15000000 M, erhöht.

4) Es war, da kurz darauf das Konzessionssystem abgeschafft wurde, die
letzte Konzession, die einer heimischen Bank erteilt wurde.

Im Jahre 1872 erfolgte die Gründung der Dresdner
Bank zu Dresden mit einem Nominalkapital
von 8 Mill. Tlr. = 24 Mill. M, eingezahlt mit
40 % = 3 200 000 Tlr. oder . . . . 9 600 000 M
Im Jahre 1881 wurde dann, bei schon völlig ver-
änderten Verhältnissen, die Nationalbank für
Deutschland begründet mit einem Nominal-
kapital von 45 Mill. M, eingezahlt mit . . . . 20 000 000 „

Die weitere Vermehrung sowohl der Zahl wie der Kapitalien
der deutschen Kreditbanken erfolgte in dieser Epoche in überaus
rascher und erheblicher Weise. Bereits im Jahre 1872 betrug das
Gesamtkapital der damals bestehenden deutschen Kreditbanken,
welche letzteren am Schlusse des Buches in der Beilage III aufgeführt sind, über eine Milliarde M (1 122 113 000 M). Davon
waren aber freilich schon in den sechs Jahren des geschäftlichen
Niedergangs, welcher die Folge der Krisis von 1873 gewesen ist,
nicht weniger als 73 Banken mit einem Aktienkapital von 432½
Mill. M. genötigt zu liquidieren[1]).

Wenn ich nunmehr zunächst im Anschluß an die systematische
Einteilung der Bankgeschäfte in Aktiv- und Passivgeschäfte,
das Wesen der hauptsächlichsten Aktiv- und Passivgeschäfte und
deren Entwicklung im deutschen Bankwesen, speziell bei den deutschen Großbanken, darzulegen versuche, so muß vorweg folgendes
betont werden:

Als Grundsatz nicht nur für die Banknoten ausgebenden
Notenbanken, sondern auch für die deutschen Kreditbanken, welche
keine Banknoten ausgeben dürfen, ist der Satz richtig, daß die
Art der Passivgeschäfte maßgebend sein muß für die Art
der Aktivgeschäfte[2]), oder, anders ausgedrückt, daß auch eine
Kreditbank keinen anderen Kredit geben dürfe, als sie ihn
selbst in Anspruch nimmt. Er muß aber dahin verstanden
werden, daß eine Kreditbank, soweit sie sich durch Annahme jederzeit kündbarer oder binnen kurzer oder längerer Frist rückzahlbarer
Gelder, oder durch Eingehung sonstiger jederzeit oder binnen kurzer

---

1) Vgl. Max Wirth, Handbuch des Bankwesens, 3. Aufl., Köln 1883, S. 377.
Es mag hier bemerkt werden, daß auch dieses so oft als Quelle zitierte Buch des mehrerwähnten Verfassers in sehr vielen Richtungen unzuverlässig ist, und daß insbesondere die Urteile und Folgerungen des Verfassers durch seine starke Voreingenommenheit gegen die Kreditbanken getrübt, also mit Vorsicht aufzunehmen
sind. Die eigenen Ausführungen des Verfassers über „Die deutschen Privatbanken"
umfassen übrigens im ganzen rund 5 Seiten (S. 376—379 und 398/399), das übrige
ist statistisches Material.

2) Vgl. z. B. Georg v. Schanz, Artikel „Banken" im Wörterbuch der Volkswirtschaft von Elster, 3. Aufl., 1911, Bd. I, S. 326.

oder längerer Frist fälliger Verpflichtungen Kredit verschafft hat, sich durch eine entsprechende Art der Anlage ihrer verfügbaren Mittel in den Stand setzen muß, jenen Zahlungsverpflichtungen sofort bei Fälligkeit entsprechen zu können.

Hierbei wird sie davon ausgehen dürfen, daß, abgesehen von seltenen Ausnahmefällen, nicht etwa die sämtlichen jederzeit kündbaren fremden Gelder ihr auf einmal gekündigt werden, wie auch eine Feuerversicherungsgesellschaft befugt ist, anzunehmen, daß nicht alle bei ihr gegen Feuersgefahr versicherten Häuser auf einmal abbrennen werden.

Darüber, welcher Prozentsatz jener fremden Gelder ihr etwa gekündigt werden könnte, lassen sich allerdings irgendwelche generellen und festen Regeln nicht geben, vielmehr kann ein solcher Prozentsatz nur auf Grund von Wahrscheinlichkeitsschätzungen festgestellt werden, welche die einzelne Bank nur nach längerer Erfahrung, unter Berücksichtigung der Vorgänge bei anderen Banken und der besonderen Natur des eigenen Instituts, also bei Anwendung kaufmännischer und insbesondere bankmäßiger Sorgfalt und Vorsicht, vornehmen kann.

Im allgemeinen wird seitens der deutschen Großbanken hierüber noch hinausgegangen [1]), da sie so disponieren, daß sie, ohne Unterscheidung der jederzeit kündbaren, kurz- oder langfälligen Verpflichtungen, darauf vorbereitet und in der Lage sind, mindestens $^1/_3$ der sämtlichen fremden Gelder täglich zurückzuzahlen, und zwar mit Mitteln, die sie als „liquide Mittel erster Ordnung" ansehen können, d. h. mit barem Gelde (einschließlich Banknoten, Sichtwechseln und Schecks), mit ihren Reports und Wechselbeständen, sowie mit den sogenannten Nostro-Guthaben, d. h. den Guthaben bei ersten in- und ausländischen Banken und Bankhäusern.

Zu den „fremden Geldern" gehören die Depositen, ferner die Guthaben der Kontokorrentkunden und die jeweiligen aus den Anleihe- oder sonstigen Emissionen oder dem Couponsdienst oder der zinsbaren Überlassung von Ultimogeldern usw. erwachsenden Guthaben von in- und ausländischen Staaten, Provinzen, Kreisen, Kommunen, kommerziellen und industriellen Gesellschaften, Hypotheken-, Noten- und anderen Banken, Versicherungsgesellschaften, Verwaltungen, Korporationen, Anstalten, Stiftungen und Privatkapitalisten außerhalb des Kontokorrentverkehrs.

Was die obenerwähnten Reports angeht, so ist hier in der Regel nur oder doch in erster Linie gedacht an international verwertbare, z. B. in London abgeschlossene Reports, aus welchen letzteren das Reportgeld durchschnittlich schon nach 14 Tagen (statt

---

1) Vgl. Waldemar Mueller, Die Organisation des Kredit- und Zahlungs-Verkehrs in Deutschland, im Bank-Archiv, VIII. Jahrg. (1909), No. 7, 8 und 9.

nach 4 Wochen) verfügbar wird, und bei den Wechseln an international verwertbare Wechsel, die auch auf deutsche Währung lauten können, da im Ausland in der Regel große Nachfrage nach deutschen Prima-Diskonten besteht; nur in zweiter Linie wird an die Rediskontierung kurzer oder kurz gewordener Wechsel bei der Reichsbank gedacht [1]).

Eine solche stete Bereitschaft zur Rückzahlung eines Drittels aller fremden Gelder, nicht etwa nur der Depositen, muß, zumal die plötzliche Rückforderung eines Drittels bisher bei den deutschen Großbanken niemals vorgekommen ist, als eine durchaus ausreichende bezeichnet werden. Wollte man bei der Reichsbank mit der Möglichkeit rechnen, daß auch nur von den Noten ein volles Drittel plötzlich zur Einlösung präsentiert werde, so wäre die bisherige Liquiditätsrechnung hierzu nicht ausreichend; für die Girogelder der Reichsbank ist aber eine Bardeckung gesetzlich überhaupt nicht vorgesehen.

§ 2.   Das laufende (reguläre) Bankgeschäft.

I. Die Passivgeschäfte der Kreditbanken (Kreditaufnahme).

A. Das Depositengeschäft.

I. Im allgemeinen.

Wir sahen oben (S. 64), daß in der ersten Epoche (1848 bis 1870) die deutschen Banken vorwiegend von dem Grundsatz ausgingen, ihre Geschäfte, soweit es irgend möglich war, nur mit eigenen Mitteln zu betreiben, und daß sie es auch im Interesse ihrer Sicherheit nicht für zweckmäßig hielten, „durch erleichternde Bedingungen auf eine Steigerung der Depositen hinzuwirken". Sie nahmen deshalb meist nur Depositen auf feste Kündigungsfristen von 3, 6 und 12 Monaten an und gewährten überaus niedrige Zinsen.

Eine zielbewußte Pflege des Depositengeschäftes, dessen Betreibung man in England sogar als für den Bankierbegriff wesentlich betrachtet [2]), ist bei den deutschen Banken erst durch das Vorgehen der Deutschen Bank aufgekommen, die fast unmittelbar nach ihrer Gründung (1870) energisch in dieser Richtung vorging.

Noch während des deutsch-französischen Krieges, also am Schlusse des Jahres 1870, richtete die Deutsche Bank besondere Depositenkassen ein, zuerst in Berlin, dann in einer Reihe von Vor-

---

1) Vgl. Waldemar Mueller, Die Organisation des Kredit- und Zahlungsverkehrs in Deutschland. im Bank-Archiv, VIII. Jahrg. (1909), No. 7, 8 und 9.

2) In der englischen Bankliteratur wird vielfach der Begriff des Bankiers darin gesehen, daß ein Bankier fremde Gelder an sich zieht, um sie mit Nutzen weiter zu verwerten; leiht jemand sein eigenes Kapital aus, so ist er ein Kapitalist oder ein Kaufmann, aber kein Bankier.

orten und in Wiesbaden, Hamburg, Leipzig und Dresden. Auf diese Weise wurde es einerseits Gewerbetreibenden und Kapitalisten möglich, auch die geringsten verfügbaren Summen (von nicht weniger als 10 Tlr.) produktiv anzulegen, während die Bank in der Lage war, die ihr als Depositen übergebenen, also in ihr Eigentum übergegangenen Beträge mit den hier unbedingt notwendigen Beschränkungen[1]) für bestimmte Geschäftszwecke zu verwenden, da sie zuerst sich darüber klar geworden war, daß der Kreditverkehr bei der Fülle der auf die Banken eindringenden Anforderungen und Aufgaben mit deren eigenen Mitteln allein nicht mehr zu bewältigen war. Gleichzeitig aber sorgte sie, da die Verwendung auch nur eines Teiles der Bankdepositen im eigenen Geschäft, selbst bei Einhaltung der hierfür erforderlichen Beschränkungen, nur bei ausreichender Deckung des übrigen Teiles durch stets greifbare Mittel als zulässig gelten kann, in mustergültiger Weise für die Beschaffung dieser Deckungsmittel, und sah eine besondere Organisation des Depositengeschäfts dergestalt vor, daß die dafür eingerichtete Sonderabteilung, wenn nötig, auch jederzeit losgelöst und selbständig gemacht werden könnte.

Durch die Errichtung dieser Depositenkassen[2]) wurde aber nicht nur dem Gewerbetreibenden und Kapitalisten ein erleichterter Zugang zum Bankierkredit eröffnet, sondern auch der Bank ein stets wachsender Kreis in ihren Vermögensverhältnissen bekannter Kunden zugeführt, die zugleich für die Emissionen der Bank einen festen und beständig zunehmenden Abnehmerkreis bildeten.

Einer starken Entwicklung des Depositengeschäfts stand aber in Deutschland, im Gegensatz zu England, eine Reihe schwer zu überwindender Hindernisse entgegen.

Zunächst war und ist man vielfach auch jetzt noch in Deutschland, und zwar sowohl in gewerbetreibenden wie in anderen Kreisen, gewöhnt, weit größere Kassenbestände zu halten, als dies nötig wäre. Bei den mittleren und kleineren Gewerbetreibenden hängt dies auch mit der Tatsache zusammen, daß sie vielfach keine

---

1) Vgl. oben S. 164/165 und ferner hierüber u. a. Ad. Wagner in V. Schönbergs Handbuch I, S. 437; Adolf Neumann-Hofer, Depositengeschäfte und Depositenbanken (Leipzig, C. F. Winter, 1894), S. 39 ff.; M. Schraut, Die Organisation des Kredits (Leipzig, Duncker & Humblot, 1883), S. 32.

2) Bei der Reichsbank werden die Depositen, entsprechend dem bei den meisten übrigen Zentralnotenbanken aus guten Gründen eingehaltenen Verfahren, seit dem 31. Mai 1879 nicht mehr verzinst. Die an eine Kündigungsfrist gebundenen Depositen sind daher naturgemäß seitdem nur geringfügig. Nach Tab. 43, S. 337 der Jubiläumsdenkschrift der Reichsbank (1876—1900) betrugen sie am Ende des Jahres 1900 nur 319 881 M (am 31. Dez. 1910 482 610 M). Die sonstigen Depositen (auf Giro-Konto) betrugen dagegen Ende 1910 (mit Ausschluß der Giroguthaben der Reichs- und Staatskassen) 404 699 000 M.

regelmäßige Bankverbindung haben und schon deshalb das zur Deckung künftig fällig werdender Verpflichtungen nötige Geld, soweit sie es nicht im Geschäftsbetriebe brauchen, und sogar aus Ängstlichkeit noch weit mehr, zinslos bei sich liegen lassen. Gleiches oder ähnliches gilt auch für viele Kapitalisten, welche nach der Väter Gewohnheit ihre Kasse in oft sehr primitiver Weise bei sich aufspeichern.

Soweit aber die offensichtlichen Vorteile zinsbarer Anlegung dieses seit Generationen bestehende Trägheitsmoment überwinden ließen, war es in weiten Schichten der deutschen Bevölkerung eine fest eingewurzelte Gewohnheit, kleine Ersparnisse den Sparkassen zu überliefern. Diese waren vielfach älter als die Kreditbanken, mit den lokalen Verhältnissen verwachsen und aus ihnen hervorgegangen, standen auch in kleineren Orten zur Einlage und Abhebung bequem zur Verfügung und trugen entweder direkt öffentlichen Charakter oder unterlagen doch staatlicher Verwaltung oder Aufsicht.

Endlich war zu Anfang der 70 er Jahre das verfügbare Nationalvermögen in Deutschland überhaupt noch unbedeutend, während das Depositengeschäft große entbehrliche Gelder zu seiner Existenz voraussetzt, weshalb denn auch die Errichtung eigener Depositenbanken, da sie unrentabel gewesen wäre, für längere Zeit ohne weiteres ausgeschlossen war.

Unter diesen Umständen mußte seitens der deutschen Kreditbanken mit großer Sorgfalt und Mühe für ein nach und nach zu entwickelndes Depositengeschäft zunächst der Boden vorbereitet werden; denn davon, daß etwa die Bevölkerung auch zu ihnen, wie zu den Sparkassen, ihre Ersparnisse hintragen werde, konnte nach den nun einmal bestehenden Verhältnissen und Gewohnheiten, vorläufig wenigstens, gar keine Rede sein.

Die Depositenkassen mußten sich also zunächst ihre Depositenkunden selbst schaffen, und zwar in erster Linie, worauf in den Verhandlungen der Bank-Enquête-Kommission hingewiesen wurde, in der nämlichen Weise, wie es ursprünglich auch die englischen Depositenkassen, obwohl bei ihnen die Verhältnisse anders lagen, ohne Zweifel meist gemacht hatten. Sie eröffneten den lokalen Gewerbetreibenden Kredite, setzten sie dadurch in die Lage, durch Vermittlung der Depositenkassen ihre Gläubiger zu bezahlen, welche letzteren dann wieder das ihnen seitens der Bank gezahlte Geld dieser als Einlage zubrachten oder beließen. Das letztere geschah um so lieber, als die Banken ihnen wohl vielfach, um die Verbindung zu eröffnen, für das eingelegte Geld zu Anfang höhere, als die sonst üblichen Zinsen gewährten.

War aber einmal in solcher oder ähnlicher Weise die Verbindung eröffnet, so war die naturgemäße Folge, daß sowohl der, dem der Kredit eingeräumt war, wie der, dem er mit zugute kam, allmählich nicht nur seine Kassenvorräte und Reserven, sondern auch seinen gesamten bankmäßigen Verkehr bei der Depositenkasse konzentrierte, auf die er nun Schecks zog, bei der er seine Kundenwechsel diskontierte, von der er einen großen Teil seines Zahlungsverkehrs besorgen ließ, die sein Risiko bei seinen Import- und Exportgeschäften verminderte, ihm Akzeptkredit einräumte, die Anlegung und Verwaltung seines Vermögens in Wertpapieren übernahm, ihm Auskünfte und Ratschläge erteilte, sowie Vorteile aller Art verschaffte. So wurden die Depositenkassen, die aus dem Zinsnutzen des bloßen Depositengeschäftes nicht einmal ihre Geschäftsspesen würden decken können[1]), in deren Interesse also diese Erweiterung ihres Geschäftskreises gleichfalls lag, nach und nach zu „Wechselstuben", die alle Bankgeschäfte, mit Ausnahme von Effektengeschäften für eigene Rechnung und von Konsortialgeschäften, gleich der Zentrale und gleich einer Filiale betreiben, womit aber freilich den Privatbankiers eine von diesen lebhaft beklagte Konkurrenz bereitet wurde. War somit schon die Entstehung der Depositen bei den deutschen Banken eine durchaus andere, als die der Spargelder bei den Sparkassen, was sich auch statistisch darin zeigt, daß die Depositen- zu- und abnehmen mit der Zu- und Abnahme des Kreditverkehrs überhaupt, so ist auch der Zweck, den der Einleger bei den Sparkassen und der Depositengläubiger bei den Banken verfolgt, ein völlig verschiedener.

Jener, der meist den mittleren oder unteren Ständen angehört, will eine dauernde und sichere Aufbewahrung und Verwaltung tunlichst hoch zu verzinsender Spargelder, dieser, der meist den mittleren und höheren Klassen, namentlich aus dem Kreise der Gewerbetreibenden, angehört, will — wenigstens in der Regel — lediglich die vorübergehende, daher auch meist nur niedrig verzinsliche Übernahme und Nutzbarmachung verfügbarer Kapitalien insolange, als er sie nicht in Wertpapieren, Hypotheken oder Unternehmungen dauernd anlegt, und er will speziell die Verwaltung und Nutzbarmachung durch eine Bank, mit der er auch seine übrigen Bankgeschäfte macht.

Jener hat (mit geringen Ausnahmen) nur ein Gesicht[2]): er ist Spargeldeinleger und nur das; dieser hat ein Proteusgesicht,

---

1) Vgl. Waldemar Mueller a. a. O. (Bank-Archiv, 8. Jahrg., No. 8, S. 116).

2) Allerdings soll, wie von einem Sachverständigen vor der Bank-Enquête-Kommission behauptet worden ist, auch bei den Sparkassen ein gewisser Prozentsatz (angeblich bis zu $^1/_8$) den Charakter vorübergehender Depositengelder haben. Wenn

er ist heute kraft seiner Depositen Gläubiger, morgen kraft seiner Kontokorrent- und sonstigen Verbindung mit der Bank Schuldner, und Gläubiger wie Schuldner kann er aus tausend verschiedenen Gründen werden, so daß er auch nicht etwa, wie jener, bei Hingabe der Gelder präsumtiv jedes Pfand- und Zurückbehaltungsrecht der Bank ausschließen kann und will.

Daher erklärt es sich, weshalb schon die Begriffsbestimmung der bankmäßigen Depositen die größten Schwierigkeiten macht, da in Deutschland nicht nur das, was man in England unter current accounts, sondern auch das, was man dort unter deposit accounts versteht, unter der Bezeichnung Depositen zusammengefaßt wird. Deshalb ist es auch, da alle diese Bezeichnungen teils an sich schwankend sind, teils beständig ineinander übergehen, bis jetzt fast ganz ausgeschlossen gewesen [1]), in wissenschaftlich unanfechtbarer Weise die „Depositen" der einzelnen deutschen Banken ermitteln und vergleichen zu können. Einzelne Banken gaben bisher — aus diesen oder anderen Gründen — i h r e D e p o s i t e n b e s t ä n d e ü b e r - h a u p t n i c h t a n , oder gaben sie (so die Darmstädter Bank, die aber in n e u e r e r Zeit Angaben macht, die Berliner Handels- gesellschaft, die Commerz- und Disconto-Bank, die Mitteldeutsche Creditbank und die Nationalbank für Deutschland) m i t d e n K r e - ditoren z u s a m m e n a n . Wieder andere, wie die Deutsche Bank und die Dresdner Bank, führten unter Depositen auf: einerseits (was sich nur aus der geschilderten Entstehung des deutschen Depositen- geschäfts erklären läßt), a l l e K r e d i t o r e n ihrer Depositenkassen (und Wechselstuben), und andererseits alle diejenigen Kreditoren, welche Geld bei ihren anderen Niederlassungen auf Depositen- quittungsbücher oder nicht auf solche, aber unter der ausdrücklichen Bezeichnung als „Depositen", eingezahlt haben [2]).

Die Disconto-Gesellschaft endlich, welche in ihren Geschäfts- berichten und ebenso in ihrem Jubiläumsbericht von 1901 S. 260 die Depositen besonders aufführt, scheint dabei doch auch Konto-

---

dem aber so ist, so haben gerade diese Einleger, die den mittleren und höheren Ständen angehören sollen, diesen Geldern bewußt den Charakter von Spareinlagen und n i c h t von Bankdepositen geben wollen und gerade deshalb haben sie diese Gelder zu den Sparkassen und n i c h t zu den Banken gebracht.

1) Eine Besserung, wenn auch nicht eine zweifellose und völlige Beseitigung dieses Übelstandes wird voraussichtlich vom Februar 1912 ab eintreten, weil die von diesem Zeitpunkte ab nach einem neuen Schema freiwillig seitens einer großen Anzahl von Kreditbanken alle 2 Monate zu veröffentlichenden Rohbilanzen zwischen den „Einlagen" auf provisionsfreier Rechnung und den „sonstigen Kreditoren" unter- scheiden werden. Das gleiche Verfahren dürfte dann wohl auch in den Jahresbilanzen eingeschlagen werden, und zwar voraussichtlich auch bei denjenigen Instituten, welche, wie die Berliner Handelsgesellschaft, vorläufig noch keine Rohbilanzen veröffentlichen.

2) Vgl. W a l d e m a r M u e l l e r (Bank-Archiv, 8. Jahrg., No. 8, S. 117).

korrentguthaben größerer in- und ausländischer Gesellschaften und Verwaltungen mit dabei zu berücksichtigen, da in ihren Depositenbeständen sich Schwankungen zeigen, welche durch die jeweilige Konjunktur und den Stand des Kreditverkehrs allein sich nicht erklären ließen[1]). Sie hatte dagegen stets die täglich fälligen Guthaben bei den Depositenkassen unter den Kreditoren, statt unter den Debitoren, verbucht, wovon die Bilanz für das Jahr 1908 zum erstenmal abgewichen ist.

Sowohl aus der geschilderten Entstehung des deutschen Depositengeschäfts, wie aus dem Zweck, der mit Übergabe und Übernahme der Depositen von beiden Teilen verfolgt wird, ergibt sich ferner die Tatsache, daß, wie u. a. auf dem III. Allgemeinen Deutschen Bankiertage zu Hamburg vom 5. und 6. Sept. 1907[2]) festgestellt worden ist, von den Depositen der deutschen Kreditbanken nur ein äußerst geringer Teil — er ist mit einem Drittel m. E. noch zu hoch gegriffen — aus Einlagen besteht, welchen man den Charakter von Spareinlagen zuerkennen kann.

In dem weit überwiegenden Teile, also mindestens zu zwei Dritteln oder drei Vierteln, bestehen die Depositen bei den deutschen Kreditbanken aus Betriebsreserven (Kassenvorräten, Reserven usw.) von Gewerbetreibenden und aus nur vorübergehend zu Depositen, demnächst aber zur Anlage in Wertpapieren, Hypotheken, Unternehmungen usw. bestimmten Mitteln größerer Gewerbetreibender und Kapitalisten.

Dies ist auch von anderer Seite, insbesondere von verschiedenen seitens der Bank-Enquête-Kommission von 1908 vernommenen Sachverständigen, übereinstimmend bestätigt worden[3]).

---

1) Vgl. D. Ökonomist vom 28. Juli 1900, S. 466 und vom 2. Dezember 1905 (23. Jahrg., No. 1197: Das Depositengeschäft der deutschen Banken), sowie Rc b. Franz, Die deutschen Banken im Jahre 1907 (Sonderabdruck aus der D. Ökonomist, Berlin 1908), S. 14 und Waldemar Mueller in den Verhandlungen des III. Allg. D. Bankiertages zu Hamburg am 5. und 6. September 1907, S. 107.

2) Verhandlungen des III. Allgem. D. Bankiertages, S. 107 und 115; D. Ökonomist vom 28. Juli 1900, 2. Dezember 1905; Rob. Franz, Die deutschen Banken im Jahre 1906, S. 11 und Cäsar Straus, Unser Depositengeldersystem und seine Gefahren, Frankfurt 1892, S. 5 verb., ,,daß es bis jetzt in Deutschland in der Hauptsache die Großindustrie und der Großhandel sind, welche die Hinterleger der Depositengelder bei dem Bankier abgeben'', also die nämlichen Schichten, welche auch am Giroverkehr der Reichsbank teilnehmen.

3) Im Berichte des A. Schaaffhausen'schen Bankvereins für das Geschäftsjahr 1907 wird sogar von den Depositen (in Höhe von 72 335 365 M) gesagt: ,,Dieselben bestehen unverändert zum weitaus größten Teil aus Beträgen, die uns auf lange Kündigungsfrist, und zwar meistens mit einer solchen von über 6 Monaten bis zu einem Jahre, zur Verzinsung übergeben sind''.

Was den Umfang der Bankdepositen betrifft, so war man, wenn man das Jahr 1870 als den Beginn der organischen Pflege des Depositengeschäfts bei den deutschen Banken betrachten will, Ende 1890, also nach zwanzigjähriger intensiver Pflege dieses Geschäftszweiges, dahin gelangt, daß diejenigen Banken, welche den weitaus größten Teil der deutschen Gesamtdepositen in sich vereinigen, nämlich die damaligen 92 deutschen Kreditbanken mit einem Aktienkapital von mindestens 1 Mill. M, einen Depositenbetrag von **408 Mill. M** angesammelt hatten.

10 Jahre später, Ende 1900, hatten nach einer Zusammenstellung im Deutschen Ökonomist die damals 118 betragenden größeren Kreditbanken an Depositen 997 $\frac{1}{3}$ Mill. M angesammelt, so daß diese Banken nach 30jähriger Pflege des Depositengeschäftes zusammen kaum eine Milliarde M hatten heranziehen können.

Wieder 10 Jahre später, am 31. Dez. 1910, machten die Gesamtdepositen der nunmehr 165 deutschen Kreditbanken mit einem Kapital von mindestens 1 Mill. M die Summe von etwa 3¼ **Milliarden M** aus.

Die starke Steigerung innerhalb der letzten zehnjährigen Epoche erklärt sich nicht etwa nur durch eine starke Zunahme des für den Depositenbestand in erster Linie maßgebenden Kreditverkehrs und des Nationalwohlstands, sondern vor allem durch die namentlich in diese Zeit fallende starke Vermehrung der Depositenkassen der Berliner Großbanken und der Provinzbanken und durch den Umstand, daß infolge von Verbesserungen in den bilanzmäßigen Angaben und in der privaten Statistik, von der letzteren nunmehr die Gesamtarbeit fast aller deutschen Kreditbanken mit ihren sämtlichen Filialen, Kommanditen, Agenturen und Depositenkassen zusammengefaßt ist.

Zieht man aber gerade den letzteren Umstand und ferner in Betracht, daß es sich um das Ergebnis einer 40jährigen konzentrierten und zielbewußten Arbeit handelt, so wird man auch dieses Ergebnis als ein sowohl absolut wie relativ nicht sehr erhebliches bezeichnen müssen. Es ist deshalb durchaus unbegründet, wenn ein Schriftsteller [1]) schon im Jahre 1904 von einem „ungesunden Übermaß von Depositen" glaubte sprechen zu können.

Dies wird besonders klar, wenn man diesem Gesamtresultat den Gesamtbestand der Spareinlagen bei den deutschen öffentlichen und privaten Sparkassen in absoluten Ziffern gegenüberstellt,

---

1) Otto Warschauer, in Conrads Jahrb., 3. Folge, Bd. XXVII, S. 480 (1904); vgl. dagegen aber die nur um 1 Jahr weiter zurückliegenden richtigen Ausführungen desselben Schriftstellers in dessen Buch: Physiologie der deutschen Banken, 1903, S. 35.

welcher schon am 31. Dez. 1906 die Summe von 13 ¼ Milliarden M ausmachte und am 31. Dez. 1909 rund 15 ½ Milliarden M betragen hat.

Hinzu kommen die Spareinlagen und Depositen (fremde Gelder abgesehen von den Kontokorrentguthaben) bei den etwa 16 000 Kreditgenossenschaften in Stadt und Land, die schon am 31. Dez. 1906 rund 2 Milliarden M und die bei den Notenbanken, Volksbanken und (seit 1. Januar 1909) im Postscheckverkehr angesammelten Beträge, welch letztere mit der Zeit immer bedeutender werden dürften, die ich aber hier außer Rechnung lassen will[1]).

Ganz unzulässig ist es aber, das Wachstum für beliebig herausgegriffene Zeitpunkte und bei verschiedener Zahl der beteiligten Banken prozentual zu berechnen, oder gar das Wachstum der Depositen bei den deutschen Kreditbanken dadurch erheblich höher als das der Einlagen bei den Sparkassen oder bei den englischen Joint Stock Banks erscheinen zu lassen, daß man Prozentsätze gegenüberstellt.

So hat man z. B. den Betrag der Depositen der (92) deutschen Kreditbanken Ende 1890 mit 408 Mill. M als 100 eingesetzt und demgemäß die Summe der Depositen von 118 deutschen Kreditbanken Ende 1900 mit 997 Mill. M als eine Steigerung von 244% bezeichnet. Demgegenüber hat man dann auf die weit geringere prozentuale Steigerung bei den englischen Joint Stock Banks (deren Anzahl 1890: 99 und 1900: 82 betrug) in der Zeit von 1890—1900 hingewiesen, da diese 1890 den Betrag von £ 335 Mill. auswiesen, im Jahre 1900 aber £ 572 Mill,. was nur eine Steigerung von 161 % bedeutet.

Derartige kleine Genugtuungen[2]) kann man aber den Gegnern oder den Freunden stets bereiten, wenn man Prozentsätze berechnet und dabei das eine Mal (so bei den deutschen Depositenbeständen) von einem niedrigen Niveau, das andere Mal (so bei den englischen) von dem hohen Niveau von £ 335 Mill. oder 7 Milliarden M ausgeht, denn die prozentuale Steigerung kann natürlich bei den englischen Joint Stock Banks angesichts des hohen Niveaus der Depositen-

---

1) Die Gesamtguthaben der Kontoinhaber im Post-Scheckverkehr betrugen am 31. Dezember 1909 76,2 Mill. M.

2) So erklärt sich u. a. auch die Lansburghsche Mitteilung (Das deutsche Bankwesen, S. 8), daß bei den kleinsten Aktienbanken bis 100 000 M Kapital die fremden Gelder (Kreditoren und Depositen) etwa das 31 fache des eingezahlten Aktienkapitals betragen, bei den großen mit über 10 Mill. Kapital aber (mit Ausnahme der Berliner Großbanken) nur etwa das doppelte. Er glaubt daraus schließen zu können, daß nicht das größere Kapital, sondern die Publizität es sei, welche den Aktienbanken die fremden Gelder zuführe, da mit steigendem Eigenkapital die fremden Gelder sich prozentual verringern.

bestände, von dem ausgegangen wird, nur eine geringe sein. Folglich werden dann auch die Fehler und Trugschlüsse, je nach den Jahren, welche man zum Ausgangspunkte der Vergleichung nimmt, notwendigerweise größer oder kleiner sein müssen.

Eines noch größeren Fehlers machen sich diejenigen schuldig, welche, wie dies auch geschehen ist, zunächst die gesamten Einlagen bei den Sparkassen, Kreditbanken, Notenbanken und Kreditgenossenschaften zusammenrechnen und dann zu dem „Ergebnis" gelangen, daß sich der prozentuale Anteil an diesem Gesamtdepositenbestande bei den Kreditbanken mit den Jahren stets erhöht, bei den übrigen Instituten aber sehr vermindert habe.

Das ist deshalb ein noch größerer Fehler, weil hier Faktoren, die völlig verschiedener Natur sind, nämlich die Einlagen bei den Sparkassen und die Depositen bei den Kreditbanken usw., zusammengeworfen und dann noch von diesem Gesamtbestande prozentuale Berechnungen angestellt werden.

Man kann sich nicht wundern, daß bei einem solchen Verfahren, welches aber dann auch zu wirtschaftlichen und legislativen Schlüssen verwendet zu werden pflegt, in verblüffend klarer Weise eine erhebliche prozentuale Abnahme der Sparkasseneinlagen herausgerechnet wird, während die absoluten Ziffern, im schärfsten Gegensatz hierzu, ergeben, daß eine stete und fast regelmäßige Zunahme der Sparkassen-Einlagen in Deutschland bis zur Höhe von etwa 15 $\frac{1}{2}$ Milliarden M per 31. Dez. 1909 gegenüber nicht ganz 3 Milliarden M Bankdepositen stattgefunden hat.

Will man jenem unrichtigen Verfahren ein gleich unrichtiges gegenüberstellen, so ist es ein leichtes, beispielsweise folgende ganz verschiedene Rechnungen aufzustellen:

Im Jahre 1891, also vor 20 Jahren, hatten die deutschen Sparkassen 5 $\frac{1}{4}$ Milliarden M Spareinlagen[1]), diese sind also bis zum 31. Dez. 1909, wo 15 $\frac{1}{2}$ Milliarden M Spareinlagen vorhanden waren, fast um das Dreifache gestiegen.

Im gleichen Jahre 1891 hatten die damaligen 95 deutschen Kreditbanken mit mindestens 1 Mill. M Aktienkapital 386 Mill. M Depositen; letztere waren also bis zum 31. Dez. 1909, wo sie 2 982 $\frac{1}{2}$ Millionen M Depositen hatten, um weit mehr, nämlich über das Siebenfache, gestiegen.

Nimmt man aber als Ausgangsjahr an Stelle des Jahres 1891 das Jahr 1900, so betrugen damals[2]) die Spareinlagen bei deutschen

---

1) Nach den „Materialien zur Beurteilung der Wohlstandsentwicklung Deutschlands im letzten Menschenalter" (Anlageband III zu den Reichsfinanzreformvorlagen von 1908, No. 1043 der Reichstagsdrucksachen), S. 18 u. 19.
2) Statist. Jahrb. für das Deutsche Reich von 1903, S. 187.

Sparkassen nicht ganz 9 Milliarden M, die Depositen bei den deutschen Kreditbanken aber nur 997 Mill. M[1]), also nicht ganz 1 Milliarde M; jene sind also bis Ende 1909, wo die Zahlen des vorigen Exempels einzustellen sind, um etwa 6¼ Milliarden, diese weit weniger, nämlich nur um etwa 2 Milliarden M, gestiegen. Der Unterschied liegt natürlich, da eine prozentuale Berechnung in Frage steht, in dem niedrigeren oder höheren Niveau, von dem ausgegangen wird.

2. In ausländischen Staaten.

Gegenüber dem absoluten Bestande der Depositen bei den Deutschen Kreditbanken von etwa 3¼ Milliarden M per 31. Dezember 1910 wird man die bei den englischen Depositenbanken (einschl. der schottischen und irischen sowie der Bank von England) ruhenden Depositen etwa auf   6⅓ Milliarden M
für den gleichen Zeitpunkt schätzen können. Die gesamten fremden Gelder betrugen nämlich an diesem Termin nach dem Banking-Supplement des Economist vom 20. Mai 1911 94 580 983 £ oder rund 19¼ Milliarden M. Rechnet man hiervon[2]) ⅔ auf Kassenführungskonten (Kontokorrentkonten, Current accounts), und nur ⅓, was sicher eher zu wenig, als zu viel ist, auf Depositen (Spareinlagenkonten, Deposit accounts, welche gegen Deposit receipts mit einer 7 oder 14tägigen oder sonstigen Befristung hingegeben sind), so kommt man auf obige 6⅓ Milliarden M, also ungefähr auf den gleichen Betrag, den Ende 1906 die mehrerwähnten deutschen Kreditbanken mit mindestens 1 Mill. M an fremden Geldern überhaupt (also an Depositen plus sonstigen Kreditoren) besaßen.

Zu jenen 6⅓ Milliarden M Depositen-(Spareinlage-)konten kommen aber in Großbritannien (außer Irland) noch hinzu die Einlagen bei der Postsparkasse[3]) („Post office Savings Banks") per

---

1) Ad. Weber, Depositenbanken und Spekulationsbanken, Leipzig, Duncker & Humblot, 1902, S. 82.

2) Edgar Jaffé, Das englische Bankwesen. 2. Aufl. (1910), S. 196 und Verhandlungen des III. Allgem. Deutschen Bankiertages, S. 96.

3) Die Zahl der Konten betrug 1908 bei der Postsparkasse 11 018 000, bei den übrigen Sparkassen 1 785 802, Vgl. A. H. Gibson, The Jubilee of the Post office Savings Bank im „Bankers Magazine" (London), 1911, Nr. 810, sowie Economist vom 25. September 1909, S. 594.

Ende 1908[1]) mit £ 160 648 000, sowie bei den
anderen Sparkassen („Trustees Savings Banks")
mit £ 51 714 567, zusammen mit £ 212 362 567
oder rund . . . . $4^1/_3$ Milliarden M

in Sa. $102^1/_3$ Milliarden M

Die letztgedachten Banken haben ihre verfügbaren Gelder in englischen
Staatsanleihen anzulegen und gewähren eine feste Verzinsung von $2\frac{1}{2}\%$.

In den Vereinigten Staaten von Amerika waren am
30. Juni 1909 an Depositen aller Art und Spareinlagen rund $ 14
Milliarden oder etwas über 59 Milliarden M bei Banken und Privatbankiers „sichtbar", wovon auf Depositen bei den Banknoten ausgeben-
den Nationalbanken rund $20\frac{1}{2}$ Milliarden M ($ $4898\frac{1}{2}$ Mill.) und bei
anderen Banken und Stellen rund $38\frac{1}{2}$ Milliarden M ($ 99 209 $\frac{1}{2}$ Mill.)
entfielen. Von diesen letzteren kamen etwas über $ $3\frac{3}{4}$ Milliarden
(oder $15\frac{1}{2}$ Milliarden M) auf Gelder bei Savings Banks, die übrigen
Beträge auf Staatenbanken ($ 2467 Mill. oder etwa $10\frac{3}{4}$ Mill. M),
auf Loan & Trust Companies ($ 2800 Mill. oder $11\frac{3}{4}$ Milliarden M)
und auf Privatbankiers (etwa $ 193 Mill. oder 810 Mill. M) kamen.
Den Nationalbanken, welche Noten ausgeben und infolge des Fehlens
eines Zentralinstituts ihre Wechsel nicht bei einem solchen rediskontieren können, ist durch das Nationalbankgesetz (The National-
Bank Act) vom 3. Juni 1864 mit zahlreichen (bis 1907 nicht weniger
als 44) Novellen eine Reihe von Verpflichtungen auferlegt[2]),
namentlich:

a) eine Barreserve von 25% ihrer Depositen (in den Re-
servestädten) oder von 15% (in den übrigen Städten) zu halten;

b) vierteljährliche (Roh-) Bilanzen zu veröffentlichen;

c) nie mehr Verpflichtungen, abgesehen von (im wesentlichen)
Banknoten und Depositen, einzugehen, als der Gesamtbetrag des
eingezahlten Aktienkapitals, ausmacht;

d) nie mehr als $^1/_{10}$ des Aktienkapitals an eine einzelne Person
zu verleihen (eine Vorschrift, die nach einer im Jahre 1900 angestellten Untersuchung ca. 40% aller Nationalbanken durch Zer-
legung der Konten usw. verletzt hatten);

e) von den Dividenden 10% einem Reservefonds zu überweisen, solange dieser nicht 10% des Kapitals beträgt, und

---

1) Per Ende 1910 bei der Postsparkasse £ 168 890 000 ; die Einlagen bei den
anderen Sparkassen für Ende 1910 sind noch nicht bekannt, dürften aber vom
Bestande per 1908 wenig abweichen.

2) Wenn man in Deutschland vielfach auf diese Bestimmungen verwiesen hat,
um auch bei uns den Erlaß von Reglements auf dem Gebiete des Bankdepositenwesens zu rechtfertigen, so ist diese Verweisung unbegründet. Denn diese reglemen-
tarische Vorschriften sind in Amerika nicht erlassen worden, um das Depositengeschäft der National Banks, sondern um ihr Notengeschäft zu regeln (vgl. Neumann-Hofer a. a. O. S. 35).

f) dem staatlichen Kontrolleur (Comptroller of the Currency) 5 Berichte im Jahr zu erstatten. Der letztere kann die Bank jederzeit untersuchen und die Durchführung seiner Anordnung und der gesetzlichen Vorschriften durch die Drohung, die Bank zu schließen, erzwingen. Aus vorstehender Gegenüberstellung geht hervor, daß die deutschen Depositenbestände auch jetzt noch nicht erheblich ins Gewicht fallen gegenüber denen in England und den Vereinigten Staaten und ebenso scheinen sie auch gegen die französischen nicht unerheblich zurückzubleiben [1]).

3. Bei einzelnen Berliner Großbanken.

Wie die Entwicklung der Depositen im einzelnen bei denjenigen Berliner Großbanken verlaufen ist, welche sich zuerst und am energischsten dem Depositengeschäft widmeten, mögen folgende Ziffern zeigen:

a) Deutsche Bank.

Die Depositen betrugen in Millionen Mark:

1871	8	1879	12	1887	38	1895	85	1903	237
1872	9	1880	13	1888	47	1896	93	1904	286
1873	7	1881	14	1889	47	1897	102	1905	341
1874	11	1882	18	1890	52	1898	122	1906	381
1875	12	1883	22	1891	58	1899	155	1907	476
1876	14	1884	27	1892	62	1900	191	1908	489
1877	10	1885	32	1893	69	1901	214	1909	489
1878	9	1886	30	1894	75	1902	213	1910	558

Die Zahl der Depositenkonten der Deutschen Bank stieg von 3867 im Jahre 1883 auf 21771 im Jahre 1895; neuerdings fehlen ziffernmäßige Angaben.

Aus der vorstehenden Tabelle ist ersichtlich, daß die Depositen der Deutschen Bank schon am Ende des ersten Jahres nach ihrer Gründung 8 Mill. M betrugen und im Jahre 1894 der Höhe des damaligen Aktienkapitals gleichkamen, um am 31. Dezember 1910 den Betrag von 558 Mill. M bei einem Aktienkapital von 200 Mill. M zu erreichen. Was bei den Ziffern der Depositen be-

---

1) Die Angabe des Figaro vom 20. Mai 1906, wonach Ende 1905 die 25 größten Kreditbanken an Depositen (es ist unklar, was damit gemeint ist), 5 Milliarden Frcs. besessen hatten, was gegen den Stand von 1885 (1 159 005 000) eine Vermehrung um rund 3½ Milliarden Frcs. bedeute, kann ich nicht nachprüfen. Dagegen scheint in Österreich eine organische Pflege des Depositengeschäfts auch jetzt noch nicht stattzufinden. Nach einem Vortrage des Präsidenten der Anglo-Österreichischen Bank, Karl Morawitz, in der Gesellschaft Österreichischer Volkswirte (Bank-Archiv, VI. Jahrg., No. 5, S. 64) beliefen sich die Depositen bei allen österreichischen Kreditbanken im Jahre 1895 auf nur 250 Mill. Kronen, während die bei den Sparkassen hinterlegten Summen 5 Milliarden Kronen ausmachten. Die Bankdepositen sind auch in der Folge nicht erheblich gestiegen. Sie betrugen noch am 31. Dezember 1907 immer erst 478 706 000 Kr.

sonders auffällt — namentlich auch angesichts der oben erwähnten
Ausdehnung des Begriffs der Depositen — ist das fast ununter-
brochene regelmäßige Wachstum der Depositen, und zwar
sind sie in dieser Weise nicht nur absolut, sondern auch relativ,
d. h. im Verhältnis zum Aktienkapital, gewachsen.

Die oben erwähnte Zahl der Depositenkonten hat sich erheblich stärker vermehrt wie die aller übrigen Konten (einschließlich
der Kontokorrentkonten, welche sich Ende 1910 auf 238 701 stellten).

Der Durchschnittsbetrag der Depositen der Deutschen
Bank hat stetig abgenommen, von 4138 M im Jahre 1883 auf
2570 M im Jahre 1893 [1]), was beweist, daß der Zweck, die Heranziehung auch der kleinsten verfügbaren Kapitalien, in immer vollkommener Weise erreicht worden ist.

Auf die Zentrale Berlin entfielen beinahe durchweg im Laufe
der Jahre etwa zwei Drittel der Gesamtdepositen.

Die Zahl der Depositenkassen betrug Ende 1910: 87 gegen
12 im Jahre 1895 und 44 im Jahre 1905; die bei den Depositenkassen der Deutschen Bank bestehenden Normen für den Depositenverkehr sind bei Joh. Fr. Schaer [2]) abgedruckt. Aus denselben sei,
da sie im wesentlichen typisch für alle Großbanken sind, folgendes
hervorgehoben:

Der Mindestbetrag der Einlagen beträgt 100 M.

Jeder Einleger von Geldern ohne festen Rückzahlungstermin
erhält ein auf seinen Namen ausgestelltes Rechnungsbuch, in welches
die stattgefundenen Einzahlungen an der Kasse (über die der Ein-
zahler ein von ihm auszufüllendes Begleitscheinformular dem Kassierer
zu übergeben hat) eingetragen werden.

Die Rechnungs-(Konto-)Bücher, die aber die von dem Einleger erhobenen Beträge nicht enthalten, sind vierteljährlich zur Ab-
stimmung vorzulegen.

Einzahlungen mit festen Rückzahlungsterminen erfolgen gegen
Bankquittung.

Bei Abhebungen von 30 000 M und darüber bedarf es einer
schriftlichen Kündigung bis 12 Uhr mittags des vorhergehenden Werktages.

Die Zinssätze für Einlagen werden an den Schaltern der Depositenkassen durch Aushang bekannt gemacht und können jederzeit
abgeändert werden; die Änderung tritt aber für auf längere Zeit
hinterlegte Gelder vor deren Fälligkeit nicht in Kraft.

---

1) Joh. Fr. Schär, Die Bank im Dienste des Kaufmanns (Leipzig 1909,
G. A. Gloeckner), S. 122—126.
2) Auch hierüber werden neuerdings ziffernmäßige Abgaben nicht mehr veröffentlicht.

b) Die Dresdner Bank.

Die Depositen [1]) betrugen in Millionen Mark:

1872	—	1880	4 .	1888	13,8	1896	39,18	1904	136,7
1873	—	1881	5,7	1889	13,1	1897	37,4	1905	163,5
1874	—	1882	4,8	1890	11,5	1898	55,2	1906	199
1875	2,8	1883	5,1	1891	13,7	1899	62,9	1907	224,8
1876	3,2	1884	6,4	1892	15,3	1900	94,5	1908	224,5
1877	3	1885	6,6	1893	15,7	1901	77,5	1909	255,6
1878	2,9	1886	11,4	1894	20,6	1902	93,2	1910	286,3
1879	3,6	1887	10,4	1895	31,1	1903	108,2		

c) Die Disconto-Gesellschaft.

Die Depositen betrugen in Millionen Mark:

1871	14,8	1879	8,0	1887	7,8	1895	34,1	1903	91,0
1872	16,8	1880	9,7	1888	20,2	1896	38,3	1904	100,0
1873	64,8	1881	19,8	1889	14,7	1897	34	1905	110,0
1874	36,5	1882	21	1890	36,5	1898	43,8	1906	153,4
1875	9,2	1883	13,2	1891	17,2	1899	49,3	1907	144,3
1876	11,3	1884	15,2	1892	16,2	1900	48,0	1908	218,5
1877	7,5	1885	35,2	1893	19,7	1901	75,0	1909	285,0
1878	7,2	1886	18,13	1894	29,8	1902	78,8	1910	313,7

Es ist jedoch zu bemerken, daß bei der Disconto-Gesellschaft vor dem Jahre 1908 die „Depositen" sowohl die „Kreditoren in laufender Rechnung" wie die „Depositengelder auf Kündigung" umfaßten.

Bei jenen Zahlen fallen, worauf schon oben (S. 61 Anm. 3) hingewiesen wurde, die großen, durch die jeweilige Gunst oder Ungunst der Zeiten allein nicht erklärlichen Schwankungen auf; so, wenn die Depositen im Jahre 1872 einen Betrag von 16,8 Mill. M (genau: 16 726 163 M), im darauffolgenden Jahre 1873 aber einen solchen von 64,8 Mill. M (genau: 64 788 366 M) zeigen, um 1874 auf 36,5 Mill. M (36 502 613 M) und 1875 sogar auf 9,2 Mill. M (9 202 000 M) zurückzugehen.

Alsdann kommen die Depositen in den Jahren der wirtschaftlichen Erholung 1878—1880 wieder nicht wesentlich über rund 7, 8 und 9 Mill. M, während sie in den folgenden Jahren 1881—1888 zwar viel höher sind, aber auch wieder sehr schwanken:

	genau:				genau:	
1881	19,8 Mill. M (19 784 613)			1885	35,2 Mill. M (35 256 915)	
1882	21	,, ,, (20 952 001)		1886	18,2 ,, ,,	(18 276 965)
1883	13,2	,, ,, (13 216 197)		1887	7,7 ,, ,,	(7 761 959)
1884	15,2	,, ,, (15 215 781)		1888	20,2 ,, ,,	(20 205 660)

Da aber bis zur Bilanz für 1908 die täglich fälligen Guthaben nicht unter den Depositen, sondern unter den Kreditoren verzeichnet waren, so würde deren Betrag, wenn er für die ganze frühere Zeit bekannt wäre, den Depositen zuzurechnen sein.

---

1) Die Zahl der Depositenkonten betrug bei der Dresdner Bank im Jahre 1910:

Die Entwicklung in der Dekade 1901—1908 zeigt im ganzen geringe Schwankungen. Die Depositenkassen der Disconto-Gesellschaft betrugen Ende 1910 25 gegen 1 im Jahre 1895, 8 im Jahre 1905 und 11 im Jahre 1908.

d) Die Darmstädter Bank.

Die Depositen betrugen in Millionen Mark:

1870	16,1	1879	5,7	1888	19,1	1897	31,4	1906	148,1
1871	22,4	1880	6,1	1889	19,7	1898	37,1	1907	161,5
1872	12	1881	18,5	1890	10,9	1899	34,9	1908	105,5
1873	27,3	1882	20	1891	11,8	1900	43,2	1909	93,6
1874	16,4	1883	21,2	1892	4,4	1901	46,8	1910	145,3
1875	12,8	1884	20,7	1893	10,6	1902	67,0		
1876	9,1	1885	16,5	1894¹)	30,2	1903	72,3		
1877	1,9	1886	15,2	1895	36,2	1904	174,5		
1878	5,6	1887	14,1	1896	39,7	1905	147,8		

4. Entwicklung der Deposited bei sämtlichen deutschen Kreditbanken und bei den Berliner Banken.

Bei sämtlichen (jetzt 165) deutschen Kreditbanken (von mindestens 1 Mill. M Kapital) betrugen die Deposited in den letzten 25 Jahren (in Millionen Mark):

1886	260,13	1895	493,26	1903	1261,25
1887	271,07	1896	546,42	1904	1565,96
1888	203,43	1897	604,39	1905	1839,92
1889	370,98	1898	712,53	1906	2141,12
1890	408,01	1899	812,96	1907	2423,69
1891	385,96	1900	997,32	1908	2745,81
1892	389,86	1901	1035,11	1909	2982,61
1893	377,19	1902	1104,13	1910	3240,92
1894	486,39				

Bei den Berliner Banken zusammen²) betrugen die Depositen in den letzten 25 Jahren (in Millionen Mark):

1886	95,35	1895	196,13	1903	578,24
1887	94,85	1896	219,44	1904	783,42
1888	126,85	1897	228,25	1905	883,82
1889	130,99	1898	330,39	1906	1029,62
1890	138,14	1899	338,17	1907	1158,71
1891	105 34	1900	414,64	1908	1246,97
1892	103,25	1901	447,23	1909	1341,06
1893	119,90	1902	501,22	1910	1565,80
1894	163,69				

1) Die Depositen umfassen bei der Darmstädter Bank von 1894 ab die gesamten täglich fälligen Verbindlichkeiten.

2) Nach dem Deutschen Ökonomist, welcher bis 1908 unter Berliner Banken verstanden hatte: die Deutsche Bank, Disconto-Gesellschaft, Darmstädter Bank, Dresdner Bank, den A. Schaaffhausen'schen Bankverein, die Berliner Handelsgesellschaft, Commerz- und Disconto-Bank, Nationalbank für Deutschland und außerdem noch fünf Institute von völlig anderem Charakter, nämlich: die Bank des Berliner Kassenvereins, den Berliner Maklerverein, die (jetzt liquidierte) Amerika-Bank, die Deutsche Überseeische Bank und die Deutsche Treuhandgesellschaft. Die letzteren fünf Banken scheiden seit 1908 aus dem Begriff der „Berliner Banken" in den Aufstellungen des Deutschen Ökonomist aus.

Von den Gesamtdepositen der deutschen Kreditbanken entfielen ungefähr drei Fünftel auf die Depositen der Berliner Großbanken. Das ist einerseits auf die geringere Pflege des Depositengeschäfts bei den übrigen deutschen Kreditbanken zurückzuführen, wie denn auch die Berliner Großbanken die meisten Depositenkassen aufweisen, andererseits auf die Konzentrierung der Kapitalien überhaupt in Berlin.

Es entfielen an Depositen per 31. Dez. 1910 allein auf die folgenden fünf Berliner Großbanken:

die Deutsche Bank	558 257 167 M
„ Dresdner Bank	286 277 306 „
„ Disconto-Gesellschaft	313 671 567 „
„ Darmstädter Bank	148 267 722 „
den A. Schaaffhausen'schen Bankverein .	89 588 023 „
Der Gesamtbetrag von	1 396 061 785 M

Von diesen Banken ist die Dresdner Bank und alsdann die Disconto-Gesellschaft, welche beide erst 1896 mit der Errichtung von Depositenkassen begonnen haben, in der Pflege und im Erfolg des Depositengeschäfts der Deutschen Bank am nächsten gekommen.

Bei den (jetzt 165) Kreditbanken mit einem Kapital von mindestens 1 Mill. M wurden von den gesamten fremden Kapitalien als Depositen nachgewiesen:

Ende	1905	34,7%
„	1906	33,9%
„	1907	36,5%
„	1908	37,0%
„	1909	36,8%
„	1910	35,5%

Bei den Berliner Banken dagegen:

Ende	1905	27,5%
„	1906	27,5%
„	1907	31,5%
„	1908	33,7%
„	1909	32,1%
„	1910	32,0%

wobei aber für diese Zeit zu beachten ist, daß die Berliner Handelsgesellschaft überhaupt kein Depositenkonto führt.

Von den Ende 1910 seitens aller Banken mit einem Kapital von mindestens 1 Mill. M nachgewiesenen Depositen entfielen 48,3% (1895 nur 39%) auf die Berliner Banken und 40,2% allein auf die Deutsche Bank, Dresdner Bank, Disconto-Gesellschaft und Darmstädter Bank.

Von 1895—1910 war die Zunahme der Depositen bei den Berliner Banken relativ bedeutender als bei den Provinzbanken; bei

den letzteren entfällt aber ein größerer Prozentsatz ihrer fremden
Kapitalien auf die Depositen als bei den Berliner Banken[1]).

Im ganzen läßt sich sagen:

1. daß die Dividendenentwicklung bei den Banken in dem
Maße stetiger wird, in welchem sie ihr Depositengeschäft entwickeln können;

2. daß das Gründungs- und Emissionsgeschäft in etwa dem
gleichen Umfange in den Hintergrund tritt, in welchem das Depositengeschäft in den Vordergrund gelangt;

3. daß es zum großen Teile der von den deutschen Kreditbanken auf Grund ihrer eigenen Mittel und ihrer Depositen dem
Handel und der Industrie gewährte Kredit ist, welcher das Wachstum der Produktionskraft dieser Stände und — im Verein mit
der gesteigerten Produktionskraft der Landwirtschaft — die Kaufkraft aller Stände und Berufe der Nation in so sichtlicher
Weise erhöht hat[2]).

Diese Tatsache allein sollte von unbedachten „Reformvorschlägen"
abhalten, deren Ausgangspunkte mitunter ebenso unklar sind, wie
ihre Wirkungen in der Zukunft. —

B. Die sonstigen Passivgeschäfte der Kreditbanken.

Die sonstigen Passivgeschäfte der Banken gehören meist nicht
hierher, weil die deutschen Kreditbanken keine Banknoten emittieren, auch, abgesehen von den sogenannten gemischten Hypothekenbanken, keine Pfandbriefe, und endlich auch keine eigenen
Schuldverschreibungen ausgeben, wie sie einst der Crédit
mobilier auszugeben beabsichtigt hatte.

Was aber die Kreditaufnahme durch die Kreditbanken betrifft, so ist festzustellen, daß die Berliner Großbanken langfristige Privatdiskonten, um sich Geld zu machen, nie an der Börse,
sondern höchstens, was aber ungern geschieht, an das Ausland oder
an die eigene Klientel rediskontieren, falls sie nicht, wie wir weiter
unten sehen werden, sich Geld bei der Seehandlung im Wege der
weit unauffälligeren Wechsellombardierung beschaffen; an die
Reichsbank rediskontieren sie lediglich entweder kurze oder kurz
gewordene, d. h. langsichtige, aber bald ablaufende Privatdiskonten.

Die Rediskontierungen der übrigen Kreditbanken dürften,
namentlich an den sog. schweren Terminen, wo sich die Anforderungen

---

1) Das Vorstehende nach Rob. Franz, Die deutschen Banken im Jahre
1910, S. 17.

2) Vgl. u. a. Ad. Wagner, Beiträge zur Lehre von den Banken (Leipzig 1857,
Leopold Voß), S. 70: „Mittels Kredits auf Grundlage der Depositen kann die Bank
die Kaufbefähigung des Landes erhöhen".

der gesamten Verkehrskreise an die Banken besonders häufen, einen erheblichen Teil des Wechselbestandes der Reichsbank ausmachen. Es wird auch, was aber schwer nachzuprüfen ist, behauptet, daß, wie in England, so auch in Deutschland, Rediskontierungen seitens der Kreditbanken bei der Reichsbank oder bei anderen Kreditbanken oder sonstigen Banken in erheblichem Umfange vorgenommen würden, um kurz vor dem Bilanztage einen tunlichst großen Bestand an Kasse- oder Giro- oder Bankguthaben aufweisen zu können; derartigen „Guthaben" stehen aber dann doch auf der anderen Seite die entsprechenden Wechselverpflichtungen der rediskontierenden Banken gegenüber.

Ohne Zweifel ist es auch, namentlich in geldknappen Zeiten, in denen in Deutschland der Privatdiskontsatz stark anzog, während im Auslande Geld zu billigeren Sätzen zu haben war, vorgekommen, vielleicht sogar in nicht unerheblichem Umfange vorgekommen, daß ausländische Kapitalien auf dem Wege der Diskontierung deutscher Bankakzepte entliehen wurden. Dies scheint namentlich im Jahre 1899 in London geschehen zu sein und dort Anlaß zu einer sehr scharfen Kritik derartiger Finanz- oder Pensionswechsel („Made in Germany") gegeben zu haben[1]), eine Kritik, die sich, wenn auch zum größten Teil mit Unrecht, im Jahre 1908 gegenüber den damals sehr zahlreichen amerikanischen Wechseln wiederholte, auf die ich später (S. 235) zurückkommen werde.

Solche Wechsel-Pensionsgeschäfte werden seitens inländischer Banken auch mit Frankreich abgeschlossen, und zwar in der Art, daß in blanco indossierte Primadiskonten „hereingegeben" werden, die vor Fälligkeit gegen Zahlung des Wechselbetrages zum gleichen Umrechnungskurs (so daß Gewinn und Verlust aus dem Schwanken der Wechselkurse ausgeschlossen ist), zurückzugeben sind[2]).

Daß übrigens Kreditbanken Wechsel „in Pension geben", also bei im Inland teurem und im Ausland billigem Geld Privatdiskonten, die sie angekauft haben, im Ausland gegen kurz London oder Paris in Depot (in Pension) geben, ist ein Fall, der mit dem obigen nichts zu tun hat[3]), da es sich hier in der Regel nicht um Geldmacherei, sondern lediglich um die berechtigte Ausnutzung der Zinsdifferenzen zwischen dem In- und Ausland im Wege der Arbitrage handelt. Diese wird von den Großbanken öfter durch-

---

1) Vgl. Rud. Eberstadt, Der deutsche Kapitalmarkt (Leipzig 1901, Duncker & Humblot), S. 117 ff.

2) Vgl. Eugen Kaufmann, Das französische Bankwesen (Tübingen, J. C. B. Mohr, Paul Siebeck, 1911), S. 200.

3) Vgl. Felix Hecht, Die Mannheimer Banken 1870—1900 (Leipzig 1902, Duncker & Humblot), S. 39 u. 40.

geführt, ist aber, da der Arbitrageur die Gefahr der Valuta-Schwankungen, also der zwischenzeitlichen Veränderung der Wechselkurse, zu tragen hat, nicht ohne Bedenken.

Anders liegt schon der Fall, von dem gleichfalls berichtet wird[1]), in dem in der Tat eine Beschaffung fehlender Betriebsmittel mittels einer etwas versteckten und komplizierten Lombardierung von Wechseln, die nicht immer Primadiskonten gewesen zu sein scheinen, im Auslande versucht worden sein soll. Das ausländische Bankhaus nahm danach auf Grund vorheriger Abmachung „die von der deutschen Kreditbank girierten Diskonten herein, ließ auf sich trassieren, oder gab Pariser und Londoner Schecks. Es durfte die Wechsel nicht veräußern; kurz vor Verfall mußten die Wechsel wieder eingelöst werden, die Deckung wurde in neuen Wechseln oder in kurz Paris oder London gegeben. Die Wechsel gingen in natura zurück, das Giro der inländischen Bank wurde gestrichen und man begab die Wechsel mit 5 oder 10 Tagen an die Reichsbank".

Daß in solchen Fällen, falls inzwischen kritische Zeiten eintreten und dann die Erneuerung der Operation abgelehnt wird, für die deutsche Kreditbank auch noch schwere Gefahren entstehen können, liegt auf der Hand.

Ferner ist hier das durchaus nicht seltene Verfahren zu erwähnen, von dem schon Ad. Weber berichtet[2]), daß Kreditbanken ihren Kunden zunächst in der Form Kredit gewähren, daß sie auf diese Kunden Wechsel an eigene Ordre ziehen, welche sie mit dem Akzept dieser Schuldner weiter begeben, um sich dann ihrerseits wieder auf diesem Wege Geld zu beschaffen. Es werden auch zur Sicherung des Kontokorrentkredits seitens der Kundschaft eigene an die Order der Bank ausgestellte Wechsel hinterlegt. Dies kommt, wie v. Lumm[3]) mitteilt, im Anschluß an die französischen Gewohnheiten, besonders häufig in Elsaß-Lothringen vor. Um Fälle dieser Art von den gewöhnlichen und regulären Fällen unterscheiden zu können, in denen die Bank Geschäftswechsel, deren Aussteller oder Girant der Kunde ist, ankauft (diskontiert), ist in dem später zu besprechenden neuen Bilanzschema vorgeschrieben, daß aus dem Wechselbestande auszuscheiden und besonders anzugeben sind: die von der Bank selbst akzeptierten und die von ihr ausgestellten, sowie die noch in ihrem Portefeuille befindlichen, von ihren Kunden an die Order der Bank ausgestellten Solawechsel. Denn natürlich stehen

---

1) Felix Hecht a. a. O. S. 40.

2) Ad. Weber, Die Rheinisch-Westfälischen Provinzialbanken und die Krisis, a. a. O. S. 342.

3) K. v. Lumm, Die Entwicklung des Bankwesens in Elsaß-Lothringen 1901, S. 165.

Wechsel, die etwa nur im Interesse der Liquidität der Bilanz, also nur, um die betreffenden Beträge aus den Debitoren verschwinden zu lassen, was durchaus nicht selten vorkommt, den sonstigen seitens der Bank diskontierten Wechseln nicht gleich. Derartige Wechsel sind, da sie auch seitens der Bank weiter begeben werden können, auch unter den Passiven (und zwar, da es sich um Eventual-verpflichtungen handelt, vor der Linie) ersichtlich zu machen, also neben den von der Bank akzeptierten Wechseln auch alle von ihr gezogenen Wechsel und die von den Kunden an die Order der Bank ausgestellten und von der Bank weiterbegebenen Sola-wechsel.

Auch Schär[1]) bezeugt, daß mitunter größere und kleinere Bankgeschäfte, sich „unechte, d. h. indossierbare Lombardwechsel von ihren Kunden geben lassen und sie, mit ihrem Indossament verstärkt, reeskomptieren".

Die reine Wechselreiterei, das gegenseitige Ziehen von „Akkomodationswechseln" von einer Kreditbank auf die andere, wird in Deutschland im allgemeinen zu den Seltenheiten gehören, obwohl es auch hier natürlich nicht an Behauptungen gefehlt hat, daß in Deutschland ähnliche Vorgänge zu verzeichnen seien, wie sie einst in England bei der City of Glasgow Bank vorgekommen sind. Diese suchte „das enorme Defizit, das durch übermäßige Kreditgewährung an eine Anzahl von Exportfirmen entstanden war, dadurch zu verschleiern, daß sie Tratten dieser Firmen in steigenden Beträgen akzeptierte und von diesen gezogene reine Akkommodationswechsel übernahm und weiter diskontierte"[2]).

Es mag hier, wenn es auch nicht ganz in den Rahmen unserer systematischen Einteilung paßt, der Ort sein, im Anschluß an das eben besprochene Depositengeschäft darauf hinzuweisen, daß die Kreditbanken auch vielfach die gesamte Kassenführung ihrer Depositengläubiger übernehmen. Insbesondere ziehen sie deren Forderungen ein und zahlen deren Verbindlichkeiten, sowohl im Kontokorrent- und Scheckverkehr, wie im Giro- und Postüberweisungs- und Abrechnungsverkehr.

Über den Giroverkehr, der sich heute in Deutschland für den Großhandel und die Großindustrie bei der Reichsbank konzentriert, und über den am 1. Januar 1909 eröffneten Postüberweisungsverkehr, der namentlich für die mittleren und kleineren Erwerbsstände eine empfindliche Lücke ausfüllen, aber auch von Privatkapitalisten und öffentlichen Kassen mit der Zeit in immer

---

1) Joh. Fr. Schär, Die Bank im Dienste des Kaufmanns, S. 136.
2) Edgar Jaffé, Das englische Bankwesen, 2. Aufl., S. 206/207.

steigendem Umfange benutzt werden wird, haben wir oben (S. 131/132) bereits einige nähere Angaben gemacht.

Der Kontokorrentverkehr der Kreditbanken mit ihrer Kundschaft wird uns demnächst eingehend beschäftigen (vgl. § 2 sub II B).

Es bleibt uns deshalb hier nur übrig, einige Worte über den bankmäßigen Scheckverkehr zu sagen. Er ist hier nur insofern zu behandeln, als er, ebenso wie die Kassenführung, eines der Mittel bildet, durch welche die Banken die verfügbaren Mittel behufs produktiver Verwendung an sich ziehen, m. a. W. eines der Hilfsmittel darstellt, um eine immer ausgedehntere Kreditkonzentration bei den Banken herbeizuführen, da es bares Geld im Zahlungsverkehr entbehrlich macht und so dem Kreditverkehr zuführt.

Gerade diese Kreditkonzentration, welche der Scheckverkehr herbeiführt, und speziell die in dieser Richtung in den letzten Jahren, unter Zustimmung und Mitwirkung der Regierung, mit allen Mitteln, insbesondere auch durch Erlaß des Scheckgesetzes, betriebene Propaganda wird in neuester Zeit von einem Schriftsteller [1]) lebhaft angegriffen, da durch diese „künstliche Förderung des Scheck- und Depositenverkehrs" Gelder, die nach seiner Ansicht ohne diese Förderung „vielleicht" (S. 20) oder „sicherlich" S. 21) ihren Weg in andere Kanäle gefunden hätten (darüber näheres unten sub II, A, 2 a) zu den Banken geleitet würden, wo sie sich (darüber gleichfalls unten näheres) in großindustrielle Kredite verwandelten (S. 19).

Die Propaganda für den Scheckverkehr hat nun aber lange v o r Erlaß des Scheckgesetzes eingesetzt und ebenso haben die Depositen, auf Grund deren Schecks nur ausgestellt werden können, ihre nicht unerhebliche neuerliche Vermehrung schon vor Erlaß des Scheckgesetzes erfahren.

Jene Propaganda galt der dringend notwendigen Beseitigung der immer noch vielfach primitiven Formen unseres Zahlungsverkehrs [2]), in welchem die Verwendung baren Geldes, das damit für den Kreditverkehr frei würde, tunlichst ausgeschaltet werden muß. Lediglich, weil dieser Zweck, ohne die Krönung des Gebäudes, den Überweisungs- und Abrechnungsverkehr, nur in höchst unvollkommenem Maße zu er-

---

1) Alfred Lansburgh, Die Verwaltung des Volksvermögens durch die Banken, Sonderausgabe aus der „Bank" (Berlin-Charlottenburg 1908), S. 13 ff.

2) Der Geldverkehr bei der deutschen Post, der sich immer noch in erheblichem Umfange auf dem Wege von Bargeldsendungen vollzieht, betrug im Jahre 1907 13,5 Milliarden M, also ungefähr 37 Mill. M täglich. Auch der bis vor kurzem gleichfalls in der Form des Bargeldverkehrs durchgeführte Hypothekenverkehr beansprucht enorme Beträge, deren Höhe man danach ermessen kann, daß allein in Preußen jährlich Hypotheken in Höhe von 4,5 Milliarden M zur Eintragung und in Höhe von 2,3 Milliarden M zur Löschung gebracht werden.

reichen wäre, hatte man im Scheckgesetz die (nun schon wieder auf-
gehobene) Stempelfreiheit des Schecks an die Bedingung geknüpft,
daß die Schecks auf solche öffentliche und private Anstalten und
Institute gezogen sind, die, wie namentlich Banken und Bankiers,
an diesem Überweisungs- und Abrechnungsverkehr in der Regel
teilnehmen, also die größte Gewähr dafür bieten, daß der eigentliche
Zweck des Scheckverkehrs, die Einlösung ohne Zuhilfenahme baren
Geldes, auch wirklich erreicht wird. Aber nicht nur Banken und
Bankiers, sondern, wie auch Lansburgh feststellt (S. 12/14), auch
die öffentlichen Banken, die Kreditgenossenschaften und vor allem
(unter gewissen Voraussetzungen) auch die Sparkassen, sind nach
dem Scheckgesetz befugt, stempelfreie Schecks auf sich ziehen
zu lassen[1]), und von den Sparkassen läßt sich doch nicht, wie von
den Genossenschaften, sagen, daß sie „im wesentlichen nur mit einem
bestimmten, engen Kreise von Personen" arbeiten.

Im übrigen ist, trotz aller Propaganda, der Scheckverkehr in
Deutschland auch jetzt noch ein überaus geringfügiger[2]), selbst wenn
man die Schätzung des Statistical Journal vom Jahre 1902 auch schon
für die damalige Zeit für zu hoch halten mag, wonach Deutschland
zur Abwicklung seines geschäftlichen Verkehrs 9—15 mal mehr Bar-
geld und Banknoten als Großbritannien brauche. Jene Tatsache kann,
obwohl inzwischen der Scheckverkehr zweifellos erheblich gestiegen
ist, als eine notorische bezeichnet werden, obwohl es schwer ist, die
Höhe des Scheckverkehrs in Deutschland statistisch festzustellen. Nach
dem Geschäftsbericht der Deutschen Bank für 1907 belief sich die Zahl
der im Jahre 1907 täglich bei ihrer Berliner Zentrale und ihren deutschen
Filialen eingelösten Schecks auf über 10000 Stück, der Gesamtbetrag
dieser Schecks also pro 1907 auf etwa 5 Milliarden M; im übrigen macht
die Beschaffung genauer Daten auch auf diesem Gebiete die größten
Schwierigkeiten. Das Material, welches, wie ich mitteilen kann, auf
eine zu Anfang 1909 seitens des Centralverbands des Deutschen
Bank- und Bankiergewerbes auf meine Veranlassung an die sämtlichen deutschen Kreditbanken gerichtete Rundfrage einging, kann

---

1) In letzter Zeit macht sich bei vielen Sparkassen das Bestreben geltend,
ihre bisherige Tätigkeit, unter Einführung des Scheckverkehrs (auf Grund des § 2,
Ziff. 1 des Scheckgesetzes), nach der Richtung beruflicher Banktätigkeit
zu erweitern. Insbesondere hat die 10. Verbandsversammlung des Badischen Spar-
kassenverbandes, die am 10. November 1908 zu Müllheim i. Baden tagte, Direktiven
gegeben, nach denen nicht nur eine Verfügung über Sparguthaben mit Schecks empfohlen wird, sondern auch Vorschläge für einen geregelten Kontokorrentverkehr
mit Kreditbewilligung gemacht werden. Vgl. den Erlaß des preuß. Finanzministers
vom 20. April 1909 und Schachner „Scheck- und Kontokorrentverkehr bei den
öffentlichen Sparkassen", Bank-Archiv, 9. Jahrg., 1909/10, S. 213.

2) Vgl. insbesondere Siegfried Buff, Der gegenwärtige Stand und die Zukunft des Scheckverkehrs in Deutschland (München 1907, E. Reinhardt).

nur insoweit verwertet werden, als die Banken in ihren Antworten Vergleichszahlen für das Jahr 1900, 1903 und 1907 anführten, als sie ferner den Scheckverkehr gesondert angaben und den Giroverkehr mit der Reichsbank nicht, wie dies viele Banken tun, über Kassakonto gehen ließen. Es waren nur 59 Banken, bei welchen diese Voraussetzungen zutrafen, auch bei diesen konnte aber aus den Ziffern, von deren Abdruck ich deshalb absehe, nur der Schluß gezogen werden, daß der Scheckverkehr bei diesen Banken seit 1900 bis etwa gegen Ende 1909 sowohl absolut als im Verhältnis zum Kassaverkehr erheblich zugenommen hatte. Dies wird auch durch die nachfolgenden drei Tabellen bestätigt, deren Ergebnisse jedoch insofern nicht allgemeine Schlüsse gestatten, weil in Oldenburg und Mecklenburg (vgl. unten Abschnitt IV, drittes Kapitel, § 3 B 3) besondere Verhältnisse herrschen.

Mecklenburgische Hypotheken- und Wechselbank.

Jahr	Zahl der Scheckkonten	Scheck-bestände M
1900	10 792	16 923 718
1901	11 801	17 567 432
1902	12 400	19 473 030
1903	12 826	19 424 624
1904	13 445	23 781 097
1905	13 943	24 679 997
1906	14 519	23 471 032
1907	15 189	22 843 721
1908	16 571	26 667 365
1909	16 807	27 092 713
1910	16 475	30 170 103

Oldenburgische Landesbank.

Jahr	Scheckkonten M	Zahl der Scheck-bücher	Eingelöste Schecks
1900	1 242 861	455	—
1901	1 179 101	647	8 939
1902	1 785 319	831	15 511
1903	2 405 878	1096	21 016
1904	2 390 000	1325	25 970
1905	2 915 098	1671	36 458
1906	3 243 347	1955	43 066
1907	3 954 464	2326	51 191
1908	4 172 598	2721	71 290
1909	4 165 670	3154	94 014
1910	4 518 693	3133	71 672

Oldenburgische Spar- und Leihbank.

Jahr	Einlagenbestand M	Umsatz M	Stückzahl der eingelösten Schecks
1900	1 276 843	19 752 327	17 270
1901	1 767 490	24 583 977	18 659
1902	1 958 398	31 242 725	22 255
1903	2 033 279	35 429 217	26 077
1910	1 930 392	36 079 704	27 686
1904	2 348 635	45 870 731	27 918
1906	2 232 684	46 254 761	29 747
1907	2 352 811	48 850 513	32 299
1908	2 972 897	51 097 674 [1])	47 319
1909	2 721 312	58 825 071	— [2])
1910	2 794 588	61 060 258	— [2])

1) Außerdem wurden noch 14 497 Schecks eingelöst, die nicht auf Scheckkonto belastet wurden, im ganzen also 61 816.

2) Nicht mehr angegeben.

Es ist kein Zweifel, daß etwa seit Ende 1909, also einerseits mit der Einführung des Post-Überweisungsverkehrs, andererseits mit dem im Zusammenhang mit der sogenannten Reichsfinanzreform gesetzlich eingeführten Fixstempel auf die bis dahin stempelfreien Schecks, ein entschiedener Rückgang in der Ausbreitung des Scheckverkehrs eingetreten ist, was sowohl von der statistischen Abteilung der Reichsbank wie in den Geschäftsberichten der Banken, so namentlich im Jahresbericht der Deutschen Bank für ʹ910, festgestellt ist.

Mit der Einbürgerung des Post-Überweisungsverkehrs, an den viele Girokunden der Reichsbank und der Kreditbanken angeschlossen sind, wächst an sich die Zahl derer, welche die Giro-Überweisung, namentlich da, wo es sich nicht um eine Barentnahme, sondern um Verrechnung mit einem Dritten handelt, der Hingabe von Schecks vorziehen und diese „Scheck-Flucht" wird begünstigt durch die Stempelfreiheit der Giro-Überweisungen. Es ist denn auch im Jahre 1910 das aus Schecks bestehende Verrechnungsmaterial bei den Abrechnungsstellen der Reichsbank erheblich geringer geworden, namentlich von Schecks, die auf geringere Beträge lauten.

Am 1. Juni 1910 ist unter den Mitgliedern der Berliner Abrechnungsstelle (mit vorläufiger Ausnahme des Berliner Kassenvereins) eine Scheckaustauschstelle nach dem Muster des Londoner Country Cheque Clearing in Kraft getreten, welche die Verrechnung von Schecks im Wege der Skontrierung dadurch vorbereitet, daß sie zwischen ihren Mitgliedern den gegenseitigen Austausch von in der Provinz zahlbaren Schecks vermittelt. Sind dieselben seitens des bezogenen Bankhauses als in Ordnung gehend anerkannt, so kann alsdann die Verrechnung bei der Abrechnungsstelle erfolgen. Nach dem oben erwähnten Berichte der statistischen Abteilung der Reichsbank betrug die Gesamteinlieferung solcher Provinzschecks bei der Scheckaustauschstelle[1]) in der Zeit vom 1. Juni bis Ende 1910 190171 Stück im Betrage von 88,4 Mill. M, was einem Jahresumsatz von etwa 326000 Stück im Betrage von 151,5 Mill. M entsprechen würde.

II. Die Aktivgeschäfte der deutschen Kreditbanken (Kreditgewährung).

A. Vorbemerkungen.

1. In bezug auf die bankmäßige Kreditgewährung im allgemeinen.

Es kann nicht Wunder nehmen, daß bei dem wiederholt geschilderten stürmischen Gange, den die Entwicklung des Kredit-

---

1) Es handelte sich meist um kleinere Schecks im Durchschnittsbetrage von 465 M gegenüber einem Durchschnittsbetrag von 7192 M bei den zur Abrechnungsstelle eingelieferten Papiere.

verkehrs in Deutschland, schon in der ersten und dann namentlich in der zweiten Epoche, infolge der fast beispiellosen Volksvermehrung genommen hat, feste Grundsätze über die Kreditgewährung in der Praxis des deutschen Bankwesens bisher nur in einzelnen Richtungen sich haben ausbilden können.

Man darf aber bei der Kritik, die vielen nach Art und Gewöhnung immer näher zu liegen scheint als die Anerkennung des Geleisteten, nicht vergessen, daß die ältesten deutschen Kreditbanken nicht älter als etwa 60 Jahre sind, während eine größere Anzahl derselben heute nur etwa 40 Jahre bestehen.

In dieser relativ ungemein kurzen Frist von 6 oder 4 Jahrzehnten hatten unsere deutschen Kreditbanken im Haushalt der Nation –– wie im privaten Haushalt das sogenannte „Mädchen für Alles" — nahezu sämtliche in der Einleitung dieses Buches skizzierten Aufgaben, welche ihnen als wirtschaftlichen Sekundanten der energisch vorwärts drängenden Erwerbsstände im Wirtschaftsleben überhaupt oblagen, fast gleichzeitig zu bewältigen. Sie mußten also, soweit diese Aufgaben nicht in den Geschäftskreis von Spezialbanken, wie der Notenbanken, Landschaften und Hypothekenbanken oder Kreditgenossenschaften, fielen, gleichzeitig alle oder fast alle Aufgaben übernehmen, welche sich in England, in. meist strenger Arbeitsteilung, sowohl auf die Depositenbanken (und hier wieder, unter Scheidung des Arbeitsfeldes, auf die City-Westend- und Suburban-Banks) als auch auf die Merchant bankers und die Kolonialbanken, ja sogar auf die Bill brokers und Stock Brokers verteilen. Sie hatten in bezug auf den inländischen Geschäftsverkehr und in bezug auf die geschäftlichen Beziehungen mit dem Auslande nicht nur auf dem Posten, sondern stets auf Vorposten zu stehen, die wirtschaftlichen Kräfte der Nation vor plötzlichen gegnerischen Überfällen zu schützen und ihnen ein sicheres und stetiges Vormarschieren zu ermöglichen.

Daß in dieser Zeit atemloser, nervenaufreibender Arbeit und angesichts der gegenseitigen Konkurrenz der zahlreichen Kreditbanken, derzeit nicht schon durchweg klare, einheitliche und organische Grundsätze über die Ausgestaltung des Kreditverkehrs und die Kreditgewährung erwachsen sind, kann nicht auffallen. Es darf auch nicht übersehen werden, daß die Behauptung, die Banken seien die „Leiter des wirtschaftlichen Unternehmungsgeistes" der Nation, sowohl, wenn sie von den Freunden, als wenn sie von den offenen oder heimlichen Gegnern der deutschen Banken ausgesprochen wird, eine überaus große Übertreibung darstellt. Nur insoweit haben die Banken auch auf das Maß und das Tempo der Produktion innerhalb der Industrie, wenn auch keinen direkten, doch einen indirekten Einfluß, als sie durch ihren Kredit die auf dem Wege der Arbeitsteilung, der Konzentration und Dezentralisation der Betriebe sich vollziehende Entwicklung des Großbetriebes unterstützen können. Eine zu große oder zu beschleunigte Produktion — Faktoren, welche während der Bewegung freilich auch die Banken schwer oder gar nicht übersehen können — führt allerdings ein Übermaß von Kreditansprüchen, also leicht auch ein Übermaß an Kreditgewährung, herbei. Es ist aber naiv, anzunehmen, daß etwa die Banken, auch wenn sie keine Rücksicht auf die Konkurrenz der anderen Banken zu nehmen hätten, in der Lage wären, ihrer großen Industrieklientel gegenüber plötzlich die Kredite dann zu versagen, wenn sie (die Banken) etwa zur Ansicht gelangen würden, daß die Produktion übermäßig oder in zu raschem Tempo vorwärts gehe.

Hier wird man, im allgemeinen wenigstens, nur eine gewisse Zurückhaltung, und, wenn solche Symptome im Verein mit einer Reihe von andern eine Krisis als bevorstehend oder drohend erkennen lassen, zunächst nur Warnungen an die Gesamtkundschaft, Kreditrestriktionen aber, abgesehen von besonders liegenden Einzelfällen, nach Lage der Dinge nur dann erwarten können, wenn sie im Interesse der Gesamtlage der Industrie oder der Banken unerläßlich sind. Denn plötzliche Kreditrestriktionen können nicht nur das einzelne Unternehmen schwer schädigen, sondern unter Umständen auch eine allgemeine Krisis herbeiführen.

Außerdem ist, bei gerechter Würdigung aller unsere Wirtschaftsentwicklung beeinflussenden Faktoren, nicht zu vergessen, daß auch die Kapitalbildung, deren Pioniere und stärkste Vertreter die Banken sind, ihrerseits wieder durch die gewaltigen industriellen und sonstigen technischen Erfindungen der Neuzeit beeinflußt und verstärkt worden ist. Mit diesen Ausführungen soll aber keineswegs die Berechtigung der Kritik bestritten werden, die namentlich in bezug auf die Kreditgewährung oft und nachdrücklichst ihre Stimme erhoben hat. Im Gegenteil, sie kann, wenn sie nicht das Kind mit dem Bade ausschüttet, also wenn sie nicht auf Grund einzelner Fehler gleich das ganze System verwirft oder die schwersten generellen Anklagen gegen die Verwaltung des „Volksvermögens" durch die Banken erhebt, nur segensreich wirken.

Nichts wäre falscher und nichts würde auch den berechtigten Widerspruch mehr hervorzurufen geeignet sein, als die Bestreitung der Tatsache, daß sowohl in dem so viel Zeit und Kraft absorbierenden Emissionsgeschäft wie im Zahlungs- und Kreditverkehr zahlreiche und zum Teil nicht unerhebliche Fehler gemacht worden sind, die in jedem einzelnen Abschnitt dieses Buches gewissenhaft hervorzuheben ich mir zur Pflicht gemacht habe. Es ist insbesondere kein Zweifel, daß zu den Zusammenbrüchen von Banken gerade der letzten Zeit, wo nicht direkt verbrecherische Handlungen oder spekulative Ausschreitungen vorlagen, fast durchweg schwere Fehler in der Kreditgewährung die wesentlichste Ursache gewesen sind.

Aber nichts wäre auch einseitiger, als die obigen naturgemäßen Gründe dieser Fehler zu verkennen, welche, wenn auch in anderer Form oder nach anderen Richtungen, da eben Menschen an der Spitze der Unternehmungen stehen, bei jedem Banksystem gemacht werden, und die nur zum Teil und nur nach und nach, und zwar erst auf Grund der im eigenen Hause und unter der Einwirkung der heimischen Verhältnisse zu gewinnenden Erfahrungen, zu vermeiden oder doch zu vermindern sind.

Als einen Fehler in diesem Sinne kann ich es allerdings nicht betrachten, daß, wie der oft erhobene Vorwurf lautet, die deutschen Kreditbanken ihre Mittel und ihre Organisation zu sehr und in zu einseitiger Weise dem Handel und der Industrie und zu wenig der Landwirtschaft zur Verfügung gestellt hätten[1]), ein Vorwurf, der übrigens früher[2]) auch gegenüber der Reichsbank erhoben worden ist.

Zunächst ist, wie der Präsident der Preußischen Zentralgenossenschaftskasse, Heiligenstadt, in einem geistvollen Vortrage über „Fragen des Geldmarktes"[3]) hervorgehoben hat, die Landwirtschaft in Deutschland „als letzter großer Berufszweig zur Geld- und Kreditwirtschaft übergegangen, die Organe und Einrichtungen des Geldmarktes waren bereits fest eingebürgert, als sie auf ihm erschien. Sie kann daher nicht gut verlangen, daß sich Handel und Industrie, kurz die gesamte übrige Volkswirtschaft, den besonderen Bedürfnissen der Landwirtschaft, vorausgesetzt, daß es überhaupt möglich wäre, unterordnen."

In der Tat ist das letztere nur in geringem Maße möglich; in besonders beschränktem Umfange bei der Reichsbank, welche als Notenbank darüber wachen muß, daß ihren Banknoten, also einem großen Teil ihrer kurzfristigen Verpflichtungen, und daß ferner ihren kurzfristigen Verpflichtungen aus dem Giroverkehr entsprechende Aktivgeschäfte, also kurzfristige Kreditgewährungen im Wege des Diskont- und Lombardgeschäfts, gegenüber stehen.

Aber ähnlich liegen die Dinge doch auch im wesentlichen bei den Kreditbanken; mindestens insofern, als sie den der Länge des landwirtschaftlichen Produktionsprozesses entsprechenden und nicht durch spätere Ausgabe von Aktien oder Obligationen in

---

1) In Frankreich wird seit langen Jahren gerade der entgegengesetzte Vorwurf gegen die dortigen Banken erhoben, vgl. u. a. Bernhard Mehrens a. a. O. S. 303 ff.
2) Gamp, Der landwirtschaftliche Kredit und seine Befriedigung, Berlin 1883.
3) Verhandlungen des Kgl. (Preuß.) Landes-Ökonomie-Kollegiums 1906, S. 17.

absehbarer Zeit rückzahlbaren langfristigen Kredit grundsätzlich überhaupt nur in begrenztem Maße gewähren könnten. Einen Blankokredit aber würden sie, schon mangels ausreichender Kenntnisse der Unterlagen der Wirtschaftsführung und Rentabilität landwirtschaftlicher Unternehmungen und der Vertrauenswürdigkeit ihrer Leiter, gar nicht oder fast gar nicht einräumen können.

Soweit jedoch der Realkredit in Frage kommt, der für die Landwirtschaft naturgemäß stets die erste Rolle spielen muß, haben hier einzutreten und sind jedenfalls seit längerer Zeit in ausreichendem Umfange eingetreten die eigenen Organisationen des Grundbesitzes, wie die Landschaften und ähnliche öffentliche Anstalten, sowie die von den Landschaften begründeten Bankanstalten und Darlehnskassen und die ca. 16000 Kreditgenossenschaften[1]) oder für den städtischen Grundbesitz einerseits die Hypothekenbanken und andererseits (in Preußen) die staatliche Zentralgenossenschaftskasse. Man wird den auf der Grundlage von Hypotheken und Grundschulden dem deutschen Grundbesitz gewährten Realkredit d. Z. wohl mindestens auf etwa 40 Milliarden M schätzen dürfen.

Immerhin sind auch die deutschen Kreditbanken bei Gewährung solchen Realkredits auch direkt beteiligt gewesen[2]), was speziell von der Provinz und gerade von ganz kleinen Banken gilt, die dadurch allerdings ihre Liquidität sehr beeinträchtigten. Auch indirekt nahmen sie daran teil, indem sie sich bei der Gründung von Hypotheken-

---

1) Für die Landwirtschaft kommen vorwiegend in Betracht: der Reichsverband der deutschen landwirtschaftlichen Genossenschaften in Deutschland mit der landwirtschaftlichen Genossenschaftsbank in Darmstadt mit (im Jahre 1906) etwa 11 896 dem Verbande oder dessen Unterverbänden angehörigen Kreditgenossenschaften, Spar- und Darlehnskassen; der Generalverband ländlicher Genossenschaften für Deutschland (E.V.) in Neuwied mit 4159 (im Jahre 1906) dem Verbande oder dessen Unterverbänden angehörigen Kreditgenossenschaften, Spar- und Darlehnskassen; der Bayrische Landesverband landwirtschaftlicher Darlehnskassenvereine und sonstiger landwirtschaftlicher Genossenschaften mit unbeschränkter Haftung in München (mit 2259 Genossenschaften, Spar- und Darlehnskassen a. 1906); der Verband landwirtschaftlicher Kreditgenossenschaften im Großh. Baden in Karlsruhe (mit 384 Genossenschaften, Spar- und Darlehnskassen a. 1907); der Verband württembergischer Kreditgenossenschaften in Ulm (mit 90 Genossenschaften 1907); der Verband der Erwerbs- und Wirtschaftsgenossenschaften der Provinzen Posen und Westpreußen in Posen (mit 225 Genossenschaften 1907) und zum Teil natürlich auch der (Schulze-Delitzsch'sche) Allgemeine Verband der auf Selbsthilfe beruhenden deutschen Erwerbs- und Wirtschaftsgenossenschaften (E. V.) (mit 917 Genossenschaften a. 1907), deren Mitglieder etwa den dritten Teil der Mitglieder sämtlicher (etwa 16000) Kreditgenossenschaften umfassen. Näheres über alles Vorstehende in den „Materialien zur Beurteilung der Wohlstandsentwicklung Deutschlands im letzten Menschenalter" (Bd. III der Anlagen zu den Reichsfinanzreformvorlagen von 1908), S. 21—27.

2) Vgl. Lansburgh a. a. O. S. 31 u. 32.

banken beteiligt haben, oder indem sie der Landwirtschaft einen vorübergehenden, also mehr oder weniger kurzfristigen Personalkredit gewährten, welchen sie zur Bestellung der Felder und zur Ernte, zum
Ankauf von Magervieh oder zur Anschaffung von Materialien und
Rohprodukten für industrielle Nebenbetriebe in Anspruch nehmen
und im Herbst und Winter wieder zurückzahlen[1]). Wenn dies auch
im wesentlichen mehr Sache der lokalen Banken ist, welche sowohl
die Kreditwürdigkeit der Entnehmer solcher Personalkredite wie die
Möglichkeit der Rückzahlung der Darlehen kontrollieren können, so
wird doch auch bezüglich der Berliner Banken bezeugt, daß sie „alljährlich während der Einkaufssaison für Jung- und Magervieh viele
Millionen durch Vermittlung der lokalen Banken zur Verfügung"
stellen[2]).

Auch die Tatsache, daß die deutschen Kreditbanken, soweit
sie nicht selbst wieder, wie die Dresdner Bank, in enger Verbindung
mit Kreditgenossenschaften stehen, dem Handwerk, dem gewerblichen Mittelstand und dem Kleingewerbe, bisher wenigstens, nur
geringe Dienste geleistet haben, erklärt sich daraus, daß hier, wo
ein Blankokredit sich meist naturgemäß verbietet oder doch erheblich erschwert ist, geeignete Unterlagen für einen Personalkredit,
der überdies meist ein langfristiger sein müßte, meist nicht gewährt
werden können.

Zudem widerstrebt das Handwerk sowohl wie das deutsche Mittel-
und Kleingewerbe seinerseits schon deshalb der Einrichtung eines Bank-
kontos, weil es, mangels ausreichender Alimentation dieses Kontos,
voraussichtlich allzu teueren Bedingungen unterliegen würde, und
weil es überdies, bei bisher nur sehr geringem Scheckverkehr und

---

1) Waldemar Mueller, Die Organisation des Kredit- und Zahlungsverkehrs
in Deutschland (Bank-Archiv, 8. Jahrg., 1909, No. 7), S. 99.

2) Waldemar Mueller, eod. Was die Reichsbank betrifft, so war am 1. September 1906 nach den der Bank-Enquête-Kommission gegebenen Ausweisen die Zahl
der in ihrem Wechselverkehr überhaupt Kreditberechtigten im ganzen
Deutschen Reich 70 480 Firmen und Personen. Davon waren a) Kaufleute und
handeltreibende Gesellschaften 41%, nämlich im ganzen Deutschen Reich
29 020 Firmen und Personen; b) Industrielle und Industriegesellschaften
31 %, nämlich im ganzen Deutschen Reich 21 887 Firmen und Personen; c) Landwirte und landwirtschaftliche Gewerbe- und Fabrikbetriebe 14 %, nämlich im ganzen Deutschen Reich 9589 Firmen und Personen; d) Genossenschaften
aller Art 1 %, nämlich im ganzen Deutschen Reich 883 Firmen und Personen;
e) Rentner, Handwerker und ähnliche Gewerbetreibende 13 %, nämlich
im ganzen Deutschen Reich 9101 Firmen und Personen. Nach den nämlichen amtlichen Ausweisen sind von den seitens der Reichsbank am 31. Dezember 1907 (in
5666 Pfandscheinen) gewährten Lombarddarlehen von insgesamt 364 297 700 M
an die Landwirtschaft und deren Gewerbe (in 249 Pfandscheinen) gewährt
worden 1 972 200 M.

Für die Jahre 1908, 1909 u. 1910 vgl. die Tabelle auf S. 250 dieses Buches.

überaus langen Zahlungsfristen, in ihrem Geschäftsbetrieb auch im Zahlungsverkehr bankmäßiger Hilfe glaubte entbehren zu können. Hier kann auf genossenschaftlichem Wege, den auch die Banken befördern könnten, und durch sorgsame Pflege des Diskontierungsgeschäfts auch für kleine und kleinste Wechsel seitens der Kreditbanken selbst[1]) noch viel geschehen. Überdies wird aber der am 1. Januar 1909 eröffnete Postüberweisungs- und Scheck-Verkehr hier besonders segensreich wirken; er wird dem Handwerk sowohl wie dem Mittel- und Kleingewerbe das ihm jetzt meist fehlende Bankkonto ersetzen und wird ihn, wenn auch, mit Rücksicht auf die leider fehlende Verzinsung der Guthaben, nur überaus langsam, veranlassen, auch die nicht sofort, sondern erst nach und nach in seinem Gewerbe nötigen Kassenvorräte bei der Post behufs Verwendung im Zahlungs- und Überweisungsverkehr anzusammeln. Die — an sich zu bedauernde, weil ohne Zweifel die Einbürgerung des neuen Verfahrens verlangsamende — Unverzinslichkeit der Guthaben könnte aber wenigstens die erfreuliche Folge zeitigen, daß der Einleger ein Interesse daran hat, die unverzinslich bei der Post liegenden Beträge, soweit sie den bei ihr zu haltenden eisernen Mindestbestand von 100 M übersteigen, zur tunlichst sofortigen Abzahlung seiner Schulden zu verwenden. Dies aber würde einen guten Anfang bilden zu der ersehnten und oft vergeblich angestrebten Verkürzung der Zahlungsfristen im Handwerk und im Mittel- und Kleingewerbe.

Da nun endlich auch die Reichsbank dem Post- und Überweisungsverkehr beigetreten ist, dem inzwischen auch einzelne ausländische Privatinstitute, nicht nur ausländische Postsparkassen (s. oben S. 131/132) sich angeschlossen haben, so ist auch die bisher im deutschen Zahlungsverkehr noch fast völlig fehlende organische Verbindung des hauptsächlich der Großindustrie und dem Großhandel dienenden Reichsbank-Giroverkehrs mit dem Postüberweisungsverkehr hergestellt, der seinerseits voraussichtllch in erheblichem Umfange dem Mittel- und Kleingewerbe und dem Handwerk zugute kommen wird.

Am Schlusse dieser allgemeinen Vorbemerkungen möchte ich noch auf folgendes hinweisen:

Ich habe wiederholt hervorgehoben, daß die fieberhafte Volksvermehrung mit elementarer Notwendigkeit die stürmische Entwicklung unserer Gesamtwirtschaft und unseres bankmäßigen Kreditverkehrs habe herbeiführen müssen. Es ist aber auf der anderen Seite nicht zu verkennen, daß, worauf namentlich Adolph Wagner

---

1) Nach französischem Muster s. unten S. 233, Anm. 1.

wiederholt und mit großem Nachdruck hingewiesen hat, jene Volksvermehrung nicht nur Ursache, sondern auch Wirkung der
allzuraschen Entwicklung unserer Gesamtwirtschaft und unseres
Kreditverkehrs gewesen ist, daß also ein langsameres Tempo dieser
Entwicklung auch aus diesem Grunde dringend wünschenswert ist.

Ich habe allerdings keinen Zweifel, daß, wie jenes Tempo der
Volksvermehrung in Deutschland aus den oben S. 78/79 angedeuteten
natürlichen Gründen unmöglich ein dauerndes sein kann, sich auch
das Tempo der Entwicklung unserer Gesamtwirtschaft und demgemäß
unserer Kreditwirtschaft und der Konzentration in Industrie und Bankwesen aus ebenso natürlichen wirtschaftlichen Gründen, die wir bereits
jetzt zu spüren beginnen, wieder verlangsamen wird; der Flut wird
auch hier die Ebbe notwendigerweise folgen.

Niemand aber wird sich deshalb der Verantwortung entziehen
dürfen, mit dafür zu sorgen, daß, soweit dies möglich und durchführbar ist, auch in den Zeiten stark anschwellender Flut geeignete
und starke Dämme vorhanden sind, damit die stürmische Flut nicht
durch Überschreitung aller Grenzen schweren Schaden anrichte.
Nur müssen diese Dämme, was der Techniker als eine Binsenwahr-
heit ansehen würde, auch an den richtigen Stellen und von solchen
Sachverständigen errichtet werden, welche sowohl über die nötigen
theoretischen Kenntnisse als über hinreichende praktische Erfahrungen verfügen. Auch dürfen jene Dämme lediglich dazu dienen,
den Fluß in seinem natürlichen Bett zu halten, dürfen ihn aber,
wenn nicht zwingende Gründe ausnahmsweise ein anderes Verfahren
erfordern, nicht zwingen wollen, sich, unter Vernichtung blühender
Felder, ein neues Bett aufzusuchen.

Dagegen möchte ich einer anderen Ansicht entgegen treten,
die in neuester Zeit mehrfach, so auch vor der Bank-Enquête-
Kommission, vertreten wurde, der nämlich, daß die einzelnen Privat-
wirtschaften infolge ihrer Verbindung mit den Banken und dem
bankmäßigen Kreditverkehr mehr und mehr dazu übergegangen
seien, ihre bisher zum großen Teil in deutschen Staatspapieren
angelegten Reserven aufzugeben und daß auch diese Reserven alsdann von den Banken in den Dienst des Handels und der Industrie
Deutschlands gestellt[1]), also für Investitionen verwandt würden,
welche diese Gelder „freiwillig nicht aufgesucht hätten":

---

1) So u. a. auch Lansburgh in einem Artikel in der „Bank", separat herausgegeben unter dem Titel: „Die Verwaltung des Volksvermögens durch die Banken",
S. 6, auf den ich noch zurückkommen werde.

Es ist das Verdienst der amtlichen Anlagen zu den Reichsfinanzreformvorlagen von 1908 [1]) dieser Behauptung gerade für die letzte Zeit jeden Boden durch den Nachweis entzogen zu haben, „daß das deutsche kapitalanlegende Publikum für die Aufnahme von heimischen Werten mit erheblicher Sicherheit und festem verhältnismäßig niedrigem Zins eine außerordentlich große Kauflust und Kaufkraft in steigendem Maße betätigt" habe, während gerade, wenigstens im Verhältnis zum Auslande, die staatlichen und privaten Institute, nur einen „verhältnismäßig geringen" Betrag von Staatspapieren absorbiert hätten.

Allerdings sind in jenen „heimischen Werten" auch Kommunalanleihen, Grundschuld- und Hypothekenbriefe deutscher öffentlicher und privater Institute inbegriffen. Es sind aber, angesichts der großen Emissionen in Staatspapieren des Reiches und der Bundesstaaten und des relativ geringen Besitzes der deutschen staatlichen und privaten Institute und des Auslandes [2]), darüber kein Zweifel, daß im Besitze des deutschen Publikums ein überaus bedeutender Bestand von Reichsanleihen und Staatspapieren der Bundesstaaten sich befindet, der, wie es scheint, im letzten Jahrzehnt nicht abgenommen, sondern, und zwar nicht lediglich entsprechend der Steigerung des Nationalwohlstandes, erheblich zugenommen hat. —

2. Vorbemerkungen in bezug auf den industriellen Kredit insbesondere [3]).

Bereits oben wurde darauf hingewiesen, daß sich schon deshalb bei den deutschen Kreditbanken noch nicht durchweg feste Grundsätze in bezug auf den industriellen Kredit in dieser Epoche hatten ausbilden können, weil selbst heute ein Teil derselben erst etwa 6 Jahrzehnte, ein anderer erst 4 Jahrzehnte besteht, in denen eine Fülle von Aufgaben gleichzeitig zu erledigen war. Es kommt hinzu, daß, was nicht lediglich ein Nachteil, sondern auch ein Vorteil ist, die deutschen Kreditbanken sich völlig verschieden, eine jede in besonderer Weise und nach besonderer Richtung, entwickelt haben [4]), und daß auch bei der zwar weit älteren, aber doch erst in der

---

1) Materialien zur Beurteilung der Zusammenhänge zwischen dem öffentlichen Schuldenwesen und dem Kapitalmarkt (Teil IV der Anlagen zu der Reichsfinanzreformvorlage von 1908, No. 1087 der Reichstagsdrucksachen), S. 249.

2) Das Ausland soll „nach kompetenten Schätzungen" Mitte 1908 nur 400 Mill. Mark Reichsanleihe und nur 80—105 Mill. M preuß. Konsols aufgenommen haben (a. a. O. S. 247, II).

3) Vgl. Eustach Mayr, Kapitalbedarf und Kapitalbeschaffung der Industrie in Mannheim, Ludwigshafen a. Rh. und Frankenthal (Heidelb. volksw. Abh., herausgeg. von Eberhard Gothein und Alfred Weber, Bd. I, Heft 2), Karlsruhe, C. Braun'sche Hofbuchdruckerei und Verlag, 1910.

4) Vgl. Felix Hecht, Die Mannheimer Banken 1870—1900, Leipzig, Duncker & Humblot 1902, S. 23: „Jede Kreditbank ... will individuell beurteilt sein".

zweiten Epoche zu so gewaltiger Expansion gelangten deutschen Industrie, sich die Grundsätze über die richtige Art, das richtige Maß und die richtige Zeit der Kreditentnahme ebenso erst langsam entwickeln mußten wie bei den Banken die Grundsätze über die Kreditgewährung.

Es ist daher kein Zweifel, daß, entweder aus Unkenntnis der richtigen Grundsätze oder aus Überschätzung der Dauer einer günstigen Konjunktur, mitunter wohl auch aus einer gewissen Großmannssucht oder mit Rücksicht auf die Konkurrenz, auf beiden Seiten in bezug auf die Kreditentnahme und die Kreditgewährung vielfach gesündigt worden ist.

Es läßt sich insbesondere ohne große Mühe feststellen, daß die Industrie vielfach für Meliorationen, Erweiterungen oder Neubauten, wenn auch vielleicht ohne Angabe dieser Zwecke, zu viel oder im unrichtigen Moment langfristigen Kredit bei den Banken entnommen hat, und daß die Banken der Industrie häufig in zu reichlichem Umfange und gleichfalls zu unrichtiger Zeit, nachdem sich vielleicht schon einzelne Symptome des Herannahens einer Krise gezeigt haben, Kredit gewährt haben.

In manchen Fällen, speziell vor der Krisis von 1901, läßt sich wohl auch annehmen, daß einzelne Banken den industriellen Unternehmungen sogar Kredit „entgegengetragen" oder „nachgeworfen"[1]) oder ihn wenigstens so erleichtert haben, daß die an sich etwa schon bestehende Sucht zu Neu- und Umbauten noch vergrößert wurde. Dabei darf aber doch nicht vergessen werden, daß in gewissen Zeiten, mit Hinweis auf die angebliche Festlegung der Bankmittel für die Börsenspekulation, der direkt entgegengesetzte Vorwurf gegen die deutschen Kreditbanken erhoben worden ist. „Es ist eine der schlimmsten Folgen der gegenwärtigen Lage", sagt Eberstadt (Der deutsche Kapitalmarkt, Berlin 1901, S. 115), „daß die Industrie zumeist einen besetzten Tisch vorfindet, und daß die Banken tatsächlich außerstande sind, genügenden industriellen Kredit zu geben."

Zweifellos ist es auch, was wir noch näher erörtern werden, häufig vorgekommen, daß die deutschen Kreditbanken den Kredit mitunter nach den gewohnten, d. h. nach Grundsätzen gewährten, die wohl für den Handel, nicht aber für die Industrie paßten, daß

---

1) So Felix Hecht, Lehren der Krisis (15. September 1903) a. a. O. S. 140. Der nämliche Schriftsteller erklärt aber in seinem Referat in der Generalversammlung des Mitteleurop. Wirtschaftsvereins vom 15. September 1908 (Veröffentlichungen dieses Vereins, Heft 6, S. 75), daß die deutsche Tendenz, sich an großzügigen überseeischen, industriellen und Handelsunternehmungen zu beteiligen, „zweifellos" viel deutsches Kapital den inländischen industriellen Unternehmungen und „dem berechtigten inländischen Kredit entzogen" habe.

sie also namentlich den Kredit mitunter auch der Industrie als kurzfristigen gewährten, der für sie in der Regel nicht paßt und auch zu kostspielig ist.

Es ist endlich auch, schon infolge der starken Dezentralisierung der Banken, vorgekommen, daß diese bei ihrer Kreditgewährung mitunter Fehler gegen das Prinzip der Risikoverteilung gemacht, d. h. daß sie einer Industrie oder einem Industriezweig oder auch einer einzelnen industriellen Unternehmung zu großen Kredit eingeräumt haben. Die Leipziger Bank ist an zu großen Krediten an die Trebertrocknungsgesellschaft, der sie 93 Mill. M Kredit bei einem Aktienkapital von 48 Mill. M eingeräumt hatte, die Dresdner Kreditanstalt für Handel und Industrie ist an zu großen Krediten an die Kummergesellschaft zugrunde gegangen. Von diesen hier und da vorgekommenen Fehlern abgesehen, ist es aber Tatsache, daß die für Unternehmungen des Handels und der Industrie in Deutschland verfügbaren Kapitalien nicht der industriellen Expansions-Lust und -Kraft, die auch ohne Anstachelung seitens der Banken, mindestens in erheblichem Umfange, vorhanden war, entsprachen, und daß aus diesem Grunde vor allem die vorgekommenen Krisen zu erklären sind. Und es fragt sich immerhin, ob, wenn die Banken die verfügbaren Kapitalien nicht zur Verwendung zu produktiven Zwecken im Depositenverkehr angesammelt hätten, dies Mißverhältnis nicht weit größer geworden wäre und nicht zu weit schlimmeren Konsequenzen [1] und zu weit heftigeren Krisen geführt hätte.

Würden die gegen die deutschen Banken erhobenen Vorwürfe sich auf die Geltendmachung solcher sachlichen Einwendungen beschränken, so würde jeder objektive Kritiker des deutschen Bankwesens ihnen wohl vielfach umsomehr beipflichten können, als kaum

---

[1] In England ist es — zweifellos wohl in erster Linie infolge der unzureichenden Unterstützung der Industrie durch die Banken, mitunter wohl auch infolge beabsichtigter Umgehung der Banken — die Industrie selbst, welche sich auf direktem Wege kurzfristiges Leihkapital durch Heranziehung von „loans", d. h. von mit $3\frac{1}{2}$ bis 5 % verzinslichen Depositen der eigenen Arbeiter, in großem Umfange heranzieht. In den Spinnereien von Lancashire beschränkt sich diese Heranziehung von Depositen nicht etwa auf die eigenen Arbeiter, sondern sie umfaßt einen weiten Kreis kleiner Kapitalisten (Kleinhändler, Beamten, Frauen usw.) und dieses System bildet dort „einen der wichtigsten Faktoren für die Organisation der Industrie", einen integrierenden Teil der Organisation selbst (Theod. Vogelstein a. a. O. S. 343/344). In der Tabelle bei Vogelstein, S. 344, werden 12 Spinnereien im OldhamDistrikte 1900 mit zusammen 498 478 Depositen aufgeführt.

Ob man diesen Zustand der Dinge gegenüber dem deutschen System der starken Unterstützung der Industrie durch die Banken besonders lobenswert und wünschenswert bezeichnen kann, möchte ich doch sehr bezweifeln.

anzunehmen ist, daß bei irgend einem anderen Bankensystem [1]) diese oder ähnliche Fehler völlig vermieden würden.

Besondere Einwendungen hat Lansburgh in einer Schrift: „Die Verwaltung des Volksvermögens durch die Banken" erhoben [2]). Der Kern dieser Einwendungen ist folgender:

Das in den Depositen bei den deutschen Kreditbanken angelegte Kapital werde, wie fast auf jeder Seite von neuem versichert wird, „nicht nach dem Willen der Einleger verwandt; vielmehr verwandelten sich die kurzfristigen Darlehen an die Bank zu einem erheblichen Teil in langfristige Vorschüsse an die Industrie und demgemäß weiterhin in neue industrielle Anlagen". Es komme aber (S. 17).

„nicht sowohl darauf an, ob die Wechselkredite und Vorschüsse der Banken über jeden Zweifel erhaben sind". In dieser Beziehung wird auf S. 16 nur bemerkt, man könne es den Wechselkrediten nicht ansehen, welcher Art sie seien. Es wird vielmehr an anderer Stelle (S. 15) ausdrücklich zugestanden, daß sich „die bislang geltenden Prinzipien unter dem Gesichtspunkte der Liquidität bewährt" hätten; daß es ferner (S. 11) „wirtschaftlich und ethisch durchaus nötig sei, daß gegründet und erweitert werde"; daß ferner (S. 10)

---

1) „Kein Land" — so sagt Ad. Weber, Depositenbanken und Spekulationsbanken, S. 109 mit Recht — „hat hinsichtlich der Folgen einer ungesunden Kreditgewährung so reiche, aber auch so bittere Erfahrungen gemacht, wie gerade England."

2) Alfred Lansburgh, Die Verwaltung des Volksvermögens durch die Banken, Sonderabdruck aus der „Bank" (Berlin-Charlottenburg 1908). Diese Arbeit hat das Verdienst, auch die kleinen Banken unter 1 Mill. M bis zu 100 000 M Kapital, und die kleinsten von weniger als 100 000 M durch eine sorgfältige Statistik (Tab. IV und V) und durch meist zutreffende Erläuterungen hierzu dem Studium und Verständnis näher geführt zu haben. Allerdings hatte der (von dem Verfasser auf S. 24 erwähnte) Deutsche Ökonomist, der freilich nur die Aktienkapitalien und fremden Gelder, aber nicht die Reserven, berücksichtigt hatte, hier bereits wertvolle Vorarbeiten geleistet, während in der (vom Verfasser nicht erwähnten) Arbeit von Ad. Weber über „Die rheinisch-westfälischen Provinzialbanken und die Krisis" (1903, S. 362—371) gerade die Tätigkeit der Kleinbanken dieses Bezirks, m. W. zuerst, in eingehenden und vertvollen Ausführungen gewürdigt worden sind. Indem hier Lansburgh die Lücken, die der D. Ökonomist ließ, ausfüllt, und indem er die Kleinbanken von ganz Deutschland nach ihren Bilanzen und ihrer Tätigkeit würdigt, hat er sich ein erhebliches Verdienst, besonders vom sozialen Standpunkte aus, erworben, obwohl nicht außer acht zu lassen ist, daß die fremden Gelder aller dieser Kleinbanken nicht mehr als 4 % der fremden Gelder aller Kreditbanken darstellen. Ein späteres Buch des nämlichen Verfassers: „Das deutsche Bankwesen" enthält ungefähr die gleichen Ausführungen. — Beiläufig will ich bemerken, daß ich nicht der Ansicht des Verfassers (S. 7) bin, daß in Deutschland 6000 Privatbankiers existieren, ich schätze die Zahl der (reinen) Privatbankiers auf etwa 4000.

„die Banken tatsächlich die Rentabilität des einzelnen Unternehmens oder der einzelnen Branche über die Höhe der Kapitalinvestition entscheiden lassen", und daß endlich, „solange nicht innerhalb der einzelnen Anlagekategorien fahrlässig operiert wird", man es „als ein ganz gesundes Verhältnis ansehen" dürfe (S. 15), wenn man „nach wie vor 40% der fremden Gelder in Wechseln und die restlichen 60% in Darlehen an die Kundschaft anlegen" werde.

Worauf es vielmehr, nicht vom Standpunkt der Privatwirtschaft, sondern vom Standpunkt der gesamten Volkswirtschaft, die in der Tat zunächst entscheidet, allein ankomme, sei (S 17):

daß die Wechselkredite und Vorschüsse der Banken nur solchen Unternehmungen gewährt würden, „denen sie auch die Menge der einzelnen Bankgläubiger gewährt haben würde, wenn diese selbständig, ohne Dazwischentreten der Banken, über ihr Geld verfügt hätten".

Es sei damit (eod.) „noch nicht gesagt, daß nun jedem das Seine wird, daß die Landwirtschaft zu ihrem Rechte kommt wie die Industrie, die geldbedürftige Regierung ebenso wie der Kredit suchende Privatmann. Aber es ist doch wenigstens keine Willkür im Spiel". Denn, so heißt es an anderer Stelle (S. 20), „der Depositar hat vielleicht beabsichtigt, nach einiger Zeit deutsche Reichsanleihen zu erwerben oder Pfandbriefe zu kaufen oder sich an einem Geschäft zu beteiligen", oder auf Seite 21, „die Depositen hätten ohne Dazwischentreten der Banken sicherlich eine andere Verwendung gefunden. Sie wären in Staatsanleihen angelegt worden und hätten sich so der Regierung für nicht rein industrielle Zwecke zur Verfügung gestellt. Ein Teil von ihnen hätte sich dem Kleinhandel, dem Handwerk, der Landwirtschaft zugewandt".

Dagegen ist folgendes zu bemerken:

Die überhaupt verfügbaren Mittel teilen sich, wie der nämliche Verfasser in einem anderen fast gleichzeitigen Artikel[1]) richtig bemerkt hat, in eine „ganze Anzahl kleiner Geldbeträge, von denen jeder für sich allein unfruchtbar bleiben würde", die also nur durch die mühevolle, Jahrzehnte lang fortgesetzte Sammelarbeit der Kreditbanken für produktive Zwecke gewonnen worden sind und die alsdann, wie ich an anderer Stelle ausführte, kraft des Dazwischentretens der Banken der Gesamtwirtschaft weit größere Dienste leisten, als sie die bloße Summe dieser Einlagen in den

---

1) Die Bank, 6. Heft, Juni 1908, S. 543.

Händen der Einleger leisten könnte, wenn jeder der letzteren die Einlagen selbst, also ohne Mittelspersonen, ausnutzen wollte [1].

Ohne Dazwischentreten der Banken wären diese Gelder also „unfruchtbar" und vielfach in minimalen, für sich allein zu produktiver Anlage naturgemäß nicht geeigneten Beträgen bei den Einlegern liegen geblieben.

Man kann daher unmöglich für die Anlegung und Verwaltung jener erst durch die Banken nutzbar gemachten Gelder den Grundsatz aufstellen, diese Anlagen dürften nur solchen Zwecken und Unternehmungen zugewandt werden, für die sie auch die einzelnen Bankgläubiger bestimmt haben würden, „wenn diese selbständig, ohne Dazwischentreten der Banken, über ihr Geld verfügt hätten". Sie hätten eben bei den in Deutschland herrschenden Gewohnheiten, ohne dieses Dazwischentreten, wenigstens zum weit überwiegenden Teil, gar nicht über ihr Geld verfügt, am wenigsten es Unternehmungen zugeführt, sondern es zinslos und unproduktiv liegen lassen, was wohl auch Lansburgh nicht als einen idealen Zustand betrachten würde.

Sollte man aber trotzdem den — den Banken gar nicht mitgeteilten, also von ihnen auch schwer zu erratenden — „Willen der einzelnen Einleger" für die Anlegung der Depositen maßgebend erachten, so würde man den jetzigen Zustand, was kaum ernsthaft bestritten werden kann, nicht verbessern, sondern erheblich verschlechtern. Denn die Verhältnisse des Marktes für Anlagen aller Art, die Konjunktur der Industrie, die augenblickliche Lage und die Aussichten der einzelnen Zweige der Industrie, des Handels und der Landwirtschaft, die Kreditwürdigkeit der Debitoren, denen etwa ein Wechsel- oder Kontokorrentkredit einzuräumen wäre, können von den Banken auf Grund ihrer Erfahrungen und Spezialkenntnisse, wenn auch natürlich nicht mit voller Sicherheit, so doch jedenfalls weit besser, als von den einzelnen Einlegern beurteilt werden [2].

---

1) Riesser, Scheckverkehr und Scheckgesetz (Heft IV der Veröffentlichungen des mitteleuropäischen Wirtschaftsvereins in Deutschland. Berlin, Puttkammer & Mühlbrecht, 1907).

2) Die Gründe, welche die deutschen Kreditbanken bisher dazu veranlaßt oder sogar gezwungen haben, den Kontokorrentkredit in überwiegendem Maße dem Handel und der Industrie und nur in geringem Umfange dem Kleinhandel, dem Handwerk und der Landwirtschaft zuzuwenden, habe ich bereits kurz erwähnt (oben S. 194).

In Frankreich wird umgekehrt schon seit einer Reihe von Jahren, was freilich übertrieben ist, in der Presse und seitens vieler industrieller Verbände und Politiker die ungenügende Unterstützung der Industrie seitens der französischen Banken als eine Folge der Bankenkonzentration bezeichnet, welche die Banken zur vorwiegenden

Aber es ist zudem unrichtig, anzunehmen, daß die Einleger ihrerseits „vielleicht" oder gar „sicherlich" eine andere Art der Anlegung ihrer Depositen gewünscht haben würden, als sie seitens der Banken tatsächlich erfolgt.

Denn einmal besteht, wie kaum von jemandem bestritten wird, der weitaus größte Teil der Depositen bei den deutschen Kreditbanken aus Betriebsreserven der Gewerbetreibenden und sonstigen vorübergehend verfügbaren Geldern größerer Kapitalisten, also aus Kapitalien solcher Personen, welche die Bankbilanzen sehr wohl zu lesen imstande sind. Diese Bilanzen aber machen über die Anlegung der Depositen diejenigen Angaben, die auch Lansburgh aus ihnen herausgelesen hat, so daß feststeht, daß jene Einleger schon aus diesem Grunde, aber auch an und für sich, in ihrer Mehrheit keine Einwendungen dagegen zu machen hatten, daß diese Gelder, so wie geschehen, insbesondere auch in der Form von industriellen Kontokorrent- und Wechselkrediten, angelegt wurden. Wäre dem nicht so, so gingen sie, nach Kenntnisnahme des aus den Bilanzen hervorgehenden Sachverhalts, mit ihren Geldern zu den Kreditgenossenschaften, oder, wenn sie etwa die Anlegung des größten Teils der Einlagen in Hypotheken wünschen oder die Sparkassen für sicherer halten sollten, zu den Sparkassen.

Es ist in dieser Beziehung überaus lehrreich, festzustellen, daß nach den Mitteilungen eines den Sparkassen sehr nahestehenden, von der Bank-Enquete-Kommission vernommenen Sachverständigen, im deutschen Sparkassenverband die Ansicht besteht, daß bei den Sparkassen ungefähr 33% der Einlagen — also interessanter Weise fast genau der nämliche Prozentsatz, der umgekehrt bei den Kreditbanken auf eigentliche „Spareinlagen" entfällt — den Charakter solcher vorübergehenden Depositengelder trügen, die den Sparkassen von „dem Mittelstand angehörenden oder noch höher stehenden Personen" übergeben seien, „die ganz genau wissen, weshalb sie ihre Gelder bei den Sparkassen, wenn auch vielleicht nur vorübergehend, anlegen".

Begünstigung des Kapitalexports veranlaßt habe. (Eugen Kaufmann, Das französische Bankwesen, S. 333). Der Crédit Lyonnais hält sich von industriellen Gründungs-, Umwandlungs- und Emissionsgeschäften fast völlig fern. Auch in England liegen die Dinge ähnlich. „Es ist bekannt, daß die englischen Banken keine Wertpapiere emittieren... aber auch die Privatbankiers (die Foreign bankers, die merchants and bankers [richtiger: merchant-bankers], die großen Finanziers und Maklerfirmen, nehmen regelmäßig nicht das geringste Interesse an heimischen Industriewerten. Die Namen Rothschild, Baring, Lubbock, Fruhling & Goschen, Sir Ernest Cassel wird man vergebens bei der Finanzierung der englischen Industrie suchen" (Theod. Vogelstein, Die Industrie und der Kapitalmarkt, Bank-Archiv, 8. Jahrg. (1909), No. 22, S. 342). Hinsichtlich der englischen Provinzbanken s. unten S. 205, Anm. 2.

Ist dem wirklich so, und ich glaube nicht, daß das Gegenteil erwiesen ist [1]), so steht damit fest, daß in der Tat eine große Anzahl von Personen, die in Vermögensangelegenheiten genau Bescheid wissen [2]), auch solche vorübergehend verfügbaren und erst später zu definitiver Anlegung gelangenden Gelder, die sich nach ihrer Natur gerade zu Depositen bei Kreditbanken eignen würden, nicht diesen, sondern den Sparkassen übergibt.

Daraus ist aber weiter zu schließen, daß der nämliche oder ein noch besser situierter Personenkreis, wenn er solche Depositen den Kreditbanken überweist oder bei ihnen beläßt, dies in genauer Kenntnis und voller Würdigung der Art ihrer Anlegung tut, und daß daher die Behauptung nicht aufrecht erhalten werden kann, daß gerade dieser Personenkreis ohne das Dazwischentreten der Banken seine Gelder dem Kleinhandel, dem Handwerk oder der Landwirtschaft oder „der Regierung" zugewandt haben würde. Daß die Kreise, aus denen sich die Depositengläubiger der Banken zusammensetzen, genau wissen, was sie mit ihren Geldern am besten anfangen, hat denn auch Lansburgh selbst für einen Spezialfall an-

---

1) Allerdings hat Landesbankrat H. Reusch in sehr fesselnden Darlegungen im Bank-Archiv unter dem Titel: Die Depositen unter den Einlagen der Sparkassen (10. Jahrg., 1911, S. 348—350 u. S. 361—367) dies entschieden bestritten. Er vertritt, unter Verweisung auf zahlreiche Tabellen, die Ansicht, daß 80—90 % aller Spareinlagen richtige Spargelder seien, daß von den übrigen 10—20 % ein Teil als Kapitalanlage aufzufassen sei, ein anderer Teil (vielleicht 3 %) einem ganz anderen „Zweckgelderverkehr" als dem bankmäßigen Depositenverkehr diene und daß ein noch geringerer Teil bankmäßige Depositen umfasse.

Bei den großen Konten (von mindestens 3000 M), die fast die Hälfte aller Spareinlagen ausmachten, dürfe man aber überhaupt keine Depositen suchen, weder „bankmäßige", noch „sparkassenmäßige" Depositen; sie seien unbewegliche und dauernde Anlagen, die durch nichts den Sparkassen abtrünnig gemacht werden könnten.

Die Austragung dieser Streitfrage muß den Fachmännern des Sparkassenwesens überlassen bleiben; vorläufig möchte ich mich aber mehr den Ausführungen von Prof. Dr. Schachner, Jena, anschließen, der in seiner Erwiderung im Bank-Archiv (11. Jahrg., Oktober 1911, S. 6—9) darauf hinweist, daß die großen Sparkassenguthaben durchaus nicht der ruhigste Teil der Sparkasseneinlagen seien, wofür auf zahlreiche runs hingewiesen wird, daß vielmehr in Krisen hauptsächlich die eigentlichen Sparer, die keine andere Verwendung für ihre Einlagen hätten, der Kasse treu blieben und daß in solchen Fällen der starke Rückgang der Einlagedurchschnittsziffer beweise, daß für einen großen Prozentsatz der Einleger, auch derjenigen von großen Summen, die Sparkasse eine nicht notwendige, sondern nur eine vorübergehende Anlagestelle sei.

2) Die Anzahl dieser Personen würde sich also merkwürdigerweise ausgleichen mit der Zahl derer, die, wenigstens nach Klagen aus den Kreisen der Sparkassen, den letzteren durch die Kreditbanken entzogen werden, weil sich diesen selbst Einleger eigentlicher „Spareinlagen", angeblich bis zu etwa ein Drittel der Gesamtdepositen, zuwenden sollen.

erkannt, wenn er an anderer Stelle[1]) bemerkt, „daß jeder Aufschwung der Industrie und des Handels die unmittelbare Folge habe, daß ein Teil der bei den Banken deponierten Gelder abgehoben und in den lohnendsten Betriebszweigen investiert wird".

Es kann somit auch aus diesem Grunde nicht die Rede davon sein, daß seitens der Kreditbanken „diese Ersparnisse in Anlagen gedrängt werden, die sie freiwillig nicht aufgesucht haben würden" (S. 12)[2]).

Und schließlich:

Wenn wirklich die deutschen Kreditbanken vorwiegend der Industrie und dem Handel (der letztere, insbesondere der Import- und Exporthandel, darf denn doch nicht vergessen werden) Kredit gewährt haben sollten, liegt denn nicht etwa hier — abgesehen von dem reichlich gegebenen öffentlichen (Anleihe-)Kredit — notwendigerweise nach den in Deutschland bestehenden Verhältnissen ihr hauptsächlichster Wirkungs- und Pflichtenkreis?[3])

Wir sahen oben, wie, in immer größerer Kreditspezialisierung, heute der Realkredit für den ländlichen und städtischen Grundbesitz und in erster Linie für die Landwirtschaft durch Genossenschaften, Landschaften[4]) und die von diesen ins Leben gerufenen Banken und sonstigen Anstalten, durch die Hypothekenbanken, die preußische Zentralgenossenschaftsbank u. a. m. in erfreulichem Umfange und „in geradezu vorbildlicher Weise" (Lansburgh, S. 5) organisiert ist.

Wir sahen ferner, daß fast das gleiche infolge der ca. 16 000 Genossenschaften hinsichtlich des Personalkredits des (genossenschaftlich organisierten) Handwerks und des mittleren und Kleingewerbes und Kleinhandels gilt, dessen Zahlungsverkehr nun gleichfalls durch den Post-Überweisungs- und -Scheck-Verkehr eine dringend notwendige Verbesserung erfahren wird. Wir haben auch

---

1) „Die Bank" vom Juni 1908, S. 544.

2) Vgl. Otto Schwarz, Diskontpolitik, Leipzig 1911, S. 120.

3) Selbst in England haben mindestens die Provinzbanken sich niemals völlig ablehnend gegenüber den Bedürfnissen der Industrie verhalten können. In Birmingham und Sheffield, in Bradford und Manchester gehört die Kreditgewährung an Industrielle zu den regelmäßigen Geschäften der Banken (Theod. Vogelstein, Die Industrie und der Geldmarkt, Bank-Archiv, 8. Jahrg., 1909, No. 22, S. 342).

4) Vgl. Hermann Mauer, Das landschaftliche Kreditwesen Preußens (Straßburg, Karl J. Trübner, 1907); Felix Hecht, Die Landschaften und landschaftsähnlichen Kreditinstitute in Deutschland, Bd. I, Die Statistik (Leipzig, Duncker & Humblot, 1908).

die Gründe erörtert, weshalb gerade für diese Stände die Geschäftsverbindung mit den Kreditbanken und die bankmäßige Kreditgewährung, bisher wenigstens, sehr wenig geeignet war und deshalb auch von ihnen sehr wenig aufgesucht wurde; eine gründliche
Änderung des bisher auch seitens der Großbanken gegenüber den
Kreditansprüchen des Mittelstandes und Handwerks eingehaltenen
Verfahrens der mehr oder minder großen Fernhaltung scheint mir
im Anschluß an die seit mehr als einem Jahrzehnt bei den französischen Großbanken mit großen Erfolge durchgeführte System-
änderung überaus wünschenswert.

Insbesondere sollte die Diskontierung auch der kleinen und
kleinsten Wechsel, wie in Frankreich, auch bei uns zum Gegenstand
einer sorgfältigen Pflege gemacht werden.

Heute aber geht für unsere Kreditbanken aus der bisherigen
Ausführung folgendes mit Notwendigkeit hervor:

„Ihre Domäne sind Industrie und Handel" (Lansburgh
S. 5), freilich nur ihre Domäne, und nicht, wie schon das Beispiel
der Kreditgewährung an den Staat, die Kommunen usw. zeigt, ihre
ausschließliche Domäne.

Daß aber nicht die Banken, sondern elementare wirtschaftliche
Gründe mit zwingender Gewalt die „Industrialisierung" Deutschlands
herbeigeführt haben, steht fest und ebenso steht fest, daß die Banken,
selbst in den ungünstigsten Zeiten, dem Reich und den Bundesstaaten bei der Beschaffung ihrer Mittel zur Seite standen. Schon
aus diesem Grunde ist auch die fernere Behauptung Lansburghs
unrichtig, die Kreditgewährung der Banken habe dahin geführt,
daß die Privatreserven nicht mehr in festverzinslichen
Werten angelegt werden; das Gegenteil ist in den Anlagen zu
den Reichsfinanzreformvorlagen nachgewiesen.

Es bleibt also nur die allerseits zugegebene Tatsache übrig, daß
der Industrialisierungsprozeß sich in Deutschland zu rasch abgespielt
hat. In die Schuld daran aber teilen sich — in welchem Prozentsatz kann niemand feststellen — die fieberhafte Volksvermehrung,
die allerdings nicht nur Ursache, sondern auch Folge der Industrialisierung ist, die gewaltigen, zum großen Teil durch den
berechtigten Kampf gegen die ausländische Konkurrenz bedingten
Kreditansprüche des Handels und der Industrie, und endlich die
von mir bereits erwähnten Fehler in der Kreditgewährung seitens
der Banken. —

Ich wende mich nun den Ausführungen und Vorschlägen zu,
welche seitens eines in Theorie und Praxis bewährten, leider allzu-
früh verstorbenen Kenners des deutschen Bankwesens, Felix Hecht,

im Zusammenhange mit früheren Darlegungen[1]), neuerdings gemacht worden sind[2]).

Es wird uns damit auch — was zugleich ein näheres Eingehen auf jene Vorschläge in diesem Buche und an dieser Stelle rechtfertigt — die erwünschte Gelegenheit geboten, unsere „Vorbemerkungen" über den industriellen Kredit in einer Reihe von Punkten zu ergänzen.

Die Vorschläge Hechts gehen dahin, ein selbständiges großes Zentralinstitut für den langfristigen gewerblichen Kredit zu schaffen, welches Obligationen mit Blankoindossament ausgeben und tunlichst allen deutschen Industriezweigen zur Seite stehen soll. Diese Obligationen sollen entweder auf Grund übernommener Obligationen einzelner industrieller Unternehmungen oder ohne solche Unterlage direkt seitens des Zentralinstituts mit dessen Indossament und unter dessen Haftung ausgegeben werden und würden nach Ansicht Hechts infolge höherer Verzinsung, kürzerer Umlaufsdauer — es soll eine Amortisation von in der Regel 7—8% eintreten — und infolge größerer Publizität[3]) gegenüber den jetzt bestehenden industriellen Obligationen große Vorteile aufweisen. Auch die Sicherheit dieser Obligationen sei nach dem Prinzip der Risikoverteilung insofern eine größere, als das Zentralinstitut seine Tätigkeit den allerverschiedensten industriellen Unternehmungen von gesicherter Rentabilität zuwenden und die Prüfung der letzteren durch einen den Kreditbanken in dieser Weise nicht zur Verfügung stehenden großen Stab von technischen und kaufmännischen Sachverständigen vornehmen lassen könne, die gerade hier einen besonderen Schatz von Spezialerfahrungen anzusammeln in der Lage seien. Die Schaffung eines solchen Sonderinstituts sei aber dringend erforderlich wegen der großen Schwierigkeiten, welche heute der Gewährung eines rationellen industriellen Kredits seitens der Kreditbanken entgegenständen.

Es ist somit zunächst nachzuprüfen, ob diese Prämisse richtig ist, und es ist zu diesem Zwecke notwendig, die Voraussetzungen und die allgemeinen Grundlagen des bankmäßigen industriellen Kredits, insbesondere auch gegenüber dem bankmäßigen

---

1) Die Mannheimer Banken 1870—1900. Leipzig, Duncker & Humblot, 1902; Lehren der Krisis. Referat in der Generalversammlung des Vereins für Sozialpolitik vom 15. September 1903 (Bd. CXIII der Schriften des Vereins für Sozialpolitik) und Denkschrift betreffend: „Die Organisation des gewerblichen langfristigen Kredits" (1908).

2) Die Organisation des langfristigen gewerblichen Kredits (in den Veröffentlichungen des mitteleuropäischen Wirtschaftsvereins, Heft 6, S. 59—86).

3) Eine größere Publizität, z. B. häufigere Publikation von Rohbilanzen, wird zwar an sich möglich sein, aber kaum eine größere Klarheit über die Verhältnisse des Instituts herbeiführen können.

Handelskredit, zu erörtern, soweit sie in diesen „Vorbemerkungen" oder in meinen Ausführungen gelegentlich der „Verhandlungen der mitteleuropäischen Wirtschaftskonferenz in Berlin" (17. und 18. Mai 1909)[1], auf die ich verweise, etwa noch nicht gewürdigt sind.

In dieser Beziehung läßt sich folgendes feststellen:

1. Die Technik des Handelskredits, welche im allgemeinen bei den deutschen Kreditbanken gut ausgebildet ist, ist, wie Hecht mit Recht behauptet, mit der Technik des bei den deutschen Kreditbanken nicht entfernt in gleicher Weise ausgebildeten industriellen Kredits nicht identisch.

a) Im Falle der Gewährung industriellen Kredits ist der Kreditgeber, was beim Handelskredit nicht oder doch nicht in gleichem Umfange erforderlich ist, genötigt, aber nur in seltenen Fällen in der Lage, sich dauernd darüber zu vergewissern, ob der von ihm gewährte Kredit auch wirklich zu dem Zwecke, zu dem er verlangt und gegeben wurde, verwendet wird. Auch dann, wenn etwa nur ein kurzfristiger Betriebskredit gewährt ist, muß seitens des Kreditgebers beständig kontrolliert werden, ob dieser Kredit nicht etwa, seiner Bestimmung und seiner Natur zuwider, dauernd festgelegt wird, was natürlich zugleich eine Festlegung entsprechender Teile des Bankkapitals bedeuten würde; auch eine solche Kontrolle ist schwer durchzuführen.

b) Aus dem letzteren Grunde, und ferner wegen des dadurch erwachsenden Risikos, welches durch den Mangel eigener Sachkenntnis der Banken wesentlich verstärkt wird, ist auch eine größere direkte Teilhaberschaft der Kreditbanken an industriellen Unternehmungen entschieden zu widerraten; die Fälle, in denen eine Bank zum industriellen Unternehmer geworden ist, sind in ihrer Mehrzahl nicht zum Segen der betreffenden Kreditbanken ausgegangen (s. unten Abschn. III, Kap. 2, § 2 sub. II, G. 1). Selbst die an sich weniger bedenkliche — allerdings nicht immer freiwillige — Beteiligung in der Form fester Übernahme von Aktien oder Obligationen kann bei ungünstigen Zeiten leicht eine große Belastung für die Bilanz, also eine erhebliche Verschlechterung der Liquidität, herbeiführen.

c) Der fast durchweg dem Handel gewährte und für diesen durchaus passende kurzfristige Personalkredit, für den notwendigerweise ein größerer und öfterer Umschlag oder in Ermangelung eines solchen eine entsprechend höhere Provision bedungen werden muß, ist für die Industrie vielfach bei weitem zu kostspielig und oft direkt bedrückend. Er ist lediglich

---

1) Berlin, Puttkammer & Mühlbrecht, 1909, S. 340—361.

erforderlich für den vorübergehenden Zahlungskredit, dessen die Industrie für Arbeitslöhne und Gehälter und für den vorübergehenden Betriebskredit, dessen sie für Frachten und Versicherungsprämien, für den Ankauf von Rohmaterialien und für die Beschaffung sonstiger Betriebsmittel in entweder regelmäßig oder häufig wiederkehrenden Zeitabschnitten oder einmal im Jahre bedarf.

Dieser vorübergehende, kurzfristige industrielle Zahlungs- und Betriebskredit, der auch nicht ganz den Regeln und Voraussetzungen des (kurzfristigen) Handelskredits unterliegt, weil hier von einem größeren oder öfteren „Umschlag" nicht die Rede sein kann, immerhin aber doch in der Regel rascher zurückgezahlt werden kann als der Anlagekredit, ist aber für die Kreditbanken deshalb bedenklich, weil er die naturgemäße Tendenz hat, wenn er, was leicht vorkommt, aus dem Betriebe nicht zurückgezahlt werden kann, ohne oder sogar gegen den Willen beider Kontrahenten oder wenigstens der Bank, sich in einen dauernden Kredit (Anlage-Kredit) zu verwandeln. Der Klageweg im Falle der Nichtrückzahlung bei Fälligkeit ist aus geschäftlichen Rücksichten meist an sich, mitunter aber auch deshalb ausgeschlossen, weil alsdann weit schlimmere Konsequenzen zu befürchten wären.

d) Angesichts der sub a) betonten Notwendigkeit fortlaufender Kontrolle, die der industrielle Kredit noch weit mehr und dringender als der Handelskredit in bezug auf die vereinbarte Verwendung des Kredits erfordert, wäre es hier besonders nötig, zu bedingen, daß das betreffende industrielle Unternehmen nicht etwa mit verschiedenen Banken und Bankiers arbeiten dürfe.

Wenn aber Hecht[1]) und Ad. Weber[2]) gegen die deutschen Kreditbanken den Vorwurf erheben, daß sie häufig gegen diesen Grundsatz verstoßen hätten und namentlich darauf hinweisen, daß dies im Falle Terlinden geschehen sei, wo nicht weniger als 14 Banken und Bankiers, von denen einer nichts vom anderen gewußt habe, schwere Verluste erlitten hätten, so ist gerade dieser letztere Vorwurf nicht begründet. Mir ist vielmehr persönlich aus einem mit der Terlindengesellschaft abgeschlossenen Vertrage bekannt, daß darin, gerade der Kontrolle wegen, ausdrücklich vereinbart war, daß die Gesellschaft

---

1) In den Lehren der Krisis, S. 141 und in der Schrift über die Mannheimer Banken, S. 45.

2) Ad. Weber, Die rheinisch-westfälischen Provinzialbanken, in den Schriften des Vereins für Sozialpolitik, Bd. CX, S. 344.

nicht mit anderen Bankgeschäften arbeiten dürfe. Eine solche Vereinbarung ist aber einem unehrlichen Schuldner gegenüber, und namentlich gegenüber einem Schuldner, der nicht nur die Bücher, sondern auch deren Unterlagen (Briefe, Rechnungen usw.) fälscht, zwecklos, da auch bei Prüfung der Bücher, zu welcher aber mangels Kenntnis der Vertragsverletzung ein Anlaß nicht vorlag, die letztere nicht so leicht an den Tag gekommen wäre.

Wirklichen Nutzen könnte nur eine Zentralkreditstelle der Kreditbanken selbst stiften, bei der, ohne Nennung der kreditgebenden Banken, diese die Namen der Schuldner und die Höhe und Art der den letzteren gewährten Kredite anzugeben hätten. Eine solche Einrichtung läßt sich aber nicht nur wegen der gegenseitigen Konkurrenz der einzelnen Kreditbanken, sondern auch, und zwar in erster Linie, mit Rücksicht auf die gebotene Wahrung des Geschäftsgeheimnisses, überaus schwer durchführen.

2. Die Gewährung des kurzfristigen Handelskredits ist, im allgemeinen wenigstens, risikoloser als die Gewährung des Industriekredits.

a) Sofern nicht — für diesen Fall sind die Voraussetzungen und Bedingungen die gleichen — auch dem Industriellen ein Blankokredit gewährt wird, sofern es sich also um gedeckten Kredit handelt, wird zunächst — von den selteneren Fällen der Verpfändung von Polizen oder Wertpapieren abgesehen — der mittels Verpfändung von Fabriken und dazugehörigen Terrains, welche in der Regel von den Hypothekenbanken nicht beliehen werden[1]), gewährte Realkredit in Frage kommen. Handelt es sich dabei selbst, was nicht immer der Fall sein wird, um eine erste Hypothek, so ist dieser Kredit durchaus nicht unbedenklich, weil im Falle notwendig werdender Versteigerung der Pfandobjekte die Fabrik, falls sie still steht (samt den dazu gehörigen Maschinen), kaum einen über den Materialwert und den alsdann oft recht geringen gemeinen Wert der Terrains hinausgehenden Erlös ergeben wird, jedenfalls aber einen Wert darstellt, der nicht für jeden künftigen Eigentümer der gleiche ist.

Es kann jedoch der Realkredit auch beruhen auf der Ausgabe verzinslicher, hypothekarisch sichergestellter Obligationen

---

1) An dieser Praxis der Hypothekenbanken dürfte sich aller Voraussicht nach (abgesehen von vereinzelten Beleihungen von Warenhäusern) nichts ändern, auch wenn der von Ernst Sontag (Die Gründung einer Industrie-Hypothekenbank, Kattowitz, Gebr. Böhm, 1909) versuchte Nachweis als geführt zu betrachten ist, daß das Hypothekenbankgesetz (§ 12) der Beleihung von Fabriken nicht entgegenstehe. Weder die „Fungibilität" solcher Fabriken wird angenommen, noch die Gefahr wird unterschätzt werden, daß das Gebäude leer stehen und keine Erträge bringen könnte.

der Industriegesellschaft, deren Ausgabe aber stets nur dann gerechtfertigt ist, wenn „es sich um einen Betrieb von bewährter und von der zeitigen Leitung unabhängiger Rentabilität handelt"[1]).

Ein auf der Grundlage nicht hypothekarisch gesicherter Obligationen gewährter Kredit stellt natürlich lediglich einen Personalkredit, und zwar, wenn sonst keine Sicherheit gewährt ist, einen ungedeckten Personalkredit dar. Dieser aber kann nur unter den gleichen Voraussetzungen gewährt werden, unter welchen er dem Handel gegeben wird, also nach genauer Prüfung der Vertrauenswürdigkeit und Tüchtigkeit der Leitung, der Rentabilität des Unternehmens und sogar auch der Rentabilität und der Konjunktnr des betreffenden Industriezweiges.

b) Der industrielle Realkredit ist besonders dann gefährlich, wenn das betreffende industrielle Unternehmen außerhalb des Geschäftskreises und der Erfahrungen der Kreditgeberin selbst oder ihrer Filialen liegt, wenn also die Prüfung der Grundlagen des Kredits nicht mit der nötigen Sachkenntnis erfolgen kann; der Mangel der letzteren wird sich hier in der Regel noch rascher und empfindlicher rächen als bei dem Handelskredit.

c) Werden die erörterten Voraussetzungen des Industriekredits nicht genügend beachtet, so wird hier sehr häufig, falls das industrielle Unternehmen noch nicht in der Form einer Aktiengesellschaft besteht, die Kreditgeberin genötigt sein, die Umwandlung des Unternehmens in eine Aktiengesellschaft zu verlangen oder zu fördern. Dies aber wird besonders dann, und zwar für beide Teile, gefährlich sein, wenn einer solchen Umwandlung, etwa mit Rücksicht auf die starke oder sogar übermächtige Konkurrenz anderer Aktiengesellschaften der gleichen Branche oder auf die allgemeinen politischen, wirtschaftlichen oder geschäftlichen Verhältnisse, oder mit Rücksicht auf die innerhalb der betreffenden Branche demnächst zu erwartende Konjunktur oder endlich mit Rücksicht auf die Leitung, Bedenken entgegenstehen, die dann auch auf die Absatzmöglichkeit der zu schaffenden Aktien oder Obligationen störend einwirken würden. In solchen Fällen notgedrungener Umwandlungen zum Zweck der Mobilisierung von langfristigen oder von solchen kurzfristigen Krediten, die sich nach und nach ohne und gegen den Willen der Kontrahenten, oder wenigstens des Kreditgebers, aus Betriebskrediten in Anlagekredite verwandeln, wird auch oft

---

1) **Waldemar Mueller** (Bank-Archiv, No. 7 vom 1. Januar 1909, S. 98).

die allgemeine wirtschaftliche Zweckmäßigkeit der Umwandlung nicht genügend berücksichtigt. Noch weniger wird in solchen Fällen die (von den zweifellos sich vermehrenden Spesen wesentlich beeinflußte) Rentabilität des künftigen Aktienunternehmens oder die Frage ausreichend erwogen, ob das Unternehmen sich überhaupt für die Form einer Aktiengesellschaft eignet. Gibt lediglich die Rücksicht auf die notwendige Mobilisierung und demnächstige Realisierung oder Abstoßung des Kredits den Ausschlag für die Umwandlung, so ist dies gerade für die Kreditgeberin besonders gefährlich. Denn entweder muß sie alsdann vielleicht auf den neu kreierten Aktien oder Obligationen sehr lange „sitzen bleiben", was die Liquidität ihrer Bilanz und ihre Aktionsfähigkeit schädigt, oder sie wird häufig bei der Emission dieser Werte ihren Emissionskredit in empfindlicher und möglicherweise dauernder Weise schädigen.

Die nämlichen Bedenken, wenn auch nicht in der gleichen Stärke, können vorliegen, wenn behufs Mobilisierung eines langfristigen oder stehenden Kredits die kreditgebende Bank genötigt ist, eine Kapitalerhöhung oder die Neuausgabe von Obligationen bei einer bereits bestehenden industriellen Aktiengesellschaft zu verlangen oder zu fördern, welche Werte sie dann gleichfalls in absehbarer Zeit an den Markt bringen müßte.

Allerdings sind aber auch in sehr zahlreichen Fällen industrielle Unternehmungen, die sich langsam und schrittweise entwickelten, durch vorsichtig gewährten langfristigen Kredit so lange gefördert worden, bis sowohl der Stand des Unternehmens und die Rentabilität der Neuanlagen oder Meliorationen, wie die Konjunktur entweder die Umwandlung oder die Ausgabe neuer Aktien oder Obligationen wünschenswert und durchführbar erscheinen ließ [1]). In der Zwischenzeit braucht das Unternehmen, bei Entnahme der jeweils erforderlichen Mittel auf dem Wege des Akzeptkredits, nur soviel Zinsen zu zahlen, als sie dem tatsächlichen Stande der Neu- oder Umbauten entsprechen.

3. Es ist ferner zuzugeben, daß industrielle Obligationen, wenn sie an den Börsen von Berlin, Hamburg oder Frankfurt a. Main

---

[1]) Vgl. Otto Jeidels, Das Verhältnis der deutschen Großbanken zur Industrie. Leipzig, Duncker & Humblot, 1905, S. 34. In diesen Fällen soll gerade das Hecht'sche Zentralinstitut einzutreten überhaupt nicht berechtigt sein (Veröffentlichungen des mitteleuropäischen Wirtschaftsvereins, Berlin 1908, Heft 6, No. 5, S. 79. Solche Fälle sind aber ganz besonders wichtig für den Fortschritt des ganzen Wirtschaftslebens, weil nur in dieser Weise einem tüchtigen Nachwuchs, der zunächst meist nicht über die nötigen Kapitalien verfügt, Gelegenheit zu allmählichem Vorwärtskommen geboten werden kann.

notiert werden sollen, nach den bestehenden Zulassungsvorschriften den Mindestnennbetrag von 1 Mill. M erreichen müssen, während an den kleinen Börsen der Nennbetrag von 500 000 M genügt. Hierdurch könnte es häufiger vorkommen, daß kleinere Unternehmungen entweder ihre Obligationen ohne Börsennotiz in den lokalen Kreisen unterbringen müssen, was oft schwierig sein wird, oder daß sie auf den für sie nicht passenden kurzfristigen Kredit angewiesen oder vielleicht vielfach kreditlos sein würden, dies jedoch freilich nur dann, wenn nicht die Provinzialbanken oder Provinzialbankiers eingreifen.

Bei näherer Erwägung dieser Darlegungen wird man wohl anerkennen müssen, daß das von Hecht vorgeschlagene Zentralinstitut nach manchen Richtungen hin segensreich wirken kann, wenn auch Hechts Ansicht, zum mindesten für mittlere industrielle Unternehmungen, kaum richtig ist, daß ein solches Sonderinstitut den Kreditbanken keine wesentliche Konkurrenz machen, vielmehr lediglich eine in manchen Richtungen deren Tätigkeit ergänzende geschäftliche Wirksamkeit entfalten werde.

Auf der anderen Seite wird man nicht zugeben können, daß ein solches Zentralinstitut notwendig ist, da die von Hecht vermißte organische Ausbildung des langfristigen Industriekredits in den nächsten Jahrzehnten ohne jeden Zweifel auch bei den Kreditbanken weiter vorwärts gehen wird. Er betont ja für die Vergangenheit im Beginn seiner „Denkschrift" selbst, daß „die Organisation des Kredits in Deutschland während der letzten drei Jahrzehnte ungeahnte Fortschritte gemacht hat", Fortschritte, die sich meines Erachtens nicht nur beim Handelskredit, sondern auch beim industriellen Kredit gezeigt haben und zeigen werden[1]). Letzteres um so mehr, als sehr viele der Hindernisse, welche der organischen Ausbildung und Organisation des industriellen Kredits bisher im Wege standen, allgemeiner Natur sind, die also genau so, vielleicht sogar unter erheblich größeren Schwierigkeiten, von dem neuen Zentralinstitut zu überwinden sein werden. Nur werden diesem zunächst die jahrzehntelangen Erfahrungen und die weitverzweigten Verbindungen, über welche die Kreditbanken verfügen, nicht zur Seite stehen, während die Kreditbanken ohne jeden Zweifel in der Lage sind, sich der nämlichen Sachverständigen zu bedienen, über welche das Zentralinstitut verfügen kann. In erster Linie gilt dies für die von ihnen selbst begründeten Treuhandgesellschaften und Revisionsgesellschaften, dann aber auch mindestens ebenso für die

---

1) Es läßt sich z. B. sehr wohl denken, daß auch die Rückzahlung des von Kreditbanken gewährten langfristigen Industriekredits in der Annuitätenform ebenso in der Regel vertragsmäßig bedungen wird, wie dies seitens des Zentralinstituts geschehen soll.

von Hecht angeführten Vereine, welche dem Zentralinstitut zur Verfügung stehen sollen, also für den Elektrotechnischen Verband und
Verein, die Schiffsbautechnische Gesellschaft, den Deutschen Verein
von Gas- und Wasserfachmännern, den Verein deutscher Maschinen-
und Eisenbahningenieure, den deutschen Technikerverband, den Verein
deutscher Eisen- und Hüttenleute und den Verein deutscher Chemiker.
Wird so in mancher wichtigen Beziehung das Zentralinstitut auch
auf dem Gebiete des langfristigen industriellen Kredits die Kreditbanken mindestens nicht übertreffen, so wird es auf der anderen Seite
manche Fehler der Kreditbanken genau ebenso, manche aber vielleicht in weit höherem Grade machen, und, wenn es selbst einzelne
dieser Fehler vermeiden sollte, doch wieder andere begehen, die
vielleicht für die Gesamtwirtschaft erheblich schädlicher sind.

Zunächst unterliegt es keinem Zweifel, daß ein solches Kreditinstitut, welches, wenn seine (neben den schon bestehenden von ihm
auszugebenden) Obligationen einen Markt finden und plaziert werden
sollen, vor allem darauf sehen muß, daß es erhebliche Dividenden
dauernd aufweisen kann[2]), ungemein geschäftseifrig sein muß.
Es wird also noch viel eher bei diesem Institut vorkommen wie bei
den Kreditbanken, daß es der Industrie, namentlich in Fällen der
Hochkonjunktur, das Geld entgegenträgt oder „nachwirft" und damit das den Kreditbanken zum Vorwurf gemachte Übel zu ungunsten
der Gesamtwirtschaft noch verschärft und vielleicht Instituten Kredit
gewährt, welche ihn von Banken nicht erhalten haben würden.

Fast noch näher aber liegt die Gefahr, daß ein solches Spezialinstitut die allgemeine wirtschaftliche und finanzielle Lage, die
ebenso wie die spezielle Lage der Industrie oder des für die Kreditgewährung in Frage kommenden Industriezweiges aufs sorgfältigste
mit zu berücksichtigen ist, schon weil sie ihm lange nicht so bekannt sein kann, wie den Kreditbanken, nicht oder nur sehr wenig
in den Kreis seiner Erwägungen ziehen wird.

Und wenn als einer der Gründe, welche die Notwendigkeit
eines solchen Kreditinstituts begründen sollen, der Umstand angeführt wird, daß vielfach die Industrie seitens der Kreditbanken
auf den für sie nicht passenden kurzfristigen Handelskredit gedrängt
worden sei, so fragt es sich, ob nicht durch ein solches Spezialinstitut
die Industrie auch in solchen Fällen, wo lediglich der kurzfristige Kredit
geboten ist, also insbesondere für den laufenden Betriebskredit, auf den
Weg des langfristigen Kredits gedrängt wird. Ich halte das mindestens
für möglich, und ich bin auch der Überzeugung, daß die „Schabloni-

---

2) Die Frage der Rentabilität, von der Hecht glaubte zunächst absehen zu
sollen (Veröffentlichungen, S. 85), wird natürlich erheblich von der größeren oder
geringeren Höhe des Aktienkapitals beeinflußt, aber Hecht sagt darüber nichts.

sierung des Kredits", welche Hecht (in der Denkschrift S. 7) den Kreditbanken vorwirft, bei einem Spezialinstitut der vorgeschlagenen Art viel eher und in weit größerem Umfange sich einstellen wird, als je bei den Kreditbanken [1]).

Ferner muß doch betont werden, daß, wie im Verlauf dieser Arbeit noch dargelegt werden wird, gerade der Kreditverkehr mit der mittleren und kleinen Industrie, sofern er nicht auf genossenschaftlichem Wege gewährt wird, und insbesondere die Unterbringung von soliden industriellen Obligationen, welche wegen ihres 1 Mill. M oder 500 000 M (s. S. 212/213) nicht erreichenden Betrages zum börsenmäßigen Handel und zur Notiz nicht zugelassen werden können, zu dem Spezialgebiet der am Orte ansässigen Provinzbanken und Privatbankiers gehört, denen hier also ohne jeden Zweifel eine neue und scharfe Konkurrenz erwachsen würde.

Weiter ist darauf aufmerksam zu machen, daß dem auch von Hecht nicht unterschätzten Erfordernis genauer Prüfung der Unterlagen gerade des industriellen Kredits durch am gleichen Orte ansässige Personen und Stellen von einem solchen Zentralinstitut noch weit weniger entsprochen werden kann, als etwa von unseren heutigen Großbanken mit ihren zahlreichen Filialen, Agenturen und Kommanditen, Depositenkassen und Konzernbanken. Jenes Erfordernis würde höchstens dahin führen, was wieder große Bedenken hat, daß das Zentralinstitut, dem Kommanditen, Tochterinstitute usw. nicht zur Seite stehen, nach und nach ganz Deutschland mit einem noch weit ausgedehnteren Netz von Nebenstellen überziehen muß, als es die Kreditbanken je haben tun können und wollen. Geschieht dies aber seitens des Zentralinstituts nicht, so wird es auch hinsichtlich der Möglichkeit genauer lokaler Kenntnis und lokaler Prüfung gegen die Kreditbanken zurückstehen.

In der Frankfurter Zeitung vom 16. und 25. September 1908 werden auch Bedenken dahin geltend gemacht, daß die auszugebenden Obligationen tatsächlich den Charakter von Inhaber-Obligationen besäßen, ohne daß die staatliche Genehmigung hierzu erteilt oder auch nur nachgesucht wäre. Es wird ferner mit Recht eingewandt, daß man, bevor man „durch Schaffung eines neuen Obligationstyps das bisher von dem direkten Kreditgeber ge-

---

[1]) So auch Karl Diehl, Der Plan einer neuen Organisation des langfristigen industriellen Kredits, im Bank-Archiv vom 15. März 1909, 8. Jahrg., No. 12, S. 190, wo auch eine Reihe sonstiger m. E. zutreffender Einwendungen gegen das geplante Zentralinstitut geltend gemacht sind; ferner Frankfurter Zeitung (Abendblatt) vom 25. September 1908 und die Einwendungen des Bankdirektors Freih. v. Pechmann in den Veröffentlichungen des Mitteleuropäischen Wirtschaftsvereins, Heft 6, S. 86—95; A. M. Ernst Sontag a. a. O.

tragene Risiko des langfristigen industriellen Kredits dem Publikum auflädt", den Nachweis führen müsse, „daß die aus dem Erlöse der Obligationen gewährten Ausleihungen wirklich eine genügende Sicherheit für Kapitalanlagen der Sparer bieten". Diesen Nachweis habe Hecht nicht geführt; denn der bloße Hinweis auf die Hypothekenbanken, gegen die seinerzeit der gleiche Einwand erhoben worden sei, reiche dafür nicht aus, angesichts der völligen Verschiedenheit der Pfandunterlagen und der gesetzlichen Kontrollen, denen die Hypothekenbanken unterworfen seien, sowie angesichts der, wie ich weiter unten meinerseits nachweisen werde, völlig verschiedenen rechtlichen Grundlagen.

Ich möchte dem hinzufügen, daß, wenn wirklich die Obligationen des Zentralinstituts, was mit ein Vorzug dieser Einrichtung sein soll, auf Grund einer großen Reihe von verschiedensten Beleihungen und verschiedensten Unterlagen ausgegeben werden, und selbst wenn (oder gerade wenn) der Prospekt sich über die Verhältnisse aller dieser Unternehmungen so ausführlich verbreitet, wie es die Zulassungsvorschriften fordern, die Obligationen hinsichtlich ihres inneren Wertes fast ebenso schwer zu beurteilen wären, wie das ganze Zentralinstitut infolge seiner Undurchsichtigkeit.

Auch hat Freiherr v. Pechmann (a. a. O. S. 94) mit Recht darauf hingewiesen, daß der von dem Zentralinstitut zu gewährende Kredit um so weniger verlockend für die Industrie sein wird, je rascheren Amortisationen sie sich (neben 5% Zinsen und hohen Provisionen) unterwerfen solle. Es ist denn auch unter den Nachteilen des kurzfristigen Handelskredits für die Industrie gerade von Hecht mit Fug und Recht in erster Linie auch auf dessen Kostspieligkeit hingewiesen worden.

Endlich darf doch auch nicht vergessen werden, daß das, was Hecht heute vorschlägt, schon vor langer Zeit im Auslande zur Verwirklichung gelangt ist, allerdings nur in Form einer in der Provinz errichteten Bank (die aber auch Hecht selbst, wenigstens zunächst, in Aussicht nimmt), und daß diese Bank im Auslande bisher eine besonders erfolgreiche Wirksamkeit nicht hat verzeichnen können:

In Österreich ist vor ungefähr 10 Jahren (1898) ein solches Spezialinstitut, die Böhmische Industrial-Bank in Prag, also eine Provinzialbank mit dem mäßigen Kapital von 12 Mill. Kronen, und zwar seit 1906 gerade auch zur Nutzbarmachung des Annuitätenkredits für die Industrie, ins Leben getreten, welche aber bis jetzt den Umlauf ihrer hypothekarisch gesicherten Obligationen nicht über den Betrag von 16 639 000 Kronen gebracht und seit September 1907 „eine direkte Verbindung mit dem Wiener Markte durch Gründung einer Filiale in Wien eingerichtet hat".

Der Ministerialsekretär Lopuszański in Wien, der hierüber berichtet[1]), glaubte jedoch noch im Jahre 1908, ungeachtet der an sich doch wohl ausreichend langen Wirksamkeit dieser Bank, noch nicht zu einem abschließenden Urteil über sie berechtigt zu sein.

Ferner ist in Österreich auf Grund eines Spezialgesetzes über fundierte Bankschuldverschreibungen mit Mündelsicherheit vom 27. Dezember 1905[2]) drei großen Instituten die Konzession zur Ausgabe von mündelsicheren Bankschuldverschreibungen (Reichsges.-Blatt 85. Stück, Jahrg. 1905) erteilt worden, welche auf Grund von hypothekarisch gedeckten Industriedarlehen mit der Maßgabe ausgestellt werden dürfen, daß die Summe der ausgegebenen Teilschuldverschreibungen nicht höher sein darf, als die Summe der zu deren Deckung dienenden Industriehypothekenforderungen.   Diese drei Institute sind: die K. K. privilegierte allgemeine österreichische Boden-Credit-Anstalt, der Wiener Bankverein und die Zivnostenská banka in Prag; von ihnen hat nur die letztere im Jahre 1910 mit der Ausgabe solcher mündelsicheren Schuldverschreibungen begonnen, während sie schon seit 1908, ebenso wie seit 1899 die Böhmische Industrialbank in Prag (nicht mündelsichere) Bankschuldverschreibungen auf Grund von Industriedarlehn ausgegeben hatte.   Der Umlauf sämtlicher Bankschuldverschreibungen betrug 1910 bei der Zivnostenská banka Kr. 22 477 400, bei der Böhmischen Industrialbank Kr. 20 101 900.

An eine bedeutendere Wirksamkeit in Deutschland glaube ich jedenfalls nicht und würde für unsere deuschen Verhältnise den Erlaß eines Gesetzes behufs Ermöglichung der Ausgabe fundierter Bankschuldverschreibungen nicht empfehlen können, zumal bei uns von einer solchen Möglichkeit aller Voraussicht nach kaum ein irgend erheblicher Gebrauch gemacht werden würde.   Solche fundierten Bankschuldverschreibungen waren ja übrigens schon, was nicht vergessen werden darf, von Pereire vorgeschlagen, auch im Statut des Crédit mobilier und der Darmstädter Bank vor mehr als 50 Jahren vorgesehen, und alle Welt war sich darüber einig, daß es gut war, daß sie nie ausgegeben worden sind.   Zu einer Erhöhung der ohnehin infolge der Konzentration und Dezentralisation der Banken stark zurückgegangenen Bilanzklarheit würden derartige auf zahlreiche und schwer übersehbare Industrieunternehmungen fundierte Obligationen überdies recht wenig beitragen. —

---

1) Eugen Lopuszański, Einige Streiflichter auf das österreichische Bankwesen in der Volkswirtschaftlichen Wochenschrift von A. Dorn, Bd. L, No. 1305 vom 31. Dezember 1908, S. 437.

2) Vgl. Veröffentlichungen des Mitteleuropäischen Wirtschaftsvereins, Heft 6, S. 75.

Schließlich müssen auch die recht gewichtigen rein juristischen Bedenken [1]) zu Worte kommen:

Hinsichtlich der Schuldverschreibungen gibt es nur folgende Möglichkeiten:

I. Schuldverschreibungen mit hypothekarischer Sicherung [2]),

1. Das Zentralinstitut gibt eigene Schuldverschreibungen aus.

Hier sind 2 Fälle möglich:

a) Das Zentralinstitut läßt sich zunächst über ein von ihm einem industriellen Etablissement gewährtes Darlehen seitens dieses Etablissements von letzterem (auf den Namen oder an die Order des Zentralinstituts) ausgestellte und hypothekarisch gesicherte Schuldverschreibungen übergeben und gibt dann auf Grund dieser hypothekarisch gesicherten (und unter Vermittlung eines Treuhänders zu verpfändenden) Schuldverschreibungen des Etablissements eigene Schuldverschreibungen aus; oder

b) es läßt sich hypothekarisch gesicherte Schuldverschreibungen des industriellen Etablissements, welche dieses ursprünglich zugunsten einer Bank, die ihm ein Darlehen gewährte, ausstellte, seitens der Bank indossieren und gibt daraufhin eigene Schuldverschreibungen aus.

Es kann m. E. in diesen beiden Fällen darüber kein Zweifel sein, daß nach dem Wortlaut, Sinn und Zweck des § 1 des Hypothekenbankgesetzes vom 13. Juli 1899 das Zentralinstitut, da der „Gegenstand" seines „Unternehmens" ausschließlich oder mit darauf „gerichtet" ist [3]) Grundstücke industrieller Etablissements

---

1) Es ist aber darauf hinzuweisen, daß Hecht selbst in den Verhandlungen der Mitteleuropäischen Wirtschaftskonferenz zu Berlin vom 17. und 18. Mai 1909 allem Anschein nach von der Notwendigkeit einer gesetzlichen Regelung der Materie ausgegangen ist, die er früher offensichtlich nicht ins Auge gefaßt hatte.

2) Eine Sicherung durch Bürgschaft oder Lebensversicherungspolice kommt für die betr. Schuldverschreibungen praktisch so wenig in Betracht, daß wir diese Fälle auch hier ruhig unbesprochen lassen können. Anderer Ansicht ist Bankier H. Loewy (Rawitsch) im Bank-Archiv, 8. Jahrg., S. 241 ff., der auch grundsätzlich dem Gedanken des Zentralinstituts freundlich gegenübersteht.

3) Die Anwendbarkeit des Gesetzes (§ 1) ist gegeben, sobald der Gegenstand des Unternehmens tatsächlich hierauf gerichtet ist; es ist ganz gleichgültig, ob in den Bedingungen oder Statuten dieser Gegenstand des Unternehmens ausdrücklich angegeben ist; sonst wurde es ja ungemein einfach sein, die Anwendbarkeit des § 1 des Hypothekenbankgesetzes dadurch auszuschließen, daß man diesen Gegenstand des Unternehmens in den Bedingungen oder Statuten verschwiege,

hypothekarisch zu beleihen und auf Grund der erworbenen Hypotheken Schuldverschreibungen auszugeben, eine Hypothekenbank ist, die der Konzession bedarf, und zwar, da ihr Geschäftsbereich nicht lediglich auf einen Bundesstaat sich erstrecken soll, einer Konzession des Bundesrates, und daß sie, falls etwa diese Konzession erteilt wird, als Hypothekenbank den beschränkenden Vorschriften des Hypothekenbankgesetzes unterworfen ist. Dabei macht es auch keinen Unterschied, ob die von dem einzelnen Etablissement ausgegebenen Schuldverschreibungen Teilschuldverschreibungen sind oder nicht.

Dies gilt für beide Fälle sub a und b, da es für die Anwendbarkeit des § 1 des Hypothekenbankgesetzes gleichgültig ist, ob die Hypothek ursprünglich zugunsten des Zentralinstituts bestellt oder erst seitens des letzteren von einem Dritten erworben ist (vgl. Komm. Bericht S. 1, § 5, Abs. 1, Ziffer 1 eod.)

Ist dies richtig, so würde in diesen wichtigen Fällen der Zweck des Zentralinstituts, industrielle Etablissements zu beleihen und daraufhin Schuldverschreibungen auszugeben, fast völlig vereitelt sein. Denn, wie ich schon oben (S. 210, Anm. 1) ausführte, würde, selbst wenn die Hechtsche Auslegung[1]) des § 12, Abs. 1, Satz 2 des Hypothekenbankgesetzes mit Ernst Sontag[2]) abzulehnen ist die Praxis der Hypothekenbanken bestehen bleiben, wonach, mit geringen Ausnahmen, von der Beleihung industrieller Etablissements abgesehen wird.

2. Das Zentralinstitut gibt keine eigenen Schuldverschreibungen aus.

Hier ist an den Fall zu denken, daß die hypothekarisch gesicherten Schuldverschreibungen von dem industriellen Etabliss ement selbst (an die Order des Zentralinstituts) ausgestellt und diesem übergeben werden, während dieses lediglich die fremden Schuldverschreibungen indossiert, also für dieselbe nur eine persönliche (wechselmäßige) Garantie übernimmt[3]).

In diesem Falle kommt das Hypothekenbankgesetz nicht in Frage, da es sich nicht auf Grund hypothekarischer (eigener oder fremder) Beleihung vom Zentralinstitut ausgegebene Schuldverschreibungen handelt, vielmehr dieses nur Vermittler und Garant der von den einzelnen industriellen Etablissements selbst ausgegebenen Schuldverschreibungen ist, während diese letzteren dadurch, daß sie

---

1) Veröffentlichungen des mitteleuropäischen Wirtschaftsvereins, Heft 6, S. 66.
2) Ernst Sontag a. a. O.
3) Vgl. Felix Hecht, Denkschrift über die Organisation des gewerblichen langfristigen Kredits, S. 10.

vom Zentralinstitut geprüft und indossiert sind, wohl an Wert und Absatzfähigkeit gewinnen, aber doch kaum mehr als eine von einer bekannten Bank emittierte industrielle Schuldverschreibung.

Hier ist aber andererseits, da die Schuldverschreibungen von verschiedenen Schuldnern ausgestellt und vom Zentralinstitut nur indossiert sind, die Zusammenfassung der etwa von vier verschiedenen Etablissements ausgegebenen Schuldverschreibungen von je 250 000 M in eine Gesamtanleihe von 1 Mill. M unmöglich.

Damit entfällt aber in diesem Falle auch der zweite Grund, den man zugunsten der Schaffung des Zentralinstituts vorgebracht hat, daß es mittleren und kleineren Unternehmungen, deren Schuldverschreibungen unter 1 Mill. M betragen, durch Zusammenfassung mehrerer Anleihen in einer Gesamtanleihe den industriellen Kredit und den Handel und die Notiz an der Börse verschaffen könne.

II. Schuldverschreibungen ohne hypothekarische Sicherung.

Das Zentralinstitut kann sich nun aber auch auf Grund gewährter Darlehen von jenen vier industriellen Etablissements solche Schuldverschreibungen von je 250 000 M ausstellen, übergeben und unter Vermittlung eines Treuhänders verpfänden lassen, welche nicht hypothekarisch gesichert sind, und daraufhin eigene Schuldverschreibungen in Höhe von 1 Mill. M ausstellen, welche an der Börse zum Handel und zur Notiz gelangen können.

Gerät aber in einem solchen Falle das einzelne industrielle Etablissement in Konkurs, so würde auf die aus den Schuldverschreibungen desselben erwachsende Rückzahlungsforderung des Zentralinstituts lediglich die gewöhnliche Konkursdividende entfallen, welche auf die sämtlichen nicht bevorrechtigten Gläubiger des Etablissements entfällt. M. a. W: In einem Konkurse des industriellen Etablissements stehen die Forderungen aus den von diesem ausgestellten (und an das Zentralinstitut verpfändeten) Schuldverschreibungen auf gleicher Linie mit allen übrigen nicht bevorrechtigten Forderungen an jenes Etablissement. Der Erwerb derartiger Schuldverschreibungen würde somit für das Publikum kaum einen Anreiz bieten, selbst wenn diese, was zweifelhaft ist, zum Börsenhandel zugelassen würden. Im Falle der Zulassung würde meines Erachtens die Zulassungsstelle mindestens verlangen, daß auf die fehlende dingliche Sicherung, die infolge der Verpfändung an das Zentralinstitut irrig angenommen werden könnte, im Prospekt ausdrücklich hingewiesen würde, was naturgemäß den Absatz schädigen muß.

Das Resultat dieser Ausführungen ist sonach:

1. Handelt es sich um hypothekarisch gesicherte Schuldverschreibungen, so kann das Zentralinstitut als solches

nur in dem Fall sub I No. 2 tätig werden, aber hier gerade nur zugunsten großer industrieller Etablissements, die in der Regel mit
den Banken in Verbindung stehen und von diesen bisher eher zu
viel als zu wenig Kredit erhalten haben.

2. Handelt es sich um nicht hypothekarisch gesicherte
Schuldverschreibungen, so besteht, da auch hier das eigentliche
Kleingewerbe gar nicht in Betracht kommt, kein ausreichendes Bedürfnis, derartige Schuldverschreibungen, welche dem Inhaber (meist
gegen seine Annahme) kein dingliches Recht gewähren, noch zu
vermehren.

3. Zu einer Änderung der Gesetzgebung, welche in den Fällen I
No. 1 a und b dann nötig wäre, wenn das Zentralinstitut der Pflicht
zur Einholung der Konzession als Hypothekenbank entgehen will, liegt
schon angesichts der überreichlichen Fülle der bereits bestehenden
industriellen Schuldverschreibungen ein ausreichender Anlaß nicht vor.

Sollte ungeachtet aller vorstehenden wirtschaftlichen und juristischen Bedenken das Zentralinstitut als solches tätig werden, so
wird ihm nach meiner Ansicht eine rasche und besonders erfolgreiche Wirksamkeit kaum in Aussicht stehen.

B. Das Kontokorrentgeschäft[1]).

Der Kontokorrentverkehr zwischen der Bank und ihrer Klientel
ist eine Hauptquelle der im laufenden Geschäft zu verdienenden
Provisionen und bildet zugleich die Grundlage der verschiedenen
Beziehungen, welche nach und nach das Band zwischen beiden
Teilen immer enger knüpfen.

Ist auch zunächt die Bank im Kontokorrentverkehr ein
„Mädchen für Alles", das im Geschäftshaushalt des Kunden tausend
Dienste gegen ähnlich geringe Vergütung zu leisten hat, so ist diese
dienende Stellung in der Regel die Etappe zu einer, wenn auch nicht
herrschenden, obwohl auch das vorkommt, doch jedenfalls einflußreichen und starke Vorteile verschiedenster Art bietenden Position.

Es ist deshalb vor allem das Kontokorrentgeschäft das Gebiet,
auf dem die einzelnen Banken ihre Konkurrenzkämpfe, insbesondere
um die industrielle Kundschaft, ausfechten. Von dem Abschluß
eines regelmäßigen Kontokorrentverhältnisses geht über die verschiedenen Formen der Kreditgewährung, welche allein schon durch
das Kündigungsrecht der Bank einen gewissen Einfluß verschaffen,
ein direkter Weg zu den Macht erhöhenden und Gewinn ver-

---

1) Vgl. Siegfried Buff, Das Kontokorrentgeschäft im deutschen Bankgewerbe, J. G. Cotta'sche Buchhandlung Nachf., Stuttgart und Berlin 1904 (zugleich
60. Stück der von Brentano und Lotz herausgegebenen volkswirtschaftlichen
Studien).

sprechenden Umwandlungen, Gründungen, Emissionen, zur Vermittlung von Fusionen und zu dauernder Beteiligung an dem industriellen Unternehmen durch Aktienbesitz oder zu Aufsichtsratsdelegationen oder zu beidem, und damit zur Eroberung ganzer
industrieller Wirtschaftsgebiete und zu intimer Fühlung mit ausschlaggebenden Kartellen und Syndikaten, sowie zum Beginn einer
engen Verbindung von Bank- und Industrie-Gruppen.

In der meist nur schrittweise und unter großen Mühen und
Schwierigkeiten zu ermöglichenden planmäßigen Ausgestaltung des
Kontokorrentgeschäfts in Industriebezirken ist also zugleich der
kräftigste Hebel für eine planmäßige Industriepolitik der Banken
zu sehen, deren erfolgreiche Durchsetzung zugleich deren Vorherrschaft gegenüber den sonst in diesen Gebieten vertretenen Privat-
geschäften begründet, befestigt oder erweitert.

Die wesentlichsten Einzelrichtungen des Kontokorrentgeschäfts
sind die folgenden:

Im laufenden Kontokorrentverkehr besorgen die deutschen
Kreditbanken zunächst den Zahlungsverkehr ihrer Kund-
schaft. Sie empfangen und leisten für sie Zahlungen, ziehen ihre
Hypothekenzinsen ein, schreiben ihren Kunden, namentlich in deren
Auslands- und Überseeverkehr, Wechsel, Schecks Anweisungen und
Kreditbriefe aus, „stempeln mit ihrer Unterschrift die aus dem
Warenhandel entstehenden Wechsel zu sichern und überall gang-
baren Wertpapieren"[1]), akzeptieren die von ihrer Klientel oder
deren Kundschaft auf sie gezogenen Wechsel und stellen ihr
einen innerhalb der Bank selbst sowie bei ihren Nebenstellen und
Konzernbanken eingerichteten Giroverkehr zur Verfügung.

Sie besorgen für ihre Kundschaft, soweit diese solcher Wechsel
für überseeische Geschäftsverbindungen bedarf, Auslandswechsel
(Devisen), welche sich weit mehr als der Inlandswechsel den Charakter
von Zahlungsmitteln bewahrt haben. Derartige Devisen pflegen
aber die deutschen Kreditbanken nicht nur, um sie der Kundschaft
bei Bedarf zur Verfügung zu stellen, sondern auch im Interesse
der Liquidität ihres Status, und, wenn auch nicht in gleichem Umfange wie die Reichsbank, doch gleichfalls in erheblichen Beträgen
deshalb im Portefeuille zu halten, um bei Geldknappheit oder Krisen
Gold aus dem Auslande heranziehen zu können. Die Höhe der
Devisenbestände wird in den Bilanzen der deutschen Kreditbanken
selten angegeben. Im Geschäftsbericht der Dresdner Bank für
1910 wird aber mitgeteilt, daß sich in ihrem Wechselbestand per

1) So Joh. Friedr. Schaer, Die Bank im Dienste des Kaufmanns (Leipzig,
G. A. Gloeckner, 1909), S. 19.

31. Dezember 1910 von 258 331 015 M (in 72 230 Wechseln) Wechsel in fremden Valuten im effektiven Werte von 60 270 358 M befanden. Ebenso berichtet die Disconto-Gesellschaft, daß am gleichen Termin ihr Wechselbestand von 200 374 830 M Devisen im Werte von 35 454 753 M enthalten habe.

Die deutschen Kreditbanken stellen ferner auf Wunsch ihrer Kunden für diese Bürgschaften oder Wechsel-Avale aus, speziell auch den Zoll- und Eisenbahn-Behörden gegenüber zur Sicherung der späteren Zahlung vorläufig gestundeter Zölle und Eisenbahn-Frachten[1]).

Sie besorgen ferner die Einziehung von Wechseln auf das Inland und das Ausland, abzüglich Spesen und Provision, wobei sie aber nach den in diesem Punkte fast durchweg übereinstimmenden Kontokorrentbedingungen keine Gewähr bei Wechseln auf deutsche Nebenplätze oder auf das Ausland für rechtzeitige Präsentation oder für Beibringung eines Protestes übernehmen, und veranlassen auf Wunsch telegraphische Auszahlungen zur Begleichung von Zahlungsverpflichtungen im Ausland.

Im kontokorrentmäßigen Kreditverkehr erleichtern sie ihrer Kundschaft das dieser aus dem Export- oder Importgeschäft erwachsende Risiko, indem sie die vom Exporteur auf den überseeischen Käufer ausgestellten Wechsel diskontieren oder beleihen, oder indem sie dem Importeur auf Grund eines ihm gewährten Trassierungskredits, gegen Aushändigung des Konossements und der Versicherungspolicen, den vom ausländischen Verkäufer in Höhe des Kaufpreises auf jenen gezogenen Wechsel akzeptieren, den dieser nun diskontieren kann.

Sie gewähren ihrer Kundschaft längeren Kontokorrentkredit oder, innerhalb und außerhalb des Kontokorrentverhältnisses, kurzfristigen Kredit in Form der Diskontierung der Wechsel ihrer Kunden oder deren Klientel, oder in der Form des Lombard- oder Reportgeschäfts und diskontieren in letzter Zeit auch vereinzelt (nach dem Vorgang der Deutschen Bank) die Geschäftsausstände ihrer Kunden.

Sie bewahren die Wertpapiere und Dokumente ihrer Kunden in den Banktresors auf, und zwar, soweit eine Umsatzprovision im Kontokorrent bezahlt wird, in der Regel unentgeltlich, oder, wenn zugleich eine Verwaltung übernommen wird, gegen eine überaus niedrige Provision.

---

1) Die Darmstädter Bank konnte schon im Bericht über ihr erstes Geschäftsjahr (1853) mitteilen (S. 12), daß auf Grund einer Anweisung der Großh. Hessischen Staatsregierung die Oberzolldirektion allen Kaufleuten gegen ihre mit dem Aval der Bank versehenen Wechsel Zollkredit gewähre.

Zur Verwaltung der Wertpapiere in diesem Sinne gehört
die Einziehung fälliger Kupons oder ausgeloster oder sonst zur Rückzahlung gelangender Obligationen, Pfandbriefe, Genußscheine usw.;
die Geltendmachung von Bezugsrechten, der Umtausch höher verzinslicher in niedrige verzinsliche Papiere (Konvertierung) oder die
in diesem Fall erforderliche Einreichung zur Abstempelung; die zu
gleichem Zweck oder behufs Vernichtung notwendige Einreichung
von Wertpapieren im Fall einer Kapitalreduktion; die Einholung
neuer Kuponsbogen mit Talon (Erneuerungsschein); die Kontrolle
von Verlosungen (unter gewissen Vorbehalten); die Einzahlungen
auf nicht vollgezahlte Papiere; die Zahlung von Zubußen auf Kuxe;
die Verwertung von in fremder Valuta ausgestellten Kupons u.
dgl. m.

Konvertierungen, Versicherungen, Anmeldungen von Aktien
zu den Generalversammlungen [1]), Einzahlungen auf nicht vollgezahlte
Effekten; Zahlungen zu Zubußen auf Kuxe und die Zusammenlegung von Aktien im Falle von Kapitalreduktionen pflegen indessen
die deutschen Großbanken hinsichtlich der ihnen zur Verwahrung
übergebenen Wertpapiere in Gemäßheit ihrer „Geschäfts- und Kontokorrentbedingungen" nur auf besonderen Auftrag der Hinterleger
zu besorgen.

Nach einer Mitteilung von Waldemar Mueller [2]) verwaltet allein
die Dresdner Bank Wertpapiere ihrer Kundschaft im Betrage von
fast 2 Milliarden M, ohne Einrechnung der Papiere, welche in den
Safes der Depositenkassen liegen. Die Aufbewahrung verschlossener
Depots unter gemeinsamem Verschluß der Bank und der Einleger
in besonderen feuer- und diebessicheren Kassetten und Gewölben
wird in Deutschand gleichfalls von den Kreditbanken oder deren
Depositenkassen und Wechselstuben besorgt, während im Ausland,
speziell in England und Amerika, auch hierfür besondere Safe Companies vorhanden sind.

Die deutschen Kreditbanken besorgen ferner auf Grund besonderer Geschäftsbedingungen den kommissionsweisen An- und

---

1) Auf Grund der Vorschriften des Bankdepotgesetzes (vgl. Riesser, Kom-
mentar zum Bankdepotgesetz, 2. Aufl., Berlin 1906, Otto Liebmann, S. 42 sub 3 d, β)
ist es nicht angängig, daß, wie Joh. Fr. Schaer (a. a. O. S. 23/24) annimmt, „die
aufzubewahrende Bank auch die Vertretung der Aktien bei den Generalversammlungen
übernimmt, wenn der Deponent nichts Gegenteiliges anordnet". Vielmehr
steht diese Vertretung der Bank nicht zu, wenn sie nicht seitens des Hinterlegers
ermächtigt ist, da in einer solchen Vertretung eine, wenn auch begrenzte, „Verfügung" über die Aktien liegt, zu welcher die aufbewahrende Bank nicht befugt ist.
Die Ermächtigung bedarf jedoch in einem solchen Falle nicht der in § 2 des Bankdepotgesetzes vorgeschriebenen Form.

2) Im Bank-Archiv vom 15. Januar 1909 (8. Jahrg., No. 8, S. 114/115).

Verkauf von Wertpapieren und übernehmen auch deren Beleihung nach unten näher mitzuteilenden, bei den Großbanken im
wesentlichen übereinstimmenden Bedingungen. Hinsichtlich der Beleihung von Minenaktien, falls sie nicht ganz ausgeschlossen ist, und
von amerikanischen Eisenbahnaktien werden in der Regel besondere
Abmachungen getroffen.

Die Kreditbanken eröffnen ferner ihren Kontokorrent-Kunden
auf Wunsch ein besonderes Scheckkonto, für dessen Guthaben sie
keine Zinsen oder nur sehr geringe vergüten, für dessen Umsätze
sie aber auch keine Umsatzprovision zu berechnen pflegen, und
zwar in der Regel mit vierteljährlicher Abrechnung. Bareinzahlungen
auf diesem Konto werden, wenn sie bis 12 Uhr geleistet werden,
per Einzahlungstag oder nächsten Werktag, sonst per zweiten Werktag, Barauszahlungen per Auszahlungstag valutiert[1]).

Die deutschen Kreditbanken vermitteln auch vielfach, speziell
durch ihre Wechselstuben und Depositenkassen, die Gewährung
hypothekarischer Darlehen an ihre Klientel und gewähren mitunter oder vermitteln Baugelder, oder sie leisten den Zoll- oder
Eisenbahn-Behörden für von ihrer Klientel in Anspruch genommene
Zoll- oder Eisenbahnfracht-Kredite oder für richtige und rechtzeitige
Erfüllung von seitens ihrer Klientel eingegangenen Lieferungs- oder
Werkverträgen Sicherheit in Form von Bürgschaft oder hinterlegten
Avalwechseln. Sie übernehmen vielfach auf Wunsch für die bei
ihnen zur Verwahrung und Verwaltung hinterlegten Wertpapiere
gegen eine mäßige Gebühr die Versicherung gegen Kursver-
lust bei Auslosung.

Sie finanzieren die von ihrer Klientel beabsichtigte Umwandlung ihrer Unternehmungen in Aktiengesellschaften oder
die Neugründung von Aktiengesellschaften und die Ausgabe neu
geschaffener Aktien oder Obligationen in den allerverschiedensten
Formen und unter den verschiedensten Bedingungen.

Sie geben endlich oder besorgen ihrer Klientel die für sie
notwendigen oder wünschenswerten Informationen über einzugebende
Geschäftsverbindungen und zu gewährende Kredite oder über ausländische Beziehungen und Absatzquellen und gewähren oder verschaffen ihr in deren kaufmännischem sowie im wechselseitigen
Verkehr, insbesondere bei Gelegenheit von Emissionen, Vorteile und
Erleichterungen jeder Art.

Es ist sehr bedauerlich, weil es leicht zu einer Vernachlässigung
des Lebensnervs des Bankgeschäfts, des Kontokorrentgeschäfts, und
zu einer Bevorzugung anderer, mehr spekulativer Geschäfte führt,
daß, infolge der gegenseitigen Konkurrenz der Banken, noch in

---

1) So im wesentlichen auch Joh. Friedr. Schaer a. a. O. S. 46 B. a.

keiner Periode die Provisionen im deutschen bankmäßigen Kontokorrentgeschäft einen solchen Tiefstand aufwiesen, wie gerade jetzt.
Das geht soweit, daß eine Unmenge von Arbeiten, die im Auslande
provisionspflichtig sind, in Deutschland provisionsfrei besorgt werden,
und daß die gewährten Provisionen so minimal sind, daß sie nicht,
mitunter sogar nicht entfernt, ein Äquivalent für den entsprechenden
Teil der Generalunkosten bieten.

So wird in der Regel für die Umsätze im Kontokorrent nur
eine von der größeren Seite des Kontos zu berechnende Umsatzprovision von $^1/_2\,^0/_{00}$ für Bankiers, und $1\,^0/_{00}$ für Nichtbankiers,
für die Akzeptation von Wechseln eine Akzeptprovision von
$^1/_4\,^0/_0$ für das Quartal, die aber von den meisten Großbanken den
regelmäßigen Kunden, denen gestattet ist, Tratten auf Zeit auf ihre
Bank zu ziehen, nur dann berechnet zu werden pflegt, wenn die
Deckung nicht am Tage der Ausstellung des Akzepts in den Händen
der Bank ist[1]).

An Zinsen werden in der Regel, mangels anderweitiger
Vereinbarung für die Salden im Kredit $1\,^0/_0$ unter Reichsbank-
diskont vergütet und für die Salden im Debet $1\,^0/_0$ über Reichs-
bankdiskont belastet, jedoch gewöhnlich unter Feststellung einer
Maximalgrenze im ersteren und einer Minimalgrenze im letzteren
Falle.

Einzahlungen im Kontokorrent werden meist per Zahlungs-
tag, oder, wenn sie nach 4 Uhr eintreffen, per nächsten Werktag,
Auszahlungen stets per Auszahlungstag valutiert. Inkassowechsel
werden nach besonderer Vereinbarung, Diskontwechsel per Diskont-
tag valutiert.

Schon dann, wenn der Kontokorrentschuldner nicht bloß vorübergehend ins Debet gerät, oder wenn der Kunde, sei es nur zu
bestimmten Zeiten (Saisonkredit), oder zu unbestimmten Zeiten oder
dauernd eines Kredits bedarf, sind Vereinbarungen über die Höhe,
Verzinsung, Abdeckung, Provisionen und über eine Reihe sonstiger
Fragen erforderlich, die in der Regel schriftlich, und zwar oft schon
bei Beginn der Verbindung, fixiert werden.

Im Laufe der Zeit und unter dem Druck immer erneuter gesetzlicher Vorschriften und Anforderungen haben sich ziemlich gleich-
förmige Formulare für diese „Geschäfts- und Kontokorrentbedingungen"[2]) ausgebildet, vorbehaltlich natürlich der Spezial-

---

1) Vgl. für die Deutsche Bank das bei Joh. Friedr. Schaer a. a. O. S. 130
abgedruckte Zirkular (Nr. 4).

2) Die Kontokorrentbedingungen der Disconto-Gesellschaft, der Dresdner
Bank und der Berliner Handelsgesellschaft, wie sie unmittelbar vor dem Jahre
1904 in Geltung waren, sind abgedruckt bei Siegfr. Buff a. a. O. S. 110—125.

vereinbarungen über Provisionen und Zinsen, sowie über Höhe und Rückzahlung der Kredite.

Der Kredit in laufender Rechnung, der nur für bankmäßige Geschäfte gewährt wird, ist entweder ein ungedeckter (Blankokredit) oder ein gedeckter Kredit; die Bank sucht sich aber stets auch in dem Umfang des Kontokorrentverkehrs und der alsdann von selbst sich herausstellenden Verschiedenheit der Kontokorrentkundschaft eine Sicherheit für ihr Risiko namentlich nach der Richtung zu schaffen, daß die Summe der von ihr für Kontokorrentkunden zu leistenden Vorschüsse oder Auszahlungen, soweit irgend möglich, die Summe der Guthaben anderer Kontokorrentkunden oder der von diesen zu erwartenden Einzahlungen entspricht[1]).

In diesem Fall wird denn auch nur ein relativ geringer Betrag des eigenen Kapitals der Bank im Kontokorrentgeschäft festgelegt, was die Liquidität und die Aktionsfähigkeit der Bank sicherstellt, und dieser sehr wünschenswerte Zustand ist auch von den deutschen Großbanken, freilich nicht in jedem Jahre und von jeder einzelnen Bank, aber im ganzen und im Durchschnitt der Jahre, so ziemlich erreicht worden. Mit vollem Recht wird daran von Mueller[2]) die Ausführung geknüpft:

„Aus diesem Grunde sind die Kunden am meisten geschätzt, welche während einer Einkaufsperiode Kredit in Anspruch nehmen und während der Verkaufsperiode nicht nur die Kredite zurückzahlen, sondern Geld guthaben, wie dies bei einem großen Teil der Handelsfirmen und vielen Industriezweigen, speziell bei der Berliner Industrie, der Fall ist. Da die Saisons der verschiedenen Branchen in verschiedene Jahreszeiten fallen, so hat eine große Bank mit Niederlassungen und Verbindungen in allen industriereichen Teilen Deutschlands den Vorteil einer angemessenen Verteilung der Konten auf alle Branchen und der denkbar günstigsten Ausgleichung der Kredit- und Debetpositionen. Außerdem ist die periodische Deckung der Vorschüsse ein sehr beruhigendes Moment, während Kredite, welche das ganze Jahr hindurch in Anspruch genommen werden, größere Vorsicht und dauernd sorgfältige Beobachtung erheischen."

Was den Umfang des Kontokorrentgeschäfts angeht, so betrugen die Kontokorrentkonten der Deutschen Bank Ende 1910, einschließlich der Konten der Depositenkassen in Berlin und seinen Vororten, 172 995.

---

1) Vgl. Waldemar Mueller (im Bank-Archiv, 8. Jahrg., No. 8, S. 115) und Joh. Fr. Schaer, S. 74, No. 1.

2) Bank-Archiv, 8. Jahrg., No. 8 (15. Januar 1909), S. 115.

Die Dresdner Bank hatte Ende 1910 — außer 98 786 (Depositen-)Konten der Wechselstuben — 46 047 Kontokorrentkonten bei der Zentrale, also zusammen 144 833 (Depositen- und Kontokorrent-Konten).

Was die Deckung des Kontokorrentkredits oder der im Kontokorrentverkehr im Wege des Akzepts, der Lombardierung oder der Wechseldiskontierung gewährten Kredite betrifft, so kann sie, was die Regel bildet, bestehen in Wertpapieren, Waren und Wechseln, oder auch in Ausständen des Kreditnehmers, also in Forderungen für verkaufte Waren oder Fabrikate, oder in Rohmaterialien, Halb- oder Fertigfabrikaten der kreditnehmenden Firma, oder in Lebensversicherungspolicen, Patenten, Hypotheken, Wohnhäusern, Fabriken, Grundstücken, oder in Bürgschaften (auch Nach- und Rückbürgschaften) u. a. m.

Im allgemeinen läßt sich aber feststellen, daß, die erforderliche und im großen und ganzen auch geübte Vorsicht der Banken vorausgesetzt, nicht die gedeckten, sondern die ungedeckten Kontokorrentkredite die sichersten zu sein pflegen.

Die deutschen Kreditbanken pflegen einen Blankokredit, der übrigens in Süd- und Mitteldeutschland weit verbreiteter ist als in Norddeutschland, aber Nichtgewerbetreibenden, wenigstens in größeren Beträgen, selten gewährt wird, in der Regel nur dann einzuräumen, wenn auf Grund der Prüfung der Bilanzen und genauester Kenntnis der Vertrauenswürdigkeit des Kreditnehmers, seines Vermögensstandes und seines Geschäfts, welches nach allen Richtungen übersehbar sein muß, nicht nur die Rückzahlung überhaupt, sondern auch die rechtzeitige Rückzahlung des Kredits nach menschlichem Ermessen außer allem Zweifel steht.

Wo eine Deckung verlangt wird, hat in der Regel der Zweifel begonnen, es sei denn, daß der Bankleitung durch allgemeine oder besondere Instruktionen des Aufsichtsrats oder der Filialleitung durch Anweisung der Zentralleitung die Gewährung von Blankokrediten überhaupt oder in bestimmter Höhe untersagt oder daß sie von Einholung besonderer Genehmigung abhängig gemacht ist.

Das häufige Verlangen nach Trennung der Debitoren in bedeckte und unbedeckte in den Bilanzen, dem jetzt in den vom Febr. 1912 nach einem neuen Schema zu veröffentlichenden Rohbilanzen entsprochen werden wird, darf also nicht damit begründet werden, daß man aus dieser getrennten Angabe ersehen wolle, inwieweit die Bankleitung durch das Verlangen von Deckungen dem Erfordernis kaufmännischer Vorsicht entsprochen hat.

Die Fehler, die im deutschen Bankwesen — ebenso freilich auch im Auslande — in bezug auf die Kreditgewährung gemacht wurden, sind, soweit meine Erfahrungen reichen, ungemein viel seltener in unrichtigen Blankokrediteinräumungen zu suchen, obwohl sie auch auf diesem Gebiete ohne Zweifel vorkamen[1]), als in den in unseren „Vorbemerkungen" erwähnten Tatsachen. Dahin gehören: eine zu reichliche und zu hastige Kreditgewährung, eine Gewährung oder gar Aufdrängung langfristigen statt kurzfristigen Kredits, Verstöße gegen das stets zu beachtende Prinzip der Risikoverteilung und, soweit gedeckte Kredite in Frage stehen, unrichtige (oft durch die Konkurrenz anderer Banken verursachte) Auswahl oder Verteilung der Deckungen, z. B. wenn zweite Hypotheken, Terrainhypotheken, nicht börsengängige oder allzu spekulative Werte oder gar eigene Aktien oder Obligationen der kreditnehmenden Gesellschaft als „Sicherheit" genommen werden. Dahin gehört endlich die Annahme von Effekten als Deckung zu Kursen, die im Falle einer zwangsweisen Veräußerung möglicher oder sogar wahrscheinlicher Weise bei weitem nicht erreichbar sind u. dgl. m.

Ich glaube also, daß im allgemeinen in der Bilanzposition der Kreditbanken: ungedeckte Kredite weit geringere Gefahren verborgen sind, als in der Position: gedeckte Kredite. Die allerbedenklichsten gedeckten Kredite sind aber die, welche aus früheren Blankokrediten entstanden sind[2]).

Was den (unten näher zu behandelnden) ungedeckten Akzeptkredit angeht, so ist dieser besonderen Regeln und Bedenken unterworfen; denn daß es für die Banken, so angenehm es ihnen im Moment sein mag, gefährlich werden kann, einen großen oder gar den größten Teil des Kredits ihren Kunden in Akzepten zur Verfügung zu stellen, die sie vielleicht gerade in einer Krisis, wo sie aller ihrer Kräfte bedürften, mangels Deckung durch die Aussteller, mit eigenen Mitteln einlösen müssen, sollte nicht bestritten werden. —

Das Kontokorrentgeschäft und der kontokorrentmäßige Kreditverkehr hat für eine Kreditbank eine große Reihe sehr erheblicher Vorteile:

Einmal gewährt seine sorgsame und in der Tat der größten Aufmerksamkeit und Vorsicht bedürfende Pflege einen nach und nach auch in schlechteren Zeiten die Bank alimentierenden regelmäßigen Gewinn, sichert ihr daher eine gewisse Minimaldividende und damit der Geschäftsleitung eine gewisse Ruhe und Sicherheit auch dann, wenn der spekulativere Teil der Geschäfte, insbesondere das Emissionsgeschäft, einen ungenügenden Ertrag abwirft.

---

1) Vgl. Ad. Weber, Die rheinisch-westfälischen Provinzialbanken und die Krisis, a. a. O. S. 342.

2) Vgl. Felix Hecht, Die Katastrophe der Leipziger Bank (in den „Störungen im deutschen Wirtschaftsleben während der Jahre 1900" ff. Bd. VI, Geldmarkt-Kreditbanken, S. 384).

Während ferner die Stetigkeit der Dividende mit der Zunahme des Depositengeschäfts wächst, obwohl auch dieses von der
Zunahme des Kontokorrentgeschäfts beeinflußt wird, so pflegt die
Höhe der Dividende mit der Ausdehnung des laufenden Geschäfts
und speziell des Kontokorrentgeschäfts zu wachsen.

Der Anteil der Zinsen[1] und Provisionen — welche letzteren
allerdings nur zum kleinsten Teil aus dem Kontokorrent- und zum
erheblichsten Teil aus dem Kommissionsgeschäft stammen und seit
1908 auch den Gewinn aus Wechseln umfassen — am Bruttogewinn
betrug bei:

	1906	1907	1908	1909	1910
der Deutschen Bank	69%	73%	70,6%	68,2%	73,6%
„ Disconto-Gesellschaft	64%	68%	61,4%	49,5%	55,4%
„ Dresdner Bank	79%	88%	84,8%	80,5%	82,4%
dem A. Schaaffhausen'schen					
Bankverein	77%	88%	84,4%	73,7%	75,0%
der Darmstädter Bank	55%	69%	66,6%	64,8%	69,1%
„ Berliner Handelsgesellschaft	73%	79%	82,9%	69,2%	74,9%

Da ferner regelmäßige Umsätze im Kontokorrentverkehr nur
bei günstiger Lage des Handels und der Industrie sich einstellen
können, so gewährt der Kontokorrentverkehr der Kreditbanken
einen guten Einblick in die jeweilige wirtschaftliche Lage
und beschafft den Banken gleichzeitig einen Stamm von auch für
ihr Emissionsgeschäft abnahmekräftigen Kunden.

Ferner wirkt das Kontokorrentgeschäft, insbesondere der industrielle Kontokorrentkredit, insofern konzentrationsfördernd[2]), als
er die Kreditbanken zwingt, mit in den Industriegebieten alteinge-
sessenen Provinzialbanken, die ihrerseits ein lebhaftes Interessean der
Anlehnung haben, in enge Beziehungen zu treten, was in der Tat den
wesentlichsten Anlaß zur Eingehung der ersten derartigen Interessengemeinschaft bot: der Deutschen Bank mit der Bergisch-Märkischen
Bank und dem Schlesischen Bankverein im Jahre 1897. Andererseits müssen die Provinzbanken und die Privatbankgeschäfte um so
mehr im Kampfe um den Mitbewerb beim industriellen Bankkredit
zurücktreten, je mehr dieser den Charakter des langfristigen Kredits
annimmt, also die Kreditgeber zwingt, in Anlagekrediten und in
Emissionen, die oft nicht sofort abgewickelt werden können, große

---

1) Bei Abschluß des Kontokorrents werden die Zinsen so berechnet, daß
zunächst die Zinsnummern (d. h. das Ergebnis der Multiplikation von Kapital und
Tagen dividiert durch 100) festgestellt wird (der Monat wird in Berlin mit 30 Tagen
berechnet), und dann diese Zinsnummern in die Kredit- oder Debetseite eingesetzt werden, je nachdem den Kunden die Zinsen zu vergüten oder zu belasten
sind. Das Kontokorrent wird meist doppelt geführt und, soweit dies möglich ist,
täglich abgestimmt.

2) Otto Jeidels a. a. O. S. 33

Mittel auf unbestimmte Zeit festzulegen. Diese Lage wird mit der wachsenden Konzentration auch der industriellen Unternehmungen, deren Ausbau und Expansionsbetrieb immer größere Mittel erfordert, noch verschärft.

Endlich bringt der industrielle Kredit, der leicht zu der Beteiligung der Kreditbank an der Umwandlung des Unternehmens oder an der Emission neuer Werte desselben führt, naturgemäß eine immer engere Verbindung der Bankwelt mit sämtlichen industriellen Interessen, eine kaum mehr lösbare Verflechtung der Kreditbanken mit dem Wohl und Wehe der Industrie mit sich, die schließlich auch in der gegenseitigen Delegation der Leiter in die beiderseitigen Aufsichtsräte nach Außen und Innen einen sichtbaren und wirksamen Ausdruck findet[1]).

Ähnliches läßt sich auch vom Handelskredit dann sagen, wenn etwa auch er lediglich die Überleitung zum Gründungs-, Umwandlungs- und Emissionsgeschäft bildet, wie das in nicht wenigen Fällen, z. B. bei den Schiffahrtsgesellschaften, in der Tat der Fall war.

Die nachfolgenden Tabellen zeigen für verschiedene Jahre der zweiten Epoche bei den sämtlichen (jetzt 165) Banken mit einem Kapital von mindestens 1 Mill. M den Stand der Debitoren, die allerdings nicht durchweg, aber doch in der Hauptsache Kontokorrent-Debitoren sind, und zugleich das Verhältnis der Debitoren zum eigenen Kapital der Kreditbanken:

Jahr	Zahl der Banken	Debitoren in 1000 M	Eigenes Kapital in 1000 M	Verhältnis der Debitoren zum eigenen Kapital
1883	71	886 360	796 447	111,3%
1895	94	1 992 660	1 345 445	148,1%
1905	137	2 703 139	5 238 203	193,7%
1910	165	3 503 213	6 838 188	195,2%

Die Bedenken und Einwendungen in bezug auf die Art der Debitoren, daß sie nämlich angeblich in völlig einseitiger, unrichtiger Weise vorwiegend der Industrie (richtiger: dem Handel und der Industrie) angehörten, sind bereits in den „Vorbemerkungen" (S. 200 ff.) ausführlich gewürdigt worden.

Von den Gesamt-Aktiven der deutschen Kreditbanken mit einem Aktienkapital von mindestens 1 Mill. M waren angelegt:

---

1) Über die örtliche und gewerbliche Verteilung solcher Industriegesellschaften, mit denen Großbanken durch Besetzung von Aufsichtsratstellen oder als Zahlstellen für Zins- und Gewinnanteilscheine oder zur Rückzahlung gelangende Schuldverschreibungen in Verbindung stehen, vgl. Otto Jeidels a. a. O. S. 169—171, der aber wohl, trotz seiner Verwahrung, die Bedeutung solcher Zahlstellen überschätzt.

	in Debitoren	in Wechseln
Ende 1895	50%	19%
„ 1906	53%	21%
„ 1907	53%	20%
„ 1908	54%	21%
„ 1909	50%	21%
1910	46%	20%

Es ist also hierin in einem fünfzehnjährigen Zeitabschnitt kaum eine nennenswerte Änderung eingetreten. Die Berliner Großbanken hatten von ihren gesamten Aktiven angelegt[1]):

in Debitoren					
	1906	1907	1908	1909	1910
die Deutsche Bank	43	40	45	42	30%
„ Disconto-Gesellschaft	55	59	59	55	41%
„ Dresdner Bank	45	51	49	48	42%
„ Darmstädter Bank	55	57	48	46	45%
der A. Schaaffhausen'sche Bankverein	67	68	62	58	52%
die Berliner Handelsgesellschaft	45	41	44	42	42%

in Wechseln					
	1906	1907	1808	1909	1910
die Deutsche Bank	29	33	29	28	29%
„ Disconto-Gesellschaft	20	18	18	20	18%
„ Dresdner Bank	22	19	24	22	23%
„ Darmstädter Bank	17	19	22	19	18%
der A. Schaafhausen'sche BankVerein	11	8	13	15	14%
die Berliner Handelsgesellschaft	17	28	21	20	18%

Die Zahl der Kontokorrentkonten betrug per Ende 1910:

bei der Disconto-Gesellschaft 34 437
„   „. Dresdner Bank 46 047

C. Das Akzeptgeschäft.

Auf dem Gebiete der Kreditgewährung kommen im wesentlichen drei verschiedene Arten von Bankakzepten bei den deutschen Kreditbanken vor:

1. Zunächst im inländischen und ausländischen Warenhandel (Warenakzepte).

Was die Akzepte im Auslandshandel betrifft, so werden wir an anderer Stelle noch zu schildern haben, welche Schwierigkeiten zu überwinden waren, bis der deutsche Markwechsel sich eine dem englischen Pfundwechsel wenigstens annähernd gleiche Stellung errungen hatte, und wie lange es gedauert hat, bis diese zunächst unbekannten und unbeliebten Markwechsel mit einem nur beschränkten Wechselmarkt sich nicht mehr überall einen höheren Diskontabzug wie die Londoner Pfundwechsel gefallen lassen mußten. —

---

1) Rob. Franz, Die deutschen Banken im Jahre 1910, S. 22; 1908, S. 22.

Im allgemeinen ist es ein Zeichen einer noch unentwickelten wirtschaftlichen Organisation, wenn die Gewerbetreibenden ihrerseits die direkten Träger des Kreditverkehrs sind und damit auch allein dessen Risiko tragen, wenn also der Fabrikant dem Großhändler oder dieser seinen Kunden, den Detaillisten, seine Produkte oder Waren auf langes Ziel verkauft in Höhe des Verkaufspreises auf den Kunden einen Wechsel (oft einen Sechsmonatswechsel) zieht[1]) und dann lediglich den Eingang dieser langfristigen Forderung durch Diskontierung dieses Wechsels bei einer Bank oder einem Bankier zu antizipieren sucht.

Dieses in Deutschland sehr lange allein üblich gewesene Verfahren hat einerseits den Nachteil, daß sich der Gesamtverkehr in Handel und Industrie an solche lange, oft sechs Monate betragende Kredit- und Zahlungsfristen gewöhnt, und daß diese Gewöhnung wie eine ewige Krankheit auch in dem Schlußverkehr der Kette, dem Verkehr des Detaillisten mit dem Kunden, sich fortschleppt. Andererseits erschwert und verteuert dies Verfahren den überseeischen Handel ungemein, weil der Exporteur, wenn er stets auf seinen überseeischen Käufer Wechsel in der ausländischen Währung ziehen muß, die dieser akzeptiert, angesichts des engen Marktes solcher Wechsel nicht nur größeren Diskontierungs-Schwierigkeiten und erhöhten Diskontierungs-Spesen, sondern auch allen in der Zwischenzeit sich abspielenden Schwankungen der ausländischen Valuta ausgesetzt ist. Ähnliche Bedenken wären aber auch für den ausländischen Käufer vorhanden, wenn er etwa in Höhe des Kaufpreises stets auf den deutschen Verkäufer zu ziehen und dieser den Wechsel zu akzeptieren haben sollte [2]).

In Deutschland ist diese Anfangsstufe der wirtschaftlichen Organisation insoweit wenigstens überwunden, daß schon seit längerer

---

1) Gegenüber den deutschen Detaillisten war selbst dies selten möglich, weil er, im Gegensatz zu den in Frankreich bestehenden Gewohnheiten, im allgemeinen weder auf sich ziehen läßt, noch akzeptiert, wohl aber lange Kredit- und Zahlungsfristen verlangt, bei deren Ende er aber nicht wechselmäßig zur Zahlung verpflichtet sein will. In Frankreich ist dagegen der Wechselverkehr auch in mittleren und unteren Schichten, insbesondere auch im Detailhandel und Handwerk, sehr ausgebreitet. „Im Jahre 1907 diskontierte die Bank von Frankreich allein in Paris 236 000 Wechsel von 5—10 Frcs. und über 2 Millionen von 10—50 Frcs. Die kleinen Wechsel bis zu 100 Frcs. machten zusammen 48 % der Gesamtzahl aus". (Bernh. Mehrens, a. a. O., S. 9, Anm. 1.) Im Jahre 1910 wurden sogar allein in Paris 334 373 Wechsel von 5.—10 Frcs. und beinahe 2½ Millionen Wechsel von 10—50 Frcs. diskontiert. Die kleinen Wechsel bis zu 100 Frcs. machten zusammen 55 % der Gesammtzahl aus (Bericht der Banque de France für 1910, S. 17/18).

2) Derartige auf fremde Länder gezogene Wechsel werden denn auch in England (nach Edgar Jaffé, Das englische Bankwesen, 2. Aufl., S. 205) seitens der Banken nicht diskontiert, sondern sofort an die fremden Wechselmakler weiter verkauft; im übrigen vgl. Jaffé, S. 175 ff..

Zeit, aber allgemein erst in dieser Epoche, der Großhandel und die Großindustrie die Rolle alleiniger und direkter Träger der Kreditgewährung nicht mehr übernimmt, also in der Regel weder selbst Tratten der Kundschaft akzeptiert, noch auf diese zieht.

Vielmehr pflegt der deutsche Großhandel und die deutsche Großindustrie auf die Bankiers oder Banken, mit denen sie in regelmäßiger Geschäftsverbindung stehen, zu ziehen und deren Akzept der Kundschaft, der sie field schuldig sind, zu geben, oder, auf Grund ihrer Vereinbarung mit der Bankverbindung, die Kundschaft direkt auf die Bank ziehen zu lassen, deren Akzept dann diskontiert wird.

Diese Gewöhnung der Großindustrie und des Großhandels[1]) an den allmählichen Ersatz des direkten Warenwechsels durch das Bankakzept hat mit der Zeit auch eine gewisse Verbesserung der Kredit- und Zahlungsfristen im Verhältnis des Großhandels und der Großindustrie herbeigeführt, wozu in den einschlägigen Fällen der Umstand besonders beigetragen hat, daß nur Zwei- oder Dreimonatsakzepte derjenigen Banken und Bankhäuser, deren Akzepte als Primadiskonten (Privatdiskont) anerkannt werden, zum Privatdiskontsatz verwertbar sind.

Dagegen ist in Deutschland die dritte Stufe der Entwicklung, der den Primawarenwechsel entbehrlich machende Barverkehr zwischen den großen Firmen, welcher nach Edgar Jaffés Bericht in England schon ziemlich weit vorgeschritten ist[2]), fast nur im Bereiche der großen Kartelle und Syndikate erreicht worden, die auch damit eine wichtige volkswirtschaftliche Aufgabe übernehmen: die Einschränkung des Kreditverkehrs zwischen Produzenten und Abnehmern.

Von diesen hat z. B. der Stahlwerksverband, wie wir oben (S. 154 Anm. 1) sahen, die Zahlungsfristen für ausländische Abnehmer auf 15 Tage verkürzt, und zwar unter erheblicher Einschränkung der Rabatte, die ausländischen Abnehmern überhaupt nicht mehr gewährt werden.

---

1) In dieser Gewöhnung findet der Jubiläumsbericht der Reichsbank, S. 78, auch den Grund, weshalb die durchschnittliche Größe der ihr vorkommenden Wechsel vom Minimum im Jahre 1878 in Höhe von 1421 M auf das Maximum im Jahre 1900 von 1936 M gelangt sei, da die Ziehungen auf Banken und Bankiers fast immer auf sehr hohe Beträge lauten. Je mehr aber die Großbanken durch ihre Filialen in die Provinz eindringen, wo auch kleineren Kreditnehmern diskontiert wird, um so mehr nimmt der Durchschnittsbetrag des diskontierten Wechsels ab. Immerhin betrug z. B. bei der Disconto-Gesellschaft nach deren Geschäftsbericht für das Jahr 1910 der Durchschnittsbetrag eines Wechsels noch 4132,57 M. In Frankreich machten im Jahre 1910 die kleinen Wechsel bis zu 100 Frcs. 55 % der gesamten von der Bank von Frankreich diskontierten Wechsel aus (vgl. oben S. 233, Anm. 1).

2) Edgar Jaffé a. a. O. S. 176.

Infolge der oben geschilderten Gewöhnung des Großhandels und der Großindustrie auf ihre Banken zu ziehen oder (auf Grund besonderer Vereinbarung mit den letzteren) ihre Kundschaft auf die Banken ziehen zu lassen und diese Bankakzepte alsdann zu diskontieren oder diskontieren zu lassen, haben die deutschen Großbanken naturgemäß sehr erhebliche Mengen von Wechseln in ihrem Portefeuille, welche andere (Groß- oder Konzernbanken) akzeptiert und sie diskontiert oder rediskontiert haben. Diese sind deshalb häufig, obwohl sie zweifellos legitime Warenwechsel sind, gelegentlich der jetzt oft gestellten Forderung einer Trennung der Warenwechsel von den „Finanzwechseln" deshalb, weil sie von Banken akzeptiert und von anderen Banken indossiert sind, sehr mit Unrecht als „Finanzwechsel" qualifiziert worden. Beispielsweise sind im Jahre 1908, wo man in Amerika, behufs Heranziehung von Gold aus dem Auslande, alle Lieferungen in Kupfer, Baumwolle, Petroleum, Reis und anderen Rohprodukten und Lebensmitteln weit schneller, als das sonst üblich war, effektuierte und weit rascher, wie sonst, den Gegenwert durch Tratten einzog, ungemein viele legitime amerikanische Warenwechsel auf erste deutsche Banken von Amerika aus gezogen worden, die diese akzeptierten und andere Banken sehr gern diskontierten. Es wäre aber offensichtlich falsch, wenn man diese Tratten um deswillen und weil die Absicht der Goldhereinziehung offensichtlich vorlag, nach bisheriger Gewohnheit als „Finanzwechsel" oder gar als Kite flying oder Accommodation paper bezeichnen wollte, was damals und bis in die neueste Zeit sowohl in Deutschland wie in England (s. oben S. 184) vielfach geschehen ist.

Die Beispiele könnten ungemein leicht vermehrt werden, sie zeigen, daß der Ausdruck „Finanzwechsel" auch dann häufig vielleicht verfehlt ist, wenn Banken als Akzeptanten und als Indossanten am Wechselumlauf beteiligt sind und die Absicht, Geld mit dem Wechsel zu machen, feststeht. Andernfalls müßten gemäß obigem die meisten heute in Deutschland umlaufenden Wechsel diesen Namen erhalten; nach einer vor der Bank-Enquête-Kommission gemachten Mitteilung waren beispielsweise von den etwa 400 Mill. M deutscher Wechsel, welche die Deutsche Bank allein in Berlin im Jahre 1908 in ihrem Portefeuille hatte, etwa 300 Mill. M, was sich aus der obigen Darstellung leicht erklärt, Akzepte von deutschen Banken.

Alles dies gilt nicht etwa nur von den inländischen, sondern auch, und vielleicht in erster Linie, von den aus dem überseeischen Warengeschäft herrührenden und von deutschen Banken akzeptierten Wechseln, von welchen letzteren nach der nämlichen Quelle allein die Deutsche Bank etwa 200 Mill. M mit ihrem Akzept versehen hatte.

Da sich nach obigem naturgemäß der größte Teil der Bankakzepte im Wechselportefeuille der Banken befindet, da ferner der

Wechselbestand aller deutschen Kreditbanken (mit einem Kapital von mindestens 1 Mill. M) im Jahre 1910: 3060,6 Mill. und der Akzeptumlauf 2098,8 Mill. = 68,6 % des Wechselbestandes betrug, so wird man, was auch mit den obigen Angaben stimmt, annehmen dürfen, daß in der Regel etwa 70 — 75 % des Wechselportefeuilles der deutschen Kreditbanken Bankakzepte sind.

Wenn nach der zutreffenden Ansicht Heiligenstadts jedem Wechsel, also jedem in Wechselform auf dem Geldmarkte auftretenden Forderungsrecht, ein „Wirtschaftsgut zugrunde liegen muß, um ihn als ‚legitimen Wechsel' im Gegensatz zum ‚Finanzwechsel" — der letztere Ausdruck sollte überhaupt vermieden und etwa durch Leerwechsel ersetzt werden — „ansehen zu können", so ist zu betonen, daß auch dies „Wirtschaftsgut" nicht etwa ein gegenwärtiges oder auch nur konkretes Gut und nicht eine gegenwärtige oder auch nur konkrete Warentransaktion sein muß. Es kann vielmehr sehr wohl etwa auch nur ein Kredit sein, welcher für eine zukünftige Produktion oder für zukünftige Warentransaktionen von Banken in- oder ausländischen industriellen Unternehmungen oder Handelshäusern im voraus zur Verfügung gestellt ist.

Es kann ferner auch, worauf Heiligenstadt selbst gelegentlich der Sachverständigenvernehmung vor der Bank-Enquête-Kommission hingewiesen hat, auch wenn ein solcher Kredit nicht vorhanden ist, ein Kaufmann oder ein Industrieller oder ein Provinzbankier auf die Bank, bei welcher er ein Guthaben hat, einen Wechsel ziehen, um dies Guthaben in der für ihn günstigsten Form flüssig zu machen. und auch in diesem Falle würde kein „Finanzwechsel", geschweige denn ein „Leerwechsel", vorliegen. Auch die von Lotz[1]) erwähnten Fälle gehören hierher, daß ein Bankhaus Wertpapiere, die es vom Schuldner übernommen hat, seinerseits weiterverkauft und dann auf den Käufer, der vielleicht auch ein Bankhaus ist, trassiert, oder daß es bei Übernahme einer Anleihe den Kaufpreis durch seine Akzepte deckt. Denn in beiden Fällen handelt es sich in der Tat „ebenso um den Umsatz der diesem Geschäftszweig eigentümlichen Waren, wie bei Getreide- oder Baumwollwechseln", obgleich auf den Wechseln vielleicht nur Bankierunterschriften sich befinden. Alle hierher gehörigen Fälle auch nur annähernd zu erschöpfen ist aber unmöglich.

Man wird nach dem Vorgemerkten gut tun, nur diejenigen (kurz- oder langfristigen) Wechsel, mögen sie von Banken oder anderen Firmen akzeptiert oder ausgestellt und mögen sie sogar von Banken auf Banken gezogen sein, als Leerwechsel zu bezeichnen, deren Grundlage keine gegenwärtige oder zukünftige Pro-

---

1) Walther Lotz, Die Technik des Emissionsgeschäfts, Leipzig, Duncker & Humblot, 1890, S. 58.

duktion oder kein ebensolcher Absatz in Industrie, Landwirtschaft, Gewerbe oder Handel bildet, und die auch nicht behufs Mobilisierung eines hieraus oder aus einem sonstigen Grunde bereits bestehenden Guthabens gezogen sind. Bei langfristigen von einer Bank auf die andere oder auf Privatbankiers gezogenen Wechseln spricht jedoch die Vermutung dafür, daß sie Leerwechsel sind.

Da nun aber ein solcher Leerwechsel (bei dieser oder einer anderen Definition) äußerlich von einem „legitimen Wechsel" seitens der Reichsbank oder seitens der diskontierenden Kreditbanken ebensowenig unterschieden werden kann, wie etwa ein „legitimes" von einem „illegitimen" Börsentermingeschäft, so wird es immer Fälle geben, die auch für den gewiegtesten Diskonteur nicht mit Sicherheit zu qualifizieren sein werden.

Gelegentlich der Sachverständigenvernehmungen vor der Bank-Enquête-Kommission ist von 2 Mitgliedern der Kommission, Heiligenstadt und Fischel, auf derartige, durchaus nicht selten vorkommende Fälle hingewiesen worden, die es besonders klarstellen, wie wenig oft die Banken dem Wechsel, den sie vielleicht aus zweiter oder dritter Hand diskontiert haben, seine wahre Natur ansehen können, wenn sie die Natur des unterliegenden Geschäfts nicht kennen. „Nehmen wir folgenden Fall an: Ein Spinner bezieht aus Amerika Baumwolle und akzeptiert dagegen. Er verspinnt die Baumwolle, die er gekauft hat, in 14 Tagen, macht daraus ein Gespinnst, verkauft es an eine Weberei und zieht nun gegen die Ware, die er geliefert hat, auf die Weberei. Die Weberei webt die Ware, verkauft die gewebte Ware an eine Druckerei und zieht gegen die abgelieferte Ware wieder auf diese Kattundruckerei. So haben wir hier drei Wechsel, die alle nach jedem Kennzeichen als solideste Warenwechsel der Welt angesehen werden müssen und doch haben sie schließlich nur eine Ware als Grundlage" (Fischel).

Wir würden hier in der Tat nach der obigen oder einer sonstigen Definition keinem der umlaufenden Wechsel den Charakter eines Leerwechsels zusprechen können. Die alsdann allerdings vorliegende Tatsache, daß eine und dieselbe Ware die wirtschaftliche Unterlage, das „Wirtschaftsgut", für eine Reihe von Wechseln abgeben kann, wird in Fällen der Hochkonjunktur oder in einer kritischen Lage, wie sie im Jahre 1908 in Amerika vorlag, unter Umständen ungemein verschärft durch eine alsdann eintretende fieberhafte Beschleunigung des Produktionsprozesses, welche letztere auch bei uns, z. B. in der elektrotechnischen Industrie, wiederholt zu beobachten war.

Nehmen wir an, daß infolge dieser Beschleunigung ein sonst 3 Monate dauernder Produktionsprozeß auf 1 Monat verkürzt wird, so ist bei Ablauf von 3 Monaten nicht, wie sonst, ein 3 Monatswechsel des einen Produzenten in Umlauf, sondern drei solche Wechsel, welche während der verschiedenen im Produktionsprozeß auf einander folgenden Etappen (von dem Rohstoff-Erzeuger, dem Hersteller des Halbfabrikats und dem Wiederverarbeiter) gezogen sind. Das ist zugleich einer der Gründe, weshalb in der Hochkonjunktur fast regelmäßig eine starke Anschwellung des Wechselumlaufs zu beobachten ist [1]).

2. Eine zweite Art der deutschen Bankakzepte sind die Industrie-Akzepte der Banken, speziell diejenigen, welche der Industrie die Mittel gewähren sollen:

a) entweder zur vorübergehenden Beschaffung der laufenden Betriebsausgaben, z. B. für Gehälter, Löhne, Versicherungsprämien oder für Anschaffung von Rohmaterialien u. dgl. m., für welchen Zweck der kurzfristige Akzeptkredit durchaus am Platze ist,

b) oder zur nicht bloß vorübergehenden Beschaffung fehlender Betriebsmittel, für welche in der Regel der langfristige Kredit besser eintreten würde, während in diesem Falle der einen solchen zu ersetzen bestimmte kurzfristige Akzeptkredit, wie wir oben (S. 207 u. 208) sahen, erhebliche Gefahren in sich schließt.

Diese beiden Fragen sind in den „Vorbemerkungen" und in der Besprechung des Hechtschen Vorschlags eines Zentralinstituts für den langfristigen gewerblichen Kredit ausführlichen Erörterungen unterzogen worden, auf die ich verweise. Hier muß aber besonders hervorgehoben werden, daß auf diesem Wege der Akzeptumlauf der deutschen Kreditbanken auch um deswillen — und zwar, wie es scheint, in nicht unerheblichem Umfange — vermehrt worden ist, weil das Akzept, wenn es zur nicht bloß vorübergehenden Beschaffung fehlender Betriebsmittel gewährt ist, nach den genügend vorliegenden Erfahrungen häufig bei Verfall nicht bezahlt, sondern prolongiert, d. h. vor Verfall durch eine neue Tratte des industriellen Kreditnehmers ersetzt wird, die von neuem akzeptiert und durch deren Diskontierung das alte Akzept gedeckt wird.

Es liegt hier eine um so größere Gefahr vor, als bei den Banken diese Art der Kreditgewährung, welche eine sofortige Inanspruchnahme und Festlegung ihrer eigenen Betriebsmittel nicht erfordert, naturgemäß besonders beliebt sein muß. '

3. Eine dritte Art des deutschen Bankakzepts liegt dann vor, wenn der Akzeptkredit der Kreditbanken durch Bankiers, namentlich Provinzialbankiers, behufs Durchführung eigner oder

---

1) Heiligenstadt, in den Verhandlungen der Bank-Enquête-Kommission von 1908 zu den Punkten I—V des Fragebogens (Berlin 1909, Reichsdruckerei), S. 25.

fremder Börsenspekulationen in Anspruch genommen wird
(Spekulationsakzept)[1]).

In diesem Falle können die gleichen Folgen entstehen und
sind die gleichen Gefahren vorhanden, wie in dem sub 2 b) geschilderten Falle, wo der Akzeptkredit der Bank Industriellen behufs Beschaffung fehlender Betriebsmittel zur Verfügung gestellt wird. Es
ist kein Zweifel, daß in der ganzen zweiten Epoche die Ausnutzung
des auf dem Wege des Bankakzepts gewährten kurzfristigen Kredits
durch Bankiers in sehr bedeutendem und — teilweise infolge der
Fehler der Börsengesetzgebung — in stark zunehmendem Umfange
vorgekommen ist. Der Erlös der zum Privatdiskont verwerteten
Dreimonatsakzepte der Kreditbanken wird seitens der Bankiers bei
den Banken behufs Schaffung eines sofort realisierbaren Guthabens
eingezahlt, während jene für das Akzept erst bei Verfall belastet
werden. Die Bankiers erreichen also auf diesem Wege ihren Zweck,
sich bei weitem billigeres Geld zu beschaffen, da die Inanspruchnahme
des sonstigen bankmäßigen Kredits in der Regel 1% über dem
offiziellen Banksatz kosten würde.

Soweit hier lediglich eine Förderung des regelmäßigen und
gesunden Anlagebedürfnisses vorliegt, ist sicherlich kein Einwand
zu erheben; bedenklicher ist aber der Vorgang im allgemeinen wirtschaftlichen Interesse, wenn darin, was ohne Zweifel in erheblichem
Grade der Fall ist, eine erhebliche Förderung und Überspannung
der eigentlichen Börsenspekulation auch des Publikums gesehen werden muß.

Tatsache ist nun, daß seit sehr langer Zeit beinahe regelmäßig
fast der dritte Teil der Kontokorrentkredite der Banken
durch Akzepte in Anspruch genommen worden ist[2]).

Es betrugen nach dem Deutschen Ökonomist bei allen deutschen
Kreditbanken mit einem Kapital von mindestens 1 Mill. M:

---

1) Im spekulativen Kassageschäft wurde unter der Herrschaft des alten
Börsengesetzes bei Provinzbanken und Privatbankiers vielfach der Weg eingeschlagen,
daß der spekulierende Kunde die für ihn eingekauften im Depot des Kommissionärs
verbliebenen Wertpapiere teilweise bezahlte und daß der Rest des (sofort zu
zahlenden) Kaufpreises entweder durch Ziehung der Bank oder des Bankgeschäfts
auf ein anderes Bankinstitut, oder, um den Wechsel nicht als Finanzwechsel zu kennzeichnen, durch Ziehung des Kommittenten auf eine Provinzialbank oder einen Privatbankier, also auf seinen Kommissionär, beschafft wurde, der dann sein eigenes Akzept
diskontierte (vgl. W. Prion, Das deutsche Wechseldiskontgeschäft, Leipzig, Duncker
& Humblot, 1907, S. 42).

2) Vgl. u. a. Deutsch. Ökonomist vom 4. August 1900, S. 470; 29. Juli 1905,
S. 414 und Rob. Franz, Die deutschen Banken im Jahre 1910, S. 19. Bei den Berliner
Banken schwankte in den Jahren 1894—1899 der Betrag zwischen ½ und ⅖ (vgl.
Ernst Loeb a. a. O S. 267).

Zahl der Banken	Jahr Ende	Debitoren	Dagegen die Akzepte	In Prozenten der Debitoren
		In Millionen Mark		
94	1895	1993	706	35,4
98	1896	2128	752	35,4
102	1897	2352	825	35,1
108	1898	2848	984	43,6
116	1899	3296	1153	35,0
118	1900	3602	1294	35,9
125	1901	3357	1136	33,9
122	1902	3550	1176	33,1
124	1903	3929	1300	33
129	1904	4396	1400	33
137	1905	5238	1601	30
143	1906	6073	1848	30
158	1907	6437	2035	33
169	1908	6605	1891	28
168	1909	6959	1970	28,3
165	1910	6838	2090	30,7

Bei den (9) Berliner Banken allein (diese als Einheit genommen) berechnete sich das Verhältnis Ende 1906 auf 33%. Ende
1907 auf 34,5%, Ende 1908 auf 31%, Ende 1909 auf 31%, Ende
1910 auf 36,5%; im einzelnen betrug es aber bei:

	1906	1907	1908	1909	1910
der Deutschen Bank	28	34	28	30	42%
„ Disconto-Gesellschaft	47	38	33	36	46%
„ Dresdner Bank	42	40	37	34	40%
„ Darmstädter Bank	24	22	27	25	31%
„ Berliner Handelsgesellschaft	34	41	39	34	32%
dem A. Schaaffhausen'schen Bank- Verein	30	36	22	22	22%

Die Zahl der Akzepte der sechs Berliner Großbanken (samt
ihren Filialen) war die folgende:

Ende	Deutsche Bank	Dresdner Bank	Disconto-Gesell-schaft	Darm-städter Bank	A. Schaaff-hausen'-scher Bankverein	Berliner Handels-gesell-schaft
			In Millionen Mark			
1895	122	49	49	41	32	41
1896	116	76	44	36	33	41
1897	130	99	47	35	31	43
1898	128	117	53	34	40	46
1899	142	122	61	34	41	55
1900	141	131	89	37	60	56
1091	142	104	85	37	57	62
1902	145	114	103	54	46	57
1903	180	129	101	59	49	62
1904	185	149	142	70	81	64
1905	197	170	162	89	82	64
1907	264	209	194	78	149	74
1908	232	189	171	89	79	76
1909	250	196	193	85	70	70
1910	276	233	208	122	71	73

Der Akzeptkredit stieg, insbesondere in den 80er und 90er Jahren, fast ständig, auch im Verhältnis zum Aktienkapital[1]). In bezug auf das letztere Verhältnis, ist die auf S. 242 abgedruckte Tabelle zu vergleichen, deren Abweichungen von den Angaben bei Ad. Weber (Depositenbanken S. 241) sich dadurch erklären, daß sie die Akzepte einschließlich der Avale angibt.

Es kann kaum einem Zweifel unterliegen, daß, so groß auch die Beteiligung der Warenakzepte gewesen sein muß, doch die industriellen Akzeptkredite der oben sub 2 b geschilderten bedenklicheren Art und die nicht minder bedenklichen Spekulationsakzepte der sub 3 geschilderten Art einen absolut und relativ sehr erheblichen Anteil an dem gesamten bankiermäßigen Akzeptkredit dieser Epoche gehabt haben. Am wenigsten bedenklich war die — sicherlich nicht gering gewesene — stete Zunahme der deutschen Bankakzepte im überseeischen Handel, wo sie als Rembours gegen Warenverschiffungen verwandt werden und wo der Bank die Dokumente (Konossemente und Polizen) als Sicherheit dienen. Es läßt sich auch bei den Hamburger, Bremer und Londoner Filialen der Großbanken, die hauptsächlich dem überseeischen Geschäft dienen, mit der Steigerung des letzteren regelmäßig auch eine Steigerung der Akzepte feststellen.

Von der Selbsterziehung des Bankierstandes, die durch die (freiwillige) periodische Veröffentlichung von Rohbilanzen meines Erachtens wirksam unterstützt werden wird, muß die Verminderung der Spekulationsakzepte erwartet werden; die Ansicht, daß sich der Akzept- und Reportkredit im Wege der Gesetzgebung „gewissen Regeln unterstellen ließe"[2]), ist meines Erachtens nicht haltbar.

Die auf der folgenden Seite abgedruckte Tabelle zeigt die Höhe der Akzepte von acht Berliner Banken (es treten zu den sechs Berliner Großbanken hinzu: die Commerz- und Disconto-Bank und die Nationalbank) und das Verhältnis der Akzepte dieser acht Banken zu dem mit 100 eingestellten Jahre 1883, ferner zu deren Aktienkapital und zum eigenen werbenden Kapital[3]) und endlich zum gesamten werbenden Kapital[4]) dieser Großbanken.

(Siehe Tabelle S. 242.)

Es zeigt sich hier zugleich der ebenso beim Wechselumlauf zu beobachtende Vorgang, daß die Höhe der Akzepte schon im Jahre 1903 diejenige des Jahres 1899 nicht nur wieder erreicht,

---

1) Ad. Weber, Depositenbanken usw., S. 117.
2) Schmoller, Grundriß II, S. 493.
3) Aktienkapital + Reserven.
4) Aktienkapital, Reserven, Depositen, Kreditoren.

| Jahr | Betrag der Wechselverbindlichkeiten (Akzepte einschl. d. Avale u. Schecks)[1]) | | | | |
	in M	in Proz. der Ziffern des Jahres 1883	in Proz. des Aktienkapitals der Großbanken	in Proz. des eigenen werbenden Kapitals der Großbanken	in Proz. des gesamten werbenden Kapitals der Großbanken
1883	189 795 100	100,0	61,2	53,2	26,5
1884	220 532 000	116,2	68,8	59,7	26,0
1885	227 229 700	119,7	70,4	61,2	26,1
1886	234 412 800	123,5	70,4	60,4	26,6
1887	245 569 000	129,4	69,2	58,8	27,8
1888	254 347 500	134	69,3	58,6	25,1
1889	274 778 100	144,8	63,5	52,1	23,7
1890	254 338 000	134	57,6	46,8	22,7
1891	248 280 300	130,8	52,9	43,1	21,7
1892	299 049 800	157,6	62,4	50,9	25,8
1893	301 806 600	159	63	51,2	25,4
1894	354 241 200	186,6	74	60,0	25,8
1895	452 919 300	238,6	78,1	63,6	28,6
1896	441 416 900	232,6	74,2	59,9	26,7
1897	488 521 000	257,4	70,8	57,1	26,9
1898	535 649 400	282,2	70,5	57,0	25,1
1899	597 832 100	315	73,4	59,0	25,9
1900	670 299 500	353,2	82,2	66,0	27,8
1901	627 917 300	330,8	77	61,7	25,2
1902	673 741 800	355	77,3	62,7	24,9
1903	745 542 000	392,8	84,5	67,8	24,4
1904	885 733 300	466,7	88,7	69,8	24,9
1905	1 052 922 800	554,8	99,9	78,8	26,6
1906	1 162 922 000	612,7	104,4	81,1	23,9
1907	1 275 564 600	672,1	114,5	88,4	26,5
1908	1 188 077 900	626	105,7	81,4	23,5
1909	966 085 000	524,8	88,6	67,8	15,2
1910	1 095 918 000	577,4	95,8	71,1	14,8

1) Die Trennung der Akzepte von den Avalen war wegen bilanztechnischer Schwierigkeiten — beide Posten waren in den Bilanzen vieler Banken zu einer Summe vereinigt — nicht möglich.

sondern sogar, und zwar erheblich, überschritten hatte. Im Jahre 1908 ist ein nicht unerheblicher Rückgang der Akzepte bei diesen acht Berliner Banken eingetreten, der sich 1909 noch verstärkt hat. Endlich ist es von Interesse, auch das Verhältnis der Bankakzepte aller deutschen Kreditbanken (mit einem Kapital von mindestens 1 Mill. M) zum durchschnittlichen Wechselumlauf (in Mill. M) zu betrachten:[1])

Jahr	Durchschnittlicher Wechselumlauf (bei Annahme einer durchschnittlichen Laufzeit von 75 Tagen)	Bankakzepte am 31. Dezember	
		in Mill. M	in Prozenten
1895	3050	706	23
1896	3275	752	23
1897	3505	825	23
1898	3875	984	25
1899	4187	1153	28
1900	4660	1294	28
1901	4595	1136	25
1902	4301	1176	27
1903	4453	1300	29
1904	4640	1400	30
1905	5140	1600	31
1906	5612	1848	33
1907	6153	2035	31
1908	6022	1891	31
1909	6542	1970	30
1910	6677	2099	31

D. Das Diskontierungsgeschäft.[2])

Die Anlage der verfügbaren (eigenen und fremden) Gelder einer Kreditbank im Wechseldiskontgeschäft ist auch für die deutschen Kreditbanken, da sie gleichzeitig Depositenbanken sind, also einen großen Teil ihrer fremden Gelder kurzfristig anzulegen haben, besonders zweckmäßig und geboten. Infolge der verschiedenen Verfalltage der diskontierten Wechsel ist gegenüber dem Ausströmen von Kassenbeständen ein entsprechender Rückfluß eingehender Wechselbeträge gesichert, die dann wieder den Kassenbestand vermehren oder neu angelegt werden können.

---

1) Vgl. W. Prion a. a. O. S. 53 (von 1895—1905 einschl.); die Tabelle ist ab 1906—1910 nach seiner Methode fortgeführt; die Novelle zum Wechselstempelgesetz vom 15. Juli 1909 hat zu einer Abweichung von dieser Methode ab 1. August 1909 keine Veranlassung gegeben.

2) Spezialliteratur: W. Prion, Das deutsche Wechseldiskontgeschäft. Mit besonderer Berücksichtigung des Berliner Geldmarktes (Leipzig, Duncker & Humblot, 1907), zugleich Heft 127 der von v. Schmoller und Sering herausgegebenen Staats- und sozialwissenschaftlichen Forschungen — eine vortreffliche Arbeit. Vgl. jetzt auch Paul M. Warburg, The Discount System in Europe (1910) in No. 402 der Documents, welche die National Monetary Commission des Senats der Vereinigten Staaten herausgegeben hat.

Die Aktivgeschäfte der deutschen Kreditbanken; das Diskontierungsgeschäft.

In erster Linie kommen für diese Anlage in Betracht diejenigen Wechsel, die im gesamten deutschen Diskontgeschäft als Primadiskonten gelten; dazu gehören die Akzepte der sechs Berliner Großbanken, also der Berliner Handelsgesellschaft, Darmstädter Bank, Deutschen Bank, Disconto-Gesellschaft, Dresdner Bank und des A. Schaafhausen'schen Bankvereins, sowie der beiden größten Berliner Privatbankgeschäfte S. Bleichröder und Mendelssohn & Co.

Im allgemeinen gelten alle diese Diskonten als vertretbar, als Gattungsware in dem Sinne, daß, im Gegensatz zu sonstigen Diskonten, die Qualität des jeweils damit auf den Markt kommenden Verkäufers keinen Einfluß auf die Diskontbedingungen, also auf den Diskontsatz und die Provision, ausübt; das schließt aber, da für diese Primadiskonten der Privatdiskontsatz nur die oberste, nicht aber die unterste Grenze bildet, nicht aus, daß sie mitunter noch unter dem letzteren Satz diskontiert werden.

In zweiter Linie kommen diejenigen Wechsel in Betracht, welche über diesen engen Kreis hinaus im Lokalverkehr von Berlin, Hamburg und Frankfurt a. M. als Primadiskonten angesehen werden und zum Privatdiskontsatz diskontiert werden, wenn sie nur ebenso wie die erst gedachten Wechsel im übrigen, d. h. in der Laufzeit und in den Beträgen, den dafür bestehenden Börsenbedingungen entsprechen.

Nach den Berliner Börsenvorschriften (ähnliche gelten auch in Frankfurt a. M.) müssen diese Primadiskonten (oder Privatdiskonten) in Berlin oder an einem Reichsbankplatz zahlbar sein, auf Beträge von mindestens 5000 M lauten und eine Laufzeit von nicht weniger als 2 und nicht mehr als 3 Monate haben. Zwischen Zwei- oder Dreimonatwechseln und zwischen den „vertretbaren" und nichtvertretbaren Privatdiskonten wird aber, was nicht richtig ist, bei den deutschen Privatdiskontsätzen und bei deren Notiz nicht unterschieden. Diese Notierung des Privatdiskontsatzes erfolgt in Berlin, wenn auch nicht in amtlicher, so doch in einheitlicher Weise durch eine lediglich am Diskontgeschäft interessierte, von den hieran Beteiligten bestellte private Zentralstelle[1]). Der an der Börse bestehende Privatdiskontsatz wird infolge der Konkurrenz bei den außerhalb der Börse erfolgenden Wechseldiskontierungen hier und da unterboten. Die Reichsbank kauft in Berlin Wechsel unter dem Reichsbankdiskont nicht an.

Nicht als Primadiskonten gelten die Akzepte der größten Handlungshäuser und Industrie-Unternehmungen, welche jedoch, wie

---

1) Diese gelegentlich der Vernehmung der Sachverständigen von der Bank-Enquête-Kommission wiederholt festgestellte Tatsache wird auch von W. Prion (a. a. O. S. 32) bezeugt.

wir im vorigen Abschnitte (S. 233/234) sahen, nur selten ihre Verpflichtungen durch ihr eigenes Akzept, sondern in der Regel durch das ihrer Bankverbindung regulieren[1]).

Nicht als vertretbare Diskonten im obigen Sinne, wohl aber als Privatdiskonten, die zum Privatdiskontsatz diskontiert werden, gelten, außer den letzterwähnten selten vorkommenden Akzepten der ersten Handels- und Industrieunternehmungen, die Akzepte eines größeren Teils der großen und mittleren Provinzbanken und Provinzbankiers; hier spielen also bei der Festsetzung der Diskontierungsbedingungen schon persönliche und sachliche Erwägungen, oft auch ganz inkommensurabler Natur, eine Rolle. Läßt sich z. B. nach dem in dieser Beziehung besonders feinfühligen Urteil der Börse eine dieser Banken oder gar eine der noch nicht unbestritten diesem Kreise angehörigen Banken zu viel beziehen, so wird ihr das möglicherweise alsbald in einem, wenn auch nur um $^1/_{16}$%, teuerer werdenden Privatdiskontsatz ihrer Akzepte zu Gemüte geführt, so daß dies ein mitunter recht wirksames Mittel ist, um einer Überspannung der Kreditgewährung in der Form übermäßiger Akzeptierungen entgegenzuwirken[2]).

Es wird ferner hier, und noch mehr bei dem sonst an die Börse gelangenden, nicht zum Privatdiskontsatz abgerechneten Diskontierungsmaterial, der Grundsatz festgehalten, der auch für die Banken selbst bei der Frage der Diskontierung maßgebend sein sollte, daß nur solche Wechsel zum Privatdiskont diskontierbar sind, welche auch ohne das hierzu Anlaß gebende Akzept einer Bank als „Prima-Wechsel" gelten würden[3]).

So sehr die letztere Eigenschaft auch den besten Handels- oder Industrie-Akzepten zuzuerkennen wäre, die freilich immer mehr vom Bankakzept verdrängt werden, so wird doch das Bankakzept wegen seiner leichteren Verkäuflichkeit im allgemeinen Diskontverkehr stark bevorzugt. Dies hat denn auch mitgewirkt zu dem oben sub C (S. 236) festgestellten Ergebnis, daß etwa 70—75%

---

1) Vgl. W. Prion a. a. O. S. 61, wo auch darauf hingewiesen ist, daß Hamburg eine Notiz für den Privatdiskont von Primadiskonten und eine besondere für den von Kaufmannswechseln hat, dessen Spannung etwa $^1/_4$—$^1/_8$% beträgt; ebenso London, wo zwischen der Notiz von bank bills und trade bills eine Spannung von etwa $^1/_2$% besteht.

2) In diesem — nach außen kaum bemerkbaren — Mittel der, wenn auch minimalen, Heraufsetzung des Privatdiskontsatzes in einzelnen Fällen besitzt also die Börse ein „Warnungssignal", welches nach Innen im Falle einer Überspannung der wechselmäßigen Kreditgewährung seitens einer Bank dieselben Funktionen und dieselben Wirkungen ausüben kann, wie, im Falle der Überspannung des gesamten Kreditverkehrs, das gröbere und weithin nach außen sichtbare Mittel der generellen Erhöhung des offiziellen Bankdiskonts.

3) Vgl. W. Prion a. a. O. S. 33.

aller von deutschen Kreditbanken diskontierten und in ihrem Wechselportefeuille liegenden Akzepte Bank-Akzepte sind, welche jene Banken zum Privatdiskontsatz diskontiert haben, und die, da sie in Gold zahlbar sind, auch von ausländischen Gesellschaften und Banken, insbesondere Notenbanken, gesucht sind. Hierin stecken die von den Kreditbanken ihrer Kundschaft innerhalb und außerhalb des Kontokorrentverkehrs diskontierten Wechsel und die ausländischen Devisen. Auch hier wird so disponiert, „daß sich die auf längstens 3 Monate erstreckenden Fälligkeiten auf alle Monate verteilen und speziell für die schweren Quartalstermine relativ große Beträge fällig werden"[1].

Das zur Diskontierung zur Verfügung stehende Wechselmaterial ist in Deutschland ein sehr bedeutendes.

Der gesamte Wechselbestand Deutschlands, wie er im Laufe je eines Jahres in Umlauf gesetzt wird, ist nach den Erträgnissen der Wechselstempelsteuer für 26 Jahre zu berechnen[2] wie folgt:

In Millionen Mark

1885	12 060	1892	14 284	1899	20 937	1906	28 062
1886	11 826	1893	14 585	1900	23 204	1907	30 765
1887	12 065	1894	14 748	1901	22 965	1908	30 113
1888	12 198	1895	15 241	1902	21 505	1909	32 712
1889	13 206	1896	16 386	1903	22 266	1910	33 387
1890	14 020	1897	17 526	1904	23 201		
1891	14 606	1898	19 374	1905	25 507		

Es muß aber ausdrücklich davor gewarnt werden, aus dem größeren oder geringeren Wechselumlauf eines Landes, wie dies wiederholt geschehen ist, generelle Schlüsse zu ziehen auf dessen größere oder geringere wirtschaftliche Entwicklung. Solche Schlüsse würden in den meisten Fällen Trugschlüsse sein. Für die Höhe des Wechselumlaufs eines Landes sind die allerverschiedensten Momente maßgebend, wie die größere oder geringere „Industrialisierung", die größere oder geringere Gewöhnung der Industrie und des Handels an den Wechselkredit oder dessen völliger oder teilweiser Ersatz durch den Barzahlungsverkehr; ferner die höhere oder feinere Ausbildung oder die größere oder geringere Kostspieligkeit der übrigen für den Kreditverkehr zur Verfügung stehenden Formen, wie des Lombard- und Reportverkehrs, der bessere oder schlechtere Stand der Zahlungsbilanz, die stärkere oder schwächere Gewöhnung der Bevölkerung an den Banknotenverkehr u. a. m.

Andernfalls würde man aus dem relativ minimalen Wechselumlauf in Amerika ein starkes Zurückbleiben der wirtschaftlichen Entwick-

---

1) Waldemar Mueller a. a. O. (Bank-Archiv, 8. Jahrg.), Nr. 8, S. 117.
2) W. Prion a. a. O. S. 51 (von 1885—1904 einschl.); die Tabelle ist von 1905—191 nach Prions Methode fortgeführt; vgl. S. 243, Anm. 1.

lung, und aus der Tatsache, daß sich in Frankreich in den Jahren 1876—1907 der durchschnittliche Wechselumlauf pro Kopf der Bevölkerung erheblich mehr als in Deutschland gesteigert hat[1]), auf eine ungemein starke und rasche wirtschaftliche Entwicklung schließen müssen, während das eine ebenso falsch wäre wie das andere.

Frankreichs Zahlungsbilanz z. B. ist, da es ein Gläubigerstaat ist, während Deutschland eine solche Stellung in der Weltwirtschaft noch nicht errungen hat, eine sehr erheblich aktive, da sowohl seine Bevölkerungszahl, wie seine industrielle Tätigkeit seit längerer Zeit stagniert, und die verfügbaren Mittel der Nation sich zum großen Teil in S p a r e i n l a g e n und R e n t e n, also weit weniger wie bei uns in kommerzielle und industrielle U n t e r n e h m u n g e n und B e t e i l i g u n g e n verwandeln. Die Aktivität der Zahlungsbilanz Frankreichs wird verstärkt durch den weit größeren Besitz an ausländischen Werten und durch die Eingänge aus dem enormen Fremdenverkehr, besonders in Paris und an der Riviera.

Wir werden also bei der Feststellung des Wechselbestandes eines jeden Landes die besonderen wirtschaftlichen Verhältnisse und die besondere Organisation des Zahlungs- und Kreditverkehrs, wie dies in diesem Buche für Deutschland versucht ist, zu prüfen haben, bevor daraus allgemeine Schlüsse gezogen werden können.

Dies vorausgeschickt, stellen wir weiter fest:

Der Wechselbestand der sämtlichen deutschen Banken, einschließlich der Noten-[2]) und Hypothekenbanken[3]), war folgender[4]):

---

1) Im übrigen ist der gesamte französische Wechselumlauf gegenüber dem deutschen kein erheblicher; er belief sich im Jahre 1909 (nach Eugen Kaufmann, Das französische Bankwesen 1911, S. 372, Tab. 21) nur auf rund 4½ Milliarden Frcs. (4508 Millionen Frcs.), was freilich gegen nur rund 3 Milliarden (2972 Millionen Frcs.) im Jahre 1895 eine sehr große Zunahme bedeutet. Der Zuwachs bestand aber, da die Pariser Großbanken, wenn auch spat und ungern, zur Pflege des Diskontgeschäfts mit der kleinen Geschäftswelt übergegangen waren, meist aus sehr kleinen Wechseln. Eine bei B e r n h. M e h r e n s (Die Entstehung und Entwicklung der großen französischen Kreditinstitute 1911, S. 227) abgedruckte Tabelle zeigt, daß von 1888—1893 der Betrag der vom Crédit Industriel diskontierten Wechsel ungefähr gleich geblieben, die Zahl dieser Wechsel auf fast das Vierfache gestiegen war, wodurch der Durchschnittsbetrag der Wechsel von 508 auf 140 Frcs. zurückging.

2) Die Zahl der Notenbanken betrug 1883—1886: 18; 1887· 17; 1888: 16; 1889: 14; 1890: 13; 1891—1893: 9; 1894—1900: 8; 1901: 7; 1902—1904: 6; 1905 bis 1910: 5 (Reichsbank, Bayerische Notenbank, Sachsische Bank, Württembergische Notenbank und Badische Bank).

3) Die Zahl der Hypothekenbanken schwankte zwischen 24 im Jahre 1883, 39 in den Jahren 1900—1902 und 40 in den Jahren 1903—1908; gegenwärtig (1911) betrug sie 38.

4) Vgl. Rob. Franz, Die deutschen Banken im Jahre 1910, S. 14. Es sind aber in dieser Aufstellung bei den Kreditbanken (anders bei den Hypothekenbanken) nur Banken mit mindestens 1 Mill. M Aktienkapital berücksichtigt.

Geschäftsjahr	Zahl der Banken	Wechselbestand in Mill. Mark	Geschäftsjahr	Zahl der Banken	Wechselbestand in Mill. Mark
1883	113	1203	1897	150	2190
1884	113	1246	1898	156	2300
1885	113	1248	1899	154	2946
1886	116	1277	1900	165	3087
1887	115	1364	1901	171	2776
1888	114	1397	1902	167	2812
1889	137	1583	1903	170	2972
1890	136	1670	1904	175	3081
1891	135	1661	1905	182	3507
1892	134	1650	1906	188	4074
1893	133	1611	1907	203	4459
1894	137	1736	1908	214	4310
1895	135	1857	1909	213	4388
1896	146	1970	1910	210	4743

Wir sehen daraus, daß der Wechselbestand bei sämtlichen Banken (Noten- und Hypothekenbanken eingeschlossen), in dem Aufschwungsjahr 1899 auf 2946 Mill. M und dann 1900, unmittelbar vor der Krisis, sogar auf 3087 Mill. M sich erhöht hat, um während der Krisis von 1901 auf 2776 Mill. M herabzugehen.

Im Jahre 1903 war aber der Wechselbestand, was wir schon beim Akzeptumlauf der Banken festgestellt hatten, bereits wieder auf 2972 Mill. M gestiegen, hatte also damit den Wechselbestand des größten Aufschwungsjahrs 1899 nicht nur erreicht, sondern sogar überschritten. Es lag hier eine im ganzen normale und erfreuliche Entwicklung vor; lediglich eine ungesunde, einer ruhig und stetig fortschreitenden Wirtschaftsentwicklung nicht entsprechende Zunahme des Wechselbestandes würde man zu tadeln haben.

Endlich betrug der Wechselbestand während der letzten 13 Jahre bei den deutschen Kreditbanken (von mindestens 1 Mill. M Kapital) allein und der gesamte Wechselbestand bei den (sechs) Berliner Großbanken allein (nach dem Deutschen Ökonomist)[1]):

	1. Bei den deutschen Kreditbanken in Millionen M	2. Bei den sechs Berliner Großbanken in Millionen M
1898	1055	493
1899	1327	536
1900	1583	658
1901	1462	670
1902	1483	711
1903	1518	717
1904	1773	916
1905	1995	1017
1906	2447	1208
1907	2621	1263
1908	2742	1262
1909	2804	1308
1910	3061	1484

1) Die Wechselbestände bei den sechs Berliner Großbanken weichen in den Jahren 1898—1905 etwas ab von den bei W. Prion a. a. O. S. 208 angegebenen (514; 559; 671; 697; 742; 740; 914; 1017 Mill. M).

Ende 1910 hatten die sämtlichen deutschen Banken zusammen einen Wechselbestand von etwa $4^3/_4$ Milliarden M, die deutschen Kreditbanken zusammen mehr als $3^3/_4$, die neun Berliner Banken mehr als $1^1/_2$ Milliarden M und die sechs Berliner Großbanken allein 1484 Millonen oder fast $1^1/_2$ Milliarden M Wechsel in ihrem Portefeuille[1]), während die Wechselanlage der Reichsbank Ende 1910 nur 1330 Millionen M betrug. Wir haben aber schon oben (S. 235/236) festgestellt, daß in der Regel etwa 70—75 % des Wechselportefeuilles der deutschen Kreditbanken aus Bankakzepten besteht und haben dort die verschiedenen Arten dieser Bankakzepte erörtert. —

Bei der Reichsbank betrug der durchschnittliche Bestand an Inlandswechseln:

1905	1906	1907
775 723 000	946 201 000	1 060 076 000

Von den letztgedachten 1 060 076 000 M entfielen, nach Berufsklassen der Einreicher getrennt, auf:

a) Handel, Transport und Versicherungen . . . . . . 187 948 000 M = 17,73 %

b) Geld- und Bankwesen (als Zentralstellen der Kreditbedürfnisse des Verkehrs) . . . 559 975 000 „ = 52,81 %

c) Industrie und Gewerbe . . 284 376 000 „ = 26,83 %

d) Landwirtschaft und deren Gewerbe . . . . 11 130 000 „ = 1,05 %

e) Sonstige Kreditnehmer . . 16 647 000 „ = 1,57 %

Für die Jahre 1908, 1909 und 1910 gibt die nachstehende seitens des Reichsbankdirektoriums im Jahre 1911 veröffentlichte „Reichsbankstatistik" interessanten Aufschluß.

Berufsklasse	1908		1909		1910	
	Mark	Proz.	Mark	Proz.	Mark	Proz.
A. Handel, Transport u. Versicherungen	160 805 000	17,93	158 841 000	19,57	158 038 000	18,51
B. Geld- und Bankwesen	475 150 000	52,98	451 118 000	55,58	496 654 000	58,17
C. Industrie und Gewerbe	237 127 000	26,44	186 599 000	22,99	185 189 000	21,69
D. Landwirtschaft u deren Gewerbe .	9 327 000	1,04	7 386 000	0,91	6 916 000	0,81
E. Sonstige Kreditnehmer	14 439 000	1,61	7 711 000	0,95	7 001 000	0,82
Insgesamt:	896 848 000	100,00	811 655 000	100,00	853 798 000	100,00

1) Auch zu den oben gegebenen Zahlen ist aber zu bemerken, daß infolge des Wechselverkehrs zwischen den Zentralen und Filialen ohne Zweifel mehrfache Zahlungen der nämlichen Beträge entstehen.

Zu dieser Tabelle wird aber in jener Reichsbankstatistik ausdrücklich bemerkt, daß sie die den einzelnen Berufsgruppen erteilten Wechselkredite nur unvollständig zum Ausdruck bringe, da die Reichsbank die Wechsel nicht ausschließlich auf den Kredit des Diskontanten hin ankaufe. So werde beispielsweise durch die Diskontierung eines von einem Bankier eingereichten, aber von Angehörigen anderer Berufszweige ausgestellten oder akzeptierten Wechsels mittelbar auch diesen Berufszweigen Kredit erteilt.

Die Gewinne auf dem Wechselkonto, also in erster Linie die im Diskontierungsgeschäft erzielten Gewinne, wurden bisher in den Bilanzen der deutschen Kreditbanken nicht immer gesondert aufgeführt, sondern vielfach mit den Zinsgewinnen zusammen oder mit den auf Devisen und Sorten erzielten Kursgewinnen zusammen gebucht (so bei der Berliner Handelsgesellschaft).

In England ist dagegen nach Edgar Jaffés Untersuchungen [1]) das den Banken behufs Diskontierung zur Verfügung stehende Wechselmaterial fast beständig zurückgegangen.

Dies zunächst deshalb, weil die englischen Depositenbanken von ihrer Klientel, für die sie allein diskontieren, nur einen Teil, und zwar in der Regel den schlechteren, zur Diskontierung erhalten, während diese den größeren Teil der besten Wechsel direkt den Wechselmaklern (Bill brokers) übergibt, so daß die Depositenbanken sogar einen Teil der für die Anlage ihrer Gelder nötigen Wechsel von den Wechselmaklern kaufen müssen. Den letzteren werden auch seitens der Depositenbanken selbst alle Wechsel auf das Ausland verkauft, da die Banken diese nicht diskontieren.

Das umlaufende Wechselmaterial ist aber ferner in England auch aus dem schon oben erwähnten Grunde zurückgegangen, weil nach der fortgeschritteneren Organisation des Zahlungs- und Kreditverkehrs in England der Wechselverkehr überhaupt, wenigstens unter den größten Firmen, immer mehr durch die Gewohnheit sofortiger Barzahlung verdrängt wird (s. oben S. 234), so daß gerade die besten Warenwechsel immer mehr aus dem englischen Verkehr verschwinden.

Auch der Wechsel, der von dem Importeur der Rohstoffe auf den verkaufenden Kommissionär gezogen wurde, das sogenannte brokers paper, verschwindet immer mehr, weil an dessen Stelle vielfach die Beleihung der Ware in Form der Verpfändung der Lagerscheine (warrants) getreten ist.

Endlich ist die Zahl der in England auf das Ausland gezogenen Wechsel, im Vergleich zu den vom Ausland auf England gezogenen, eine sehr geringe (etwa 1 : 9), weil die Preise der aus

---

1) Edgar Jaffé, Das englische Bankwesen, 2. Aufl., S. 176 u. 104—109.

England exportierten Waren, infolge des größeren Marktes für Londoner Pfundwechsel, in Pfund Sterling berechnet werden und die Zahlung demgemäß in einem Wechsel auf London zu erfolgen pflegt.

Infolge aller dieser Umstände kommt also für die Anlage der Gelder des englischen Bankiers im wesentlichen nur der „stetig an Zahl und Qualität abnehmende inländische Wechsel in Betracht, während das Hauptinteresse an den inländischen Wechseln für ihn im Akzeptgeschäft liegt"[1]).

Was aber die englischen Depositenbanken angeht, so ist, nachdem früher ein starker Mißbrauch mit der Kreditgewährung durch Akzeptation von Tratten getrieben worden war, auch das Akzeptgeschäft so zurückgegangen, daß es von ihnen heute nur gegen vorherige Sicherheit in Wertpapieren und nur in sehr bescheidenem Umfange betrieben wird. Das Akzeptgeschäft ruht deshalb, auch soweit es gegen verladene Waren, also gegen Konossement usw., betrieben wird, fast gänzlich in den Händen der sogenannten Merchant Bankers[2]) und der Foreign Banks[3]), während das gedeckte oder ungedeckte Darlehn in laufender Rechnung (der Lombard- und Kontokorrentkredit, loans oder advances) heute die Hauptform des lediglich der regelmäßigen Kundschaft gewährten Kredits der englischen Depositenbanken bildet. Dabei tauchen aber auch hier, infolge des leichten Übergangs von kurzfristigem in langfristigen Kredit und der Gefahr der Festlegung von Geldern in letzterem, ganz die nämlichen Schwierigkeiten und deshalb auch ganz ähnliche Klagen auf, wie bei der industriellen Kreditgewährung unserer Kreditbanken[4]).

Im Gegensatz hierzu sahen wir, daß der Wechselumlauf in Deutschland und der Wechselbestand der deutschen Banken, insbesondere der deutschen Kreditbanken, ein sehr bedeutender ist, und daß von dem Gesamtbestand der Aktiven der deutschen Kreditbanken im Jahre 1910 rund 46% in Debitoren und rund 20% in Wechseln angelegt waren, ein Verhältnis, das schon längere Zeit ziemlich konstant geblieben ist.

Der durch Angebot und Nachfrage in Privatdiskonten aus dem Bedürfnis des In- und Auslands nach kurzfristigem Kredit sich herausbildende, infolge der täglichen Ausgleichungen naturgemäß oft und stark schwankende Privatdiskontsatz, also der Zinssatz, welcher für die kurzfristige Kreditgewährung auf dem Wege der

---

1) Edgar Jaffé a. a. O. S. 177.
2) Edgar Jaffé a. a. O. S. 209.
3) Die Akzeptprovision beträgt bei diesen 1/2 %.
4) Edgar Jaffé a. a. O. S. 213—218.

Diskontierung von Privatdiskonten zu zahlen ist, läßt, namentlich in Verbindung mit anderen Momenten, insbesondere mit dem Reichsbankdiskont und den Wechselkursen, wichtige Schlüsse auf den Stand des Wirtschaftslebens, speziell des Handels und der Industrie zu. Dies ist zweifellos richtig, ungeachtet der Tatsache, daß, wie wir sahen, das Wechselakzept nicht nur im Dienste der Kreditgewährung an Handel und Industrie steht, sondern vielfach auch zur Beschaffung der Mittel für die Börsenspekulation dient. Während aber die Höhe des Privatdiskontsatzes im allgemeinen der jeweiligen Lage des Geldmarktes entspricht, wird die Höhe des Reichsbankdiskonts nicht allein hiervon, sondern auch von der allgemeinen Wirtschaftslage und ebenso von der Aufgabe der Reichsbank bedingt, den Kreditverkehr zu regeln und die Währung zu schützen.

Es ist nun darauf hingewiesen worden, daß die Spannung zwischen dem offiziellen Bankdiskontsatz, wie er von der Reichsbank für den kurzfristigen Wechselkredit festgesetzt wird, und zwischen dem am offenen Markt (in Berlin) für kurzfristige Privatdiskonten notierten Privatdiskontsatz fast durchweg in dieser Periode erheblich höher gewesen ist, als an irgendeinem andern europäischen Börsenplatz.

Dies ist zuzugeben; die Spannung betrug:

	in Berlin	Paris	London	Wien
1876—1880	1,19	0,51	0,51	0,36
1881—1885	0,98	0,43	0,64	0,51
1886—1890	1,04	0,5	0,93	0,5
1891—1895	1,11	0,55	1,03	0,38
1896—1900	0,71	0,09	0,6	0,26
1901—1905	1,01	0,6	0,43	0,5
1906—1910	1,02	0,53	0,58	0,39

Wenn dieser Hinweis weiter durch die Behauptung ergänzt wird, in Berlin sei sogar eine — in London und Paris überhaupt nicht vorgekommene — Spannung zwischen offiziellem und privatem Diskont von über 2% in der Zeit von 1895—1900 siebenmal und in der Zeit von 1900—1907 neunzehnmal vorgekommen, so ist auch dies richtig[1]).

---

1) Der offizielle Diskont in London stellt übrigens einen Minimaldiskont dar, ist also, da der offizielle Diskontsatz der deutschen Reichsbank eher einen Maximaldiskont bedeutet, nicht direkt vergleichbar. Auch behält sich die Bank von England, im Gegensatz zur deutschen Reichsbank, völlige Freiheit vor, auch „legitime" Wechsel nicht zu diskontieren, wenn es ihr nicht konveniert, so daß sie namentlich in Zeiten der Kreditüberspannung und wenn sie gerade eine Diskonterhöhung beabsichtigt, nicht alle eingereichten Wechsel diskontiert. Endlich diskontiert die Bank

Als Grund für jene in Deutschland besonders große Spannung zwischen den privaten und offiziellen Diskontsätzen wurde vielfach angegeben, daß der teilweise gleichzeitig mit einem hohen Bankdiskontsatz aufgetretene Privatdiskontsatz auf einer künstlichen Herunterdrückung und Niederhaltung seitens der Bankkreise beruhe, denen er auch allein zugute komme, und die damit offensichtlich die offizielle Diskontpolitik der Reichsbank durchkreuzten, und zwar selbst dann, wenn diese vielleicht gleichzeitig, um einen Goldabfluß ins Ausland zu verhüten oder ausländisches Gold nach Deutschland zu ziehen, den Bankdiskont erhöhe.

Es ist nicht schwierig, darzulegen, daß die obenerwähnte große Spannung zwischen Privat- und Bankdiskontsatz nicht den angegebenen Grund hat, während es weit schwieriger ist, mit auch nur einiger Sicherheit die wahren Gründe für diese Erscheinung zu finden.

Es ist zunächst nicht richtig, daß gerade die Banken und speziell die Großbanken prinzipiell ein Interesse daran hätten, den Privatdiskontsatz durch irgendwelche künstlichen Mittel niedrig zu halten; sie sind vielmehr als Käufer von Diskonten, in denen sie ihre Mittel anlegen, grundsätzlich, wie jeder Käufer, gerade im Gegenteil daran interessiert, einen so hohen Zinsabzug für diese später fälligen Wechsel machen zu können, wie nur irgend möglich[1]). Es sind auch nicht nur im Portefeuille der Großbanken und der übrigen Kreditbanken, sondern auch im Portefeuille der Reichsbank und der übrigen (vier) Notenbanken, sowie in dem der Hypothekenbanken, Genossenschaften, Sparkassen, Versicherungsgesellschaften, Handels- und Industrieunternehmungen usw. sehr bedeutende Beträge von Privatdiskonten vorhanden.

Schon angesichts dieser großen Beteiligung anderer Diskontenkäufer ist es auch offensichtlich nicht richtig, daß ein niedriger Privatsatz stets und ausschließlich den Kreditbanken oder gar den

---

von England, im Gegensatz zur deutschen Reichsbank, nur die Wechsel regelmäßiger Kunden, und zwar diese auch wieder zum großen Teil zum Marktsatz.

Die Unterschiede in der Höhe der deutschen Bankdiskontsätze und der Bankraten in England, Frankreich und Österreich-Ungarn sind übrigens in erster Linie in der Verschiedenheit der Wirtschaftslage und der Zahlungsbilanz sowie in der Organisation der Geldmärkte und Banken begründet, soweit diese Unterschiede überhaupt nicht nur scheinbare sind (s. Otto Schwarz, Diskontpolitik, S. 107 bis 108). In letzterer Beziehung weist Bernhard Mehrens a. a. O. S. 270 sehr richtig darauf hin, daß ein Unterschied von $\frac{1}{2}-1$ % bei einem Banksatz von $2-3$ % dasselbe bedeutet, wie ein solcher von $1-2$ % bei einem Banksatz von $4-5$ %. „Es wäre also nicht die absolute, sondern die relative Spannung in Betracht zu ziehen, wenn man sie überhaupt als Maßstab der Beherrschung des Geldmarktes gelten lassen will."

1) Vgl. W. Prion a. a. O. S. 74 u. 75.

Großbanken „zugute komme". Er kommt vielmehr in erster Linie
den Handels- und Industriefirmen zugute, die behufs Ausnutzung
oder unter Ausnutzung des niedrigen Privatdiskonts auf die Banken
ziehen, den Banken dagegen nur, wenn sie auf Nachfrage oder freiwillig Diskonten in ihrer Klientel oder ins Ausland weitergeben.

Von einer grundsätzlichen „Durchkreuzung" der Diskontpolitik
der Reichsbank seitens der Großbanken auf dem Wege künstlicher
Herunterdrückung oder Niederhaltung des Privatdiskonts kann daher
keine Rede sein, zumal sie sowohl als Käufer wie als Verkäufer
von Diskonten — das letztere insbesondere im Falle von Kommissions-
aufträgen — am Markt sein können. Im allgemeinen haben die
Großbanken, mit Rücksicht auf die Zinsen, die sie auf ihre Depositen
zu zahlen haben und die sie ihrerseits für ihre Kreditgewährung in
Wechseln, Lombards und Reports beziehen, ein lebhaftes Interesse
daran, daß der Privatdiskont sich tunlichst wenig vom jeweiligen
Bankdiskont entferne, von dessen Höhe jene Zinsausgaben abhängen, während die Zinseinnahmen nach den Marktzinssätzen zu
berechnen sind. Prion[1]) macht auch mit Recht darauf aufmerksam,
daß die Großbanken für die von ihnen gewährten Vorschüsse den
Lombardzinsfuß der Reichsbank berechnen, und daß, wenn die
Spannung zwischen Bank- und Privatdiskont eine über den Durchschnitt stark hinausgehende ist, dies der Klientel einen starken
Anreiz zur Ausnutzung des billigeren Akzeptkredits gebe, was
sowohl das Wechselangebot als die Akzeptverpflichtungen der
Banken in unangenehmer Weise erhöhen würde.

Dagegen ist ein gewisser Einfluß der Großbanken und sonstiger
Großdiskonteure auf die Gestaltung des Privatdiskontsatzes und dessen
Notiz an der Börse schon deshalb zuzugeben, weil sie auch auf
diesem Gebiete in der Lage sind, die Aufträge zum An- oder
Verkauf von Privatdiskonten mit den ihrerseits im Privatdiskont-
geschäft abzugebenden oder anzulegenden Beträgen nach ihrem
Ermessen zu kompensieren und nur den Rest an den Markt zu
bringen.

Es gibt auch Ausnahmefälle, in denen nicht nur die Großbanken, sondern auch staatliche und kommunale Stellen des In-
und Auslands, ein starkes Interesse an einem möglichst niedrigen
Diskontsatz haben können[2]), also mitunter auch mindestens den

---

1) a. a. O. S. 75.
2) Das Berliner Tageblatt vom 10. Juni 1910 berichtet, daß an diesem Tage ein
Berliner Bankhaus auf eine Herabsetzung, eine Großbank dagegen auf eine Erhöhung
des Privatdiskonts hingewirkt habe (der Satz blieb aber unverändert). Das erinnert
an den von Prion, Das deutsche Wechseldiskontgeschäft, S. 19, Anm. 1, mitgeteilten
Fall, wo angesichts der bevorstehenden Einführung einer japanischen Anleihe an

Versuch machen werden, durch starkes Angebot von Geld oder durch sonstige Maßnahmen, vielleicht unter gemeinsamer Mitwirkung aller oder zahlreiche Großdiskonteure, den Privatdiskontsatz herabzudrücken oder niedrig zu halten, z. B. wenn die Emission höher verzinslicher in- oder ausländischer Anleihen in Aussicht genommen ist. Die Frage, ob und inwieweit solche Versuche gelingen können, hängt aber nicht lediglich von der Macht selbst der vereinigten Großdiskonteure ab, da der Diskontmarkt mit dem gesamten Geld- und Kapitalmarkt in engster Verbindung steht und die Gestaltung des Privatdiskontsatzes somit von einer Reihe anderer Momente bedingt ist, so von dem Stande und der voraussichtlichen Entwicklung des Bankdiskonts, der ausländischen Wechselkurse, der Zinssätze für tägliches Geld und Ultimogelder usw. Mit Rücksicht hierauf und auf die meist überaus bedeutenden Beträge der auf den Markt kommenden Diskonten wird jedenfalls eine erhebliche oder gar längere Zeit andauernde Herabdrückung des Bankdiskonts auch bei einem Zusammenwirken der Großdiskonteure nicht durchführbar sein. Das Gegenteil wäre allerdings auch in gewissen Fällen sehr bedenklich, in welchen vor allem zu fordern ist, daß die Großbanken Hand in Hand mit der Reichsbank gehen und die von ihr im Interesse der Gesamtwirtschaft für erforderlich erachteten Maßnahmen energisch unterstützen.

Stehen nämlich die Devisenkurse, was der notwendige und natürliche Ausdruck einer Verschlechterung der Zahlungsbilanz ist, so hoch, daß ein Goldabfluß nach dem Auslande, insbesondere eine Zurückziehung bei uns vorhandener ausländischer Goldguthaben, droht, so wird in der Regel, also wenn nicht etwa, wie 1907 von Amerika aus, uns um jeden Preis Gold entzogen wird, eine Erhöhung des offiziellen Bankdiskonts vorübergehend den Eintritt des Moments verhindern oder doch hinausschieben können, von welchem ab eine Goldausfuhr lohnend wird. Diese Folge wird aber jedenfalls nur dann eintreten können, wenn, wie es alsdann meist geschehen wird, gleichzeitig auch der Privatdiskont eine entsprechende Steigerung erfährt oder festhält.

Übersteigt in solchen Fällen die vorgenommene Erhöhung des Bankdiskonts erheblich die Höhe des ausländischen Bankdiskonts, so wird uns das Ausland in der Regel, um unseren hohen Diskontsatz mit zu genießen, vorübergehend Goldguthaben überweisen, so daß in diesem Falle die Erhöhung des Bankdiskonts vorüber-

der Berliner Börse ein Berliner Bankhaus im Auftrag der russischen Regierung den Privatdiskontsatz, um die Einführung zu erschweren, heraufzusetzen versucht habe, während eine Berliner Bank bestrebt gewesen sei, ihn im Auftrage der japanischen Regierung möglichst niedrig zu halten.

gehend auch eine Goldeinfuhr aus dem Auslande herbeiführen kann, vorausgesetzt jedoch auch hier, daß gleichzeitig auch der Privatdiskont eine entsprechende Steigerung erfahrt oder festhält[1]). In diesen Fällen aber, in welchen die Verhinderung einer Steigerung oder einer Hochhaltung des Privatdiskonts besonders gefährlich wäre, fehlt es den Großbanken und sonstigen Großdiskonteuren fast durchweg an jedem Interesse, eine solche Beeinflussung auch nur zu versuchen, weil, wenn der Bankdiskont behufs Herbeiführung einer ausländischen Goldeinfuhr oder Verhinderung einer Goldausfuhr nach dem Auslande erhöht werden soll, meist Zeiten vorliegen dürften, in welchen Emissionen überhaupt ausgeschlossen sind. —

Der wirkliche Grund für die große Spannung zwischen dem Privatdiskontsatz und dem Bankdiskontsatz in Deutschland liegt zunächst wohl darin, daß hier, anders wie in Frankreich, eine ungemein große Fülle von Diskontabnehmern vorhanden ist, deren gegenseitige Konkurrenz in der Aufnahme guter Diskonten die Bildung eines dem Reichsbankdiskont tunlichst entsprechenden Privatdiskontsatzes verhindert. Ein weiterer Grund dürfte darin liegen, daß der Privatdiskontsatz, im allgemeinen wenigstens, nach privatwirtschaftlichen Gesichtspunkten, nämlich auf Grund des naturgemäß schwankenden Verhältnisses von Angebot und Nachfrage entsteht, wie es sich augenblicklich auf diesem Markte geltend macht, während der hohe cder niedrige Bankdiskont von der Reichsbank in erster Linie mit Rücksicht auf die Regulierung des Kreditverkehrs und die Erhaltung unserer Währung, also nach nationalwirtschaftlichen Gesichtspunkten, unter Berücksichtigung der zu befürchtenden oder zu erhoffenden zukünftigen Gestaltung des Geldmarktes, der Wechselkurse usw. auf eine gewisse Dauer und für alle bei der Reichsbank eingereichten Wechsel einheitlich festgesetzt wird.

Es kommt aber noch ein wesentliches Moment hinzu: In Deutschland, dessen Handel und Industrie weit erheblichere Kreditansprüche stellen, wie dies seitens des Handels und der Industrie Frankreichs geschieht, werden diese Ansprüche zunächst, worin sich Deutschland gleichfalls von Frankreich unterscheidet, von einer großen Fülle von Kreditbanken, an oder (im direkten Verkehr mit ihren Kunden) außerhalb der Börse, in den verschiedensten Formen der Kreditgewährung befriedigt, auch auf dem Wege der Diskontierung von Privatdiskonten, zu den jeweils möglichen billigsten Bedingungen.

---

1) Vgl. u. Er. meine Ausführungen in der Bank-Enquête-Kommission (Verhandlungen der Gesamtkommission zu den Punkten I—V des Fragebogens. Berlin, Ernst Siegfr. Mittler & Sohn, 1904), S. 70 u. 71.

Der Handel und die Industrie Deutschlands halten sich also mit ihren Kreditbedürfnissen, insbesondere soweit diese mittels Diskontierung kurzfristiger Wechsel befriedigt werden sollen, nur in zweiter Linie an die Reichsbank. Sobald das anders wird, d. h. sobald die Aufnahmefähigkeit der Kreditbanken erschöpft ist, was namentlich in starken Hausseperioden der Fall sein kann, wird dem Angebot von kurzfristigen Primawechseln auf dem Wechselmarkt kein so großer Kreis von Diskonteuren gegenüberstehen, der Privatdiskont wird also steigen und somit in der Regel die Spannung zwischen diesem und dem Reichsbankdiskont geringer werden. Dies wird allerdings nur so lange geschehen, bis die Reichsbank behufs Beschränkung der gerade während eines wirtschaftlichen Aufschwungs in erhöhtem Grade an sie herantretenden oder zu erwartenden Kreditansprüche ihrerseits den Reichsbankdiskont zu erhöhen genötigt wird und damit vielleicht sich von dem an der Börse oder zwischen den Banken und ihrer Klientel bestehenden Verhältnis zwischen Angebot und Nachfrage erheblicher entfernt. Hier wird dann wieder die Nachfrage nach kurzfristigem Wechselkredit von der Reichsbank abgehen und zu der Börse und den Banken behufs billigerer Befriedigung der Nachfrage übergehen.

Soweit aber ein Einfluß der Kreditbanken, insbesondere der Großbanken, auf die Höhe des Privatdiskonts und auf die Spannung zwischen diesem und dem Bankdiskont vorliegt, wird in der Tat zu verlangen sein, daß sie die Diskontpolitik der Reichsbank, deren Einfluß auf dem Privatdiskontmarkt, also auf einem der wichtigsten Gebiete der Kreditgewährung, durch die Konzentration der Großbanken ohne Zweifel nicht unerheblich gelitten hat, zum mindesten nicht ohne Not durchkreuzen. Gerade auf diesem Gebiete ist das Zurücktreten reiner Dividendenpolitik, also der rein privatwirtschaftlichen Interessen, gegenüber einer in Gemeinschaft mit der Reichsbank zu betreibenden allgemeinen Wirtschaftspolitik in allseitigem Interesse erforderlich, da hier nach und nach ein Teil der Aufgaben der Reichsbank, die Regulierung des Kreditverkehrs, in nicht geringem Umfange auf die Großbanken übergegangen ist.

Es muß aber festgestellt werden, daß bisher gerade die Großbanken und die sonstigen Großdiskonteure, soweit es irgend möglich war, stets in enger Fühlung mit der Leitung der Reichsbank gestanden haben, und auch Prion bezeugt, daß sie zeitweise nur ungern als Käufer von Schatzanweisungen auftreten, „besonders wenn die Reichsbank aus diskontpolitischen Gründen erhebliche Summen an den Markt werfen will, um auf den Privatdiskontsatz einzuwirken"[1]).

---

1) Prion a. a. O. S. 55.

E. Das Lombard- und Reportgeschäft[1]).

Das bankmäßige Lombarddarlehen gewährt, gleich der Wechseldiskontierung, dem Handel, der Landwirtschaft, der Industrie und Privatkapitalisten Gelegenheit zu kurzfristigem persönlichen Kredit, mitunter auch zu länger laufendem, aber, im Gegensatz zur Wechseldiskontierung, ausschließlich zu gedecktem persönlichen Kredit.

Die Deckung kann in Waren bestehen, die im Import- und Exporthandel durch die Verladungsdokumente ersetzt werden, durch deren Verpfändung der Kaufmann oder der Industrielle den gegenüber dem Warenkredit meist billigeren Bankkredit zu den verschiedensten Zwecken benutzt. Die Verpfändung und Darlehnsentnahme kann hier erfolgen, wie wir sahen, behufs Verminderung des eigenen Risikos im überseeischen Geschäft oder behufs vorübergehender Vermehrung oder antizipierter Flüssigmachung des in bestimmten industriellen oder kaufmännischen Transaktionen festgelegten Betriebskapitals; auch aus diesen Fällen der Kreditgewährung können aber der Bank die nämlichen Gefahren entstehen, wie wir sie oben (S. 238 u. 252) bei der Gewährung des Akzept- und Diskontkredits schilderten (Verwandlung des ursprünglich kurzfristigen Betriebskredits in Anlagekredit). Die Verpfändung kann hier aber auch erfolgen zur Vermeidung von Verlusten durch einen bei ungünstigen Zeiten nur zu schlechten Preisen möglichen Verkauf von Warenvorräten oder Fabrikaten u. dgl. m.

Die Deckung kann ferner in Wertpapieren oder Wechseln bestehen, welche letzteren Pfandobjekte für den Lombardverkehr an der Effektenbörse ausschließlich in Betracht kommen, oder in Getreidekonossementen usw. an der Produktenbörse.

Weiter ist als Deckung des Lombarddarlehns die Verpfändung von Policen (zum Rückkaufswert) oder Hypotheken möglich, mit welchen Unterlagen am häufigsten der an das Baugewerbe gewährte Lombardkredit gedeckt wird, der hier deshalb bedenklich ist, weil Hypotheken nicht immer sofort realisierbar sind.

Oder endlich die Deckung besteht in sonstigen Werten und Forderungen jeder Art.

Da es sich um gedeckten Kredit handelt, kommt hier, anders wie beim gewöhnlichen Diskontierungskredit, in erster Linie der Wert der Deckung in Betracht, die Person des Geldnehmers also erst in zweiter Linie. Immerhin spielt doch auch diese an der Börse in dem Umfange mit, daß für die Beleihungshöhe und den Betrag des eventuell zu leistenden Einschusses sowie für die Zinsvergütung und die sonstigen Bedingungen des Lombardgeschäfts,

---

1) Vgl. W. Prion a. a. O. S. 77—95.

also namentlich für die Annahme oder Ablehnung der angebotenen Wertpapiere, das Vermögen des Geldnehmers, seine Solvenz und seine Vertrauenswürdigkeit wesentlich mitbestimmend sind. Dagegen spielen im Lombardverkehr der Banken mit ihrer regelmäßigen Kundschaft für die Feststellung der Bedingungen, abgesehen von dem Werte und der Güte des Unterpfands und der Darlehnsdauer, welche letztere hier mitunter bis zu 3 Monaten ausgedehnt wird, die größte Rolle die mehr oder minder große Dauer und Intimität der Geschäftsverbindung, die darin betätigten Umsätze und bezahlten Provisionen sowie die sonst der Bank aus dieser Verbindung erwachsenen oder für die Folge erhofften Vorteile.

Auch die kurzfristigen Lombardforderungen können nicht in dem Maße als liquide kurzfristige Anlagen gelten wie Dreimonatswechsel, und werden deshalb nach § 17 (§ 44 Nr. 3) des Bankgesetzes bei der Reichsbank und den vier deutschen Privatnotenbanken nicht als Notendeckung zugelassen. Sie weisen, statt mehrerer Verpflichteter, nur einen Schuldner auf und machen, im Falle der Nichtrückzahlung bei Fälligkeit, einen Zwangsverkauf der Pfandobjekte erforderlich, der auch bei Waren und selbst bei Wertpapieren, je nach den Verhältnissen des Geld- oder Warenmarkts, vielleicht überhaupt nicht zu einem Ergebnis führt, oder, bei gleichzeitigen Zwangsverkäufen gleicher Waren oder Wertpapiere oder bei geringer Nachfrage oder ungünstiger Konjunktur, schlechte Resultate ergeben kann[1]).

Einer erheblichen Anlage der fremden Gelder der Banken im Lombardgeschäft steht ferner das Bedenken entgegen, daß die Gelder bis zum Ablauf der vereinbarten Lombarddauer festgelegt sind. Ferner ist, soweit nicht eine abweichende Vereinbarung, die aber nicht üblich ist, getroffen wird, eine Weiterverpfändung der Pfandobjekte ausgeschlossen. Dagegen stellen Diskonten oder wenigstens Privatdiskonten, da sie jederzeit leicht an der Börse oder außerhalb weiter begebbar sind, eine liquidere, weil leichter realisierbare Anlage kurzfristig anzulegender Gelder dar.

Dieser Unterschied darf bei der Betrachtung und Bewertung der liquiden Mittel der Banken nicht außer Augen gelassen werden. Immerhin ist einerseits diese Festlegung im Lombardgeschäft in der Regel nur eine kurze, da die Lombarddarlehen der deutschen Kreditbanken meist nur auf Tage oder Wochen oder einen Monat

---

1) Vgl. meine hiermit übereinstimmenden Ausführungen in den Verhandlungen der Bank-Enquête-Kommission zu den Punkten I—V des Fragebogens (Berlin 1909), S. 259, wo aber der Druckfehler vorkommt: „je nach den Verhältnissen des Geld- oder Warenmarkts überhaupt zu einer Realisierung führt", statt: überhaupt nicht zu einer Realisierung führt.

gegeben werden, und es wird andererseits der Kredit im Wege der Wechseldiskontierung in der Regel auf längere Zeit gewährt, da Bankakzepte, um als Privatdiskonten zu gelten, 2—3 Monate laufen müssen.

Im Börsenverkehr werden drei Formen des Lombarddarlehns unterschieden:

1. Das gegen Verpfändung von Wertpapieren oder Wechseln — meist von den Großbanken oder Bankiers — gegebene tägliche Geld, welches täglich zur Rückzahlung gekündigt werden kann und dessen Zinssatz je nach Angebot und Nachfrage in täglichen Geldern bestimmt und täglich veröffentlicht wird. Dieser Zinssatz bleibt in der Regel — abgesehen von den Ultimoterminen oder von sonstigen starken Geldnachfragen, z. B. bei zu leistenden Einzahlungen auf Emissionen, — hinter dem für zwei- oder dreimonatliche Anlagen bestimmten Privatdiskontsatz zurück. Es kann jedoch natürlich, ungeachtet der Verschiedenheit der Anlagedauer, die Anlage in täglichem Lombardgeld und kurzfristigen Privatdiskonten beständig wechseln und ineinander übergehen, je nachdem der in der einen oder anderen Anlage zu erzielende und sich gegenseitig beeinflussende Zinssatz für den Geldgeber günstiger ist.

2. Das Ultimogeld, das vom ultimo eines Monats bis zum nächsten ultimo gegeben wird und gewöhnlich einen sich nach den jeweiligen allgemeinen Geldmarktverhältnissen richtenden, also schwankenden Zinsfuß bedingt, der in der Regel unter dem Reportsatz und unter dem Lombardzinsfuß der Reichsbank, aber über dem Privatdiskontsatz steht.

3. Das auf einen längeren, aber festen Termin (fix) gegebene Geld, welches an der Berliner Börse in erster Linie von der Seehandlung gegeben wird. Diese berechnet in der Regel billigere Zinssätze als die Börse und stellt, gleichfalls im Gegensatz zur Börse, falls die Laufzeit der Wechsel mit der Dauer des Lombarddarlehns übereinstimmt, im Falle der Wechseldiskontierung die gleichen Zinssätze wie im Falle des fixen Lombarddarlehns, also in beiden Fällen gewöhnlich den Privatdiskontsatz, in Rechnung; sie stellt jedoch auch strengere Anforderungen wie die Börse in bezug auf die zu verpfändenden Wertpapiere und auf die Güte der Geldnehmer. An der Börse dagegen wird der Lombardzinsfuß für Ultimogeld in der Regel höher als der Privatdiskontsatz, jedoch, abgesehen von besonders starker Nachfrage, niedriger als der Lombardzinsfuß der Reichsbank berechnet, welche letztere gleichfalls nur bestimmte Papiere beleiht (§ 13, Ziff. 3 sub b des Bankgesetzes) und die Beleihungsgrenze erheblich niedriger stellt als die Börse.

Die hiernach durch die Seehandlung gebotene Gelegenheit, besonders günstige Zinssätze zu genießen, lassen sich auch die Groß-

banken nicht entgehen, deren Qualität als Geldnehmer der Seehandlung paßt und die auch deren strengen Anforderungen hinsichtlich der Pfandunterlagen entsprechen können. Diese müssen
nämlich zum größten Teil in in- oder ausländischen Staatspapieren
oder in Pfandbriefen, können aber auch in Primawechseln bestehen, die, da sie bereits von den Banken oder ihren Kunden
bei der Diskontierung in blanko indossiert sind, nicht nochmals indossiert zu werden brauchen. In letzterem Falle vollzieht sich also
in Form einer völlig unauffälligen Wechsellombardierung eine
Kreditgewährung, welche die Großbanken grundsätzlich in der Form
der Rediskontierung von Privatdiskonten am offenen Markte sich
nicht beschaffen; vielmehr findet seitens der Großbanken, wie wir
sahen, wenn es nicht überhaupt vermieden werden kann, eine Rediskontierung langfristiger Privatdiskonten lediglich an das Ausland
oder an die eigene Kundschaft statt.

Abgesehen von den vorgedachten im Börsenlombardverkehr
üblichen Formen, gewähren aber die Banken Lombarddarlehn auf
längere Fristen, bis zu 3 Monaten, bei denen der Lombardzinsfuß
je nach der Abmachung, aber in der Regel über dem Privatdiskont,
berechnet wird. —

Das im Börsenlombardverkehr unter Verpfändung von Wertpapieren oder Wechseln gewährte Ultimogeld wird in sehr bedeutendem Umfange [1]) seitens der Wertpapierspekulanten benutzt,
sei es, daß sie eine Spekulation beenden, sei es, daß sie dieselbe
fortsetzen (prolongieren) wollen, vorausgesetzt nur, daß sie derartige Pfandobjekte besitzen. Ist dies nicht der Fall, der Haussier
aber doch willens, die Prolongation fortzusetzen, so nimmt er die
per ultimo gekauften Wertpapiere ab, und verschafft sich den
Kaufpreis durch Entnahme von Ultimogeld, also durch ein erst
am nächsten ultimo rückzahlbares Lombarddarlehn, für welches er
den gewöhnlichen Lombardzinsfuß für Ultimo zu zahlen hat, unter
Verpfändung der von ihm abgenommenen Papiere, während er alsdann wieder die Wertpapiere per nächsten ultimo kauft. Dieser
Lombardzinsfuß für Ultimogeld wird natürlich um so höher sein,
je größer die Haussespekulation der Börse ist.

Der Hausse-Spekulant kann aber auch so verfahren, daß er
die per ultimo abzunehmenden Wertpapiere einem Dritten (etwa
seiner Bank) gegen Erstattung oder Kreditierung des sogenannten
Liquidationskurses auf den nämlichen ultimo verkauft und gleichzeitig die nämlichen Wertpapiere von dem Dritten zum gleichen

---

1) In welchem Umfange dies geschieht, läßt sich natürlich, da die Geldent-
nehmer ihre Absichten, die sie mit der Entnahme verfolgen, nicht oder nur ungemein selten mitzuteilen pflegen, zahlenmäßig nicht feststellen.

Kurse per ultimo des nächsten Monats zuzüglich des sogenannten Reports zurückkauft, in dessen Höhe die Bank dafür die
Entschädigung finden soll, daß sie den Kaufpreis für die von ihr
reportierten Stücke erst einen Monat später zurückerhält, so daß
sie also die Zinsen der Zwischenzeit erhalten muß. Der Zins-
zuschlag, also die Höhe des Reports, wird, unter Berücksichtigung
der Stückzinsen, nach dem Kurswert des Papiers per Stück oder in
Prozenten des Nennwertes (je nachdem das Papier selbst in dieser
oder jener Weise notiert ist) berechnet.

Der Baissespekulant dagegen, also derjenige, der, auf einen
Kursrückgang rechnend, Wertpapiere, die er nicht besitzt, per
ultimo verkauft hat, sie aber am ultimo nicht beziehen will, weil
der Kurs nicht gefallen, sondern vielleicht gestiegen ist, oder sie
nicht beziehen kann, weil ihm das Geld fehlt, verfährt in folgender
Weise: Er verschafft sich die von ihm am ultimo zu liefernden
Wertpapiere dadurch, daß er sie per gleichen ultimo von einem
Dritten, der solche Papiere besitzt (etwa seiner Bank) kauft und
sie gleichzeitig per ultimo des nächsten Monats an den Verkäufer
zurückverkauft, und zwar zum gleichen Kurse, abzüglich der
nach obiger Angabe zu berechnenden monatlichen Kursabschlags (des
Deports). Je größer am ultimo der Stückemangel, je stärker also
der Bedarf der Baissespekulation ist, um so höher wird in der
Regel der von ihr den Stückebesitzern einzuräumende Abzug
(Deport) sein, der somit in diesen Fällen auch höher sein kann, als
der gleichzeitig bestehende Lombardzinsfuß für Ultimogeld.

Für den Spekulanten liegt in allen diesen Fällen wirtschaftlich eine Prolongation seiner Wertpapierspekulation vor, und
rechtlich in den letzten zwei Fällen (Reportgeschäft) die Verbindung
eines Kontantverkaufs mit einem Lieferungskauf (Report) oder eines
Kontantkaufs mit einem Lieferungsverkauf (Deport).

Für den Geldgeber liegen lediglich zwei verschiedene Arten
der Kreditgewährung, also der Anlage seiner vorübergehend verfügbaren Gelder, vor. Im Reportgeschäft läuft er eine etwas größere
Gefahr, weil er genau so viel Geld für einen Monat hergeben muß,
als der Kurswert der Ware beträgt, bezieht aber in der Regel
etwas mehr Zinsen, denn im allgemeinen ist der Report höher als
der Satz für Ultimogeld im Lombardverkehr, weil jener zugleich
eine Art Risikoprämie enthalten muß.

Gibt der Geldgeber dagegen Ultimogeld gegen Beleihung von
Wertpapieren, so läuft er, was namentlich für den anlagesuchenden
Kapitalbesitzer das wesentlichste ist, eine geringere Gefahr, weil er
die Beleihungsgrenze der Papiere, je nach deren Güte, feststellen
kann, also nicht genötigt ist, sein Geld in voller Höhe des Kurs-

werts herzugeben, bezieht jedoch, da der Satz für Ultimogeld in der Regel niedriger ist als der Reportsatz, meist weniger Zinsen als im Reportgeschäft.

Bei beiden — dem Spekulanten und dem Geldgeber — liegt aber in allen Fällen, entweder der Absicht oder doch der Sache nach, eine Förderung der Wertpapierspekulation auf dem Wege kurzfristiger Kreditentnahme oder Kreditgewährung vor.

Die Zunahme der Reportgeschäfte ist deshalb, namentlich bei einer Haussekonjunktur, ein in der Regel bedenkliches Bild stark gestiegener Spekulation. In diesem Sinne bezeichnete ein Artikel der „Frankfurter Zeitung" es mit Recht als eine unerfreuliche Tatsache, daß sich die Anlagen in Reports bei 10 Banken in Berlin und Frankfurt

von 148,55 Mill. M Ende 1892

auf 284,59 „ „ Ende 1894

also um fast 100%, vermehrt hatten, während diese Steigerung selbst von 1888 auf 1889 nur etwa 55 % (von 344,76 auf 533,24 Mill. M) betragen hatte.

Die Großbanken pflegen im allgemeinen die Vermittlung nicht zu übernehmen, wenn ihre Kundschaft verfügbare Gelder in Reports anlegen will, weil solchenfalls die Kontokorrentguthaben verringert würden, auf die sie nur relativ geringe Zinsen zu vergüten haben, während sie die fremden Gelder selbst im Wege des Lombard-, Diskontierungs- oder Reportgeschäfts in der Regel besser verwerten können.

Die eigene Anlage zeitweise verfügbarer Gelder in den beiden Formen kurzfristiger Kreditgewährung, also in Ultimogeldern, deren Zinssätze auch den Privatdiskontsatz beeinflussen[1]), und in Reportgeldern, ist bei den Großbanken eine sehr erhebliche. In Form des Ultimo- wie Reportgelds werden, wenn der Zinsfuß gegenüber dem Auslandszinsfuß höher ist, auch seitens des Auslands vielfach sehr bedeutende Beträge angelegt, obwohl alsdann der Geldnehmer in der Regel das Valutarisiko zu tragen hat.

Die Besteuerung des Reportgeschäfts mit dem vollen Umsatzstempel, der auf die beiden verbundenen Kauf- und Verkaufgeschäfte, die für den Stempel zusammengerechnet wurden, zu berechnen war, hatte aber zur Folge, daß an den deutschen Börsen das Ultimogeld im Lombardverkehr gegenüber dem Reportgeschäft zumal auch in jenem der Reportsatz zugrunde gelegt werden konnte, an Bedeutung zurückgegangen ist.

---

1) Vgl. W. Prion a. a. O. S. 93.

Dies war um so weniger erfreulich, als die Lombardgelder nicht, wie die Reportgelder, einen einheitlichen Rückzahlungstermin haben und als deren Unterlagen jedenfalls nicht durchweg so leicht realisierbar sind, wie die Unterlagen der Reportgelder. Endlich sind auch die Bedingungen der Reportgelder typische, durch die Börsenbedingungen ein für allemal festgestellte, während über die Bedingungen der Lombardgelder, wie wir sahen, jemals für das einzelne Geschäft geltende Sondervereinbarungen geschlossen werden müssen.

In neuerer Zeit wirken ähnliche Momente nach gleicher Richtung: Nach dem Reichsstempelgesetz vom 3. Juni 1906 (Tarif 4 a, Absatz 4) ist die Stempelabgabe für Reportgeschäfte auf die Hälfte der früheren Sätze ermäßigt worden, wobei nach § 17 Abs. 3 die Abgabe für das dem Werte nach höhere der beiden Geschäfte berechnet wird, in welche sich das Reportgeschäft rechtlich zerlegt [1]). Auf der anderen Seite sind die entgeltlichen sogenannten uneigentlichen Lombardgeschäfte, bei denen der Empfänger der Effekten an Stelle der empfangenen Wertpapiere andere Stücke gleicher Gattung zurückgeben kann, nach der Praxis der Steuerbehörde mit dem vollen tarifmäßigen Stempel zu versteuern. Nur die Versteuerung der für die Börse wenig in Betracht kommenden eigentlichen Lombardgeschäfte, bei denen jenes Recht ausgeschlossen ist, richtet sich nach Landesrecht, und in Preußen sind nach der Befreiungsvorschrift zu Tarifnummer 58 des Stempelsteuergesetzes vom 31. Juli 1895 Beurkundungen solcher Lombarddarlehen abgabenfrei, vorausgesetzt, daß sie spätestens binnen Jahresfrist zurückzuzahlen sind und daß der Wert des hinterlegten Pfandes dem gewährten Darlehen mindestens gleichkommt.

Die Lombardierung von (alsdann nicht weiter indossierbaren) Wechseln behufs Kreditgewährung (nicht Kreditversicherung) spielt bei den Großbanken keine Rolle.

An der Börse ist, nachdem das frühere Börsengesetz das Termingeschäft in einzelnen Wertpapieren völlig verboten, in anderen stark erschwert hatte, das Kassageschäft lange Jahre der wesentlichste Träger der Wertpapierspekulation gewesen, für dessen Erfordernisse seitens der mittleren und kleineren Bankiers in großem Umfange das tägliche Geld im Lombardverkehr in Anspruch genommen werden

---

1) Das Reichsgericht (VII. Ziv.-Sen. Entsch. v. 30. Mai 1911, Bank-Archiv, 11. Jahrg., S. 12) hat aber erkannt, daß die gesetzliche Ermäßigung für diese sogenannten Kostgeschäfte zur Voraussetzung habe, daß die Schlußnote ausdrücklich den Vermerk: „Kostgeschäft" trägt und beide Geschäfte, aus denen sich das Kostgeschäft zusammensetzt, umfaßt, also bestimmte Angaben über Preis und Lieferungstermin sowohl des Kauf- wie des Rückkaufsgeschäfts enthält.

mußte, sei es, daß sie sich um die Durchführung der eigenen oder um die der Kundenspekulationen handelte.

Die für den Lombardverkehr im allgemeinen bei den Großbanken üblichen Bedingungen dürften im wesentlichen mit den nachfolgenden, bei W. Prion[1]) abgedruckten der Berliner Handelsgesellschaft, die aber natürlich im Einzelfall mehr oder weniger modifiziert werden können, übereinstimmen, wobei naturgemäß, da in diesen Bedingungen nur die Höchstgrenze für die Beleihungen angegeben ist („bis zu"), der Geldgeber großen Spielraum hat.

Weist der Kurs der Papiere die vereinbarte Marge gegen den Beleihungswert nicht mehr auf, so ist — durch Wertpapiere oder Barzahlung — ein entsprechender Nachschuß zu leisten. Die von den Kunden im Falle eines Lombarddarlehns (falls nicht die Vorschriften der Kontokorrentbedingungen für ausreichend erachtet werden) zu unterzeichnende Erklärung ist u. a. bei Friedr. Leitner[2]) abgedruckt.

Beleihungsgrenzen für die an der Berliner Börse notierten Wertpapiere.

I. Bis zu $^9/_{10}$ des Tageskurses:

Anleihen des Deutschen Reiches und der deutschen Bundesstaaten, Preußische Pfand- und Rentenbriefe sowie die Schuldverschreibungen deutscher Städte und preußischer Kreise; Pfandbriefe deutscher Hypothekenbanken; Aktien und Teilschuldverschreibungen verstaatlichter Eisenbahnen; Banknoten fremder Staaten, Gold und Silber, gemünzt und in Barren; Teilschuldverschreibungen deutscher Eisenbahnen.

II. Bis zu $^4/_5$ des Tageskurses:

Ausländische Staats- und Städteanleihen; ausländische Eisenbahnschuldverschreibungen, ausländische Bodenkredit- und Hypothekenpfandbriefe; Aktien deutscher Eisenbahnen.

III. Bis zu $^3/_4$ des Tageskurses:

Ausländische Eisenbahnaktien; Bankaktien.

IV. Bis zu $^2/_3$ des Tageskurses:

Teilschuldverschreibungen industrieller Gesellschaften im Kursstande von nicht unter 90 %. Aktien industrieller Gesellschaften im Kursstande von nicht unter 150 %; bei höherem Kurs wird der Überschuß über 150 % nur zur Hälfte und mit der Einschränkung beliehen, daß eine höhere Beleihung als 150 % des Nominalbetrages überhaupt nicht

---

1) a. a. O. S. 78.

2) Friedr. Leitner, Das Bankgeschäft und seine Technik, Frankfurt a. M., 2. Aufl., 1910, J. D. Sauerländers Verlag, S. 351/353.

stattfindet. Wertpapiere, deren Kurs unter 20 % sinkt, sind von der Beleihung ausgeschlossen. Kuxe und Wertpapiere, welche an der Berliner Börse nicht notiert sind, werden nur auf Grund besonderer Vereinbarung beliehen.

Die Gesamtsumme der Lombarddarlehen der Reichsbank betrug nach den der Bank-Enquête-Kommission übergebenen amtlichen Ausweisen am 31. März 1908 (auf 5650 Pfandscheine) 255 687 000 M, wovon entfielen [1]):

1.	auf die Landwirtschaft und deren Gewerbe (in 249 Pfandscheinen)		1 803 300
2.	„	Industrie und Gewerbe	17 853 600
3.	„	Handel, Transport- und Versicherungswesen .	21 562 800
4.	„	Geld- und Kreditwesen, d. h. Banken, Bankiers und Geldgeschäfte jeder Art, und zwar:	
		a) auf Aktienbanken	99 618 900[2])
		b) Sonstige	88 422 000
5.	„	Öffentliche Sparkassen	12 620 500
6.	„	Genossenschaften aller Art	5 108 900
	„	Privatpersonen	5 788 700
7.	„	Sonstige (Korporationen, Stiftungen usw.) . .	2 908 400
			255 687 100

1) Für die Gliederung am 15. September 1909, vgl. oben Tab. a S. 140.

2) Wie sehr die, namentlich am Schluß des Jahres (und ähnlich an den sonstigen schweren Terminen), auftretenden besonders großen Bedürfnisse des Handels, der Industrie und des sonstigen Verkehrs, die sich bei den Banken in so erheblichem Umfange konzentrieren, auf die Lombarddarlehen an Banken und Sonstige (Bankiers und andere Geldgeschäfte) einwirken, ergibt sich daraus, daß am 31. Dezember 1907 der Gesamtbetrag der Lombarddarlehen der Reichsbank (in 5666 Pfandscheinen) betrug: 364 297 700, M wovon entfielen: auf Aktienbanken (in 497 Pfandscheinen) 163 100 300, auf sonstige Geschäfte des Geld- und Kreditwesens nin (916 Pfandscheinen) 125 399 000 M. Interessant ist an beiden Vergleichsterminen auch das Verhältnis der Lombarddarlehen an die Aktienbanken und derjenigen an die Privatgeschäfte usw.

Die vor dem Zusammentritt der Bank-Enquête-Kommission und auch noch während ihrer Verhandlungen vereinzelt vertretene Forderung, die Reichsbank müsse behufs Verbesserung ihres Status an den sogenannten schweren Terminen, speziell an den Quartalsterminen, die Diskontierung von Wechseln und die Gewährung von Lombarddarlehen auf ein ihrem Status entsprechendes Maß einschränken, ist im Verlauf der Verhandlungen fallen gelassen worden. In der Tat handelt es sich gerade an den Quartalsterminen um die legitimsten, fast durchweg im Wege kurzfristiger Kreditgewährung zu deckenden Ansprüche des Verkehrs, deren Befriedigung die Reichsbank sich nicht entziehen kann, da sie dazu da ist, „die Zahlungsausgleichungen zu erleichtern", da sie ferner, wenngleich nicht in erster Linie, aber doch auch dazu da ist, „für die Nutzbarmachung verfügbaren Kapitals zu sorgen" (§ 12 Abs. 1 des Bankgesetzes); vgl. auch oben S. 139, Anm. 3.

Waldemar Mueller bemerkt dazu mit Recht: „um in der geschäftsstillen Zeit Kredit zu gewähren und Noten auszugeben, dazu brauchen wir kein Zentral-

Man sieht hier zugleich, wie erheblich bei der Reichsbank das Lombardgeschäft hinter dem Diskontgeschäft zurücktritt, wobei sicherlich auch der Umstand eine Rolle spielt, daß Lombardforderungen nicht als Notendeckung zugelassen sind.

Der durchschnittliche Wechselbestand der Reichsbank an Inlandswechseln betrug nämlich, wie wir oben (S. 249) sahen, im Jahre 1907 1 060 076 000, während die Reichsbank in der Zeit vom 31. Dezember 1907 bis 7. April 1908 1 389 357 Inlandswechsel im Betrage von 2 897 985 044 M angekauft hat.

In den deutschen Bankbilanzen wurden leider bisher meist die Lombards mit den Reports (unter der Bezeichnung „Lombards und Reports" oder nur „Lombards" oder nur „Reports") in einer Summe zusammengefaßt. Dies ist um so weniger richtig, als beide Anlagen zwar in der Regel Formen kurzfristiger Kreditgewährung darstellen, die Lombards aber doch mitunter auch längerem (bis zu drei Monate andauerndem) Kredit dienen. Überdies liegen bei vielfacher Übereinstimmung der Zwecke, zu welchen beide Anlagen verwandt werden, doch wesentliche Unterschiede in diesen Zwecken und, wie wir sahen, im Wesen beider Anlageformen vor.

Was die Zusammensetzung der Reports angeht, so ist von sachverständiger Seite[1]) mit Recht darauf hingewiesen worden, daß darunter auch schwer realisierbare Werte und überdies solche Wertpapiere enthalten sein können, welche die Banken selbst emittiert und an ihre Kundschaft auf Kredit verkauft haben. Ähnliches kann aber auch bei den Lombards vorliegen.

Vielfach wurde bisher auch in den Bilanzen und Berichten der Kreditbanken (mit Ausnahme einiger Großbanken) nicht getrennt zwischen den Warenlombardierungen, die fast durchweg solche Waren betreffen, die einen Markt- oder Börsenpreis haben, und den Wertpapierlombardierungen, welche letzteren sich auch auf nicht börsengängige Wertpapiere oder auf solche Effekten beziehen können, die von den Banken emittiert, aber noch nicht zum Handel an der Börse zugelassen sind. In den inzwischen von den Großbanken publizierten zweimonatlichen Rohbilanzen (zuerst per 28. Februar 1909) werden aber die „Vorschüsse auf Waren- und Warenverschiffungen" gesondert aufgeführt und es ist demgemäß auch bei den Jahresbilanzen der Großbanken für 1910 in gleicher Weise

---

noteninstitut mit dem Privilegium der Reichsbank, dazu genügt selbst ein so mangelhaftes Notenbanksystem wie das der Vereinigten Staaten von Amerika. Die Reichsbank hat gerade an den schweren Terminen und in Krisenzeiten zu zeigen, daß sie ihrer bankgesetzlichen Aufgabe gewachsen ist" (Bank-Archiv, 8. Jahrg., No. 9 vom 1. Febr. 1909, S. 130).

1) Felix Hecht, Die Mannheimer Banken, S. 40.

verfahren worden; die Zusammenfassung der „Reports und Lombards" in einem Posten ist aber, wohl wegen der einer Trennung entgegenstehenden praktischen Schwierigkeiten, beibehalten worden.

Endlich wurden früher bei einigen Kreditbanken Vorschüsse auf Waren auch unter den „gedeckten Debitoren" gebucht.

Für die Vergangenheit müssen wir mit der Tatsache der Zusammenwerfung beider Posten in den meisten Bankbilanzen rechnen und können also die Entwicklung der Lombards und Reports bei den nachfolgenden vier Berliner Großbanken nur bei beiden Posten zusammen verfolgen:

Deutsche Bank. (In Millionen Mark.)

1870	2,7	1881	32,5	1892	43,6	1903	184,0
1871	13,2	1882	29,8	1893	34,3	1904	190,4
1872	19,9	1883	30,6	1894	69,8	1905	238,7
1873	8,2	1884	34,8	1895	60,8	1906	227,3
1874	14,5	1885	11,2	1896	68,9	1907	154,9
1875	16,4	1886	33,1	1897	101,2	1908	222,1
1876	32,2	1887	30,8	1898	114,1	1909	279,0
1877	11,0	1888	47,1	1899	103,5	1910	336,6
1878	15,5	1889	66,1	1900	69,4		
1879	34,8	1890	40,7	1901	98,3		
1880	26,2	1891	16,1	1902	184,6		

Disconto-Gesellschaft. (In Millionen Mark.)

1870	7,6	1881	29,5	1892	11,4	1903	58,2
1871	8,4	1882	12,5	1893	18,6	1904	73,7
1872	37,8	1883	18,2	1894	48,6	1905	38,5
1873	16,1	1884	45,1	1895	36,0	1906	57,7
1874	14,5	1885	26,8	1896	23,3	1907	49,5
1875	0,6	1886	31,3	1897	27,4	1908	58,0
1876	1,5	1887	10,2	1898	31,7	1909	109,8
1877	2,1	1888	35,3	1899	40,6	1910	115,0
1878	5,3	1889	34,7	1900	31,5		
1879	14,7	1890	31,9	1901	31,4		
1880	24,8	1891	14,9	1902	49,9		

Dresdner Bank.

In Millionen Mark.

1873	0,4	1883	15,1	1893	28,9	1903	62,1
1874	0,7	1884	19,1	1894	54,2	1904	96,5
1875	1,1	1885	5,9	1895	49,9	1905	103,0
1876	1,6	1886	15,3	1896	42,3	1906	119,5
1877	1,9	1887	9,6	1897	51,8	1907	56,6
1878	2,7	1888	37,8	1898	57,6	1908	113,8
1879	5,4	1889	59,6	1899	73,8	1909	185,9
1880	4,1	1890	38,2	1900	40,03	1910	187,4
1881	22,5	1891	21,6	1901	34,8		
1882	12,0	1892	33,0	1902	73,0		

Darmstädter Bank.

In Millionen Mark.

1870	2,0	1881	25,3	1892	27,6	1903	37,9
1871	7,9	1882	24,8	1893	24,1	1904	45,7
1872	14,7	1883	31,3	1894	30,5	1905	72,2
1873	15,3	1884	34,9	1895	31,4	1906	73,3
1874	9,6	1885	24,6	1896	30,5	1907	48,5
1875	10,3	1886	22,9	1897	23,1	1908	65,3
1876	7,6	1887	26,8	1898	32,3	1909	130,7
1877	8,9	1888	39,7	1899	31,0	1910	146,3
1878	18,5	1889	41,0	1900	27,6		
1879	28,0	1890	27,6	1901	19,0		
1880	30,3	1891	22,7	1902	38,9		

Bei allen deutschen Kreditbanken (mit einem Kapital von mindestens 1 Mill. M) betrugen die Lombards und Reports in den letzten 13 Jahren:

In Millionen Mark.

1898	258,5	1903	393,3	1908	546,9
1899	273,0	1904	394,4	1909	825,2
1900	198,3	1905	476,6	1910	2528,2
1901	222,1	1906	535,5		
1902	393,1	1907	500,0		

Bei den sechs Großbanken[1]) betrugen die Lombards und Reports in den letzten 13 Jahren:

In Millionen Mark.

1898	258,5	1903	393,3	1908	546,9
1899	273,0	1904	394,4	1909	825,2
1900	198,3	1905	476,6	1910	311,9
1901	221,1	1906	535,5		
1902	393,1	1907	500,0		

Von den Gesamtaktiven waren in Lombards und Reports angelegt[2]):

	1894		1895	
	in Mill. M	in Proz.	in Mill. M	in Proz.
bei der Deutschen Bank . . .	51,08	16,02	60,78	10,49
„ „ Disconto-Gesellschaft	48,58	15,2	36,05	9,67
„ „ Dresdner Bank . . .	48,68	17,8	41,68	17,8
„ „ Darmstädter Bank . .	30,46	15,2	31,4	15,1
„ „ Berliner Handelsge-sellschaft	21,1	12,9	25,1	12,5

1) In den Jahren 1898—1903 ohne Einberechnung des A. Schaaffhausen'-schen BankVereins, dessen Bilanzen erst 1904 die Lombards und Reports als eigenen Posten aufführen.

2) Es sind hier, abweichend von den nicht gleichmäßigen Angaben des Deutschen Ökonomist, nur die in den Bilanzen als Lombards und Reports bezeichneten Beträge berücksichtigt.

	1908		1910	
	in Mill M	in Proz.	in Mill. M	in Proz.
bei der Deutschen Bank . .	222,12	12,08	336,55	15,6
„ „ Disconto-Gesellschaft	58,1	6,6	115,04	10,6
„ „ Dresdner Bank . . .	80,46	7,8	187,6	18,6
„ „ Darmstädter Bank .	65,29	9,6	146,3	16,6
„ „ Berliner Handelsge-				
sellschaft . . .	53,4	12,0	78,1	14,5

F. Das Kommissionsgeschäft.

Das Kommissionsgeschäft der deutschen Kreditbanken, insbesondere der Großbanken, hat sich nie in dem engen Rahmen gehalten, welche der § 383 HGB. jetzt dem Kommissionär anweist, wonach nur derjenige, welcher gewerbsmäßig Waren- oder Wertpapiere in eigenem Namen, aber für fremde Rechnung kauft oder verkauft, Kommissionär im Sinne des HGB. ist.

Es sind vielmehr von den deutschen Kreditbanken von jeher auch solche Geschäfte in eigenem Namen und für fremde Rechnung betrieben worden, welche nicht im Kauf oder Verkauf von Waren oder Wertpapieren bestehen, auf die aber in einem solchen Falle nach dem HGB. (§ 406) die Vorschriften über das Kommissionsgeschäft gleichfalls anwendbar sind.

Dazu gehört z. B. die von Ad. Weber[1]) berichtete, seitens der Deutschen Bank erfolgte Vermittlung der Auszahlung der amerikanischen Entschädigung an Spanien für die Überlassung der Philippinen; die überaus erhebliche, nicht nur im Ankauf von Aktien bestehende Mitwirkung deutscher Großbanken bei der Vorbereitung und Durchführung der im Jahre 1879 begonnenen, aber während mehrerer Jahre fortdauernden Verstaatlichung der preußischen und später auch der anderen einzelstaatlichen Privateisenbahnen; die im Auftrage des preußischen Staates erfolgte, auch nicht lediglich im Aktienankauf bestehende Mitwirkung der Dresdner Bank und des A. Schaaffhausen'schen Bankvereins bei Beschaffung ausreichender Aktienbeträge der Hibernia-Gesellschaft; die seitens der Disconto-Gesellschaft erfolgte Mitwirkung bei der Regulierung der französischen Kriegsentschädigung in den Jahren 1871/1872 und die Vermittlung des Umtauschs der Aktien der rumänischen Eisenbahngesellschaft in rumänische Staatspapiere (1879—1881) durch die Disconto-Gesellschaft, sowie die teilweise für fremde Rechnung erfolgte Reorganisation der Northern Pacific Railroad Company durch die Deutsche Bank u. a. m. In der Hauptsache ist es aber das eigentliche börsenmäßige Kommissionsgeschäft, welches die Kreditbanken und insbesondere die Großbanken betreiben und dessen Umfang durch alle die zahlreichen Macht- und Konzentration fördern-

---

1) Ad. Weber, Depositenbanken und Spekulationsbanken, S. 97.

den Momente verstärkt worden ist, die wir teils schon erwähnten, teils noch zu erörtern haben werden, insbesondere durch die immer enger gewordenen Beziehungen zur Industrie und die nach und nach von allen Großbanken, mit Ausnahme der streng zentralisierten Berliner Handelsgesellschaft, in großer Zahl errichteten Depositenkassen. Denn mag auch die Angabe Waldemar Muellers[1]) richtig sein, daß das Geschäft der Depositenkassen und Wechselstuben, „solange es sich auf die Zinsnutzung und das Kommissionsgeschäft in Effekten beschränkte, die erheblichen Unkosten an Miete, Personal usw. nicht deckte", so rechneten diese Depositenkassen doch damit, daß, was auch den Wünschen und Bedürfnissen ihrer Kundschaft entsprach, ihre Depositeneinleger und die Benutzer ihrer Safes nach und nach auch in allen ihren geschäftlichen und Vermögensangelegenheiten, insbesondere bei ihren Kapitalanlagen, also im börsenmäßigen Kommissionsgeschäft, sich an sie wenden würden. Diese Rechnung hat sich denn auch in der Regel als ebenso richtig erwiesen wie die weitere Erwartung, daß die Kunden der Depositenkassen allmählich auch im Emissionsgeschäft der Zentralen zu dauernden, in ihrer Vermögenslage und Solvenz genau bekannten, also zuverlässigen Abnehmern der von diesen emittierten Effekten werden würden.

Gegen die Depositenkassen sind aber vielfach Vorwürfe nach der Richtung laut geworden, daß sie die Wertpapierspekulation ihrer Kundschaft in erheblichem Umfange befördert hätten und, gleich „Animierbankiers", neue Kundschaft zum Abschluß von Börsenspekulationen gedrängt und angeworben hätten. Die Berechtigung solcher Vorwürfe wird um so schwerer nachzuprüfen sein, als es zweifellos ist, daß, schon mit Rücksicht auf den § 94 des Börsengesetzes, aber auch im wohlverstandenen eigenen Interesse, seitens der Zentralleitungen der Großbanken und der anderen Kreditbanken die strengsten Anweisungen an die Vorsteher ihrer Depositenkassen und Wechselstuben ergangen sind und periodisch von neuem eingeschärft werden, daß diese die Kundschaft oder sonstige Kreise nicht zur Eingehung von Börsenspekulationen animieren dürfen. Ebenso zweifellos ist es aber, daß, ungeachtet aller Instruktionen und Warnungen, seitens einzelner Depositenkassenvorsteher Fehler und Verstöße nach dieser Richtung gemacht worden sind, die auch in der Folge wenigstens bei denjenigen Vorstehern sich wiederholen könnten, welche, was besser vermieden würde, außer ihrem Gehalt, eine Tantième lediglich vom Reingewinn ihrer Depositenkasse, statt von dem der Bank selbst, beziehen. Es darf dabei aber auch nicht ganz unberücksichtigt bleiben, daß häufig das Publi-

---

[1]) Waldemar Mueller, Die Organisation des Kredit- und Zahlungsverkehrs in Deutschland (Bank-Archiv vom 15. Januar 1909, 8. Jahrg., Nr. 8, S. 116).

kum und die Kundschaft selbst den Vorstehern ihren Willen diktiert und sich nicht nur jede Mahnung und Warnung verbittet, sondern auch ihre Aufträge selbst in sehr peremptorischer Form erteilt. Vielfach liegen die Dinge auch so, daß die Spekulanten ohne Wissen der Depositenkasse gleichzeitig auch bei anderen Depositenkassen Spekulationsgeschäfte machen und die bei der einen Kasse gewonnenen Kenntnisse und Informationen entweder zur Kontrolle der anderen oder zu definitiven, in keiner Weise zu beeinflussenden Entschließungen benutzen.

Das von manchen dieser Depositenkassen und Wechselstuben, namentlich den schon älteren, bereits in erfreulichem Umfange erreichte — Ziel muß jedoch sein, lediglich dem soliden Kapitalanlagegeschäft und den sonstigen durch dieses oder die geschäftlichen Bedürfnisse der Kundschaft bedingten Transaktionen zu dienen und alle Zweige des regelmäßigen (laufenden) Bankgeschäfts, mit Ausnahme des Emissionsgeschäfts und des Effektengeschäfts für eigene Rechnung, in sorgfältigster Weise zu pflegen.

Aber auch im Anlagegeschäft wird man seitens der Banken, was nicht durchweg in ausreichendem Umfange geschehen ist, sowohl in bezug auf die von den Banken selbst emittierten Werte als in bezug auf sonstige Papiere die äußerste Vorsicht beobachten müssen. Grundsätzlich wird man namentlich daran festzuhalten haben, daß für solche Personen, die kraft ihrer Vermögenslage genötigt sind, auf jede Kursschwankung ängstlich zu achten und die jede Mindereinnahme an Zinsen schwer empfinden, der Erwerb von Dividendenpapieren im allgemeinen überhaupt nicht rätlich ist, da diese letzteren, je nach der Konjunktur und den sonst für ihren Ertrag maßgebenden Momenten, nicht nur in ihren Dividenden, sondern, entsprechend der wechselnden Höhe dieser Dividenden, auch in ihrem Verkaufswert und in ihrem Kurse, sehr erheblichen Schwankungen ausgesetzt sind. Solche Personen aber, die entweder infolge spekulativer Tendenzen, oder, weil sie auf höhere Erträgnisse angewiesen sind, als sie Staatspapiere und andere fest verzinsliche Werte in der Regel bieten, auf dem Erwerb von Dividendenpapieren bestehen, werden gut tun, dann wenigstens zu „mischen“, d. h. kleinere Beträge verschiedener solider Dividendenpapiere ganz verschiedener gewerblicher Unternehmungen zu erwerben, um nicht alles auf eine Karte zu setzen. Sie können dann in dem besseren Erträgnis des einen Industriezweigs oder der einen Gesellschaft eine Art von Versicherung gegen Mindererträgnisse anderer Gesellschaften suchen. Das Prinzip der Risikoverteilung ist auch von Privatkapitalisten zu beobachten und in dieser Richtung sollten da, wo sie überhaupt befragt werden, auch die Depositenkassenvorsteher tätig sein.

Abgesehen von solchen Fällen wird, soweit meine Erfahrungen reichen, seitens der Vorstände der Großbanken wohl durchweg, wenn auch nicht immer mit Erfolg, die Instruktion an die Leiter der Depositenkassen und Wechselstuben erteilt, sich aller Ratschläge und Empfehlungen zu enthalten, welche über die nach bestem Wissen zu erteilenden sachlichen Auskünfte hinsichtlich der anzukaufenden oder zu verkaufenden Effekten hinausgehen, insbesondere dann, wenn es sich um die von den Großbanken selbst emittierten Werte handelt, bei denen die Tatsache der Emission ja schon die günstige Ansicht der emittierenden Bank kennzeichnet. Es werden also der Kundschaft auf ihr Befragen lediglich diejenigen Momente in objektiver Weise und nach bestem Wissen mitgeteilt, welche für den inneren Wert, die Sicherheit, Rentabilität und Realisierbarkeit der zu erwerbenden oder zu veräußernden Wertpapiere nach sorgfältiger Prüfung als maßgebend angenommen werden, eintretendenfalls auch die an in- oder ausländischen Börsen für deren Handel geltenden Bedingungen. Irgendeine Ansicht über die voraussichtliche zukünftige Kursentwicklung zu äußern, wird in der Regel, ungeachtet der fast stets nach dieser Richtung ergehenden dringlichen Anfragen, grundsätzlich abgelehnt, zumal gerade die sachverständigsten Kenner des Kapitalmarkts und der unzähligen auf die Kursgestaltung einwirkenden und für sie maßgebenden Faktoren, als Ergebnis ihrer Kenntnisse und Erfahrungen nur das eine Axiom feststellen können, daß es, wie es an der Börse heißt, „immer anders kommt".

Für das börsenmäßige Kommissionsgeschäft gelten für die Berliner Großbanken[1]) und weit über deren Kreis hinaus im wesentlichen übereinstimmende (formularmäßige) „Geschäftsbedingungen", die in folgenden Grundsätzen gipfeln:

1. Die Bank erledigt alle ihr zur Ausführung zugehenden Aufträge zum An- und Verkauf von Wechseln, Valuten oder Wertpapieren als Selbstkontrahentin, falls nicht etwas anders ausdrücklich vereinbart ist oder sie nicht selbst im Einzelfalle etwas anderes ausdrücklich mitteilt[2]), ohne daß hieran etwaige bei der Ausführung gebrauchte Wendungen, die auf den Abschluß mit einem Dritten hindeuten könnten, wie: „ich kaufte oder ich verkaufte für Sie", irgend etwas

---

1) Der einschlägige Teil der Geschäftsbedingungen der Deutschen Bank ist bei Joh. Fr. Schaer, Die Bank im Dienste des Kaufmanns, S. 128 u. 129 abgedruckt.

2) Das ist eine — rechtlich durchaus zulässige — Umkehrung der lediglich dispositiven Vorschrift des § 405 Abs. 2 HGB., wonach, wenn der Kommissionär die Ausführung der Order anzeigt, ohne ausdrücklich zu bemerken, daß er selbst eintreten wolle, dies als Erklärung gilt, daß er das Geschäft für Rechnung des Kommittenten mit einem Dritten abgeschlossen habe.

ändern sollen. Die Bank ist befugt, in jedem einzelnen Falle, außer der Provision, die regelmäßig vorkommenden Unkosten insbesondere die üblichen Kurtage- und Stempelbeträge, in Anrechnung zu bringen [1]).

2. Alle von der Bank für ihre Kunden ausgeführten börsenmäßigen Geschäfte unterliegen den jeweils geltenden Bedingungen für derartige Geschäfte an derjenigen in- oder ausländischen Börse, an welcher die Geschäfte zur Ausführung gelangen, und zwar auch dann, wenn diese Geschäfte seitens der Bank durch Selbsteintritt erledigt werden. Die Bank ist ermächtigt, börsenmäßige Termingeschäfte nach bestem Ermessen zu prolongieren oder — ganz oder teilweise — zu lösen, wenn der betreffende Kunde ihr nicht eine spätestens am vorletzten Prolongationstag (Prämien-Erklärungstag) eintreffende Anweisung für die weitere Behandlung der schwebenden Engagements erteilt hat. Die Bank ist hierzu auch vor diesem Termin berechtigt, wenn der Auftraggeber den etwa verlangten Einschuß auf Erfordern (s. unten sub 3, Abs. 2) nicht leistet [2]).

3. An allen Wertpapieren (einschl. der dazu gehörigen Zins-, Renten- oder Gewinnanteilscheine) und an allen sonstigen Wertstücken, welche im Laufe des Geschäftsverkehrs oder aus irgendeinem anderen Grunde [3]) in den Besitz oder in die Verwahrung der Bank gelangt sind, steht der Bank zur Sicherheit für alle Forderungen an den Kunden aus laufender Geschäftsverbindung [4]) ein Faustpfandrecht und ein Zurückbehaltungsrecht zu, ebenso auch, soweit nichts anderes vereinbart ist, zur Sicherheit für das jeweils schwebende Wechselobligo. An Wertpapieren, welche der Bank ausdrücklich als fremde oder als für fremde Rechnung anzuschaffende bezeichnet sind, kann das Pfand- oder Zurückbehaltungsrecht der Bank nur wegen solcher Forderungen der Bank ausgeübt werden, welche mit bezug auf diese Wertpapiere entstanden sind [5]). Im Inlande hinter-

---

1) Das Letztere versteht sich nach § 403 HGB. von selbst.

2) Hier folgte bis zum Inkrafttreten der Börsengesetznovelle in der Regel der Zusatz: Für Geschäfte in Wertpapieren mit festbestimmter Lieferungszeit sind besondere Bestimmungen maßgebend.

3) Dies ist eine Erweiterung der §§ 397 u. 369 HGB.

4) Also nicht nur ,,wegen aller Forderungen aus laufender Rechnung in Kommissionsgeschäften'' (§ 397 HGB.).

5) Dieser Zusatz entspricht dem § 8 des Bankdepotgesetzes vom 5. Juli 1896, welcher dem Kommissionär (Lokalbankier), der fremde Wertpapiere einem Zentralbankier zur Aufbewahrung übergibt oder einen ihm gewordenen Auftrag zur Anschaffung von Wertpapieren an einen Zentralbankier weitergibt, die Pflicht auferlegt, hierbei dem Zentralbankier zu erklären, daß die Wertpapiere fremde seien oder daß

legte Papiere, welche nicht mit dem deutschen Stempel versehen sind, bleiben vom Pfand- und Zurückbehaltungsrecht ausgeschlossen [1]).

Falls nach vorausgegangener eingeschriebener schriftlicher Aufforderung zur Leistung des Einschusses oder zur Leistung des ausweislich der Bücher der Bank geschuldeten Saldos die Leistung des Einschusses oder die Zahlung des Saldos einschließlich etwaiger schwebender Wechselverbindlichkeiten nicht erfolgt, ist die Bank berechtigt, ohne daß es eines vollstreckbaren Titels oder der Einhaltung einer Frist bedarf, die Pfandstücke behufs ihrer Befriedigung zu einem beliebigen Zeitpunkte und an jedem ihr geeignet erscheinenden Orte gemäß §§ 1221 und 1235 BGB. [2]) zu verkaufen. Die §§ 1237 Satz 2 und 1238 des BGB. bleiben außer Anwendung. Auch sind die Kunden nicht befugt, auf Grund des § 1246 BGB. [3]) Abweichungen von der regelmäßigen Art des Pfandverkaufs zu fordern.

---

die Anschaffung für fremde Rechnung erfolge. Die Folge ist, daß das Pfand- und Zurückbehaltungsrecht des Zentralbankiers nur noch wegen der Forderungen ausgeübt werden kann, welche mit bezug auf diese Wertpapiere entstanden sind (also insbesondere wegen des restierenden Kaufpreises), nicht aber wegen aller Forderungen, die dem Zentralbankier gegen den Provinzialbankier aus irgendwelchen Geschaften zustehen. Das letztere war vor Erlaß des Bankdepotgesetzes der Fall, wo sich der Provinzialbankier für ermächtigt hielt, die Tatsache, daß die weitergegebenen Papiere fremde seien, oder daß der weitergegebene Anschaffungsauftrag für fremde Rechnung erteilt sei, dem Zentralbankier zu verschweigen. Im Konkurse des Provinzialbankiers machte dann der Zentralbankier sein Pfand- oder Zurückbehaltungsrecht wegen aller seiner Forderungen an den Provinzialbankier geltend, womit das Aussonderungsrecht des Kommittenten des Provinzialbankiers meist illusorisch wurde.

1) Dieser Zusatz soll, mit Rücksicht auf den § 2 Reichsstempelgesetzes vom 3. Juni 1906, die Mithaftung der Bank für die ordnungsmäßige Abstempelung der Stücke ausschließen. Nach dieser Bestimmung stellt sich zwar die Verpfändung, aber nicht die ohne Entstehung eines Pfandrechts erfolgende Hinterlegung ausländischer Wertpapiere als stempelpflichtiges „Geschäft" (unter Lebenden) mit den Papieren dar. Das ist der Grund, weshalb in den Bedingungen das sonst nach diesen eintretende Pfand- und Zurückbehaltungsrecht für den Fall der Hinterlegung ungestempelter ausländischer Wertpapiere ausgeschlossen wird.

2) Die §§ 1221 und 1235 BGB. lauten: § 1221: Hat das Pfand einen Börsen- oder Marktpreis, so kann der Pfandgläubiger den Verkauf aus freier Hand durch einen zu solchen Verkäufen öffentlich ermächtigten Handelsmäkler oder durch eine zur öffentlichen Versteigerung befugte Person zum laufenden Preise erwirken. — § 1235. Der Verkauf des Pfandes ist im Wege öffentlicher Versteigerung zu bewirken. Hat das Pfand einen Börsen- oder Marktpreis, so findet die Vorschrift des § 1221 Anwendung.

3) Der § 1246 BGB. lautet: Entspricht eine von den Vorschriften der §§ 1235 bis 1240 abweichende Art des Pfandverkaufs nach billigem Ermessen den Interessen der Beteiligten, so kann jeder von ihnen verlangen, daß der Verkauf in dieser Art erfolgt. Kommt eine Einigung nicht zustande, so entscheidet das Gericht.

Die oben gedachte Aufforderung gilt als zugestellt, wenn sie „eingeschrieben" an die letzte der Bank bekannt gewordene Adresse abgesandt ist, auch wenn dieser Brief als unbestellbar zurückkommt.

Der Selbsteintritt ist nach § 400 HGB. dem Kommissionär nur bei Waren, die einen Markt- oder Börsenpreis haben, und bei Wertpapieren gestattet, bei denen ein solcher Preis amtlich festgestellt wird; der Kommissionär hat nachzuweisen, daß bei dem seinerseits dem Auftraggeber (Kommittenten) berechneten Preise der zur Zeit der Ausführung bestehende Börsen- oder Marktpreis eingehalten ist: als Zeit der Ausführung gilt der Zeitpunkt, „in welchem der Kommissionär die Anzeige von der Ausführung zur Absendung an den Kommittenten abgegeben hat" (§ 400 Abs. 2 Satz 2 HGB), eine Vorschrift, die mit einer Reihe anderer (§§ 387, 400 Abs. 3 b und 5, 401, 405 Abs. 2) dazu bestimmt ist, den sogenannten „Kursschnitt", das Spekulieren des Kommissionärs auf dem Rücken des Kommittenten, zu verhindern.

Mit der genauen Kontrolle der Beobachtung der Vorschrift des § 400 Abs. 2 Satz 2 seitens der Börsenvertreter ist, da dessen wissentliche Übertretung im § 95 Abs. 1 Ziffer 2 des Börsengesetzes auch mit Strafe bedroht ist, meistens bei den Großbanken ein besonderes Bureau betraut; dieses oder ein anderes hat auch zu kontrollieren, ob überall der richtige Stücke- und Schlußnotenstempel verwandt ist.

Nach den §§ 3 und 4 des Gesetzes „betreffend die Pflichten der Kaufleute bei Aufbewahrung fremder Wertpapiere" vom 5. Juli 1896 (des sogenannten Bankdepotgesetzes) hat der Kommissionär, der einen Auftrag zum Einkauf von Wertpapieren (der im § 1 bestimmten Art) ausführt, die Verpflichtung, dem Kommittenten binnen 3 Tagen ein Verzeichnis der eingekauften Stücke mit Angabe des Nennwerts, der Nummern oder sonstiger Unterscheidungsmerkmale zu übersenden (Stückeverzeichnis). Nach den Geschäftsbedingungen der Großbanken und der meisten deutschen Kreditbanken fordern die Banken jedoch von ihren Kunden in der Regel den Verzicht auf Übersendung des Stückeverzeichnisses dann, wenn die angekauften Effekten nicht vollständig bezahlt sind, der Kommittent also den Rest gegen Hinterlegung der angeschafften Stücke schuldig bleibt.   Der Verzicht soll, worauf in den Geschäftsbedingungen ausdrücklich hingewiesen wird, die sonst nach § 4 des Bankdepotgesetzes (spätestens) durch die Übersendung des Stückeverzeichnisses eintretende Rechtsfolge des Eigentumsübergangs der angekauften Papiere auf den Kommittenten verhindern, das Eigentum bleibt also dem Kommissionär (der Bank) solange vorbehalten, bis der Kaufpreis vollständig bezahlt ist. Insolange werden die eingekauften

Stücke nicht auf Depotkonto des Kommittenten gebucht, werden also nicht Eigentum des Kommittenten und demgemäß auch nicht für den Kommittenten gesondert von den eigenen Beständen der Bank oder denjenigen Dritter aufbewahrt und nicht nach den Unterscheidungsmerkmalen in das Depotnummernbuch eingetragen (§ 1 des Bankdepotgesetzes). Sie werden vielmehr ohne Nummernangabe auf Stückekonto gebucht, welches vielfach bei den Großbanken Konto C genannt wird, zum Unterschied von dem reinen Aufbewahrungskonto der dem Kunden (Provinzialbankier) selbst gehörigen Stücke (Depotkonto A) und dem Depotkonto B. Das letztere umfaßt die Stücke, bezüglich deren der hinterlegende oder einen Anschaffungsauftrag weitergebende Provinzialbankier (der Kunde der Großbank) dieser letzteren gegenüber die Erklärung nach § 8 des Bankdepotgesetzes abgegeben hat, daß die Stücke fremde seien oder die Anschaffung für fremde Rechnung erfolge. Dieses Depot B ist also „nicht frei", d. h. es dient der Bank nicht als Sicherheit für alle ihre Forderungen an den Provinzialbankier. Eine Verfügung des Kommissionärs (also des Zentralbankiers) über solche auf Depotkonto B gebuchten Stücke, bedarf nach der Judikatur in allen Fällen der Erklärung des Kommittenten (also des Provinzialbankiers), daß ihm von seinen Kunden das Verfügungsrecht eingeräumt ist.

Der Verzicht auf Übersendung des Stückeverzeichnisses kann nach § 3 Abs. 2 des Bankdepotgesetzes von Bankiers in jeder Form, also auch mündlich und ein für allemal, von Nichtbankiers aber nur ausdrücklich[1]), schriftlich und für den einzelnen Fall, erteilt werden.

Erst wenn der Rest des Kaufpreises bezahlt ist, werden die angeschafften Stücke auf Verlangen des Kommittenten vom Stückekonto (Konto C) abgebucht und auf Depotkonto A übertragen.

Die Aufbewahrung der auf Depotkonto A gebuchten oder übertragenen Wertpapiere erfolgt bei den Großbanken in der Regel nach Effektengattungen, d. h. es werden die den verschiedenen Kunden gehörenden Papiere der nämlichen Gattung gemeinsam verwahrt, wobei natürlich die den einzelnen Kunden gehörigen Effekten als solche durch besondere seinen Namen und den Nennbetrag der Stücke enthaltende, die Stücke umgebende Bänder gekennzeichnet werden. Diese Art der Aufbewahrung der Stücke nach Gattungen erleichtert das rasche Auffinden der einzelnen Stücke erheblich und ist deshalb gebräuchlicher als die Aufbewahrung aller dem nämlichen Kunden gehörigen Effekten in einer mit dessen Namen usw. versehenen Mappe. Zur Kontrolle des Bestandes werden aber bei allen

---

1) Über die Bedeutung des Wortes „ausdrücklich" s. Riesser, Das Bankdepotgesetz, 2. Aufl. (Berlin, Otto Liebmann, 1906), S. 49 Anm. 1 und S. 26 u, 27.

Banken sowohl lebende Depotbücher geführt, in denen jeder Kunde ein Konto für alle seine Effekten hat, als auch ein totes Depotbuch, in welchem jede Effektenart ein Konto hat und in dem dann die einzelnen Kunden mit den ihnen gehörigen Effekten dieser Art gebucht sind.

Es ist bei den Großbanken (anders bei vielen Provinzialbanken und Privatbankiers) nicht üblich, sich im Falle bloßer Aufbewahrung von Wertpapieren oder für den Fall, daß sich aus einem Anschaffungsauftrage eine solche Aufbewahrung entwickelt, in den Formen des § 2 Abs. 1 des Bankdepotgesetzes (also vom Nichtbankier lediglich ausdrücklich, schriftlich und für den einzelnen Fall) ermächtigen zu lassen, an Stelle der hinterlegten oder verpfändeten Wertpapiere gleichartige Wertpapiere zurückzugewähren oder über die Papiere zu ihrem Nutzen zu verfügen [1]).

Es wird ferner die in diesem Falle vom Gesetz nicht verlangte Nummernaufgabe regelmäßig erteilt, in der Regel in der Form der Unterzeichnung und Rückgabe des bei der Übergabe vom Einlieferer in duplo eingereichten oder übersandten Bordereaus. —

Über den Umfang des Kommissionsgeschäfts der Großbanken lassen sich aus den bisher üblich gewesenen Bilanzen keine vollkommen sicheren Schlüsse ziehen. Einmal sind in dem Bilanzposten: „Provisionen" nicht nur die aus dem Kommissionsgeschäft (dies Wort im weitesten Umfange genommen) herrührenden Provisionen verbucht, sondern vielfach, ganz oder zum Teil, auch die bei der Diskontierung von Wechseln erzielten, also eigentlich auf Wechselkonto zu buchenden Provisionen. Denn diese werden nicht immer gleich von der Wechselrechnung abgesetzt, sondern erst bei dem Abschluß des ganzen Kontos (von der Höhe des Gesamtumsatzes) berechnet [2]). Ferner werden auch vielfach die im Kontokorrentverkehr verdienten Provisionen auf Provisionskonto verbucht, so daß dieses Konto, so einheitlich es auch äußerlich aussieht, in Wahrheit ein „Sammelkonto" darstellt.

Was hier von den bei der Wechseldiskontierung erzielten Provisionen gesagt ist, kommt auch bei dem An- und Verkauf von Effekten in der Weise vor, daß entweder die hierfür dem Bankier zu vergütende Provision im ganzen vom Gesamtumsatz auf dem Konto, und zwar von der größeren Seite, berechnet oder daß sie bei der Einzelabrechnung

---

1) Es muß aber zur Vermeidung unrichtiger Handhabung, wie sie vielfach zu bestehen scheint, auch hier darauf hingewiesen werden, daß selbst da, wo eine solche Ermächtigung dem Bankier erteilt ist, dieser die Wertpapiere des Kunden so lange gemäß den Vorschriften des § 2 des Bankdepotgesetzes aufbewahren muß, als er von der Ermächtigung noch keinen Gebrauch gemacht hat (vgl. Riesser. a. a. O. S. 33 unter b).

2) Vgl. Bruno Buchwald, a. a. O. 6. Aufl., 1910, S. 142, Anm. 2 u. S. 160.

von dem ausgerechneten Betrage gleich zu- oder abgesetzt wird [1]). Im ersteren Fall wird der erzielte Provisionsreingewinn beim Abschluß des Kontos in einer Summe dem Sammelkonto „Provisionen" überwiesen, in letzterem Falle sind sie auf einem separaten Konto gebucht, müssen aber dann, wenn kein falsches Bild entstehen soll, einzeln ausgeschieden und auf Provisionskonto übertragen werden. Für die hier behandelte Frage der Gesamthöhe der Provisionen aus dem Kommissionsgeschäft spielt diese Unterscheidung keine Rolle, während sie auf die Höhe der Provisionen natürlich einen Einfluß ausübt. So werden z. B. nach einem Beschlusse der Stempelvereinigung die Umsätze in Dividendenpapieren nicht mehr auf Conto ordinario geführt, was so lange der Fall war, als eine Provision nur vom Gesamtumsatz dieses Kontos (und zwar von der größeren Seite) berechnet wurde, sondern es wird sowohl beim Ankauf wie beim Verkauf von Dividendenpapieren, der auf einem Separatkonto, dem Dividendenpapierkonto, zu buchen ist, eine besondere Provision beberechnet. —

Es betrugen bei allen deutschen Kreditbanken (mit einem Kapital von mindestens 1 Mill. M) nach dem D. Ökonomist[2]):

Im Jahr	Der Bruttogewinn	Die Provisionen	Das Verhältnis der Provisionen zum Bruttogewinn
	In Millionen Mark		
1885	77,81	19,7	25,3%
1886	78,69	20,5	26,0%
1887	80,97	20,7	25,5%
1888	110,48	24,2	22,0%
1889	141,00	32,1	22,8%
1890	141,04	32,2	22,8%
1891	112,15	28,8	25,7%
1892	111,93	26,7	23,8%
1893	110,03	27,8	25,2%
1894	112,29	28,1	25,0%
1895	150,83	34,3	22,8%
1896	158,93	35,4	22,3%
1897	179,37	40,4	22,5%
1898	218,38	50,5	23,1%
1899	261,77	57,9	22,1%
1900	262,02	60,0	22,9%
1901	258,40	58,9	22,8%
1902	256,76	57,7	22,5%
1903	253,21	62,7	24,7%
1904	273,50	68,2	25,0%
1905	330,20	81,4	24,7%
1906	377,08	91,4	24,3%
1907	382,28	97,5	25,5%
1908	417,20	103,7	24,9%
1909	452,30	113,2	25,0%
1910	492,78	123,5	25,0%

1) Vgl. Bruno Buchwald, a. a. O. S. 160 u. 374.
2) Vgl. Robert Franz, Die deutschen Banken im Jahre 1908, S. 24/25; 1909, S. 26/27, 1910, S. 23.

Mit den aus dem Vorstehenden sich ergebenden Vorbehalten wird sich aber doch aus der vorstehenden Tabelle eine ungefähre Vorstellung über den Umfang des Kommissionsgeschäfts bei den deutschen Kreditbanken gewinnen lassen, da jedenfalls ein sehr erheblicher Teil der auf dem Provisionskonto verbuchten Provisionen aus dem Kommissionsgeschäft herrührt.

Es ist daraus ersichtlich, daß die Provisionen, mit Ausnahme der Depressionsjahre 1891 und 1892, stets (und zwar von 1885 bis 1890 sehr erheblich, von 1892 ab in schwächerer Progression, aber überaus stetig) gestiegen sind; daß jedoch, da der Gesamt-Bruttogewinn sich von 1885 ab, mit geringen Unterbrechungen (in den Jahren 1891—1893, 1901 und 1903), gleichfalls sehr bedeutend erhöhte, das Verhältnis der erzielten Provisionen zum erzielten Bruttogewinn in der ganzen Zeit von 1885—1910 ziemlich das gleiche geblieben, sogar im ganzen etwas heruntergegangen ist.

Immerhin ist in dieser ganzen Zeit beinahe ein Viertel des Bruttogewinns auf Provisionen entfallen, die jedenfalls zum wesentlichsten Teil aus dem Kommissionsgeschäft herrühren [1]).

G. Das Umwandlungs-, Gründungs-, Emissions-, Konsortial- und Effektengeschäft.

1. Das Umwandlungs- und Gründungsgeschäft.

Die Einwendungen gegen das deutsche „gemischte Banksystem" gehen entweder davon aus, daß die Depositen in ungenügender Weise durch liquide Mittel gedeckt, also nicht genügend sicher verwaltet seien — hiermit werden wir uns im § 8 ausführlich beschäftigen — oder sie gehen davon aus, daß das von den deutschen Kreditbanken in umfangreicher Weise betriebene Umwandlungs- und Gründungsgeschäft sowohl für die Kreditbanken selbst wie für die Allgemeinheit sehr erhebliche Gefahren mit sich bringe; hierüber müssen wir nunmehr sprechen.

In unseren früheren Erörterungen (oben S. 4—6) ist bereits betont worden, daß die alsbaldige Aufnahme des Umwandlungs- und Gründungsgeschäfts, also des eigentlichen Finanzierungsgeschäfts [2]), durch die deutschen Kreditbanken einem dringenden Bedürfnis der deutschen industriellen und kommerziellen Kreise entsprochen hat, und daß gerade die ersten deutschen Kreditbanken, was die Darmstädter Bank

---

1) Vgl. Ad. Weber, Depositenbanken und Spekulationsbanken, S. 102.
2) Vgl. Rob. Liefmann, Beteiligungs- und Finanzierungsgesellschaften (Jena 1909, Gustav Fischer), der mit Recht betont, daß dies Finanzierungsgeschäft vom Emissionsgeschäft scharf zu trennen ist S. 84 ff.). Jenes ist die Aufbringung des für das Umwandlungsgeschäft erforderlichen (eigenen oder fremden) Kapitals, und, was hinzuzufügen ist, die Vermittlung des Umwandlungs- und Gründungsgeschäfts.

auch in ihrer Firma: „Bank für Handel und Industrie" zum Ausdruck brachte, in erster Linie zum Zwecke der Förderung von Handel und Industrie ins Leben gerufen wurden. Die Errichtung reiner Depositenbanken war in Deutschland schon deshalb ausgeschlossen, weil diese angesichts des geringen Wohlstands der Bevölkerung nicht rentabel genug gewesen sein würden.

Wir haben ferner gleich zu Anfang dieses Buches festgestellt, daß auch die besondere Natur des Umwandlungs- und Gründungsgeschäfts eine Fülle technischer, geschäftlicher und allgemein wirtschaftlicher Kenntnisse und Erfahrungen verlangt, die sich erst nach und nach in den Kreditbanken ansammeln mußten. Das Erfordernis solcher Erfahrungen, verbunden mit der ständigen Beobachtung des Geldmarkts und der genauen Kenntnis des Kapitalmarkts, sowie der damit zusammenhängenden Faktoren, wie z. B. der Aufnahmefähigkeit des Marktes für neue Werte und der für die Bestimmung des Kurses dieser Werte maßgebenden Momente u. dgl. m., schuf von selbst „besondere wirtschaftliche Organe", denen auch, wie Schaeffle sich ausdrückte, „die spezielle Funktion der Initiative in der Aktienindustrie" obliegen mußte.

Überdies erwuchs aus der Notwendigkeit der Arbeitsteilung, der Kombination und Dezentralisation der Betriebe, der Befriedigung der Massennachfrage und des Massenbedarfs und der Überwindung oder der Abwehr der ausländischen Konkurrenz der industrielle Großbetrieb, der am liebsten im Gewande der Aktiengesellschaft auftritt, weil sie leichter kreditfähig als der einzelne Unternehmer und deshalb auch leichter ausdehnungsfähig ist. Auch darum mußte in Deutschland gerade den Banken, als Zentralstellen der zu produktiven Zwecken verfügbaren Gelder, die Aufgabe zufallen, die Umwandlung bestehender Unternehmungen in Aktiengesellschaften oder die Gründung neuer Aktiengesellschaften in die Hand zu nehmen.

Industrieller Großbetrieb und Kapitalismus, Faktoren, von denen jeder zum anderen im Verhältnis sowohl der Ursache wie der Wirkung steht, vereinigten sich so mit Hilfe der deutschen Kreditbanken zu einem untrennbaren Bunde, welcher der wirtschaftlichen Gesamtentwicklung Deutschlands in den beiden hier zu betrachtenden Epochen ihren besonderen Charakter verleiht.

Während in Preußen bis zum Dazwischentreten dieser Banken, in der ganzen Zeit von 1826—1850, also in einem Vierteljahrhundert, wie wir oben (S. 35 und 105) sahen, im ganzen nur 102 Aktiengesellschaften mit etwa 638 Mill. M Kapital begründet worden waren, kam es von da ab bis zum Schlusse der ersten Epoche (genauer: bis zum Beginn der zweiten Hälfte des Jahres 1870), in erster Linie infolge der Umwandlungs- und Emissionstätigkeit der deutschen Kreditbanken, zur Gründung von 295 Aktiengesellschaften mit einem Kapital von etwa 2404,76 Mill. M.

Auch dies war aber nur wie der erste Windhauch vor dem beginnenden Sturm.

Denn allein von der zweiten Hälfte des Jahres 1870 ab bis zum Jahre 1874 sind in Deutschland 857 Aktiengesellschaften mit einem Aktienkapital von 3306,81 Mill. M errichtet worden. Diese Überproduktion an Umwandlungen[1]) und Gründungen allein in diesen 4 ½ Jahren ist freilich ebenso wie die überaus große Geldflüssigkeit und wie die fieberhafte Unternehmungs- und Spekulationswut durch die plötzlich einströmenden 5 Milliarden Frcs. französischer Kriegsentschädigung teils hervorgerufen, teils erheblich verstärkt worden und war im Verein mit jenen anderen Faktoren einer der wesentlichsten Gründe für die schwere Krisis des Jahres 1873[2]).

Hierzu ist folgendes zu bemerken:

In der ersten Epoche (von Mitte des 19. Jahrhunderts bis zum Jahre 1870) fiel den Banken, da die industriellen Unternehmungen damals noch vielfach weder über ausreichende Kapitalien noch über energische Unternehmerkräfte verfügten, in sehr vielen Fällen, vielleicht in der Mehrheit aller Fälle, die Initiative im Umwandlungs- und Gründungsgeschäft zu. Das führte zugleich dazu, daß sich die Banken, und zwar oft in sehr erheblichem Umfange, durch Erwerb von Aktien oder durch sonstige direkte Anteilnahme an den umgewandelten oder neu gegründeten Unternehmungen selbst beteiligten. Der Geschäftsbericht des A. Schaaffhausen'schen Bankvereins von 1852 (S. 3) spricht es, wie wir (oben S. 63) sahen, ausdrücklich aus, daß es die Aufgabe einer großen Bank sei, „die Kapitalisten des Landes zu veranlassen, die müßigen Kapitalien solchen Unternehmungen zuzuwenden, welche, richtig projektiert, wirklichen Bedürfnissen entsprechend und mit der Garantie einer sachverständigen Leitung versehen, eine angemessene Rentabilität in Aussicht stellen". Gerade der A. Schaaffhausen'sche Bankverein, die älteste deutsche Kreditbank, beteiligte sich denn auch schon 1851 an der Gründung des Hörder Bergwerks- und Hüttenvereins, 1852 an der des Cölner Bergwerks-Vereins, der Cölnischen Baumwoll-Spinnerei, der Cölnischen Maschinenbau-Aktiengesellschaft, der Cöln-Müsener Bergwerks-Aktiengesellschaft und der

---

1) Das Verhältnis der Umwandlungen zu den Gründungen (beide sind in der Tabelle der Aktiengesellschaftsgründungen zusammengefaßt, s. S. 109) hat van der Borght für die Zeit von 1895—1907 auf etwa 50% angegeben (Jahrb. d. Nat.- Ök. und Statistik, 3. Folge, Bd. XV.)

2) Darüber, wie sich gegenüber den Kapitalien der in den Jahren 1851—1870 erfolgten Aktiengesellschaftsgründungen das Verhältnis der Kapitalien der in jenen 4½ Jahren (1870—1874) gegründeten Aktiengesellschaften erhöhte, s. oben S. 105.

Cölnischen Baumwoll-Spinnerei und Weberei, vorsichtigerweise also nur an in der Nähe gelegenen lokalen Unternehmungen, welche er zu übersehen und ständig zu kontrollieren in der Lage war. Es sind ihm deshalb damals auch Verluste erspart geblieben, welche andere Banken, die sich eine solche vorsichtige Beschränkung nicht auferlegten, in jener Zeit in hohem Maße erleiden mußten.

So hat sich die **Darmstädter Bank** kurz vor der Krisis des Jahres 1857 an 7 von ihr im Jahre 1856 zu Aktiengesellschaften umgewandelten oder neu begründeten industriellen Unternehmungen beteiligt, die zusammen ein Kapital von rund 2½ Mill. Tlr. besaßen (darunter eine Woll- und eine Kattunmanufaktur, eine Spinnerei und Weberei, eine Bergwerksgesellschaft, eine Oldenburgisch-Ostindische Reederei und zwei Maschinenfabriken), um nachher an diesem dauernden Aktienbesitz dauernde Abschreibungen vornehmen zu müssen — bei einem dieser Unternehmungen (der Wollmanufaktur Mannheim) ging das ganze Aktienkapital verloren.

So begründete die **Disconto-Gesellschaft** 1857 das Berg- und Hüttenwerk Heinrichshütte für etwa 1¾ Mill. Tlr., um es 1863 nach starken Verlusten von der Disconto-Gesellschaft loszutrennen und durch die Geschäftsinhaber (mit kommandititischer Beteiligung der Disconto-Gesellschaft) betreiben zu lassen, 1872 aber in die neu begründete Dortmunder Union, Aktiengesellschaft für Bergbau-Eisen- und Stahlindustrie, aufgehen zu lassen, die ihr später noch weit größere Sorgen bereiten sollte.

So erlitt endlich die **Mitteldeutsche Creditbank** schwere Verluste beim Erwerb der 1858 (unter der Firma: Oberschlesischer Hüttenverein) in eine Aktiengesellschaft umgewandelten Ludwigs-hütte bei Biedenkopf, bei der sie sich mit ⅓ beteiligte, und ebenso bei einer im Jahre 1856 teilweise übernommenen Zigarrenfabrik in Wasungen.

Die in dieser Weise vielfach von den Banken teuer bezahlte Initiative zu Umwandlungen und Gründungen wurde erheblich verstärkt und erleichtert durch die Mängel der damaligen Gesetzgebung, welche ein Hervortreten und eine scharfe zivil- und strafrechtliche Verantwortlichkeit der bei der Gründung beteiligten Personen so gut wie nicht kannte. Erst die Novelle von 1884 legte den Begriff der „Gründer" fest, gebot die volle Öffentlichkeit des Gründungshergangs und führte eine scharfe zivil- und strafrechtliche Haftung der Gründer und Gründergenossen ein. Ihre Begründung schildert den bis dahin bestehenden Rechtszustand in Worten, die es verdienen, nicht in Vergessenheit zu geraten. Sie lauten (S. 87/88):

„Der Gründungshergang blieb im Verborgenen; ein Hervortreten der Gründer war vom Gesetz nicht verlangt; die treibenden Persönlichkeiten handelten ohne Verantwortlichkeit und ent-

zogen sich jeder Kontrolle. Die Verlockung, das eigene Interesse dem der zu errichtenden Gesellschaft vorzuziehen, war zu
mächtig. Niemand war da und keine Vorkehrung bestand, um
das Interesse der Gesellschaft wahrzunehmen. Ohne jede Selbständigkeit befand die zu bildende Gesellschaft sich schutzlos
für lange Zeit über die Gründung hinaus in den Händen jener
lediglich ihren Gründergewinn verfolgenden Personen, und
gleichermaßen fehlten dem Publikum, welches man ohne Gefahr
der Verantwortlichkeit auf jegliche Weise zur Beteiligung an
der beabsichtigten oder formell zustande gebrachten Gesellschaft
heranzog, die zuverlässigen Grundlagen für eine richtige Beurteilung des Unternehmens.

Eine Reihe von strafgerichtlichen Untersuchungen
aus der verflossenen Krisis [1873] hat nicht einmal die
Verfasser und Veröffentlicher der Prospekte, auf Grund
deren zur Zeichnung oder Abnahme der Aktien aufgefordert wurde, ermitteln können."

Solange unter dem Schutze der Anonymität und der Befreiung
fast von jeder strengeren Haftung industrielle Umwandlungen und
Gründungen vorgenommen werden konnten, waren natürlich auch
„industrielle Ausschlachtungen" möglich, die Sattler in schwer be-
greiflicher Übertreibung als das Wesen der Umwandlung überhaupt bezeichnet[1]), waren insbesondere Überkapitalisierungen der
schlimmsten Art an der Tagesordnung. Eine materielle Nachprüfung der für die Einbringung von Sacheinlagen (Apports) festgesetzten Preise, ferner der für die Gründung und deren Vorbereitung
gewährten Vorteile und der erzielten Zwischengewinne bestand eben
nicht, das Agio aber der von der Gesellschaft ausgegebenen Aktien
floß nicht, wie heute, dem Reservefonds der Gesellschaften, sondern
den Vorbesitzern zu, welche es in Anrechnung für ihre Sacheinlagen
(Apports) erhielten. Da nun überdies die Personen der Gründer
und die Zwischengewinne in keiner Weise nach außen kundgegeben
zu werden brauchten, so mußte das Umwandlungs- und Gründungsgeschäft zu einem lockenden besonderen Gewerbe werden. Auf der
anderen Seite kann es nicht wunder nehmen, daß von den 857
Aktiengesellschaften mit einem Aktienkapital von 3306,81 Mill. M,
welche nach obigem von der zweiten Hälfte des Jahres 1870 ab bis
1874, also noch vor der Aktiennovelle von 1884, begründet waren,
sich schon im Dezember 1874 nicht weniger als 123 in
Liquidation und 37 in Konkurs befanden[2]).

---

1) Heinrich Sattler, Die Effektenbanken (Leipzig 1890), S. 21: „Die Um-
wandlungsgeschäfte lassen sich kurzweg als industrielle Ausschlachtungsgeschäfte
bezeichnen".

2) Engel, In der Zeitschr. des Statist. Bureaus (Berlin 1875), Heft 4, S. 356.

Von den Großbanken der ersten Epoche läßt sich, wie aus den obigen Beispielen erhellt, trotz alledem feststellen, daß sie in sehr großem Maßstabe ihre eigene Haut bei den Umwandlungen und Gründungen der ersten Epoche zu Markte getragen haben, daß sie ferner nicht, nach rasch verdienten, oft sehr erheblichen Umwandlungs- und Gründungsgewinnen, die Unternehmungen ihrem Schicksal überließen, was ihnen die Gesetzgebung überaus erleichterte, sondern daß sie, und zwar oft mehr als es mit den Liquiditäts- grundsätzen vereinbar war, bei den Unternehmungen beteiligt blieben. Das letztere geschah nicht nur deshalb, um den nötigen Einfluß auf das industrielle Unternehmen dauernd zu erhalten, sondern doch auch, wie in vielen Geschäftsberichten jener Zeit ausdrücklich betont wurde, um die Geschäftsführung jener Unternehmungen dauernd zu überwachen, was, da der Umwandlung oder Gründung meist auch Emissionen von Aktien oder Obligationen folgten, im Interesse des Emissionskredits der Banken unerläßlich erschien. Aus diesem Grunde vor allem hat man auch schon in der ersten Epoche vielfach Direktoren der Kreditbanken in den Aufsichtsrat (Verwaltungsrat) industrieller Unternehmungen delegiert.

Auch in der zweiten Epoche (1870 bis heute) fehlte es nicht an Fällen, obwohl sie hier zu den Ausnahmen gehörten, in welchen eine dauernde direkte Anteilnahme der Banken an industriellen Unternehmungen erfolgte und dann auch die nämlichen bedenklichen Folgen zeigte, welche sich in der ersten Epoche vielfach eingestellt hatten.

So hat die Disconto-Gesellschaft von 1872 ab infolge der Gründung der Dortmunder Union und von 1890 ab infolge der Be- teiligung an der Internationalen Druckluft- und Elektrizitäts-Gesell- schaft (Popp) und bei der Venezuela-Eisenbahn große Verluste er- litten und schwere Sorgen durchmachen müssen, und ebenso die Dresdner Bank durch die aus der Übernahme der Anglo-Deutschen Bank (1892) herrührende Beteiligung an der Export- und Lagerhaus- Gesellschaft J. Ferd. Nagel, die sie etwa 2½ Mill. M kostete.

Der Deutschen Bank brachte die Gründung der unter ihrer Leitung und Beteiligung 1890 errichteten Deutsch-Österreichi- schen-Mannesmann-Werke, in deren Aufsichtsrat sie den Vor- sitz übernommen hatte und deren Aktienkapital im Jahre 1900 von 34 Mill. M auf 25 Mill. M reduziert werden mußte, lange Jahre die größten Schwierigkeiten und Unannehmlichkeiten.

Bei der Berliner Handelsgesellschaft, die auch in der zweiten Epoche im wesentlichen Emissionsbank geblieben ist, waren es 1873 weniger freiwillige Beteiligungen an Neugründungen, in denen sie rund 158000 Tlr., also etwa 1½ % ihres damaligen Aktienkapitals, verlor, als Verluste, die sich aus nicht untergebrachten Werten solcher neugegründeten Gesellschaften ergaben, also aus unfreiwilligen Beteiligungen, wie sie das Emissionsgeschäft leicht mit sich bringt. Ungemein große Verluste erwuchsen ihr auch aus der Gründung der Deutschen Lokal- und Straßenbahn-Gesellschaft und aus der Petroleum-Bohr-Gerechtsamen- und Ölland-Gesellschaft (1880).

Es ist kein Zweifel (s. auch oben S. 208 sub b), daß die dauernde Übernahme größerer Unternehmerrisiken durch Kreditbanken unverträglich ist mit den Grundprinzipien einer gesunden Bankpolitik; Verstöße gegen diese Regel haben sich fast immer und oft in sehr empfindlicher Weise gerächt. Aus diesem Grunde sind in der zweiten Epoche seitens der Kreditbanken vielfach, um nicht direkt auftreten zu müssen, für die Ausübung der Unternehmertätigkeit und für die Finanzierung von Tochterbanken die Trust- und Finanzierungsgesellschaften vorgeschoben worden.

Die Umwandlung eines schon bestehenden Unternehmens ist für die umwandelnde Bank insofern weniger bedenklich als eine Neugründung, als hier das Unternehmen und dessen Rentabilität sich vor der Umwandlung schon kürzere oder längere Zeit hindurch hat erproben können. Auf der anderen Seite ist sie aber gefährlicher wie eine Neugründung, wenn die Umwandlung eine Notumwandlung ist. Eine solche kann vorliegen, wenn entweder das industrielle Unternehmen selbst nach seiner ganzen Situation genötigt ist, die ihr zunächst gewährten Bankkredite auf diesem Wege abzustoßen. Sie kann aber auch dann vorliegen, wenn die Bank, die dem Unternehmen langfristige oder zunächst kurzfristige Betriebskredite gewährt hatte, welche sich mangels Rückzahlung nach und nach in dauernde Anleihekredite verwandelten, gezwungen ist, die Umwandlung zu verlangen, um jene Kredite zunächst in der Form von Aktien mobilisieren und dann diese Aktien, sobald es die Börsen- und Marktlage erlaubt, realisieren zu können.

Die besonderen Gefahren einer solchen Notumwandlung liegen, wie wir schon in anderem Zusammenhange (oben S. 211/212) erwähnten, darin, daß unter dem Druck der Notwendigkeit einer Umwandlung die Bedenken nicht genügend geprüft werden, welche etwa einer Umwandlung mit Rücksicht auf eine übermächtige Konkurrenz anderer Aktiengesellschaften oder auf die allgemeinen politischen, wirtschaftlichen oder geschäftlichen Verhältnisse und die Konjunktur und Aussichten des betreffenden Industriezweiges entgegenstehen. Auch die Frage, ob sich das Unternehmen überhaupt für die Form einer Aktiengesellschaft eignet, ob es, angesichts der mit Sicherheit im Falle einer Umwandlung zu erwartenden höheren Geschäftsunkosten noch rentabel sein werde, und endlich, ob eine genügend tüchtige Leitung vorhanden ist und dauernd dem Unternehmen erhalten bleiben kann, wird bei solchen Notumwandlungen oft in nicht genügender Weise erwogen, was sich früher oder später bitter zu rächen pflegt.

Im großen und ganzen verlief aber das Umwandlungs- und Emissionsgeschäft der zweiten Epoche in weit ruhigerer und soliderer Weise, als das der ersten Epoche, zumal nach und nach die Banken nicht nur größere technische und geschäftliche Erfahrungen auch auf diesem Gebiete erworben hatten, sondern auch mehr und mehr die Initiative zu Gründungen und Umwandlungen nicht mehr zu geben brauchten. Diese Initiative fiel vielmehr in immer wachsendem Grade der Industrie selbst zu, welche natürlich um so selbständiger wurde, je mehr sie in die Lage kam, über die Notwendigkeit und die Art der Kapitalinvestierungen ihrerseits zu bestimmen. Vielfach waren es auch, wie wir sahen, in der zweiten Epoche infolge der Erfordernisse der Kartellpolitik, rein technische Gründe, welche Gründungen oder Umwandlungen veranlaßten, z. B. ein Zusammenschluß kleiner konkurrierender Unternehmungen zu einem großen, die Vereinigung verschiedener Stadien des Produktionsprozesses in einem Betrieb, die Verbindung von Eisenhütten mit Kohlenzechen und umgekehrt u. a. m.

Es kam hinzu, daß von 1884 ab die absichtliche oder grob fahrlässige Überbewertung von Apports sehr erschwert, jedes Verstecken der Namen der Gründer oder Gründergenossen aber und jedes Verheimlichen von Gründer- oder Zwischengewinnen schon nach Lage der Gesetzgebung so gut wie ausgeschlossen war und daß die Feststellung der Höhe der für die eingebrachten oder übernommenen Vermögenswerte gewährten Aktien oder Vergütungen einer dreifachen materiellen Nachprüfung zivil- und strafrechtlich in strengster Weise verantwortlicher Personen unterlag.

Schon aus diesen Gründen haben die industriellen Gesellschaften die Krisis des Jahres 1900 unendlich viel besser überstanden, wie die Krisis des Jahres 1873. Außerdem wurde in der Novelle vom 18. Juli 1884 (Art. 185 b Ziffer 1 und 2) den Aktiengesellschaften zur Pflicht gemacht, einen gesetzlichen Reservefonds zu bilden, dem ein gewisser Teil des jährlichen Reingewinns und außerdem das Agio etwaiger neuer Aktien zu überweisen war (vgl. § 262 des HGB.). Die Folge war, daß sich bereits bis zur Krisis von 1900 sehr bedeutende Reserven, speziell bei den industriellen Gesellschaften, angesammelt hatten, wodurch ihr finanzieller Status, also auch ihre Widerstandskraft in kritischen Zeiten, sehr erheblich gestärkt wurde.

2. Das Emissions-, Konsortial- und Effektengeschäft.

a) Das Emissionsgeschäft im allgemeinen.

Die Erörterungen über das Emissionsgeschäft werden an dieser Stelle gebracht, weil es sich bei den deutschen Kreditbanken historisch so entwickelt hat, daß es von vornherein ein Zweig des regulären Bankgeschäfts gewesen ist, und weil mit dem Emissionsgeschäft zwar nicht an sich, aber in einer großen Zahl von Fällen eine Kreditgewährung verbunden ist, so daß es angemessen erscheint, das Emissionsgeschäft den übrigen Aktivgeschäften der Banken anzureihen.

Das Emissionsgeschäft mußte in Deutschland schon nach dem normalen Lauf der Dinge, infolge der steigenden Wohlstandsentwicklung, eine zunehmende Bedeutung erlangen. Denn nach alter Gewohnheit pflegen die höheren und mittleren Klassen in Deutschland ihre verfügbaren Kapitalien, welche sie, ebenso wie die Gewerbetreibenden ihre entbehrlichen Betriebsreserven, meist nur vorübergehend in Bankdepositen verwandeln, definitiv entweder in Unternehmungen, Beteiligungen, Grundstücken, Häusern und Hypotheken oder in Wertpapieren anzulegen. Das letztere geschieht in der weit überwiegenden Mehrzahl der Fälle.

a) **Die Technik des Emissionsgeschäfts und die der Vorstadien** [1]).

Das Emissionsgeschäft der Banken, welches in Deutschland einen sehr erheblichen Teil der Banktätigkeit überhaupt in Anspruch nimmt, gehört in keiner Weise zu den Beschäftigungen, in welchen „ohne entsprechende Arbeit" [2]) große Verdienste mühelos angesammelt werden; es erfordert vielmehr eine Fülle von Arbeit, Einsicht und Vorsicht einerseits und von finanziellen, wirtschaftlichen und kaufmännischen Kenntnissen andererseits. Es muß insbesondere volle Klarheit gewonnen werden über die Lage und voraussichtliche Gestaltung des Effekten- und Kapitalmarktes, über das Verhältnis von Angebot und Nachfrage auf beiden Märkten und über diejenigen

---

1) Grundlegend: Walther Lotz, Die Technik des deutschen Emissionsgeschäfts (Leipzig, Duncker & Humblot, 1890).

2) Aus Ad. Wagner's Vorwort zu der wissenschaftlich wenig förderlichen Schrift von Heinrich Sattler, Die Effektenbanken (Leipzig, C. F. Winter'sche Verlagshandlung, 1890) geht die grundsätzliche Stellung Wagners gegenüber den Kreditbanken, die ihn dann später oft zu weitgehenden Anträgen verleitet hat, mit erschreckender Deutlichkeit hervor. „Die fetten Dividenden" — so sagt er im Vorwort, S. VIII „ . . . mögen im einzelnen Falle von diesen Banken reell und solide verdient sein — im großen und ganzen verdanken sie iber Höhe doch vornehmlich der Ausbeutung von Leichtsinn, Unerfahrenheit und Gewinnsucht der am Börsenspiel sich beteiligenden Volkskreise." (Man vergleiche damit die in diesem Buche angegebenen einzelnen Quellen, aus denen die Bankdividenden hervorgehen!) Und weiter: „„„Soziale Gesetzgebung"''' betrifft . . . alle solche wirtschaftlichen Verhältnisse, wo Ausbeutung droht und ohne entsprechende „Arbeit" Erträge, Einkommen, Vermögen, oft in riesigem Umfang, gebildet werden — auf Kosten der Ausgebeuteten, mögen letztere auch dabei vielfach selbst mit schuldig sein."

Momente, welche auf die Entwicklung des Bank- und Marktdiskonts und der Wechselkurse sowie auf die Aufnahmefähigkeit des gewöhnlichen oder besonderen Abnehmerkreises von Einfluß sein können. Schon vor der Übernahme der demnächst zu emittierenden Werte ist eine sorgfältige und ins einzelne gehende Vorprüfung nötig, die eine Menge fachmännischer Kenntnisse und praktischer Erfahrungen voraussetzt. Die Entschließung, ob die Übernahme (also die Finanzierung) sich empfehle oder nicht, ist in jedem Falle, abgesehen von der selbstverständlichen Prüfung des inneren Werts der zu übernehmenden Wertpapiere, der Angemessenheit des geforderten Preises und der Solvenz und Vertrauenswürdigkeit des Schuldners (Staat, Kommune, Korporation, Gesellschaft usw.), von einer Reihe wichtiger und genau zu prüfender Momente abhängig.

In erster Linie ist, mit Rücksicht auf die Grundprinzipien der Bankpolitik (die Aufrechterhaltung der durch eine längere Festlegung vielleicht gefährdeten Liquidität der Bilanz und die Risikoverteilung), zu prüfen, ob die Lage des heimischen Marktes (unter Umständen auch die der auswärtigen Märkte), ob ferner die allgemeinen wirtschaftlichen und politischen Verhältnisse, die bestehende oder nach gewissen Anzeichen zu erwartende Geldflüssigkeit oder Geldversteifung, die bereits bekannte oder anzunehmende Emission gleicher oder ähnlicher oder höher verzinslicher oder besser eingeführter, oder der augenblicklichen Tendenz oder Neigung des Publikums mehr entsprechender Werte u. a. m. eine rasche Abstoßung der zu übernehmenden Werte, also eine schlanke und baldige Abwicklung des Finanzierungs- und Emissionsgeschäfts, erwarten lassen.

Auch die Feststellung und Durchsetzung der vorteilhaftesten Übernahme- und Zahlungsbedingungen bedarf, wenn die Frage der Übernahme selbst bejaht ist, eingehendster Erwägungen und Verhandlungen. Schon die Art der Übernahme wird, je nach der Lage des Geld- und Kapitalmarktes und je nach den durchzusetzenden Abnahme- und Zahlungsfristen, verschieden gestaltet werden müssen. Insbesondere ist unter Berücksichtigung dieser und einer Reihe anderer Momente zu entscheiden, ob es sich empfiehlt, den ganzen Betrag, um den es sich handelt, fest (und zwar auf einmal oder in zu vereinbarenden Teilbeträgen) zu übernehmen oder nur einen Teil fest, einen Teil aber „in Option". In letzterem Falle wird es dann wichtig, ob die Optionskurse für alle nach und nach abzunehmenden Teilbeträge die gleichen sein können, oder ob eine für den Übernehmer vorteilhafte Staffelung der Optionspreise durchgesetzt zu werden vermag, während der Verkäufer häufig steigende Optionskurse bei Optionen auf Teilbeträge verlangen wird. Hinsichtlich der Zahlungsart und der Abnahme- und Zahlungsfristen

der fest übernommenen oder der demnächst nach Ausübung der
Option zu übernehmenden Teilbeträge werden die für den Übernehmer vorteilhaftesten Bedingungen durchzusetzen sein, bei denen
der Übernehmer vielfach auch schon Rücksicht auf die später erreichbaren Subskriptionsbedingungen zu nehmen haben wird.

Wird während der Verhandlungen vorübergehend entweder die
Vermögenslage des Schuldners oder der Geld- oder Kapitalmarkt,
oder die politische oder allgemeine wirtschaftliche Lage ungünstiger,
so kann man, wenn man sich nicht völlig zurückziehen, sondern den
Gegenkontrahenten jedenfalls binden will, dem letzteren vielleicht
zunächst nur einen Kredit einräumen, dessen Zins- und Rückzahlungs-
bedingungen alsdann zu normieren sind.   Gleichzeitig wird sich
aber der Kreditgeber e n t w e d e r ein Vorkaufsrecht auf die künftige
Anleihe, auf welche der Kredit zu verrechnen ist, einräumen lassen,
und zwar, was freilich der Kreditgeber meist zu vermeiden suchen
wird, zu einem von einem Dritten ernstlich gebotenen Kurse, o d e r
ein Optionsrecht auf die ganze künftige Anleihe oder einen Teil
zu einem im voraus festbestimmten Kurse oder zu Staffelkursen,
wobei wieder über die Art der Staffelung und die Höhe der Staffel-
kurse langwierige Verhandlungen entstehen können.

Mit Rücksicht auf das Prinzip der Risikoverteilung wird einerseits zu prüfen sein, o b nicht das übernehmende Bankhaus bereits
mit Werten der nämlichen Gattung oder sogar, wenn etwa frühere
Emissionen nicht vollständig untergebracht sind, des nämlichen
Schuldners, überlastet ist, oder ob eine solche Überlastung mit
gleichen oder ähnlichen Werten für den Markt vorhanden oder zu
erwarten ist.   Andererseits ist zu erwägen, ob nicht das Risiko
der Übernahme durch Bildung von Ü b e r n a h m e k o n s o r t i e n oder
durch Abgabe von U n t e r b e t e i l i g u n g e n zu vermindern ist.

Ist die Übernahme beschlossen, so wird auch der j u r i s t i s c h e
Inhalt des abzuschließenden Übernahmevertrages manche, mitunter sogar sehr erhebliche Schwierigkeiten bieten können.   Dies
namentlich dann, wenn es sich um die juristische Form der vom
Geldgeber geforderten Verpfändung von zur Sicherung der Anleihe bestimmten Vermögensobjekten handelt.   In diesem Falle sind
in erster Linie die Vorschriften des maßgebenden (vielleicht ausländischen) Rechts des Ortes zu beachten, wo die Pfandobjekte
sich befinden und gleichzeitig, soweit möglich, alle Maßregeln zu
vereinbaren, welche zur Sicherung auch der einzelnen Inhaber der
auszugebenden Teilschuldverschreibungen nötig und zulässig sind,
z. B. die Bestellung eines Vertreters, unter Feststellung der ihm
zustehenden Rechte und obliegenden Verpflichtungen.   Ferner wird
unter Umständen, namentlich wenn bis zur Subskription längere
Zeit vergeht, was meist schon dann eintreten wird, wenn die Emis-

sion in verschiedenen Ländern gleichzeitig erfolgen soll, also eine Reihe von Zulassungsstellen anzugeben ist, zu fordern und durchzusetzen sein, daß die sogenannte Kriegsklausel aufgenommen wird. Dies würde, wenn bis zur Subskription eines der in Betracht kommenden Länder direkt oder indirekt von einem Kriege betroffen wird, dem Übernehmer gestatten, vom Vertrage zurückzutreten. Man wird aber auch den Fall bedenken müssen, daß andere ungünstige Ereignisse eintreten können, und in der Regel deshalb eine allgemeine Rücktrittsklausel durchzusetzen suchen, etwa dahin, daß der Übernehmer dann zurücktreten könne, wenn bis zur Subskription die maßgebenden Staatswerte, z. B. Reichsanleihe oder Konsols oder der entsprechenden Staatswerte des Auslands unter einen bestimmten Kurs gesunken sein sollten.

Überdies wird der Schuldner im Vertrage zu verpflichten sein, alle zum Zwecke der Subskription erforderlichen oder von den Zulassungsstellen verlangten Aufklärungen, Urkunden, Bilanzen und sonstigen Beläge zu beschaffen; dem Emissionshause eine bestimmte Zeit vor Verfall die zur Zahlung von Kupons oder ausgelosten Stücken erforderlichen Beträge zu remittieren, wobei gleichzeitig die dem Bankhause hierfür zu gewährende Provision festzulegen ist; endlich diejenigen fortlaufenden Nachrichten in zu bestimmenden öffentlichen Blättern zu veröffentlichen, welche nach den maßgebenden Zulassungsvorschriften notwendig sind, also namentlich Mitteilungen über Zahl und Nummern der auf dem vereinbarten Wege (also durch Auslosung oder freihändigen Ankauf) zur Rückzahlung gelangenden Stücke. Der Schuldner wird sich auch, soweit derartige Rückzahlungen, Auslosungen usw. in Frage kommen, verpflichten müssen, diese Rückzahlungen ebenso wie die Kuponzahlungen am Sitze der übernehmenden Bank zu leisten u. a. m.

Nach der Übernahme wird zunächst die Höhe des Emissionskurses zu erwägen sein, die für die Möglichkeit rascher Abwicklung in erster Linie entscheidend ist; hierzu ist folgendes zu bemerken:

Eine rein willkürliche Bestimmung des Emissionspreises ist fast niemals denkbar; es sind vielmehr die Grenzen, innerhalb deren überhaupt eine freie Bestimmung des Emissionspreises erfolgen kann, in der Regel recht eng gezogen.

Bei Aktien oder Obligationen eines neuen Unternehmens wird die Kursbemessung nach unten begrenzt durch die Höhe des Übernahmepreises zuzüglich Zinsen, Stempel, Spesen und Provisionen und eines angemessenen Gewinnzuschlages. Der letztere muß, besonders in den Fällen des § 41 Abs. 1 des Börsengesetzes [1]), auch eine

---

1) Der § 41 Abs. 1 des Börsengesetzes lautet: „Die Zulassung von Aktien eines zur Aktiengesellschaft oder zur Kommanditgesellschaft auf Aktien umgewandelten Unternehmens zum Börsenhandel darf vor Ablauf eines Jahres nach Eintragung

angemessene Risikoprämie in sich schließen. Nach oben aber wird die Kursbemessung in solchen Fällen begrenzt durch die Kurse gleicher oder ähnlicher Unternehmungen, deren Werte bereits an der Börse notiert sind und deren Kurse im wesentlichen und jedenfalls auf die Dauer dem inneren Wert, den verteilten Dividenden und den Zukunftsaussichten entsprechen werden.

Bei einheimischen Staats- und Kommunalanleihen wird der Emissionskurs in seinem Höchstbetrage, wenn dieser nicht etwa überhaupt vom Schuldner vorgeschrieben wird, durch den Kurs begrenzt, welchen frühere gleichartige Anleihen des nämlichen Schuldners oder die entsprechenden Anleihen anderer, ungefähr den gleichen Kredit genießender Staaten oder Kommunen erreicht haben. Es kann aber auch sein, daß diese Kurse vielleicht gerade mit Rücksicht auf die bevorstehende Übernahme künstlich niedrig gehalten sind oder daß sie nur auf dem Papier stehen und bei größeren Umsätzen nicht in dieser Höhe zu halten sein würden. Nach unten ist auch hier die Grenze der Übernahmekurs plus Zinsen, Stempel und Spesen und eines Gewinnzuschlages, der, wenn überhaupt ein Gewinn zu erzielen ist, bei einheimischen Staats- und Kommunalanleihen zwischen $1/8$ und $1/4$ ev. $1/2\%$ schwankt, während selbst bei auswärtigen Staatsanleihen ein Gewinn von $3/4\%$ schon zu den Seltenheiten gehört.

Die Emissionskurse von Wertpapieren, die gleichzeitig an mehreren Börsen des In- und Auslands aufgelegt werden, sind im Inlande natürlich so zu bemessen, daß eine Störung des inländischen Absatzes durch ausländische Verkäufe während der Subskriptionsdauer und tunlichst auch eine geraume Zeit nachher nicht zu befürchten ist.

Werden aber etwa Schuldverschreibungen eines Schuldners emittiert, von dem schon höher verzinsliche Werte notiert sind, so ist durch entsprechende Feststellung des Emissionspreises und der sonstigen Subskriptionsbedingungen dafür zu sorgen, daß nicht die Besitzer der alten Emission sofort nach dem Bekanntwerden der neuen Emission die alten Wertpapiere, falls dies mit Nutzen geschehen kann, verkaufen und dafür die niedriger verzinslichen neuen Papiere kaufen, falls deren Emissionskurs ein Steigen erwarten läßt, ein Vorgang, der den ganzen Markt in diesen Papieren in Unruhe und Unordnung bringen kann.

Möglich ist allerdings, daß die Emittenten von Wertpapieren gezwungen werden, den Kurs höher anzusetzen, als sie es sonst getan hätten, insbesondere wenn in der Zeit einer Hochkonjunktur

---

der Gesellschaft in das Handelsregister und vor der Veröffentlichung der ersten Jahresbilanz nebst Gewinn- und Verlustrechnung nicht erfolgen. In besonderen Fällen kann diese Frist von der Landesregierung (§ 1) ganz oder teilweise erlassen werden."

infolge wirklicher oder unerwarteter Mehrerträgnisse der Unternehmungen und des Eingreifens der Spekulation sich das gesamte Kursniveau erhöht. Dies muß dann auch auf das Agio neu emittierter Papiere, besonders auf die gelegentlich einer Kapitalerhöhung bestehender Gesellschaften ausgegebenen, erheblich einwirken [1]).

Sowohl für die Frage der Übernahme überhaupt, wie für die Frage der Emission und der Höhe des Emmissionskurses spielt auch die Zeit, in der die Emission (Subskription) zu erfolgen hat, eine große Rolle. Es ist zu prüfen, ob nicht der bei der Übernahme vielleicht noch niedrig stehende Bank- oder Marktdiskont oder die in Betracht kommenden auswärtigen Wechselkurse durch irgendwelche schon bekannte oder zu erwartende Umstände gerade in der für die Emission in Aussicht genommenen Zeit sich ungünstiger stellen könnten. Es ist ferner zu prüfen, ob nicht etwa die Emission, statt zu der vom Schuldner gewünschten Zeit, die vielleicht auf das Ende eines Kalendervierteljahres fällt, mit Rücksicht auf die dann erfahrungsgemäß an den Geldmarkt herantretenden großen Anforderungen, auf den Beginn des nächsten Quartals, z. B. Anfang Januar, zu legen sei, wo infolge der Kuponstrennung, des Eingangs von Wechseln, Gehältern, Hypotheken, Zinsen, Mieten u. dgl. m. eine größere Geldflüssigkeit einzutreten pflegt.

Wenn aber dies nicht angängig ist, muß weiter erwogen werden, ob alsdann nicht wenigstens den Zeichnern oder Übernehmern die Übernahme durch Staffelung der Abnahme- und Zahlungsfristen oder durch Fazilitäten hinsichtlich der Zinsberechnung usw. zu erleichtern sei; ob die Bonifikationen für die für die Plazierung zu interessierenden Bankiers [2]) etwa höher als sonst zu bemessen seien, ob von Stellung einer Barkaution bei der Zeichnung abzusehen sei u. a. m.

---

1) Nach der bei Ernst Loeb, Die Berliner Großbanken in den Jahren 1895 bis 1902 auf S. 268 abgedruckten Tabelle des Deutschen Ökonomist betrug das Emissionsagio in den Jahren 1896—1900 einschließlich: bei Bankaktien: 35,3; 53,5; 36,7; 30,6 und 26,5; bei Industrieaktien: 36,1; 66,7; 67,7; 66,9 und 55,2%.

2) Die Bankiers, welche von den Emittenten vor oder bei der Emission für den Weiterverkauf von Papieren interessiert werden, erhalten hierfür allein, also für eine Tätigkeit, die absolut nichts mit ihrer Eigenschaft als Kommissionäre ihrer Kunden zu tun hat, eine „Bonifikation". Die letztere stellt somit eine besondere Vergütung für eine besondere Bankiertätigkeit dar, die darin besteht, daß der Bankier verpflichtet ist, nach seinen Kräften und auf Grund seiner speziellen Kenntnis der Klientel dafür zu sorgen, daß die emittierten Papiere in guten Händen, also dauernd, plaziert werden; diese Tätigkeit soll nicht nur, sondern kann auch von keinem anderen geleistet werden, als von dem Bankier. Es kann deshalb auch keine Rede davon sein, daß er diese Bonifikation seinen Komittenten, den Abnehmern der Papiere, weiter zu vergüten hat, noch weniger aber davon, daß er „dolos" handle, wenn er die Mitteilung von der ihm gewordenen Bonifikation und die Weitervergütung unterläßt, wie das Reichsgericht (I. Zivilsenat) in einem Urteil vom 10. Dezember 1904 entschieden hat.

Ferner ist durch geeignete Maßregeln, insbesondere durch niedrige Bemessung des Emissionskurses, dafür zu sorgen, daß nicht alsbald nach Schluß der Subskription der Markt durch sofortige Realisationen seitens sogenannter Konzertzeichner gestört werde, also solcher Personen, welche in Erwartung des Steigens der aufgelegten Papiere, lediglich zu dem Zwecke zeichnen, um die gezeichneten Stücke mit einem noch so unbedeutenden Gewinn sofort wieder an der Börse zu verkaufen. Zu jenen Maßregeln gehört namentlich eine bevorzugte Behandlung der Zeichner solcher Stücke bei der Zuteilung, welche sich bei der Subskription verpflichten, die ihnen zugestellten Stücke während einiger Monate nicht zu verkaufen, sondern etwa bei dem Emissionshause zu hinterlegen.

Endlich ist für die Zeit nach der Emission, und zwar namentlich dann, wenn ein Übernahmekonsortium gebildet ist, zu erwägen, bis zu welchem — in der Regel auch im Konsortialvertrage festgelegten — Betrage Aufnahmen an der Börse erfolgen sollen, um ein alsbaldiges oder rasch nach der Emission eintretendes übermäßiges Sinken des Kurses unter den Emissionskurs tunlichst zu verhindern, soweit dieses Sinken nicht durch die allgemeinen Verhältnisse oder den Zustand der Börse gerechtfertigt ist.

Durch derartige Aufnahmen, zu welchen nach der in Deutschland bestehenden Übung und Verkehrssitte ein Emissionshaus grundsätzlich nicht nur berechtigt ist, sondern gemäß der auch nach dieser Richtung von ihm zu beobachtenden „Sorgfalt eines ordentlichen Emittenten", auch für verpflichtet gehalten wird, soll also nicht etwa eine künstliche Kurssteigerung bewirkt, soll nicht etwa der Kurs direkt künstlich „reguliert" werden. Es soll vielmehr durch solche Aufnahmen nur dafür gesorgt werden, daß, wenn durch spekulative Verkäufe oder Realisationen der Kurs sofort oder bald nach der Emission von anderer Seite übermäßig und ohne daß ein innerer Grund für einen Kursrückgang vorliegt, geworfen wird, jemand am Markte ist, der dies auf den Kurs drückende Material, wenigstens bis zu einem gewissen Umfange, aufnimmt. Selbstverständlich wird aber darin nicht so weit gegangen werden dürfen, daß etwa die Spekulation aus der Existenz eines aufnahmebereiten Konsortiums gerade den Anreiz entnehmen könnte, auf dem Rücken des Konsortiums zu spekulieren. Die Ausführung eines Teils des Emissionsprogramms erfordert also besondere Börsenkenntnis und eine besonders vorsichtige und umsichtige Ausführung.

Die hier skizzierte Reihe von Erwägungen, die mehr oder weniger vor, bei und nach einer jeden Emission anzustellen sind, kann im einzelnen Falle noch durch erhebliche Schwierigkeiten gesteigert werden, namentlich wenn es sich bei Übernahme auswärtiger Anleihen usw. um die Sicherung gegen Valutaschwankungen handelt oder um durch die Lage des Marktes hervorgerufene Befürchtungen einer Durchkreuzung der eigenen Operationen durch die Arbitrage im In- und Auslande u. a. m.

Der Hinweis auf die Fülle der auf diesem Gebiete erforderlichen Erwägungen dürfte ausreichen, um darzutun, wie wenig dieser wichtige Zweig der Tätigkeit der deutschen Kreditbanken ohne entsprechende Arbeit, Einsicht und Vorsicht geleistet werden kann. — Abgesehen von den Fällen, in welchen die Grundsätze über die Emission auswärtiger Anleihen ebenso von deutschen Emissionshäusern, wie von ausländischen, die über weit längere Erfahrungen verfügten, nicht ausreichend beobachtet worden sind, wird man sagen dürfen, daß in der ungeheueren Menge der Emissionen, namentlich in der zweiten Epoche, diejenigen Fälle ungemein selten waren, in welchen von leichtfertigen oder sonst bedenklichen Emissionen[1]) gesprochen werden kann.

Die zum Zweck der Emissionen veröffentlichten Prospekte, die freilich meist nur hinterher und nur dann gelesen werden, wenn später etwas Ungünstiges eingetreten ist, haben fast durchweg, entsprechend den gesetzlichen Vorschriften, die für die Beurteilung des inneren Wertes der emittierten Papiere entscheidenden Angaben enthalten. Auch haben sie von jeder unwürdigen Reklame Abstand genommen, die übrigens auch die Zulassungsstellen nicht durchgehen lassen würden.

Die deutschen Kreditbanken wissen auf Grund der Erfahrungen, die jede Bank bei sich oder bei anderen Banken gemacht hat, daß nichts das Ansehen einer Bank bei ihrer Klientel und in der Öffentlichkeit so gründlich und so dauernd erschüttern kann, als eine nicht gewissenhafte Beachtung ihrer Pflichten bei der Emission von Wertpapieren[2]).

β) Der Umfang des deutschen Emissionsgeschäfts.

Nach dem Deutschen Ökonomist betrug der Kurswert sämtlicher auf dem Wege der Emissionen in Deutschland aufgebrachten Kapitalien seit dem Jahre 1889:

In Millionen Mark.

1889	1741	1895	1375	1901	1623	1907	2135
1890	1520	1896	1896	1902	2110	1908	3424
1891	1217	1897	1944	1903	1665	1909	3241
1892	1016	1898	2407	1904	1995	1910	2446
1893	1266	1899	2612	1905	3190		
1894	1420	1900	1777	1906	2741		

1) Wie mißlich es ist, schon aus vorübergehenden Kursrückgängen Schlüsse auf die Art der Emission zu ziehen, zeigt u. a. die bei Ad. Weber (a. a. O. S. 155) abgedruckte Tabelle, worin unter den in der Tabelle vereinigten „Aktiengesellschaften schlechtester Qualität" auch die (inzwischen verstaatlichte) Jura-Simplon-Bahn verzeichnet ist.

2) Vgl. Walther Lotz, a. a. O. S. 71.

Die Emissionen Deutschlands nach

'(Vgl. bis zum Jahre 1907 einschl. die Anlage zu den Verhandlungen der

Effektengattung	1900		1901	
	Nominal-betrag	Kurs-wert	Nominal-betrag	Kurs-wert
	In Millionen Mark			

a) Der „Frankfurter

Deutsche Staatsanleihen	187,30	172,50	554,95	506,01
Ausländische Staatsanleihen	44,70	30,94	68,30	42,06
Stadt- und Provinz-Obligationen	322,70	318,16	354,47	352,05
Deutsche Hypothekenbank-Obligationen	270,00	270,00	292,00	292,00
Ausländische Hypothekenbank-Obligationen	7,24	7,12	7,87	7,57
Sonstige Obligationen	199,94	201,15	448,58	441,83
Bankaktien	115,03	147,74	29,09	37,13
Eisenbahn- und Straßenbahnaktien	65,12	68,18	23,57	26,23
Industrieaktien	254,44	367,90	76,04	103,82
Insgesamt	1466,47	1583,69	1854,87	1808,70

b) des „Deutschen

Deutsche Papiere:

Staatsanleihen	216,30	200,40	554,00	505,57
Kommunalanleihen	222,38	220,35	294,37	293,58
Pfandbriefe	126,10	126,10	210,50	210,50
Eisenbahn-Obligationen	88,70	85,02	14,99	14,81
Industrie-Obligationen	178,20	178,77	189,31	193,29
Eisenbahnaktien	49,60	55,63	2,91	3,02
Bahnaktien	138,04	174,51	30,60	36,36
Versicherungsaktien	—			
Industrieaktien	297,47	461,06	116,05	155,18
Deutsche Papiere, Summe	1316,29	1501,84	1412,73	1412,31

Ausländische Papiere:

Staatsanleihen	185,20	168,36	37,50	29,26
Kommunalanleihen	3,00	2,85	13,82	12,86
Pfandbriefe	5,63	5,50	8,36	7,16
Eisenbahn-Obligationen	10,00	9,00	156,59	149,73
Industrie-Obligationen	—		1,00	0,97
Eisenbahnaktien	58,96	65,06	—	—
Bahnaktien	14,00	20,90	6,00	9,00
Industrieaktien	3,60	3,60	2,56	1,85
Ausländ. Papiere, Summe	280,39	275,27	225,83	210,83
Gesamtsume	1596,68	1777,11	1638,56	1623,14

Feststellungen bzw. Schätzungen.

Bank-Enquête-Kommission von 1908 (zu den Punkten I—V des Fragebogens.)

1902		1903		1904		1905	
Nominal-betrag	Kurs-wert	Nominal-betrag	Kurs-wert	Nominal-betrag	Kurs-wert	Nominal-betrag	Kurs-wert
			In Millionen Mark				

Zeitung".

575,00	532,82	348,00	343,36	285,00	283,87	454,00	454,68
344,35	313,47	144,12	136,25	100,76	87,24	724,21	676,39
419,95	416,44	342,86	340,48	217,08	216,77	421,36	418,45
373,00	373,00	461,59	461,59	467,38	467,38	513,02	513,02
6,75	6,73	29,33	29,39	21,87	21,34	5,62	5,62
211,74	211,54	258,53	256,67	203,59	199,24	333,15	331,31
39,20	61,46	26,32	33,06	136,55	201,45	151,99	203,44
21,55	22,53	89,61	116,31	70,78	68,91	6,80	11,06
81,21	94,36	135,14	195,33	192,58	267,60	327,30	492,52
2072,75	2032,35	1835,50	1912,44	1695,59	1813,80	2937,45	3106,49

Ökonomist"

580,00	536,40	340,00	317,63	343,00	335,64	428,80	429,66
197,89	196,13	214,14	208,56	242,63	239,48	258,83	257,40
411,04	411,04	564,72	564,72	506,24	506,24	569,49	569,49
8,77	8,71	2,00	1,94	8,60	8,52	12,00	11,81
164,25	158,10	65,16	64,96	109,14	110,14	114,06	115,24
43,90	48,01	3,99	3,43	3,50	3,83	—	—
81,45	114,33	46,61	67,57	129,47	196,51	116,83	146,50
—	—	—	—	2,38	2,80	—	—
160,40	184,47	155,28	195,32	224,27	359,80	309,18	552,09
1647,70	1657,19	1391,90	1424,13	1579,23	1762,96	1809,19	2082,19
367,54	339,00	88,16	80,77	105,09	99,15	866,30	711,13
62,96	61,22	36,50	35,32	—	—	—	—
6,29	6,16	8,74	8,75	42,05	39,51	20,00	19,40
29,82	29,30	87,93	83,44	47,75	47,77	206,82	202,13
3,27	3,20	—	—	—	—	41,00	41,67
4,72	6,68	12,60	16,95	20,00	17,20	46,20	74,34
6,75	7,43	12,00	16,44	12,85	18,15	26,00	30,62
0,51	0,51	—	—	8,60	10,33	12,00	29,20
481,86	453,50	245,93	241,67	236,34	232,11	1218,32	1108,49
2129,56	2110,69	1637,83	1565,80	1815,57	1995,07	3027,51	3190,68

Die Emissionen Deutschlands nach

(Vgl. bis zum Jahre 1907 einschl. die Anlage zu den Verhandlungen der

Effektengattung	1906		1907	
	Nominal-betrag	Kurs-wert	Nominal-betrag	Kurs-wert
	In Millionen Mark			

a) Der „Frankfurter

Deutsche Staatsanleihen	668,00	668,97	546,00	541,06
Ausländische Staatsanleihen.	169,32	163,61	51,11	49,83
Stadt- und Provinz-Obligationen . . .	431,23	429,79	505,57	496,66
Deutsche Hypothekenbank-Obligationen	359,74	359,74	287,24	287,24
Ausländische Hypothekenbank-Obligationen	6,75	6,77	—	—
Sonstige Obligationen	258,07	257,29	172,84	172,96
Bankaktien	206,24	289,77	81,96	107,31
Eisenbahn- und Straßenbahnaktien . .	37,35	42,46	3,61	4,70
Industrieaktien	440,74	624,28	164,96	240,20
Insgesamt	2577,44	2842,68	1812,99	1899,96

b) des „Deutschen

Deutsche Papiere:				
Staatsanleihen	637,00	638,11	551,00	546,22
Kommunalanleihen	346,83	347,00	340,86	425,44
Pfandbriefe	404,59	404,59	326,33	326,33
Eisenbahn-Obligationen	9,50	9,02	1,00	0,99
Industrie-Obligationen	182,27	183,10	170,90	172,79
Eisenbahnaktien	1,70	2,16	0,61	0,62
Bankaktien	184,19	282,19	108,89	152,49
Versicherungsaktien	1,50	1,86	3,06	3,06
Industrieaktien	389,94	652,80	284,14	431,32
Deutsche Papiere, Summe	2157,52	2520,83	1876,79	2059,26
Ausländische Papiere:				
Staatsanleihen	37,50	36,21	80,80	78,03
Kommunalanleihen	20,00	18,79	—	—
Pfandbriefe	6,75	6,75	4,00	3,80
Eisenbahn-Obligationen	49,69	48,18	34,00	32,46
Industrie-Obligationen	4,00	4,16	—	—
Eisenbahnaktien	30,00	34,65	8,00	15,03
Bankaktien	24,25	38,13	16,05	23,34
Industrieaktien	22,88	33,78	—	—
Ausländ. Papiere, Summe	195,07	220,65	142,85	152,66
Gesamtsumme	2352,59	2741,48	2019,64	2211,92

Feststellungen bzw. Schätzungen. (Fortsetzung.)

Bank-Enquête-Kommission von 1908 (zu den Punkten I—V des Fragebegens.)

1908		1909		1910	
Nominal-betrag	Kurs-wert	Nominal-betrag	Kurs-wert	Nominal-betrag	Kurs-wert
In Millionen Mark					

Zeitung".

1087,78	1079,52	1069,10	1066,66	609,55	621,26
103,90	98,51	188,21	178,56	261,48	244,25
616,23	606,43	527,88	532,82	388,95	386,20
537,49	537,49	569,00	569,00	544,82	544,82
2,00	1,98	47,62	45,84	4,00	2,00
415,96	402,15	338,77	329,19	436,14	424,84
49,81	75,63	117,46	145,38	108,12	137,63
26,57	28,32	15,00	18,60	2,25	2,81
250,90	326,65	235,46	322,42	166,75	269,40
3090,64	3156,68	3108,50	3208,47	2522,06	2633,21

Ökonomist".

1269,00	1258,99	1065,00	1062,92	613,30	624,90
536,30	511,71	395,22	409,86	245,33	247,50
636,34	636,34	646,90	646,90	650,00	650,00
3,20	3,20	4,50	4,48	1,00	1,02
317,42	314,70	270,71	273,55	134,88	135,97
16,21	18,94	25,00	28,66	4,88	4,70
50,50	68,82	53,30	80,85	190,15	273,48
11,00	11,63	3,00	3,00	4,00	4,23
262,33	599,81	410,03	731,31	284,07	504,41
3102,30	3424,14	2873,66	3241,53	2127,61	2446,21
149,38	144,23	115,94	109,06	169,73	156,53
37,00	24,80	57,00	54,72	52,47	50,19
—	—	22,75	21,81	2,00	1,92
5,00	4,98	140,41	128,59	254,30	240,02
31,57	31,22	—	—	18,36	18,54
—	—	6,30	11,12	14,52	23,47
7,40	10,84	2,16	4,54	22,78	39,91
9,68	11,95	14,14	18,92	10,03	15,06
240,03	228,02	358,70	348,76	544,19	545,64
3342,33	3652,16	3232,36	3590,29	2671,80	2991,85

Vom Jahre 1883 bis Ende 1910 wurden in Deutschland Wertpapiere im Effektivbetrage von über 90 Milliarden M emittiert. Für die Jahre 1900—1910 hat sowohl die Frankfurter Zeitung als der Deutsche Ökonomist die Emissionen nach Effektengattungen geordnet in den auf den vorstehenden Seiten abgedruckten Tabellen [1]) zusammengestellt. Darin sind die Aktien, Obligationen und Pfandbriefe regelmäßig mit den offiziell dem Markte zur Verfügung gestellten Beträgen angesetzt. Es sind aber, was sehr zu beachten ist, außer Ansatz geblieben: die Konversionen, ferner die unter Umgehung des offiziellen Marktes erfolgten Emissionen (letztere sind nur dann angegeben, wenn sie in öffentlichen Blättern angezeigt waren), und außerdem die bloßen Einführungen von bereits an Inlandsbörsen notierten Wertpapieren sowie endlich diejenigen neuen Wertpapiere, welche keine Ansprüche an den Markt stellten, insofern sie lediglich zum Zweck des Umtausches gegen Aktien usw. eines anderen Unternehmens emittert waren.

Wie aus jenen Tabellen zu ersehen ist, weichen die Angaben der Frankf. Zeitung und des D. Ökonomist sowohl in der Aufzählung der einzelnen Effektengattungen als in den zahlenmäßigen Angaben hinsichtlich der nämlichen Effektengattungen sehr erheblich voneinander ab [2]).

---

1) Die Tabellen für 1900—1907 einschl. sind abgedruckt auf S. 278/279 der Verhandlungen der Bank-Enquête-Kommission von 1908 (Verhandlungen der Gesamtkommission zu den Punkten I—V des Fragebogens. Berlin, Ernst Siegfr. Mittler & Sohn, 1904) als Anlage zu den S. 65 ff. Die Jahre 1908—1910 sind der Frankf. Zeitung und dem D. Ökonomist direkt entnommen.

2) Die Frankfurter Zeitung bringt die Obligationen in folgender Weise: Deutsche und ausländische Hypothekenbank-Obligationen (nach Schätzungen) und sodann: sonstige Obligationen, während der D. Ökonomist sowohl bei den deutschen wie bei den ausländischen Obligationen zwischen Pfandbriefen, Eisenbahn- und Industrie-Obligationen unterscheidet.

Die Frankfurte Zeitung gibt ferner Eisenbahn- und Straßenbahnaktien in einem Betrage an, während der D. Ökonomist beide Gattungen trennt.

Bei der Tabelle der Frankfurter Zeitung fehlt der Posten: Versicherungsaktien, welche der D. Ökonomist, wenigstens unter den deutschen Papieren, besonders berücksichtigt.

Weiter enthält die Tabelle der Frankfurter Zeitung gesonderte Angaben hinsichtlich ausländischer Papiere nur bei Staatsanleihen, die Tabelle des D. Ökonomist aber durchweg.

Was endlich die Differenzen in den Zahlenangaben selbst angeht, so sind sie sehr bedeutend. So differiert z. B. der Nennbetrag der ausländischen Staatsanleihe-Emissionen des Jahres 1905 in der Tabelle der Frankfurter Zeitung von dem in der Tabelle des D. Ökonomist angegebenen um nicht weniger als 142 Mill. M (Frankf. Zeitung nom. 724, D. Ökonomist 866 Mill. M) bei einer einzigen Effektengattung. Im Jahre 1908 aber betrug der Kurswert aller Emissionen nach der Frankfurter Zeitung rund 3157, nach dem D. Ökonomist 3652 Mill. M, also auch hier eine Differenz von rund 500 Mill. M.

In bezug auf die Emissionen ausländischer Staatsanleihen
(s. unten § 2 II. G. 2 d), welche in beiden Tabellen berücksichtigt
sind, muß schon an dieser Stelle die nachfolgende Aufklärung gegeben werden, da auf Grund jener Tabellen schon wiederholt auch
in der Bank-Enquête-Kommission, der Vorwurf erhoben wurde, daß
durch diese Emissionen offensichtlich unsere Zahlungsbilanz in sehr
bedeutendem Umfange verschlechtert worden sei.

Die (bisherigen) Prospekte über die Einführung ausländischer
Papiere an der Börse geben keinen Anhalt für die Beträge, welche
wirklich in Deutschland untergebracht sind. Es mußte vielmehr nach
den bisherigen Zulassungsvorschriften die ganze ausländische Anleihe,
auch wenn sie gleichzeitig an verschiedenen in- und ausländischen
Orten aufgelegt wurde, zur Notiz an der deutschen Börse, z. B. in
Berlin, gelangen, auch wenn nur etwa $^1/_3$ der ganzen Anleihe in
Deutschland untergebracht werden sollte und untergebracht worden
ist. Allerdings hatten mit dieser Notiz auch die übrigen $^2/_3$ „Heimats-
recht in Deutschland" erworben, wie ein Mitglied der Bank-Enquête-
Kommission sich ausdrückte. Das wirkt aber nicht nur zugunsten
des Auslands, welches solchenfalls auch die dort plazierten $^2/_3$ der
Anleihen an den deutschen Markt werfen könnte, sondern auch zugunsten des Inlands, weil dieses, da die Zulassungsbedingungen der
ausländischen Börsen in der Regel die nämlichen Vorschriften enthalten, eventuell das eine Drittel, welches das Inland tatsächlich
nur bezahlt hat, auch im Auslande verwerten kann.

Wollten wir andere Zulassungsvorschriften erlassen, so würde
ohne Zweifel das gleiche im Auslande geschehen und die Folge
wäre, daß uns für den bei uns untergebrachten Teil der ausländischen
Anleihen der ausländische Markt verschlossen wäre, was namentlich
in kritischen und kriegerischen Zeiten sehr bedenklich sein könnte.

Ferner ist, gegenüber den in den Tabellen gemachten Angaben,
zu beachten, daß sich das Ausland, wenn es sich einen Vorteil davon
verspricht, auch bei den in Deutschland aufgelegten ausländischen
Anleihen beteiligt, und es ist außerdem zu berücksichtigen, daß
ausländische Papiere stets die Tendenz haben, nach dem Mutterlande zurückzukehren, was wir namentlich bei den österreichischen
und in den letzten Jahren bei den italienischen Papieren in sehr
großem Umfange erlebten.

Wieviel also von einer ausländischen Anleihe dauernd in
Deutschland untergebracht ist, kann nur sehr schwer geschätzt werden
und dies ist auch der wesentlichste Grund, weshalb die beiden
Tabellen (s. Anmerkung 2 auf S. 300) in ihren Angaben hierüber
so sehr erheblich voneinander abweichen.

b. Die Emission industrieller Werte [1]).

Das industrielle Emissionsgeschäft ist der Schlußstein des gewaltigen Gebäudes der industriellen Beziehungen zwischen Banken und Industrie, dessen Grundstein das Kontokorrentgeschäft bildet. Der umgekehrte Fall ist weit seltener, daß die Emission neuer Werte eines zur Aktiengesellschaft umgewandelten Unternehmens erst die Brücke zu einem regelmäßigen Kontokorrent- und Kreditverkehr zwischen beiden Teilen bildet, dessen Gefahren, wie wir sahen, mindestens so groß, vielleicht noch größer sind als diejenigen, welche den Banken aus dem Emissionsgeschäft entstehen können. Das letztere ist (selbst wenn die Emission nicht etwa, was auch möglich ist, seitens der Bank nur kommissionsweise, also für Rechnung des industriellen Unternehmens, wenn auch im eigenen Namen erfolgt) deshalb ohne weiteres einleuchtend, weil, worauf wir schon hinwiesen, feste Regeln über den industriellen Kredit, falls solche überhaupt aufgestellt werden können, sich bis jetzt im deutschen Bankwesen noch nicht ausgebildet haben. Dagegen ist sowohl die Technik des Emissionsgeschäfts wie dessen Voraussetzungen und Grenzen in immer steigendem Maße, allerdings oft auf Grund schlimmer Erfahrungen, den deutschen Kreditbanken bis ins Detail vertraut geworden, mag es sich nun um die Emission neuer Werte eines zur Aktien-Gesellschaft umgewandelten, bereits bestehenden Unternehmens handeln (welche nach § 41 des Börsengesetzes erst 1 Jahr nach Eintragung der Gesellschaft und nach der ersten Bilanz zulässig ist), oder um Emissionen eines neu errichteten Unternehmens oder um solche Emissionen, welche nach Kapitalerhöhungen oder Fusionen oder Sanierungen stattfinden.

Was diese Sanierungen betrifft, so haben sich, namentlich in der zweiten Epoche, die deutschen Kreditbanken und in erster Linie die Großbanken hierdurch große Verdienste sowohl um die notleidenden Unternehmungen wie um die Allgemeinheit erworben. Sie haben nach Durchführung der Reorganisationen, die oft große Opfer an Zeit, Kapital und Mühen erforderten, und die meist nur nach großen Schwierigkeiten und Widerständen durchzuführen waren, unter Einsetzung des eigenen Emissionskredits, die Verdienstfähigkeit der sanierten Unternehmungen wieder hergestellt und der eingetretenen Deroute im Handel der Aktien, Obligationen und Pfandbriefe ein Ende gemacht. Hierbei kommen nicht nur die Reorganisationen der im Jahre 1901 zusammengebrochenen Berliner Pfandbriefinstitute in Betracht, die unter Mitwirkung aller großen Banken und Bankhäuser des Berliner Platzes durchgeführt wurden, sondern

---

1) Grundlegend Otto Jeidels, Das Verhältnis der deutschen Großbanken zur Industrie, Leipzig, Duncker & Humblot, 1905.

auch eine Reihe anderer Sanierungen, wie die des Lothringischen Hüttenvereins Aumetz-Friede und der Differdinger Gesellschaft (jetzt Deutsch-Luxemburgische Bergwerks- und Hütten-Aktiengesellschaft in Bochum und Differdingen). Es sind dies Gesellschaften, welche nach ihrer finanziellen und technischen Rekonstruktion heute wesentlich zur Machtstellung des luxemburgisch-lothringischen Industriereviers beitragen.

Im allgemeinen allerdings spielen sich die industriellen Beziehungen der Banken zunächst auf dem langsameren Wege des Kontokorrentkredits und der oben geschilderten vielfachen Formen kurzfristiger Kreditgewährung ab, in welchen der vorübergehende Betriebskredit seine Befriedigung findet. Erst nach und nach entwickelt sich der langfristige Kredit, welcher in der Emission von Aktien und Obligationen seinen natürlichen geschäftlichen Ausdruck findet.

Eine solche Emission schlingt dann die Fäden zwischen den Banken einerseits als den Hauptvertretern der kapitalistischen Wirtschaftsordnung, und der industriellen Produktion andererseits so eng, daß sie alsdann beide „auf Gedeih' und Verderb" dauernd miteinander verbunden sind. Diese Verbindung pflegt früher oder später auch einen weiteren Ausdruck zu finden in der Delegation von Mitgliedern des Vorstands der Banken in den Aufsichtsrat der industriellen Unternehmungen und mitunter auch durch Entsendung von „Kapitänen" der Industrie in die Aufsichtsräte der Banken. Das Erstere ist, wie schon in anderem Zusammenhange betont wurde, geradezu geboten durch das Bedürfnis der Banken, den durch die Emission gewonnenen Einfluß sich dauernd zu wahren, ebenso aber auch durch die Rücksicht auf ihren Emissionskredit, welche es der Bank, die Werte eines Unternehmens emittiert hat, nach feststehender und gesunder Übung im deutschen Bankwesen, zur Pflicht macht, das Unternehmen auch dauernd zu kontrollieren. Das letztere aber, die Entsendung von leitenden Persönlichkeiten der Industrie in den Aufsichtsrat der Banken, wo sie in der Regel weit weniger Einfluß zu üben vermögen als die Bankvertreter in der Verwaltung der Industriegesellschaften, ist nicht nur ein Akt der Höflichkeit gegenüber den letzteren, sondern auch der Ausdruck des gegenseitigen Wunsches, die so eng gewordenen geschäftlichen Beziehungen auch nach außen hin kundzugeben, und der Ausdruck des Wunsches der Industrie, in bezug auf die Industriepolitik der Banken, soweit tunlich, eine Übereinstimmung der Ansichten und Ziele herbeizuführen.

Über den Umfang, in dem in der zweiten Epoche durch Entsendung von Vertretern der Großbanken in den Aufsichtsrat industrieller Gesellschaften eine solche dauernde Fühlung beider Teile in bezug auf die gegenseitigen Wünsche, Forderungen und Interessen hergestellt worden ist, gibt die **Beilage IV** eine ziffernmäßige Übersicht. Sie zeigt zugleich den Umfang und überdies (was sich namentlich in der Besetzung der Präsidentenstellen äußert) die Intensität der industriellen Beziehungen der Großbanken zu den einzelnen Industriezweigen [1]. Diese Form „freundschaftlicher" Beziehungen durch Besetzung von Aufsichtsratsposten ist allerdings mitunter, so bei der Erkämpfung zweier Aufsichtsratsstellen bei der Laurahütte durch die Dresdner Bank, erst nach recht unerfreulichen Auseinandersetzungen zustande gekommen [2].

Die langsame und mühevolle Arbeit, die häufig dem Zeitpunkt vorausgehen muß, in welchem die Frage einer Emission überhaupt praktisch wird, kann in ihrem wirtschaftlichen Werte nicht hoch genug eingeschätzt werden. Das vorsichtige, schritt- und etappenweise Vorwärtsstreben des industriellen Privatunternehmens oder der vielleicht mit Hilfe der Bank bereits begründeten industriellen Aktiengesellschaft zu immer höheren Zielen wird durch einen allmählich sich steigernden Kontokorrent- und Akzeptkredit zunächst insoweit gefördert, als die vorhandenen jährlichen Betriebsüberschüsse zur Herstellung der notwendigen Um- und Neubauten nicht hinreichen. Hierdurch wird das Unternehmen sachgemäßerweise nur mit so viel Zinsen belastet, als dies dem jeweiligen Stande der Verbesserungen oder Erweiterungen entspricht. Erst als naturgemäßer Schluß einer solchen gesunden und organischen Entwicklung stellt sich dann die Notwendigkeit größerer und dauernder Anlagekredite für das nun verstärkte Unternehmen ein und damit die Notwendigkeit einer Aktien- oder Obligationen-Emission. Beispiele sind in der Verbindung jeder Großbank mit industriellen Unternehmungen, namentlich mit solchen aus der Montan-, Maschinen- und Elektrizitätsindustrie, mühelos zu finden.

Auf der anderen Seite ist praktisch besonders wichtig und häufig geworden die — in der Regel ausschließlich oder vorzugsweise auf dem Wege des Emissionskredits durchzuführende — Unterstützung industrieller Kombinationen, Konsolidationen und Fusionen seitens der Banken, also die Förderung einer besonderen Richtung der Geschäftspolitik der industriellen Unternehmungen, die schon in der ersten Epoche vielfach zu bemerken war, in der zweiten aber mit Rücksicht auf die Entwicklung der

---

1) Über Aufsichtsratsstellen als „Folge der Konzentration im Bank- und speziell im Emissionswesen" vgl. Franz Eulenburg, Die Aufsichtsräte in den deutschen Aktiengesellschaften (Conrads Jahrbücher, 3. Folge, Bd. XXXII, 1. Lieferung, S. 109 ff.).

2) Otto Jeidels a. a. O. S. 111.

Kartelle besonders häufig geworden ist. So ist bereits 1853 der Phönix in Laar als eine Aktiengesellschaft begründet worden, die aus einer Verbindung von vier Eisenhütten und von Nassauer Eisensteingruben zustande kam, während er 1898 unter kräftiger Bankenhilfe, die Westfälische Union aufnahm[1]). So hat ferner schon im Jahre 1864 der 1852 begründete Hörder Verein behufs Einführung des Bessemer Verfahrens eine Reihe von Kleineisensteingruben erworben, die freilich im Jahre 1879 durch die mit Hilfe der Banken seitens des Hörder Vereins erworbenen Thomas- und Gilchristpatente wieder entbehrlich wurden[2]).

So wurde ferner die in der zweiten Epoche mächtig zunehmende Vergrößerung der Zahl sowohl der sogenannten Hüttenzechen, d. h. derjenigen Eisenhütten, welche sich Kohlenzechen angliederten, wie der sogenannten Zechenhütten, d. h. derjenigen Kohlenzechen, welche Eisenhütten in sich aufnahmen, vielfach nur mit Hilfe der bankmäßigen Emissionskredits möglich. Ebenso verhielt es sich mit denjenigen kombinierten Betrieben, welche nach Einführung des Thomasprozesses erforderlich wurden und den sogenannten gemischten Werken eine so bedeutende Übermacht gegenüber den immer mehr bedrückten „reinen Werken" verschafften.

In der nämlichen Weise ist auch seitens der Banken die so erhebliche Zahl der Fusionen gefördert worden, welche entweder die Beseitigung unbequemer Konkurrenz oder die Vereinigung von im Produktionsprozeß sich folgenden Werken oder die Verringerung der Selbstkosten[3]) bezweckten; derartige Fusionen waren besonders häufig in der Montanindustrie, z. B. bei der Gelsenkirchener Bergwerksgesellschaft, auch bei der von Beginn ab aufs engste mit dem Bankwesen verbundenen elektrotechnischen Industrie.

Schon die regelmäßige Kontokorrentverbindung der Banken mit großen industriellen Unternehmungen hatte allmählich den bis dahin bedeutenden Einfluß der Privatbankgeschäfte, ungeachtet langer Geschäftsverbindung der letzteren mit der Industrie, zurückgedrängt. In noch höherem Grade aber bewirkte das Emissionsgeschäft der Banken, welches immer erheblichere Kapitalien und deren längere Festlegung, also die Übernahme eines großen und lang andauernden Unternehmerrisikos, erforderte, eine zunehmende Lahmlegung und Ausschaltung der mittleren und kleinen Privatbankgeschäfte, und zwar weit über den einzelnen Industriebezirk hinaus — ein Prozeß, der durch die schon erwähnte Vorschrift des

---

1) Otto Jeidels, a. a. O. S. 44.
2) eod. S. 51.
3) z. B. bei der Fusion der Huldschinsky'schen Hüttenwerke mit der Oberschlesischen Eisenbahnbedarfs-Gesellschaft 1904.

§ 39 (jetzt 41) des Börsengesetzes noch erheblich verschärft und beschleunigt wurde.

In dem Erwerb von Zahlstellen für Zinsen, Dividenden von
Aktien und Obligationen und für die Rückzahlung ausgeloster
Obligationen ist in der Regel, wenn er auch mitunter ohne Zusammenhang mit Emissionen vorkam, eine die Banken weiter för-
dernde Nebenwirkung des Emissionsgeschäfts zu erblicken, welche
allerdings weniger die Konzentrationsentwicklung als den Gewinn
der Banken förderte, zugleich aber mitunter auch eine neue Anknüpfung von Kontokorrentverbindungen herbeiführte. In Verbindung mit den Aufsichtsratsstellen sind daher auch die Zahlstellen
ein allerdings nur mit Vorsicht zu benützendes Mittel, um die
industriellen Verbindungen der Banken festzustellen; aus den Zahl-
stellenverzeichnissen der sechs Berliner Großbanken für 1911 sind
an industriellen Zahlstellen zu ermitteln gewesen:

        1 Bei der Dresdner Bank 504
        2. „   „   Deutschen Bank 488
        3. „   „   Disconto-Gesellschaft 362
        4. „   „   Darmstädter Bank 313
        5. „   dem A. Schaaffhausen'schen BankVerein. . . . 290
        6. „   der Berliner Handelsgesellschaft . . . . 153[1])

Was die Art der emittierten Industriewerte angeht, so wird
im allgemeinen die Ausgabe von Aktien zur Beschaffung der
Geldmittel für dauernde Anlagen, die Ausgabe von (in einer gewissen Zeit amortisierten) Obligationen zur Beschaffung der Mittel
für wenn auch länger dauernde doch nach Ablauf einer gewissen
Zeit sich erledigende Anlagen gewählt. Es wird aber dabei stets
zu beachten sein, daß die Ausgabe von Obligationen, im Gegensatz
zu Aktien, das Unternehmen dauernd mit festen Zinsen belastet,
so daß große Vorsicht geboten ist. Nach Otto Jeidels machten
bei den sechs vorstehenden Berliner Großbanken die Emissionen
industrieller Obligationen in der Hochkonjunktur des Jahres 1899
ca. $1/_4$ aller Konsortialgeschäfte aus (40 Obligationsemissionen von
161 Konsortialgeschäften), im Krisenjahr 1901 aber sogar $4/_5$ aller
Konsortialgeschäfte (83 von 101)[2]).

---

1) Otto Jeidels, a. a. O. S. 127 ermittelte für 1903/04 folgende industrielle
Zahlstellen:
        1. Deutsche Bank 250
        2. A. Schaffhausen'scher BankVerein 211
        3. Dresdner Bank 191
        4. Darmstädter Bank 161
        5. Disconto-Gesellschaft 111
        6. Berliner Handelsgesellschaft 95.
2) a. a. O. S. 55.

Die in deutschen industriellen Aktien auf dem Wege der Emission aufgebrachten effektiven Kapitalien betrugen nach dem Deutschen Ökonomist:

In Millionen Mark

1892	2,5	1899	276	1906	652
1893	34,	1900	461	1907	431
1894	36	1901	155	1908	599,8
1895	143	1902	184	1909	431
1896	213	1903	195	1910	504
1897	266	1904	360		
1898	372	1905	552		

Die in deutschen industriellen Obligationen von 1900 bis 1910 auf dem Wege der Emission aufgebrachten effektiven Kapitalien betrugen dagegen nach der oben S. 296—299 mitgeteilten Tabelle des Deutschen Ökonomist:

In Millionen Mark

1900	178,77	1904	110,14	1908	314,70
1901	193,29	1905	115,24	1909	273,55
1902	158,10	1906	183,10	1910	135,97
1903	64,96	1907	172,79		

Ausländische industrielle Obligationen sind von 1897 bis 1910 zum Börsenhandel im Nennbetrage von 185 Mill. M zugelassen worden, darunter 6,3 Mill. M konventierte.

Die Zahl der industriellen Emissionen überhaupt stellte sich bei den sechs Berliner Großbanken[1]) in den 16 Jahren von 1895 bis 1910 wie folgt:

Zahl der Emissionen

	1895	1896	1897	1898	1899	1900	1901	1902
bei der Deutschen Bank .	10	13	13	17	19	25	17	16
„ „ Disconto-Gesell-schaft.......	15	9	15	21	23	26	19	14
bei der Darmstädter Bank	8	7	10	27	15	27	14	20
„ „ Dresdner Bank ..	25	17	17	25	31	29	14	14
„ dem A. Schaaffhausen-schen Bankverein .	25	19	21	30	50	29	18	14
bei der Berliner Handels-gesellschaft	16	16	24	24	23	22	19	15

	1903	1904	1905	1906	1907	1908	1909	1910
bei der Deutschen Bank .	20	40	45	39	33	44	58	47
„ „ Disconto-Gesell-schaft.......	9	8	19	30	22	22	25	25
bei der Darmstädter Bank	20	16	22	36	13	25	29	25
„ „ Dresdner Bank ..	15	22	34	38	17	24	32	37
„ dem A. Schaaffhausen-schen Bankverein .	14	25	13	38	21	25	27	25
bei der Berliner Handels-gesellschaft	11	14	22	21	14	21	30	20

Endlich hat Jeidels die örtliche Verteilung[2]) der industriellen Beziehungen der Großbanken und die gewerbliche

---

1) Für die Zeit von 1895—1903 Otto Jeidels, a. a. O. S. 139.
2) a. a. O. S. 169, Tab. I u. II.

Verteilung der einzelnen zu ihnen in Verbindung stehenden industriellen [1]) Gesellschaften sowohl aus den Aufsichtsratsstellen als,
was aber nur anfechtbare Resultate liefern kann, aus den Zahlstellen
zu ermitteln gesucht. Von den Ergebnissen ist sicherlich richtig,
daß die Verteilung der industriellen Beziehungen sich am gleichmäßigsten bei der Deutschen Bank und der Disconto-Gesellschaft
und in zweiter Linie bei der Berliner Handelsgesellschaft und der
Darmstädter Bank vollzogen hat, welche letztere aber doch im
Ganzen mehr süddeutsche und (infolge der Aufnahme der Breslauer
Disconto-Bank), gleich der Deutschen Bank, auch schlesische industrielle Beziehungen aufweist. Bei der Dresdner Bank sind natürlich die industriellen Beziehungen zum Königreich Sachsen, bei dem
A. Schaaffhausen'schen Bankverein diejenigen zu Rheinland und
Westfalen vorherrschend.

Die Verteilung der industriellen Beziehungen auf die einzelnen
Industriezweige ist ebenfalls am gleichmäßigsten bei der Deutschen Bank
und der Disconto-Gesellschaft, wobei aber bei beiden außerdem die Beziehungen zu ausländischen Eisenbahngesellschaften, bei der Deutschen
Bank außerdem diejenigen zu Elektrizitätsgesellschaften eine besondere Rolle spielen. Bei der Darmstädter Bank ist die Beteiligung
bei Kleinbahnen und Brauereien, bei der Berliner Handelsgesellschaft
die Beteiligung an der schweren Industrie, an Elektrizitätsgesellschaften und Kleinbahnunternehmungen vorherrschend.

In besonders enger Weise war während der zweiten Epoche
verbunden:

Die Deutsche Bank mit Siemens & Halske, dem Norddeutschen Lloyd, den Huldschinsky'schen Werken, der Deutschen
Petroleum-Aktien-Gesellschaft, der Deutsch-Überseeischen Elektrizitäts-Gesellschaft, der Gesellschaft für elektrische Hoch- und Unter-
grundbahnen, seit dem Jahre 1911 auch mit den Oberschlesischen
Kokswerken, die früher zum Konzern der Berliner Handelsgesellschaft gehört hatten.

Die Disconto-Gesellschaft mit der Gelsenkirchener Bergwerks-Aktien-Gesellschaft (welche am 1. Januar 1905 eine Interessengemeinschaft mit dem Aachener-Hütten-Aktien-Verein Rote Erde
und dem Schalker Gruben- und Hütten-Verein einging), ferner mit
der Dortmunder Union, den Kaliwerken Aschersleben, Ludwig
Loewe & Co., der Maschinenfabrik und Mühlenbau-Anstalt Luther
in Braunschweig, der Hamburg-Amerikanischen Paketfahrt-Actien-
Gesellschaft (Hamburg-Amerika Linie), den Stumm'schen Werken in
Neunkirchen, dem Bochumer Verein, den Rheinischen Stahlwerken und
der Kattowitzer Aktiengesellschaft für Bergbau und Hüttenbetrieb.

---

1) a. a. O. S. 170 u. 171, Tab. III u. IV.

Die Dresdner Bank mit der Kattowitzer Bergwerks-Gesellschaft, Felten & Guilleaume, der Deutsch-Österreichischen Bergwerks-Gesellschaft, der A.-G. Lauchhammer, der Saar- und Moselbergwerks-Gesellschaft in Karlingen und der Laurahütte.

Die Berliner Handelsgesellschaft mit der Allgemeinen Elektricitäts-Gesellschaft, der Harpener Bergbau-Gesellschaft, der Hibernia, der Bergwerksgesellschaft Consolidation, der Oberschlesischen Eisenindustrie, der Schlesischen Kohlen- und Kokswerke in Gottesberg, der Akkumulatoren-Fabrik A.-G. in Berlin.

Der A. Schaaffhausen'sche Bankverein mit Aumetz-Friede, der Harpener Bergbau-Gesellschaft, dem Stahlwerk Hoesch, dem Bochumer Verein (1907 in den Phönix aufgegangen), dem Phönix, dem Hoerder Bergwerks- und Hütten-Verein, der Internationalen Bohrgesellschaft, der Internationalen Kohlenbergwerks-Aktiengesellschaft in St. Avold, der Gewerkschaft Hercynia und den Rombacher Hüttenwerken.

Die Darmstädter Bank mit der Deutsch-Luxemburgischen Bergwerks- und Hütten-Aktien-Gesellschaft und dem Friedlichen Nachbar, den A. Riebeck'schen Montanwerken A.-G. in Halle, der Aktien-Gesellschaft für Brauindustrie, der Chemischen Fabrik Griesheim-Elektron und den Chemischen Werken vorm. H. & E. Albert (Biebrich).

Die in den Aufsichtsräten der Industrie-Gesellschaften vertretenen Bankdelegierten haben, was ein besonders wirksames Ergebnis der „beratenden Funktion"[1] des Aufsichtsrats ist, stets in großem Umfange dafür gesorgt, daß die betreffenden Industrie-Gesellschaften Absatzquellen in denjenigen dazu geeigneten Industrieunternehmungen fanden, auf welche die betreffenden Banken einen Einfluß auszuüben in der Lage waren.

In bezug auf die industriellen Emissionen kann dem Standpunkt Eberstadts[2] nicht beigetreten werden, der zunächst dasjenige feststellt, was die Industrie aus den in ihrem Interesse vorgenommenen Emissionen wirklich erhalten hat, was er den Kapitalreinanspruch (richtiger wohl den Kapitalreinempfang) nennt (Nennbetrag zuzüglich des [Kaufpreis]-Agios oder abzüglich des Disagios), und dann alles das, was über diesen Reinanspruch oder Reinempfang infolge von Kurssteigerungen hinausgeht, als für die reine „Spekulation", die „Spielsucht des Publikums" (S. 15), verwandt ansieht, so daß er natürlich zu ganz ungeheuren „Spekulationsbeträgen" gelangt. Diese Ansicht ist schon deshalb nicht zutreffend, weil die Kurswerte irgend-

---

1) Vgl. Riesser, Zur Aufsichtsratsfrage (Festgabe der Jurist. Gesellschaft zu Berlin für Rich. Koch, S. 296 ff.).

2) Rud. Eberstadt, Der deutsche Kapitalmarkt (Leipzig, 1901).

eines Tages, die meist bei ganz geringfügigen Umsätzen zustande kommen, nicht einmal für größere Beträge, geschweige denn für das ganze Aktienkapital, maßgebend sind, und weil die „Spekulanten" das Ergebnis ihrer spekulativen Veräußerungen doch wieder in großem Umfange der Industrie zuführen. Jene Ansicht ist aber vor allem deshalb unhaltbar, weil die Kursentwicklung in allererster Linie von dem jeweiligen und wechselnden inneren Werte der betreffenden Papiere, also von dem Stande der betreffenden Unternehmungen, und weder lediglich, noch auch nur zum größten Teile, von der „Spielsucht" abhängt[1]).

Nur deshalb, weil er dies außer Augen ließ, konnte Eberstadt zu dem Ergebnis gelangen (S. 42), daß vom 1. Januar 1895 bis 1 April 1900 nahezu eine Milliarde Mark, auf das Jahr also in dieser Zeit etwa 186½ Millionen, lediglich für „spekulative Zwecke" verwendet worden seien, dies sogar nur bei Aktien-, Bergwerks- und Hüttenunternehmungen (selbst die Kuxe sind dabei nicht berücksichtigt). Dem gegenüber hat er den in der gleichen Epoche und in den gleichen Industriezweigen aufgetretenen „Kapitalbedarf der Industrie selber" nur auf ca. 419½ Mill., oder nur etwa 80 Mill. M für das Jahr, beziffert[2]).

Das letztere ist m. E. ebensowenig richtig und vor allem ebenso irreführend wie das erstere. Denn der Kapitalbedarf der Montanindustrie, wie er uns wiederholt bei der Darstellung der wirtschaftlichen Entwicklung dieser Epoche entgegentrat, wird, wie wir nachgewiesen haben, bei weitem nicht ausschließlich durch Emissionen gedeckt, die ja in schlechten Jahren nicht oder nur schwer und in beschränktem Umfange möglich sind. Er wird vielmehr auch, und zwar in viel höherem Umfange als dies von Eberstadt gewürdigt wird, auf dem Wege des Kontokorrent-, Diskontierungs-, Akzept-, Report-, Lombardgeschäfts usw. befriedigt. Wie hoch die auf diesem Wege der Industrie und speziell der Montanindustrie zugewandten

---

1) Vgl. Ad. Weber, a. a. O. S. 171. Ruhland allerdings glaubte, in Bd. III des „Systems der Politischen Ökonomie" (Berlin 1908), S. 146, ohne irgendwelche Beachtung der erhobenen Einwendungen, auch im Jahre 1908 noch sagen zu dürfen: „Nach einer Untersuchung von Eberstadt ist durch Spekulation der Kurs der deutschen Industriepapiere in der Zeit vom 1. Januar 1895 bis zum 1. April 1900 um 75 bis 100% ihres Ausgabepreises erhöht worden."

2) In Frankreich wurden im Jahre 1909 nur für 110 Mill. Frcs. neue Industriewerte eingeführt. „Die französische Industrie nimmt also den Kapitalmarkt nur in sehr bescheidenem Maße in Anspruch" (Bernh. Mehrens, a. a. O. S. 315). Andererseits will auch das französische Durchschnittskapital von Industriewerten nicht viel wissen. Sie werden im allgemeinen als eine gefährliche Anlage betrachtet und deshalb gemieden. (Bernh. Mehrens, a. a. O. S. 317 u. 320). Jetzt hat sich das französische Sparkapital in großem Umfange ausländischen Papieren zugewandt. (Bernh. Mehrens, a. a. O. S. 321).

Beträge — die aber stets eine sehr große Rolle gespielt haben — überhaupt sind und in den einzelnen Jahren dieser Epoche waren, läßt sich natürlich schwer feststellen, da die betreffenden Beträge ungetrennt verbucht sind. Aber es genügt schon eine ganz summarische Vergleichung des kurzfristigen Kreditbedarfs, wie wir ihn für eine Reihe von Industrien angegeben haben, mit den Emissionsbeträgen dieser Epoche, um zu sehen, daß die Emissionen allein auch nicht entfernt diesen Bedarf haben decken können, und daß die Banken in dieser ganzen Epoche innerhalb der Grenzen des Möglichen, und mitunter sogar über das mit einer richtigen Risikoverteilung verträgliche Maß hinaus, industriellen Kredit[1]) gegeben haben[2]).

In bezug auf die Finanzierung der Aktien und Obligationen von Terraingesellschaften möchte ich noch darauf hinweisen, daß sich diese Tätigkeit der Großbanken bisher häufig, vielleicht in der Mehrheit der Fälle, weitsichtige wirtschaftliche Ziele nicht gesteckt hat und daß sie auch von den großen Fragen der Bodenpolitik ziemlich unberührt geblieben ist.

c) Emission deutscher Staats- und Kommunalanleihen.

Wir haben bei der Schilderung des Entwicklungsganges der deutschen Banken in der ersten Epoche (von 1848—1870) gesehen, daß die damals bestehenden Großbanken sämtlich es als einen wesentlichen Teil ihres Programms und ihrer Geschäftspolitik ansahen, sich auch bei den Staatsanleihegeschäften zu beteiligen, und daß sie dies auch in ihren Geschäftsberichten zum Ausdruck brachten[3]). Auf S. 55 haben wir auch einen Überblick über die wichtigsten Staats- und Stadtanleihegeschäfte gegeben, welche die Darmstädter Bank und die Disconto-Gesellschaft, also die beiden Banken, welche damals im Vordergrund standen, in der Zeit von 1854—1869 übernommen haben. Sie setzten dies durch, obwohl, wie der Jubiläumsbericht der Disconto-Gesellschaft ausdrücklich hervorhebt[4]), „die alten wohl renommierten großen Bankhäuser, welche bis dahin im Alleinbesitz der finanziellen Geschäfte gewesen waren, sich gegen das konkurrierende Eindringen der neuen Gesellschaften in jeder

---

1) Ernst Loeb (a. a. O. S. 271) nimmt an, daß ½—¾ der unter den Debitoren verbuchten Kredite Handel und Industrie zugute gekommen seien, was freilich schwer verifiziert werden kann.

2) Vgl. gegen Eberstadt auch Franz Eulenburg, Die gegenwärtige Wirtschaftskrise, Symptome und Ursachen, in Conrads Jahrb., III. Folge, Bd. XXIV, S. 381; Heinemann in Conrads Jahrb. (1902), III. F., Bd. XX, S. 128, und Ernst Loeb in den Schriften des Vereins für Sozialpolitik, Bd. CX (Die Störungen im deutschen Wirtschaftsleben 1903, Bd. VI, S. 270).

3) Vgl. z. B. den Geschäftsbericht der Darmstädter Bank für das Geschäftsjahr 1853.

4) S. 29.

Weise zu wehren" suchten. Die Banken konnten in diesem Kampfe nur deshalb vielfach siegreich bleiben, weil sie in der Festsetzung der Bedingungen den Kreditnehmern, also den einzelnen Staaten und Kommunen, unter Verminderung des bisher üblich gewesenen Vermittlungsgewinns, außerordentlich weit entgegenkamen [1]). So wurden denn schon in der ersten Epoche zahlreiche Staatsanleihegeschäfte mit Preußen, Bayern, Sachsen, Württemberg, Baden Braunschweig, Hamburg, Bremen, Österreich u. a. m. abgeschlossen, sowie Stadtanleihen für die Städte Danzig, Worms, Mannheim u. a. m. aufgelegt. Auch eine preußische (Mobilmachung-)Anleihe wurde schon 1859 in Höhe von 30 Mill. Tlr. von der Disconto-Gesellschaft in Gemeinschaft mit anderen damals bestehenden Berliner Bankhäusern und Banken abgeschlossen, was die erste Anregung zu dem später unter Führung der Seehandlung gebildeten sogenannten „Preußenkonsortium" gab. Dieses Konsortium trat im Jahre 1868, unter Übernahme preußischer Staatsanleihen im Gesamtbetrage von 45 Mill. Tlr., in Wirksamkeit und übernahm dann auch im Jahre 1869 die durch den Rezeß mit der vormals freien Stadt Frankfurt a. M. nötig gewordenen preußischen Anleihen im Gesamtbetrage von 5 Mill. Tlr.

Von 1868—1901 wurden durch die Disconto-Gesellschaft, die Darmstädter Bank und andere Kreditbanken sowie seitens einer Reihe von Privatbankhäusern, unter teilweiser Mitwirkung der Seehandlung, allein von bayerischen Staatsanleihen Beträge von 255 Mill. M übernommen und emittiert, während die Kriegsanleihe vom 3. und 4. August 1870 in Höhe von 120 000 000 Tlr., unter Ausschluß der Banken, im Wege der nationalen Subskription zum Kurse von 88% aufgelegt wurde. Der Jubiläumsbericht der Disconto-Gesellschaft (S. 35) stellt fest, daß bei den Vorverhandlungen über diese Anleihe im preußischen Finanzministerium die zwei zugezogenen Vertreter deutscher Banken und Bankfirmen erklärt hatten, „daß auf einen sicheren Erfolg der Anleihe nur bei einem Kurse von 85% gerechnet werden könne" und fährt fort:

„Die Befürwortung dieses Satzes entsprang der einfachen geschäftlichen Erwägung, daß der Preis unter voller Berücksichtigung des damaligen Kursstandes der hierbei in Vergleich kommenden preußischen Staatspapiere gestellt werden müsse. Aber an entscheidender Stelle rechnete man allein mit der gegebenen Stimmung der Nation, ließ die tatsächlichen Verhältnisse des Geldmarkts außer acht und setzte den Subskriptionspreis auf 88% fest. Die Folge davon war, daß an den beiden Subskriptionstagen, dem 3. und 4. August, nur ein Nominalbetrag von 68 000 000 Tlr

---

1) Jubiläumsbericht der Disconto-Gesellschaft, S. 29.

gezeichnet wurde, der bei dem Subskriptionspreise von 88 % einen Barertrag von etwa 60 000 000 Tlr. ergab"[1].

Die unter besserer Berücksichtigung der Lage des Geldmarktes im Oktober 1870 zum Kurse von $87^{1}/_{4}$ ausgegebenen 20 Mill. Tlr. fundierter Bundesanleihe und die im November 1870 und Januar 1871 in der Form von 5 % 5jährigen Schatzanweisungen ausgegebenen weiteren Kriegsanleihen in Höhe von insgesamt 142 Mill. Tlr. wurden, unter Mitwirkung englischer Banken, seitens eines deutschen Konsortiums von Banken und Bankhäusern übernommen und untergebracht, während der letzte Kriegskredit von 120000000 Tlr. (Gesetz vom 26. April 1871) infolge des Eingangs eines Teils der französischen Kriegskostenentschädigung nicht mehr benutzt zu werden brauchte.

Von 1871—1880 wurden seitens des Preußenkonsortiums und eines weiteren Konsortiums für deutsche Reichsanleihen nicht weniger als 640 Mill. M preußische und 142 Mill. M Reichsanleihen übernommen und emittiert, während der Gesamtbetrag allein der Staatsanleihen von Hansastädten, sowie von Württemberg, Sachsen, Hessen, welcher in dieser Zeit durch Konsortien von Banken und Bankhäusern übernommen und untergebracht wurden, fast 1 Milliarde M betrug.

Es ist kein Zweifel, daß die Durchführung großer Staatsanleihegeschäfte seitens der Banken deren Ansehen in weiten Kreisen hob und damit zugleich konzentrationsfördernd wirkte.

In der Zeit von 1880 ab glaubte man, ungeachtet der bisherigen Erfolge, um kein Monopol der Banken und Bankhäuser aufkommen zu lassen, einen großen Teil der neu ausgegebenen preußischen Staatsanleihen im Wege freier Begebung an die verschiedensten Bewerber plazieren zu können, erzielte jedoch damit im wesentlichen nur den Erfolg einer starken Verschlechterung des Marktes und des Kurses für deutsche Staatsanleihen.

Im Februar 1899 übernahm aber die Deutsche Bank allein 75 Mill. M 3 % deutsche Reichsanleihe und 125 Mill. M 3 % preußischer Konsols.

Im September 1900 erfolgte die Begebung von 80 Mill. M 4 % $3^{1}/_{2}$—5jähriger Schatzanweisungen an das Bankhaus Kuhn, Loeb & Co. in New-York, die außerordentlich viel kritisiert wurde, obwohl ohne Zweifel der deutsche Geldmarkt damals durch den Zufluß von Gold aus dem Auslande wesentlich erleichtert worden ist.

---

1) Über die sonstigen Fehler, die bei der Auflegung dieser ersten Kriegsanleihe im Jahre 1870 gemacht wurden, vgl. Riesser, Finanzielle Kriegsbereitschaft und Kriegsführung (Jena, Gustav Fischer, 1909), S. 102 ff. Trotz alledem ist bis in die jüngste Zeit für den Mißerfolg nicht die Finanzverwaltung, die gegen die ausdrückliche Warnung der Vertreter der Bankwelt die Bedingungen festsetzte, sondern die Gesamtheit der deutschen Banken und Bankiers verantwortlich gemacht worden.

Diejenigen deutschen Kommunalanleihen dieser Epoche, an deren Übernahme die Disconto-Gesellschaft beteiligt war, umfaßten allein für die 40 in dem Jubiläumsbericht der Disconto-Gesellschaft (S. 42) namhaft gemachten Städte und lediglich bis zum Ende des Jahres 1900 den Betrag von rund 300 Mill. M, während allein derjenige Teil der landwirtschaftlichen Pfandbriefe und der Provinz- und Kreisanleihen, welcher in der gleichen Zeit unter Mitwirkung der Disconto-Gesellschaft ausgegeben worden ist, fast 1 Milliarde M ausmachte.

Faßt man die inländischen Staats- und Kommunalanleihen zusammen, so ergibt sich, nach den Ziffern des Deutschen Ökonomist, für die letzten 17 Jahre der zweiten Epoche folgendes Bild der gesamten Emissionen dieser Anleihen:

(Effektive Beträge) in Millionen Mark

1894	295	1900	420	1906	985
1895	139	1901	799	1907	972
1896	160	1902	733	1908	1770
1897	167	1903	526	1909	1473
1898	261	1904	575	1910	872
1899	660	1905	687		

Führt man aber — mindestens für eine wichtige Periode — die deutschen Staatsanleihen von den deutschen Kommunalanleihen getrennt auf, so ergibt sich folgendes Bild:

Vom Jahre 1900 bis zum Ende des Jahres 1910 betrugen:

Die deutschen Staatsanleihen

(nach der oben S. 296—299 abgedruckten Statistik der Frankf. Zeitung)[1]

(Effektiver Betrag in Millionen Mark)

1900	172,50	(200,40)	1906	668,97	(638,11)
1901	506,01	(505,57)	1907	541,06	(546,22)
1902	532,82	(536,40)	1908	1079,52	(1258,99)
1903	343,36	(317,63)	1909	1066,66	(1062,92)
1904	283,87	(335,64)	1910	621,26	(624,90)
1905	454,68	(429,66)			

Die Ursachen dieses fast ständigen Ansteigens der jährlichen Staatsanleihe-Emissionen können hier nicht auseinander gesetzt werden; es genügt, darauf hinzuweisen, daß das beständige auf dem Markte lastende Gewicht von bereits emittierten oder drohenden Reichs- oder Staatsanleihen eine der stärksten Ursachen für den Tiefstand unserer Reichs- und Staatsanleihen bildet, deren Kurs in keiner Weise ihrem inneren Werte entspricht. Auch die Konvertierung des Zinsfußes auf $3\frac{1}{2}$ und 3 % machte diese Werte bei dem anleihesuchenden deutschen Publikum wenig beliebt, welches

---

1) In Klammern sind die in der Tabelle des Deutschen Ökonomist ausgerechneten Beträge angegeben.

an einen höheren Zinsfuß, schon infolge der zahlreichen soliden Industriepapiere, gewöhnt und zum großen Teile auch auf einen höheren Ertrag angewiesen ist.

Die deutschen Kommunalanleihe-Emissionen
betrugen in der nämlichen Periode[1])

(Effektiver Betrag in Millionen Mark)

1900	220,35	(318,16)	1906	347,00	(429,79)
1901	293,58	(352,05)	1907	425,44	(496,66)
1902	196,13	(416,44)	1908	511,71	(606,43)
1903	208,56	(340,48)	1909	409,86	(532,82)
1904	239,48	(216,77)	1910	247,50	(386,20)
1905	257,40	(418,45)			

Vergleicht man die Jahresbeträge der Kommunalanleihe-Emissionen mit denjenigen der Staatsanleihen, so wird man mit Befremden die geringen Differenzen zwischen beiden feststellen. Es ist kein Zweifel, daß bei vielen unserer Kommunen in dieser Epoche, namentlich aber in den letzten Dezennien, eine Art von Großmannssucht eingerissen ist. „Jeder Bürgermeister", sagt Waldemar Mueller[2]), „glaubt seinen Beruf verfehlt zu haben, wenn er nicht für Schlachthäuser, Kanalisation, für Erbauung oder Erwerbung von Elektrizitätswerken und Straßenbahnen, ja selbst für Pflasterungen und Schulhäuser, die doch aus laufenden Einnahmen zu bestreiten wären, alle paar Jahre eine Millionenanleihe aufnimmt."

Jedenfalls kann aber, bei den fast Jahr für Jahr stark wachsenden Beträgen der deutschen Kommunalanleihen, welche in ihrer weit überwiegenden Mehrheit von deutschen Banken übernommen und emittiert worden sind, kaum jemand ernstlich behaupten wollen, daß auf diesem Gebiet die deutschen Banken für den „inneren Markt" nicht genug gesorgt hätten.

d) Emission ausländischer Werte.

α) Die für die Emission ausländischer Wertpapiere
maßgebenden Grundsätze.

Ich verweise hier zunächst auf die Ausführungen, welche unten im § 8 über die Vorfrage enthalten sind, ob und inwieweit der sogenannte Kapital-Export überhaupt und insbesondere auch über den zur Deckung der ausländischen Einfuhr erforderliche Betrag hinaus, als notwendig oder zulässig und unbedenklich zu erachten ist.

---

1) Nach der Tabelle des Deutschen Ökonomist; die Zahlen der Tabelle der Frankfurter Zeitung, welche die Kommunalanleihen in den Posten: Stadt- und Provinz Obligationen zusammenfaßt, sind in den Klammern hinzugefügt.

2) a. a. O., Bank-Archiv, 8. Jahrg., No. 8 (vom 15. Januar 1909), S. 118.

Diese Vorfrage kann aber dort nur grundsätzlich erörtert und entschieden werden, während wir hier, unter ausdrücklicher Verweisung auf jene Ausführungen, die Frage zu prüfen haben, welche besonderen Grundsätze für die Emission ausländischer Werte aufzustellen und welche Grenzen hier zu ziehen sind.

Bei der Emission ausländischer Werte ist nach meiner Überzeugung von drei grundlegenden Forderungen auszugeben:

1. Emissionen ausländischer Wertpapiere im Inland sind im allgemeinen ebenso wie inländische Unternehmungen und Beteiligungen im Auslande, also wie jeder Kapital-Export, nur nach voller Deckung des inländischen Kapitalbedarfs zulässig, da in erster Linie die heimische Produktions- und Kaufkraft und der heimische Markt mit den verfügbaren Mitteln der Nation zu stärken ist.

So zweifellos richtig dieser theoretische Grundsatz ist, so muß doch, namentlich im Hinblick auf neuerliche Überspannungen desselben festgestellt werden, daß er, schon Mangels aller festen Unterlagen darüber, ob und inwieweit der inländische Kapitalbedarf befriedigt ist, in der Praxis völlig im Stiche läßt. Auch der bestehende Zinsfuß kann nicht mit auch nur einiger Sicherheit zur Lösung der Frage herangezogen werden; ein niedriger Diskontsatz wird fast automatisch eine größere Kapitalnachfrage zur Folge haben und ein hoher Diskontsatz kann auf ganz andere Gründe als übermäßige Einfuhr ausländischer Papiere zurückzuführen, also auch nicht durch eine künstliche Eindämmung dieser Einfuhr, die überdies große wirtschaftliche und politische Nachteile zur Folge haben könnte, zu beseitigen sein.

Daraus folgt, daß auch die Regierung, falls ihr nach dem Wunsche politischer Parteien das privilegium odiosum gewährt werden sollte, die Emission ausländischer Anleihen generell für eine gewisse Zeit oder für einzelne Fälle zu untersagen, für ihre Entscheidung keinerlei sichere Grundlagen haben könnte, also gezwungen wäre, nach ihrem Ermessen, d. h. willkürlich oder unter dem Drucke der gerade herrschenden Parteien, zu entscheiden. Dies ist unmöglich, würde jede Emissionstätigkeit in solchen Anleihen, deren wir dringend bedürfen, unterbinden, unseren wirtschaftlichen und politischen Einfluß im Auslande schwer schädigen, und überdies die Regierung im Genehmigungs- und Ablehnungsfalle mit einer finanziellen und politischen Verantwortlichkeit belasten, die sie nicht übernehmen kann und darf [1]).

---

1) Vgl. zu letzterem Punkte namentlich Dove im Bank-Archiv vom 15. März 1911 (10. Jahrg., No. 14) S. 223—225 und im allgemeinen Helfferich, ebenda S. 209;

2. Internationale Geschäftsbeziehungen und internationale Emissionen dürfen immer nur Mittel zur Erreichung nationaler Ziele sein und müssen sich in den Dienst der nationalen Arbeit stellen.

3. Auch dann, wenn diese Voraussetzungen gegeben sind, ist, auf Grund der bei uns in den 80er Jahren hinsichtlich der argentinischen, griechischen, portugiesischen, serbischen Papiere u. a. m. gemachten Erfahrungen, vor allem zu verlangen, daß bei der Auswahl der zu emittierenden Papiere mit größter Sorgfalt vorgegangen und zwischen den einzelnen Ländern und Werten scharf unterschieden werde.

Allerdings ist, was die 80er Jahre angeht, richtig, daß wir, als wir zuerst den Wettbewerb auch nach dieser Richtung aufnahmen, im wesentlichen nur diejenigen ausländischen Anleihen erhielten, welche die anderen Staaten mit ihren alten internationalen Beziehungen uns übrig ließen oder wenigstens nicht sehr ernstlich streitig machten, und daß um deswillen der sorgfältigen Auswahl bei uns einigermaßen enge Grenzen gezogen waren.

Seitdem unsere geschäftlichen Beziehungen zum und im Auslande sich infolge langsamer, sorgfältiger und mühevoller Arbeit erfreulicherweise kräftig gebessert haben, werden wir mehr denn je darauf zu achten haben, daß wir in der Regel nur Werte solcher ausländischer Staaten emittieren dürfen, welche durch gute Kolonien oder große landwirtschaftlich oder kommerziell oder industriell ausnutzbare Provinzen ein reiches und ausgedehntes Hinterland oder sonstige starke Reserven besitzen, und hierdurch auch schlechte Zeiten gut zu ertragen und rasch zu überwinden in der Lage sind.

Außerdem muß, soweit es irgend angängig ist und soweit nicht frühere dem Ausland gegenüber eingegangene Verpflichtungen uns die Hände binden, sowohl die Emissionszeit wie der Emissionsbetrag und der Zinsfuß unter Berücksichtigung auch der jeweiligen heimischen wirtschaftlichen und finanziellen Lage bestimmt werden. Vorbehaltlich jener früheren Verpflichtungen muß also insbesondere in Zeiten der Hochkonjunktur behufs Unterstützung der Diskontpolitik der Reichsbank, mit der Emission ausländischer Werte, und im Interesse unserer Zahlungsbilanz [1]) mit der Gewährung

---

Dernburg, Kapital und Staatsaufsicht, Berlin 1911 und Gustav Cohn im Bank-Archiv, a. a. O. S. 217—221; Referat des Generalkonsuls Franz v. Mendelssohn auf dem 37. Deutschen Handelstage (1911).

1) Ich halte den Ausdruck Forderungsbilanz, den Sartorius Freih. v. Waltershausen in dem im Text demnächst näher zu besprechenden Buche: „Das volkswirtschaftliche System der Kapitalanlage im Auslande" mit guten Gründen an Stelle des Wortes Zahlungsbilanz vorschlägt (S. 73 ff.), für weit zutreffender.

langfristiger Kredite an das Ausland tunlichst Maß gehalten werden, ein Grundsatz, der seitens der deutschen Kreditbanken nicht immer in ausreichendem Maße beachtet wurde. Weiter muß, soweit dies nach den bestehenden Machtverhältnissen durchsetzbar und nach dem Zwecke der betreffenden Emission möglich ist, bedungen werden, daß die heimische Industrie zu dem für den Emissionszweck etwa erforderlichen Arbeiten und Lieferungen herangezogen werde. Immerhin darf aber bei der Kritik des bisherigen Verfahrens nicht außer Augen gelassen werden, daß, wenn ein ausländischer Staat, vielleicht nach langer Pause, wegen Beschaffung der nun für ihn dringlich nötigen Geldmittel in dem für ihn passenden Momente an uns herantritt, wir ihm in den seltensten Fällen erwidern können, daß uns der Moment nicht passe, und daß er also zu anderer Zeit wiederkommen möge. Mit einem solchen Verhalten würden wir in der Regel nicht nur unsere Beziehungen zu diesem ausländischen Staat, sondern auch unter Umständen unsere ganze Stellung im internationalen Verkehr verscherzen können.

Treffend führt der Geschäftsbericht der Dresdner Bank für 1910 aus:

„Wenn neuerdings über eine „Überschwemmung" Deutschlands mit ausländischen Werten geklagt und die Forderung aufgestellt wird, wir dürften nur in Zeiten der Geldfülle und geringer Ansprüche des inländischen Marktes Kapital nach dem Auslande exportieren, so ist zuzugeben, daß es ein idealer Zustand wäre, wenn Deutschland die Vorteile einer einflußreichen Position im Weltverkehr ohne ihre Nachteile einheimsen und eine Ausnahme von der Regel bilden könnte, daß, wer nehmen will, auch geben muß. Schon im einheimischen Verkehr würde aber ein Geldinstitut sein Ansehen verlieren, wenn es die Kreditbedürfnisse seiner Klientel nur in Zeiten befriedigen wollte, wo es selbst für müssiges Kapital Anlage sucht, in schlechten Zeiten dagegen, wo ihm die Geldbeschaffung unbequem ist, versagen würde. Noch viel verfehlter und verhängnisvoller wäre ein solches Verhalten im internationalen Verkehr. Sobald auch nur entfernte Anzeichen dafür bemerkbar würden, daß auf Deutschlands Hilfe zur Befriedigung von Kreditbedürfnissen der ihm befreundeten Länder weniger Verlaß sei, wie auf die stete Hilfsbereitschaft von England, Frankreich und vielfach auch von Nordamerika, würde Deutschlands politischer und wirtschaftlicher Einfluß, Handel, Schiffahrt und Export einen durch die mächtigste Flotte nicht auszugleichenden Schaden erleiden. Die $5^1/_4$ Milliarden ausländischer Werte, welche Deutschland nach der Statistik des Effektenstempels in den letzten 10 Jahren eingeführt hat, fallen fast ausschließlich · unter diesen Gesichtspunkt, sie betreffen Anleihen ausländischer

Staaten (Rußland, Balkanstaaten, Österreich, China, Japan, Südamerika), an denen Deutschland sich beteiligen mußte, wenn es nicht seine politische Stellung und seine Handelsbeziehungen gefährden wollte." (Vgl. im übrigen unter § 7).

Im allgemeinen ist in der Tat, wie der Jubiläumsbericht der Disconto-Gesellschaft S. 45 mit Recht hervorhebt, „gerade die Übernahme fremder Anleihen und ihre Einführung am deutschen Markte durch die Banken der Entwicklung der deutschen Industrie außerordentlich förderlich gewesen". So haben unter anderen die russischen, österreichischen, ungarischen, portugiesischen, sowie die rumänischen Eisenbahnanleihen der 90er Jahre, sowie die Finanzierungen der Venezuelabahn, der Anatolischen Eisenbahnen und der Bagdadbahn, die Bauten am Eisernen Tor, die langjährigen Bauten der Schantung-Eisenbahn und der Schantung-Bergbaugesellschaft u. a. m., der deutschen Industrie eine Fülle lohnender Aufträge gebracht. Dagegen ist es in anderen Fällen infolge der bestehenden Macht- und Konkurrenzverhältnisse, ungeachtet aller Bemühungen, nicht gelungen, eine Heranziehung der deutschen Industrie durchzusetzen, obwohl die Banken diese Heranziehung in geeigneten Fällen, z. B. bei der Kongoeisenbahn[1]), sogar zur Bedingung ihrer eigenen finanziellen Beteiligung erhoben hatten.

Bei Beobachtung der oben erörterten allgemeinen und besonderen Voraussetzungen wird man, ungeachtet aller harten Erfahrungen, mit Schmoller[2]) in dem Schlußergebnis übereinstimmen müssen, daß Deutschland, wenn es seine Bedeutung auf dem Weltmarkt erhalten und stärken will, sein auswärtiges Kapitalgeschäft im allgemeinen eher vermehren, als einschränken soll.

Es ist zweifellos richtig, daß „gegenüber der enormen Steigerung der Ansprüche des öffentlichen Kredits und der Neu-Investierungen in deutschen industriellen und kommerziellen Unternehmungen die Anlage in Auslandswerten durchaus zurückgeblieben ist. Deutschland hat im Laufe der letzten Jahre unter dem Druck der gewaltigen Ansprüche für den öffentlichen Kredit und für den Ausbau seiner industriellen Ausrüstung, den Auslandswerten nicht zu viel, sondern zu wenig Beachtung geschenkt[3]).

Die Tatsache, daß schlimme, zum Teil weit schlimmere, Erfahrungen auch allen anderen Ländern nicht erspart worden sind, und daß auf diesem besonders schwierigen Gebiete naturgemäß eine

---

1) Jubiläumsbericht der Disconto-Gesellschaft, S. 127.
2) Börsen-Enquête-Kommission, Verzeichnis der abgelehnten oder zurück-gezogenen Anträge usw., S. 21.
3) Karl Helfferich im Bank-Archiv vom 15. April 1911 (10. Jahrg., No. 14 S. 213); vgl. die dort auf S. 212 verzeichnete Tabelle.

Lehrzeit durchgemacht werden muß, scheint Sartorius Freiherr v. Waltershausen bei den Vorschlägen, die er in seinem wertvollen Buche über: „Das volkswirtschaftliche System der Kapitalanlage im Auslande"[1]) macht, nicht ausreichend zu berücksichtigen. Denn diese Vorschläge sind vielfach, wenn er sich auch dagegen verwahrt, doch nichts anderes als der Ausdruck eines starken und, wie ich glaube, in diesem Maße gänzlich unverdienten Mißtrauens gegen die bisherige Leitung unserer Banken, die denn doch, ungeachtet einzelner Fehler und Irrtümer, große und nationale Erfolge erzielt haben.

Hiervon abgesehen sind aber auch die Einzelvorschläge meines Erachtens häufig praktisch nicht durchführbar.

Das gilt zunächst von dem Vorschlage, daß, da eine geeignete Vertretung der Interessen der Übernehmer von Wertpapieren nicht vorhanden sei, die Schutzkomitees zur Vertretung gefährdeter Interessen von Effektenbesitzern auch präventiv in der Weise tätig werden sollten (a. a. O. S. 310ff.), daß sie ihre Mitglieder bei dem Erwerb neu emittierter Papiere sorgfältig beraten sollen. Demgegenüber dürfte wohl der Einwand Kaemmerers durchschlagend sein, daß wir eine solche — vom Verfasser vermißte — Organisation in unseren Banken bereits besitzen, und daß diese ihre Klienten in der Frage des Erwerbs der von ihnen selbst oder von anderen Banken emittierten Papieren nicht wider besseres Wissen zu beraten pflegen, während sie andererseits in der Regel auf diesem Gebiete weit sachverständiger sind, als die Mitglieder irgendwelcher Schutzkomitees[2]). Außerdem sind aber nach unseren gesetzlichen Vorschriften die Prospekte gerade dazu da, um alle für die Beurteilung des inneren Wertes von Papieren maßgebenden Momente darzulegen; sie tun es auch in der Regel, nur werden sie in der Regel nicht gelesen! Die Leute, die auf ein Steigen der Papiere rechnen, lesen weder Prospekte, noch hören sie den Rat oder das Abraten Dritter oder gar von Schutzvereinigungen an.

Nicht anders steht es mit dem Vorschlage (a. a. O. S. 305), daß die Emittenten, um sie dauernd an staatlichen und kommunalen Emissionen zu interessieren, gesetzlich verpflichtet werden sollten, eine, wenn auch nur geringe Quote der Emission (nach abgestufter Skala, ½—2%) dauernd selbst zu behalten und (etwa bei der Reichsbank) zu hinterlegen. Ich kann versichern, daß dieser Vorschlag nicht nur, wie der Verfasser meint, von Bankiers „mit Kopfschütteln begleitet" wird (a. a. O. S. 30f.). Er erinnert sehr an den anderen Gedanken, daß die Banken einen Teil der

---

1) Berlin 1907, Georg Reimer.
2) Bank-Archiv vom 1. September 1908, 7. Jahrg., No. 23, S. 357.

fremden Gelder bei der Reichsbank hinterlegen sollen; wenn das
so weiter geht, ist der Idealzustand erreicht: das Kapital wird ganz
oder zum großen Teil hinterlegt und damit festgelegt, dann ist
die Liquidität, die Sicherheit und die angemessene Leitung sicherlich
garantiert — es können nur keine Geschäfte mehr gemacht
werden! Glaubt man denn aber wirklich, daß mit der Klinke der
Gesetzgebung und mit Regierungsanweisungen alles, auch die nach der
Ansicht der (untereinander wieder erheblich differierenden) Kritiker
richtigere Leitung unseres Bankwesens, erreicht werden kann? Vestigia
terrent — auf keinem Gebiete haben staatliche Aufsicht und gesetzliche Eingriffe in so kläglicher Weise, wie wir wiederholt gezeigt
haben, Bankerott gemacht, als auf dem des Bankwesens; der Staats-
gedanke steht mir zu hoch, als daß ich ihn weiter solchen, in der
Regel beschämenden Proben aussetzen möchte, so wenig ich auch
sonst auf manchesterlichem Standpunkt stehe.

Diese Kritik an Einzelvorschlägen des Verfassers hindert
mich jedoch nicht, mit Genugtuung anzuerkennen, daß wir in den
Grundgedanken, also in bezug auf die Voraussetzungen und
Ziele der Emission auswärtiger Anleihen, wie mir scheint, einig
gehen, Grundgedanken, die ich im wesentlichen schon in der im
Jahre 1906, also vor dem Werke des Verfassers erschienenen 2. Auflage dieses Buches ausgesprochen hatte. —

Es kam mir bei allen vorstehenden Erörterungen lediglich darauf an,
dahin zu wirken, daß innerhalb des Bankwesens auch auf diesem Gebiete
aus den Lehren und aus den Erfahrungen der Vergangenheit richtige
Folgerungen für die Zukunft gezogen und daß von Außenstehenden
nicht praktisch undurchführbare Reformvorschläge gemacht werden.
Dagegen scheint es mir, angesichts der zweifellosen Tatsache, daß
infolge der Emission exotischer Wertpapiere Deutschland in den
80er Jahren, speziell in den Jahren 1886—1889[1]), sehr erhebliche
Verluste entstanden sind, wenig wesentlich, nachzuprüfen, ob die
Angaben über die Höhe dieser Verluste richtig oder vielleicht aus
einer Reihe von Gründen unrichtig sind. Zu diesen Gründen
gehört, daß, worauf Ad. Weber hinweist, kaum ein Kapitalist die
Papiere gerade zum höchsten Kurse ankaufte und zum niedrigsten

---

[1]) Es handelte sich dabei namentlich um Argentinier, Griechen, Portu-
giesen, Serben, Buenos-Aires-Stadtanleihe, brasilianische, nieder-
ländisch-südafrikanische und mexikanische Eisenbahnanleihen, an
deren Emission (bei dem einen oder anderen Papier) alle Großbanken ohne Ausnahme
(zusammen mit einer Reihe anderer Banken und Bankhäuser) in größerem oder geringerem Umfange beteiligt waren, und von denen verschiedene bald nach der Emission
notleidend wurden, was lebhafte Vorwürfe gegen die Emittenten hervorrief. S. die
(allerdings nur mit Vorbehalt zu übernehmende) Tabelle des D Ökonomist bei Ad.
Weber, a. a. O. S. 132.

verkaufte; daß ferner die große Zahl derer nicht berücksichtigt ist, welche diese Papiere nur um des Kursgewinnes willen gekauft und sie nach den in sehr vielen Fällen unmittelbar nach der Emission eingetretenen starken Kurssteigerungen (bis 10% und darüber) wieder veräußert haben; daß endlich in der auch von Ad. Weber (a. a. O. S. 133) aus dem Deutschen Ökonomist übernommenen Tabelle Papiere verzeichnet sind, die nicht einen Tag notleidend gewesen sind, wie z. B. die Lissaboner Stadtanleihe. In gleichem Sinne glaube ich auch keinen entscheidenden Wert auf die — allerdings unbestreitbare — Tatsache legen zu sollen, daß, worauf Schmoller in der bekannten „Einleitung" zu den Verhandlungen der Börsen-Enquête-Kommission (S. XXV) aufmerksam machte, den Verlusten auch die Gewinne gegenüberzustellen seien, die Deutschland allein an amerikanischen und russischen Papieren in der Zeit von 1860—1892 in Höhe von einer Milliarde M gemacht habe[1]).

Notwendig ist jedoch (sowohl für die Vergangenheit als für die Zukunft), festzustellen, daß zur Zeit jener Emissionen die den Geldwert und Kapitalzins herabdrückende, durch die vorausgegangene wirtschaftliche Depression hervorgerufene Geldfülle der dadurch entstandene niedrige Diskontsatz, sowie die eingetretenen Eisenbahnverstaatlichungen und wirkliche, oder auch, was meist schon ausreicht, nur befürchtete[2]) Konversionen erheblichen Umfanges die Anlagesuchenden in stürmischer Weise höher verzinsliche Werte begehren ließen.

In diesem Zusammenhange ist es nicht ohne Interesse, aus Gilbart's mehrfach zitiertem Buche[3]) zu konstatieren, daß in England, hauptsächlich gleichfalls infolge der Überfülle disponiblen Kapitals nnd des dadurch hervorgerufenen niedrigen Zinsfußes bereits in den Jahren 1822 bis (einschließlich) 1825 auswärtige und speziell exotische Anleihen in der Gesamthöhe von 25 994 511 £, also von über ½ Milliarde M in vier Jahren, emittiert worden sind[4]), mit denen man dann späterhin auch manche schlimme Erfahrung gemacht hat. Zwar befanden sich darunter auch eine 5% preußische von

---

1) Auch die Siemens'schen Berechnungen (vgl. Deutscher Ökonomist vom 14. September 1901, S. 529), so richtig sie sind, können nach den hier in den Vordergrund gestellten Gesichtspunkten nicht als entscheidend angesehen werden. Wichtiger ist aber der (auch oben mehrfach gemachte) Hinweis Rob. Liefmann's (Conrads Jahrb., 3. Folge, Bd. XXVII, S. 172), daß vielfach bei der Emission ausländischer Anleihen ein erheblicher Teil überhaupt nicht an deutschen, sondern an fremden Märkten untergebracht wird.

2) Ad. Weber, a. a. O. S. 134, Anm. 3.

3) The History, Principles and Practice of Banking, London 1901, I, S. 64 (vgl. eod. S. 181).

4) Nur eine in die Tabelle aufgenommene 5%ige preußische Anleihe von 5 Mill. stammte schon aus dem Jahre 1818.

£ 3 500 000 aus dem Jahre 1822, eine 3% dänische von £ 5 500 000 aus dem Jahre 1825 und eine 5% russische von £ 3 500 000 aus dem Jahre 1822, aber im übrigen, also im wesentlichen, waren es speziell „exotische Werte": 5% Anleihen von Australien, Brasilien (2), Griechenland (2), Mexiko, Portugal, Spanien (2) und 6% Anleihen von Buenos-Aires, Chile, Columbien (1), Guatemala, Mexiko, Peru (2) usw. In England aber hatte damals gleichfalls hinsichtlich sehr bedeutender Beträge von Konsols eine starke Zinsreduktion stattgefunden, die man sicherlich schon lange vorher hatte kommen sehen, nämlich: 1823 die Konversion von £ 135 Mill. 5% Konsols auf 4% und 1825 die Konversion von £ 80 Mill. 4% Konsols auf 3½%.

β) Der Umfang der Emission ausländischer Werte in Deutschland.

Faßt man alle ausländischen Emissionen (mit Ausnahme der Emissionen ausländischer Aktien), also die Emission ausländischer Staats- und Kommunalanleihen, Eisenbahnobligationen usw., zusammen, so ergeben sich nach dem Deutschen Ökonomist für die Zeit von 1894 ab, also für die letzten 15 Jahre, folgende effektive Beträge:

In Millionen Mark.

1894	338	1900	185	1906	149
1895	300	1901	199	1907	129
1896	498	1902	445	1908	205
1897	608	1903	199	1909	314
1898	891	1904	186	1910	473
1899	203	1905	874		

Die von 1897—1910 zum Börsenhandel zugelassenen ausländischen Wertpapiere umfaßten zusammen [1] (in Millionen Mark)

$$32\,919,8$$
darunter konvertierte Papiere . . . $\underline{14\,847,9}$
also abzüglich der Konvertierungen   18 071,9

Die Mehrzahl jener ausländischen Wertpapiere wurden zugleich an ausländischen Börsen aufgelegt.

Von rund 33 Milliarden Mark in den Jahren 1897—1910 zum Börsenhandel zugelassener ausländischer Wertpapiere entfielen:

---

1) Nach den Vierteljahrsheften zur Statistik des Reiches 1908, Heft II, S. 241/242 und 1911, Heft I, S. 236/237 berechnet. Auch der Tabelle auf S. 324 oben sind diese Angaben zugrunde gelegt.

In Millionen Mark (Nennbeträgen)

Auf Staatsanleihen . . .	21 684,5	darunter	13 065,2	Konvertierungen
„ Provinzial- u. Städte- anleihen	814,6	„	54,0	„
„ Pfandbriefe v. Land- schaften und ähn- licher Institute	993,1	„	202,3	
„ Pfandbriefe v. Hypo- thekenbanken .	458,7	„	8,6	
„ Bankaktien.	565,8	„	8,6	
„ Bank-Obligationen	45,5	„	—	
„ Eisenbahnaktien. .	2 932,1	„		
„ Eisenbahn-Obliga- tionen	4 960,0	„	1471,0	„
„ Industrieaktien . .	281,1	„	31,9	
„ Industrie-Obliga- tionen	184,4	„	6,3	„

Sa. 32 919,8 darunter 14 847,9 Konvertierungen

Die ausländischen Staats und Kommunalanleihen
allein betrugen nach dem Deutschen Ökonomist:

In Millionen Mark (effektiv)

1894	195	1900	171	1906	711
1895	98	1901	42	1907	78
1896	264	1902	400	1908	78
1897	233	1903	116	1909	164
1898	278	1904	99	1910	207
1899	102	1905	711		

In der Hauptemissionszeit für ausländische Werte, also in den
Jahren 1886—1889, stellten sich die Nennbeträge dieser Emissionen
(in Millionen M) folgendermaßen:

1886	516,4
1887	456,3
1888	696,1
1889	749,1

so daß also in diesen 4 Jahren insgesamt nom. 2417 Mill. M[1]) auswärtiger Anleihen gegenüber nom. 5431 Mill. M Emissionen
aller Art, also fast die Hälfte der gesamten Emissionen, stattgefunden haben. Ich weise jedoch dabei nochmals auf die vielen
Bedenken gegen diese Ziffern (s. oben S. 300/301), insbesondere auf
die Tatsache hin, daß ein erheblicher Teil dieser Emissionen überhaupt nicht in Deutschland untergebracht, also auch vom deutschen
Publikum nicht bezahlt worden ist.

Legt man aber für die Zeit 1900—1910 die Ziffernangaben
der oben (S. 296/299) mitgeteilten Tabelle des Deutschen Ökonomist

---

1) Ad. Weber, Depositenbanken und Spekulationsbanken, S. 132. Gegenüber diesen (aus dem Deutschen Ökonomist entnommenen) Zahlenangaben steht
aber wieder eine abweichende Angabe des Deutschen Ökonomist selbst (vom 22. Juli
1899, S. 527), wonach sich die Zahl von 2417 Mill. M sehr erheblich, nämlich auf
1973 Mill. M, herabmindern würde.

zugrunde, in welcher alle einzelnen Effektengattungen der Emission
auswärtiger Werte, also auch die oben nicht mitgezählten
Aktien, berücksichtigt sind, so kommt man für diese Zeit auf folgendes Resultat:

Effektive Beträge in Millionen Mark.

1900	275,27	1904	232,11	1908	228,02
1901	210,83	1905	1108,49	1909	348,76
1902	453,50	1906	220,65	1910	545,64
1903	241,67	1907	152,66		

während die gesamten Emissionen (inländischer und ausländischer
Papiere) für die nämliche Zeit (effektive Beträge in Millionen M)
nach den auf S. 295 mitgeteilten Zahlen betrugen:

1900	1777,11	1904	1995,07	1908	3652,16
1901	1623,14	1905	3190,68	1909	3590,29
1902	2110,69	1906	2741,48	1910	2991,85
1903	1665,80	1907	2135,59		

Es geht daraus hervor, daß die deutschen Banken, zum Teil unter
dem Eindruck der Erfahrungen, die sie mit einem Teil der in den
80er Jahren emittierten ausländischen Anleihen gemacht hatten, ungemein viel vorsichtiger mit der Emission ausländischer Anleihen
geworden sind.

Es folgt weiter aus der vorletzten Tabelle, daß die Emissionen
ausländischer Werte (152,66 Mill. M) im Jahre 1907, in welchem
die Geldknappheit auch in Deutschland infolge der amerikanischen
Krisis eine sehr starke war, gegenüber denen des Jahres 1906
(220,65 Mill. M) sehr erheblich zurückgegangen sind. Die Emissionen ausländischer Werte des letzteren Jahres stellen aber nur
etwa den fünften Teil der entsprechenden Emissionen des Jahres
1905 dar.

Während endlich, wie oben erwähnt, das Verhältnis der Emissionen ausländischer Werte in den Jahren der Hochflut (1886—1889)
etwa 45 % sämtlicher überhaupt in Deutschland erfolgten Emissionen
betrug, umfaßten die Emissionen ausländischer Werte im Jahre 1905
nur etwas mehr als $1/_8$, im Jahre 1906 etwas weniger als $1/_{10}$ und im
Jahre 1907 nur etwa $1/_{15}$ aller deutschen Emissionen der gleichen
Jahre.

Auch hieraus ist ersichtlich, daß, gerade in den Jahren, in
welchen wir in besonders erfreulichem Umfange eine Kräftigung der
heimischen Produktions- und Kaufkraft feststellen konnten, der
„Kapitalexport" aus Deutschland nach dem Auslande erheblich abgenommen hat. Vergleicht man das Jahrfünft 1886—1890 mit demjenigen von 1906—1910 so sind: in dem ersten die Staats- und
Kommunal-Anleihen, also die dem öffentlichen Kredit dienenden
Emissionen (in Mill. M) von 1782 auf 6083, und die Emissionen,

welche dem Bodenkredit, dem im industriellen und kommerziellen Kredit dienen zusammen (in Mill. M) von 1275 auf 4859, also die gesamten Inlands-Emissionen von 4360 auf 12615 gestiegen. Dagegen sind die Auslands-Emissionen in jenen beiden Jahrfünften (in Mill. M) von 2322 auf 1497 gefallen [1]).

e) Die von den einzelnen Berliner Großbanken emittierten Wertpapiere, soweit sie zum Börsenhandel zugelassen wurden.

Über die sämtlichen in den Jahren 1883—1910 an der Berliner Börse zum Handel und zur Notierung zugelassenen Wertpapiere, soweit sie von den sechs Berliner Großbanken emittiert wurden, gibt die am Schlusse dieses Buches abgedruckte Beilage V genaue Auskunft.

Die Beilage VI enthält dagegen sämtliche in den Jahren 1897 bis 1910 zum Handel und zur Notierung an allen deutschen Börsen zugelassenen Wertpapiere, soweit sie von den sechs Berliner Großbanken emittiert wurden.

Vor 1897 war amtliches Material nur für die Berliner Börse zu beschaffen.

f) Das Konsortialgeschäft.

Wir haben bereits festgestellt (S. 289/90), daß schon die beiden Hauptgrundsätze jeder gesunden Bankpolitik, Liquidität der Bilanz und Verteilung des persönlichen, sachlichen, räumlichen und zeitlichen Risikos, selbst bei aussichtsreichsten Geschäften und glänzendster Marktlage und bei voraussichtlich rascher und glatter Abwicklung, mit Notwendigkeit dahin führen müssen, daß eine Bank bei größeren Übernahmegeschäften sich Teilnehmer (Konsorten) zugesellt. Denn mit der Möglichkeit des Umschlags der politischen oder wirtschaftlichen Witterung und der für den einzelnen Fall in Betracht kommenden Konjunkturen und Aussichten ist stets zu rechnen.

Wir sahen auch, daß im Jahre 1859 bei den deutschen Kreditbanken wohl zum ersten Male zwei Bankkonsortien gebildet worden sind. Das erste wurde seitens der Darmstädter Bank für die Übernahme mehrerer im Jahre 1860 zur Abwicklung gelangter Engagements, insbesondere der Rhein-Nahe-Obligationen, gebildet, was im 1860 er Geschäftsbericht dieser Bank mit den Worten besonders erwähnt ist: „Diese Form hat ihre entschiedenen Vorzüge, indem sie das Risiko der einzelnen vermindert und zugleich die Durch-

---

1) Vgl. die Tabelle bei Karl Helfferich, Auslandswerte (im Bank-Archiv vom 15. April 1911, Jahrg. 10. No. 14, S. 212).

führung erleichtert". Das zweite wurde seitens der Disconto-Gesellschaft behufs Übernahme eines Teils der für die Mobilmachung des preußischen Heeres erforderlichen Anleihe von 30 000 000 Tlr. gebildet und hat die erste Anregung zur Gründung des späteren sogenannten „Preußen-Konsortiums" gegeben.

In solchen Konsortien werden die einzelnen Teilnehmer naturgemäß verpflichtet, während der Dauer des Konsortialvertrages, welche festgelegt wird, aber durch einmütigen Beschluß verlängert werden kann, ihre Stücke zur gemeinsamen Verwertung im Konsortium zu binden; die Verwertung wird in der Regel einem Leiter oder mehreren Konsortialleitern übertragen, welche gewöhnlich für wichtige oder über den regelmäßigen Verlauf des Konsortialgeschäfts hinausgehende Maßregeln an die Zustimmung eines Ausschusses oder, bei kleineren Konsortien, an die Zustimmung der übrigen Konsorten gebunden werden. Meist wird auch ein Maximalbetrag für etwa später notwendig werdende Aufnahmen bestimmt, dessen Überschreitung, falls sie von der Konsortialleitung für notwendig oder nützlich gehalten wird, in der Regel durch Mehrheitsbeschluß oder mit Zustimmung des Ausschusses gestattet ist.

Den Abgaben von „Unterbeteiligungen" seitens der einzelnen Konsortien, die vielfach erfolgen, kann wiederum die Rücksicht auf die Risikoverteilung und Liquidität zugrunde liegen. Sehr oft aber ist hierfür auch die rein geschäftliche Rücksicht entscheidend, durch derartige Aufmerksamkeiten sich entweder den Anspruch auf ähnliche Behandlung seitens der damit bedachten in- oder ausländischen Bankhäuser zu erwerben, oder sich für eine solche bereits erfolgte Aufmerksamkeit erkenntlich zu zeigen. In ungemein häufigen Fällen will man aber damit auch derjenigen Kundschaft, auf die besonderer Wert gelegt wird, in besonderer Weise entgegenkommen, oder einzelnen Kunden einen Ausgleich für etwa weniger vorteilhaft oder gar mit Verlust abgewickelte frühere Beteiligungen bieten. Derartige „Unterbeteiligte" erwerben keinerlei Rechte gegen das Konsortium, sondern nur Rechte gegen denjenigen Konsorten, welcher sie „unter sich" beteiligt hat; der letztere ist jenen aber nachrichts- und abrechnungspflichtig und hat überhaupt auch in diesem Verhältnis zu seinen Unterkonsorten alles zu tun, was „Treu und Glauben mit Rücksicht auf die Verkehrssitte erfordert" (§ 157 BGB), also auch alles zu unterlassen, was diesem Grundsatze widerspricht.

Unter den Konsortien spielen eine große Rolle die sogenannten Garantiekonsortien, die vielfach von seiten industrieller oder kommerzieller Unternehmungen aus einer Reihe von Banken gebildet werden, um den Erfolg einer Kapitalerhöhung sicher zu stellen. Hierbei wird entweder das gesetzliche Bezugsrecht der

alten Aktionäre ausgeschlossen, welchenfalls ihnen das Garantiekonsortium die Aktien zum Übernahmepreis zuzüglich eines mehr
oder minder erheblichen Zuschlags anzubieten pflegt, oder es bleibt
das gesetzliche Bezugsrecht bestehen, das Garantiekonsortium verpflichtet sich aber, diejenigen Stücke zu beziehen, welche von den
alten Aktionären nicht bezogen werden sollten. In recht vielen
Fällen ist die Annahme von Konsortialbeteiligungen k e i n e v ö l l i g
f r e i w i l l i g e. Überall da, wo feste Gruppen bestehen (z. B. Gruppen
für asiatische, russische, österreichisch-ungarische Geschäfte oder
Gruppen für Geschäfte auf dem Gebiete der elektrischen Industrie),
wird die einmal in der Gruppe befindliche Bank, falls ihr nicht besondere Abmachungen, was selten ist, freistellen, von einem einzelnen
Geschäft der Gruppe fernbleiben zu können, ohne weiteres ihre
ratierliche Beteiligung an Übernahme- und Emissionsgeschäften
akzeptieren müssen. Dies auch dann, wenn sie etwa gegen das
einzelne Geschäft oder dessen Modalitäten oder gegen die Bestimmung des Emissionstermins oder die nicht minder wichtige des
Emissionskurses oder gegen andere Bedingungen der Emission Bedenken haben sollte.

Der Versuch, den Betrag der Konsortialgeschäfte und die
Höhe der Konsortialbeteiligungen in der ersten und zweiten Epoche
aufzählen zu wollen, würde für die Zeit vor 1909 an verschiedenen
Umständen scheitern müssen.

Einerseits waren nämlich die Konsortialbeteiligungen der Banken
in den Bilanzen früher (anders in den von Ende Februar 1909 ab
publizierten Rohbilanzen der Berliner Großbanken) von den „eigenen
Wertpapieren" vielfach, was entschieden nicht richtig war, nicht
getrennt aufgeführt worden. Andererseits waren häufig Beträge
auf Effektenkonto gebucht worden, die auf Konsortialkonto gehören
oder umgekehrt. Es sollte grundsätzlich daran festgehalten werden,
daß auf Konsortialkonto alle diejenigen Beteiligungen zu buchen
sind, auf denen noch eine Nachschußverpflichtung ruht oder über
welche die Bank nicht verfügen kann, während, wenn eine dieser
Voraussetzungen nicht oder nicht mehr gegeben ist, die aus einem
Konsortialverhältnis einer Bank überwiesenen Stücke auf das Effektenkonto gehören. Endlich war vielfach das Konsortialkonto (ebenso
wie das Effektenkonto) in den Bilanzen nicht oder nicht ausreichend
spezifiziert, während die bloße Aufzählung der Konsortialbeteiligungen
an Interesse und an Wert verliert, wenn nicht zugleich Aufschlüsse
über die persönliche, sachliche, räumliche und zeitliche Verteilung
des Risikos im Konsortialgeschäft gegeben werden können, was
geschäftlich nicht möglich ist.

Unausführbar ist auch, wie im § 8 näher ausgeführt werden
wird, der Wunsch, daß die am Schluß des Jahres auf den Konsor-

tialbeteiligungen haftenden Einzahlungsverpflichtungen angegeben werden sollen, weil die Höhe dieser Verpflichtungen häufig selbst der Konsortialleitung aus naheliegenden Gründen unbekannt ist und jedenfalls meist am 31. Dezember nicht übersehen werden kann.

Auf Grund der obigen Darlegungen vermag ich hier nur einige ziffernmäßige Angaben, und auch diese, mit Rücksicht auf die oben mitgeteilten früheren Mängel der Bilanzierung, nur unter Vorbehalt, zu machen.

Die Anzahl der Konsortialbeteiligungen der Deutschen Bank in Staats-, Kommunal- und Eisenbahnpapieren sowie in „Aktien und Obligationen verschiedener Gesellschaften" betrug in den Jahren vor und während der Krisis von 1900, also von 1897—1901 einschließlich: 107, 127, 146, 160, 179; der Betrag: 30,22; 33,92; 29,81; 32,08; 33,87 Mill. M[1]).

Bei der Dresdner Bank setzte sich das Konsortialkonto in den Jahren 1896—1910 wie folgt zusammen (die Beträge in Mill. M):

(S. Tabelle S. 330.)

Nach den Veröffentlichungen der Rohbilanzen[2]) von sieben Berliner Banken betrugen bei diesen die Konsortialbeteiligungen am 31. Aug. 1911:

	in Mill. M	gegenüber dem Stande vom 31. Dezember 1910
bei der Deutschen Bank	40,5	39,5 Mill. M
„ „ Disconto-Gesellschaft . . .	30,9	41,3 „ „
„ „ Dresdner Bank	33,7	44,1
„ „ Darmstädter Bank	41,1	45,2
„ dem A. Schaaffhausen'schen Bank- verein	31,1	35,5
„ der Nationalbank für Deutsch- land	31,9	32,3
„ der Commerz- u. Disconto-Bank .	14,9	15,9

g) Das Effektengeschäft.

Das Effektengeschäft der Banken ist teils ein freiwilliges, teils ein unfreiwilliges.

Zu dem freiwilligen Effektengeschäft rechnet die Anlage der liquiden Mittel in entsprechend liquiden, d. h. rasch realisierbaren Anlagepapieren, und das spekulative Effektengeschäft. Das letztere kann sich abspielen in der Form des (an sich durchaus be-

---

1) Ad. Weber, a. a. O. S. 128/129; die Angabe pro 1900 stimmt nicht ganz mit der entsprechenden Ziffer bei Ernst Loeb, Dis Berliner Großbanken in den Jahren 1895—1902, S. 121, welcher im übrigen auch noch die Terrainbeteiligungen angibt (von 1897—1901: 3, 3, 8, 8, 11).

2) Dieselben erfolgten vom Febr. 1909 ab; die Berliner Handelsgesellschaft veröffentlicht zur Zeit keine Rohbilanzen.

	1896		1897		1898		1899		1900	
	Zahl	Betrag	Zahl	Betrag	Zahl	Betrag	Zahl	Betrag	Zahl	Betrag
1. Staatspapiere, Pfandbriefe, Prioritäten	12	8,7	14	6,9	9	4,9	9	6,9	6	1,3
2. Eisenbahn- und Transport unternehmungen, Aktien u. Obligationen	10	3,8	5	9,9	10	4,9	13	6,2	12	4,8
3. Bankaktien	10	4,98	9	4,5	8	3,8	7	3,1	7	5,3
4. Terraingesellschaften	5	2,19	5	1,4	6	2,1	7	2,3	5	2,4
5. Industrie-Versicherungsgesellschaften, überseeische Unternehmungen	23	8,18	24	10,9	35	16,3	50	20,8	46	2,4
Summa	60	27,85	57	24,6	68	32,0	86	39,3	76	16,2

	1901		1902		1903		1904		1905	
	Zahl	Betrag	Zahl	Betrag	Zahl	Betrag	Zahl	Betrag	Zahl	Betrag
1. Staatspapiere, Pfandbriefe, Prioritäten	5	1,63	7	3,40	11	7,75	14	8,46	19	10,16
2. Eisenbahn- u. Transportunternehmungen. Aktien u. Obligationen	8	3,54	7	2,49	2	2,13	10	4,71	8	3,34
3. Bankaktien	5	4,84	4	4,30	6	5,39	2	0,36	7	1,49
4. Terraingesellschaften	6	3,88	6	3,89	8	2,66	10	3,38	10	3,83
5. Industrieversicherungsgesellschaften, überseeische Unternehmungen	38	25,20	39	25,61	48	22,04	48	27,48	54	26,83
Summa	62	39,09	63	39,60	75	39,97	84	44,39	98	45,65

	1906		1907		1908		1909		1910	
	Zahl	Betrag	Zahl	Betrag	Zahl	Betrag	Zahl	Betrag	Zahl	Betrag
1. Staatspapiere, Pfandbriefe, Prioritäten	22	12,99	22	12,87	21	7,17	13	15,80	14	15,42
2. Eisenbahn- u. Transportunternehmungen. Aktien u. Obligationen	9	3,47	9	5,51	9	5,82	9	5,19	10	6,97
3. Bankaktien	6	1,30	7	1,41	5	0,62	5	0,62	5	0,81
4. Terraingesellschaften	11	4,43	11	4,99	15	4,06	11	4,80	16	8,25
5. Industrie-Versicherungsgesellschaften, überseeische Unternehmungen	51	27,56	53	23,59	70	24,63	55	15,34	51	12,63
Summa	99	49,75	102	48,37	120	42,30	93	41,73	96	44,08

rechtigten, aber doch vorwiegend spekulativen) Report- und Arbitragegeschäfts und in der Form des eigentlichen Börsenspekulationsgeschäfts, oder endlich in der Form des Erwerbs fremder Werte behufs Ausübung eines vorübergehenden oder dauernden Einflusses auf fremde Unternehmungen.

Das unfreiwillige Effektengeschäft der Banken wird dargestellt durch solche Papiere, welche bei Emissionen (sei es der Bank selbst, sei es derjenigen Bank, welche ihr die Papiere im Wege der

Konsortialbeteiligung überwiesen hat) nicht haben abgesetzt werden können, und durch die bereits besprochene Aufnahme von Papieren nach einer Emission behufs Verhinderung eines übermäßigen Kursrückganges.

Im allgemeinen ist ein sehr erheblicher Effektenbestand kein günstiges Zeichen, es sei denn, daß er eine größere Liquidität der Bilanz in besonders bedrohlichen Zeiten herstellen soll, oder daß er zur besonderen Sicherung für Depositen gehalten wird, was z. B. die Deutsche Bank nach ihrem Geschäftsbericht für 1910 in Höhe von rund 37 Mill. M in deutschen Staatspapieren für richtig gehalten hat. Im übrigen wird ein allzu großer Effektenbestand in der Regel dahin zu deuten sein, daß entweder die Zeiten für die Emissionen der Bank keine günstige waren, oder daß sie spekulative Engagements in allzu großem Umfange unterhält, oder daß sie Spekulationsgeschäfte für eigene Rechnung, welche nur innerhalb sehr enger Grenzen überhaupt für zulässig erachtet werden können, in zu großem Umfange abgeschlossen hat, oder endlich, daß sie für eine anderweite gewinnbringende Anlegung ihrer Gelder keine ausreichende Verwendung gefunden hat. Dies sind denn auch meist die Gründe, weshalb die Abschreibungen auf Effektenkonto mitunter einen überaus großen Prozentsatz der überhaupt vorgenommenen Abschreibungen darstellen.

Unter den Anlagepapieren werden vielfach, den Grundsätzen einer gesunden Bankpolitik entsprechend, auch ausländische in Gold zahlbare und an mehreren Börsen gehandelte, also internationale Wertpapiere, zu finden sein, welche in kritischen und kriegerischen Zeiten die Interventions- und Aktionsfähigkeit der Bank erhöhen, also eine wertvolle Reserve für solche Zeiten bilden. Es können aber, wie oben angedeutet ist, im Effektenbestand auch größere Posten solcher Aktien enthalten sein, mit deren Besitz die Bank entweder einen vorübergehenden Einfluß, z. B. auf die Beschlüsse einer bestimmten Generalversammlung, oder einen dauernden Einfluß auf ein Unternehmen, welches sie „kontrollieren" oder in dessen Aufsichtsrat sie eintreten will, auszuüben beabsichtigt.

Von den deutschen Banken hat wohl die Darmstädter Bank seit ihrer Gründung und bis in die neueste Zeit hinein die detailliertesten Angaben über die einzelnen Bestandteile ihres Effektenkontos[1]) gemacht, während die übrigen Banken, wenigstens zum Teil, ihre Effektenbestände bis zum Jahre 1909 nach erheblich größeren Gruppen mitteilten.

---

1) Vgl. z. B. die bei Ad. Weber, a. a. O. S. 163 abgedruckten Angaben aus den Bilanzen der Darmstädter Bank für Ende 1899 und 1900.

Die Darmstädter Bank trennte nach fünf Gruppen: I. Deutsche Staats- und Grundschuldverschreibungen und Eisenbahn-Obligationen; II. außerdeutsche Staats- und Kommunalanleihen, Eisenbahn-Prioritäten und Obligationen deutscher industrieller Unternehmungen; III. Aktien deutscher und außerdeutscher Industrie- und Bergwerksgesellschaften; IV. Bankaktien; V. diverse Bestände.

Die Deutsche Bank trennte die Angaben über das eigene Effektenkonto in vier Gruppen, nämlich: I. Staats- und Kommunalpapiere; Pfandbriefe und Eisenbahn-Obligationen; II. Eisenbahn-, Bank- und Industrieaktien; III. Obligationen industrieller Unternehmungen; IV. diverse Bestände.

Die Dresdner Bank unterschied bei ihren Angaben über das Konto eigener Effekten drei Gruppen, nämlich: I. Staatspapiere, Pfandbriefe, Eisenbahn- und Industrie-Obligationen; II. Aktien von Banken, Eisenbahn- und Transportunternehmungen, sowie Terrain- und Versicherungsgesellschaften; III. Industrieaktien.

Aus diesen Gründen würde es auch hier wenig Wert haben, für frühere Jahre ziffernmäßige Angaben hinsichtlich der Effektenbestände der einzelnen Banken zu machen, zumal früher, wie wir schon oben S. 328 bemerkten, das Konto „eigene Effekten" vielfach dadurch zu niedrig erschien, daß Effekten, die eigentlich auf das Effektenkonto gehört hätten, auf dem Konsortialkonto verbucht waren. Ebenso kam es auch umgekehrt vor, daß Effekten, die auf dem Konsortialkonto zu buchen wären, auf dem Effektenkonto Buchung gefunden hatten. Ähnliche Verschiebungen fanden häufig zwischen dem Konto der eigenen Effekten und dem Konto: „Dauernde Beteiligung bei anderen Bankinstituten und Bankfirmen" statt, falls in den Bilanzen überhaupt beide Konten getrennt werden (in den jetzt seitens einer Anzahl von Banken veröffentlichten zweimonatlichen Rohbilanzen ist dies geschehen).

In den der Krisis von 1901 vorausgegangenen Zeiten der Hochkunjunktur hat sich meist das Konto eigene Effekten gegenüber dem Bestande der früheren Jahre stark erhöht. Es zeigte bei der Dresdner Bank in den Jahren 1896—1910 inkl. folgende Veränderungen:

In Millionen Mark

	1896	1897	1898	1899	1900	1901	1902	1903
In Gruppe I	9,9	9,8	15,0	12,8	16,1	15,2	20,1	22,1
„ „ II	2,7	4,9	2,8	6,1	6,5	10,9	8,9	8,8
„ „ III	5,8	8,7	8,2	19,0	10,7	12,7	8,6	8,2

In Millionen Mark

	1904	1905	1906	1907	1908	1909	1910
In Gruppe I	24,4	29,8	25,4	26,9	37,3	38,0	33,6
„ „ II	18,6	19,5	18,9	19,5	16,4	15,8	26,3
„ „ III	9,4	17,5	12,3	10,9	9,0	4,1	8,0

Hier zeigt also namentlich der Besitz an industriellen Aktien eine starke Aufwärtsbewegung.

Bei der Darmstädter Bank stellte sich das Effektenkonto in der nämlichen Zeit und bis 1910 nach ihrer Gruppeneinteilung wie folgt[1]):

In Millionen Mark.

		1896	1897	1898	1899	1900	1901	1902	1903
In Gruppe	I	1,8	1,3	1,1	5,9	1,2	4,0	4,4	4,4
„	„ II	1,4	0,9	4,8	3,2	3,1	2,3	3,3	7,4
„	„ III	5,1	3,9	3,3	5,4	5,4	4,8	9,4	14,1
„	„ IV	2,6	1,9	1,9	1,7	1,7	1,6	2,9	2,7
„	„ V	1,0	1,0	0,7	1,0	0,9	0,7	0,8	0,5

In Millionen Mark

		1904	1905	1906	1907	1908	1909	1910
In Gruppe	I	13,6	17,0	13,5	10,2	10,4	13,4	13,6
„	„ II	4,6	2,7	2,8	8,0	8,9	4,8	4,6
„	„ III	16,3	24,2	19,1	19,9	20,6	18,4	28,0
„	„ IV	0,8	0,9	4,9	4,1	1,9	2,3	1,7
„	„ V	0,6	1,4	0,5	1,5	5,9	2,6	2,6

Die am 31. August 1911 veröffentlichten Rohbilanzen ergaben für die nachfolgenden Banken folgendes Bild des (dort natürlich nicht in einzelne Effektengattungen zerlegten) Kontos „E i g e n e W e r t p a p i e r e" für den vorgedachten Tag:[2])

	In Mill. M	Dagegen Stand vom 31. Dezember 1908
Bei der Deutschen Bank . . .	75,4	47,9 Mill. M
„ „ Disconto-Gesellschaft	44,6	33,7 „ „
„ „ Dresdner Bank	71,6	58,1
„ „ Darmstädter Bank . .	55,0	44,4
„ dem A. Schaaffhausen'schen BankVerein	46,1	46,7
„ der Nationalbank für Deutschland	26,5	23,6
„ der Commerz- u. Disconto-Bank	34,7	30,8 „ „

Ich vermag jedoch diesen Abschnitt nicht zu schließen, ohne in bezug auf die Anlage- wie auf die Emissionstätigkeit der Banken auch hier nachdrücklichst auf folgendes aufmerksam gemacht zu haben:

Eine erfolgreiche Lösung der wichtigen und vielseitigen Aufgaben, welche dem Bankwesen gestellt sind, ist nur denkbar, wenn eine s t a r k e B ö r s e vorhanden ist, also eine Organisation von größter Kraft und Elastizität in normalen Zeiten und von größter Widerstandsfähigkeit in kritischen und schlechten Zeiten, welche auf Grund der Konzentration der an ihr zusammenströmenden Menge von A n g e b o t e n, N a c h f r a g e n und N a c h r i c h t e n eine tunlichst

---

1) Vgl. E r n s t L o e b, a. a. O. S. 171 und für die vorhergehende Tabelle S. 161.
2) Die Berliner Handelsgesellschaft fehlt, weil sie Rohbilanzen zur Zeit nicht veröffentlicht.

richtige Preisbildung herbeizuführen geeignet ist. Eine solche Funktion vermag aber die Börse nur dann in befriedigender Weise auszuüben, wenn an dem Ausgleichungsdienst zwischen Angebot und Nachfrage in genügend großem Umfange sowohl die dauernd wie die nur vorübergehend zur Verfügung stehenden Kapitalien in solchen Geschäftsformen teilnehmen können, welche, wie das T e r m i n - geschäft, heftige und plötzliche Kursschwankungen im Wertpapierverkehr tunlichst verhindern und drohende Gleichgewichtsstörungen frühzeitig signalisieren können. Im Wertpapierverkehr stellt gerade das Termingeschäft „eine verfeinerte Technik des modernen Lieferungsgeschäfts" dar, es ist „ein Instrument steigender richtiger Berechnung der Zukunftswahrscheinlichkeiten, ein Mittel der Kontrolle über die wichtigsten Gebiete der Wertbildung", und eine Geschäftsform, „die verbessert, reguliert, ethisiert, aber nicht ganz beseitigt werden kann". (So S c h m o l l e r , Grundriß II, S. 37, der an anderer Stelle — eod. S. 493 — mit Recht hinzufügt: „Jede bessere Organisation des Marktes bezweckt richtigere Preisbildung, jede Milderung der zu großen Preiswechsel mildert zugleich die Schäden der Krisen").

Wenn man, wie dies öfters geschieht, die Kraft einer Börse daraus folgern will, daß sie in Zeiten wirtschaftlichen Aufschwungs immer wieder, ungeachtet aller steuerlichen und börsengesetzlichen Hemmnisse, starke Haussebewegungen aufweist, so ist das ein Irrtum, der lediglich durch Mangel an Sachkenntnis entstehen und auch nur damit entschuldigt werden kann. W i r t s c h a f t l i c h e G e - setze sind jedem staatlichen überlegen: kein Börsen- und kein Steuergesetz wird einen wirtschaftlichen Aufschwung, keines die diesem Aufschwung entsprechende (durch Spekulation eventuell nur vermehrte) Steigerung der Werte derjenigen Gesellschaften v ö l l i g verhindern können, welche an jenem Aufschwung beteiligt sind.

Dieser Irrtum ist aber besonders bedauerlich, weil wir für die bevorstehenden schweren wirtschaftlichen Konkurrenzkämpfe einer kräftigen Börse mehr denn je bedürfen. Die Kraft einer Börse aber zeigt sich gerade darin, „daß sie in guten Zeiten eine zu stürmische und zu weitgehende Aufwärtsbewegung, in schlechten einen zu raschen und zu jähen Kurssturz, in kritischen Zeiten eine kopflose Entmutigung des Publikums und demgemäß eine grundlose Entwertung der Effekten mit Erfolg zu verhindern vermag" (Centralverbandsdenkschrift vom Dezember 1903, S. 35). Man braucht nur an den dies ater, den 9. Februar 1904 (Ausbruch des russischjapanischen Krieges), zu denken, um sich die Bedeutung einer kräftigen Börse und . . . . des Gegenteils klar zu machen.

---

1) Grundlegend: W. P r i o n , Die Preisbildung an der Wertpapierbörse (Leipzig, Duncker & Humblot, 1910).

§ 3. Bank-Gruppen.

Wir sprechen hier nicht von denjenigen Bankgruppen, welche sich infolge der Konzentrationsentwicklung gebildet haben und welche wir noch genauer betrachten werden, also nicht von der ständigen Gruppierung einer Anzahl von Konzernbanken um eine leitende Bank, eine Gruppierung, welche eine dauernde Interessengemeinschaft der beteiligten Banken für den gesamten bankmäßigen Verkehr darstellt.

Wir sprechen hier ferner nicht von den Konsortien, welche, wie wir schon betonten, im Interesse der Risikoverteilung, der Liquidität und der glatteren und rascheren Abwicklung, behufs Durchführung eines einzelnen Geschäfts gebildet werden. Wir sahen, daß solche Konsortien besonders in den bereits erwähnten Garantiesyndikaten und in denjenigen Anleihekonsortien vorliegen, für die man mit Rücksicht auf die Größe des zu übernehmenden Risikos ebenso wie für andere Fälle größerer Übernahmen von Fall zu Fall Übernahmekonsortien aus wechselnden Bankfirmen bildete und täglich bildet.

Zur Bildung der hier allein zu erörternden Bankgruppen also von solchen Bankvereinigungen, welche aus bestimmten Banken und Bankfirmen für bestimmte Geschäfte oder Arten von Geschäften ein für allemal, mit mehr oder minder enger Bindung der einzelnen Institute, sich zusammenschlossen, gab eine Reihe von Momenten den Anlaß.

1. Im Anfang der ersten Epoche vor allem die Notwendigkeit, gegenüber dem mächtigen Einfluß einzelner Privatbankhäuser, insbesondere der Rothschilds, welche bis dahin eine fast unbestrittene Herrschaft ausgeübt hatten, den Mitbewerb der neu aufgekommenen Banken bei Übernahme von einheimischen und ausländischen Staatsanleihen durchzusetzen. In dieser Weise entstand behufs Übernahme und Emission preußischer Staatswerte das sogenannte Preußenkonsortium für die preußischen Staatspapiere, dem sich in der zweiten Epoche eine aus etwas anderen Mitgliedern bestehende Gruppe für die Übernahme von Reichsanleihen zur Seite stellte, und behufs Übernahme von Staats- und sonstigen Finanzgeschäften in Österreich-Ungarn die sogenannte Rothschildgruppe.

a) Das Preußenkonsortium erhielt, wie wir bereits darlegten, seine erste Anregung durch ein unter Führung der Disconto-Gesellschaft im Jahre 1859 gebildetes Konsortium großer Berliner Banken und Bankhäuser bei der preußischen Mobilmachungsanleihe von 30 Mill. Tlr.[1]). Es wirkte dann, wie wir gleichfalls schon er-

---

[1]) Vgl. Jubiläumsbericht der Disconto-Gesellschaft, S. 29 u. 33 ff.

wähnten, bei den Kriegsanleihen der 60er und 70er Jahre in erster
Reihe mit und war bis in die neueste Zeit bei Begebung der meisten
preußischen Staatsanleihen tätig. Das schloß nicht aus, daß, namentlich in den 80er Jahren, dann aber wieder in neuester Zeit, der preußische Staat wiederholt, um kein Monopol entstehen zu lassen,
direkt an den Markt appellierte. Es schloß dies auch nicht aus,
daß er seine Anleihen, was aber gewöhnlich einen dauernd ungünstigen Erfolg auf den Markt ausübte, in Einzelbeträgen an eine
Reihe von Banken und Bankhäusern veräußerte, oder sogar, daß
ein Mitglied der Gruppe einmal allein eine ganze Reichs- und
preußische Anleihe übernahm. Das letztere geschah im Mai 1900
seitens der Deutschen Bank durch die Übernahme von 200 Mill. M
deutscher Reichsanleihe und preußischer Konsols.

Das Preußenkonsortium besteht heute (1911), unter Führung
der Kgl. Seehandlung (Preußischen Hauptbank), nach dem Ausscheiden verschiedener jetzt nicht mehr bestehender Firmen, aus
folgenden Banken und Bankhäusern:

Kgl. Seehandlung (Preußische Haupt- bank).	Lazard Speyer-Ellissen, Frankfurt a. M.
	Jacob S. H. Stern, Frankfurt a. M.
Bank für Handel und Industrie.	L. Behrens & Söhne, Hamburg.
Berliner Handelsgesellschaft.	Norddeutsche Bank, Hamburg.
S. Bleichröder.	Vereinsbank Hamburg.
Commerz- und Disconto-Bank.	M. M. Warburg & Co., Hamburg.
Delbrück, Schickler & Co.	Allgemeine Deutsche Credit-Anstalt,
Deutsche Bank.	Leipzig.
Direction der Disconto-Gesellschaft.	Rheinische Creditbank, Mannheim.
Dresdner Bank.	Bayerische Hypotheken- und Wechsel-
F. W. Krause & Co.	bank, München.
Mendelssohn & Co.	Bayerische Vereinsbank. München.
Mitteldeutsche Creditbank.	Königliche Hauptbank, Nürnberg.
Nationalbank für Deutschland.	Ostbank für Handel und Gewerbe, Posen.
A. Schaaffhausen'scher BankVerein.	WürttembergischeVereinsbank,Stuttgart.
Sal. Oppenheim jr. & Co., Cöln.	

b. Die Bankgruppe zur Übernahme von Reichsanleihen
besteht heute, unter Führung der Reichsbank, nach dem Ausscheiden verschiedener jetzt nicht mehr bestehender Firmen, aus
folgenden Banken und Bankhäusern:

Reichsanleihe-Konsortium

Reichsbank.	Direction der Disconto-Gesellschaft.
Kgl. Seehandlung (Preußische Haupt- bank).	Dresdner Bank.
	F. W. Krause & Co.
Bank für Handel und Industrie.	Mendelssohn & Co.
Berliner Handelsgesellschaft.	Mitteldeutsche Creditbank.
S. Bleichröder.	Nationalbank für Deutschland.
Commerz- und Disconto-Bank.	A. Schaaffhausen'scher BankVerein.
Delbrück, Schickler & Co.	Sal. Oppenheim jr. & Co., Köln.
Deutsche Bank.	Lazard Speyer-Ellissen, Frankfurt a. M.

Jacob S. H. Stern, Frankfurt a. M.
L. Behrens & Söhne, Hamburg.
Norddeutsche Bank, Hamburg.
Vereinsbank, Hamburg.
M. M. Warburg & Co., Hamburg.
Allgemeine Deutsche Credit - Anstalt, Leipzig.

Rheinische Creditbank, Mannheim.
Bayerische Hypotheken- und Wechsel-
bank, München.
Bayerische Vereinsbank, München.
Königliche Hauptbank, Nürnberg.
Ostbank für Handel und Gewerbe, Posen.
WürttembergischeVereinsbank,Stuttgart.

c. In Österreich bestand seit dem Jahre 1848 eine überaus enge Verbindung der staatlichen Finanzleitung mit dem Wiener Hause Rothschild, welches bis zum Jahre 1855, wo die österreichische Creditanstalt hinzutrat, im wesentlichen alle staatlichen Finanzgeschäfte abschloß und durchführte. Erst 1864 nahm die Disconto-Gesellschaft an der Spitze eines Konsortiums deutscher Bankhäuser den Wettbewerb mit Rothschild und der Kreditanstalt auf, und übernahm von einer Silberanleihe von 70 000 000 fl. einen Teilbetrag von 23 500 000 fl. Erst diese erfolgreiche Konkurrenz hatte den Zutritt der Disconto-Gesellschaft zu der später Rothschild-Konsortium genannten Gruppe zur Folge. In der Folge trat noch eine Reihe anderer Banken und Bankfirmen bei, so die Allgemeine Österreichische Boden-Credit-Anstalt in Wien, die Ungarische Allgemeine Creditbank, die Bank für Handel und Industrie, welch letztere aber schon im Jahre 1854 gemeinsam mit Rothschild eine badische Anleihe abgeschlossen und schon im Jahre 1862, also weit früher als die Disconto-Gesellschaft, an einer Emission von 83 Mill. fl. der österreichischen 5 % 1860 er Losanleihe durch Rothschild und die Kreditanstalt teilgenommen hatte. Weiterhin traten hinzu die Bankhäuser S. Bleichröder, Sal. Oppenheim jr. (Cöln) und Mendelssohn & Co. und in neuester Zeit (für Staatsanleihen) auch die Österreichische Post-Sparkasse.

Das Rothschild-Konsortium hatte bis 1910[1]) eine festgefügte Gruppe zur gemeinschaftlichen Übernahme nicht nur von österreichisch-ungarischen Staatsanleihegeschäften, sondern auch von allen denjenigen Finanzgeschäften in Österreich und Ungarn dargestellt, welche die Gruppe in einem dieser Länder abzuschließen und durchzuführen beabsichtigte. Sie besteht heute für Ungarn aus folgenden Instituten:

Rothschild-Gruppe für Bank- und Finanzgeschäfte in Ungarn.

Ungarische Allgemeine Creditbank
Kgl. Ungarische Postsparkasse
Pester erster Vaterländischer Sparcassa-Verein
Pester ungarische Commercial-Bank
} Budapest

---

1) Nachdem die österr. Staatsregierung sich seit 1910 wegen Begebung ihrer Anleihen nicht mehr an den internationalen Markt gewandt, sondern diese direkt an die Österreichische Postsparkasse begeben hatte, die dann jeweils Teilbeträge an österreichische Banken und an die außerhalb der Rothschild-Gruppe stehende Deutsche Bank weiterbegeben hatte, wurde vielfach in den Zeitungen behauptet, daß die

S. M. v. Rothschild

K. K. priv. Österreichische Credit-Anstalt für Handel und Gewerbe

K. K. privilegierteAllgemeine österreichische Boden Credit-Anstalt � Wien

Wiener Bank-Verein

K. K. privilegierte Österreichische Länderbank

Direction der Disconto-Gesellschaft

S. Bleichröder

Mendelssohn & Co.   Berlin.

Bank für Handel und Industrie

2. Die Bildung einer Gruppe für asiatische Geschäfte im
Jahre 1890 war die natürliche Folge der im Jahre 1889 unter Mitwirkung einer Reihe von Großbanken und großen Privatbankhäusern
erfolgten Gründung der Deutsch-Asiatischen Bank. Bis es
aber zu der letzteren Gründung kam, mußte eine große Reihe von
Schwierigkeiten überwunden werden. Zunächst war es die meist
mit Erfolg durchgesetzte Taktik der chinesischen Unterhändler bei
den Finanz- und Eisenbahngeschäften Chinas die einzelnen Konkurrenten aus den verschiedenen Ländern gegeneinander auszuspielen.
Demgegenüber war lange Zeit weder ein Zusammengehen mit den
englischen Bankkreisen, noch ein solches der deutschen Banken
untereinander zu erreichen. Denn die letzteren hatten wieder zwei
Sondergruppen gebildet, von denen die eine unter Führung der
Disconto-Gesellschaft, die andere unter Führung der Deutschen
Bank stand. Die Gründung der Deutsch-Asiatischen Bank und
die ein Jahr später erfolgte Bildung des „Syndikats für
asiatische Geschäfte" machte zunächst der Konkurrenz unter
diesen beiden Gruppen ein Ende. Es war aber hierdurch gleichzeitig, da ein Vorgehen anderer deutscher Banken nunmehr wenig
Erfolg versprach, ein einheitliches Vorgehen Deutschlands nicht nur
in bezug auf chinesische, sondern überhaupt auf asiatische Finanzgeschäfte aller Art gesichert, weil das nun unter Führung der Disconto-Gesellschaft stehende mächtige geeinte Syndikat die gemeinsame Behandlung von Anleihe- und Vorschußgeschäften mit Staaten,
Provinzen und Eisenbahngesellschaften in China, Japan und Korea,
sowie die Errichtung von Eisenbahn- und Bergbaugesellschaften in
China bezweckte und in die Hand nahm. Das Gefüge dieses Syndikats ist jedoch insofern ein etwas loses, als es jedem Mitglied überlassen bleibt, von einem einzelnen Geschäft fern zu bleiben [1]).
   Einer erfolgreichen Tätigkeit des Syndikats wurde zunächst
infolge des chinesisch-japanischen Krieges in den 90er Jahren ein
Riegel vorgeschoben. Im März 1896 gelang es aber dem Syndikat
zum ersten Male, und zwar in erfreulichem Zusammenwirken mit der

---

Rothschildgruppe für Österreich zu bestehen aufgehört habe. Eine offizielle Bestätigung dieser Zeitungsnachrichten ist aber nicht erfolgt.
   2) Jubiläumsbericht der Disconto-Gesellschaft, S. 84, u. 85.

englischen Hongkong- und Shanghai-Bank, eine 5 % chinesische Anleihe von £ 16 Mill., wovon £ 8 Mill. auf die deutsche Gruppe fielen,
zu übernehmen und ein Abkommen mit dieser Bank auch über ein
zukünftiges paritätisches Zusammengehen in chinesischen Geschäften
abzuschließen, was dann bald (im Jahre 1898) in der gemeinsamen
Übernahme des Restes der chinesischen Kriegsentschädigung an
Japan in Form einer 4½% Anleihe von wiederum £ 16. Mill. seinen
Ausdruck fand.

Seitdem ist seitens des Syndikats für asiatische Geschäfte eine
Reihe fernerer Erfolge erzielt worden.

3. Die Bildung von Gruppen für die d a u e r n d e gemeinsame Behandlung sowohl inländischer Staatsanleihegeschäfte, so
zur Übernahme von b a y e r i s c h e n und b a d i s c h e n Staatsanleihen,
wie von a u s l ä n d i s c h e n Staats- und Eisenbahnanleihen (so von
schweizerischen, argentinischen, mexikanischen, russischen, rumänischen, portugiesischen usw.), war namentlich in der zweiten Epoche
häufig, ohne daß jedoch diese Gruppen, abgesehen etwa von der
russischen unter Führung von Mendelssohn & Co., ein so festes Gefüge und eine so jede andere Konkurrenz erschwerende Macht gewonnen hätten, wie die sub 2 erwähnten Gruppenbildungen. Sie
entstanden vielfach auf dem Wege, daß sich Konsortien, welche ursprünglich als Konkurrenten sich gegenüber standen, in einer Gruppe
vereinigten, oder daß sich die sogenannten Konzernbanken einer
Großbank zu einer Emissionsgruppe für bestimmte Emissionsgeschäfte
zusammenschlossen. Das gleiche gilt von Gruppenbildungen für die
Übernahme einheimischer Stadtanleihen, so für die Übernahme von
Kölner, Hamburger, Frankfurter, Münchener Stadtanleihen. Bei
den letzteren kamen aber vielfach aus naturgemäßen Gründen lediglich
lokale Gruppenbildungen in Frage, die hier und da durch Hinzuziehung
befreundeter auswärtiger Banken vergrößert wurden; diese Gruppen
schwankten jedoch in ihren Mitgliedern sehr häufig, weil sie selten
eine die Konkurrenz ausschließende Bedeutung erlangen konnten.

Da wir hier von dauernden Gruppenbildungen sprechen, so
sind diejenigen Konsortien auszuscheiden, welche, wie dies häufig
der Fall war, sich ursprünglich für die Übernahme von Staats-
oder Kommunalwerten unabhängig voneinander gebildet hatten und
sich schließlich zu einer Gruppe für ein einzelnes Geschäft vereinigten, um ein gegenseitiges Höhertreiben zu verhindern; es sind
dies vorübergehende Zusammenschlüsse, welche, wenigstens in gewissem Umfange, nur den Charakter von P r e i s k o n v e n t i o n e n hatten.

Auf der anderen Seite haben doch auch Konsortien, die an
sich nur als societates unius rei, also z. B. behufs Übernahme einer
bestimmten Stadtanleihe, gebildet waren, vielfach nach und nach
zu festen und dauernden Gruppenbildungen Anlaß gegeben. Es

wurde nämlich in der zweiten Epoche zu einer allmählich sich
immer mehr befestigenden Übung, bei allen in gewissen Zeitabschnitten regelmäßig wiederkehrenden Geschäften — und bei
Stadtanleihen konnte man ja bedauerlicherweise auf die regelmäßige
Wiederkehr von Anleihebedürfnissen fast mit mathematischer Sicherheit rechnen — auch zusammen zu bleiben, wenn man einmal bei
dem ersten gemeinsamen Geschäft, also z. B. bei der ersten gemeinsam durchgeführten Stadtanleihe, zu einem Konsortium zu-
sammengetreten war. Es hielt sich dann ein jedes Konsortialmitglied
für — zunächst nur moralisch — verpflichtet, vom selbständigen
Bieten oder von dem Übertritt zu einem anderen Konsortium abzusehen und die Einladung zu einer Sitzung des Konsortiums ab-
zuwarten oder anzuregen, es sei denn, daß es seine abweichende
Absicht alsbald der Geschäftsleitung seines bisherigen Konsortiums
angezeigt hätte. Die Geschäftsleitung solcher Konsortien blieb, wenn
nicht etwa ein Alternieren ausdrücklich festgesetzt war, in der Regel
auch für die späteren Geschäfte bestehen.

4. Eine große Reihe von Bankgruppen ist in der zweiten
Epoche durch die in ihren einzelnen Entwicklungsphasen geschilderte
veränderte Stellung der Banken zur Industrie entstanden; hier war
die Gruppenbildung sowohl eine Folge der planmäßigen Industriepolitik, welche etwa seit den 90er Jahren in bestimmter Weise sich
geltend machte, wie eine Ursache immer feinerer Differenzierung
und immer kräftigerer Durchsetzung dieser Politik. Ihre Notwendigkeit erwuchs aber vor allem aus den enormen Kapitalbedürfnissen
der Industrie und hier wieder in erster Linie der elektrotechnischen
Industrie. Wir finden daher derartige Bank-Gruppen sowohl in
der sogenannten schweren wie in der leichten Industrie, besonders
aber auf dem Gebiete der elektrotechnischen Industrie, der Brauereien,
der Kleinbahnen und der Petroleumunternehmungen.

In der elektrotechnischen Industrie bildeten sich bis etwa
1900, entsprechend den sieben Gruppen von Elektrizitätsunterneh-
mungen, die wir noch im einzelnen unten näher kennen lernen werden,
sieben hinter jeder einzelnen dieser Industriegruppen stehenden
Bankgruppen, und zwar nicht etwa nur für die Emissionsgeschäfte,
sondern für sämtliche Finanzierungsgeschäfte dieser Industriegruppen.
So stand insbesondere im Jahre 1900 die hinter der Aktiengesellschaft Siemens & Halske stehende Gruppe von 11 Banken unter
der Führung der Deutschen Bank; die hinter der Gruppe der Allgemeinen Elektricitäts-Gesellschaft (A. E. G.) stehende
Bankgruppe von acht Banken unter der Führung der Berliner
Handelsgesellschaft; die hinter der Gruppe der Union-Elektricitäts-Gesellschaft (U. E. G.) stehende Bankengruppe von sechs
Banken unter der Führung der Disconto-Gesellschaft u. a. m.

So standen ferner im Jahre 1900 hinter der sogenannten Loewe-Gruppe (der Gruppe von industriellen Unternehmungen der Firma Ludwig Loewe & Co.) die nämlichen sechs Banken und Bankhäuser, welche hinter der U. E. G. zu finden waren, welche sich zunächst auf dem Gebiete des Emissionsgeschäfts vereinigt hatten, um dann auch die übrigen finanziellen Transaktionen gemeinsam durchzuführen [1]. Seit den 90er Jahren mußte die immer stärkere Ausdehnung der Fabrik und die Angliederung einer Reihe von selbständigen Unternehmungen die Befriedigung der ungemein gestiegenen Kapitalbedürfnisse durch das Mutterinstitut, zugleich auch die Befriedigung dieser Bedürfnisse durch ein einzelnes Bankinstitut als ausgeschlossen erscheinen lassen, das letztere auch deshalb, weil eine Reihe von Bankinstituten gleichzeitig bei mehreren Unternehmungen der elektrotechnischen Industrie interessiert war, also leicht zu stark hätte engagiert werden können.

Auf dem Gebiete des Kleinbahnwesens haben sich Gruppen gebildet, die zum Teil unter der Führung der Berliner Handelsgesellschaft, welche die Westdeutsche Eisenbahngesellschaft begründete, zum Teil unter der Führung der Darmstädter Bank, welche die Süddeutsche Eisenbahngesellschaft in Darmstadt ins Leben gerufen hat, und unter der der Nationalbank für Deutschland (Allgemeine Deutsche Kleinbahngesellschaft und Vereinigte Eisenbahn-Bau- und Betriebsgesellschaft in Berlin) stehen. Von diesen Gruppen hatte die erste vor allem die Durchführung der Kleinbahnunternehmungen der Eisenbahnbau- und Betriebsfirma Lenz & Co., die zweite die des Eisenbahnbau- und Betriebsunternehmers Herrmann Bachstein zum Zweck, während die Gruppe der Dresdner Bank sowohl Trustgesellschaften zur Finanzierung von deutschen und österreichisch-ungarischen Eisenbahnwerten (die Centralbank für Eisenbahnwerte) als die (jetzt mit der Firma Arthur Koppel vereinigte) Firma Orenstein & Koppel zum Bau von Feld- und Kleinbahnen begründet hat.

Auf dem Gebiete der Petroleumindustrie haben sich zunächst zwei Gruppen, die der Deutschen Bank und der Disconto-Gesellschaft, gebildet. In ihnen kommt eine (im übrigen in dieser Epoche aus guten Gründen zurückgetretene) industrielle Unternehmertätigkeit der Großbanken zum Ausdruck, durch die sie sowohl der amerikanischen wie der russischen bis dahin auf dem Petroleummarkte herrschenden Monopolstellung entgegenzutreten suchen.

---

1) Näheres über die Errichtung und Entwicklung der Firma Ludwig Loewe & Co. und der Loewe-Gruppe bei Otto Jeidels, S. 243 ff. u. Georg Tischert, aus der Entwicklung des Loewe-Konzerns, Berlin 1911.

1. Im Jahre 1903 sicherte sich ein von der Deutschen Bank geführtes Konsortium[1]) durch Übernahme eines großen Teiles neu emittierter Aktien den maßgebenden Einfluß bei der rumänischen Petroleum-Gesellschaft „Steua Romana" (Kapital gegenwärtig 50 Mill.) und nahm ferner an der galizischen Petroleum-Aktiengesellschaft „Schodnica" Interesse.

Das Konsortium begründete am 21. Januar 1904 die Deutsche Petroleum-Aktiengesellschaft (Akt.-Kap. 20 Mill. M) in Berlin, in die es seine rumänischen, russischen, galizischen und hannöverschen Petroleuminteressen einbrachte. Zwecks Vertriebs des rumänischen Petroleums trat die Deutsche Petroleum-Aktiengesellschaft in nähere Beziehungen zu der der Shell Transport & Trading Company nahestehenden Petroleum - Produkte - Aktiengesellschaft in Hamburg, an der sie auch eine Beteiligung erwarb.

Im Jahre 1906 wurde die Petroleum-Produkte-Aktiengesellschaft (in Gemeinschaft mit den europäischen Vertriebsgesellschaften der Naphtha-Produktions-Gesellschaft: Gebrüder Nobel, St. Petersburg, ferner des Bankhauses de Rothschild Frères, Paris, sowie einiger anderer weniger bedeutenden Interessenten) verschmolzen zur Europäischen Petroleum-Union G. m. b. H. (Kapital gegenwärtig 37 Mill. M), die jetzt in den wichtigsten europäischen Absatzgebieten Tochtergesellschaften besitzt. Die deutsche Vertriebsgesellschaft dieser Europäischen Petroleum-Union ist die Deutsche Petroleum-Verkaufs-Gesellschaft m. b. H. in Hamburg (Kap. 11,3 Mill. M), die das Leuchtpetroleum in Deutschland im Kartell mit der Standard Oil Company absetzt. Im Benzingeschäft ist dagegen der Konzern der Deutschen Bank nicht mit der Standard Oil Company liiert, sondern mit dem anderen großen internationalen Ölkonzern: der Koninklijke Nederlandsche Maatschappij tot Exploitatie van Petroleumbronnen in Nederlandsch Indië. In Deutschland werden die Benzininteressen der Deutschen Bank und der Koninklijke Nederlandsche Maatschappij durch die Vereinigten Benzinfabriken G. m. b. H., Hamburg, vertreten.

2. Gleichfalls im Jahre 1903 beteiligte sich das Konsortium Direction der Disconto-Gesellschaft-S. Bleichröder an der rumänischen Petroleum-Industrie-Aktiengesellschaft Bustenari und an der englischen, in Rumänien tätigen Gesellschaft Telega Oil Company. Beide Gesellschaften wurden im Jahre 1907 zur Rumänischen Petroleum-Industrie Aktiengesellschaft „Concordia" verschmolzen, Kapital 25 Mill. Lei.

---

1) Dem Konsortium gehören ferner an: der Wiener Bank-Verein, die Darmstädter Bank, die Nationalbank für Deutschland, die Mitteldeutsche Creditbank und Jacob S. H. Stern in Frankfurt a. M.

Im Jahre 1905 gründete das Konsortium Direction der Disconto-Gesellschaft-S. Bleichröder für den Transport des Petroleums die Gesellschaft „Crédit Petrolifer", Gesellschaft zur Förderung der Entwicklung der rumänischen Petroleum-Industrie, Bukarest, und für die Raffination die Gesellschaft „Vega" Rumänische Petroleum-Raffinerie Aktiengesellschaft, Bukarest, letztere unter Beteiligung der Compagnie Industrielle des Pétroles, Paris. Im gleichen Jahre gründete dieses Konsortium auch die Allgemeine Petroleum-Industrie Aktien-Gesellschaft, Berlin, („Apiag" genannt) als Trust- und Vertriebsgesellschaft für seine vorgenannten rumänischen Petroleumunternehmungen. Die Allgemeine Petroleum-Industrie Aktien-Gesellschaft ist unabhängig von der Standard Oil Company und von der Koninklijke Nederlandsche Maatschappij geblieben und hat sich in den Deutschen Benzin-Fabriken G. m. b. H. eine selbständige Organisation für das deutsche Benzingeschäft errichtet.

3. Endlich hat eine dritte Gruppe, die Internationale Bohrgesellschaft, Aktiengesellschaft in Erkelenz, sowie ihr Bankkonsortium A. Schaaffhausen'scher Bankverein, Dresdner Bank nebst mehreren anderen Industriellen und Bankfirmen, die von ihr erworbenen Beteiligungen an der rumänischen Petroleumindustrie im Jahre 1906 in die Rumänische Industrie-Aktiengesellschaft „Regatul Roman" (Kap. derzeit 24 Mill. Lei) eingebracht. Im Jahre 1909 brachte der „Regatul Roman", der sich auf die Produktion des rohen Erdöles beschränkt hatte, einen Teil seiner Besitzungen, zusammen mit einem Teil der Besitzungen der dem Konzern der Koninklijke Nederlandsche Maatschappij angehörigen „Astra", in eine neu gegründete Gesellschaft „Astra Romana" (Kap. derzeit 44 Mill. Lei) ein, auf welche die restlichen Besitzungen des „Regatul Roman" und der „Astra" Ende 1910 übergingen. Der Schaaffhausen'sche Bankverein ist gegenwärtig durch die Internationale Bohrgesellschaft noch mit größeren Beträgen an der „Astra Romana", sowie deren Trustgesellschaft, der „Geconsolideerde Hollandsche Petroleum Compagnie" beteiligt.

Der A. Schaaffhausen'sche Bankverein hat ferner durch die Internationale Bohrgesellschaft und das Konsortium der Deutschen Bank durch die Deutsche Petroleum-Aktiengesellschaft Interesse an der Deutschen Mineralöl-Industrie-Aktiengesellschaft, die fast das gesamte hannoversche Erdölvorkommen umfaßt (Kap. derzeit 16 Mill. M). Die Aktienmajorität dieser Gesellschaft ist jedoch im Besitze der Deutschen Erdöl-Aktiengesellschaft, die bis in die neueste Zeit sowohl von den großen internationalen Petroleum-Gesellschaften, wie von den Bankkonsortien unabhängig geblieben ist.

Erst im Jahre 1911 gab die Deutsche Erdöl-Aktiengesellschaft (Kap. 20 Mill. M) ihre unabhängige Haltung auf, indem sie sich mit dem Konsortium Disconto-Gesellschaft-S. Bleichröder zu einer im Wege des Austausches von Aktien der Apiag (s. o. S. 343) gegen solche der Deutschen Erdöl-Aktiengesellschaft abgeschlossenen Interessengemeinschaft vereinigte.

In allen geschilderten Fällen ist darauf geachtet worden, durch Bildung von Gruppen das Risiko zu verteilen oder durch Begründung von Aktiengesellschaften die Beteiligungen zu mobilisieren, zweifellos in der Absicht, nach allmählicher Erstarkung dieser Aktiengesellschaften, die Beteiligungen, wenigstens zum Teil, zu realisieren und nur so viel zu behalten, als zur Erhaltung eines dauernden Einflusses erforderlich sein wird. —

Die industriellen Bankgruppen zeichnen sich somit vor den anderen Gruppen durch eine Verbindung der industriellen Unternehmertätigkeit, die grundsätzlich allerdings besser der Industrie selbst überlassen bliebe, mit der eigentlichen finanziellen Banktätigkeit und durch eine besondere Bankinitiative aus. Diese hat die Banken entweder zu einer bisher in Deutschland kaum je erreichten Ausdehnung neuer Industriebranchen (wie der elektrotechnischen) oder zu einer völligen Neuschaffung von Industrien (wie der Petroleumindustrie) geführt.

§ 4. Das überseeische und Auslandsgeschäft der deutschen Kreditbanken [1]).

I. Die bankmäßige Förderung des deutschen überseeischen Import- und Exporthandels.

Wir werden, wie schon oben hervorgehoben ist, erst im § 7 ausführlich die Frage zu erörtern haben, ob und inwieweit und unter

---

[1] Vgl. Richard Rosendorff, Die deutschen Banken im überseeischen Verkehr (in Schmollers Jahrb. 1904, Bd. XXVIII, Heft 4, S. 93—134).

Derselbe, Le développement des Banques Allemandes à l'Étranger (Revue Économique Internationale, T. 1, Sept. u. Okt. 1906).

Derselbe, Die Deutschen Übersee-Banken und ihre Geschäfte (in den Blättern für vergleichende Rechtswissenschaft und Volkswirtschaftslehre, 3. Jahrg., 1908, Heft 7/8).

J. Hellauer, Die Zahlungsvermittlung der englischen Banken im Überseehandel (Wien 1904).

Emil Herz, Deutschlands ausländische Banken (Annalen des Deutschen Reichs, 39. Jahrg., 1906, No. 1, S. 48 ff.

R. Hauser, Die Deutschen Übersee-Banken (Jena 1906).

Anton Paul Brüning, Die Entwicklung des ausländischen, speziell des überseeischen deutschen Bankwesens (Berlin 1907, Puttkammer & Mühlbrecht).

André E. Sayous, Les Banques Allemandes et le Commerce d'outremer in dem Bulletin Mensuel de la Fédération des Industriels et des Commerçants Français 5. Jahrg., No. 52 (Januar 1908, 1. Teil) u. ff.

welchen Voraussetzungen sowohl der sogenannte „Exportkapitalismus" also die Anlegung deutscher Kapitalien in ausländischen Unternehmungen, Geschäften und Wertpapieren, wie die Gründung von ausschließlich für das überseeische Geschäft bestimmten Tochtergesellschaften nötig und richtig ist. Hier haben wir uns zunächst mit der Tatsache zu beschäftigen, daß die deutschen Großbanken seit dem Beginn der zweiten Epoche in energischer Weise die Förderung unserer überseeischen industriellen und kommerziellen Beziehungen in die Hand genommen haben und wollen die wirtschaftlichen und geschäftlichen Zwecke dieses Vorgehens und die allmähliche Entwicklung dieses Teils der deutschen Bankpolitik in Kürze zu schildern versuchen.

Schon der § 2 des Statuts der Deutschen Bank ließ keinen Zweifel darüber, daß die Begründer dieser Bank eine solche weit über die bisherigen Grenzen hinausgehende Politik angesichts der wirtschaftlichen Gesamtlage Deutschlands in allererster Linie für notwendig und richtig erachteten, denn die Durchführung einer solchen Politik wurde geradezu als Programm der neuen Bank in folgenden Worten bezeichnet:

„Der Zweck der Gesellschaft ist der Betrieb von Bankgeschäften aller Art, insbesondere Förderung und Erleichterung der Handelsbeziehungen zwischen Deutschland, den übrigen europäischen Ländern und überseeischen Märkten."

Dieses Programm war dazu bestimmt, eine den Gründern, vor allem aber den ersten Leitern der Bank, klar zum Bewußtsein gekommene klaffende Lücke in der Ausbildung des bisherigen deutschen Bank- und Kreditwesens auszufüllen.

Der „kühne Griff", der hier gemacht wurde, und die wirtschaftliche Einsicht, die hier vorlag, kann nicht hoch genug angeschlagen werden [1]).

Derselbe (eod. 6. Jahrg., No. 10, Juli 1909. S. 404 ff.): Pourquoi et comment il faut former en France des Banques d'Exportation. L'exemple des banques allemandes d'outremer.

Vouters, Les procédés d'Exportation du commerce allemand, Paris 1908.

Georges Diouritch, L'expansion des Banques Allemandes à l'Étranger, Ses Rapports avec le Développement Économique de l'Allemagne (Paris 1909, Arthur Rousseau).

Henry Arthur Simon, Die Banken und der Hamburger Überseehandel, Stuttgart und Berlin 1909, J. G. Cottasche Buchhandlung Nachf. (Münchener Volksw.-Studien, herausgeg. v. Brentano u. Lotz, 91 Stück).

1) Eine Würdigung ist versucht worden in meinem Nachruf auf den Viel zu früh verstorbenen genialen Leiter der Deutschen Bank, Dr. Georg v. Siemens (Bank-Archiv, 1. Jahrg., No. 2, November 1901).

Die Deutsche Bank hat jenes stolze Programm[1]) mit der größten Energie und Zähigkeit so lange verfolgt, bis sich der vorausgesehene und durch eine Reihe umsichtiger Maßregeln wohl vorbereitete Erfolg eingestellt hatte.

Bis zu diesem Eintreten der Deutschen Bank in eine große wirtschaftliche Vermittlungstätigkeit für den deutschen Exporteur und Importeur, die dann bald auch von der Disconto-Gesellschaft aufgenommen wurde, welche in dieser Epoche in sehr vielen Richtungen der Banktätigkeit auf gleicher und nahezu gleicher Höhe wie die Deutsche Bank geblieben ist, hatte sich Deutschlands Industrie und Handel im Auslande, und speziell in den überseeischen Ländern, fast durchweg der englischen Vermittlung (teilweise auch der französischen) bedienen müssen. Denn, während die deutsche Valuta keinen Markt besaß, hatten insbesondere die englischen Wechsel eine ungehinderte und unbegrenzte Umlaufsfähigkeit, wie denn auch englische Banken in allen Weltteilen in irgendeiner Form vertreten waren.

Die Deutsche Bank zuerst sicherte durch ihr Vorgehen unserem Handel und unserer Industrie eine feste Stellung auf dem Weltmarkt und führte das deutsche Akzept in den überseeischen Handel ein, wo es bis dahin so gut wie völlig unbekannt geblieben war. Dies war zu Beginn dieser Epoche, wo die Goldwährung in Deutschland noch nicht bestand, natürlich ein besonders schwieriges Beginnen; denn die in einer der buntscheckigen deutschen Geldsorten (s. oben S. 36) ausgestellten Wechsel waren im internationalen Verkehr, der sich in erster Linie im Wege des Wechselverkehrs zu vollziehen pflegt, unbekannt und unbeliebt, und mußten sich daher auch einen höheren Diskontabzug wie die Londoner Pfundwechsel gefallen lassen[2]).

Es war deshalb, um diesen Zustand zu bessern, zunächst die Aufgabe, dem deutschen Exporteur und Importeur in London Kredite zu eröffnen, was zuvörderst durch eine eigene Vertretung der Deutschen Bank in London, und, als diese infolge von Schwierigkeiten formaler Art zunächst nicht durchzusetzen war, durch eine Beteiligung der Deutschen Bank bei der German Bank of London Limited versucht wurde, womit jedoch das gewünschte Ziel nur unvollkommen erreicht werden konnte.

---

1) Über die Art, wie die bankmäßige Intervention sowohl dem Exporteur wie dem Importeur gegenüber einzutreten hatte und eingetreten ist, vgl. u. a. Richard Rosendorff, „Die deutschen Banken im überseeischen Verkehr" (Schmoller's Jahrb. f. Gesetzgebung usw., Bd. XXVIII, Heft 14, S. 93—134) und unten S. 349 ff.
2) Vgl. Geschäftsbericht der Deutschen Bank für 1871, S. 3.

Es war andererseits dem deutschen Exporteur und Importeur die Möglichkeit zu eröffnen[1]), „diese Kredite in Deutschland in Anspruch zu nehmen, indem man die deutsche Valuta auf den überseeischen Märkten einführte und daselbst als Käufer für die auf deutsche Wechselplätze gezogenen Tratten auftrat".

Beides suchte die Deutsche Bank dadurch zu erreichen, daß sie 1872, also noch vor Einführung der deutschen Goldwährung, in Yokohama und Shanghai Filialen errichtete und diese als Käufer für die auf Deutschland gezogenen Tratten auftreten ließ, so daß nun der deutsche Exporteur den Kaufpreis seiner Waren, den er in Mark kalkuliert hatte, auch im Auslande in Mark empfangen konnte, während der Importeur den ausländischen Verkäufer in Höhe des Fakturenbetrages in Mark bei der Bank akkreditieren und demnächst den seitens des Verkäufers durch Tratten zu entnehmenden Fakturenbetrag auch in Mark zahlen konnte.

Jene ostasiatischen Filialen mußten aber, vor allem infolge der das investierte Kapital der Deutschen Bank beständig vermindernden Silberentwertung, im Jahre 1874, also schon nach zwei Jahren, geschlossen werden, und ebenso mußte die 1872 von der Disconto-Gesellschaft begründete La Plata-Bank, welche die Deutsche Bank 1874 übernahm, späterhin (1885) wieder liquidiert werden. Aber inzwischen hatte die Deutsche Bank an den deutschen Zentralplätzen für den überseeischen Handel Filialen errichtet: 1871 in Bremen und 1872 (wo sie gleichzeitig eine Kommandite in New-York begründete) in Hamburg, und sie hatte bereits 1871 behufs Ermöglichung dieser Erweiterungen ihr Kapital von 5 auf 10 Mill. Tlr. erhöht, also verdoppelt.

Im Jahre 1873 aber gelang es ihr schließlich, in London eine eigene Niederlassung (agency) zu begründen, deren Geschäftsumfang bald ein sehr bedeutender wurde.

Nunmehr konnten die Kunden der Bank, welche von überseeischen Märkten Rohprodukte bezogen, ihre Wechsel, je nachdem ihnen das eine oder das andere nach Lage der Diskontsätze und des Wechselmarktes vorteilhaft war, entweder in Mark auf Deutschland (Berlin, Bremen, Hamburg) oder in Pfund auf London ausstellen, und so war die erste und schwerste Etappe auf diesem Gebiete glücklich erreicht.

Schon das Programm der Deutschen Bank war aber von den Bankier- und Börsenkreisen recht wenig günstig beurteilt worden. Die damalige Stimmung dieser Kreise spiegelt ein süddeutsches Blatt getreulich wieder, das von Model (auch schon bei Besprechung der Bankentätigkeit in der vorigen Epoche) als alleinige Quelle

---

1) Geschäftsbericht der Deutschen Bank für 1871, S. 4.

aus dem Bereiche der Zeitungen benutzt wurde. Dieses Blatt[1]) meinte noch etwa 4 Wochen vor der Gründung der Deutschen Bank, daß die Häuser, die sich an die Spitze gestellt hätten, „nicht für fähig gehalten" würden, ein derartiges Institut „den modernen Anforderungen entsprechend" zu leiten und „daß sich die Gründer vor einem glänzenden Fiasko bewahren würden, wenn sie ihre Aktien, da in Berlin absolut keine Geneigtheit für das Projekt existiere, selbst übernähmen".

In bezug auf die 71er Verdoppelung des Aktienkapitals hieß es dort: ein Bedürfnis zu einer solchen Verdoppelung sei nicht vorhanden, „selbst wenn es wahr sein sollte, daß die Bank bei den Riffpiraten, den Kaffern und bei den Schwarzfußindianern Kommanditen errichten will".

Nach den anfänglichen Mißerfolgen aber, der Aufhebung der ostasiatischen Filialen (1874), wurde ausgeführt: „Die Deutsche Bank hebt ihre Filialen in Shanghai und Yokohama auf und gesteht damit zu, daß sie außerstande ist, ihr ursprüngliches, volltönendes Programm auszuführen; denn sie wurde ja wesentlich zu dem Zwecke gegründet, den deutschen Handel im Auslande, besonders in China, Japan und Ostindien, von der Bevormundung durch englische und französische Bankiers zu befreien. Es wird denn auch für die Bank die Frage der Liquidation ventiliert, eine Kapitalreduktion dürfe jedenfalls angezeigt sein."

Noch schärfer fiel eine Kritik im Jahre 1875 aus, die dasselbe Blatt der Deutschen Bank mit den Worten widmete: „Eine jener Bankgründungen, die auch alles eher als ihr Programm erfüllt hat, und deren Existenzberechtigung nur damit motiviert werden kann, daß sie, wenn auch längst auf dem Aussterbeetat stehend, überhaupt noch existiert, ist die sogenannte »Deutsche Bank« in Berlin."

Die Deutsche Bank hat sich weder von jenen Mißerfolgen, noch von dieser Kritik von ihrem Wege abdrängen lassen. Sie hat namentlich in ihren Niederlassungen in Bremen, Hamburg und London das überseeische Geschäft mit Konsequenz und mit schließlich glänzendem Erfolge gepflegt. Wir werden unten (sub II) im einzelnen zu verfolgen haben, wie zunächst seitens der Deutschen Bank, dann seitens einer Reihe anderer Banken versucht wurde, das Ziel der energischen Unterstützung des deutschen Import- und Exporthandels nicht nur auf dem Wege von Filialen, sondern auch auf dem der Gründung von Tochterbanken in immer vollkommenerer

---

1) Vgl. zu den folgenden Zitaten Model, a. a. O. S. 107, 109 u. 117. Dem Blatte selbst soll und kann damit ein Vorwurf nicht gemacht werden; aber die damals allgemein in Bank- und Börsenkreisen herrschende Stimmung, die es lediglich wiedergab, ist nicht nur von rein historischem Interesse.

Weise zu erreichen, ausgehend von dem ihr ganzes Wirken beherrschenden Grundsatze, den Emil Herz[1]) richtig dahin zusammengefaßt hat: „Der wirtschaftliche Vertrauensmann muß im Ausland wie im Inland der Bankier sein."

Sobald erst der deutsche Handel der bankmäßigen Unterstützung seines Export- und Importhandels durch Filialen der Banken an den Zentralplätzen des Überseeverkehrs (Hamburg, Bremen, London) oder durch die mit den deutschen Banken Hand in Hand arbeitenden deutschen Tochterbanken im Auslande sicher sein konnte, hat er sich naturgemäß, soweit es irgend anging, von der ausländischen Vermittlung freigemacht und die — in der Regel auch weit billigeren — Dienste der Inlandsbanken und ihrer Filialen oder die Dienste ihrer Tochterbanken in Anspruch genommen.

Was zunächst den Exporteur betrifft[2]), der seine Waren mit in der Regel längerem Ziele nach überseeischen Plätzen verkauft hat, wo sie nach vielleicht monatelanger Fahrt von dem Käufer erst nach Löschung des betreffenden Dampfers mit seinem Akzept bezahlt werden, so konnte er nun seiner inländischen Bankverbindung die Konnossemente mit dem Auftrage übergeben, sie durch ihre überseeische Verbindung, also etwa ihre Tochterbank, dem Käufer gegen Zahlung des Fakturabetrages (after payment) oder, wenn längeres Ziel gegeben, gegen dessen Akzept („after acceptance of this draft") auszuliefern und ihn damit in den Besitz der Ware zu setzen, im Falle der (telegraphisch mitzuteilenden) Nichtzahlung aber die Ware versichert am überseeischen Bestimmungsorte für Rechnung des Verkäufers zu hinterlegen.

Hierbei wird der Exporteur durch die Bank meist in den Stand gesetzt, sich, wenigstens zum Teil, den Kaufpreis und damit neue Betriebsmittel schon vor Ankunft der Ware zu sichern, indem ihm die Bank auf schwimmende Ware einen Vorschuß gewährt. Diese Vorschußleistung erfolgt gegen durch Indossament zu bewirkende Verpfändung der die Auslieferung der Ware am Bestimmungsorte sicherstellenden Orderkonnossemente und Übergabe der zugehörigen Versicherungspolicen nach im voraus feststehenden oder für den Einzelfall jeweils speziell zu vereinbarenden Beleihungsbedingungen bis zur Höhe von 40—75 % der Faktura, deren Kopie der Bank zu überliefern ist. Natürlich werden derartige Vorschüsse in der Regel nur auf solche Waren gewährt werden können, welche

---

1) Emil Herz, a. a. O. No. 1, S. 48 ff.

2) Für das Inkassogeschäft (die Einkassierung von zum Einzug übersandten Wechseln, Konnossementen usw.) bei den deutschen Überseebanken gelten besondere Inkasso-Tarife; vgl. z. B. den Inkassotarif der Deutschen Orientbank bei Rich. Rosendorff, Die Deutschen Überseebanken und ihre Geschäfte, Sonderabdruck, S. 24—26.

der Gefahr des Verderbs, Schwunds, Bruchs, Gewichtsverlusts oder der Leckage nicht so leicht ausgesetzt sind.

Ein solcher Vorschuß ist, bei Einhaltung obiger Vorsichtsmaßregeln, und wenn der Exporteur auch persönlich unter allen Umständen für den Vorschußbetrag gut ist, für die Bank, falls die Dokumente echt sind, wenig gefährlich. Die Gefahr wächst aber natürlich dann, wenn der Vorschuß auf Waren erfolgt, die noch nicht fest verkauft sind. Ist dies der Fall, erfolgt also etwa der Export der Ware lediglich an den überseeischen Vertreter des inländischen Exporthauses, der sie nach Eintreffen erst zu verkaufen bemüht sein muß, so wird in der Regel die Beleihung durch irgend ein Tochterinstitut der deutschen Banken (die Deutsch-Überseeische Bank, die Deutsch-Asiatische Bank, die Bank für Chile und Deutschland usw.) erfolgen. Sie geschieht dann in der Weise, daß diese Banken die Waren auf Ersuchen des überseeischen Vertreters des inländischen Exporteurs nach Eintreffen am Bestimmungsorte auf Grund der ihnen übergebenen Konnossemente selbst beziehen und einlagern und dagegen die Tratten honorieren, welche auf den die Waren auf Vorrat abnehmenden überseeischen Vertreter des deutschen Exporteurs gezogen sind. Dieser Vertreter deckt dann den Trassierungskredit nach und nach, je nach den demnächst erzielten Verkäufen, ab.

Hier ist die Beleihung besonders dann bedenklich, wenn die Vertreter zuviel auf Vorrat beziehen und hierdurch einen Preisrückgang der Exportwaren herbeiführen, der noch durch die Zwangsverkäufe gesteigert werden kann, welche die Banken, falls alsdann die erforderlichen Nachschüsse nicht geleistet werden, natürlich vornehmen müssen. In diesen Fällen kann die Bank bei nicht ausreichender Solvenz der Vorschußempfänger oder nicht ausreichendem Werte der beliehenen Waren naturgemäß in Verlust geraten.

Die Unterstützung des Exports durch Banken kann sich aber auch in anderer Weise vollziehen, als durch Gewährung von Vorschüssen auf die Waren. Derart nämlich, daß sie dem inländischen Exporteur gegen Aushändigung der Dokumente (s. unten) Rembourskredit in der Weise geben, daß sie auf die auf sie zu ziehenden Tratten des Verkäufers ihr Akzept setzen, welches dieser dann zum Privatdiskont diskontieren kann. Es kann aber auch so kommen, daß die Banken dem inländischen Exporteur ihr Akzept auf Grund eines Kredits geben, den nicht er dem ausländischen Käufer, sondern dieser ihm bei den Banken in der Weise eröffnet hat, daß er letztere beauftragt, Tratten des inländischen Exporteurs gegen Empfang der Verschiffungsdokumente in bestimmter Höhe zu akzeptieren, einen Auftrag, den sich der Exporteur solchenfalls in der Regel von den Banken bestätigen läßt (confirmed letter of credit).

Eine besonders große Rolle spielt bei den Filialen der deutschen Banken in Hamburg, Bremen und London und bei den Überseebanken die Finanzierung der überseeischen Importe, speziell von Rohprodukten [1]). Sie erfolgt dadurch, daß zunächst der inländische Käufer der Ware (der Importeur) sich bei seiner deutschen Bankverbindung einen Trassierungskredit (Rembourskredit) in der ungefähren Höhe des Fakturabetrages zugunsten des überseeischen Verkäufers der Waren (Schafwolle, Baumwolle, Getreide, Reis, Kaffee, Erze usw.) mit der Vereinbarung einräumen läßt, daß dieser oder dessen Bankverbindung ermächtigt sein soll, auf die Bank des Importeurs in Höhe des Kaufpreises zu trassieren.

Die Bank wird und darf diese Tratte, welche der überseeische Verkäufer oder dessen Bankverbindung nach Verladung der Ware an sie absendet oder durch eine deutsche Bankverbindung ihr zum Akzept präsentieren läßt, nur akzeptieren, wenn ihr zugleich die angehefteten Konnossemente „in full set", nebst der Versicherungspolice, der Faktura, der spezifizierten Gewichts- und Quantitätsbezeichnung und eventuell dem Ursprungsattest [2]), übergeben werden. Denn durch diese Papiere wird einerseits die Herausgabe der Ware an die Bank sichergestellt, andererseits die Identität der Ware mit der der Bank vom Importeur, unter Bekanntgabe der Verkaufsbedingungen, genau beschriebenen Ware, und schließlich die Tatsache außer Zweifel gestellt, daß wirklich, entsprechend den Angaben des Importeurs, eine effektive Waren-Transaktion vorliegt.

Nachdem die Bank die in der Regel auf 30 oder 180 Tage nach Sicht lautende Tratte akzeptiert hat, kann sie der Verkäufer entweder im Ausland oder bei einer anderen deutschen Bank diskontieren, während die Bank ihr Akzept bei Fälligkeit einzulösen hat.

Hat der Importeur die Ware bereits im Inlande weiter verkauft, was der normale Fall ist, so muß die Ware an den neuen Käufer weiter gesandt werden. Die Bank muß dann also zu diesem Zwecke ihren Kunden die Dokumente nebst den Begleitpapieren behufs Weitersendung „zu treuen Händen" ausliefern, so daß ihre Deckung durch die Ware aufhört, und sie also, bis die Zahlung oder die Remisse des Käufers eingeht, einen, freilich meist nur kurze Zeit andauernden, Blankokredit zu gewähren hat. Nach Eingang der Rimesse des Käufers diskontiert sie diese, schreibt den Betrag dem Importeur per Verfalltag gut und ist dann in der Regel schon

---

1) Vgl. Waldemar Mueller, Die Organisation des Kredit- und Zahlungsverkehrs in Deutschland, Bank-Archiv, 8. Jahrg., No. 8, S. 115 ff.

2) Bei den sogenannten Optionsverschiffungen, welche es ermöglichen sollen, die Ware während des Transportes an verschiedenen Plätzen zu offerieren, werden „Options-Konnossemente" beigegeben.

längere Zeit vor Fälligkeit ihres eigenen Akzepts im Besitz der Deckung.

Hat der Importeur die Ware aber nicht weiter verkauft, so wird sie zunächst, unter Mitwirkung der Bank oder eines Vertreters, nach Ankunft in Deutschland eingelagert, und die Bank erhält in dem Lagerschein eine neue Sicherheit, während sie das Konnossement dem Schiffer bei der Löschung hatte herausgeben müssen.

Auch bei diesen Importgeschäften können Kreditgewährungen dann erforderlich sein, wenn der deutsche Importeur den Kaufpreis für die im Auslande gekauften Waren sofort bei deren Verladung im Auslande bezahlen muß. In diesem Falle gewährt ihm seine deutsche Bankverbindung Remburskredit in der Weise, daß sie ihre überseeische Bankverbindung beauftragt, den Kaufpreis gegen Empfangnahme der Dokumente zu zahlen; der Importeur zahlt dann den Kaufpreis nach Ankunft der Ware oder nach deren Weiterverkauf (s. oben) gegen Rückgabe der Dokumente zurück.

Hat endlich der Importeur die Ware, noch vor ihrer Verladung an ihn, in ein anderes Land weiterveräußert, so übersendet seine deutsche Bankverbindung die Konnossemente usw. an ihre Bankverbindung in diesem Lande und beauftragt sie gegen Zahlung des Kaufpreises oder gegen Akzept dem Käufer oder dessen Bankverbindung die Dokumente auszuhändigen.

In dieser Weise spielen sich die sehr bedeutenden Importe von Baumwolle aus Amerika, von Schafwolle aus Australien, der Kapkolonie oder Argentinien, von Getreide aus Rußland oder Amerika, von Reis aus Ostasien, von Kupfer aus Amerika, von Erzen aus Schweden und Spanien alljährlich im Gesamtbetrage von mehreren Milliarden ab[1]. In der Regel geht diese Abwicklung in völlig glatter Weise vor sich, da in der Tat, wie Waldemar Mueller mit Recht bemerkt (freilich nur bei Anwendung der hier mehr noch wie in anderen Geschäftszweigen erforderlichen äußersten Vorsicht und Genauigkeit bei Prüfung der Unterlagen und Erklärungen), eine Gefahr aus dieser Verbindung des Rembours- und Akzeptkredits für die Bank nur entstehen kann, wenn etwa die Dokumente gefälscht sind oder, nach Aushändigung der Waren „zu treuen Händen" des Importeurs, dieser und sein Abnehmer gleichzeitig Bankerott machen, wogegen zwar einige, aber durchaus nicht immer ausreichende Vorsichtsmaßregeln getroffen werden können[2].

---

1) Waldemar Mueller, a. a. O. S. 116.

2) So lassen die Banken z. B. den Absender und den Empfänger Erklärungen unterzeichnen, wonach die Ware und nach deren Verkauf ihr Erlös nicht nur, so lange die Dokumente in den Händen der Bank sind, sondern auch späterhin behufs Sicherung des Vorschusses der Bank verpfändet ist, so daß der Empfänger die ihm ausgelieferten Dokumente oder die Ware selbst, wenn er sie bezogen hat, jederzeit

Auch hier können Warenbeleihungen mit dem Remboursgeschäft dann verbunden sein, wenn der Importeur oder sein Einkaufskommissionär im Ausland Rohmaterialien auf Vorrat anschaffen will. Die Ware, gegen die das Akzept gegeben wird, wird dann vom Spediteur der Bank, dem sie die Dokumente sendet, so lange zur Verfügung der Bank auf versichertes Lager genommen, bis der Kunde sie oder einen Teil durch Remittierung des entsprechenden Teils des Kaufpreises an die Bank frei macht.

Natürlich kann dieses ganze Remboursgeschäft nur von ersten Bankhäusern gemacht werden, deren Akzept auch im Auslande als Primaakzept bekannt ist und auch in größeren Beträgen anstandslos genommen wird. Denn solche Bankakzepte sind dem Akzept der Warenfirma, welche die Ware zu erhalten hat, an sich und meist auch deshalb vorzuziehen, weil sie zum Privatdiskontsatz verwertet werden können. Die Rembourskredite können deshalb natürlich auch nur von derartigen Banken und Bankhäusern in deutscher Währung eröffnet werden; nur in Ausnahmefällen, so in einzelnen Ländern Südamerikas, in Asien und Australien, werden auch diese die Rembourskredite derzeit noch in Pfund Sterling eröffnen und das Akzept ihrer Londoner Niederlassung zur Verfügung stellen müssen[1]).

Seitdem nach langen Kämpfen der Markwechsel im Auslande sich eine geachtete Stellung neben dem Sterlingwechsel errungen hat, wird beim Zahlungsausgleich der deutschen Ein- und Ausfuhr die englische Vermittelung bei weitem nicht in demselben Umfange in Anspruch genommen wie früher, und die Zeit ist, wenn auch nicht in allen Fällen, doch in der weitaus überwiegenden Mehrzahl der Fälle, vorüber, wo auch die deutschen Exporteure behufs Einziehung ihrer Forderung aus dem Auslande und ebenso die ausländischen Exporteure, wenn sie nach Deutschland verkauften, auf London trassierten, und wo die deutschen Importeure sogar die Guthaben ihrer Verkäufer über London regulierten.

Als die Deutsche Bank ihre ersten, immer wieder erneuerten Versuche machte, dem Markwechsel eine gleichberechtigte Stellung mit dem Pfundwechsel zu verschaffen, hatte sie nicht etwa nur mit dem Mißtrauen des Auslands und mit der Konkurrenz der englischen Banken zu kämpfen. Es wurden vielmehr auch im Inlande,

---

zur Verfügung der Bank halten; auch über Ware und Erlös separate Buchungen führen und den Erlös von anderen Eingängen und Vermögensbestandteilen getrennt halten und baldmöglichst an die Bank abliefern muß (Letter of hypothecation). Der Empfänger, welchem von dem Vorschußnehmer von diesen Abmachungen durch Vermittlung der Bank Mitteilung gemacht wird, muß der letzteren die entsprechende Erklärung (letter of lien) abgeben und erhält erst nach deren Abgabe und nach erfolgtem Akzept die Dokumente.

1) Waldemar Mueller, Bank-Archiv, 8. Jahrg., No. 8 (15. Januar 1909), S. 115.

und zwar sowohl aus Bank- wie aus anderen Kreisen, insofern Angriffe gegen sie erhoben, als infolge der im vorstehenden geschilderten programmatischen Förderung unseres überseeischen Import- und Exporthandels das Akzeptkonto der Deutschen Bank zeitweise so hoch anwuchs, daß es, selbst nach den großen Kapitalvermehrungen der späteren Zeit, oft die Höhe des Aktienkapitals der Bank, mitunter sogar bei weitem, überstiegen hat. Wir haben jedoch gesehen, daß dieser Akzeptverkehr zur Förderung des überseeischen Handels, welcher letztere sich im wesentlichen auf dem Wege des Wechselverkehrs abspielt, falls nur die erforderlichen Vorsichtsmaßregeln beobachtet werden, nichts Bedenkliches an sich hat. Es ist daher bei der Kritik der Höhe des Akzeptkontos unserer Banken nicht nur festzustellen, daß, sondern scharf zu unterscheiden, wofür die Tratten gezogen sind, welche die Bank akzeptiert hat. —

II. Die Begründung von Filialen in Hamburg, Bremen und London und die Errichtung von Übersee- und Auslandsbanken und von inländischen Tochterbanken für das überseeische und Auslandsgeschäft.

1. Bei der Deutschen Bank.

Wir haben oben (sub I, S. 344 ff.) geschildert, wie die Deutsche Bank zunächst an den deutschen Zentralplätzen für den überseeischen Handel: in Bremen (1871), in Hamburg (1872) und in London (1873)[1], behufs Förderung des deutschen überseeischen Import- und Exporthandels Niederlassungen errichtet hatte, die gleichsam vorgeschobene Posten waren zur Beobachtung, Aufklärung und Gewinnung des für die deutschen Banken neu zu erobernden Gebiets.

a) Im Jahre 1886 setzte die Deutsche Bank (mit Wirkung vom 1. Juli 1887) an die Stelle der oben (S. 347) erwähnten La Platabank, welche 1875 hatte liquidiert werden müssen, die Deutsche Überseebank mit einem eingezahlten Kapital von 6 Mill. (nom. 10 Mill.) M zur Pflege der deutschen Geschäftsbeziehungen mit Südamerika, insbesondere mit Argentinien. Sie wurde aber am 17. Juni 1893 durch die mit einem Kapital von 20 Mill. M in Berlin errichtete Deutsche Überseeische Bank abgelöst[2], deren Kapital im Jahre 1909 auf 30 Mill. M erhöht worden ist[3].

---

[1] 1909 kamen als Auslandsniederlassungen die Filialen in Konstantinopel und Brüssel hinzu.

[2] Ausführliche Einzelheiten über das Statut der Deutschen Überseeischen Bank, die argentinischen Handels- und Eisenbahn-Verkehrsverhältnisse, die Resultate der Bank und ihrer einzelnen Filialen und die Umsätze der letzteren s. bei Ant. Paul Brüning, S. 45—80 u. bei Georges Diouritch a. a. O. S. 497—549.

[3] Irrig ist die vielfach auch in der Literatur (s. z. B. Georges Diouritch a. a. O. S. 501) verbreitete Ansicht, es sei die Kapitalserhöhung der alten Bank

Die Bank hat durchweg sehr gute Resultate erzielt; ihre Dividenden betrugen (in Prozenten) in den Jahren

1893	6	1898	8	1903	8	1908	9
1894	7	1899	8	1904	8	1909	9
1895	9	1900	8	1905	8	1910	9
1896	9	1901	8	1906	9		
1897	8	1902	8	1907	9		

Die Bank hat heute bereits 23 Filialen, nämlich sieben in Chile (Santiago de Chile, Antofagasta, Concepción, Iquique, Temuco, Valdivia und Osorno); fünf in Argentinien (Buenos-Aires, Bahía-Blanca, Córdoba, Mendoza und Tucuman); vier in Peru (Lima, Callao, Trujullo und Arequipa); zwei in Bolivien (La Paz und Oruro); eine in Uruguay (Montevideo); zwei in Spanien (Madrid und Barcelona) und eine in Rio de Janeiro. Die ausländischen Niederlassungen der Deutschen Überseeischen Bank firmieren: Banco Alemán (in Brasilien: Alemão) Transatlántico.

Die frühere Filiale der Deutschen Überseeischen Bank in Mexiko (Stadt) ist 1906 an die unter der Mitwirkung der Deutschen Bank begründete Mexikanische Bank für Handel und Industrie (s. unten sub m) übergegangen. Dagegen übernahm die Deutsche Überseeische Bank die frühere Kommandite der Deutschen Bank, die Bankfirma Guillermo Vogel & Co. in Madrid.

b) Im März 1889[1]) wurde seitens der Deutschen Bank zur Pflege der deutschen Geschäftsbeziehungen zur Türkei in Gemeinschaft mit der Dresdner Bank und anderen Instituten die Anatolische Eisenbahn-Gesellschaft (Société du chemin de fer Ottoman d'Anatolie) mit dem Sitze in Konstantinopel begründet, welche, was sie bereits am 31. Dezember 1892 durchgeführt hatte[2]), eine von ihr erworbene, gegenüber Konstantinopel liegende kleine Bahn, von Haidar-Pascha (bei Konstantinopel) nach Ismid (92 km), und von da bis nach Angora

(Deutschen Überseebank), zu der man im Jahre 1891 infolge der starken Erweiterung der Geschäfte der Bank schreiten wollte, nach den damaligen argentinischen Gesetzen nicht anders als durch ihre Liquidation unter Übernahme der Aktiven und Passiven durch eine neue Bank angängig gewesen. Auch die alte Bank war ja eine deutsche, die Kapitalserhöhung hätte sich also auch bei der Deutschen Überseebank nach deutschen und nicht nach argentinischen Gesetzen zu richten gehabt. Der wahre Grund war offenbar der, daß man aus verschiedenen Gründen der Bank ein hohes Kapital geben wollte. Zu diesem Behufe aber hätte man nach deutschem Rechte erst das alte Kapital voll einzahlen lassen müssen, was man nicht wollte; deshalb zog man die Neugründung mit dem höheren Kapital vor, von dem man zunächst nur einen Teil einzahlen lassen mußte.

1) Zu b) und c) vgl. Anton Paul Brüning, S. 14 u. 15.
2) Geschäftsbericht der Deutschen Bank für 1892, S. 4.

(486 km), und von Eski-Schchir nach Konia (445 km) auszubauen hatte. Das Grundkapital betrug zuerst 45, dann
60 Mill. Frcs.

c) Gleichfalls im Jahre 1889 erwarb die Deutsche Bank, gemeinsam mit dem Wiener Bank-Verein, die Aktienbeteiligung des
Barons von Hirsch an der im Jahre 1879 mit einem Grundkapital von 20 Mill. österreichischer Goldgulden begründeten,
seit 1910 in Konstantinopel domilierenden Betriebsgesellschaft der Orientalischen Eisenbahnen (1563 km)[1]) und
zugleich die Konzession für die Macedonische Eisenbahn
Saloniki—Monastir, welch' letztere Konzession sie an die
am 5. Februar 1891 mit dem Sitze in Konstantinopel begründete
Société du Chemin de Fer Ottoman Salonique—Monastir
(Aktienkapital 20 Mill. M, Obligationen 60 Mill. Frcs.) abgab.

In Nord-Amerika unterhält die Deutsche Bank sehr lebhafte
geschäftliche Beziehungen, die zu zahlreichen Finanzgeschäften
und Emissionen amerikanischer Staatsanleihen, Schatzscheine,
sowie einer Reihe von Bonds amerikanischer Eisenbahngesellschaften und zu sehr erheblichen sonstigen Eisenbahngeschäften
Veranlassung gaben, wobei der (erfreulicherweise nicht dauernde)
Niedergang der Northern-Pacific-Werte eine Zeit schwerer
Sorgen für die Bank herbeiführte, welche durch die unter
ihrer Führung erfolgte Reorganisation der Bahn beendet wurde.

Die Bank hatte zuerst, und zwar vom 15. Oktober 1872
ab, das Bankhaus Knoblauch & Lichtenstein in New-York
mit $ 500 000 currency = 1 845 000 M kommanditiert[2]), mußte
aber ihre Beteiligung infolge von Verlusten dieses Geschäfts-
hauses zunächst auf $ 400 000 = 1 680 000 M reduzieren[3]),
während die am 15. Oktober 1882 notwendig gewordene
Liquidation jener Firma sogar einen Verlust von etwa 700 000 M
ergab[4]).

Im Jahre 1890 sah sich die Deutsche Bank, vor allem infolge ihrer Verbindung mit vielen amerikanischen Bahnen,
namentlich mit der Northern Pacific Railroad Co., veranlaßt,
im Verein mit Frankfurter und amerikanischen Firmen die
Deutsch-Amerikanische Treuhand-Gesellschaft in Berlin
mit einem Aktienkapital von nom. 20 Mill. M zu gründen,
welche in erster Linie eigene Obligationen auf Grund zu er-
werbender solider amerikanischer Werte ausgeben, in zweiter
Linie aber die Rechte der Besitzer etwa notleidend gewordener

---

1) Geschäftsbericht der Deutschen Bank für 1890, S. 4.
2) Geschäftsbericht der Deutschen Bank für 1872, S. 4.
3) Geschäftsbericht für 1883, S. 11.
4) Geschäftsbericht für 1883, S. 3 u. 11.

amerikanischer Werte vertreten sollte. Nachdem der erstere Zweck aus verschiedenen Gründen, insbesondere aber mit Rücksicht auf die bedenklich gewordene Lage in Nordamerika, sich als undurchführbar erwiesen hatte, wurde zunächst das Kapital der Gesellschaft auf 1 Million Mark reduziert[1]), alsdann wurde die Gesellschaft unter der Firma Deutsche Treuhand-Gesellschaft durch ein Statut vom 9. Dezember 1901 insofern rekonstruiert[1]), als zwar der früher in zweiter Linie gedachte Zweck beibehalten, im übrigen aber die Gesellschaft mit einem Kapital von 1 500 000 M zur Besorgung von Revisionen der Bilanzen von Aktiengesellschaften und zur Übernahme des Amtes als Treuhänder und Pfandhalter bestimmt wurde. Sie hat von da ab in sehr befriedigender Weise gearbeitet.

Im Jahre 1889 beteiligte sich die Deutsche Bank zur Pflege der deutsch-ostasiatischen Geschäftsbeziehungen an der Gründung der weiter unten (III sub 1) näher zu erwähnenden Deutsch-Asiatischen Bank in Shanghai (Kap. 7 ½ Mill. Shanghai-Taels).

d) Im Jahre 1890 wurde dann behufs Durchführung des finanziellen Teiles der Aufgaben der Anatolischen Eisenbahngesellschaft, unter Beteiligung der Deutschen Bank, die Bank für Orientalische Eisenbahnen in Zürich mit einem Kapital von nom. 50 Mill. Frcs. Stammaktien und nom. 13 Mill. Frcs. Vorzugsaktien begründet[2]). Das Obligationenkapital beträgt seit Mai 1907 30 Mill. Frcs.

e) Im Jahre 1894 beteiligte sich die Deutsche Bank zur Pflege der deutsch-italienischen Geschäftsbeziehungen an der Gründung der gleichfalls unten (III sub 2) näher zu erwähnenden Banca Commerciale Italiana in Mailand (Kapital jetzt 130 Mill. Lire).

f) In den Jahren 1898—1904 beteiligte sich die Deutsche Bank, mit anderen Banken und Firmen, an der Gründung der Deutsch-Atlantischen, der Ost-Europäischen und der Deutsch-Niederländischen Telegraphen-Gesellschaft, sowie der Norddeutschen Seekabelwerke, zu denen im Jahre 1908 noch die Deutsch-Südamerikanische Telegraphen-Gesellschaft hinzutrat (s. unten S. 374 Nr. 7).

g) Im Jahre 1899 wirkte die Deutsche Bank mit an der Errichtung der von einer Reihe deutscher Banken und Firmen be-

---

1) Näheres s. bei Rich. Rosendorff, Treuhandgesellschaften und ihre Funktionen in Conrads Jahrb., 1906, Heft 5, S. 608 ff.; vgl. Walter Nachod, Treuhänder und Treuhandgesellschaften (Tübingen 1908, H. Laubsche Buchhandlung), S. 88 ff.

2) Geschäftsbericht der Deutschen Bank für 1892, S. 4.

gründeten Schantung-Bergbau- und Schantung-Eisenbahn-Gesellschaft (s. unten S. 374 Nr. 7).

h) Nachdem im Jahre 1901 der Anatolischen Eisenbahngesellschaft die Konzession zur Verlängerung ihrer Linien von Konia
nach Bagdad und dem Persischen Meerbusen erteilt
worden war[1]), wurde im Jahre 1903, unter Beteiligung jener
Gesellschaft und einer Reihe türkischer, deutscher, österreichischer, französischer, schweizerischer und italienischer Firmen,
die Kaiserlich Ottomanische Gesellschaft der Bagdad-
bahn begründet[2]).

Im Jahre 1905 wurde im Interesse dieser Bagdadbahn,
deren erste Teilstrecke von Konia nach Burgulu am 25. Oktober
1904 eröffnet worden war, die Kontrolle über die Eisenbahn
von Mersina nach Adana erworben.

Im Frühjahre 1908 gelang es, nach „4jährigen mühevollen
Verhandlungen"[3]), die erforderlichen staatlichen Garantien für
den Weiterausbau der Bagdadbahn über den Taurus und den
Amanus nach Syrien und dem oberen Mesopotamien bis
El Helif nahe bei Mardin (840 km von dem im Jahre 1908
erreichten Endpunkt der Bagdadbahn, 1738 km von Konstantinopel und ca. 1155 km von Bassora am unteren Shatt-el-Arab
entfernt) zu erlangen, „und dadurch die Förderung dieses großen
Unternehmens zu sichern".

Am 22. März 1911 wurde der Vertrag zwischen der Türkischen Regierung und der Gesellschaft über den Bau des
dritten Abschnitts der Bahn von El Helif im nördlichen
Mesopatamien nach Bagdad unterzeichnet, der zugleich die
Genehmigung zum Bau einer Zweigbahn von Osmanje
nach Alexandrette enthält.

Damit ist die Grundlage für die Vollendung des großen
Unternehmens geschaffen, nämlich für den Bau des vierten Abschnitts der Bahn von Bagdad zum Persischen Golf. Die
Konzession für diesen letzten Abschnitt dürfte nach den ein-
geleiteten Verhandlungen einer neuen türkischen Gesellschaft
übertragen werden, an der das internationale Kapital beteiligt
werden soll.

i) Im Jahre 1904 begründete sie die Ost-Afrikanische Gesellschaft mit dem Sitz in Berlin, eine Kolonialgesellschaft,
für deren nom. 21 Mill. M. Aktienkapital das Reich eine

---

1) Geschäftsbericht der Deutschen Bank für 1901, S. 5.
2) Geschäftsbericht der Deutschen Bank für 1903, S. 7.
3) Geschäftsbericht der Deutschen Bank für 1908, S. 8.

Minimalverzinsung von 3% und die Rückzahlung zu 120% garantiert hat.

k) Im Jahre 1904—1905 beteiligte sich die Deutsche Bank an der Gründung der mit einem Kapital von 2 Mill. M. mit dem Sitz in Berlin errichteten Kolonialgesellschaft: Deutsch-Ost-Afrikanische Bank, welche Kreditbank und Notenbank für das deutsch-ostafrikanische Schutzgebiet ist (s. unten III sub. 3).

l) Im Dezember 1905 errichtete die deutsche Bank, zusammen mit der Deutschen Überseeischen Bank, dem Bankhause Lazard Speyer-Ellissen in Frankfurt a. M. und der Schweizerischen Credit-Anstalt, behufs Pflege der deutschen Geschäftsbeziehungen mit Zentralamerika, die Zentral-Amerika-Bank, Aktiengesellschaft, mit dem Sitze in Berlin und einem zunächst mit 25% eingezahltem Aktienkapital von 10 Mill. M. Die Gesellschaft änderte jedoch schon im Jahre 1906 den ursprünglichen Gegenstand des Unternehmens, weil sie für die in Guatemala beabsichtigte Filiale nicht die notwendige staatliche Konzession zum Betrieb von Bankgeschäften erhalten konnte; dementsprechend lautet ihre Firma jetzt: Aktiengesellschaft für überseeische Bauunternehmungen. Sie hat also nunmehr einen weit begrenzteren Zweck; Dividenden für 1905—1910: 0, 0, 5, 6, 7, 7%.

m) Im Jahre 1906 begründete die Deutsche Bank, zusammen mit dem Bankhause Speyer & Co. in New-York, zur weiteren Pflege der deutschen Geschäftsbeziehungen mit Südamerika insbesondere mit Mexiko, die Mexikanische Bank für Handel und Industrie (Banco Mejicano de Commercio é Industria) mit dem Sitze in New-York. Die Bank übernahm, wie oben erwähnt, die Geschäfte des Banco Alemán Transatlántico in Mexiko; ihr Kapital beträgt nom. 10 Mill. Pesos. die Dauer ihrer Konzession beträgt 40 Jahre. Die Dividende betrug seit 1907 6%.

Was das europäische Ausland betrifft, so hatte sich die Deutsche Bank

n) in Paris schon vom 1. Januar 1873 ab an dem Bankhause Weißweiler & Goldschmidt mit einer Einlage von 1 Mill. Frcs beteiligt[1]); diese Beteiligung fand aber, nachdem die Kommanditeinlage schon im Jahre 1876 auf 500000 Frcs. hatte reduziert werden müssen, bald darauf infolge der Liquidation jener Firma ein Ende.

o) Dagegen beteiligte sich die Deutsche Bank vom 1. Oktober 1877 ab bei der Bankfirma Güterbock, Horwitz & Co. in

---

[1]) Geschäftsbericht der Deutschen Bank für 1873, S. 10.

Wien mit einer Kommanditeinlage von 750 000 fl. (1 290 000 M),
die jedoch schon am 31. Dezember 1883 zurückgezahlt wurde[1].

p) Im Jahre 1895 kommanditierte die Deutsche Bank von neuem
die Firma Rosenfeld & Co. in Wien, bildete jedoch später selbst
eine Gruppe von deutschen und österreichischen Banken behufs
Teilnahme an österreichischen und ungarischen Geschäften.

q) Im Jahre 1895 kommanditierte die Deutsche Bank die Firma
Guillermo Vogel & Co. in Madrid[2]), welche, wie oben erwähnt, im Jahre 1906 von der Deutschen Überseeischen Bank
übernommen wurde.

r) Am Minengeschäft beteiligte sich die Bank vom Beginn der
90er Jahre ab durch eine Beteiligung bei der Firma Ad. Goerz
& Co. in Berlin und Johannesburg.

Die übrigen Großbanken folgten dem Beispiel der Deutschen
Bank in bezug auf die Entwicklung und Ausdehnung ausländischer
und überseeischer Beziehungen fast durchweg; einige rasch und
energisch, andere zögernd und in unerheblichem Umfange. Am
raschesten und umfassendsten wurde vorgegangen:

2. Bei der Disconto-Gesellschaft,

welche sich allerdings bereits im Jahre 1873 an der Gründung der
später an die Deutsche Bank abgegebenen La Platabank beteiligt hatte.

a) Die Disconto-Gesellschaft wirkte zunächst im Jahre 1880 an
der Rekonstruktion der Deutschen Handels- und Plantagen-Gesellschaft der Südseeinseln (Kap. 2 750 000 M)
mit und in den Jahren 1883—1887, infolge der Initiative Ad.
v. Hansemanns, an der Vorbereitung der Gründung und an
der Errichtung der mit einem Kapital von 6 Mill. M begründeten Neu-Guinea-Kompagnie.

b) Im Jahre 1887 begründete die Disconto-Gesellschaft, in Gemeinschaft mit der Norddeutschen Bank, die Brasilianische
Bank für Deutschland[3]), mit dem Sitze in Hamburg und
einem Kapital von 10 Mill. M zur Pflege der geschäftlichen
Beziehungen Deutschlands mit Brasilien. Diese Bank hat heute
(1911) fünf Filialen (in Rio de Janeiro, São Paulo, Santos,
Porto Alegre und Bahia). Die Dividenden (das Geschäftsjahr
läuft vom 1. Juli bis 30. Juni) betrugen in Prozenten:

---

1) Geschäftsbericht der Deutschen Bank für 1883, S. 11.
2) Geschäftsbericht der Deutschen Bank für 1895, S. 4.
3) Geschäftsbericht der Disconto-Gesellschaft von 1887, S. 5. Die Einzelheiten der Bilanzen der Brasilianischen Bank für Deutschland von 1889—1905 s. bei
Rich. Rosendorff, Le Développement etc., p. 42 u. 43 und bei Georges Diouritch
a. a. O. S. 550—598.

1889/90	5	1895/96	12	1901/02	6	1907/08	10
1890/91	10	1896/97	12	1902/03	6	1908/09	10
1891/92	16	1897/98	12	1903/04	8	1909/10	10
1892/93	16	1898/99	12	1904/05	10	1910/11	10
1893/94	8½	1899/1900	9	1905/06	10		
1894/95	10	1900/01	8	1906/07	10		

c) Im Jahre **1889** beteiligte sich die Disconto-Gesellschaft an der Gründung der von sieben Berliner Banken zur Pflege der deutschen Geschäftsbeziehungen mit Ostasien (s. unten S. 371, Nr. 1) errichteten, unten näher zu erwähnenden **Deutsch-Asiatischen Bank**[1]).

d) Im Jahre **1890** beteiligte sie sich kommanditistisch an dem Bankhause **Ernesto Tornquist** in Buenos-Aires und bei der mit dieser in Verbindung stehenden Firma **H. Albert de Bary & Co.** in Antwerpen mit zusammen 2 187 000 M. Die letztere Firma verwandelte sich im Jahre 1900 in die Aktiengesellschaft Compagnie Commerciale Belge, anciennement H. Albert de Bary & Co. (Aktienkapital 5 Mill. Frcs.), bei welcher die Disconto-Gesellschaft durch Aktienbesitz beteiligt blieb[2]).

e) Im Jahre **1894** wirkte die Disconto-Gesellschaft mit bei der Errichtung der **Banca Commerciale Italiana** (s. unten S. 372, Nr. 2).

f) Im Jahre **1895** errichtete die Disconto-Gesellschaft, zusammen mit der Norddeutschen Bank und einer Reihe von mit Chile in Geschäftsverbindung stehenden Handlungshäusern, zur Pflege der deutsch-chilenischen Geschäftsbeziehungen die **Bank für Chile und Deutschland**[3]) in Hamburg mit einem Kapital von 10 Mill. M, welche jetzt (1911) acht[4]) Filialen besitzt (in Valparaiso, Santiago, Concepción, Temuco, Oruro, Antofagasta, Victoria und Valdivia). Die Dividenden betrugen in Prozenten:

1896	0	1901	7	1906	8
1897	5	1902	8	1907	4
1898	2	1903	8	1908	8
1899	7	1904	8	1909	0
1900	7	1905	8	1910	0

g) Im Jahre **1897** errichtete die Disconto-Gesellschaft, zusammen mit S. Bleichröder, zur Pflege der deutsch-rumänischen Geschäftsbeziehungen die **Banca Generala Romana**[5]) in Buka-

---

1) Geschäftsbericht für 1889, S. 9.

2) Geschäftsbericht für 1890, S. 8 u. 1900, S. 13.

3) Die Einzelheiten der Bilanzen der Bank für Chile und Deutschland von 1896—1904 s. bei Rich. Rosendorff, Le Développement etc. (Okt. 1906), S. 44 u. 45 und bei Georges Diouritch, S. 599—621.

4) Die Filiale in La Paz ist 1910 aufgegeben worden.

5) Rosendorff's Angabe a. a. O. S. 33, daß die Bank 1892 begründet sei, beruht auf einem Druckfehler.

rest, welche heute (1911) sechs Zweigniederlassungen (in Braila, Constantza, Crajowa, Giurgiu, Ploesti und Turnu-Magurele) besitzt[1]). Das Kapital beträgt 12½ Mill. Frcs. (Lei). Die Dividenden betrugen in Prozenten:

1898	6	1903	--	1908	9
1899	5	1904	6	1909	9
1900	7	1905	8	1910	10
1901	8	1906	9		
1902	—	1907	9		

h) Im Jahre **1898** beteiligte sich die Disconto-Gesellschaft, zusammen mit einer Reihe inländischer und ausländischer Firmen, an der behufs Pflege der deutsch-belgischen Geschäftsbeziehungen mit einem Kapital von nom. 25 Mill. Frcs. erfolgten Gründung der **Banque Internationale de Bruxelles**. Die Dividenden betrugen in Prozenten:

1899	6	1903	0	1907	5
1900	4	1904	4	1908	5
1901	0	1905	5	1909	5
1902	0	1906	5	1910	5½

i) Im Jahre **1899** beteiligte sich die Disconto-Gesellschaft an der von einer Reihe deutscher Banken und Bankhäuser begründeten, unten näher zu erwähnenden **Schantung-Eisenbahn-Gesellschaft** und **Schantung-Bergbau-Gesellschaft** und in der Zeit von 1898—1904 und dann wieder 1908 an einer Reihe von Telegraphen-Gesellschaften und Kabelwerken (s. unten S. 374, Nr. 7).

k) Im Jahre **1900** begründete die Disconto-Gesellschaft die **Otavi-Minen- und Eisenbahn-Gesellschaft** mit einem Kapital von 1 Mill. M, welches bereits am 12. Mai 1903 auf 20 Mill. M erhöht wurde, und zwar behufs Erbauung einer Eisenbahn von Swakopmund nach Tsumeb, welche durch Herstellung einer Zweiglinie von Onguati nach Karibib bereits 1906 den Anschluß an die Hauptlinie Swakopmund-Windhuk erreicht hatte[2]).

l) Im Jahre **1904** begründete sie die **Ostafrikanische Eisenbahn-Gesellschaft**, für deren Anteile in Höhe von 21 Mill. M das Reich eine Minimalverzinsung von 3% und die Rückzahlung mit 120% garantiert hat.

m) Im Jahre **1904/05** wirkte die Disconto-Gesellschaft mit an der Begründung der **Deutsch-Ostafrikanischen Bank** in Berlin mit Filiale in Dar-es-Salaam, welche Kreditbank und Notenbank für das deutsch-ostafrikanische Schutzgebiet ist.

---

1) Näheres über die Tätigkeit der Bank u. a. auch bei Georges Diouritch a. a. O. S. 684—690.

2) Geschäftsbericht der Disconto-Gesellschaft für 1900, S. 10 u. 1905, S. 13—15.

n) Im Jahre **1905** begründete die Disconto-Gesellschaft, zusammen mit S. Bleichröder, der Norddeutschen Bank und bulgarischen Firmen, zur Pflege der deutsch-bulgarischen Beziehungen die Banque de Crédit (Kreditna Banka) in Sofia mit einem Kapital von nom. 3 Mill. Gold-Leva (Francs).

o) Im gleichen Jahre (**1905**) errichtete die Disconto-Gesellschaft, zusammen mit der Firma C. Woermann in Hamburg, die Deutsche Afrika-Bank (Akt.-Kap. 1 Mill. M), welche die Geschäfte der 1904 von jenen Firmen errichteten Damara- und Namaqua-Handelsgesellschaft, G. m. b. H. in Swakopmund, Windhuk und Lüderitzbucht, unter Errichtung von Filialen an diesen Stellen, übernahm. Sie verteilte Ende 1910 eine Dividende von 8%.

p) Im Jahre **1905** beteiligte sich die Disconto-Gesellschaft zum Zwecke des Minengeschäfts an der von der Dresdner Bank, gemeinsam mit den Brüdern Albu, begründeten General Mining and Finance Corporation, Limited in London (Kap. 1 250 000 £) durch Übernahme von Aktien. Dieser Aktienbesitz hat mehrere Jahre starke Abschreibungen erfordert.

q) Im Jahre **1906** wirkte die Disconto-Gesellschaft, in Gemeinschaft mit einer Reihe von deutschen Banken, Bankhäusern und Firmen, bei der Gründung der Kamerun-Eisenbahn-Gesellschaft mit (s. unten S. 373 Nr. 5).

Dagegen hatte die Disconto-Gesellschaft bis zum Ende der 90er Jahre im Innern an dem Prinzip strengster Zentralisierung festgehalten, sich also bis dahin nicht zur Begründung von Filialen zur Pflege des überseeischen Geschäfts entschließen können, zumal sie in Hamburg schon lange durch die Norddeutsche Bank vertreten war, mit der sie bereits in der vorigen Epoche in enger Verbindung gestanden hatte.

Erst im Jahre **1900** errichtete die Disconto-Gesellschaft, mit Rücksicht auf ihre inzwischen so stark gestiegenen eigenen überseeischen Beziehungen, eine Filiale in London, der 1903 eine Filiale in Bremen folgte.

Endlich ist hier noch zu erwähnen, daß die Disconto-Gesellschaft schon im Jahre **1888** (zusammen mit der Norddeutschen Bank), mit der Firma Friedr. Krupp, welche die Konzession für die Ausführung der 180 km langen Großen Venezuela-Eisenbahn mit Staatsgarantie erlangt hatte, einen Vertrag abschloß, auf Grund dessen sie die Ausführung dieser von Caracas nach Valencia fuhrenden Bahn übernahm[1]). Der Disconto-Gesellschaft erwuchsen aus

---

1) Geschäftsbericht der Disconto-Gesellschaft für 1888, S. 8.

diesem Geschäft, welches der deutschen Industrie erhebliche Lieferungen verschaffte, sehr viele, jahrelang andauernde Sorgen und Unannehmlichkeiten aller Art.

Es ist schließlich daran zu erinnern, daß die Disconto-Gesellschaft als Mitglied des Rothschild-Konsortiums an einer großen Reihe österreichisch-ungarischer Staatseisenbahn- und sonstiger Finanzgeschäfte beteiligt war, 1887 und 1888 argentinische Anleihen emittiert hat und an einer Reihe von finnischen, russischen und rumänischen Staats- und Eisenbahn-Geschäften und Emissionen beteiligt war. (Vgl. im übrigen Beilage V u. VI.)

3. Bei der Dresdner Bank.

a) Die Dresdner Bank begründete zur Pflege der ausländischen, insbesondere der überseeischen Beziehungen:

im Jahre 1892 eine Filiale in Hamburg,

„   „   1895   „   „   „ Bremen und

„   „   1901   „   „   „ London.

b) Im Jahre 1889 beteiligte sich die Dresdner Bank bei der Gründung der Anatolischen Eisenbahngesellschaft sowie der Betriebsgesellschaft der Orientalischen Eisenbahnen (s. oben 1 b und c) und bei der Gründung der Deutsch-Asiatischen Bank (s. unten S. 371 Nr. 1), sowie 1891 bei der Gründung der Bank für Orientalische Eisenbahnen (s. oben sub 1 d).

c) Im Jahre 1894 bei der Gründung der Banca Commerciale Italiana (s. unten S. 372 Nr. 2).

d) Im Jahre 1899 bei der Gründung der Schantung-Bergbau- und Schantung-Eisenbahn-Gesellschaft (s. unten S. 374 Nr. 7).

e) Im Jahre 1904/05 bei der Gründung der Deutsch-Westafrikanischen Bank (s. unten S. 373 Nr. 4).

f) Im Jahre 1905 stellte sie eine enge Verbindung mit dem Bankhause J. P. Morgan & Co. in New York, London und Paris her[1]), behufs gemeinsamen Vorgehens bei internationalen Finanz- und Emissionsgeschäften und behufs Erweiterung des deutschen Marktes für amerikanische Werte, eine Verbindung, welche auch zu einer gemeinsamen Beteiligung beider Teile an der inzwischen liquidierten Sovereign Bank of Canada in Montreal geführt hat.

g) Ende 1905 errichtete die Dresdner Bank, gemeinsam mit dem A. Schaaffhausen'schen Bankverein und der Nationalbank für Deutschland, zur Pflege der Geschäftsbeziehungen mit dem Orient, insbesondere mit der Türkei, Griechenland und Ägypten, die Deutsche Orientbank, Aktiengesellschaft in Berlin, mit einem (jetzt voll eingezahlten) Aktienkapital von

---

1) Geschäftsbericht der Dresdner Bank für 1905, S. 6.

32 Mill. M und 17 (darunter zwei von der Banque d'Orient in Athen übernommenen) Filialen in Konstantinopel (mit Depositenkassen in Stambul, Pera, Kadikeuy), Hamburg, Adana (asiat. Türk.), Adrianopel, Aleppo, Alexandrien, Beni-Souef, Brussa, Casablanca (Marokko), Damanhour, Dedeagatch, Kairo (mit Agentur in der Musky), Mansourah, Mersina, Minieh, Tanger und Tantah eröffnet worden. Dividenden: 1906: 4%, 1907: 4%, 1908: 4%, 1909: 5%, 1910: 5% [1]).

h) Außerdem errichtete die Dresdner Bank, gleichfalls E n d e 1905 [2]), zur Pflege der deutsch-südamerikanischen Geschäftsbeziehungen, gemeinsam mit dem A. Schaaffhausen'schen Bankverein, die D e u t s c h - S ü d a m e r i k a n i s c h e B a n k, Aktiengesellschaft in Berlin, mit einem Kapital von nom. 20 Mill. M, eingeteilt in 4 Serien von je 5 Mill. M.

Die D e u t s c h - S ü d a m e r i k a n i s c h e B a n k hat jetzt (1911) 6 F i l i a l e n [in Hamburg, Buenos-Aires, Mexiko, Rio de Janeiro, Valparaiso und Santiago (Chile)]; sie hatte 1908 engere Beziehungen angeknüpft zu der oben erwähnten Sovereign Bank of Canada in Montreal (Kap. 2 Mill.), die aber im Jahre 1908 in Liquidation trat. Die Deutsch-Südamerikanische Bank, die bis 1908 keine Dividende verteilt hatte, hat 1909: 4%, 1910: 5% ausgeschüttet.

i) Im Jahre 1906 beteiligte sich die Dresdner Bank, gemeinsam mit einer Reihe von deutschen Banken, Bankhäusern und Firmen an der Gründung der K a m e r u n - E i s e n b a h n g e s e l l s c h a f t (s. unten S. 373 Nr. 5).

k) An dem M i n e n g e s c h ä f t beteiligte sie sich (mit der Disconto-Gesellschaft) an der von ihr in Gemeinschaft mit den Brüdern Albu mit einem Kapital von 1 250 000 £ errichteten G e n e r a l M i n i n g a n d F i n a n c e C o r p o r a t i o n in London. —

l) Im Jahre 1910 beteiligte sie sich an der Bank J. Allard in Paris durch Aktienerwerb.

---

1) Zum Interessenkreis der D e u t s c h e n O r i e n t b a n k gehören: Die deutsche Baumwollpresse A.-G. in Alexandrien (Aktienkapital 50 000 ägypt. £) und die ägyptische Hypothekenbank (Aktienkapital 500 000 ägyptische £). Sie kontrolliert ferner das ganze Aktienkapital der Tunnelbahn in Konstantinopel; diese Bahn ist in einen türkischen Elektrizitätstrust eingebracht worden, in den die Deutsche Bank die Konstantinopler Tramways einbrachte. Der Trust hat auch die Elektrizitätskonzession für Konstantinopel und das dortige Gaswerk erworben und beabsichtigt, eine Schnellbahn für Konstantinopel ins Leben zu rufen.

2) Geschäftsbericht der Dresdner Bank für 1905, S. 6. Die Dresdner Bank hob hier besonders hervor, daß sie es für die nächsten Jahre als eine ihrer Hauptaufgaben betrachte, die „ausländischen Geschäftsverbindungen, insbesondere auch in den überseeischen Gebieten, mit denen Deutschland in regem Handelsverkehr steht, zu erweitern und zweckmäßig auszugestalten".

Die Dresdner Bank war u. a. an der Emission der chinesischen Staatsanleihe von 1905, der 5 %igen Goldanleihe der Tehuantepec-National-Eisenbahngesellschaft und an 2 (4½ und 4 %) japanischen Goldanleihen beteiligt (s. im übrigen Beilage V und VI).

4. Bei der Darmstädter Bank.

Die Darmstädter Bank hat Filialen zur Pflege des überseeischen Geschäfts bis jetzt überhaupt nicht errichtet[1]); sie hatte aber schon am 1. Januar 1854 als erste Kommandite überhaupt, eine Kommandite in New-York (E. vom Baur & Co.) errichtet, welche jedoch Ende 1885 in Liquidation trat[2]), und unternahm durch eine (inzwischen gleichfalls aufgelöste) Verbindung mit dem von ihr begründeten Bankers Trading Syndikate in London (1900), welches selbst mit dem Bankhause S. Japhet & Co. in enger Verbindung steht, und mit der Nordwestdeutschen Bank (später Deutschen National-Bank, Kommanditgesellschaft auf Aktien) in Bremen die ersten Schritte zur Pflege des Auslandsgeschäfts.

Im Jahre 1906 errichtete sie behufs Erweiterung der Geschäftsbeziehungen mit Amerika, unter Beteiligung anderer deutscher und amerikanischer Bankfirmen, die Amerika-Bank, Aktiengesellschaft in Berlin, mit einem in 5 Serien eingeteilten Grundkapital von 25 Mill. M, wovon 5 Mill. M voll und die restlichen 20 Mill. M mit 25 % eingezahlt wurden, während dem Reservefonds 10 % Agio auf die Aktien mit 2 500 000 M zuflossen. Diese Bank ist aber im Jahre 1909 in Liquidation getreten, die Aktien wurden von der Darmstädter Bank übernommen.

Die Darmstädter Bank war bei der Gründung folgender zur Pflege überseeischer Geschäftsbeziehungen errichteter Gesellschaften beteiligt:

a) Im Jahre 1889 bei der Gründung der Deutsch-Asiatischen Bank (s. unten S. 371 Nr. 1).

b) In den Jahren 1898—1904 und dann 1908 bei der Gründung von verschiedenen Telegraphen-Gesellschaften und Kabel-Werken (s. unten S. 374 Nr. 7).

c) Im Jahre 1899 bei der Gründung der Schantung-Bergbau- und Schantung-Eisenbahngesellschaft (s. unten S. 374 Nr. 7).

d) Im Jahre 1906 bei der Gründung der Kamerun-Eisenbahngesellschaft (s. unten S. 373 Nr. 5).

Die eigenen (nicht überseeischen) Auslandsbeziehungen der Darmstädter Bank waren aber schon in der ersten Epoche sehr zahlreich.

---

1) Die Errichtung einer Filiale in Hamburg ist aber jetzt im Prinzip beschlossen.

2) Geschäftsbericht der Darmstädter Bank für 1885, S. 16.

Sie errichtete bereits im Jahre 1857 zur Pflege der Beziehungen mit Frankreich eine Kommandite in Paris, welche aber, nach sehr guten Resultaten, im Jahre 1871 infolge der erregten Stimmung in Paris liquidieren mußte; 1873 wurde eine neue Kommandite in Paris errichtet, die aber schon 1877 in Liquidation trat.

In den 60er Jahren wurde auch bereits eine Kommandite in Wien (Dutschka & Co.) errichtet, welche 1902 liquidierte, wobei die Kundschaft von der K. K. priv. Bank- und Wechselstuben-Actien-Gesellschaft „Mercur" in Wien übernommen wurde; diese hatte 1911 ein Kapital von 40 Mill. Kr., 18 Filialen und 15 Wechselstuben und hatte die Wechselstuben-Actien-Gesellschaft „Mercur" in Budapest (Kapital 6 Mill. Kr., 2 Filialen) begründet. Sie steht mit der Darmstädter Bank in enger Verbindung.

Die Darmstädter Bank begründete im Jahre 1871 zur Pflege des deutsch-niederländischen Geschäfts die Amsterdamsche Bank in Amsterdam[1]), mit der sie heute noch in den engsten Beziehungen steht, und gleichzeitig, zur Pflege der Beziehungen mit Belgien, eine Kommandite in Brüssel.

Im Jahre 1873/1874 errichtete die Bank eine Kommandite in Mailand[2]).

Im Jahre 1877 begründete die Darmstädter Bank, zusammen mit anderen Firmen, die Ungarische Escompte- und Wechsler-Bank in Budapest.

Im Jahre 1881 begründete sie die Württembergische Bankanstalt, vorm. Pflaum & Co. in Stuttgart (Aktienkapital 1911 12 Mill. M), welche ihrerseits schon im Jahre 1881 eine vertragsmäßige Interessengemeinschaft — die erste derartige Verbindung —, mit der Württembergischen Vereinsbank einging.

Im Jahre 1890 beteiligte sie sich kommanditistisch bei dem Bankhause Marmorosch Blank & Co. in Bukarest, welches sie mit Wirkung vom 1. Januar 1905, zusammen mit der Berliner Handelsgesellschaft, unter der Firma Banca Marmorosch Blank & Co., Societate anonima, in eine Aktiengesellschaft umbildete, deren Kapital jetzt 10 Mill. Lei beträgt.

Im Jahre 1894 wirkte sie bei der Errichtung der Banca Commerciale Italiana mit (s. unten S. 372 Nr. 2).

Im Jahre 1898 begründete sie, in Gemeinschaft mit einer Reihe anderer in- und ausländischer Firmen, die Banque Internationale de Bruxelles (Kapital 25 Mill. Frcs.).

Am Minengeschäft beteiligte sich die Bank durch einen Besitz von Aktien der Consolidated Mines Selection Company und des 1903 begründeten African Venture Syndicate.

1) Geschäftsbericht der Darmstädter Bank für 1871, S. 2.
2) Geschäftsbericht für 1873, S. 16.

Die Bank war in der zweiten Epoche beteiligt bei sämtlichen österreichischen und ungarischen Emissionen der Rothschild-Gruppe und emittierte, mit einer Reihe anderer Banken und Bankhäuser, portugiesische Staats-, Stadt- und Eisenbahnwerte, was ihr jahrelange Sorgen und Schädigungen zuzog. Sie war beteiligt bei der Emission der 5% Chinesischen Staatsanleihe, der 4½ und 4% Japanischen Anleihe von 1905 u. a. m. (s. im übrigen Beilage V u. VI).

5. Bei der Berliner Handelsgesellschaft.

Die Berliner Handelsgesellschaft war beteiligt bei der Gründung folgender zur Pflege überseeischer Beziehungen errichteten Gesellschaften.

a) der Deutsch-Asiatischen Bank im Jahre 1889 (s. unten S. 371 Nr. 1);

b) der verschiedenen deutschen Kabelgesellschaften und Kabelwerke (s. unten S. 374 Nr. 7) 1898—1904 und 1908;

c) der Schantung-Eisenbahn- und Schantung-Bergbau-Gesellschaft (s. unten S. 374 No. 7) im Jahre 1899;

d) der Kamerun-Eisenbahn-Gesellschaft im Jahre 1906.

Von ihren nicht überseeischen ausländischen Geschäftsbeziehungen sind folgende zu erwähnen:

Die Berliner Handelsgesellschaft hat mitbegründet:

e) im Jahre 1872 den Schweizerischen Bankverein in Basel (Aktienkapital 50 Mill. Frcs.).

f) im Jahre 1898 die Banque Internationale de Bruxelles (mit einer Reihe anderer Firmen).

g) im Jahre 1904/05, zusammen mit der Darmstädter Bank, die Banca Marmorosch Blank & Co., Societate anonima, in Bukarest;

h) im Jahre 1908, zusammen mit der Pester Ungarischen Commerzialbank, die Aktiengesellschaft vormals Andréevics & Co. in Belgrad (Aktienkapital 4 Mill. Frcs.).

Die Berliner Handelsgesellschaft steht ferner in engen Beziehungen zu der Aktiengesellschaft Labouchère Oyens & Co's Bank in Amsterdam (Aktienkapital fl. 6 Mill.) und seit dem Jahre 1903 zu dem Bankhause Hallgarten & Co. in New-York. Sie war beteiligt[1]):

im Jahre 1887 an der Gründung der Niederländisch-Südafrikanischen Eisenbahn-Gesellschaft in Amsterdam[2]);

---

1) Vgl. Anton Paul Brüning, S. 32 u. 33.
2) Geschäftsbericht der Berliner Handelsgesellschaft für 1887, S. 8.

im Jahre **1889** an der Erwerbung des **ägyptischen Eisenbahnnetzes**[1]);

im Jahre **1894** an der Gründung der **Banca Commerciale Italiana**;

im Jahre **1894** an der Errichtung der **Compañía Sevillana de Electricidad** in Sevilla und der **Compañía Barcelonesa de Electricidad** in Barcelona:

im Jahre **1897** an der Gründung der **Bank für elektrische Unternehmungen** in Zürich;

im Jahre **1898** an der Errichtung der **Aluminium-Industrie-Aktiengesellschaft** in Neuhausen (Schweiz);

im Jahre **1898** an der Errichtung der **Deutsch-Überseeischen Elektricitäts-Gesellschaft**;

im Jahre **1899** an der Begründung der **Deutsch-Ostafrika-Linie**;

im Jahre **1903** an der Errichtung der **Deutsch-Chinesischen-Eisenbahngesellschaft**[2]);

im Jahre **1904** an der Gründung der **Deutschen Kolonial-Eisenbahnbau- und Betriebsgesellschaft** für den Bau von Eisenbahn- und Hafenanlagen in den deutschen Schutzgebieten.

Überdies betreibt sie pachtweise seit dem 1. April 1905 die **Usambara-Eisenbahn** in Deutsch-Ostafrika und hat in Gemeinschaft mit der Firma Lenz & Co. den Bau der Eisenbahn **Lüderitzbucht—Kubub** vom Reiche übernommen.

Die Berliner Handelsgesellschaft ist an allen in Deutschland in der zweiten Epoche emittierten **russischen**, **chinesischen** und **japanischen** Anleihen hervorragend beteiligt gewesen und hat mehrere **serbische** (Staats- und Eisenbahn-)Anleihen emittiert, (vgl. im übrigen Beilage V u. VI).

6. Bei dem A. Schaaffhausen'schen BankVerein.

Die Stärke des A. Schaaffhausen'schen Bankvereins lag von jeher weniger in der Pflege des Auslands- als des Inlandsgeschäfts. Er hat sich jedoch beteiligt:

a) Im Jahre **1889** bei der Gründung der **Deutsch-Asiatischen Bank** (s. unten S. 371 Nr. 1);

b) im Jahre **1894** bei der Errichtung der **Banca Commerciale Italiana** in Mailand (s. unten S. 372 Nr. 2);

---

1) Geschäftsbericht für 1889, S. 11.
2) Geschäftsbericht für 1903, S. 10.

c) in den Jahren 1898—1904 und 1908 bei einer Reihe von Telegraphen-Gesellschaften und Kabel-Werken (s. unten S. 374 Nr. 7);

d) im Jahre 1898 bei der Errichtung der Banque Internationale de Bruxelles:

e) im Jahre 1899 bei der Gründung der Schantung-Bergbau-und Schantung-Eisenbahn-Gesellschaft (vgl. unten S. 374 Nr. 7);

f) im Jahre 1905, zusammen mit der Dresdner Bank (s. oben S. 364 unter g), und der Nationalbank für Deutschland bei der Gründung der Deutschen Orientbank in Berlin;

g) im Jahre 1905, zusammen mit der Dresdner Bank (s. oben sub 3, h); bei der Gründung der Deutsch-Südamerikanischen Bank, Aktiengesellschaft in Berlin;

h) im Jahre 1906, zusammen mit einer Reihe anderer Banken bei der Errichtung der Kamerun-Eisenbahngesellschaft (s. unten S. 373 Nr. 5).

7. Bei der Nationalbank für Deutschland.

a) Im Jahre 1889 bei der Gründung der Deutsch-Asiatischen Bank (s. unten S. 571, Nr. 1);

b) im Jahre 1895 bei der Gründung des Credito Italiano in Rom (Aktienkapital jetzt 75 Mill. Lire; hat jetzt 17 Filialen);

c) im Jahre 1899 bei der Gründung der Schantung-Bergbau- und der Schantung Eisenbahngesellschaft (s. unten S. 374 Nr. 7).

d) im Jahre 1904 errichtete sie die Banque d'Orient in Athen (Aktienkapital 10 Mill. Frcs., Filialen in Saloniki und Smyrna).

e) im Jahre 1905 begründete sie, zusammen mit der Dresdner Bank (s. S. 364 unter 3, g) und dem A. Schaaffhausen'schen Bankverein, die von der Banque d'Orient abgetrennte Deutsche Orientbank, Aktiengesellschaft in Berlin, an welche die früheren Filialen der Banque d'Orient in Hamburg und Konstantinopel (Galata, Stambul, Pera, Kadikeuy) übergegangen sind. Die weiteren inzwischen errichteten Filialen sind auf S. 365 unter g verzeichnet (vgl. auch S. 365 Anm. 1).

Die Deutsche Orientbank steht seit 1905 in freundschaftlichen Beziehungen zu der für die Pflege der Geschäftsbeziehungen mit Palästina und der Levante errichteten Deutschen Palästina-Bank (20 Mill. M) in Berlin (begründet von der Bankfirma von der Heydt & Co. 1899). Diese Bank übernahm die Aktiva und Passiva der Deutschen Palästina- und Orient-Gesellschaft G. m. b. H. in Jerusalem, Kapital 5 Mill. M; hat jetzt (1911)7 Filialen (in Hamburg, Beirut, Damaskus, Haifa, Jaffa, Jerusalem und Tripoli [Syrien]) und hat ihrerseits als Tochtergesellschaft begründet das Levante-Kontor,

G. m. b. H. mit Niederlassung in Konstantinopel. Dividenden (in Prozenten) auf die Vorzugsaktien:

1899	0	1903	0	1907	6
1900	5	1904	0	1908	6
1901	5	1905	5	1909	6
1902	4	1906	6	1910	7

f) im Jahre **1909** war die Nationalbank bei der Kapitalerhöhung des Crédit Mobilier Français beteiligt.

III. Die gemeinsamen Tochtergesellschaften der deutschen Kreditbanken zur Pflege überseeischer und ausländischer Geschäftsbeziehungen.

Einerseits, um die deutsche Industrie und den deutschen Handel in ihrem Streben nach Gewinnung neuer Absatzgebiete oder nach Erhaltung oder Erweiterung der bisherigen Absatzgebiete zu fördern, und andererseits, um unsere Kolonien zu heben, hat eine große Reihe deutscher Banken und Bankhäuser folgende Tochtergesellschaften gemeinschaftlich begründet:

1. Im Jahre **1889** zur Pflege der ostasiatischen Geschäftsbeziehungen die Deutsch-Asiatische Bank[1]) in Shanghai mit jetzt (im Jahre 1911) 13 Filialen in Berlin, Hamburg, Tientsin, Tsingtau, Hankow, Hongkong, Calcutta, Tsinanfu, Peking, Canton, Yokohama, Kobe (Japan) und Singapore. Das (voll eingezahlte) Aktienkapital beträgt 7 500 000 in Shanghai-Taëls. Als Gründer haben sich beteiligt von Großbanken: die Deutsche Bank, die Disconto-Gesellschaft, die Dresdner Bank, die Darmstädter Bank, die Berliner Handelsgesellschaft, der A. Schaaffhausen'sche Bankverein und die Nationalbank für Deutschland.

Die Deutsch-Asiatische Bank hat durch Konzession vom 8. Juni 1906 auf die Dauer von 15 Jahren das Recht erhalten, Banknoten in Abschnitten von 1, 5, 10 und 25 mexikanischen Dollars und von 1, 5, 10 und 25 Taëls durch ihre im deutschen Schutzgebiet Kioutschou und in China befindlichen Niederlassungen auszugeben. Sie ist ferner seit dem 24. Januar 1910 zur Ausgabe von Hypothekenpfandbriefen auf den Inhaber gegen Beleihung von bebauten Grundstücken oder Baustellen in den vorgenannten Gebieten berechtigt. Die Dividenden[2]) betrugen in Prozenten:

---

1) Näheres s. u. a. bei Georges Diouritch, S. 624.

2) Die Gesamtziffern der Bilanzen der Deutsch-Asiatischen Bank von 1891 bis 1904 s. bei Rich. Rosendorff, Le Développement des Banques Allemandes à l'Étranger, S. 38 u. 39. Weitere Einzelheiten bei Georges Diouritch, S. 669—690.

1889	o	1895	8	1901	7	1907	8
1890	2½	1896	10	1902	9	1908	8½
1891	o	1897	6	1903	10	1909	8½
1892	o	1898	10	1904	10	1910	8
1893	5	1899	6	1905	11		
1894	7	1900	7	1906	9		

2. Im Jahre 1894 zur Pflege der Geschäftsbeziehungen mit Italien: die Banca Commerciale Italiana[1]) in Mailand. Beteiligt waren die nämlichen Banken mit Ausnahme der am Credito Italiano interessierten Nationalbank für Deutschland. Das Aktienkapital, ursprünglich 20 Mill. Lire, beträgt jetzt (1911) 130 Mill. Lire; die Bank besitzt jetzt 33 Filialen, darunter neuerdings eine in London. Die Dividenden betrugen:

1895	6½	1899	8½	1903	8	1907	9
1896	6½	1900	8½	1904	8	1908	9
1897	7	1901	8	1905	9	1909	9
1898	7½	1902	8	1906	9	1910	9

Die Banca Commerciale Italiana hat ihrerseits im Jahre 1907 die Banca Commerciale Tunisina zur Pflege der Geschäftsbeziehungen mit Tunis mit dem Sitze in Paris begründet; sie beteiligte sich 1907 an der Kapitalvermehrung des Banco Commerciale Italiano in São Paulo in Brasilien, welcher von da ab firmiert: Banco Commerciale Italo-Braziliano (Kapital nunmehr 5000 Contos) und begründete 1908 in Konstantinopel die Società Commerciale d'Oriente (Aktienkapital 3 Mill. Lire) zur Förderung der italienisch-türkischen Geschäftsbeziehungen [2]).

3. Im Jahre 1904/1905 die Deutsch-Ostafrikanische Bank[3]) mit dem Sitze in Berlin und einem Aktienkapital von nom. 2 Mill. M; mit Filialen in Zanzibar, Mombassa und Dar-es-Salam, eine Kolonialgesellschaft, welche als Bank und Central-Notenbank für das Deutsch-Ostafrikanische Schutzgebiet tätig ist[4]), also in letzterer Eigenschaft den Geldmarkt und die Zahlungsausgleichungen in diesem Schutzgebiet, sowie dessen Geldverkehr mit Deutschland und dem Auslande regeln und erleichtern, auch berechtigt sein soll, nach Bedürfnis ihres Verkehrs auf Rupien lautende Banknoten

---

1) Näheres s. u. a. bei Georges Diouritch, S. 669—677.

2) Die letztere Bank hat inzwischen mit dem Banco di Roma, welcher ebenfalls eine Niederlassung in Konstantinopel errichtet, ein Abkommen dahin getroffen, daß der Banco di Roma das laufende Bankgeschäft besorgt, während sich die Società Commerciale d'Oriente im wesentlichen auf das industrielle Arbeitsgebiet beschränkt.

3) Näheres bei Georges Diouritch, a. a. O. S. 738—753.

4) Vgl. Rich. Rosendorff, Neuordnung des Deutsch-Ostafrikanischen Münzwesens im Finanzarchiv von Schanz, Bd. XXII, Heft 1, und in Schmollers Jahrb., Bd. XXX, Heft 2, S. 170.

bis zum dreifachen Betrage ihres Grundkapitals mit genau normierter Deckungspflicht[1]) auszugeben. Bei dieser Gründung beteiligte sich die in dem gleichen Schutzgebiet, ebenfalls unter Mitwirkung deutscher Banken, entstandene Deutsch-Ostafrikanische Handelsgesellschaft. Beteiligt bei der Gründung der Deutsch-Ostafrikanischen Bank waren von Großbanken: die Deutsche Bank und die Disconto-Gesellschaft.

4. Im Jahre **1904/1905** die **Deutsch-Westafrikanische Bank**[2]), eine mit einem Kapital von 1 Mill. M und dem Sitze in Berlin begründete Kolonialgesellschaft, welche jetzt (1911) 3 Filialen (in Hamburg, Lome [Togo] und Duala [Kamerun]) besitzt, und den Zweck hat, als Bank in den Schutzgebieten Togo und Kamerun zu wirken, also den Geldmarkt und die Zahlungsausgleichungen in diesen Schutzgebieten, sowie deren Geldverkehr mit Deutschland und dem Auslande zu regeln und zu erleichtern. Ein Notenprivileg hat die Deutsch-Westafrikanische Bank nicht[3]).

Zu bemerken ist, daß bei dieser Gründung außer der Dresdner Bank und einigen kaufmännischen Firmen auch die im Deutsch-Westafrikanischen Schutzgebiet gleichfalls tätige **Deutsch-Westafrikanische Handelsgesellschaft** beteiligt gewesen ist.

5. Im Jahre **1906** die **Kamerun-Eisenbahngesellschaft** für den Bau einer Eisenbahn von Duala nach den Manengubabergen mit einem Kapital von 5 640 000 M Vorzugsanteilen und 11 000 000 M Stammanteilen, für welche letzteren 3 % Jahresdividende und die Rückzahlung mit 120 % nach dem Reichsgesetz vom 4. Mai 1906 (Reichsgesetzblatt von 1906 Seite 525) vom Deutschen Reiche garantiert worden ist. Die Gründung erfolgte durch die Berliner Handelsgesellschaft, Darmstädter Bank, Disconto-Gesellschaft, Nationalbank für Deutschland, Norddeutsche Bank und den A. Schaaffhausen'schen Bankverein sowie durch die Bankfirmen S. Bleichröder, von der Heydt & Co. in Berlin, Wilh. Schlutow, Stettin, M. M. Warburg & Co., Hamburg, sowie durch die Firma C. Woermann, Hamburg und die Aktiengesellschaft für Verkehrswesen.

1) Siehe § 8 der Konzession (1. Beilage zum Deutschen Reichs- und Königl. Preußischen Staats-Anzeiger vom 3. März 1905, Nr. 54); zudem ist die Bank nach § 13 der Konzession verpflichtet, den Stand ihrer Aktiva und Passiva am letzten jeden Monats durch eine vom Gouverneur des Deutsch-Ostafrikanischen Schutzgebietes zu bezeichnende Zeitung auf ihre Kosten zu veröffentlichen

2) Näheres s. u. a. bei Georges Diouritch a. a. O. S. 754—760.

3) Sie ist aber trotzdem nach § 42 ihrer in der 1. Beilage des Deutschen Reichs- und Königl. Preußischen Staatsanzeigers vom 1. Februar 1905, No. 28, veröffentlichten Konzession, verpflichtet, am letzten jeden Monats „den Stand ihrer Aktiva und Passiva" durch den Reichsanzeiger auf ihre Kosten zu veröffentlichen und zwar nach einem in § 42 Abs. 2 vorgeschriebenen Schema.

6. Im Jahre 1911 die Handelsbank für Ostafrika, eine Kolonialgesellschaft mit einem Kapital von 3 Mill. M und dem Sitze in Berlin. Beteiligt waren: die Deutsch Ostafrikanische Gesellschaft Berlin, die Deutsche Bank, die Disconto-Gesellschaft und die Darmstädter Bank sowie eine Reihe von Privatfirmen[1]. Die Bank soll Bankgeschäfte aller Art treiben, insbesondere den Geld- und Kreditverkehr in Handel, Gewerbe, Industrie und Landwirtschaft, Deutsch-Ostafrikas und der benachbarten und Hinterlandsgebiete fördern.

7. Ferner sind, gleichfalls aus nationalen Gründen, ohne daß an eine baldige Emission der in diesen Unternehmungen festgelegten Werte bei der Gründung auch nur gedacht werden konnte, von allen bei der Deutsch-Asiatischen Bank genannten Banken und anderen Firmen folgende Unternehmungen gegründet worden:

Im Jahre 1898 die Land- und Seekabelwerke, A.-G. in Köln-Nippes (Aktienkapital 6 Mill. M);

im Jahre 1899 die Schantung-Bergbau-Gesellschaft in Berlin mit einem Aktienkapital von 6 Mill. M;

im Jahre 1899 die Schantung-Eisenbahn-Gesellschaft in Berlin mit einem Aktienkapital von 54 Mill M;

im Jahre 1899 die Deutsch-Atlantische-Telegraphengesellschaft, Aktiengesellschaft in Köln mit einem Aktienkapital von 24 Mill. M;

im Jahre 1899 die Norddeutschen Seekabelwerke, Aktiengesellschaft in Köln-Nordenham, mit einem Aktienkapital von 6 Mill. M;

im Jahre 1899 die Osteuropäische Telegraphengesellschaft, Aktiengesellschaft in Berlin, mit einem Aktienkapital von 1 Mill. M und einem Obligationenkapital von 20 Mill. M.;

im Jahre 1904 die Deutsch-Niederländische Telegraphengesellschaft, Aktiengesellschaft in Köln, mit einem Aktienkapital von 7 Mill. M und einem Obligationenkapital 7 250 000 M;

im Jahre 1908 die Deutsch-Südamerikanische Telegraphengesellschaft, A.-G. in Berlin, mit einem Aktienkapital von 10 Mill. M und einem Obligationenkapital von 17 650 000 M.

8. Im Jahre 1907 endlich nahm eine Reihe deutscher Banken Teil an der Begründung der Staatsbank von Marokko.

Ende der 90 er Jahre bestanden an deutschen überseeischen Banken nur 4; 1903 waren es 6 mit 32 Niederlassungen und Anfang 1906 verfügten bereits 13 Banken mit reichlich 100 Mill. M über ca. 70 Niederlassungen.

---

1) S. Bleichröder; Delbrück, Schickler & Co.; von der Heydt & Co.; Mendelssohn & Co., Berlin; Hansing & Co., Hamburg; Sal. Oppenheim jun. & Co., Cöln; Jac. S. H. Stern; Frankfurt, a. M.

Das ist jedoch relativ recht unbedeutend gegenüber den Erfolgen anderer Staaten auf diesem Gebiete. England z. B. zählte Ende 1910: 36 Kolonialbanken mit Niederlassungen in London und 3358 Geschäftsstellen in den Kolonien, sowie 36 sonstige englische Auslandsbanken mit 2091 Niederlassungen[1]). Frankreich besaß schon 1904/05 18 Kolonial- und Auslandsbanken mit 104 Niederlassungen; Holland 16 Überseebanken mit 68 Niederlassungen.

Auch in bezug auf eigene Niederlassungen im Auslande und in den Kolonien ist uns das Ausland weit voraus. So besitzt z. B. der Crédit Lyonnais heute (1911) nicht weniger als 16 Niederlassungen im Auslande und 5 in Algerien; das Comptoir National d'Escompte 12 Niederlassungen im Ausland und 11 in Tunis und Madagascar, während die Société générale und der Crédit Industriel eigene Niederlassungen nur in London besitzen, im übrigen Ausland aber durch Tochterinstitute vertreten werden[2]).

§ 5. Die Gesamtresultate der deutschen Kreditbanken; die Bruttogewinne und deren Zusammensetzung; die Generalunkosten Reingewinne, Dividenden, Abschreibungen und Reserven.

Die bilanzmäßigen Resultate aller deutschen Kreditbanken (mit einem Aktienkapital von mindestens 1 Mill. M) von 1885 bis 1910 einschließlich und die Anzahl der letzteren sowie die verteilten Dividenden können in folgender Tabelle zusammengefaßt werden[3]):

(Siehe Tab. S. 376.)

Aus dieser Tabelle ist zu ersehen, daß die deutschen Kreditbanken insgesamt in den letzten 24 Jahren nur dreimal, nämlich in den Depressionsjahren 1892 und 1893 und in dem Krisenjahr 1901, eine Durchschnittsdividende unter 6% (5,80, 5,72 und 5,66) bezahlt haben; daß sie selbst in den auf die Krisis folgenden Jahren 1902 und 1903 eine Durchschnittsdividende von über 6% (1903 fast 7%) verteilten und nun schon seit 7 Jahren von über 7%. In den Jahren der Hochkonjunktur aber, 1889 und 1899, konnten sie Durchschnittsdividenden von über 8% (8,77 und 8,12%) ver-

---

1) Hinsichtlich Englands vgl. The Economist, Banking Supplement, 20. Mai 1911; hinsichtlich Frankreichs vgl. Rich. Rosendorff, Die französischen Kolonialbanken (im Bank-Archiv von 1904, 3. Jahrg., No. 10, S. 172—174). Die einzelnen englischen Kolonial- und Foreign-Banks, wie die einzelnen französischen und holländischen Kolonialbanken, mit ihren Niederlassungen, Kapitalien und Dividenden s. bei Rich. Rosendorff, Le Développement etc., S. 49—51 und Diouritch a. a. O. Anhang zu S. 283.

2) Vgl. Bernh. Mehrens a. a. O., S. 228/229.

3) Vgl. Rob. Franz, Die deutschen Banken im Jahre 1910, S. 28.

Jahr	Zahl der Banken	Brutto-Gewinn	Rein-Gewinn	Dividenden
			in Millionen Mark	
1885	71	77,81	56,14	46,43 6,41%
1886	71	78,69	57,18	47,17 6,43%
1887	71	80,97	57,74	48,00 6,53%
1888	71	110,48	75,39	58,97 7,79%
1889	93	141,00	110,50	81,92 8,77%
1890	92	141,04	98,39	79,63 7,66%
1891	95	112,15	74,14	63,07 6,11%
1892	94	111,93	76,85	61,23 5,86%
1893	93	110,03	71,77	59,74 = 5,72%
1894	96	112,29	85,11	68,62 = 6,19%
1895	94	150,33	111,92	83,55 = 7,61%
1896	98	158,93	118,35	92,69 = 7,66%
1897	102	179,37	134,69	101,83 7,63%
1898	108	218,83	162,80	126,36 = 7,86%
1899	116	261,17	195,47	148,56 = 8,12%
1900	118	262,02	185,27	140,52 = 7,19%
1901	125	258,40	152,64	110,52 = 5,66%
1902	122	256,76	156,17	120,51 = 6,19%
1903	124	253,21	170,56	130,88 = 6,59%
1904	129	273,50	189,78	145,54 = 7,25%
1905	137	330,20	224,73	168,54 = 7,75%
1906	143	377,08	255,53	186,88 = 7,88%
1907	158	382,28	255,38	190,72 = 7,45%
1908	169	417,23	245,63	194,82 = 7,41%
1909	168	452,34	278,31	205,12 = 7,68%
1910	165	492,78	290,26	212,19 = 7,75%

teilen. Das sind sehr befriedigende und namentlich sehr stabile Ergebnisse.

Wir sehen ferner, daß das Jahr 1907 mit einer Durchschnittsdividende von 7,45 % einen Rückgang gegen das Jahr 1906, welches 7,88 % ergab, aufzuweisen hat, obgleich der durchschnittliche Reichsbankdiskont im Jahre 1907 6,03 % betrug, also erheblich höher war als der durchschnittliche Reichsbankdiskont im Jahre 1906 von 5,15 %. Es ist das wieder ein Beweis, wie unrichtig die oft und besonders auch im deutschen Reichstage wiederholte Behauptung ist, daß die Banken ein lebhaftes Interesse an einem hohen Bankdiskont hätten. Die ihnen dadurch aus dem laufenden Geschäft zufließenden hohen Zinsen werden in der Regel mehr als ausgeglichen durch die Tatsache, daß alsdann meist Emissionen ausgeschlossen oder erschwert sind, und daß ferner Mindererträgnisse im Effektengeschäft sich einstellen, Abschreibungen auf den Effektenbestand notwendig werden und auch Verluste an Debitoren in der Regel nicht ausbleiben. Ein längere Zeit andauernder hoher Bankdiskont pflegt deshalb von den Banken in der Regel nicht begünstigt und nicht gern gesehen zu werden.

Berücksichtigt man aber, daß auch die Reserven im Geschäft mit arbeiten, also zur Dividende beitragen, so ergibt sich nach dem D. Ökonomist[1]) folgendes Ergebnis für die letzten 9 Jahre (in M 1000):

	1902	1903	1904	1905	1906
Durchschnittliches dividendenberechtigtes Aktienkapital . . . . M	1 948 476	1 984 642	2 005 136	2 175 315	2 317 781
Reserven am Schluß des Vorjahres M	380 211	391 362	400 372	448 380	479 561
Summe des gesamten eigenen Kapitals	2 328 687	2 376 004	2 405 508	2 623 695	2 851 342
Dividende in Millionen M	120 512	130 881	45 511	168 536	186 884
oder in Prozenten des gesamten eigenen Kapitals	5,10	5,51	6,05	6,40	6,50
An Stelle der lediglich auf das Aktienkapital entfallenden	6,19	6,59	7,25	7,75	7,88

	1907	1908	1909	1910
Durchschnittliches dividendenberechtigtes Aktienkapital . . . . M	2 559 202	2 627 855	2 670 013	2 739 563
Reserven am Schluß des Vorjahres M	554 411	586 750	607 067	645 503
Summe des gesamten eigenen Kapitals . . . . M	3 113 613	3 214 605	3 277 080	3 385 066
Dividende in Millionen M	190 722	194 829	205 119	212 185
oder in Prozenten des gesamten eigenen Kapitals	6,12	6,06	6,26	6,27
An Stelle der lediglich auf das Aktienkapital entfallenden	6,19	7,41	7,68	7,75

Im Durchschnitt haben also in diesen Jahren die Reserven zu den Dividenden mehr als 1 $1/_4$% beigetragen.

Die Rentabilität der in den Banken investierten Kapitalien für die Banken selbst zu berechnen, ist dem Außenstehenden kaum möglich, weil weder die durchschnittlich während eines Geschäftsjahres beschäftigt gewesenen Kapitalien, noch die von den Banken gezahlten Zinsen bekannt sind; aus gleichem Grunde kann man auch die Rentabilität der einzelnen Geschäftszweige nicht berechnen.

Der Nettobezug der Bankaktionäre aus ihrem Aktienbesitz deckt sich natürlich, falls sie bei dem Erwerb ein Agio zu bezahlen

1) Vgl. Robert Franz, Die deutschen Banken im Jahre 1906 (S. 14), im Jahre 1907 (S. 21, im Jahre 1908 (S. 26), im Jahre 1909 (S. 28), im Jahre 1910 (S. 24, 26).

hatten, in keiner Weise mit ihrem Dividendenbezug. Für die Zeit
von 1871—1900 betrug das durchschnittliche Dividendeneinkommen
eines Aktionärs der deutschen Kreditbanken: 6,74 %, für 1880—1900:
6,84 [1]); das Nettoeinkommen des Aktionärs für die letzten 10 Jahre
6,70 %.

Im Jahre 1909/10 betrug die Rentabilität von Aktien vom Standpunkt der Aktionäre [2]), also der Nettobezug eines Aktionärs, bei:
den Banken 7,87 %;
den Versicherungsgesellschaften 22,83 %;
der chemischen Industrie 14,86 % (der chemischen Großindustrie
    11,17 %;
dem Bergbau, Hütten- und Salinenwesen usw. 7,89 %;
der Textilindustrie 8,6 %;
der elektrotechnischen Industrie 8,23 %;
den Klein- und Straßenbahnen 4,44 %.

Die Dividenden der 6 Großbanken [3]) sind durchschnittlich stets
höher gewesen, als die der übrigen Banken. Es betrugen die Dividenden in den letzten 20 Jahren (in Prozenten):

aller Banken (mit einem Kapital von mindestens 1 Mill. M)

1891	1892	1893	1894	1895	1896	1897	1898	1899	1900
6,07	5,80	5,71	7,49	7,51	7,66	7,63	7,86	8,12	7,19

1901	1902	1903	1904	1905	1906	1907	1908	1909	1910
5,66	6,19	6,59	7,25	7,75	7,88	7,45	7,41	7,68	7,75

der 6 Großbanken

1891	1892	1893	1894	1895	1896	1897	1898	1899	1900
7,12	6,37	5,89	7,58	8,54	8,75	9,00	9,08	9,08	8,25

1901	1902	1903	1904	1905	1906	1907	1908	1909	1910
6,50	7,33	7,75	8,68	9,12	9,17	8,33	8,41	8,92	9,00

---

1) E. Wagon, Die finanzielle Entwicklung deutscher Aktiengesellschaften
von 1870—1900 (Jena 1903, Gustav Fischer), S. 46.

2) Vgl. Vierteljahrshefte zur Statistik des Deutschen Reichs, Ergänzungsheft
zu 1911, II: Die Geschäftsergebnisse der deutschen Aktiengesellschaften im Jahre
1909—1910, S. 10 bis 13. Über die Berechnungsmethoden s. E. Moll, Die Rentabilität der Aktiengesellschaften (Jena 1908, Gustav Fischer).

3) Abweichend von den früheren Auflagen sind jetzt nur die Dividenden
der 6 Großbanken berücksichtigt. Der Deutsche Ökonomist, dessen Angaben bisher benutzt worden sind, rechnete als Berliner Banken in den verschiedenen Jahren
dieser Periode sehr heterogene Institute. Der A. Schaaffhausen'sche Bankverein
wird erst seit 1894 hierzu gezählt. Dagegen werden in den 90er Jahren 12 andere,
später 10, dann 8 andere Banken mit berücksichtigt; seit 1908 werden nur die
Nationalbank für Deutschland, die Commerz- und Disconto-Bank und die Mitteldeutsche Creditbank noch mit einbezogen.

Wir haben bereits in anderem Zusammenbange feststellen können daß bei den einzelnen Banken die H ö h e der Dividenden mit der Ausdehnung des laufenden Geschäfts und deren S t e t i g k e i t mit der Ausdehnung des regelmäßigen Depositen-Geschäfts zu wachsen pflegt. Dagegen beruht es auf einem Mißverständnis, wenn ein Schriftsteller[1]) glaubt, die Aufmerksamkeit „auf eine Erscheinung von hohem wirtschaftlichen Interesse", nämlich auf die Tatsache lenken zu können, „daß mit wachsendem eigenen Kapital die Rentabilität der Banken steigt". Die Sache verhält sich umgekehrt: mit w a c h s e n d e r R e n t a b i l i t ä t (richtiger mit dem Wachstum des Geschäftsumfangs, insbesondere des laufenden Geschäfts) haben die Banken, einer gesunden Geschäftspolitik entsprechend, i h r e K a p i - t a l i e n v e r g r ö ß e r t.

Von dem Gesamtbruttogewinn der deutschen Banken (mit einem Kapital von mindestens 1 Mill. M) stammt fast ein Viertel aus Provisionen, die zum größeren Teil aus dem Kommissionsgeschäft erwachsen. Nach dem D. Ökonomist stellten sich die Bruttogewinne, die Provisionen und das Verhältnis der Provisionen zum Bruttogewinn wie folgt:

Jahr	Zahl der Banken	Brutto-Gewinn	Provisionen	Verhältnis der Provisionen zum Bruttogewinn
		In Millionen Mark		%
1884	71	83,0	19,9	24,0
1885	71	77,8	19,7	25,3
1886	71	78,7	20,5	26,0
1887	71	80,9	20,7	25,5
1888	71	110,05	24,2	22,0
1889	93	141,0	32,1	22,8
1890	92	141,0	32,2	22,8
1891	95	112,0	28,8	25,7
1892	94	111,9	26,7	23,8
1893	93	110,0	27,8	25,2
1894	96	112,2	28,1	25,0
1895	97	150,3	34,3	22,8
1896	98	158,9	35,4	22,3
1897	102	179,4	40,4	22,5
1898	108	218,4	50,5	23,1
1899	116	261,8	57,9	22,1
1900	118	262,0	60,0	32,9
1901	125	258,4	58,8	22,8
902	122	256,7	57,7	22,5
1903	124	253,2	62,6	24,7
1904	129	273,4	68,2	25,0
1905	137	330,2	81,4	24,7
1906	143	377,0	91,4	24,3
1907	158	382,2	97,5	25,5
1908	169	417,2	103,7	24,9
1909	168	452,3	113,2	25,0
1910	165	492,0	123,5	25,0

1) R u d. S t e i n b a c h, Die Verwaltungskosten der Berliner Großbanken (Schmollers Jahrb., 29. Jahrg., Heft 2, S. 85).

Bei den Großbanken betrug der Bruttogewinn (in Mill. M):

1897	79,3	1900	103,2	1903	112,8	1906	164,0	1909	186,6
1898	93,5	1901	93,9	1904	129,0	1907	162,9	1910	197,3
1899	104,1	1902	110,5	1905	155,5	1908	167,4		

Nach einer Aufstellung der Kölnischen Zeitung[1]) über die im Jahre 1903 erzielten Bruttogewinne von 57 deutschen Banken entfielen im Jahre 1903 bei diesen Banken durchschnittlich

48% des Bruttogewinns auf Wechsel und Zinsen,

25% „   „   „ Provisionen und

22% „   „   „ Emissions- und Konsortialgeschäfte.

In den Jahren **1905** bis **1910** entfielen dagegen auf **Zinsen und Provisionen**:

a) **bei allen Banken**: 71%, 75%, 86%, 76%, $69,3\%$, $70,2\%$,

b) **bei den 9 Berliner Banken**[2]): 67%, 71%, 78%, $74_0/_0$, $69,2\%$, 64%, 6%.

Bei den **Berliner Großbanken** entfielen auf **Zinsen und Provisionen** von dem Bruttogewinn:

	1906	1907	1908[3])	1909	1910
bei der Deutschen Bank	69	73	70,6	68,2	73,6 %
„ „ Disconto-Gesellschaft	64	68	61,4	49,5	55,4 %
„ „ Dresdner Bank	79	88	84,8	80,5	82,4 %
„ „ Darmstädter Bank	55	69	66,6	64,8	69,1 %
„ „ Berliner Handelsgesellschaft .	73	79	82,9	69,2	70,0 %
„ dem A. Schaaffhausen'schen Bankverein	77	88	84,4	73,7	75,0 %

Daß aber aus dem **laufenden Bankgeschäfte** (Ertrag der Sorten, Kupons, Wechsel, Zinsen und Provisionen, zuzüglich der Erträgnisse der Kommanditen) schon im Jahre 1894 alle Banken (mit Ausnahme der Darmstädter Bank) und 1905 (mit Ausnahme der Disconto-Gesellschaft und der Darmstädter Bank) auch die **Dividende ganz hätte bezahlt werden können**, ist eine irrige Annahme von **Loeb** bei (**Model-Loeb** S. 152), der die Geschäftsunkosten nicht vom Ertrage des laufenden Bankgeschäfts abgezogen hat.

Was die **Unkosten betrifft**[4]), so betrugen sie bei den **sämtlichen deutschen Kreditbanken** (mit einem Kapital von mindestens 1 Million Mark):

---

1) Vom 3. April 1904, abgedruckt bei Otto Jeidels a. a. O., S. 129.

2) Es treten hinzu: die Nationalbank für Deutschland, die Commerz- und Disconto-Bank und die Mitteldeutsche Creditbank,

3) In den Jahren 1908 ff. ist der Bruttogewinn aus Zinsen, Wechseln und Provisionen zusammengezogen.

4) Hierüber vgl. Rud. Steinbach, Die Verwaltungskosten der Berliner Großbanken (in Schmollers Jahrb., 29. Jahrg., Heft 2, S. 71—110 und Heft 3, S. 141 bis 179; Ad. Weber a. a. O., S. 213; Heinemann, Die Berliner Großbanken an der

in Millionen Mark:

1883	12,4	1889	22,8	1895	29,2	1901	64,2	1907	121,8
1884	13,5	1890	23,4	1896	32,8	1902	66,5	1908	134,5
1885	14,0	1894	24,0	1897	37,0	1903	69,7	1909	150,8
1886	14,8	1892	25,6	1898	45,8	1904	74,9	1910	165,2
1887	15,6	1893	26,9	1899	53,3	1905	90,8		
1888	17,1	1894	26,2	1900	59,8	1906	107,9		

Die Unkosten sind also im Laufe der Konzentrationsentwickelung beständig, und zwar in sehr erheblicher Weise, gestiegen. Sie betrugen bei den vorgedachten Banken im Jahre 1910:31,2 des Bruttogewinns, gegen $33\frac{1}{3}\%$ im Jahr 1909, 32 % im Jahre 1908; 31 % im Jahre 1907, 28 % im Jahre 1906, 27 % im Jahre 1905 und nur 18 % im Jahre 1895.

Bei den (9) Berliner Banken betrugen sie im Jahre 1910 nicht weniger als 83,9 Mill. M bei einem Bruttogewinne von 230 Mill. M, also 31,6 %, gegenüber $33\frac{1}{3}\%$ des Bruttogewinns 1909, 32 % 1908, 31 % 1907, 30 % 1906, 27 % 1905; bei einzelnen Großbanken stellte sich aber das Verhältnis teils etwas günstiger, teils ungünstiger.

Bei den 6 Großbanken allein betrugen die Unkosten pro 1910 60,270 223 M = 30,7 % des Bruttogewinns[1]). Im einzelnen betrugen die Bruttogewinne und Unkosten pro 1907 bis 1910:

in Millionen Mark:

	1907		1908	
	die Brutto-gewinne	die Un-kosten	die Brutto-gewinne	die Un-kosten
bei der Deutschen Bank	53,6	20,0	55,0	21,4
„ „ Disconto-Gesellschaft	27,8	8,5	29,0	8,9
„ „ Dresdner Bank	31,5	9,8	31,0	10,5
„ „ Darmstädter Bank	17,8	7,6	19,3	8,2
„ „ Berliner Handelsgesellschaft . .	14,0	2,5	14,7	3,9
„ dem A. Schaaffhausen'schen Bank-Verein	18,10	3,4	18,3	3,04

Wende des Jahrhunderts (Conrads Jahrb., 3. Folge, Bd. XX, S. 86 ff.); Frankfurter Zeitung, No. 91 vom 1. April 1903 und No. 93 vom 3. April 1903 („Betriebskosten der Banken"); D. Ökonomist vom 2. August 1902; Rob. Franz, Die deutschen Banken im Jahre 1907, S. 18, und im Jahre 1908, S. 25. Bei den gesamten Banken würde sich das Verhältnis der Unkosten zum Bruttogewinn noch ungustiger stellen, da bei den obigen Ziffern des Deutschen Ökonomist die Tantièmen, welche zu den Handlungsunkosten gehören, nicht eingerechnet, sondern besonders aufgeführt sind.

1) Bei der Société générale in Paris betrug (nach Bernh. Mehrens a. a. O., S. 245) das Verhältnis der Unkosten zum Bruttogewinn (Crédit Lyonnais und Comptoir National veröffentlichen nur ihre Reingewinne):

1880: 27,0 %	1890: 38,6 %	1900: 38,1 %
1885: 39,2 %	1895: 42,6 %	1908: 32,3 %

Das Verhältnis hat sich also, namentlich gegen 1895, erheblich gebessert.

in Millionen Mark.

	1909		1910	
	die Brutto-gewinne	die Un-kosten	die Brutto-gewinne	die Un-kosten
bei der Deutschen Bank	59,3	24,2	62,9	26,8
„ „ Disconto-Gesellschaft	34,6	10,6	35,2	11,7
„ „ Dresdner Bank	34,2	11,6	39,2	13,5
„ „ Darmstädter Bank	22,2	9,6	23,7	9,8
„ „ Berliner Handels-Gesellschaft. .	16,8	2,9	16,3	3,2
„ dem A. Schaaffhausen'schen Bank-verein	19,5	4,6	19,9	5,3

Das starke Minus an Handlungsunkosten, welches bei der Berliner Handelsgesellschaft infolge ihrer noch jetzt strengen Zentralisation festzustellen ist, fällt hier ebenso auf, wie das aus der starken Dezentralisation zu erklärende schlechte Verhältnis der Unkosten zu dem Bruttogewinn bei der Deutschen Bank.

Die vor Feststellung des verfügbaren Reingewinns vorgenommenen Abschreibungen betrugen bei sämtlichen deutschen Kreditbanken (mit einem Kapital von mindestens 1 Mill. M):

in Millionen Mark:

1883	3,2	1889	5,4	1895	9,0	1901	51,6	1907[1])	40,2
1884	3,7	1890	6,7	1896	4,1	1902	24,0	1908	35,1
1885	6,6	1891	8,9	1897	2,5	1903	12,7	1909	38,1
1886	4,7	1892	8,2	1898	5,8	1904	11,0	1910	41,9
1887	5,9	1893	10,0	1899	10,7	1905	11,0		
1888	8,2	1894	8,3	1900	12,8	1908	12,0		

Dabei sind diejenigen Abschreibungen n i c h t berücksichtigt, welche vor Feststellung auch des Bruttogewinns durch besonders niedrige Ansetzung der Aktiven für nötig erachtet waren (sog. stille Reserven). Die überaus hohen Abschreibungen von 51,6 Mill. M im Jahre 1901 erklären sich aus der Krisis von 1900/1901.

Die Reserven betrugen (nach dem D. Ökonomist) für sich und im Verhältnis zum Aktienkapital:

(Siehe Tab. S. 383.)

Ein sehr bedeutender Teil der Reserven stammt allerdings nicht aus den Betriebsgewinnen, ist vielmehr bei Grundkapitalserhöhungen von den Aktionären als Agio eingezahlt werden, welches nach der Vorschrift des § 262 des Handelsgesetzbuches (früher Art. 185 b Ziffer 1 und 2 der Aktiennovelle vom 18. Juli 1884) dem Reservefonds zuzuschreiben ist.

---

2) In den Jahren 1907 bis 1910 sind Reserven und Abschreibungen zusammengezogen.

Jahr	Bei allen Banken			Bei den 6 Großbanken[1])		
	Aktienkapital	Reserven	Verhältnis der Reserven zum Aktienkapital	Aktienkapital	Reserven	Verhältnis der Reserven zum Aktienkapital
	in Millionen Mark		%	in Millionen Mark		%
1885	723,95	93,24	12,90	272,00	47,21	17,36
1886	733,69	99,27	13,55	282,00	51,71	14,34
1887	758,00	107,90	14,23	304,00	60,93	20,04
1888	772,40	115,32	15,00	317,80	67,30	21,18
1889	981,45	156,06	15,90	376,00	90,74	24,13
1890	1054,33	787,88	17,82	376,00	98,01	26,07
1891	1053,21	191,72	18,20	403,00	101,34	25,15
1892	1057,09	200,31	18,95	413,00	102,54	24,83
1893	1046,17	196,33	18,77	413,00	105,03	25,43
1894	1067,52	199,82	18,72	413,00	105,31	25,50
1895	1134,82	210,62	18,56	495,16	124,35	25,11
1896	1240,31	235,25	19,00	520,00	133,89	25,75
1897	1418,09	270,75	19,10	601,03	151,82	25,26
1898	1688,17	330,37	19,60	650,00	165,32	25,43
1899	1906,25	373,93	19,61	705,00	184,72	26,20
1900	1959,55	390,93	19,95	705,00	188,31	26,71
1901	1959,29	380,21	19,40	705,00	189,58	26,89
1902	1980,59	391,36	19,75	762,00	206,05	27,04
1903	1989,96	400,37	20,12	764,60	211,44	27,65
1904	2066,54	448,38	21,68	889,00	252,59	28,41
1905	2223,58	479,56	21,50	889,01	259,16	29,15
1906	2432,14	554,41	22,70	925,34	296,51	32,04
1907	2572,89	586,75	22,80	949,00	302,87	31,91
1908	2646,61	607,07	22,90	959,00	309,94	32,32
1909	2732,48	645,50	23,62	959,00	318,35	33,20
1910	2784,25	718,96	25,98	985,00	354,23	35,96

Die Reserven sind aber nach vorstehender Tabelle gestiegen: bei allen Banken (mit einem Kapital von mindestens 1 Mill. M): von **12,90%** im Jahre 1885 auf **25,98%** im Jahre 1910, bei den heutigen Großbanken: von **17,36%** im Jahre 1885 auf **35,96%** im Jahre 1910.

Die Reserven sind durchschnittlich stets stärker gewachsen als das Aktienkapital[2]).

Im Jahre 1900 betrugen die Reserven bei allen Banken fast **20%** (19,95), 1910 dagegen fast **26%** (25,98); dem steht folgende Entwicklung bei den wichtigsten Industriezweigen gegenüber:

---

1) Über die Gründe des Abweichens von früheren Auflagen vgl. S. 378 Anm. 3.
2) In Frankreich (vgl. Bernh. Mehrens a. a. O. S. 240) sind die Reserven von 1892—1908 angewachsen (in Millionen Frcs.):

Beim Crédit Lyonnais	Bei der Société générale
von 43,9 (Kapital 100)	von 13,7 (Kapital 60)
auf 140,5 (Kapital 250)	auf 38,3 (Kapital 150)
Beim Comptoir National	Beim Crédit Industriel
von 4,9 (Kapital 75)	von 7 (Kapital 15)
auf 21,4 (Kapital 150)	auf 16 (Kapital 25)

also bei diesen vier Instituten zusammen von 69,5 (Kapital 250) auf 216,2 (Kapital 572). Der Crédit Lyonnais erhöht, was seinen Dividenden sehr zustatten kommt, sein Kapital sehr selten, umsomehr seine Reserven, die seit 1892 von ca. 44 auf

Es betrugen die Reserven in Prozenten des Aktienkapitals[1]):

	1900	1910
in der Holz-Industrie	8,89	12,74
bei den Bau-Gesellschaften	10,87	12,05
„ „ Brauereien	17,07	21,65
in der Kohlen-Industrie	20,48	21,49
„ „ Maschinen-Industrie	22,94	19,21
„ „ chemischen Industrie	23,38	31,03
in der Gummi-Industrie	27,15	27,78
„ „ Papier-Industrie	27,16	24,12

Ich sehe allerdings in der äußerst günstigen Entwicklung der Reserven bei den Banken eher einen Glanzpunkt in der Aktiengesetzgebung, als, wie Ed. Wagon, einen Glanzpunkt im deutschen Bankwesen[2]).

Jedenfalls aber haben sie wesentlich dazu beigetragen, daß die deutschen Banken und die deutschen Industrie-Gesellschaften die Krisis von 1900, im schärfsten Gegensatz zur Krisis von 1873, mindestens relativ gut bestanden haben und namentlich auch dazu, daß sie sich von der Krisis so rasch erholt haben.

Bei Betrachtung der angesammelten Reserven ist insbesondere auch nicht zu vergessen, daß, wie in der Industrie, so auch im deutschen Bankwesen, das Bestreben dahin gerichtet ist, neben den gesetzlich vorgeschriebenen und durch die Bilanzen ausgewiesenen Reserven, auch sogenannte „stille Reserven" anzusammeln, also vor Feststellung des Bruttogewinns solche über das notwendige Maß hinaus durch die Vorsicht gebotenen Minderbewertungen der bilanzmäßig einzustellenden Aktiva vorzunehmen, welche unter Umständen später wieder greifbar sind. —

Der nicht gerade langsame Fortschritt der vorigen Epoche (1848—1870) verhält sich zu der Schnelligkeit, mit der Deutschlands Gesamtwirtschaft und mit ihr das deutsche Bankwesen in dieser Periode (1870—1905) vorwärts kam, etwa so, wie das Tempo der Postkutsche des heiligen römischen Reiches deutscher Nation zu dem Fluge des heutigen Automobils, dessen alle Hemmungen, Ecken und Terrainschwierigkeiten überwindendes Dahinsausen allerdings auch manchmal sowohl den harmlos dahinziehenden Fußgänger wie die Insassen selbst gefährdet.

Wie hier, so wird auch im deutschen Bankwesen die öffentliche Sicherheit und wirklicher Fortschritt nur dann gewährleistet

---

140 Mill. Frcs. gestiegen sind, wovon 60 Mill. aus Gewinnrücklagen stammen (Bernh. Mehrens a. a. O., S. 241).

1) Für 1900 nach Ed. Wagon a. a. O. S. 170; für 1910 nach den Vierteljahrsheften zur Statist. d. D. Reichs, 1911; Ergänz.-H. II., S. 6 u. 7.

2) Ed. Wagon a. a. O., S. 146.

sein, wenn die Personen, welche den Wagen steuern, mit großer Fachkenntnis die größte Tugend des Leiters verbinden: das Maßhalten. Öffentliche, nicht etwa nur private Interessen, stehen auf dem Spiele. Mit der Macht und dem Einfluß der großen Unternehmungen erweitert sich die Verantwortung ihrer Leiter, wächst die Notwendigkeit, daß der Schrankenlosigkeit der Mittel eine weise Selbstbeschränkung der Leiter den Stachel nehme. Nicht ohne Bedeutung ist es, daß man den Banken die Privatbankgeschäfte gegenüberstellt, und daß man von den Angestellten der Banken als von Bankbeamten spricht. Sie sind in der Tat angestellt im Dienste von Unternehmungen, die nach ihren Angaben und nach ihrer Entwicklung „nicht einen rein privatwirtschaftlichen Charakter haben"[1], und die immer mehr aus der Sphäre der rein privatrechtlichen Regelung herauswachsen.

§ 6. Geschäftsleitung und Geschäftsentwicklung der einzelnen Berliner Großbanken.

Bevor wir im nächsten Abschnitt die Konzentrationsbewegung im deutschen Bankwesen während der zweiten Epoche schildern, möchte ich noch die einzelnen Berliner Großbanken nach der besonderen Art ihrer Geschäftsleitung und ihrer geschäftlichen Tätigkeit, die wir nun schon im einzelnen überall haben verfolgen können, zu charakterisieren versuchen:

1. Die Deutsche Bank.

Die Leitung dieser erst zu Beginn der zweiten Epoche begründeten Bank hat sich von Anfang an dadurch ausgezeichnet, daß sie mit klarem Blick die Forderungen nicht nur des Tages, sondern auch einer weiteren Zukunft vorausgesehen und ihnen im voraus durch geeignete Maßnahmen Rechnung getragen hat. So kam es, daß sie fast nie von den Ereignissen überrascht wurde und sich daher auch nie erst durch diese diktieren ließ, was sie zu tun oder zu unterlassen habe. Daher ist denn auch die Bank vor plötzlichen, durch die Not des Moments aufgedrängten Frontänderungen bewahrt geblieben und zeigt in allen ihren Betätigungen das Bild eines sicheren, ruhigen und stetigen Fortschritts. Es sind vor allem drei Hauptrichtungen, in welchen jene Eigenschaften der Leitung am klarsten zum Ausdruck gelangten,

---

1) Diese Worte finden sich in der Ansprache, mit welcher ich als Vorsitzender des ersten Allgem. Deutschen Bankiertages in Frankfurt a. M. dessen Tagung eröffnete. (S. Verhandlungen desselben zu Frankfurt a. M. am 19. u. 20. Sept. 1902, Berlin, Verlag des Centralverbands des Deutschen Bank- und Bankiergewerbes 1902, S. 2.)

und in welchen das Vorgehen der Deutschen Bank vorbildlich für das
gesamte deutsche Bankwesen geworden ist:

a) Die Deutsche Bank hat zuerst, und zwar sofort nach ihrer
   Errichtung, durch die Begründung von Depositenkassen,
   deren sie Ende 1910 87 zählte, die planmäßige Pflege des
   Depositengeschäfts, also die Konzentration eines Teiles der verfügbaren Gelder der Nation in den Kreditbanken behufs produktiver Anlegung und Verwertung, zu einem integrierenden und
   wesentlichen Bestandteil ihrer gesamten Bankpolitik erhoben.
   Der Betrag ihrer Depositen stieg von **8,4** Mill. Ende 1871
   auf **74,8** Mill. im Jahre 1894 und erreichte Ende 1910 den Betrag von rund **558¼ Mill. M.**

b) Sie hat vor allen anderen Banken die Notwendigkeit der Verfolgung einer planmäßigen Industriepolitik der deutschen
   Kreditbanken nicht nur erkannt, sondern auch dieser Erkenntnis sofort die richtigen praktischen Schritte folgen lassen.
   Eine im **Jahre 1897** gleichzeitig abgeschlossene Interessengemeinschaft mit der Bergisch-Märkischen Bank
   in Elberfeld und dem Schlesischen Bankverein in Breslau,
   also mit Instituten, welche seit langer Zeit in den Haupt-
   industriebezirken Rheinland-Westfalens und Schlesiens tätig
   waren, sicherte der Deutschen Bank mit einem Schlage eine
   feste Grundlage für dauernde industrielle Beziehungen in diesen
   Bezirken. Diese Politik hat sie auch in anderen Fällen durchgeführt.

c) Sie hat zuerst, wenn auch andere Banken schon vereinzelte
   Versuche nach gleicher Richtung angestellt hatten, die Notwendigkeit einer planmäßigen Förderung der industriellen
   Exportpolitik durch die deutschen Kreditbanken erkannt
   und daraus mit einer weder vor Schwierigkeiten zurück-
   schreckenden, noch durch jeweilige Mißerfolge gelähmten
   Energie sofort alle Folgerungen gezogen. Sie hat alsbald
   nach ihrer Gründung Filialen in Bremen, Hamburg und
   London begründet, denen später die Errichtung von Tochtergesellschaften im Auslande oder für das Auslandsgeschäft
   folgte, so die der Deutsch-Amerikanischen Treuhand-Gesell-
   schaft (1890), der Deutschen Überseeischen Bank (1890), der
   Deutsch-Ostafrikanischen Bank (1904/05), der Central-Amerika-
   Bank (1905), der Mexikanischen Bank für Handel und Industrie
   (1906), eine Entwicklung, die in neuester Zeit (1909) wieder
   durch Errichtung von Auslandsfilialen der Bank selbst (in
   Konstantinopel und Brüssel) abgelöst worden ist.
   Gleichen und noch weitergehenden Zwecken diente die
   Gründung der Anatolischen Eisenbahn-Gesellschaft (1889), der
   Betriebsgesellschaft der Orientalischen Eisenbahnen (1889),

der Bank für Orientalische Eisenbahnen (1891), der Bagdad-Bahn (1903) und der Deutsch-Ostafrikanischen Bank (1904/05). Bei ihrem gesamten Vorgehen im Auslande aber ließ sich die Deutsche Bank, was sich am besten an ihrer Tätigkeit in der Türkei, z. B. bei den Anatolischen Eisenbahnen und bei der Bagdad-Bahn, verfolgen läßt, von den nämlichen Gesichtspunkten leiten, denen ich an anderer Stelle dieses Buches (§ 7) durch die Worte Ausdruck zu geben versuche: „Die politischen Vorpostengefechte werden auf finanziellem Boden geschlagen."

Die oben bezeichneten Hauptrichtungen ihrer Politik waren es denn auch, welche die Deutsche Bank, was wir im nächsten Abschnitte (IV) näher schildern werden, zu einer ungemein energischen Konzentrationsentwicklung, hauptsächlich auf dem Wege der Dezentralisation ihres Betriebes, veranlaßten. Auch hierbei verstand sie es vielfach in glücklichster Weise, auch in solchen Zeiten, die andere Banken lediglich zur Vorsicht oder zum Abwarten veranlaßten, einen günstigen Moment zu sofortigem und energischem aktiven Vorgehen auszunutzen, z. B., wenn sie an dem gleichen Tage, an welchem die Geschäfts- und Bankwelt in weitesten Kreisen durch die Nachricht der Zahlungseinstellung der Leipziger Bank erschüttert wurde (25. Juni 1901), die Errichtung einer Filiale in Leipzig veröffentlichte.

Den Beginn dieser Konzentrationsentwicklung machte, ebenfalls schon in den 70er Jahren, die später näher zu erörternde Mitwirkung bei der Liquidation einer Reihe von Banken, welche ihr wiederum mit einem Schlage nicht nur großen Gewinn, sondern vor allem eine Reihe von besten Kunden in den verschiedensten Gebieten des Deutschen Reiches verschaffte und ihr namentlich Gelegenheit gab, an einem Zentralpunkte Deutschlands, Frankfurt a. M., durch Begründung einer Filiale auf den Trümmern des Frankfurter Bankvereins festen Fuß auch in Süddeutschland zu fassen.

Mittels beständiger Erweiterung des Netzes von Interessengemeinschaften und mittels Abschlusses von Freundschaftsverträgen auf der Grundlage der „Meistbegünstigung" hat sie sodann jene Konzentration und damit mittelbar ihren Wirkungskreis und ihren Einfluß stetig erweitert. Hierdurch hat sie aber auch, was aus der unten folgenden Tabelle der Erträgnisse ihrer einzelnen Geschäftszweige im Vergleich mit der Konzentrationstabelle (Beilage VII) förmlich abgelesen werden kann, mit jeder neuen Phase ihrer Konzentrationsentwicklung auch neue Kräfte für ihr Kontokorrent-, Wechsel-, Report-, Akzept- und Emissionsgeschäft gewonnen. Sie hatte eben von Anfang an, auch während sie hochfliegende Pläne nach außen verfolgte und je mehr sie dies tat, erkannt, daß die Pflege sowohl des

Depositen-, wie des laufenden Geschäfts doch immer das feste Rückgrat einer deutschen Kreditbank bilden müsse, und machte keinen Schritt in ihrer Konzentrationsentwicklung, von dem sie nicht zugleich eine kräftige Förderung dieser Ziele erwarten konnte.

Was die einzelnen Phasen ihrer Industriepolitik betrifft, deren systematische Pflege mit dem „kühnen Griff" von 1897 eingeleitet wurde, so hatte die Deutsche Bank während der ersten zwei Dezennien den Weg nicht oder wenig beschritten, ihre industriellen Beziehungen durch die Gründung und Umwandlung industrieller Gesellschaften zu erweitern. Sie suchte die Beziehungen in jener Zeit mehr von der anderen Seite her, nämlich durch Ausdehnung ihres Kontokorrent- und Akzeptgeschäfts, zu verbessern. Als sie mit Errichtung der Deutsch-Österreichischen Mannesmannröhren-Werke im Jahre 1890 den anderen Banken auf dem Gründungs-wege folgte, gereichte ihr dieser „Schritt vom Wege" nicht zum Vorteil.

Von den 90er Jahren ab läßt sich aber das industrielle Grün-dungs-, Umwandlungs-, Kredit- und Emissionsgeschäft der Deutschen Bank kaum mehr von dem der anderen Banken unterscheiden[1]), wenn sie auch dem eigentlichen industriellen Unternehmergeschäft im großen und ganzen immer ferner geblieben ist als andere Banken. Im großen Stile hat sie dies Geschäft eigentlich erst in letzter Zeit bei der, wie es scheint, erfolgreichen Tätigkeit auf dem Gebiete des Petroleumgeschäfts (s. oben S. 342) betrieben.

Denn die Deutsche Bank war auch hierin den meisten anderen voraus, daß sie mit um so größerer Sorgfalt die Grundsätze der Risikoverteilung und der Liquidität beobachtete, je größer ihre Ausdehnung und ihr Wirkungskreis wurden. Die Liquidität ihrer Bilanz wurde durch Kapitalvermehrungen nicht etwa erst in dem Moment wiederhergestellt, wo bereits ein schlechtes Ver-hältnis zwischen den Verpflichtungen und den liquiden Mitteln ein-getreten war, sondern schon dann im voraus gesichert, wenn, in-folge der natürlichen Ausdehnung des Geschäfts, dieses ungünstige Verhältnis als ebenso natürliche Konsequenz mit Wahrschein-lichkeit anzunehmen war. Das geschah oft zur unangenehmen Überraschung der Aktionäre und der Spekulation, die vielfach in solchen Fällen, wenn auch jedesmal mit Unrecht, einen Rückgang der Erträgnisse befürchteten.

Aus dem Zusammenhang aller vorstehend geschilderten ge-schäftspolitischen Maßnahmen, die sich gegenseitig bedingten, ist es

---

1) Vgl. Otto Jeidels a. a. O., S. 105.

zu erklären, daß die Deutsche Bank, wie die auf S. 390/91 abgedruckte Tabelle erweist, auch in der Entwicklung ihrer Dividenden und ebenso in der ihrer Reserven eine größere Stetigkeit
als irgend eine andere Bank aufweist. Ihre bilanzmäßig nachgewiesenen Reserven (zu denen die ohne Zweifel erheblichen „stillen
Reserven" hinzutreten) machen heute fast 54 % ihres jetzt 200 Mill.
M betragenden Aktienkapitals aus, welches letztere bei ihrer Gründung
im Jahre 1870 15 Mill. M betragen hatte.

Inbezug auf die Erträgnisse des laufenden Geschäfts und
die Ausdehnung des überseeischen Geschäfts steht die
Deutsche Bank in erster Linie. Ihr Akzeptkonto erreichte infolge
des überseeischen Geschäfts eine (oft stark kritisierte) Höhe. Das
Emissionsgeschäft in Anleihen deutscher Staaten und Kommunen
hat sie in großem Umfange gepflegt; sie emittierte in führender
Stellung u. a. Anleihen folgender Staaten: Argentinien, Bosnien, Bul-
garien, Chile, China, Mexiko, Spanien und der Türkei (vgl. im übrigen
Beilage V u. VI). Die deutschen und preußischen Anleihen vom
Jahre 1899 in Höhe von insgesamt 200 Mill. M hat sie allein übernommen.

Verluste hat die Deutsche Bank wiederholt infolge von
Spekulationen der Leiter ihrer Filialen und Kommanditen erlitten;
so 1882 durch Spekulationen der Leiter ihrer New-Yorker Kommandite, 1897 durch Spekulationen des Leiters einer Wechselstube der
Hamburger Filiale und 1891 durch Spekulationen und Unterschlagungen eines Berliner Beamten, die Abschreibungen in Höhe
von 1 Mill. M erforderlich machten. Die Verluste im Kontokorrentgeschäft sind relativ nicht bedeutend gewesen; sie waren
aber auch infolge der großen Reserven für die Bank nicht empfindlich.

Dagegen hat sie, gleich den anderen Banken, wiederholt starke
Abschreibungen auf konsortiale und industrielle Geschäfte machen
müssen. So namentlich bei ihren ersten Filialen in Shanghai und
Yokohama; bei ihren Kommanditen in New York und Paris; bei den
argentinischen Konsortial- und Emissionsgeschäften, bei der Deutsch-
Amerikanischen Treuhand-Gesellschaft, bei dem Mannesmann-Ge-
schäft; bei den Beteiligungen und Geschäften in Amerika, insbesondere bei den amerikanischen Eisenbahnen, wie namentlich der
Northern-Pacific-Railroad Co., deren Reorganisation sie aber mit
großer Umsicht und Energie durchführte.

Die dem deutschen Markwechsel im Auslande errungene
Stellung, welche die erste Etappe der Unabhängigkeit unseres Ex-
porthandels vom Ausland bildete, ist in erster Linie das Werk der
Deutschen Bank und demnächst der Disconto-Gesellschaft.

Übersicht der Entwicklung

Ge-schäfts-jahr	Kasse, Coupons, Wechsel, Bank-guthaben, Report, Schatzanweisungen und Effekten	Kreditoren und Depositen	Debitoren, Vorschüsse auf Waren usw. a) gedeckt	b) ungedeckt	Akzepte
Ende	M	M	M	M	M
1870	5 680 689	2 352 265	337 181	2 158 120	2 463 740
1871	22 739 225	22 922 080	11 742 210	7 828 140	7 600 918
1872	41 602 899	38 671 172	27 842 441	18 293 382	23 512 090
1873	72 854 311	50 727 055	25 184 925	12 487 373	30 269 944
1874	81 435 860	56 977 289	17 521 623	17 447 623	37 614 960
1875	72 117 806	43 547 190	24 555 468	17 091 166	42 475 164
1876	110 373 161	96 454 424	35 312 592	16 328 058	41 038 337
1877	65 103 158	41 546 656	41 310 408	13 400 531	38 836 891
1878	73 577 426	48 471 197	42 776 959	13 117 797	44 032 363
1879	92 679 843	68 585 210	56 035 000	14 178 119	48 205 643
1880	85 896 970	63 938 491	49 490 850	16 349 525	45 834 592
1881	110 913 709	92 471 665	64 282 435	21 235 646	54 216 214
1882	106 236 471	84 705 101	66 649 401	19 184 402	46 140 476
1883	129 277 138	107 724 165	80 060 464	28 096 181	69 048 298
1884	149 917 199	122 280 372	85 725 618	36 503 597	83 658 784
1885	164 517 101	132 414 350	91 567 601	27 876 166	80 942 605
1886	159 531 662	137 809 036	91 567 364	26 820 749	82 753 414
1887	175 801 987	159 040 048	95 685 222	30 173 948	88 821 789
1888	208 419 928	185 939 718	106 626 950	42 527 464	93 912 184
1889	217 646 924	217 322 621	139 041 615	40 600 115	105 801 771
1890	234 758 079	203 247 700	115 164 961	34 061 711	101 076 473
1891	248 828 238	200 297 992	86 918 718	28 086 866	85 007 988
1892	252 553 545	205 848 449	103 378 662	29 898 397	96 093 697
1893	247 762 714	214 453 616	105 769 429	36 691 151	96 325 332
1894	285 869 072	250 630 525	110 958 904	33 983 676	93 865 465
1895	296 959 088	295 845 950	177 124 944	46 937 481	122 496 507
1896	314 997 810	287 217 599	154 761 993	45 006 718	116 646 487
1897	378 777 898	359 718 954	182 405 232	58 666 995	130 511 769
1898	436 939 357	444 068 368	203 112 894	61 992 295	128 340 214
1899	453 857 134	479 947 211	232 196 609	72 764 087	141 883 555
1900	486 153 982	531 1661 14	244 553 839	71 806 556	141 131 301
1901	573 593 263	630 259 107	254 245 936	72 492 174	142 420 917
1902	674 679 032	720 476 427	264 996 941	71 060 603	145 301 506
1903	722 163 979	789 374 381	314 525 405	77 324 283	179 808 067
1904	840 004 989	893 594 072	334 315 096	96 022 215	185 083 202
1905	931 983 038	064 340 143	382 712 175	117 181 085	197 843 098
1906	1 029 740 885	1 250 744 129	473 181 109	160 243 675	226 110 088
1907	1 024 584 737	1 264 405 721	509 798 132	177 054 188	263 537 867
1908	1 014 205 572	1 268 816 252	515 652 163	160 947 532	231 948 426
1909	1 054 592 859	1 279 697 139	527 178 986	76 282 415	249 802 260
1910	1 235 852 359	1 535 141 672	681 793 161	101 454 672	260 712 303

1) Es muß beachtet werden, daß hier die Reserven nicht per 31. Dezember des

der Deutschen Bank.

Konsortial-konto	Aktienkapital	Reserven[1]	Dividende	Umsätze	Geschäfts-jahr
M	M	M	%	M	Ende
—	15 000 000	36 215	5	239 342 864	1870
830 932	30 000 000	161 972	8	951 445 036	1871
1 738 834	—	703 611	8	2 891 276 883	1872
1 894 900	45 000 000	1 308 987	4	3 765 140 668	1873
1 090 216	—	2 341 569	5	5 509 149 588	1874
2 494 231	—	3 434 506	3	5 512 596 634	1875
1 720 608	—	4 411 581	6	7 132 497 077	1876
1 267 186	—	4 857 429	6	7 325 231 848	1877
3 798 113	—	5 472 928	6½	7 129 850 865	1878
2 939 071	—	6 646 742	9	8 834 737 806	1879
6 942 299	—	7 776 419	10	10 484 497 746	1880
14 375 726	—	9 354 059	10½	12 898 953 540	1881
14 740 480	60 000 000	13 816 131	10	12 054 513 781	1882
16 146 000	—	14 381 884	9	13 205 456 803	1883
11 302 239	—	15 309 710	9	15 650 971 110	1884
8 773 322	—	15 748 039	9	15 147 999 465	1885
20 886 257	—	16 212 611	9	16 180 649 366	1886
23 549 785	—	16 659 769	9	18 062 819 201	1887
21 493 311	—	23 108 580	9	23 381 792 352	1888
29 710 209	75 000 000	23 852 467	10	28 125 250 988	1889
29 734 251	—	24 600 094	10	28 304 126 996	1890
26 901 840	—	25 162 756	9	25 559 236 637	1891
20 799 573	—	25 592 561	8	25 331 274 743	1892
21 794 852	—	26 025 280	8	29 152 668 706	1893
33 847 627	—	26 590 882	9	31 617 185 805	1894
30 938 125	—	38 634 390	10	37 900 537 501	1895
33 882 758	100 000 000	39 651 207	10	35 497 085 015	1896
31 634 568	150 000 000	45 275 637	10	37 913 360 703	1897
35 868 442	—	46 458 129	10½	44 395 084 329	1898
31 527 497	—	48 049 218	11	50 770 285 211	1899
35 056 687	—	49 340 262	11	49 773 486 885	1900
35 505 516	—	50 642 845	11	51 815 610 701	1901
32 355 392	160 000 000	55 283 295	11	56 783 415 833	1902
33 058 426	—	59 030 455	11	59 640 106 144	1903
23 563 873	180 000 000	76 662 853	12	66 897 131 338	1904
35 367 911	—	78 398 560	12	77 205 585 347	1905
45 341 545	200 000 000	100 000 000	12	85 590 594 109	1906
53 427 886	—	101 831 917	12	91 611 054 053	1907
36 841 129	—	103 699 003	12	94 470 721 208	1908
28 469 854	—	105 726 165	12¼	101 780 606 865	1909
39 475 185	—	107 781 263	12½	112 101 348 154	1910

angegebenen Jahres, sondern per 2. Januar des folgenden Jahres ausgerechnet sind.

An den sämtlichen von den Großbanken gemeinsam ins Leben gerufenen Unternehmungen zur Förderung der ausländischen und speziell überseeischen Beziehungen Deutschlands war die Deutsche Bank, und zwar meist hervorragend, beteiligt. So bei der Deutsch-Asiatischen Bank (1889), der Banca Commerciale Italiana (1894), der Banque Internationale de Bruxelles (1898), der Schantung-Bergbau- und Eisenbahn-Gesellschaft (1899), den Telegraphen-Gesellschaften und Kabelwerken der Jahre 1898—1908 und der Kamerun-Eisenbahngesellschaft (1906).

Die Tabelle auf S. 390/391 zeigt die Entwicklung der Deutschen Bank im einzelnen.

2. Die Disconto-Gesellschaft.

Die von David Hansemann, dem preußischen Finanzminister des Jahres 1848, zunächst in den engeren Formen einer Kreditgesellschaft, begründete und erst 1856 in die heutige Form der Kommanditgesellschaft auf Aktien umgewandelte Disconto-Gesellschaft (Direction der Disconto-Gesellschaft) hat sich, wie wir sahen, bereits in der ersten Epoche (von 1851—1870) in sehr bedeutendem Umfange an der Pflege des Kontokorrentgeschäfts und an der Emission deutscher Staats- und Kommunalanleihen und Eisenbahnaktien beteiligt.

Sie hat aber bis zum Jahre 1900, also fast 50 Jahre lang, abgesehen von kommanditistischer Beteiligung, streng an dem Grundsatz unbedingter Zentralisierung ihres Geschäfts festgehalten.

Erst die Pflege und Ausdehnung der überseeischen Beziehungen veranlaßten 1900 die Begründung einer Filiale in London, während im Jahre 1901 die Liquidation des Bankhauses M. A. von Rothschild & Söhne in Frankfurt a. M. zur Errichtung einer Filiale in Frankfurt a. M. führte.

In der zweiten Epoche war sie als Mitglied des Rothschild-Konsortiums bei allen von dieser Gruppe durchgeführten Übernahme- und Emissionsgeschäften, insbesondere bei Staatsanleihen und Eisenbahngeschäften in Österreich und Ungarn, hervorragend beteiligt, ebenso bei russischen, rumänischen und chinesischen Anleihen.

Sie hat die industriellen Beziehungen bereits in der ersten Epoche mit relativ bedeutendem Erfolge gepflegt und sich fast durchweg von jeder spekulativen Ausschreitung ferngehalten. Soweit sie sich in der ersten und zweiten Epoche verleiten ließ, das industrielle Unternehmergeschäft zu pflegen, hat sie die nämlichen, teilweise noch ungünstigeren Erfahrungen machen müssen, wie andere Banken. So bei der Übernahme der Heinrichshütte im Jahre 1857; bei der 1872 erfolgten Gründung und der späteren

Entwicklung der Dortmunder Union; bei der Großen Venezuela-Eisenbahn-Gesellschaft und bei der 1890 errichteten Internationalen Luftdruck- und Elektrizitäts-Gesellschaft (Popp) und bei den von der Firma G. Luther übernommenen Sprengungsarbeiten am Eisernen Tor in Ungarn. In den Jahren 1891—1894 mußte die Disconto-Gesellschaft etwa 10 Mill. M auf ihre industriellen und sonstigen Beteiligungen abschreiben.

Dagegen hat sie im Jahre 1873 die Gelsenkirchener Bergwerksgesellschaft begründet, welche zu einem tonangebenden Werke der gesamten Montanindustrie geworden ist und zugleich die Disconto-Gesellschaft, deren damals leitender, genialer Geschäftsinhaber Adolph von Hansemann der Vorsitzende des Aufsichtsrats der Gelsenkirchener Bergwerksgesellschaft gewesen ist, in eine Fülle von Beziehungen zu industriellen Unternehmungen und Kartellen gebracht hat. Diese Verbindung wurde noch bedeutsamer seit dem 1. Januar 1905, an welchem Tage eine Interessengemeinschaft der Gelsenkirchener Bergwerksgesellschaft mit dem Aachener Hütten-Aktien-Verein Rote Erde und dem Schalker Gruben- und Hütten-Verein zustande kam.

An den Bemühungen um das Zustandekommen des Rheinisch-Westfälischen Kohlen-Syndikats, welche 1893, nach Überwindung großer Schwierigkeiten zu dem gewünschten Ziele führten, hat sich neben der Gelsenkirchener Bergwerks-Gesellschaft auch die Disconto-Gesellschaft kräftig und erfolgreich beteiligt.

Sie hat in den 80er und 90er Jahren eine Reihe von Emissionen der August Thyssen'schen Bergwerks- und Hüttenunternehmungen, insbesondere die Emissionen des Schalker Gruben- und Hüttenvereins und der Gewerkschaft Deutscher Kaiser, durchgeführt. Sie hat im Jahre 1874 einem unter Führung der Seehandlung gebildeten Konsortium zur Übernahme und Emission einer 5%igen Krupp'schen Anleihe von 10 Mill. Tlr. angehört. Dies verdient deshalb eine besondere Erwähnung, weil bei dieser Anleihe wohl zum ersten Male in Deutschland die Form von Teil-Schuldverschreibungen mit Sicherungshypothek unter Bestellung eines Vertreters für die Inhaber der Teil-Schuldverschreibungen gewählt wurde, die dann später bei allen derartigen Obligationen wiederkehrte[1]).

Enge Beziehungen verbinden die Disconto-Gesellschaft mit den Rheinischen Stahlwerken (seit 1877), mit den Stumm'schen Werken in Neunkirchen, der Aktiengesellschaft Gute Hoffnungs-Hütte in Oberhausen, mit dem Bochumer Verein für Bergbau und Gußstahlfabrikation und der im Jahre 1887 aus dem Bergwerks- und Hüttenbesitze der von Tiele-Winkler'schen Gesamtverwaltung

---

[1] Jubiläumsbericht der Disconto-Gesellschaft, S. 172.

mit einem Aktienkapital von 16 Mill. M. entstandenen Kattowitzer Aktiengesellschaft für Bergbau- und Hüttenbetrieb.

Die Disconto-Gesellschaft steht infolge ihrer Verbindung mit Herm. Schmidtmann und mit den Schmidtmann'schen Gewerkschaften und Gesellschaften, speziell mit den Kaliwerken Aschersleben, in engen Beziehungen zu der Kali-Industrie. Auf dem Gebiete des Maschinenbaus hat sie enge Beziehungen zu der Schichau-Werft in Elbing und Danzig, den Henschel'schen Maschinenbaufabriken in Cassel, der Sächsichen Maschinenfabrik vormals Richard Hartmann in Chemnitz, der Berliner Maschinenbau-Aktiengesellschaft vorm. L. Schwartzkopff und der Maschinenfabrik und Mühlenbauanstalt von G. Luther in Braunschweig.

An den Geschäften der Aktiengesellschaft Ludwig Loewe & Co. und bei allen von dieser Firma begründeten weiteren Unternehmungen und Gesellschaften nahm die Disconto-Gesellschaft, die zugleich einen Geschäftsinhaber als Aufsichtsratsmitglied in die Verwaltung aller dieser Unternehmungen entsandte, stets in hervorragendem Maße Anteil. Sie war unter anderem beteiligt an der Verwaltung und den Emissionen der Deutschen Waffen- und Munitionsfabriken in Berlin und Karlsruhe, der Union-Elektricitäts-Gesellschaft, welche die elektrotechnische Abteilung der Firma Ludwig Loewe & Co. übernahm, der Gesellschaft für Elektrische Unternehmungen u. a. m.

Ebenso wirkte sie mit bei der Emission einer großen Reihe von Aktien- und Anleiheemissionen der Firma Siemens & Halske.

Auf dem Gebiete des Versicherungswesens steht sie in engen Beziehungen zur Aachener und Münchener Feuerversicherungs-Gesellschaft, zur Lebens- und Feuerversicherungsbank zu Gotha, zu den im Jahre 1881 in Berlin errichteten Lebens-, Unfall- und Haftpflicht-Versicherungs-Gesellschaften Nordstern u. a. m. Der Finanzierung von Klein- und Nebenbahnen steht sie nur durch ihre Beziehungen zur Westdeutschen Eisenbahngesellschaft nahe.

Auf dem Gebiete der reinen Grundstückgeschäfte hat sich die Disconto-Gesellschaft im wesentlichen nur gelegentlich einiger Parzellierungen beteiligt.

Eine besonders energische Unternehmertätigkeit entwickelte auch die Disconto-Gesellschaft in der letzten Zeit auf dem Gebiete der Petroleumindustrie (s. oben S. 342 ff.).

Die Disconto-Gesellschaft hat endlich auch eine lebhafte Tätigkeit auf dem Gebiete des Realkredits und der Landwirtschaft entfaltet, und zwar schon 1864 durch Beteiligung bei der Gründung der Ersten Preußischen Hypothekengesellschaft, die später von der Preußischen Central-Bodenkredit-Aktiengesellschaft in Berlin (am 4. März 1870) übernommen wurde, und durch die Errichtung der Landbank im Jahre 1895, welche der inneren

Kolonisation sowie der Kräftigung des deutschen Grundbesitzes und der Landwirtschaft in den östlichen Provinzen dienen sollte, und in deren Aufsichtsrat Ad. von Hansemann den Vorsitz übernahm.

Das Bild, welches die industrielle und verwandte Tätigkeit der Disconto-Gesellschaft aufweist, ist sonach ein ungemein lebendiges und vielgestaltiges, aber es weicht doch nicht wesentlich ab von dem Gesamtbilde der Tätigkeit der deutschen Großbanken auf diesem Gebiete.

Auf dem Gebiete der Konzentration ist die Disconto-Gesellschaft, wie wir noch ausführlicher schildern werden, schon 1871 durch die Gründung der Provinzial-Disconto-Gesellschaft in Berlin tätig gewesen, aus der nachher eine große Reihe anderer Provinzial-Diskontobanken entstanden ist. Wir werden noch darzulegen haben, aus welchen Gründen dieser erste Schritt scheitern mußte und gescheitert ist; für die Disconto-Gesellschaft war dieser Mißerfolg der Anlaß, noch sehr lange Zeit nachher von der Gründung von Tochterinstituten überhaupt Abstand zu nehmen.

Sie wirkte erst im Jahre 1880 (13. Febr.) bei der Rekonstruktion der Handels- und Plantagen-Gesellschaft in Samoa mit, besonders aber bei der Gründung der Neu-Guinea-Compagnie und bei den vorausgegangenen Verhandlungen in den Jahren 1883—1885; dieser Kompagnie wurden unter dem 17. Mai 1885 gegen Übernahme gewisser Verpflichtungen die entsprechenden Rechte der Landeshoheit mit dem ausschließlichen Rechte auf Grunderwerb durch besonderen Schutzbrief verliehen.

Daran aber reihte sich in rascher Folge die Begründung der Brasilianischen Bank für Deutschland (1887), die Errichtung von Kommanditen in Buenos-Aires und Antwerpen (1890), die Gründung der Bank für Chile und Deutschland (1895), der Banca Generala Romana (1897), der Otavi-Minen- und Eisenbahn-Gesellschaft (1900), der Banque de Crédit in Sofia (1905), der Deutsch-Ostafrikanischen Bank 1904/1905, der Deutschen-Afrika-Bank (1905). Außerdem aber nahm die Disconto-Gesellschaft an allen von den Großbanken gemeinsam errichteten Unternehmungen teil; so an der Deutsch-Asiatischen Bank (1899), an der Banca Commerciale Italiana (1894), an der Banque Internationale de Bruxelles (1898), an den beiden Schantung-Gesellschaften (1899), an den Telegraphen-Gesellschaften und Kabelwerken (1898—1908) und an der Kamerun-Eisenbahn-Gesellschaft (1906).

Es ist denn auch die weitgehende und von durchweg großen Gesichtspunkten getragene Unterstützung des industriellen Exporthandels, des ausländischen und insbesondere überseeischen Handels, welche der Disconto-Gesellschaft vor allem ihre besondere Signatur verleiht, zugleich aber auch die schon in der ersten Epoche kräftig be-

gönnene in der zweiten mit Umsicht und großen Erfolgen betriebene
Pflege des laufenden, insbesondere des Kontokorrentgeschäfts.

Die Ergebnisse der verschiedenen Geschäftszweige sind zwar
sehr bedeutend, aber nicht so stetig wie bei der Deutschen Bank;
legt man, mit dem Jubiläumsbericht der Disconto-Gesellschaft vom
Jahre 1901, 10jährige Zeitabschnitte zugrunde, so fällt dies vor allem
beim Kontokorrentgeschäft besonders auf:

Während die ersten 9 Jahre (von 1852 ab) eine Debitorenziffer
von rund 32 Mill. M aufgewiesen hatten, gingen die Debitoren am
Schlusse der Dekade 1861—1870 wieder herunter; im Jahre 1869
waren sie rund auf 29 Mill. gesunken, im Schlußjahr 1870 wieder
auf 30½ Mill. M gewachsen.

Die nächste Dekade beginnt im Jahre 1871 mit dem stark
gestiegenen Betrage von fast 93 Mill. M, um am Schlusse 1880
wieder auf rund 49 Mill. M zu sinken; in der darauffolgenden sehen
wir die Ziffer der Debitoren von rund 53 Mill. M im Jahre 1881
auf 112 Mill. M im Jahre 1885 hinaufschnellen, um dann wieder
am Schlusse (1890) auf rund 82½ Mill. M herabzugehen.

Erst von 1901 ab finden wir, mit geringen Unterbrechungen,
ein fast beständiges Anwachsen der Debitoren in laufender Rechnung,
deren Betrag am Ende des Geschäftsjahres 1910 die Ziffer von
rund 413 Mill. M erreicht hat.

Ähnlich liegen die Verhältnisse bei den Kreditoren in
laufender Rechnung, die im Jahre 1860 etwa 13 Mill. M erreichten,
im Jahre 1865 aber wieder auf 10½ Mill. M fielen, während das
Schlußjahr der Dekade, des Jahr 1870, die erhebliche Vermehrung
auf 39 Mill. M aufwies. Im Jahre 1877 war der Betrag wieder auf
rund 29 Mill. M zurückgegangen, 1880 auf rund 55 Mill. M gestiegen, um in der nächsten Dekade, gleichfalls im Jahre 1885, die
bis dahin höchste Ziffer von rund 154 Mill. M aufzuweisen, die aber
am Schlusse der Dekade (1890) wieder auf rund 90 Mill. zurückgeht.

Auch hier können wir jedoch wieder von 1891 ab, mit viel geringeren Schwankungen wie vorher, ein beständiges Anwachsen feststellen; in der Bilanz vom 31. Dezember 1910 haben die Kreditoren
in laufender Rechnung den Betrag von 295 Mill. M erreicht.

Bei der Erörterung des Depositengeschäfts (S. 179) haben
wir die Gründe angegeben, weshalb auch das Depositengeschäft der
Disconto-Gesellschaft ähnliche, zum Teil noch erheblichere Schwankungen aufweist. Wir können hier die erste Epoche übergehen,
weil in jener Zeit, wie wir früher (S. 64) darlegten, von einer systematischen Pflege des Depositengeschäfts noch keine Rede war; im
Jahre 1870 waren nur rund 3½ Mill. M Depositen vorhanden.

Die neue Epoche beginnt jedoch schon mit 15 Mill. Depositen
(1870), die sich im Jahre 1873 auf fast 65 Mill. M hoben, aber in

dieser Höhe so wenig erhalten konnten, daß die Dekade im Jahre 1880 mit rund 10 Mill. M Depositen abschloß. Ähnlich ging es in der folgenden Dekade, die mit rund 20 Mill. M im Jahre 1881 beginnt, auf rund 8 Mill. M im Jahre 1887 bergab geht, aber im Jahre 1890 mit 36½ Mill. M abschließt.

Die nächste Dekade fängt wieder mit nur 17 Mill. M an, um dann jedoch von 1895 ab, also etwa von der Zeit ab, wo auch die Disconto-Gesellschaft zur systematischen Pflege des Depositengeschäfts Depositenkassen errichtete, in völlig ununterbrochener Folge bis auf rund 48 Mill. M im Jahre 1900 zu steigen.

Nach der Bilanz für 1910, in der jedoch die Depositen in anderer Weise, als es bis dahin geschehen war, berechnet sind (s. S. 179), stellten sich die Depositen der Disconto-Gesellschaft auf über 313½ Mill. M.

Ähnliches gilt schließlich von den Provisionen, die im Jahre 1870 etwa 1 Mill. M erreichten, von 1871—1872 von 1⅓ auf 4⅔ Mill. hinaufschnellten, um, nach einem Rückgang bis auf 1½ Mill. im Jahre 1876, sich im Jahre 1900 auf 4¼ Mill. M, im Jahre 1910 aber auf rund 8 Mill. M zu erheben.

Die Dividenden auf das Kommanditkapital der Disconto-Gesellschaft in der zweiten Epoche (die in der ersten Epoche erzielten haben wir schon oben S. 60 angegeben) betrugen:

1871	24	1879	10	1887	10	1895	10	1903	8½
1872	27	1880	10	1888	12	1896	10	1904	8½
1873	14	1881	11½	1889	14	1897	10	1905	9
1874	12	1882	10½	1890	11	1898	10	1906	9
1875	7	1883	10½	1891	8	1899	10	1907	9
1876	4	1884	11	1892	6	1900	9	1908	9
1877	5	1885	11	1893	6	1901	8	1909	9½
1878	6½	1886	10	1894	8	1902	8½	1910	10

Es existiert keine andere deutsche Kreditbank, welche auch nur annähernd Dividenden in der Höhe von 24 und 27% zur Verteilung gebracht hatte, wie sie die Disconto-Gesellschaft in den Jahren 1871 und 1872 ausschütten konnte.

Das Aktienkapital der Disconto-Gesellschaft betrug am 31. Dezember 1910 170 Mill. M, während die Reserven einen Betrag von über 60 Mill. M, also 35,88% des Aktienkapitals, erreicht haben. Eine Erhöhung des Kommanditkapitals um 30 auf 200 Mill. M ist 1911 beschlossen und durchgeführt worden.

In welcher Weise aber namentlich das laufende Bankgeschäft der Disconto-Gesellschaft gestiegen ist, hat die Jubiläumsdenkschrift (S. 25) auch durch den Umfang der Korrespondenz im laufenden Geschäft in besonders deutlicher Weise statistisch dargestellt. Es betrug:

Eingang und Ausgang von Briefen

1852	6 135	6 292
1870	85 800	87 513
1880	204 877	208 240
1890	341 318	452 166
1900	533 102	626 043 Sück.

Die Disconto-Gesellschaft gehörte von Anfang in hervorragender Stellung dem Preußen-Konsortium an, war Mitglied der für die russischen und italienischen Staatsanleihen und für die Anleihen des Deutschen Reichs gebildeten Konsortien und war in führender Stellung bei den chinesischen Staatsgeschäften und in erheblichem Umfange an den Emissionen brasilianischer und argentinischer Anleihen beteiligt. Führend war sie bei den verschiedensten rumänischen Staats- und Eisenbahnanleihen (vgl. im übrigen Beilage V u. VI).

Wenn die Disconto-Gesellschaft in der Jubiläumsschrift, zurückblickend auf die Tätigkeit des Preußen-Konsortiums und des Rothschild-Konsortiums sowie auf die großen internationalen Finanzoperationen der deutschen Bankwelt in der zweiten Epoche, bemerkt, daß „das geringe Verhältnis der Mißerfolge zu der Fülle der Unternehmungen in der letzten Hälfte des 19. Jahrhunderts . . . . ein rühmliches Zeugnis für die solide Behandlung der Finanzgeschäfte in dieser Periode bleiben" werde, so darf sie von diesem durchaus berechtigten Lob einen guten Teil für sich selbst beanspruchen.

3. Die Dresdner Bank.

Die im Jahre 1872 begründete Dresdner Bank, welche erst im Jahre 1881 durch Begründung einer Filiale in Berlin ihren Schwerpunkt nach Berlin verlegte, nimmt nach mehreren Richtungen ein besonderes Interesse in Anspruch.

Einmal hat sie, obwohl dem Beispiel der Deutschen Bank hinsichtlich der Gründung von Depositenkassen erst im Jahre 1896 folgend, in beispiellos kurzer Zeit gerade in diesem Geschäftszweig bedeutende Erfolge erzielt. Im Jahre 1911 hat sie dem Depositengeschäft nicht nur in ihren 26 Filialen, sondern auch in 81 Depositenkassen eine energische Pflege zuteil werden lassen.

Ihre Depositen wuchsen von nicht ganz 3 Mill. im Jahre 1875 bis zum Ende des Jahres 1894, also in 20 Jahren, auf fast 94 Mill. und erreichten Ende 1908, also in weiteren 15 Jahren, die Höhe von 224 Mill. M; sie betragen jetzt 286¼ Mill. M.

In ähnlicher rascher und glänzender Weise wußte sie ihr laufendes Geschäft zu entwickeln, dessen erste umfangreiche Vermehrung sie ebenso wie die Deutsche Bank schon in den 70er Jahren ihrer erfolgreichen Mitwirkung bei der Liquidation (Entgründung) von vier (sächsischen) Banken verdankte. Später hat sie durch Gründung von Filialen und Aufsaugung einer großen Reihe von Banken und Privatbankgeschäften sowie durch den Abschluß zahlreicher Interessengemeinschaften mit Erfolg auf das nämliche Ziel hingearbeitet. Sie hatte Ende 1911 mit 26 Filialen den Rekord unter den deutschen Banken erreicht.

Auch in Süddeutschland wußte sie durch Übernahme des weitverzweigten Bankgeschäfts von Erlanger & Söhne in Frankfurt a. M. (1904), unter Begründung einer Filiale an diesem Platze, festen Fuß zu fassen. Im gleichen Jahre wuchs ihr durch die Aufnahme der Deutschen Genossenschaftsbank Sörgel, Parisius & Co. eine große Kundschaft aus den Genossenschaftskreisen zu, für die sie eine besondere Genossenschaftsabteilung errichtete.

Die Guthaben ihrer Kontokorrent-Kreditoren stiegen von 4 Mill. M im Jahre 1873 auf 95 Mill. M im Jahre 1894 und auf über 571 Mill. M im Jahre 1910; die Debitoren stiegen von etwa 9 Mill. M im Jahre 1875 auf rund 95 Mill. M im Jahre 1894 und 538¾ Mill. M im Jahre 1910. Durch große Rührigkeit und besonders günstige Provisions- und Zinssätze wußte sie überall, wohin sie vordrang, sich eine bedeutende Klientel zu sichern, zuerst in den Kreisen der sächsischen Industrie, dann sehr bald weit über diese hinaus. Ihr Kundschaftskreis vermehrte sich in bedeutender Weise durch die bereits erwähnte rasch aufeinander folgende Übernahme einer Reihe von Banken und Privatbankgeschäften und später durch die Interessengemeinschaften, welche auch sie, der Deutschen Bank folgend, sowohl in Rheinland-Westfalen wie in Schlesien mit anderen Banken einzugehen wußte.

Seit dem Jahre 1892 ging sie auch mit der Pflege des Auslandgeschäfts und des überseeischen Geschäfts in systematischer Weise vor, indem sie, gleich der Deutschen Bank und nur in der Reihenfolge wechselnd, Filialen in Hamburg (1892), wo sie die Anglo-Deutsche Bank in sich aufnahm, dann in Bremen (1895) und schließlich auch in London (1901) errichtete. Sie ist auch wohl als einzige deutsche Großbank durch Aktienbesitz an einer französischen Großbank (Banque J. Allard & Co. in Paris) beteiligt.

Im übrigen hatte sie sich schon im Jahre 1889 bei der Errichtung der Anatolischen Eisenbahngesellschaft, der Deutsch-Asiatischen Bank und der Deutsch-Afrikanischen Bank, im Jahre 1891 bei der Gründung der Bank für orien-

talische Eisenbahnen beteiligt und wirkte mit bei der Gründung
der Banca Commerciale Italiana (1894), der Schantung-
Gesellschaften (1899), ferner in den Jahren 1898—1908 bei der
Errichtung der Deutschen Telegraphen-Gesellschaften und
Kabelwerke, und außerdem bei der Gründung der Deutsch-
Westafrikanischen Bank (1904/05) sowie bei der Gründung der
Kamerun-Eisenbahngesellschaft im Jahre 1906.

Gemeinsam mit dem A. Schaaffhausen'schen Bankverein, mit dem
sie im Jahre 1903 eine (inzwischen im wesentlichen wieder gelöste)
Interessengemeinschaft abgeschlossen hatte, und mit der Nationalbank für Deutschland errichtete sie Ende 1905 die Deutsche
Orientbank und zusammen mit dem erstgenannten Institut zur
nämlichen Zeit die Deutsch-Südamerikanische Bank.

Sie hat dann auch mit wachsendem Erfolg das überseeische
Rembours-Geschäft gepflegt und entwickelt, ohne jedoch bisher in
bezug auf dieses Geschäft und auf den Umfang ihrer internationalen
Beziehungen an die Deutsche Bank oder an die Disconto-Gesellschaft heranzukommen.

Was das nicht überseeische Auslandgeschäft betrifft, so
ist sie für Geschäfte in Österreich-Ungarn in eine enge Verbindung
mit einer Reihe von Wiener Banken getreten, während sie dem
italienischen Geschäft durch ihre Beteiligung bei der Banca Commerciale Italiana näher trat und dem schweizerischen Geschäft durch
die Gründung der Aktiengesellschaft Speyr & Co. in Basel.

Auf dem Gebiete der Kleinbahn-Unternehmungen war
die Dresdner Bank tätig durch ihre Gründung der Centralbank für
Eisenbahnwerte, ferner durch die Errichtung der Kontinentalen
Eisenbahnbau- und Betriebs-Gesellschaft in Berlin und ihre Be-
teiligung bei der Fabrik für Feld- und Kleinbahnen Orenstein &
Koppel. Sie wirkte ferner 1898 hervorragend mit an einer Trust-
Gesellschaft, der Centralbank für Eisenbahnwerte, welche auf
Grund erworbener österreichisch-ungarischer und deutscher Eisen-
bahnwerte Obligationen ausgibt, und ist beteiligt bei der (im Jahre
1909 mit der Firma Arthur Koppel zu einem größeren Unternehmen
unter neuer Firma vereinigten) Fabrik für Feld- und Kleinbahnen
Orenstein & Koppel in Berlin.

Die Zahl der industriellen Emissionen der Dresdner Bank
betrug in den Jahren 1895—1910:

424 gegenüber: 456 der Deutschen Bank, 361 des A. Schaaffhausen'schen Bankvereins, 314 der Darmstädter Bank, 312 der
Berliner Handelsgesellschaft und 302 der Disconto-Gesellschaft.

In der elektrotechnischen Industrie war die Dresdner
Bank von Anfang an, zusammen mit der Disconto-Gesellschaft und

der Darmstädter Bank, bei der Firma Ludwig Loewe & Co. und deren Gesellschaften beteiligt und gehörte, nachdem die Allgemeine Elektrizitäts-Gesellschaft die zu den Loewe-Unternehmungen gehörige Union-Electrizitäts-Gesellschaft aufgenommen hat, auch der A.-E.-G.-Gruppe an.

Die Beziehungen zur Börse hat die Dresdner Bank von jeher besonders gepflegt. Dieser Umstand mag, im Verein mit der Zusammensetzung ihres Effektenbestandes, den Anlaß dazu gegeben haben, daß man ihr mehr als anderen Großbanken spekulative Neigungen nachsagte. Man glaubte dabei auch auf die Beteiligung der Bank am Goldminengeschäft und auf den mitunter recht starken Prozentsatz hinweisen zu dürfen, in welchem der Akzeptkredit der Bank von ihren Debitoren in Anspruch genommen wurde. Auch die umfangreiche, aber immer mit großem Geschick abgewickelte Beteiligung der Bank an Terrainaktien und Terrain-Aktiengesellschaften wurde öfters bemängelt. Die Dresdner Bank hatte u. a. starken Grundbesitz in Wilmersdorf, war an der Moabiter Terrain-Gesellschaft und der Hannoverschen Immobilien-Gesellschaft, sowie an der Terrain-Aktiengesellschaft Park Witzleben beteiligt und begründete die Berlinische Boden-Gesellschaft (1893) und die Boden-Gesellschaft Kurfürstendamm (1898).

An größeren Verlusten der Bank ist der bei ihrer Hamburger Filiale entstandene von etwa 2½ Mill. M zu erwähnen, der aber aus einem von der Anglo-Deutschen Bank übernommenen Engagement mit der Export- und Lagerhaus-Gesellschaft J. Ferd. Nagel stammte.

An Dividenden hat die Dresdner Bank verteilt:

(in Prozenten)

1873	1,5	1881	9	1889	11	1897	9	1905	8½
1874	6	1882	8	1890	10	1898	9	1906	8½
1875	5	1883	8	1891	7	1899	9	1907	7
1876	5,5	1884	7,5	1892	7	1900	8	1908	7½
1877	6,5	1885	7,5	1893	5,5	1901	4	1909	8½
1878	7	1886	7	1894	8	1902	6	1910	8½
1879	9	1887	7	1895	8	1903	7		
1880	9	1888	9	1896	8	1904	7½		

Ein erfreulich hoher Prozentsatz dieser Dividenden ist aus den Erträgnissen des laufenden Geschäfts bezahlt worden[1]); im Kontokorrentgeschäft verdiente sie im Jahre 1910 an Provisionen (abzüglich bezahlter Provisionen) über 12 Mill. M und an Zinsen (abzüglich gezahlter Zinsen) über 8 Mill. M.

Das Aktienkapital der Dresdner Bank ist von 9,6 Mill. M im Gründungsjahr (1872) bis zum Jahre 1904, wo es 70 Mill. M be-

---

1) Vgl. Ernst Loeb, Nachtrag zu Model a. a. O. S. 152.

trug, zehnmal erhöht worden, das erste Mal schon im Jahre 1878; es beträgt heute (1911) 200 Mill. M, während die Reserven den Betrag von 60½ Mill. M, also 30,25% des Aktienkapitals, erreicht haben.

An Emissionen war die Dresdner Bank in großem Umfange beteiligt. Von internationalen Emissionen führte sie insbesondere die von mexikanischen Eisenbahn-Anleihen mit Erfolg durch und nahm, zusammen mit der Darmstädter Bank und anderen Banken, an der Emission der portugiesischen Werte teil (vgl. im übrigen Beilage V u. VI). Sie wußte aber in den meisten Jahren ihre Konsortial-Engagements in angemessenen Grenzen zu halten, während im Effekten-Konto vielfach ein starker Besitz von Industrieaktien auffällt, durch den sie jedoch des öfteren ihre industrielle Politik in geschickter Weise zu unterstützen wußte.

Zusammenfassend kann gesagt werden, daß die Dresdner Bank infolge der besonderen Rührigkeit und Gewandtheit ihrer Leitung es überaus rasch verstanden hat, sich sowohl unter den Großbanken wie in weiten Kreisen des Publikums eine feste und besondere Stellung zu verschaffen. —

4. Die Darmstädter Bank.

Die Darmstädter Bank hat sowohl in der ersten wie in der zweiten Epoche — hier nur mit geringen Ausnahmen — sich namentlich dadurch ausgezeichnet, daß sie sowohl ihre Liquidität wie das Prinzip der Risikoverteilung aufs sorgfältigste wahrte und mitunter lieber auf Geschäfte verzichtete, wenn daraus eine Gefahr für ihre Liquidität entstehen konnte. Auf eine baldige Abwicklung langsichtiger Engagements ist sie, falls sie deren Eingehung überhaupt nicht vermeiden konnte, fast immer energisch bedacht gewesen. Sie hat deshalb auch die schon bald nach ihrer Gründung eingetretene Krisis von 1857 gut überstanden und war damals auch in der Lage, ihrer Kundschaft und verschiedenen Korporationen und Banken helfend zur Seite zu stehen.

Ihre Geschäftsberichte haben von Anfang an erheblich mehr über die Einzelheiten ihrer geschäftlichen Tätigkeit mitgeteilt, als die fast aller übrigen Banken; insbesondere gilt dies von den stets gemachten Angaben über die Zusammensetzung ihres Effektenbestands und ihrer Konsortialgeschäfte[1]).

In der ersten Epoche hat sie, wie wir sahen, sich vor allem um den Ausbau des deutschen Privat-Eisenbahnnetzes, ferner um den öffentlichen Kredit durch Emission einer großen Reihe von Staats- und Kommunalwerten und um die lebhaft aufstrebende Industrie verdient gemacht. Sie ist in der ersten

---

1) Vgl. Otto Jeidels a. a. O. S. 114—117.

Epoche beinahe völlig, und in großem Umfang auch noch im Anfang der zweiten Epoche eine industrielle Gründungsbank und zum kleineren Teil eine Emissionsbank für staatliche-, Kommunal- und Eisenbahn-Werte gewesen. Das Kontokorrentgeschäft hat sie in der ersten Epoche (wenigstens in der Zentrale) nicht methodisch gepflegt. Ihre industriellen Beziehungen erwuchsen damals im wesentlichen aus ihrem industriellen Emissionsgeschäft, welches sie jedoch, wie wir sahen, veranlaßte, von Anfang an bei industriellen Unternehmungen durch großen Aktienbesitz dauernd interessiert zu bleiben. Diese Taktik, die ihr oft schwere Verluste zufügte, hat sie aber doch in den Stand gesetzt, dauernd diejenigen industriellen Unternehmungen zu überwachen, die sie gegründet oder zu Aktiengesellschaften umgewandelt hatte. Wir sahen, daß sie allein im Jahre 1856 7 industrielle Gesellschaften gegründet hat, an welchen sie mit etwa $1/3$ der sämtlichen Aktien (rund 800 000 fl.) dauernd beteiligt blieb. Sie hat damit, da dieser Bestand meist nicht aus Emissionen, sondern aus Gründungen herrührte, bewußt eine industrielle Unternehmertätigkeit entfaltet, deren Gefahren für sie zwar durch ihre beständige Rücksichtnahme auf ihre Liquidität gemildert wurden, die aber doch auch bei ihr klar zutage traten.

Der systematischen Pflege des Depositengeschäfts ist sie in der ersten Epoche und bis tief in die zweite Epoche hinein aus den gleichen prinzipiellen Gründen abhold gewesen, welchen der A. Schaaffhausen'sche Bankverein in seinem Geschäftsbericht von 1850 (s. oben S. 64) Ausdruck gegeben hatte. Auch sie wollte den Betrieb ihrer Geschäfte, soweit es irgend möglich war, mit eigenen Mitteln bewirken, und hielt es im Interesse der Sicherheit des Instituts nicht für zweckmäßig, „durch erleichternde Bedingungen auf eine Steigerung der Depositen hinzuwirken". Wenn sie trotzdem in die zweite Epoche mit einem Depositenbestand von etwa 11 Mill. fl. hineingegangen ist, während zu gleicher Zeit der Depositenbestand der Disconto-Gesellschaft nur rund 2 Mill. M und der des A. Schaaffhausen'schen Bankvereins nur rund 2 ½ Mill. M aufwies, so stammte jener relativ hohe Betrag wohl im wesentlichen aus ihrer nahen Verbindung mit einzelnen Eisenbahngesellschaften, wie der Hessischen Ludwigs-Eisenbahn-Gesellschaft, und aus Guthaben größerer Verwaltungen und Gesellschaften.

Erst im Jahre 1900, also viel später als alle übrigen Banken, entschloß sich die Darmstädter Bank zur Begründung von Depositenkassen und damit zur systematischen Pflege des Depositengeschäfts. Inzwischen hatten aber die übrigen Banken auf diesem Gebiete einen großen Vorsprung gewonnen und hierdurch nicht nur einen immer wachsenden Stamm ständiger und solventer Abnehmer für

26*

die von ihnen emittierten Werte, sondern, was noch wesentlicher ist, auch immer neue Kunden für ihr Kontokorrentgeschäft gefunden.

Von der in dem ursprünglichen Statut vorbehaltenen Ausgabe langfristiger Bankobligationen hat die Bank erfreulicherweise Abstand genommen. Nach dem Vorbilde des Crédit Mobilier war die Ausgabe solcher Obligationen im Statut der Darmstädter Bank vorbehalten, um die kapitalistischen Einzelkräfte durch Ausgabe von Bankobligationen, denen die neu begründeten industriellen Unternehmungen als Unterlage dienen sollten, mehr, als dies sonst geschehen konnte, zur Durchführung großer Unternehmungen zusammen zu fassen.

Von einer starken spekulativen Tätigkeit hat sich die Darmstädter Bank im wesentlichen frei gehalten, von wenigen, dann doppelt scharf kritisierten Ausnahmen abgesehen. So unterlag auch sie in der ersten Epoche dem allgemeinen Spekulationstrubel und erlitt damals durch Reportgeschäfte und spekulative Aktienengagements starke Verluste, die einem unliebsamen Gewinn aus dem Handel mit ihren Berechtigungsscheinen (den sogenannten „Darmstädter Enkeln" 1857) in ebenso unliebsamer Weise gegenüberstanden [1]).

An dem Auslandsgeschäft hatte sich die Bank schon in der ersten Epoche in erheblichem Umfang beteiligt, und zwar sowohl in Italien wie in Belgien und namentlich in Österreich-Ungarn, wo sie schon im Anfang der 60er Jahre, gemeinsam mit dem Hause Rothschild und der Credit-Anstalt, österreichische Staats- und Eisenbahngeschäfte abgeschlossen hatte, während sie dem Rothschildkonsortium erst später als Mitglied beitrat. Sie war denn auch, wesentlich infolge dieser und ähnlicher Finanzoperationen, veranlaßt, schon 1855 ihr Kapital von 10 Mill. fl., auf welches zunächst nur 4 Mill. fl. eingezahlt waren, voll einzahlen zu lassen und weiter genötigt, es schon im Jahre 1856 auf 25 Mill. zu erhöhen. Dagegen wurde im Jahre 1857, wo bereits der im Statut vorgesehene Maximalbetrag von 50 Mill. fl. ausgegeben werden sollte, der Erhöhungsbeschluß infolge der inzwischen eingetretenen Krisis nur teilweise (bis zur Höhe von weiteren 46 000 fl.) durchgeführt.

Die Niederlassungen in Frankfurt a. M. (Agentur 1854) und Mainz (Filiale 1854) sollten das Wechsel- und Devisengeschäft in weiterem Umfange, als dies seitens der Zentrale Darmstadt geschehen konnte, sowie das Kontokorrentgeschäft besonders pflegen. Man war aber und blieb bis etwa in die 80er Jahre hinein namentlich mit der Gewährung des Akzepts der Bank ungemein vorsichtig, derart, daß noch um die Mitte der 70er Jahre die Akzeptverbindlichkeiten

---

1) Vgl. Model a. a. O., S. 58.

der Berliner Abteilung und der Filiale Frankfurt a. M. nur wenige Millionen Gulden betrugen.

Zur Pflege des Inlandsgeschäfts, vor allem aber zur Pflege ausländischer Geschäftsbeziehungen, wurde jedoch ein großes Netz von Kommanditen begründet, die, von anderen speziellen Gründen abgesehen, schon deshalb die von ihnen erwarteten Ergebnisse nicht liefern konnten, weil die Zeit dafür noch nicht gekommen war Bereits im Jahre 1854 wurde die erste Kommandite in New-York (G. von Baur & Co.), im Jahre 1857 die erste in Paris und bereits im Jahre 1867 eine Kommandite in Wien (Dutschka & Co.) errichtet, während die geplante fernere Errichtung von Kommanditen in London, Petersburg, Prag und sogar in Smyrna und Konstantinopel, teils infolge der ungünstigen Zeit, teils infolge juristischer Bedenken, nicht zustande kam. Immerhin kann die Darmstädter Bank für sich in Anspruch nehmen, daß sie zuerst bewußt auf diesem Gebiete vorgegangen ist, getreu dem Programm, welches sie bereits in ihrem ersten Geschäftsbericht (für 1853) dahin entwickelte, daß „ihre Organe im In- und Auslande den Export und die tausend anderen Beziehungen der deutschen Industrie zum Geldmarkte vermitteln" sollten.

Wie weit die Pläne Einzelner nach dieser Richtung schon damals gingen, beweist am besten die Tatsache, daß bereits im Jahre 1856 zwei von den Gründern der Darmstädter Bank, Gustav v. Mevissen und Abraham Oppenheim, Mitglieder ihres Aufsichtsrats, ganz ernsthaft die Disconto-Gesellschaft sondierten, ob sich nicht die gemeinsame Gründung einer Zentralbank für ausländische Kommanditen mit einem Kapital von etwa 100 Mill. Tlr. empfehle, welche dafür sorgen solle, „daß die deutschen Kapitalien der verschiedenen Banken, welche alle Kommanditen im Auslande erstreben, sich in Zukunft nicht mehr zersplittern und zugleich die möglichst tüchtige Vertretung stattfinde"[1]).

Der von Anfang an bis in die 90er Jahre hinein seitens der Darmstädter Bank bevorzugte Gedanke der Begründung von Kommanditen behufs Dezentralisierung ihres Geschäfts erklärt sich wohl wesentlich dadurch, daß sie mit den Filialen zu Ende der 50er und Anfang der 60er Jahre teilweise schlechte Erfahrungen gemacht hatte. Sie hatte deshalb sogar, „lediglich um den Kreis der Anstalten, welche die Bank durch ihre Dispositionen direkt verpflichten können, auf ein engeres Maß zu beschränken", im Jahre 1863 ihre Filiale Mainz auch in eine Kommandite umwandeln zu müssen geglaubt. Erst im Jahre 1900 ist die Bank durch Begründung der Filiale Hannover, der kurz darauf die Errichtung der Filiale

---

[1] Jubiläumsdenkschrift der Disconto-Gesellschaft, S. 204·205.

Straßburg i. E. folgte, von diesem Grundsatz abgegangen. Zu dieser Zeit bestanden noch 8 Kommanditen (in Heilbronn, Mainz, Dresden, Halle, Mannheim, Bukarest, Berlin und Neustadt), während im Jahre 1911 die Zahl der Kommanditen nur noch 3 beträgt.

Die Durchschnittsdividende der Bank von 1854—1862 betrug über 6¾%.

Von 1863—1872 hat die Bank, neben der Übernahme vieler deutscher und ausländischer Staatswerte, sowie einiger russischer und italienischer Staatsobligationen und neben der Beteiligung an solchen Geschäften, vor allem an der Finanzierung und an dem Ausbau des deutschen und österreichisch-ungarischen Eisenbahnnetzes, so insbesondere bei der Finanzierung der Gotthardbahn, mitgewirkt. In der gleichen Periode hat sie eine Reihe von Tochterbanken begründet, so namentlich die Amsterdam'sche Bank (1871), die Süddeutsche Bodenkreditbank, die Süddeutsche Immobilien-Gesellschaft, die Ungarische Escompte- und Wechsler-Bank (1877) und die Deutsche Gold- und Silber-Scheide-Anstalt; die Gründung der Hessischen Notenbank (Bank für Süddeutschland) war vorausgegangen.

Die Durchschnittsdividende der Epoche von 1863—1872 betrug 8⁷/₁₀%.

Auch in der folgenden Dekade 1873—1882 wurden, nach guter Überwindung der 73er Krise, Finanzgeschäfte in österreichischen und deutschen Eisenbahn-, Staats- und Kommunalwerten abgeschlossen, während vom Jahre 1879 ab die Konvertierung deutscher Staats-, Eisenbahn- und Stadtobligationen beginnt, welche in den darauf folgenden Jahren stets wachsende Dimensionen annahm.

In dieser Dekade (1873—1882) betrug die Durchschnittsdividende über 8¼%.

Durch die Eisenbahnverstaatlichungen in Deutschland und Österreich fielen die Geschäfte mit großen Eisenbahngesellschaften zu einem großen Teil weg. Infolgedessen nahm die Bank, als erste unter den Großbanken, in der Dekade von 1883—1892, im Verein mit dem Eisenbahnbau- und Betriebsunternehmer Herrmann Bachstein in Berlin, den Bau und Betrieb sowie die Finanzierung von Kleinbahnen in ausgedehntem Umfange auf, und zwar zunächst im wesentlichen in Hessen, Baden und Thüringen.

Im übrigen fiel in diese Zeit die Gründung einiger industrieller Gesellschaften und die Mitwirkung bei der Übernahme einer Reihe von Staats- und Kommunalwerten und bei der Fusion der Jura-Bern-Luzern-Bahn und der Schweizer Westbahn. Aber auch die zusammen mit einer Reihe anderer Banken und Bankfirmen erfolgte Übernahme der Lissaboner Stadtanleihen und portugiesischer Staatswerte fällt in diese Zeit. Es waren dies, abgesehen von der Lissaboner Stadtanleihe, deren Zinsen stets voll bezahlt wurden, Geschäfte, aus welchen der Bank späterhin viele Sorgen und Verluste entstanden sind, die auch ihre geschäftliche Tätigkeit längere Zeit in erheblichem Umfange lahm legten, zumal sie pflichtgemäß alles daran setzte, um die Folgen des Staats- und Eisenbahnbankerotts für die Besitzer der Staats- und Eisenbahnwerte tunlichst zu mildern.

Die Durchschnittsdividende dieser Dekade (1883—1892) betrug nicht ganz 7½ %.

In der Dekade von 1893—1902 waren es wesentlich die Kleinbahngeschäfte und die 1895 erfolgte Gründung der Süddeutschen Eisenbahngesellschaft, welche letztere die bis dahin fertiggestellten und meist inzwischen zu angemessener Rentabilität gelangten Kleinbahnen in sich vereinigte, die, zusammen mit einer Reihe von Staats- und Stadtanleihen und industriellen Terraingeschäften, die Banktätigkeit in Anspruch nahmen.

Gegen Ende dieser Dekade flossen der Bank erhebliche Gewinne zu durch eine Reihe von Sanierungsgeschäften, welche betrafen: die Deutsche Grundschuldbank, Preußische Hypotheken-Actien-Bank, Pommersche Hypothekenbank und die Bergwerks- und Hüttengesellschaft Differdingen-Dannenbaum, ferner durch die Übernahme der Bank für Süddeutschland (1902) und der Breslauer Disconto-Bank (1902). Im gleichen Jahre trat sie mit der Ostbank für Handel und Gewerbe in Posen in eine Interessengemeinschaft ein.

Die Durchschnittsdividende dieser Dekade betrug 6¾ %.

In der letzten Zeit war die Bank namentlich mit der Ausgestaltung des Kontokorrent- und Depositengeschäfts mit sichtbarem Erfolge tätig und verstand es, ihre Liquidität, die vorübergehend gelitten hatte, durch umsichtige Geschäftsleitung wiederherzustellen. Außerdem war sie als Mitglied der Loewe-Gruppe an allen Geschäften dieser Gruppe beteiligt, wirkte bei einer Reihe von Staats- und Stadtanleihen, sowie an einer Anzahl industrieller Emissionen mit und begründete (1905) eine Interessengemeinschaft mit der Bayerischen Bank für Handel und Industrie, die sie 1910 unter Erhöhung ihres Aktienkapitals auf 160000000 M in sich aufgenommen hat.

Die Anzahl ihrer Depositenkassen betrug Ende 1911: 66, wozu noch 6 Agenturen kommen.

Im Jahre 1900 hatte sie ihre ausländischen Beziehungen durch Gründung des Bankers Trading Syndicate in London, im Jahre 1902 durch die Anknüpfung enger Beziehungen zur K. k. priv. Bank- und Wechselstuben-Actien-Gesellschaft „Mercur"

in Wien und im Jahre 1903 durch Eingehung einer Interessengemeinschaft mit der Nordwestdeutschen Bank in Bremen (1903) erweitert. Im Jahre 1904—1905 beteiligte sie sich an der Umwandlung
ihrer bisherigen Kommandite in Bukarest in eine Aktiengesellschaft,
welche die Firma Banca Marmorosch Blank & Co., Societate anonima
annahm, und nahm 1904—1905 die Bankfirma Rob. Warschauer & Co.
in sich auf, welche seit 1898 von ihr kommanditiert gewesen war und
ausgedehnte ausländische Geschäftsbeziehungen, insbesondere auch
solche in Rußland, gepflegt hatte.

Bereits im Jahre 1898 hatte die Bank, zusammen mit anderen
inländischen und ausländischen Instituten, bei der Gründung der
Banque Internationale de Bruxelles in hervorragendem Maße
mitgewirkt, nachdem sie sich vorher (1889) bereits bei der Errichtung der Deutsch-Asiatischen Bank beteiligt hatte. Sie hat ferner
in den Jahren 1898—1908 bei der Gründung der Deutschen Telegraphen-Gesellschaften und Kabelwerke, 1899 bei der Errichtung
der beiden Schantung-Gesellschaften und 1906 bei derjenigen der
Kamerun-Eisenbahngesellschaft mitgewirkt.

Im Jahre 1906 begründete sie, mit mehreren anderen in- und
ausländischen Firmen, zur Pflege der Geschäftsbeziehungen mit
Amerika die Amerika-Bank, welche aber im Jahre 1909 wieder
in Liquidation getreten ist.

Die Darmstädter Bank hat sich von Anfang an unter den
deutschen Großbanken und in den weitesten Kreisen des Publikums
einen überaus geachteten Namen erworben; ihre Leitung ist, wenn
sie auch nicht durchweg eine einheitliche Geschäftspolitik durchführte, doch fast immer von den Grundsätzen beherrscht gewesen,
welche ihr schon der § 10 ihres ersten Statuts vorgeschrieben
hatte [1]), so daß selbst in den für die Handelswelt und für die Banken
schlimmsten Zeiten sich nie das Vertrauen gemindert hat, welches
man ihr, zuerst in Süddeutschland, dann allgemein, entgegen-
gebracht hat.

5. Der A. Schaaffhausen'sche BankVerein [2]).

Der A. Schaaffhausen'sche Bankverein ist im Jahre 1848 auf
Grundlage des in Schwierigkeiten geratenen Bankgeschäfts A.

---

1) „Die Bank ist befugt zum Betrieb aller Bankiergeschäfte, mithin zu
solchen Geschäften, aus denen sie ihre Gelder, sobald sie deren bedarf
zu jeder Zeit zurückziehen kann."

2) Model hat auffallenderweise in seiner Arbeit über „Die großen Berliner
Effektenbanken" (1896) den A. Schaaffhausen'schen BankVerein nicht berücksichtigt,
obwohl er damals ohne Zweifel schon zu den großen Effektenbanken und, da seine
Berliner Filiale bereits im Jahre 1891 errichtet war, auch zu den großen Berliner
Effektenbanken gehörte.

Schaaffhausen mit einem Kapital von 5 187 000 Tlr., wovon aber nur 3 199 800 Tlr. eingezahlt wurden, begründet worden, ist also die älteste deutsche Kreditbank. Da die Firma A. Schaaffhausen schon in ausgedehntem Umfange industrielle Geschäftsbeziehungen in Rheinland-Westfalen unterhalten hatte, war er von vornherein in einer günstigeren Lage wie alle übrigen heutigen Großbanken, die sich erst nach und nach und mit großen Mühen einen Stamm zuverlässiger Kundschaft erwerben mußten. Seine Aufgabe war es allerdings, die Verbindungen des alten und wohlrenommierten Bankhauses, dessen Kundschaft er übernommen hatte, zu erhalten und auszubauen und die industriellen Beteiligungen, in denen sich dieses Haus festgelegt hatte, durch Umwandlung industrieller Unternehmungen in Aktiengesellschaften oder sonstwie zu mobilisieren und dann, sobald es die Rentabilität der Unternehmungen und die Wirtschafts- und Marktlage gestattete, zu realisieren.

Wir haben die ungemein große Reihe von Umwandlungen und Gründungen, welche der A. Schaaffhausen'sche Bankverein bereits in der Zeit von 1851—1858 durchgeführt hat, schon oben S. 62/63) besprochen und konnten feststellen (S. 62 Anm. 2), daß die umsichtige und sachkundige Geschäftsleitung des Instituts von Anfang an sich darüber klar war, „daß dauernd der Flor des Bankvereins von dem Gedeihen und Blühen der rheinischen Industrie in allen Zweigen unzertrennlich sein werde".

Dies hat sich denn auch in vollem Umfange bewahrheitet. Der A. Schaaffhausen'sche Bankverein ist mit dem überraschend raschen und starken Wachstum der rheinisch-westfälischen Industrie, aus der sich in erster Linie der feste Kern seiner industriellen Kundschaft bis in die neueste Zeit rekrutiert hat, groß geworden.

Die sorgfältige Pflege des Kontokorrent- und Emissionsgeschäfts war eine natürliche Folge der industriellen Beziehungen und der Notwendigkeit, sie auszubauen und immer enger zu gestalten. Das Depositengeschäft dagegen hat der Bankverein in der ersten Epoche aus den bereits bei der Darmstädter Bank erwähnten prinzipiellen Gründen nicht methodisch gepflegt; er ging deshalb in die zweite Epoche über mit einem Depositenbestand von nur 883 616 Tlr. im Jahre 1869. Zu der schon im Jahre 1853 ins Auge gefaßten Begründung von Filialen, Agenturen und Kommanditen kam es zunächst nicht; zur damals geplanten Errichtung einer Filiale in Berlin, welche eine Statutenänderung voraussetzte, erhielt der Bankverein nicht die damals noch erforderliche staatliche Genehmigung.

Die Krisis von 1857 hat der Bankverein gut überstanden, ohne daß er in die Notwendigkeit versetzt worden wäre, während der Krisis Kredite kündigen zu müssen.

Er hat in der ersten Epoche zwar ein erhebliches Gründungs-
und Umwandlungsgeschäft, aber in geringem Umfang das Emissionsgeschäft betrieben, war jedoch meist bei den von den anderen Banken
dieser Epoche abgeschlossenen Übernahmegeschäften beteiligt.

Auch in der zweiten Epoche ist er weniger Emissions- als
Industriebank gewesen, ohne daß er jedoch im allgemeinen etwa
dadurch sein Akzeptkonto auf eine bedenkliche Höhe hätte anschwellen lassen.

In dieser Eigenschaft als Industriebank hat er aber in der
zweiten Epoche eine hervorragende Rolle gespielt, obwohl oder
vielleicht weil der Schwerpunkt seiner Tätigkeit immer die rheinisch-
westfälische Industrie blieb, die in der zweiten Epoche eine so
große Bedeutung gewann. Kraft seiner alten industriellen Beziehungen ist es in diesem Bezirk in erster Linie der Bankverein gewesen und, trotz aller Konkurrenz, geblieben, der einer Reihe von
industriellen Unternehmungen von Anfang an und in allen Stadien
und Wechselfällen als industrieller Berater, als finanzieller Förderer
und Durchführer ihrer oft groß angelegten Pläne zur Seite stand. Zu
jenen industriellen Unternehmungen gehörte besonders der 1852 als
Aktiengesellschaft gegründete Hörder Bergwerks- und Hüttenverein, dessen starke Aufwärtsbewegung bis 1873 die finanziellen
Mittel und dessen ungünstige Lage nach 1873 die energische Unterstützung des Bankvereins in Anspruch nahm. Schließlich hatte der
Bankverein, zusammen mit der Firma Deichmann & Co. in Köln,
die Reorganisation der Hörder Vereins durchzuführen, aus der ihm
später wieder, nach eingetretener Besserung der Verhältnisse und
Zeiten, eine Reihe lohnender Emissionen und anderer Geschäfte erwuchs. Noch heute ist ein Direktor des Bankvereins Vorsitzender des
Aufsichtsrats des Hörder Vereins und der Generaldirektor des
letzteren Mitglied des Aufsichtsrats des Bankvereins.

Eine so enge Verbindung, wie sie der A. Schaaffhausen'sche
Bankverein auch mit einer Reihe weiterer industrieller Großbetriebe
pflegte, z. B. mit der Harpener Bergbaugesellschaft, dem Bochumer
Verein, dem Phönix und dem Stahlwerk Hoesch, setzt natürlich
auch eine Erweiterung der Mittel der führenden Bank voraus, wirkte
also als eine kräftige Förderung der Konzentration der letzteren.
Außerdem erfordert sie, sowohl zur erfolgreichen Durchführung
industrieller Emissionen als aus einer Reihe anderer Gründe, die wir
später erörtern werden, eine engere Verbindung mit dem leitenden
Börsenplatze, die der Bankverein aber erst im Jahre 1891 durch die
Begründung einer Filiale in Berlin herstellte. Der Bankverein
ist aber auch hierdurch weniger eine Berliner Großbank, als eine
Rheinische Großbank mit einer (nach und nach allerdings immer
wichtiger gewordenen) Niederlassung in Berlin geworden, während

die Darmstädter Bank naturgemäß, da Darmstadt kein Mittelpunkt kommerziellen Lebens ist, mit der Verlegung ihres Schwerpunktes nach Berlin, in der Tat eine Berliner Großbank wurde, zumal allmählich auch ihr Kundengeschäft nicht mehr lediglich oder auch nur in der Hauptsache ein süddeutsches blieb.

Entsprechend der Größe der auf dem Wege des industriellen Kredits und der industriellen Emissionen zu bewältigenden Aufgaben mußte auch der Bankverein in rascher Folge sein zunächst nur mit rund 9 600 000 M eingezahltes Aktienkapital vergrößern; es betrug im Jahre 1880 36 Mill., im Jahre 1895 60 Mill. und Ende 1911 145 Mill. M.

Im übrigen ist er in der zweiten Epoche in die Konzentrationsbewegung eingetreten durch Begründung von Filialen, deren er Ende 1911 11 zählte; ferner durch die Errichtung von Depositenkassen, welche zu gleicher Zeit die Zahl von 33 erreichten, sowie durch Begründung einer Tochterbank, der Westfälisch-Lippischen Vereinsbank, Aktiengesellschaft in Bielefeld (1900), und endlich durch Aufnahme mehrerer Banken und Bankhäuser. Dagegen besitzt er nur eine Kommandite (in Dresden) und steht, nach Auflösung der Interessengemeinschaft mit der Dresdner Bank und der Pfälzischen Bank, jetzt nur noch mit der Mittelrheinischen Bank in Coblenz (1903), der Ostbank für Handel und Gewerbe in Posen, sowie der Rheinischen Bank in Essen durch größeren Aktienbesitz in Interessengemeinschaft.

Schon aus dem Vorhergesagten ergibt sich, daß der A. Schaaffhausen'sche Bankverein ausgedehnte internationale Beziehungen nicht besitzt. Es war dies wohl einer der Hauptgründe, welche ihn im Jahre 1903 bewogen, die Interessengemeinschaft mit der Dresdner Bank einzugehen, welche über solche Beziehungen verfügte. Diese Interessengemeinschaft war mit Wirkung vom 1. Januar 1904 auf 30 Jahre abgeschlossen worden, hat aber im wesentlichen mit dem 1. Januar 1909 bereits ihr Ende erreicht. Immerhin bedingte sie, daß der Bankverein auch an den gemeinsamen Auslandsunternehmungen der Großbanken (der Deutsch-Asiatischen Bank, der Banca Commerciale Italiana, den Telegraphen-Gesellschaften und Kabelwerken), bei den letzteren sogar teilweise in führender Stellung, beteiligt war. Er nahm ferner teil an der Errichtung der Banque Internationale de Bruxelles, der Schantung-Gesellschaften und der Kamerun-Eisenbahn-Gesellschaft, sowie, gemeinsam mit der Dredner Bank, an der Gründung der Deutschen Orientbank und der Deutsch-Südamerikanischen Bank.

Bleibt somit das industrielle Gebiet, und speziell dasjenige des rheinisch-westfälischen Bezirks, die eigentliche Domäne des Bankvereins, so ist es besonders interessant und lehrreich, die mannigfachen Formen zu beobachten, in welchen sich diese Beziehungen, die wir schon an dem Beispiel des Hörder Vereins etwas näher betrachtet haben, in der zweiten Epoche ausgebildet haben.

An dem industriellen Unternehmergeschäft sich mit großen Beträgen zu beteiligen, hat der Bankverein fast durchweg, und mit Recht, vermieden. Eine Ausnahme bildet auch kaum der auf die Dauer berechnete Besitz der Aktien der Internationalen Bohr-Gesellschaft zu Erkelenz, weil er dieser Aktien zur Durchführung verschiedener Richtungen seiner industriellen Politik bedurfte[1]. So insbesondere zum Zweck des Einflusses im zweiten Kohlensyndikat, zum Zweck des Eindringens in verschiedene Zweige des Bergbaus in Deutschland und auswärtigen Staaten, insbesondere in Belgien, und endlich behufs Erleichterung der gemeinsam mit der Dresdner Bank entrierten rumänischen Petroleumgeschäfte (s. oben S. 343 ff.). Diese letzteren haben ihn dann wieder in Beziehungen zu dort gleichfalls interessierten schlesischen Industriellen gebracht, mit welchen er dann, in Gemeinschaft mit der Dresdner Bank und der Internationalen Bohr-Gesellschaft (1904), die Petroleum-Aktien-Gesellschaft Regatul Roman begründete.

Bis zum Jahre 1898 hat der Bankverein in führender Stellung der Gruppe der Elektricitäts-Gesellschaft vorm. Schuckert&Co. angehört, aus der er aber in jenem Jahre austrat, weil eine von ihm geplante und gewünschte Verschmelzung mit der Loewe-Gruppe nicht zustande kam. Wir finden den Bankverein also seitdem unter den Bankfirmen, welche bei allen Geschäften und Unternehmungen der Loewe-Gruppe beteiligt waren, so an der British Thomson-Houston Co., der Benrather Maschinenfabrik, der Firma Gebr. Böhler & Co. Aktien-Gesellschaft u. a. Die Gruppe der A. E. G. und ihre Geschäfte erweiterten sich 1904 durch den Beitritt der zum Konzern dnr Loewe-Gruppe gehörigen Banken, nachdem die U. E. G. (Union Elektricitäts-Gesellschaft) in die A. E. G. übernommen worden war.

Auf dem Gebiete des Verkehrswesens kam der Bankverein infolge seiner Verbindung mit der Dresdner Bank in Beziehungen zur Großen Berliner Straßenbahn; zudem hatte er Beziehungen zur Aktiengesellschaft für Verkehrswesen (Lenz & Co.) und der Bank für Deutsche Eisenbahnwerte, die dann wieder, für eine Reihe von Geschäften, ein Zusammengehen mit der in engsten Beziehungen zu Lenz & Co. stehenden Berliner Handelsgesellschaft anbahnten. Mit dieser zusammen begründete er 1895 die Westdeutsche Eisenbahn-Gesellschaft, welche wieder ihrerseits die Vereinigte Westdeutsche Kleinbahnen A.-G. [Kapital 6 Mill. M] errichtete, und 1896 die Bank für Deutsche Eisenbahnwerte (10 Mill. M Kapital).

---

[1] Vgl. darüber Otto Jeidels a. a. O., S. 113.

Aus dem Kontokorrentverkehr erwuchs sodann naturgemäß die Vermittlung und Durchführung der Umwandlung industrieller Unternehmungen seiner Kunden in Aktiengesellschaften. Dahin gehört die Umwandlung der Firma Carl von Born in die Hütten-Aktiengesellschaft vorm. Carl von Born in Dortmund (1896); die der Firma Bücklers & Jannsen in die Dülkener Baumwoll-spinnerei A.-G.; die der Firma Burtscheid, Ulrici & Co. in Dülken in die Rheinische Webstuhlfabrik A.-G. (1897) und die der Firma Mannstaedt & Co. in das Kalker Walzwerk Mannstaedt & Co. (1898). Ebendaher stammte die kommanditistische Beteiligung des Bankvereins an einer Tuchfirma C. Lückerath, G. m. b. H. in Euskirchen; die Umwandlung der Siegrheinischen Gewerkschaft in eine Aktiengesellschaft (1897) und des Selbecker Bergwerks-vereins in eine Gewerkschaft; die Übernahme der 1901 fallit ge-wordenen Kammgarnspinnerei Eitorf, Karl Schäfer & Co. und deren alsbaldige Umwandlung in die Kammgarn-Spinnerei und -Weberei Eitorf, A.-G., endlich die Sanierung der Werk-zeugmaschinenfabrik de Fries A.-G. in Heerdt bei Düsseldorf. Ferner gehört hierher die Vereinigung der Geschäfte zweier guter Ge-schäftsfreunde zu dem neuen Unternehmen: Vereinigte Stahl-werke van der Zypen und Wissener Eisenhütten-A.-G., und der Geschäfte zweier anderer Kontokorrentkunden in die Firma Eschweiler-Köln Eisenwerke A.-G.[1]). Der Bankverein hat ferner im Jahre 1904 im Interesse seiner Klienten, der Kölnischen Maschinenbau-Aktiengesellschaft in Köln-Bayenthal, um deren Unterbilanz zu beseitigen, die zur Fabrik gehörigen Terrains zusammen mit anderen Firmen gekauft und in eine neu gegründete Terrain-Aktiengesellschaft eingebracht[2]).

Auch hieraus ergaben sich wieder andere finanzielle Trans-aktionen, die teilweise in eigenem Interesse, teilweise im Interesse anderer Geschäftsfreunde vorgenommen wurden, so der Verkauf der Beteiligung an der vorerwähnten Hütten-Aktiengesellschaft vorm. Carl von Born in Dortmund an den früher besprochenen Hörder Verein.

Die Zahl der industriellen Emissionen des Bankvereins belief sich in den Jahren von 1895—1910 auf **361** (gegenüber 456 der Deutschen Bank, 424 der Dresdner Bank, 314 der Darmstädter Bank, 312 der Berliner Handelsgesellschaft und 302 der Disconto-Gesellschaft).

Die Zahl der Gesellschaften, für welche der Bankverein in diesen Jahren 1895—1910 industrielle Emissionen besorgte, belief

1) Vgl. Otto Jeidels a. a. O. S. 112 u. 113.
2) eod. S. 210.

sich auf 364, gegenüber 419 Gesellschaften, für welche die Deutsche Bank, 368, für welche die Dresdner Bank, 290, für welche die Disconto-Gesellschaft, 285, für welche die Darmstädter Bank und 281, für welche die Berliner Handelsgesellschaft in dieser Zeit industrielle Emissionen durchgeführt hat.

Von den einzelnen Industriezweigen steht dem Bankverein die Bergwerks- und Hüttenindustrie besonders nahe. Er stand namentlich, wie wir sahen, in langjähriger intimer Verbindung mit dem Hörder Verein in Dortmund; ferner mit dem Lothringischen Hüttenverein Aumetz-Friede in Kneuttingen, den er 1901 und nochmals 1903 sanierte und der 1903 mit dem Fentscher Hütten-Aktienverein verschmolzen wurde. Die indirekte Folge jener engen Beziehungen war, daß Aumetz-Friede wieder Betriebsmaschinen bei dem anderen Geschäftsfreunde des Bankvereins, der Kölnischen Maschinenbau-Aktiengesellschaft, bestellte, ein Vorgang, der in der Zuweisung von Aufträgen eines Klienten an einen anderen Klienten der nämlichen Bank sein (sehr häufig vorkommendes) Gegenstück findet. Der Bankverein unterhielt ferner enge Beziehungen mit der von ihm mitbegründeten Harpener Bergbaugesellschaft (ebenso wie die Berliner Handelsgesellschaft); weiter mit dem Eisenwerk Phönix in Laar, dem Stahlwerk Hösch und dem Bochumer Verein; sowie durch seine Verbindung mit dem Mitbesitzer der Rombacher Hüttenwerke, der Firma Spaeter & Co., auch mit diesen Werken.

Infolge dieser und anderer enger Beziehungen zu den für die ganze Kohlenindustrie und die schwere Eisenindustrie maßgebenden rheinisch-westfälischen Industriebezirken spielte denn auch der A. Schaaffhausen'sche Bankverein eine sehr bedeutende Rolle bei der Entwicklung der industriellen Kartelle. Er hat auch im Jahre 1899 selbst ein „Syndikats-Kontor" mit 1 Mill. M errichtet, welches die Vertretung industrieller Verbände und Syndikate übernehmen sollte. Der Stahlwerksverband kam nach langen Kämpfen hauptsächlich dadurch zustande, daß der Bankverein die Mehrheit der Aktien in der Generalversammlung des Phönix besaß und diese den Beitritt zum Stahlwerksverband beschloß, welchen der Direktor des Phönix abgelehnt hatte.

Alles in allem kann gesagt werden:

Der A. Schaaffhausen'sche Bankverein hat sich von Anfang an bis zum heutigen Tage durch seine führende Stellung im rheinisch-westfälischen Industriebezirk, dessen Ziele und Verwaltung wieder mehr oder weniger auf alle übrigen deutschen Industriebezirke ein-wirken, einen sehr bedeutenden Einfluß auf die deutsche Industrie überhaupt und, gleichsam als spezielles Fachinstitut auf diesem Gebiete, auch eine einflußreiche Sonderstellung unter den deutschen Großbanken erworben.

6. Die Berliner Handelsgesellschaft.

Die im Jahre 1856 begründete Berliner Handelsgesellschaft wurde in der Form einer Kommanditgesellschaft auf Aktien errichtet, weil diese in Preußen, im Gegensatz zur Aktiengesellschaft, einer staatlichen Konzession nicht bedurfte. Ihr Kapital betrug bei der Gründung 15 Mill. Tlr., von welchen aber nur 3740150 Tlr. eingezahlt wurden. Sie war schon in der ersten Epoche eine ausgesprochene Emissionsbank, was namentlich die Folge hatte, daß auf dem Gebiete der Emissions- und Plazierungstechnik keine andere Bank ihr gleichkommt oder gar überlegen ist. Wir haben oben (S. 65/66) gesehen, daß sie schon in der ersten Epoche bei der Begebung einer großen Reihe von einheimischen und auswärtigen Staats- und Eisenbahnanleihen und Eisenbahnaktien beteiligt war, namentlich auch an der Emission russischer Eisenbahnobligationen.

In ihrem Gründungsstatut (§ 2) hieß es ausdrücklich, daß sich ihre Tätigkeit insbesondere erstrecken solle „auf industrielle und landwirtschaftliche Unternehmungen, auf Bergbau, Hüttenbetrieb, Kanal-, Chaussee- und Eisenbahnbauten, sowie auf die Begründung, Vereinigung und Konsolidation von Aktiengesellschaften und die Emission von Aktien oder Obligationen solcher Gesellschaften".

Obwohl sie in der ersten Epoche nur relativ wenige Industriegeschäfte abschloß, obwohl sie ferner damals weder das Kontokorrent- noch das Depositengeschäft pflegte, gelang es ihr doch, aus ihren Umwandlungs- und Gründungsgeschäften sowie aus ihrer Übernahme- und Emissionstätigkeit sehr günstige und besonders fast stetig steigende Erträgnisse zu gewinnen. Ihre Dividenden betrugen in der ersten Epoche:

1857	5½	1862	9	1867	8
1858	5½	1863	8	1868	10
1859	5	1864	8	1869	10
1860	5¼	1865	8		
1861	5	1866	8		

Verhandlungen, welche nach dem Geschäftsbericht von 1857 bereits für die Errichtung von im Statut vorgesehenen „Kommanditen an anderen Plätzen" getroffen waren, mußten lediglich wegen der Krisis von 1857 abgebrochen werden[1]).

Von größeren Verlusten, welche die Handelsgesellschaft in jener Epoche erlitten hat, ist lediglich ein solcher bei der Dessauer

---

1) Zu dem Folgenden vgl. Model, S. 91 ff.

Kreditanstalt oder richtiger bei deren New-Yorker Kommandite eingetretene von etwa 150000 Tlr. zu erwähnen und außerdem ein Verlust, der ihr indirekt durch den Konkurs eines Exporthauses in Danzig erwuchs. An diesem war das Bankhaus Breest & Gelpcke in Berlin beteiligt, welches seit dem 1. Januar 1857 für Rechnung der Berliner Handelsgesellschaft betrieben wurde. Die Krisis von 1857 hat die Berliner Handelsgesellschaft gut überstanden.

In der zweiten Epoche, in welcher die Bank auch das Konto-korrentgeschäft, wenn es auch bei ihr nie in die erste Linie rückte, nicht aber das Depositengeschäft, systematisch und mit entsprechendem Erfolge pflegte, hat sie in den ersten Jahren sich in besonders lebhafter Weise an dem industriellen Gründungs- und Umwandlungsgeschäft beteiligt, was, neben reichem Gewinn, naturgemäß auch manchen Verlust herbeiführte. Im Jahre 1871 konnte sie ihr Kapital auf 10½ Mill. Tlr. erhöhen.

Verhängnisvoll wurde aber auch ihr im Anfang der zweiten Epoche, wie wir schon in anderem Zusammenhang erwähnten, das Unternehmergeschäft; der von ihr finanzierte Bau der Muldetalbahn hatte, wie der Geschäftsbericht pro 1876 angab, einen großen Teil ihrer verfügbaren Mittel in Anspruch genommen, weshalb denn auch eine Einziehung von 30% auf die jungen Aktien eingefordert wurde.

Die Dividendenentwicklung war in den ersten 13 Jahren der zweiten Epoche die folgende:

1870	9	1875	5	1880	5½
1871	12½	1876	0	1881	6
1872	12½	1877	0	1882	0
1873	6½	1878	0		
1874	7	1879	5		

Die auf das Muldetalbahngeschäft erforderlichen Abschreibungen verhinderten in den Jahren 1876—1878 die Zahlung einer Dividende, welche noch im Jahre 1872 bis auf die bedeutende Höhe von 12½% hatte steigen können, und bedingten sogar eine Unterbilanz.

Im Jahre 1878 wurde, nach dem Verkauf der Bahn an die sächsische Regierung, welcher für die Bank einen Verlust von 6⅓ Mill. M ergab, das Grundkapital von der inzwischen erreichten Höhe von 15 Mill. Tlr. (45 Mill. M) auf 30 Mill. M reduziert und ein sich aus dieser Operation ergebender Gewinn zur Bildung einer sehr erheblichen Spezialreserve für noch schwebende industrielle Geschäfte verwendet[1]. Es gelang der Bank alsdann auch, in den Jahren 1879 und 1880 wieder Dividenden von 5 und 5½% zu zahlen.

---

1) Geschäftsbericht der Berliner Handelsgesellschaft für 1878, S. 2.

Im Jahre 1880/81 wurden ihr aber wieder sowohl zwei industrielle Unternehmergeschäfte, nämlich die Beteiligung an der Deutschen Lokal- und Straßenbahngesellschaft und an der Petroleum-Bohr-Gerechtsamen- und Ölland-Gesellschaft, wie die Eingehung sehr erheblicher Spekulationen in eigenen Anteilen der Bank und in russischer Valuta seitens eines Geschäftsinhabers zum Unheil. Die daraus erwachsenden Verluste machten eine im Jahre 1882 erfolgte Reduktion des Grundkapitals von 30 auf 20 Mill. M erforderlich; die vorgedachte Spekulation allein hatte einen Verlust von $8^1/_4$ Mill. M ergeben.

Es ist kein Zweifel, daß eine Reihe heutiger Nationalökonomen, welche sowohl nach derartigen Ereignissen wie nach jeder allgemeinen Krisis einen staatlichen Eingriff (Aufsichtsamt, Kontrolle, Revisoren) oder gesetzliche Maßregeln fordern, auch damals in der Durchsetzung derartiger Forderungen nicht nur gegenüber der Berliner Handelsgesellschaft, sondern gegenüber allen deutschen Kreditbanken das einzige Heil erblickt hätten. Aber ebensowenig kann bezweifelt werden, daß sie damit nur Unheil angerichtet und die glänzende, im nationalen Interesse dringend erforderlich gewesene Entwicklung des deutschen Bankwesens verhindert oder gehemmt hätten. Auch hier hat sich die Lebensweisheit der praktischen und durch die Erfahrung gewitzigten Engländer: not measures, but men! bei weitem besser bewährt.

Unter der Führung ebenso vorsichtiger wie geschäftsgewandter neuer Geschäftsinhaber, von denen einer noch heute die Bank leitet, ergab die auf neuen Grundsätzen aufgebaute Geschäftspolitik schon bald ein gutes, demnächst ein glänzendes Resultat, obwohl vor allem das fast gänzlich verlorene Vertrauen durch die neuen Inhaber erst wieder gewonnen werden mußte.

Bereits für das erste Geschäftsjahr nach der Reorganisation (1883) konnte wieder eine Dividende von 7 % verteilt werden, und seit dieser Zeit konnte die Berliner Handelsgesellschaft, mit geringen Unterbrechungen, welche meist in der allgemeinen Wirtschaftslage begründet waren, von Erfolg zu Erfolg schreiten.

Die Dividenden betrugen:

1883	7	1889	12	1895	8	1901	7	1907	9
1884	9	1890	9½	1896	9	1902	7½	1908	9
1885	8	1891	7½	1897	9	1903	8	1909	9
1886	9	1892	6	1898	9	1904	8	1910	9
1887	9	1893	5	1899	9½	1905	9		
1888	10	1894	7	1900	8	1906	9		

Am 31. Dezember 1910 betrug das Kommanditkapital der Berliner Handelsgesellschaft 110 Mill. M, während die Reserven 34 ½ Mill. M, also 31 % des Aktienkapitals ausmachten. Ihre Konto-

korrent-Debitoren hatten den Betrag von über 227 ½ Mill. M, ihre Kreditoren den Betrag von rund 304 ¾ Mill. M erreicht.

Der Sondercharakter der Berliner Handelsgesellschaft unter den deutschen Großbanken entwickelte und bewährte sich hauptsächlich in ihren Beziehungen:

1. zur elektrotechnischen Industrie,
2. zur schweren Industrie, in erster Linie zum Bergwerks- und Hüttenwesen,
3. zum Straßen- und Kleinbahnwesen.

In ersterer Richtung namentlich entwickelte die Berliner Handelsgesellschaft eine ungemein vielseitige und fruchtbare Tätigkeit; die Stellung, welche sich die Allgemeine Elektricitäts-Gesellschaft errungen hat, ist, neben der genialen Leitung ihres Generaldirektors Emil Rathenau und seiner Mitarbeiter, in erster Linie der verständnisvollen und überaus geschickten finanziellen Mitarbeit der Berliner Handelsgesellschaft zuzuschreiben. Diese letztere hat sich gegenüber der A. E. G. als ihr erster finanzieller Berater ebenso bewährt, wie die Deutsche Bank gegenüber der Firma Siemens & Halske.

Aus ihrer Verbindung mit der A. E. G. sind für die Handelsgesellschaft eine große Zahl finanzieller Transaktionen aller Art hervorgegangen. Ich erinnere hier, abgesehen von den direkten für die A. E. G. und deren Schwester- und Tochterunternehmungen, so für die Berliner Elektricitätswerke, durchgeführten ungemein zahlreichen Emissionen, an die Errichtung besonderer Elektrizitätsgesellschaften in Sevilla und Barcelona (1894), in Warschau und Bilbao (1896), an die Gründung der Bank für Elektrische Unternehmungen in Zürich (1897), der Deutschen Überseeischen Elektrizitätsgesellschaft in Berlin und der Aluminium-Industrie-Aktiengesellschaft in Neuhausen (1898) sowie der Elektro-chemischen Werke in Bitterfeld und Rheinfelden (1896), welche 1899 vereinigt wurden, ferner die Elektricitäts-Lieferungs-Gesellschaft u. a. m.

Nachdem die Union-Elektricitäts-Gesellschaft (U. E. G.) im Jahre 1904 von der A. E. G. aufgenommen worden war, wurde die Gruppe der A. E. G. durch die Banken des Loewe-Konzerns (also die Disconto-Gesellschaft, Dresdner Bank, Darmstädter Bank und den A. Schaaffhausen'schen Bankverein) verstärkt. Diese Gruppe stellt also nun eine gewaltige Macht dar neben der durch die Deutsche Bank geführten Gruppe der Firma Siemens & Halske und der aus einem Teil ihrer Werke und der Schuckert-Gesellschaft 1903 neu gebildeten G. m. b. H. Siemens-Schuckert-Werke, welche letzteren wiederum vielfache Berührungspunkte und gemeinschaftliche Interessen mit jenen Gruppen haben. Die Berliner Handelsgesellschaft ist übrigens auch in dem Konsortium für Siemens & Halske-Werte vertreten.

In der schweren Industrie, vor allem im Bergbau- und Hüttenwesen, vermochte sich die Berliner Handelsgesellschaft im Laufe der Jahre, neben und teilweise vor dem A. Schaaffhausen'schen Bankverein, eine führende Rolle zu sichern. Mit diesem zusammen ist sie in hervorragendem Maße bei der Harpener Bergbaugesellschaft beteiligt, steht den Rombacher Hüttenwerken, gleich diesem, nahe und hat, durch ihre enge Verbindung mit der Gesellschaft Consolidation und mit der Hibernia, einen maßgebenden Einfluß im Ruhr-Kohlengebiet. Den Erwerb des Hibernia-Unternehmens durch den Staat hat sie, im Verein mit dem Bankhause S. Bleichröder und anderen Banken, verhindert.

Die Berliner Handelsgesellschaft unterhält ferner gute Verbindungen zu dem oberschlesischen Eisen- und Kohlenbezirk durch ihre engen geschäftlichen Beziehungen zur Oberschlesischen Eisenindustrie-Aktiengesellschaft Caro-Hegenscheidt, während die frühere intime Verbindung mit der Firma Emanuel Friedländer & Co. in Berlin, einer der beiden Verkaufsstellen der Oberschlesischen Kohlenkonvention, im Jahre 1910 sich gelöst hat.

Endlich ist die Tätigkeit der Berliner Handelsgesellschaft auf dem Gebiete des Straßen- und Kleinbahnwesens von besonderem Umfange gewesen: sie unterstützte die A. E. G. 1895 durch die Gründung der Leipziger Straßenbahn und durch Emission von Werten der Karlsruher, Breslauer und Stettiner Straßenbahnen und der Allgemeinen Lokal- und Straßenbahngesellschaft. Sie betrieb aber auch, gleich der Darmstädter Bank, aber später wie diese, in großem Umfage die Förderung des Kleinbahnwesens, indem sie auf diesem Gebiete ein ebenso enges Verhältnis mit dem Stettiner Eisenbahnbau- und Betriebsgeschäft Lenz & Co. G. m. b. H. eingegangen ist, wie die Darmstädter Bank mit Herrmann Bachstein. Sie begann damit, behufs Betriebs und Finanzierung der Lenz'schen Bahnen, in Verbindung mit dem A. Schaaffhausen'schen Bankverein, im Jahre 1895 eine Trustgesellschaft, die Westdeutsche Eisenbahngesellschaft in Cöln, zu errichten, nachdem ihr, wie den anderen deutschen Großbanken, die früheren ungünstigen Erfahrungen auf diesem Gebiete nahe gelegt hatten, solche Trustgesellschaften an Stelle der eigenen Unternehmertätigkeit treten zu lassen. Es folgte bereits 1896 eine fernere Trustgesellschaft, die Bank für Deutsche Eisenbahnwerte, während zur Übernahme eines Teiles der Lenz'schen Bahnen in Baden die Badische Lokaleisenbahn-A.-G. und eines andern Teils (1899) die Ostdeutsche Eisenbahngesellschaft in Bromberg begründet wurde. Im Jahre 1899 wurde die Vereinigte

Westdeutsche Kleinbahn-Aktiengesellschaft errichtet, welche
eine größere Zahl von Bahnen der Westdeutschen Eisenbahngesellschaft zu selbständigen Betrieben in sich vereinigte. 1901 begründete die Handelsgesellschaft, neben der fortbestehenden G. m. b. H.
Lenz & Co., die Aktiengesellschaft für Verkehrswesen (Grundkapital 10 Mill. M), welche alle Stammanteile jener Gesellschaft
übernahm.

Im übrigen war die Berliner Handelsgesellschaft auch am
spekulativen Terraingeschäft in großem Umfange beteiligt. —
Wir haben oben (bei der Besprechung des A. Schaaffhausen'-
schen Bankvereins S. 413/414) gesehen, daß, hinsichtlich der Zahl der
industriellen Emissionen der Jahre 1895—1910 die Berliner Handelsgesellschaft mit 312 Emissionen (gegenüber 456 der Deutschen
Bank, 424 der Dresdner Bank, 361 des A. Schaaffhausen'schen
Bankvereins und 314 der Darmstädter Bank) die fünfte Stelle einnimmt, während sie mit 281 Gesellschaften, für welche sie in
dieser Zeit die Emissionen besorgt hat, an die letzte Stelle unter
den Berliner Großbanken gerückt ist.

Die Zahl der Aufsichtsratsstellen, welche sie durch Geschäftsinhaber in industriellen Gesellschaften besetzt, ist eine ungemein große.

Auch die internationalen Beziehungen der Berliner Handelsgesellschaft sind sehr gute und weitverzweigte:

An der Gründung sowohl der Deutsch-Asiatischen Bank (1889)
wie der Banca Commerciale Italiana (1894) hat sie führend mitgewirkt; sie war ferner beteiligt bei sämtlichen in den Jahren 1898
bis 1904 und 1908 errichteten Deutschen Telegraphen-Gesellschaften
und Kabelwerken, an der Errichtung der beiden Schantung-Gesellschaften (1899) und der Kamerun-Eisenbahngesellschaft im Jahre 1906.

Was die nicht-überseeischen Auslandsbeziehungen betrifft, so
hat sie den Schweizerischen Bankverein in Basel (1872), die
Banque Internationale de Bruxelles (1898), die Banca Marmorosch Blank & Co., Societate anonima in Bukarest (1904/05)
und die Aktiengeselschaft vorm. Andreévits & Co. in Belgrad (1908) mit begründet.

Sie betreibt seit 1905 die Usambara-Bahn in Deutsch-Ostafrika
und, gemeinsam mit der Firma Lenz & Co., den Bau der Eisenbahn
von Lüderitzbucht bis Kubub.

Sie war an sämtlichen in der zweiten Epoche erfolgten russischen, chinesischen und japanischen Emissionsgeschäften (teilweise
führend) beteiligt und hat mehrere serbische Staats- und Eisenbahnanleihen emittiert (vgl. im übrigen Beilage V und VI).

Die hervorragende Stellung, welche sich die (noch fast völlig
zentralisierte) Berliner Handelsgesellschaft unter den Berliner Groß-

banken errungen hat, beweist schlagend die Richtigkeit der alten
Erfahrung, daß für das Schicksal von Banken, ebenso wie für sonstige kaufmännische und für industrielle Unternehmungen, in erster
Linie die Tüchtigkeit und Zuverlässigkeit, sowie die Energie und
der weite Blick ihrer Leiter entscheidend ist. —

§ 7. Der Kapital-Export. Die Anlegung deutscher Kapitalien in
ausländischen Unternehmungen, Geschäften und Wertpapieren und
die Gründung von ausschließlich für das Auslandsgeschäft bestimmten Tochterbanken, mit besonderer Rücksicht auf den
Zusammenhang mit der industriellen Exportpolitik[1]).

A. Wir haben oben (§ 4 unter I) dargelegt, daß in der Entwicklung des Auslands- und speziell des überseeischen Bankgeschäfts
während der zweiten Epoche[2]), beginnend mit dem energischen Vorgehen der Deutschen Bank, eine zielbewußte und program-
matische Geschäftspolitik[3]) der deutschen Großbanken
vorliegt, welche in direktem und untrennbarem Zusammenhange
steht mit der industriellen Exportpolitik.

Um beurteilen zu können, ob jene Geschäftspolitik auch eine
vom Standpunkte des Gemeinwohls richtige, notwendige oder
wünschenswerte gewesen ist, muß an die Schilderung der Entwicklung der allgemeinen wirtschaftlichen Zustände Deutschlands

---

1) Vgl. jetzt A. Sartorius Freiherr v. Waltershausen, Das Volkswirtschaftliche System der Kapitalanlagen im Auslande, Berlin, Georg Reimer, 1907;
Bernhard Brockhage, Zur Entwicklung des preußisch-deutschen Kapitalexport
(Heft 148 der Staats- und Sozialwissenschaftl. Forschungen, herausgeg. von Schmoller
und Sering), Leipzig, Duncker & Humblot, 1910.

2) In der ersten Epoche hatte speziell die Darmstädter Bank, wie wir
oben (S. 44) sahen, in ihr Programm die Schaffung von Organen im In- und Auslande
aufgenommen, welche speziell „den Export und die tausend anderen Beziehungen
der deutschen Industrie zum Geldmarkte vermitteln" sollten. Aber die Zeit war
(auch angesichts des damaligen geringen Kapitalreichtums Deutschlands) hierfür
noch nicht gekommen, und so hat denn die Darmstädter Bank ihre weitreichenden
Pläne (s. oben S. 54 und Anm. 4) bald ebenso aufgehen müssen, wie die Deutsche
Bank zunächst die unmittelbar nach ihrer Gründung errichteten ostasiatischen Niederlassungen.

3) Otto Jeidels hat wohl den hier geschilderten engen Zusammenhang
dieser wichtigen Seite der Bankpolitik mit dem sogenannten Exportindustrialismus
übersehen oder doch nicht ausreichend gewürdigt, wenn er in seinem ausschließlich
dem „Verhältnis der deutschen Großbanken zur Industrie" gewidmeten Buche (auf
S. 270) das „Fehlen einer universellen, die Volkswirtschaft als Ganzes
erfassenden Industriepolitik der Banken" beklagt, und (auf S. 197) behauptet,
daß die Banken, was sicherlich mit spricht, aber nicht entscheidend ist, „zur
Tätigkeit im Ausland getrieben" würden „durch die bei einem gewissen Grad moderner
kapitalistischer Entwicklung immer stärker werdende Notwendigkeit, dem freien
deutschen Kapital im Auslande eine günstige Verwertungsstätte zu schaffen".

während der zweiten Epoche (1870 bis heute) in Abschnitt III, Erstes Kapitel (S. 73 ff.) erinnert werden. —

Wir sahen, daß die deutsche Land- und Forstwirtschaft während der zweiten Epoche (1870 bis heute) nicht imstande war, den heimischen Bedarf durch die eigene Produktion zu befriedigen, und wir wissen ferner, daß dieses Defizit der heimischen Produktion, da unsere starke Bevölkerungsvermehrung bis jetzt immer angehalten hat, sich nicht hat beseitigen lassen, weil die Intensität der Bebauung und die Heranziehung weiterer bebaubarer Flächen ungeachtet allen Fleißes und aller Mühen bei weitem nicht in dem Umfange und in dem Tempo gesteigert werden konnte, wie sich die Bevölkerung vermehrte. Es mußte also unser landwirtschaftliches Produktionsdefizit in wachsendem Umfange durch ausländische Einfuhr von Nahrungsmitteln gedeckt werden.

Ebenso war die deutsche Industrie nicht entfernt in der Lage, ihren Bedarf, speziell an Rohstoffen, im Inlande zu decken, mußte vielmehr im allgemeinen, d. h. von einzelnen Industriezweigen abgesehen, einen großen, teilweise sogar den größten Teil ihres Bedarfs an Rohstoffen gleichfalls durch ausländische Einfuhr decken lassen.

Daß wir diesen ungemein erheblichen Einfuhrbedarf unserer Landwirtschaft, ebenso wie denjenigen unserer Industrie nicht in bar, also nicht aus den Barmitteln unseres Nationalvermögens, zahlen können, wenn wir nicht allmählich verarmen wollen, ist von selbst klar. Er muß also in anderer Weise gezahlt oder „gedeckt" werden, und zwar unter allen Umständen, denn wir brauchen diese Einfuhr für die Existenz unserer Landwirtschaft und unserer Industrie, also zur Ernährung und Beschäftigung unserer Bevölkerung. —

Diese Deckung erfolgte nun bisher zu einem unwesentlichen Teil durch Hingabe solcher Rohstoffe an das importierende Ausland, deren wir für unseren inländischen Bedarf nicht bedürfen, zum wesentlichen Teil aber dadurch, daß unsere Industrie dem uns im Wege der Einfuhr[1] Lebensmittel und Rohstoffe liefernden Ausland Fabrikate im Wege der Ausfuhr[2] lieferte.

Die Notwendigkeit dieses Exports von Fabrikaten wächst also mit der Größe des zu deckenden heimischen Produktionsdefizits an Nahrungsmitteln und Rohstoffen, so daß bei heutiger Lage der

---

1) Nach der Denkschrift des Reichs-Marineamts vom Dezember 1905 über: „Die Entwicklung der deutschen Seeinteressen im letzten Jahrzehnt" (Einl. S. V) vollzog sich diese Einfuhr im Jahre 1904 in so überwiegendem Maße auf dem Seewege, daß die Einfuhr zur See 73,9 % der Gesamteinfuhr darstellte.

2) Auch die Ausfuhr vollzieht sich zu einem sehr erheblichen Teile auf dem Seewege, die Ausfuhr zur See betrug (nach der nämlichen Denkschrift, Einl. S. V) im Jahre 1904 64 % der Gesamtausfuhr.

Verhältnisse, insbesondere der Bevölkerungsvermehrung, die „industrielle Exportpolitik" nicht etwa ein von der Industrie frei gewähltes und daher eventuell auch aufzugebendes Geschäftsmittel, auch nicht etwa Selbstzweck, sondern ausschließlich ein für unsere ganze wirtschaftliche Existenz derzeit unerläßliches Mittel[1]) ist, einen erheblichen Teil der Deckung für die infolge jenes Produktionsdefizits unbedingt notwendige ausländische Einfuhr zu beschaffen.

Insoweit die deutschen Banken in diesem Umfange nach innen wie nach außen die tatkräftige Unterstützung unserer Industrie[2]) und der ihr in dieser Epoche obliegenden Exportpolitik sowie die energische Förderung des deutschen Außenhandels bewußt zu einer ihrer wesentlichsten Aufgaben erhoben; insofern sie, um diese Zwecke zu erreichen — die ihnen freilich auch zugleich eine Reihe lohnender Geschäfte sicherten —, im Auslande Filialen oder im In- und Auslande selbständige Tochterbanken für das ausländische Geschäft begründeten und gleichzeitig auch die damit in engstem Zusammenhange stehende staatliche Kolonial-, Seeschiffahrts-, Kanal-, Flotten- und Kabel-Politik unterstützten, haben sie sich einer der wichtigsten nationalen Aufgaben unterzogen. Denn von der Erfüllung dieser Aufgaben hängt nicht etwa nur die Erhaltung und Erweiterung unseres Einflusses und Ansehens im Auslande ab, sondern weit mehr: unsere ganze wirtschaftliche Existenz.

Die Erkenntnis dieser an sich klaren Sachlage ist weiteren Kreisen, und namentlich denjenigen Ständen, die als solche unter dieser ganzen für die Allgemeinheit notwendigen Sachlage zu leiden hatten, lediglich dadurch erschwert worden, daß im Verlauf jener industriellen Exportbewegung, wie fast bei jedem tief einschneidenden wirtschaftlichen Prozeß, starke Schäden zutage getreten sind:

Die industrielle Exportpolitik hat bis zu ihrem Höhepunkt, also etwa bis zum Jahre 1882, und zwar, je größer ihr Umfang, Hand in Hand mit der stark zunehmenden Bevölkerung, werden mußte, um so mehr, der für unsere Gesamtwirtschaft so ungemein wichtigen und deshalb in jeder Weise zu fördernden Landwirtschaft

---

1) Vgl. Paul Voigt a. a. O. S. 273 u. Albert Hesse in Conrad's Jahrb., 3. Folge, Bd. XL, S. 735 a 1910): „Wir müssen ausführen, um einführen zu können und müssen einführen, um arbeiten und leben zu können".

2) Die Industrie aber ist ihrerseits, gerufen von der Landwirtschaft, wie wir oben (S. 39/40) sahen, um die Mitte des vorigen Jahrhunderts in die Aufgabe eingetreten, welche die Landwirtschaft nicht mehr voll ausführen konnte, ausreichende Nahrung und Beschäftigung für die damals besonders stark gestiegene Bevölkerung zu schaffen.

Kräfte, Mittel, Kredit und Arbeit entzogen. Sie hat zu dem Ergebnis mitgewirkt, daß der Prozentsatz der in der Landwirtschaft
beschäftigten Bevölkerung von etwa 61 % der Gesamtbevölkerung,
wie er in Preußen noch um die Mitte des vorigen Jahrhunderts bestand, auf 28,6 % der Gesamtbevölkerung Deutschlands im Jahre
1907 herabging, während sich gleichzeitig das Verhältnis der Industrie und Handel treibenden Bevölkerung zur Gesamtbevölkerung
von etwa 24 % (Mitte des vorigen Jahrhunderts in Preußen) auf
etwa 56 % der deutschen erwerbstätigen Bevölkerung im Jahre 1907
erhöht hat. Der letztere Umstand hat wesentlich zu dem unge-
beuren Wachstum der Industriestädte — bis zum 17 und 18 fachen
der Zahlen aus der Mitte des vorigen Jahrhunderts — beigetragen.

B. Mit der geschilderten Tätigkeit war aber nur ein Teil der
Aufgaben der Banken auf diesem Gebiete erledigt:

Denn wie die auch von den Banken stets aufmerksam verfolgten statistischen Aufstellungen jederzeit klarstellten, konnte, ungeachtet aller Anstrengungen der Industrie und des Ausfuhrhandels,
auf dem Wege unseres Exports (an Fabrikaten usw.) nur ein, wenn
auch nicht unbeträchtlicher, T e i l der auswärtigen Einfuhr (an
Lebensmitteln und Rohstoffen) gedeckt werden. Nach Abzug jenes
Exports an Fabrikaten blieb also immer noch ein ungemein erheblicher Saldo zugunsten des Auslandes übrig; die Mehreinfuhr
über unsere Ausfuhr hinaus betrug per Ende 1910, wie wir oben
(S. 100) sahen, im Spezialhandel nicht weniger als fast 1½ Milliarden M; in dieser Höhe war also unsere Handelsbilanz passiv.

Nun kann allerdings der Satz, daß eine passive Handelsbilanz
verderblich ist, in dieser Allgemeinheit nicht aufrecht erhalten
werden, da gerade Staaten mit besonders hoher Passivität der
Handelsbilanz, a b e r   b e s o n d e r s   g ü n s t i g e r   Z a h l u n g s b i l a n z
die höchste Blüte aufzuweisen haben. Es sind dies diejenigen
Staaten, deren durch industrielle, landwirtschaftliche oder koloniale
Erfolge herbeigeführten s t a r k e n   K a p i t a l a n s a m m l u n g e n ihnen
gestatten, ihre verfügbaren Überschüsse zu Verbesserungen ihrer
Zahlungsbilanz zu benutzen. Je günstiger demgemäß die Zahlungsbilanz eines solchen Staates wird, um so gefahrloser wird für ihn
ein Passivsaldo seiner Handelsbilanz. Anders ausgedrückt: j e
a k t i v e r   s e i n e   Z a h l u n g s b i l a n z   w i r d , um so unbedenklicher
kann er andere Staaten „für sich arbeiten lassen", also
namentlich sich von ihnen Rohstoffe und Lebensmittel liefern lassen,
mag auch dadurch seine H a n d e l s b i l a n z passiv werden.

Es mußte also durch tunlichste Verbesserung der Zahlungsbilanz der Passivsaldo der Handelsbilanz „gedeckt" werden, wenn
nicht die Passivität der letzteren auf die Dauer unerträglich und
verderblich werden sollte.

Auch hier war der Weg ein gegebener: es galt, in erster Linie, die ausländischen Einfuhrstaaten[1]), die in Höhe der Mehreinfuhr unsere Gläubiger geworden waren, nunmehr m i n d e s t e n s in Höhe des zu ihren Gunsten verbliebenen Saldos zu unseren Schuldnern zu machen. Die hierzu erforderliche Tätigkeit entfaltet sich in industriell entwickelten Ländern zu einem erheblichen Teile von selbst, nämlich als natürliche Folgeerscheinung der industriellen Beziehungen zum Auslande, zu einem geringeren Teile planmäßig.

Das Ausland kann unser Schuldner werden:

1. durch G e s c h ä f t e, die wir in und mit dem Auslande machen, wozu auch die zu spekulativen oder Sicherungszwecken oder behufs Heranziehung von Gold aus dem Auslande erfolgenden Devisen-, Arbitrage- und Warengeschäfte mit dem Auslande gehören, und durch D i e n s t e, die wir ihm leisten, oder durch kaufmännische, industrielle oder Transport-U n t e r n e h m u n g e n, die wir im Auslande begründen, oder an denen wir uns beteiligen.

Zu den im europäischen Ausland begründeten deutschen Unternehmungen, die wir im § 4 unter II (S. 354 ff.) besprochen haben, gehören auch, was nicht immer ausreichend berücksichtigt wird, die F i l i a l e n der deutschen Banken im Auslande (Deutsche Bank, Disconto-Gesellschaft, Dresdner Bank in London). Zu den deutschen Beteiligungen im Auslande gehört auch der Besitz deutscher Banken an Aktien ausländischer Bankinstitute, so der Besitz der Commerz- und Disconto-Bank an Aktien der London and Hanseatic Bank, der Dresdner Bank an Aktien der General Mining and Finance Corporation Limited in London u. a. m. Außerdem waren nach der Denkschrift des Centralverbands des Deutschen Bank- und Bankiergewerbes vom Dez. 1903 (betr. die Wirkungen des Börsengesetzes und der Börsensteuer) seit dem Inkrafttreten des Börsengesetzes vom 1. Januar 1897 seitens des deutschen Publikums Zeit- und andere Geschäfte in (amerikanischen) Eisenbahn-Shares und in Minen-Shares in sehr großem Umfange im Auslande, in erster Linie in London, Paris und New-York, gemacht worden, wobei man behufs Ersparung des deutschen Effektenstempels die Stücke meist im Auslande hatte liegen lassen. Nach den vom Centralverband angestellten, allerdings nur in geringem Umfange von Erfolg begleiteten Erhebungen (s. Denkschrift, S. 48) beliefen sich allein die

---

1) Der Ausdruck „Nahrungsstaaten" ist zu eng, da wir vom Ausland, wie wir sahen, nicht allein hinsichtlich der Lieferung von Nahrungsmitteln abhängig sind.

Wertpapiere (meist wohl vorgedachter Art)[1]), welche die 18 größten Banken und Bankhäuser Berlins, also die Mitglieder der sogenannten Stempelvereinigung, am 31. Dez. 1902 in ausländischen Depots für eigene und fremde Rechnung liegen hatten, auf 602 268 000 M und die von nur 149 anderen deutschen (Provinz-) Banken und Bankiers am gleichen Tage in ausländischen Depots gelagerten Effekten 454 151 000 M.

Der Gesamtbetrag unserer ausländischen Investitionen aus den bezeichneten Quellen wurde 1905 amtlich auf 24—25 Milliarden M angenommen und der an ausländischen Wertpapieren allein auf 16 Milliarden M (s unten S. 436).

Von dem Gesamtwertpapierbesitz Frankreichs, den Edmond Thery[2]) Ende 1908 auf 100 Milliarden Frcs., Neymarck[3]) 1906 auf 97—100 Milliarden Frcs. (mit einem Ertrag von 4½ Milliarden Frcs.) angenommen hat, entfielen nach Thery's Schätzung Ende 1908 rund 38½ Milliarden Frcs. auf ausländische Wertpapiere.

Die Schätzungen variieren allerdings sehr, aber ein alljährlicher Zuwachs von mindestens 1 Milliarde Frcs. wird allgemein angenommen. Henry Germain, der frühere Direktor des Crédit Lyonnais schätzte diesen Jahreszuwachs (in den dem Jahre 1905 letztvorausgegangenen Jahren) auf 1½ Milliarden Frcs., Paul Leroy-Beaulieu neuerdings sogar auf 2½ Milliarden Fcs.

Die Gesamtsumme der englischen Investitionen im Auslande schätzte der bekannte englische Finanzpolitiker Sir Edgar Speyer in einem Vortrage im Institute of bankers (Some Aspects of national finance) vom 7. Juni 1900 auf 2500 Mill. £, also auf rund 50 Milliarden M, mit einem jährlichen Ertrag von 110 Mill. £[4]), während er jene Gesamtsumme für Ende 1910 in einem Vortrag im Liberal Colonial Club auf 3500 Mill. £ oder rund 70 Milliarden M annimmt[5]).

---

1) Es ist also die Rubrizierung bei von Halle (a. a. O. S. 70): „Verdienste deutscher Kapitalisten aus fremden, in Deutschland gehandelten Wertpapieren und Anleihen" zu eng.

2) Im Economiste Européen (für 1907 lautete seine Schätzung auf 37,5 Milliarden Frcs., vgl. Les Progrès économiques de la France S. 307).

3) In dem Bericht an den Internationalen Statistischen Kongreß zu Kopenhagen 1907, in welchem er den gesamten Wertpapierbestand der Welt auf etwa 732 Milliarden Frcs. annahm, wovon 60—75 Milliarden Frcs. auf Deutschland (Statistique Internationale des Valeurs mobilières. La Haye, 1908).

4) In diesem Vortrag wird u. a. mit Recht ausgeführt, daß starker Export, starke Emissionen ausländischer Werte und großer geschäftlicher Aufschwung nur verschiedene Erscheinungsformen der nämlichen Erscheinung seien. In dem zweiten Vortrag trägt ein Abschnitt die Überschrift: Export of British Capital, chief Cause of Empire's Prosperity.

5) Vgl. The Statist v. 27 Mai 1911 (Supplement): The export of capital, its effect and the Welfare of the Empire.

Diese Schätzung entspricht ungefähr derjenigen von George Paish für 1907/08, die auf 2700 Mill. £, also rund 54 Milliarden M, für diesen Zeitpunkt ging, eine Summe, die sich in fast gleichen Quoten auf Indien und die Kolonien einerseits (1312 Mill. £) und auf das übrige Ausland (1381 Mill. £) verteilen. Derselbe Schriftsteller nimmt für Ende 1910 3192 Mill. £[1]) oder rund 64 Milliarden M an und schätzt in einem Vortrage vor der Royal Statistical Society das Einkommen aus Englands ausländischen Investitionen für 1911 auf Grund der jährlichen Reports of the Commissioners of Inland Revenue auf etwa 180 Mill. £, was allerdings von Sir Felix Schuster in der Diskussion über den Speyer'schen Vortrag vom 27. Mai 1911 für zu hoch gehalten wurde.

2. Durch unseren Erwerb von ausländischen Werten, deren Zinsen oder Dividenden das Ausland zu bezahlen hat oder deren Kapital wir vom Ausland bei Fälligkeit oder bei Verkauf im Auslande zu erhalten haben.

Man könnte dagegen einwenden, daß diese Art der Kapitalanlagen im Ausland selbst zunächst Mittel erfordere, die aus dem Inlande herausgezogen werden müßten und dann ins Ausland wandern (so z. B. wenn eine ausländische Anleihe vom Inlande übernommen wird), daß wir somit jedenfalls vorläufig durch solche Investitionen Schuldner des Auslandes würden und sich also zunächst unsere Zahlungsbilanz, der nur späterhin die Erträgnisse dieser Investitionen zugute kämeh, hierdurch nicht verbessere, sondern verschlechtere. Aber wenn es auch zweifellos Fälle gibt, wo dieser Einwand zutrifft, so wird doch in der Mehrheit der Fälle das Geld, welches wir in ausländischen Investitionen anlegen, also dem Auslande (in Gold) zu zahlen haben, entweder, was in sehr großem Umfange geschieht, aus den Erträgnissen anderer in unserem Besitz befindlicher ausländischer Werte bezahlt, oder durch den Verkauf anderer ausländischer Werte (Tausch) oder durch Waren gedeckt, die wir gleichzeitig an das Ausland liefern, wie denn auch bei Anleihen an das Ausland in der Regel vereinbart wird, daß unsere Industrie die für den Zweck der Anleihe erforderlichen Arbeiten und Lieferungen übernehme. Oder es wandert ein Teil der übernommenen Papiere alsbald wieder ins Ausland zurück, oder es treten andere Verschiebungen der Zahlungsbilanz ein, mit denen hier stets zu rechnen ist. Derartige Verschiebungen erfolgen beständig und täglich und gerade auf dem Wege der Ein- und Ausfuhr von Wertpapieren, über deren zeitlichen Verlauf und

---

1) Davon 1700 Mill. auf Amerika 500 Mill. auf Asien, 455 Mill. auf Afrika, 387 Mill. auf Australien und 150 Mill. £ auf Europa. Vgl. Friedr. Glaser, Die engl. Kapitalanlagen im Ausland, Bank-Archiv, Jahrg. XI S. 43.

Umfang wir, obwohl erst dies das Verständnis auch der Ein- und
Ausfuhr von Waren und Geld, also der gesamten internationalen
Handelsbewegung, ermöglichen würde, ganz im Dunkeln sind[1]).
Insoweit die deutschen Banken nach diesen beiden Richtungen
(1 u. 2) vermittelnd oder für eigene Rechnung tätig gewesen sind,
haben sie — die Beobachtung der hier besonders erforderlichen Vorsicht und Sorgfalt vorausgesetzt — gleichfalls der Gesamtwirtschaft einen im nationalen Interesse unbedingt erforderlichen Dienst
erwiesen, denn die Gefahren unserer passiven Handelsbilanz
wachsen mit der Abnahme der unsere Zahlungsbilanz ver-
bessernder Erträgnisse aus unseren ausländischen Kapitalanlagen. Im allgemeinen wird man, auch nach den in anderen
Staaten, insbesondere England gemachten Erfahrungen, davon ausgehen müssen, daß wirtschaftlicher Aufschwung und Kapital-
export in der Regel im Verhältnis von Ursache und Wirkung
stehen. Dazu ist aber folgende nicht unwesentliche Einschränkung
zu machen:

Inländische Unternehmungen und Beteiligungen im Auslande
sind nur bei starken inländischen Kapitalsüberschüssen möglich und
sind theoretisch wie jeder Kapitalexport, nur nach voller Deckung
des inländischen (allerdings kaum je zweifelsfrei festzustellenden)
Kapitalbedarfs zulässig. (Vgl. aber oben S. 316/317.) Sie sind aber,
auch wenn diese Voraussetzungen zutreffen, im allgemeinen nicht
zu begrüßen, wenn sie auf die Dauer lediglich der ausländischen
wirtschaftlichen Tätigkeit, namentlich der Stärkung und Steigerung
direkter ausländischer Konkurrenz gegenüber dem Heimatlande, zugute kommen.

Derartige deutsche Unternehmungen und Kapitalbeteiligungen im
Auslande bestehen namentlich in: Banken, industriellen, Kolonisations-,
Plantagen-, Licht- und Kraft-, Eisenbahnunternehmungen und sonstigen
Transportanstalten zu Wasser und zu Lande, Minen und Bergwerken;
die Erträge hieraus erhöhen die Kredit-Seite unserer Zahlungsbilanz
um denjenigen Saldo, der nach Abzug der Erträge ausländischer
Unternehmungen und Beteiligungen in Deutschland — hier kommen
wesentlich Gasanstalten, Neben- und Straßenbahnunternehmungen
in Betracht — übrig bleibt. Einen der wesentlichen Faktoren, viel-

---

1) Vgl. den überaus lehrreichen Bericht von Léon Say an die französische Nationalversammlung vom 5. August 1874, übersetzt in der Veröffentlichung des Centralverbands des Deutschen Bank- und Bankiergewerbes: „Die
Abnahme der französischen Kriegsentschädigung 1870/71 in Straßburg i. E."
(Berlin, J. Guttentag, 1906, S. 83) u. J. Gruber, Über die Grundlegung zu
einer internationalen Zahlungsbilanz (Bulletin de l'Institut international de Statistique, Tome XV, S. 113 ff., 17 S. 35* ff. u. Anlage III [die einen Bericht van der
Borght's über Deutschland enthält] S. 69* ff.).

leicht den wesentlichsten Faktor der Zahlungsbilanz, bilden aber die nur aus den Büchern ersichtlichen, also wiederum für die Zahlungsbilanz ziffernmäßig auch nicht annähernd faßbaren Kredite, die wir in unserem geschäftlichen Verkehr mit dem Auslande diesem gewähren.

Dagegen werden inländische Unternehmungen und Beteiligungen im Auslande, soweit sie nicht lediglich der ausländischen wirtschaftlichen Tätigkeit zugute kommen, in der Regel, d. h. bei Beobachtung der erforderlichen Vorsicht in der Auswahl, dann günstig zu beurteilen sein, wenn sie, wenigstens im wesentlichen, für inländische Rechnung betrieben werden oder dazu bestimmt und geeignet sind, die inländische Einflußsphäre zu erweitern oder als Stützpunkt für weitere inländische Betätigung zu dienen, Faktoren, die nicht in der — notwendigerweise immer unvollständigen — Zahlungsbilanz erscheinen können, aber sich früher oder später in bilanzierbare Ziffern umsetzen müssen.

Die vorstehenden Gesichtspunkte reichen freilich zur Rechtfertigung ausländischer Investitionen nicht aus, wenn und soweit die Erträgnisse der heimischen Auslands-Geschäfte und Investitionen die durch diese Erträgnisse zu deckende Mehreinfuhr des Auslands überschreiten, und unsere ausländischen Investitionen überschreiten die letztere in sehr erheblicher Weise (s. unten S. 436).

Aber einerseits müssen wir mit der Möglichkeit des Rückgangs der heimischen Ausfuhr, bei gleichbleibender oder sogar vermehrter ausländischer Einfuhr, also mit einem stets größer werdenden Passivsaldo unserer Handelsbilanz rechnen, der um so bedenklicher werden könnte, je weniger wir in Aktivposten unserer Zahlungsbilanz, also u. a. durch Geschäfte und Anlagen, aus denen uns das Ausland tributpflichtig wird, für die Deckung jenes Passivsaldos Vorsorge getroffen haben würden.

Und andererseits könnte, wenn wir das Ausland nicht in wachsendem Umfange uns tributpflichtig machten, für dieses, zumal bei steigendem inneren Bedarf des Auslands, die gerade durch diese Tributpflicht geschaffene Notwendigkeit wegfallen, Nahrungsmittel und Rohstoffe bei uns einzuführen. Denn diese Einfuhr mußte bisher dem Auslande als Deckung dienen für seine Tributpflichten uns gegenüber, also für die Zinsen und Gewinne, die es an uns abzuliefern hat.

Eine stark abnehmende Einfuhr würde die Existenzmöglichkeit unserer Industrie und damit wieder unseren Export vernichten, von dem Nahrung und Beschäftigung unserer Bevölkerung wesentlich abhängt, und der ohnedies durch die Zunahme imperialistischer oder schutzzöllnerischer Tendenzen in einigen Staaten, die heute unsere Hauptabnehmer sind, aufs äußerste geschädigt werden kann.

C. Die bereits aus diesen Erwägungen sich ergebende Notwendigkeit ausländischer Investitionen auch über den Passivsaldo unserer Handelsbilanz hinaus, wird für eine Reihe spezieller Investitionsarten, deren Erträge unsere Zahlungsbilanz verbessern, durch andere wichtige und teilweise zwingende Gründe gerechtfertigt, welche deren Notwendigkeit oder Nützlichkeit selbst dann dartun würden, wenn die zuerst angegebenen Gründe nicht durchschlagend wären.

a) Was das deutsche Versicherungsgeschäft in oder mit dem Auslande betrifft, so ist dieses für das heimische Versicherungsgewerbe auch um deswillen wünschenswert, weil es infolge der Geschäftserweiterung auch eine weitere zeitliche und räumliche Verteilung der Gefahren ermöglicht[1]).

Die Erträge aus diesen Auslandsgeschäften der deutschen Versicherungsunternehmungen wachsen natürlich den Aktivposten unserer Zahlungsbilanz nur insoweit zu, als sie nicht durch die Verdienste ausländischer Versicherungsgesellschaften in und mit Deutschland ausgeglichen werden[2]).

b) Das überseeische Bankgeschäft ermöglicht den inländischen Exporteuren und Importeuren sowie dem gesamten inländischen Handel im Auslande, für den es in vielen Fällen erst die Grundlagen schafft, sich tunlichst für ihre finanziellen Transaktionen und Kreditbedürfnisse von auswärtiger Vermittlung frei zu machen. Es eröffnet dem Akzept inländischer Banken und damit der Finanzierung ausländischer Umsätze des einheimischen Handels auch die ausländischen Märkte und wendet dadurch die dem Auslande entgehenden, oft sehr erheblichen Vermittlungsgebühren dem Inlande zu, wo sie der heimischen Zahlungsbilanz zugute kommen.

Diese Vermittlungsgebühren sind durchaus nicht unbedeutend. Noch im Jahre 1888 pflegte z. B. nach Konsulatsberichten England allein an den etwa 60 Millionen betragenden deutsch-chilenischen Handelsumsätzen jährlich eine halbe Million Mark nur dadurch zu verdienen, daß alle durch Akzepte vermittelten Umsätze über England zum Ausgleich kamen[3]).

Nach den im k. k. österreichischen Finanzministerium ausgearbeiteten, ausgezeichneten „Tabellen zur Währungsstatistik"[4])

---

1) Vgl. die Denkschrift des Reichsmarineamts vom Dezember 1905, Einleitung, S. XI.

2) Näheres über das Auslandsgeschäft der deutschen Privatversicherung s. in vorgedachter Denkschrift ,S. 179—187.

3) Denkschrift des Reichsmarineamts vom Dezember 1905, S. 171, Anm. 1.

4) II. Ausgabe, 2. Teil, Heft 3, Abschnitt 13: Daten zur Handelsbilanz (Wien 1904), S. 780, Anm. 2.

werden aus dem überseeischen Handel des europäischen Kontinents „angeblich" jährlich mehr als 6 Milliarden Mark auf England gezogen. Nach Schätzungen des Board of Trade, welche sich auf das Jahr 1898 beziehen, habe der Gesamtverdienst Englands an Bank- und anderen Kommissionen sich in diesem Jahre auf 18 Millionen Pfund Sterling (das ist ca. 432 Millionen Kronen) belaufen.

Das überseeische Bankgeschäft eröffnet ferner dem heimischen, jährlich stark zunehmenden Kapitalüberschuß (s. oben S. 84 ff.), welcher ein ebenso erheblich wachsendes Anlagebedürfnis zeitigt, was durch die an den Markt gelangenden Emissionen inländischer Staats-, Kommunal- und sonstiger Anleihen nicht entfernt befriedigt werden kann, neue Anlagemöglichkeiten.

Es vermag auch rechtzeitig und weit leichter in Erfahrung zu bringen, wann eine Vergebung größerer Lieferungen, Arbeiten oder Staatsaufträge im Auslande oder die Emission auswärtiger Werte bevorsteht, und kann hierbei mit viel größerer Aussicht auf Erfolg zugunsten der Vergebung an heimatliche Bewerber wirksam werden.

Es ist endlich in der Lage, auf Grund seiner Verbindungen mit ausländischen Abnehmern diese auf deutsche Lieferanten und umgekehrt deutsche Fabrikanten und Lieferanten auf geeignete Vertreter und Abnehmer im Auslande aufmerksam zu machen. Hierher rechnen auch die Erträgnisse des inländischen Bankgeschäfts in seinen ausländische Werte und Geschäfte betreffenden Operationen, welchen natürlich hier, wie überall, die Erträgnisse aus den entsprechenden Operationen des Auslands im Inlande gegenüberstehen, u. a. die Beträge, welche ausländische Zahlstellen für einheimische Kupons und Obligationen sowie ausländische Konvertierungs- und Talon-Erneuerungsstellen usw. für einheimische Werte verdienen. Der Umfang und Ertrag des inländischen Bankgeschäfts an Zinsen, Provisionen usw. aus seinen Transaktionen in inländischen Werten und Geschäften läßt sich fast gar nicht schätzen. Es gehören hierher namentlich die Erträgnisse aus der Übernahme und Emission, Konvertierung, Unifizierung und Sanierung ausländischer Staats-, Eisenbahn- und Privatwerte; aus der Finanzierung ausländischer Operationen und Unternehmungen; aus der Kreditgewährung an ausländische Firmen, Anstalten, Unternehmungen, Einzelgeschäfte und Personen im Wege des Kontokorrent-, Wechsel- und sonstigen Kreditverkehrs; aus der Ausleihung inländischer Werte an das Ausland; aus der Vermittlung oder selbständigen Durchführung des internationalen Zahlungs- und Edelmetallverkehrs; aus den im internationalen Handelsverkehr verdienten Zinsen, Provisionen und Kommissionsgebühren; aus den Ankäufen von Devisen

und der Ansammlung von (Gold) Guthaben im Auslande[1]); aus der
Vermittlung der Zahlung auswärtiger Kupons und verloster oder
sonst zur Rückzahlung gelangender Obligationen oder der Aushändigung neuer Kuponsbogen sowie der Talonerneuerung auswärtiger Papiere.

c) Auch die Erträgnisse aus dem Überseeverkehr der
deutschen Reederei kommen für unsere Zahlungsbilanz erheblich in Betracht. Die bereits erwähnten, im österreichischen
Finanzministerium ausgearbeiteten „Tabellen zur Währungsstatistik"
schätzen die Frachteinnahmen der österreichisch-ungarischen Seeschiffahrt im Verkehr mit dem Auslande auf 60 Millionen Kronen
und den daraus dem Inland zufließenden Aktivposten der Zahlungs-
posten auf 30 Millionen Kronen[2]). Das dieser Überseeverkehr
der deutschen Reederei für die Entwicklung unseres Ausfuhrhandels,
für die ganze Wertschätzung unseres Namens und unserer nationalen
Kraft und damit auch unserer finanziellen Macht und unseres Einflusses, in erster Linie notwendig und förderlich gewesen ist, bedarf
keiner Ausführung.

d) Ferner sind auch die Erträgnisse des Reiseverkehrs[3])
von Ausländern im Inlande zu beachten, denen freilich die (wohl erheblich bedeutenderen) Reisen von Deutschen im Auslande gegenüberstehen.

e) Weiter sind als Faktoren der Zahlungsbilanz einzustellen:
die Forderungen des Inlands aus dem für das Ausland geleisteten
(Eisenbahn-) Durchfuhrverkehr; die (Mehr-) Forderungen des Inlands aus im Eisenbahnverkehr gewährten Wagenmieten; die
Abrechnungssaldi aus dem internationalen Brief-, Fracht-, Post-,
Telegraphen- und Telephonverkehr; die Ausgaben ausländischer Schiffe in den inländischen Häfen (abzüglich der inländischen Zahlungen im Ausland); die Forderungen für Schiffs-

---

1) Den Gesamtbetrag der österr.-ungar. Goldforderungen an das Ausland
schätzte die „Neue freie Presse" am 29. März 1903 auf 400 Mill. Kronen.

2) Die Schätzungen der Höhe dieser Frachteinnahmen gehen weit auseinander.
Nach der auf Wörmann's Berechnungen gestützten Schätzung von v. Halle
a. a. O. S. 201) betrugen sie schon 1897 200 Mill. M jährlich, würden also jetzt wohl
300 Mill. M betragen, während sie von Rud. Arnold (Die Handelsbilanz Deutschlands, Berlin 1905, Franz Siemenroth) S. 185 überaus viel niedriger geschätzt werden.
W. Lotz (Einiges über den Ausgleich von Soll und Haben im Weltverkehr, Bank-
Archiv, 1. Jahrg., No. 6, S. 93) schätzt dagegen gleichfalls die überseeischen Frachteinnahmen Deutschlands auf 200—300 Mill. M, während die Frachtverdienste Englands zur See allein auf 1800 Mill. M jährlich geschätzt werden (Grunzel, System
der Handelspolitik, 1901, S. 584).

3) Vgl. Hermann v. Schullern zu Schrattenhofen, Fremdenverkehr
und Volkswirtschaft in Conrads Jahrb., III. Folge, Bd. XLII, Heft 4 (Okt. 1911),
S. 433—491, insbesondere III. Statistische Daten, S. 482—491.

bauten in inländischen Werften für ausländische Rechnung und aus dem Verkauf inländischer Schiffe an das Ausland; die Ansprüche aus dem Austausch immaterieller Güter mit dem Ausland (Autor-, Verlags-, Patent-Rechte); die Forderungen von im Ausland tätigen Angehörigen liberaler Berufe (Technikern, Lehrern und Lehrerinnen, Ärzten, Schauspielern, Musikern usw.); die aus inländischem Grund- und Hypothekenbesitz im Auslande entspringenden Forderungen; endlich Ansprüche aus (realisierten) Erbschaften und aus Ehepakten von Inländern im Auslande, und, nach Ad. Soetbeer[1]), die „außerordentlichen Zahlungen, welche ein Land an ein anderes Land infolge politischer Beziehungen oder Ereignisse zu leisten hat (Kriegskontributionen, Subsidien, Pensionen, Verwaltungskosten[2])".

Endlich ist für die Zahlungsbilanz sehr erheblich:

f) die Anlegung inländischen Kapitals in ausländischen Wertpapieren, für deren Nutzen und Notwendigkeit außer den oben erörterten noch eine Anzahl weiterer schwerwiegender Gründe spricht:

Der Versuch, den ungemein erheblichen Saldo der Verpflichtungen, der uns anderen Ländern gegenüber aus dem Warenaustausch zu decken übrig bleibt, durch Barsendungen, anstatt durch Zinsen und Dividenden ausländischer Wertpapiere oder durch Veräußerung der letzteren, auszugleichen, würde teuer zu stehen kommen. Er würde zu bedenklichen Störungen des Geldmarktes, unter Umständen zu Krisen führen und unsere Währungs- und Kreditverhältnisse in überaus hohem Maße gefährden können.

Wir bedürfen aber auch geeigneter, und zwar in Gold zahlbarer ausländischer Wertpapiere im Interesse unserer „finanziellen Kriegsbereitschaft" (s. oben S. 19 ff.), als notwendiges Ausgleichungsmittel im Falle der Zurückziehung größerer ausländischer Guthaben aus dem Inlande.

Wir bedürfen ihrer ferner, um Gold aus dem Auslande heranziehen zu können zur Befriedigung der in den ersten Tagen nach und in den letzten Tagen vor einer Kriegserklärung gewöhnlich stürmisch andrängenden Kredit- und Zahlungsmittel-Bedürfnisse[3]), sowie zur Deckung eines bei vorübergehendem Nachlassen

---

1) Ad. Soetbeer, Bemerkungen über die Handelsbilanz Deutschlands (in Hirths Annalen, Jahrg. 75, S. 731 ff.); es ist dies die Abhandlung, in der wohl zum ersten Male der Ausdruck Zahlungsbilanz im Gegensatz zur Handelsbilanz gebraucht wurde (S. 735, No. 8).

2) Vgl. zu obigem den dem International Statistical Institute (10. Session, London, 31. Juli bis 15. August 1905) Vorgelegten Bericht von Ignatz Gruber (Wien) betreffend eine Statistik der internationalen Zahlungsbilanz.

3) Vgl. Riesser, Finanzielle Kriegsbereitschaft und Kriegsführung, S. 2ff.

des Vertrauens auf Geldsurrogate in solchen Zeiten leicht auftretenden heftigen Verlangens nach Barmitteln. Wir bedürfen ihrer
aber auch, um in dem Besitz solcher internationalen und an verschiedenen auswärtigen Börsen zu realisierenden Werte gegen die
in kriegerischen Zeiten erwachsenden Kursverluste an den heimischen Werten und gegen die dann eintretende Schwäche oder
Überfüllung der inländischen Börsen eine Deckung zu finden.

Endlich ist nicht zu vergessen, welche hervorragenden politischen Erfolge mit der Gewährung oder Versagung von Anleihen
an auswärtige Staaten errungen worden sind, und in welchem Grade
die heimische Politik die Gestattung oder Verhinderung oder das
Verbot der Emission, der Notierung oder der Lombardfähigkeit
ausländischer Papiere zu politischen Zwecken, namentlich in solchen
Momenten benutzen kann, wo der betreffende ausländische Staat
auf die Gewährung — etwa infolge Verschließung oder Überfüllung
auswärtiger Märkte — angewiesen ist, wo er also durch die Versagung oder Untersagung schwer geschädigt würde. Die politischen Vorpostengefechte werden auf finanziellem Boden
geschlagen. Den Zeitpunkt aber, die Gegner und die Art der Durchführung dieser finanziellen Vorpostengefechte hat allein die verant-
wortliche Leitung der heimischen auswärtigen Politik zu bestimmen.

Wir werden in Deutschland in der Folge viel mehr noch, als
dies in der Vergangenheit geschehen ist, uns gegenwärtig halten
müssen, daß industrielle Lieferungen, kaufmännische Unternehmungen
und Vermögensanlagen nicht nur Kapital und Arbeit, sondern auch
politischen Einfluß von einer Nation zur anderen leiten und daß bis
zu einem gewissen Grade „das Gläubigerverhältnis im modernen
Wirtschaftsleben an die Stelle der in unentwickelten Kulturverhält-
nissen üblichen Tributzahlung des einen Landes an das andere
getreten ist"[1]).

Mit Recht weist Dehn darauf hin, wie z. B. das französische
Kapital der französischen Politik in Tunis und Marokko, in der
Türkei und Griechenland, vor allem aber in Rußland, geradezu
Pionierdienste geleistet habe — während Sombart, allerdings viel
zu weit gehend, sogar sagt: „die Alliance franco-russe ist ein reines
Bankiergebilde"[2]). In gleichem Sinne machte Georg v. Siemens
in seinem Aufsatze in der „Nation" vom 6. Oktober 1900 „über die
nationale Bedeutung der Börse" auf die großen politischen Vorteile

---

1) Dove, im Bank-Archiv V. 15. April 1911 (10. Jahrg., No. 14), S. 223.
2) Die deutsche Volkswirtschaft im 19. Jahrhundert, 2. Aufl., S. 184. Der
Betrag der in Frankreich untergebrachten russischen Staatswerte (einschließlich der
vom Staate garantierten russischen Eisenbahnwerte) wird auf 10—13 Milliarden Frcs.
geschätzt.

aufmerksam, die wir Italien gegenüber dadurch errungen haben, daß wir, nachdem zwischen Italien und Frankreich politische Zwistigkeiten entstanden waren, sofort unsere Kapitalien und unsere Fondsbörsen Italien zur Verfügung gestellt haben, und daß ebenso der Kampf um Persien zwischen Rußland und England in erster Linie auf finanziellem Gebiete geführt worden ist.

In neuerer Zeit sahen wir den Beginn besserer politischer Beziehungen zwischen Frankreich und Italien sich zuerst wieder durch finanzielle Annäherung vorbereiten, so z. B. durch die vor einigen Jahren erfolgte Übernahme größerer Aktienbeträge der zunächst unter Ausschluß französischen Kapitals begründeten Banca Commerciale Italiana seitens einer französischen Bankgruppe. Wir erlebten in der allerletzten Zeit, daß Frankreich der Türkei die Entziehung der Notierung für türkische Papiere androhte, wenn nicht der französischen Industrie gewisse Lieferungen übertragen würden. Die Erteilung der Bankkonzession in Persien an die Deutsche Orientbank hat England, in der Befürchtung einer Minderung auch seines politischen Einflusses, mit allen Mitteln zu verhindern gesucht.

Die Übernahme von Anleihen für China und Japan wurde ein Kampfobjekt zwischen allen den Staaten, die da wußten, daß in erster Linie der finanzielle Einfluß dem politischen die Wege bahnt. In Spanien und Portugal suchen heute Frankreich und England, in der Türkei fast alle Großmächte um die Wette auf dem Wege finanzieller Hilfe politischen Einfluß zu gewinnen; für Argentinien haben englische Banken und Kapitalisten den Wunsch ihrer Regierung nach Stärkung der politischen Machtsphäre, trotz bitterer Erfahrungen, mit Zähigkeit immer wieder finanziell gefördert. In Kanada und Mexiko, in Zentral- und Südamerika suchen die Nordamerikaner durch Kapitalanlagen und finanzielle Maßnahmen aller Art die Verdrängung nicht nur der europäischen politischen Einmischung, sondern auch des europäischen Handels planmäßig vorzubereiten. Im Herbst 1910 sind, trotz hohen Diskontsatzes, in Deutschland aus wichtigen politischen Gründen sowohl eine ungarische als eine türkische Staatsanleihe aufgelegt worden und es hat das englische Kapitalistenpublikum nicht gezögert, während des Alabama-Streits mit den Vereinigten Staaten von Amerika seinen Kapitalbesitz an amerikanischen Werten an den Markt zu werfen und dadurch die Nachgiebigkeit der amerikanischen Regierung stark beeinflußt.

Die Frage, ob Emissionen ausländischer Papiere überhaupt, und zwar auch über den zur Deckung der ausländischen Mehreinfuhr erforderlichen Betrag hinaus, notwendig und wirtschaftlich richtig seien, ist nach Vorstehendem zweifellos grundsätzlich zu bejahen.

Die Voraussetzungen aber, unter welchen im einzelnen Falle die Emission ausländischer Papiere für die Gesamtwirtschaft unbedenklich ist, haben wir oben (S. 315 ff.) ausführlich festgestellt.

I). Was den Umfang der ausländischen Kapitalanlagen des Inlands angeht[1]), so wurde dieser in der Denkschrift des Reichs-Marine-Amts vom Dezember 1905 über: „Die Entwicklung der deutschen Seeinterssssen im letzten Jahrzehnt" auf Grund konsularischer Berichte, die allerdings selbst wieder auf wenig sicheren Schätzungen beruhen, die den Konsuln an ihrem Amtssitze zugegangen waren, in folgender Weise geschätzt:

a) die Höhe der in ausländischen Unternehmungen, Anlagen, Geschäften und Beteiligungen investierten deutschen Kapitalien auf 7,7—8,2 Milliarden Mark, mit einem Ertrage — einen Durchschnit von 6 % angenommen — von 462—552 Mill. M.

Die Denkschrift bemerkt hierzu (Einleitung S. XI):

„In diesen Summen [7,7—8,2 Milliarden] sind die ständigen deutschen Warenkredite, welche sich sicher auf nicht weniger als ein Viertel bis ein Drittel, vielleicht auf die Hälfte des Betrages der jährlichen deutschen Ausfuhr im Gesamteigenhandel belaufen, d. h. auf 1½—2¾ Milliarden, nur sehr unvollständig einbezogen und ebenso die vielfach für die Einfuhr vorschußweise gewährten Kredite."

Wir haben oben (S. 431) schon bemerkt, daß die im internationalen Handelsverkehr von uns an das Ausland gewährten Kredite sich jeder Schätzung entziehen; das Gleiche gilt von den Vergütungen für geleistete Dienste jeder Art;

b) die Höhe des deutschen Besitzes an auswärtigen Wertpapieren auf mindestens 16 Milliarden M (Einleitung S. XII und S. 169), also (bei einem Durchschnittszinssatz von 5 %) mit Erträgen von 800 Mill. M.

Hiernach würde der Gesamtbetrag unserer ausländischen Kapitalanlagen für das Jahr 1905 auf mindestens 24—25 Milliarden M (mit Jahreserträgnissen von etwa 1352 Mill. M) zu schätzen gewesen sein, ein Betrag, der aber aller Wahrscheinlichkeit nach schon damals sehr erheblich hinter der Wirklichkeit zurückblieb, (vgl. oben S. 81 Anm. 5), jetzt aber zweifellos stark überschritten ist.

---

1) Die Tabelle, welche Rud. Arnold auf S. 169—171 seines Buches über „Die Handelsbilanz Deutschlands von 1889—1900" (Berlin, Franz Siemenroth 1905) entworfen hat, ist, wie er selbst zugibt, unvollständig. Sie kann u. a. schon wesentlich ergänzt werden aus dem Buche von Axel Preyer, Überseeische Aktiengesellschaften und Großbetriebe (Leipzig, Th. Grieben's Verlag 1905), welches sich aber nicht lediglich auf deutsche Unternehmungen bezieht und Kleinbetriebe ausschließt.

Denn es steht fest, daß der wirkliche Umfang der ausländischen Kapitalanlagen des Inlandes sich, wofür bereits einige wichtige Beispiele angegeben sind, mangels sicherer statistischer Grundlagen, nicht einmal in den maßgebendsten Richtungen mit auch nur annähernder Sicherheit schätzen läßt. Dies wird in den im österr. Finanzministerium mit ebensoviel Vorsicht als wissenschaftlicher Gründlichkeit ausgearbeiteten „Tabellen zur Währungsstatistik"[1]), die sich auch mit der „Erwerbstätigkeit außer Landes" eingehend befassen, fast auf Schritt und Tritt schlagend nachgewiesen, obwohl gerade hier durch Heranziehung aller denkbaren Hilfsmittel das, was nur irgend erreichbar war, geleistet ist.

§ 8. Die Reformvorschläge auf dem Gebiete des Bank-Depositenwesens und deren Begründung.

I. Im allgemeinen [2]).

Die deutschen Banken haben sich, wie aus dem vorstehenden ersichtlich ist, von Anfang an in engstem Zusammenhang mit dem noch geringen Vermögen der Bevölkerung und mit den Bedürfnissen der deutschen Industrie und des deutschen Handels, direkt entgegen dem englischen System entwickelt, welches seinerseits in engster Verbindung mit den englischen Bedürfnissen, mit der in England vorhandenen Verkehrs- und Kreditkonzentration und dem englischen Reichtum — alles Momente, die in Deutschland fehlten — von Anfang an eine scharfe Trennung der Depositenbanken von den übrigen Banken durchgeführt hat. Grund genug für die leider stets große Zahl von Deutschen, welche die heimischen Leistungen gegenüber den ausländischen zu unterschätzen pflegen, um nun das englische System als das allein richtige und unbedingt auch bei uns einzuführende hinzustellen. Das gleiche wird aber auch von überaus beachtenswerter wissenschaftlicher Seite, vor allem seit langer Zeit von Adolph Wagner, auf Grund wissenschaftlicher Überzeugung angenommen, welch' letztere allerdings stets am allerschwersten auf Grund lediglich praktischer Erfahrungen einer anderweiten Platz zu machen bereit ist. Die deutschen Banken haben sich nun aber — m. E. glücklicherweise und jedenfalls auf Grund der historisch gewordenen deutschen Verhältnisse und der deutschen Bedürfnisse — von vornherein dem Handel und der Industrie zur Verfügung gestellt, und sie haben

---

1) Zweite Ausgabe, 2. Teil, 3. Heft, 13. Abschnitt: „Daten zur Zahlungsbilanz" (Tabellen 224—458) (Wien, K. K. Hof- und Staatsdruckerei 1904).

3) Vgl. Otto Warschauer, „Das Depositenbankwesen in Deutschland, mit besonderer Berücksichtigung der Spareinlagen" (Conrads Jahrb., 3. Folge, Bd. XXVII, S. 433—487).

deshalb einen sehr wesentlichen Anteil an dem großartigen Aufschwung, den diese Erwerbszweige in den letzten Jahrzehnten in
Deutschland genommen haben. Damit haben sie freilich auch indirekt die Tatsache mit herbeigeführt, daß sich Deutschland, nachdem die Landwirtschaft nicht mehr in der Lage war, der stark gewachsenen Bevölkerung ausreichend Nahrung und Arbeit zu verschaffen, nach und nach vom Agrarstaat zum vorwiegenden (nicht
zum ausschließlichen) Industrie- und Handelsstaat umgewandelt hat.
Grund genug, um alle diejenigen, denen diese „Industrialisierung",
also „die ganze Richtung" verhaßt ist, gegen die Bankwelt mobil
zu machen, welche einen wesentlichen Teil der Mittel, die sie ver-
meintlich der Landwirtschaft entziehe und zur Unterstützung der
Industrie, insbesondere der Exportindustrie, verwende, dem Depositen-
wesen zu verdanken habe. Jene politisch überaus einflußreichen
Kreise werden in diesem Feldzuge naturgemäß auch von den Ex-
tremen der anderen Seite, von der Sozialdemokratie, unterstützt, die
in den Banken die mächtigsten und gefährlichsten Vertreter des
mobilen Kapitals sieht, welches auch sie aus diesem Grunde bekämpft.

Endlich hat zweifellos auch im deutschen Bankgewerbe, wie
in sehr vielen sonstigen Erwerbszweigen, bedauerlicherweise der
Großbetrieb den Kleinbetrieb immer mehr verdrängt und dazu beigetragen, daß auch eine Reihe von Angehörigen oder Vertretern
des „Mittelstandes", d. h. hier der mittleren und kleinen Privatbankiers (so Caesar Straus), zum Kampf gegen das angeblich
auf ganz falschem Wege befindliche deutsche Bankwesen auf den
Plan getreten sind. Bei den „Reformvorschlägen", die auf dem Gebiete des Bank-Depositenwesens in den letzten Jahrzehnten in überaus großer Fülle gemacht worden sind, finden sich alle diese völlig
widersprechenden politischen und wirtschaftlichen Anschauungen,
die sich fast durchweg in ihren Ausgangspunkten und in ihren
Zielen direkt widersprechen, lediglich in der Ansicht friedlich zusammen, daß „etwas geschehen müsse", und daß man auch das den
Banken zufließende Kapital durch irgendwelche Mittel mehr der
Landwirtschaft oder, wie man meist vorzieht zu sagen, mehr „der
nationalen Wirtschaft" zuwenden müsse. Sobald es aber zu praktischen Vorschlägen kommt, sind wieder alle einzelnen Strömungen
und Parteien in oft ganz unklaren und in sich widersprechenden
Wünschen deutlich erkennbar, wenn auch die einzelnen Parteien
und Angreifer ihre wahren Gründe häufig verschleiern und vielfach
absichtlich zunächst getrennt marschieren, um vereint zu schlagen.
— Bricht aber nun gar eine Krisis aus, welche im Wirtschaftsleben, mag das Banksystem sein, welches es wolle, kaum je völlig
vermieden werden kann, so taucht stets auch noch eine Anzahl von

zünftigen Kritikern oder von über Nacht zu Sachverständigen gewordenen Personen auf, die mindestens den Eindruck erwecken, daß sie davon durchdrungen sind, daß das deutsche Bankwesen unter ihrer Leitung fehlerfrei verwaltet worden wäre, und die nun den günstigen Anlaß benutzen, um mit tunlichst radikalen Vorschlägen den Befähigungsnachweis als Staatsretter zu erbringen.

1. Die „Sicherheit der Depositengläubiger" als Voraussetzung zu Reformvorschlägen.

Die bisher gemachten Reformvorschläge gehen zu einem großen Teile in ihrer Begründung, soweit diese bekannt gegeben wird, von folgenden Gesichtspunkten aus:

Ein Banksystem, welches, wie das deutsche im Gegensatz zum englischen, Emissions- und Spekulationstätigkeit für eigene und dritte Rechnung mit dem Geld-Depositenwesen verbinde, gefährde an sich notwendigerweise die Sicherheit der Depositengläubiger, da deren im Vertrauen auf absolute Sicherheit hinterlegte Kapitalien zur Beschaffung der Mittel für eigene Unternehmungen der Banken und zur Spekulation in Wertpapieren für dritte Rechnung verwandt würden[1]). In Deutschland seien denn auch bereits die ungünstigen Folgen dieses Systems in hohem Maße zutage getreten: Überspekulation, Überemission[2]), Krisen[3]) und Konkurse, in denen die Depositengläubiger sehr erhebliche Verluste erlitten hätten.

2. Die unter diesem Gesichtspunkt gemachten Einzelvorschläge, insbesondere die von Caesar Straus, Otto Warschauer und dem Grafen von Arnim-Muskau.

Notwendig sei daher in erster Linie
    der Übergang zu dem alle diese Fehler vermeidenden englischen Banksystem, welches durch strikte Arbeitsteilung die Sicherheit und solide Verwaltung der anvertrauten Gelder und die völlige Trennung zwischen Börse und Verwaltung der Depositen garantiere, m. a. W. also der Übergang zur völligen Scheidung des Depositenwesens von dem Emissions- und Gründungsgeschäft.

In dieser Richtung bewegen sich namentlich die Vorschläge des inzwischen verstorbenen früheren Privatbankiers in Frankfurt a. M. Caesar Straus und die Vorschläge von Otto Warschauer.

Der erstere fordert die Errichtung einer aus Privatmitteln zu begründenden, aber staatlich zu überwachenden einheitlichen Depositenbank für das ganze Deutsche Reich mit einem Kapital

---

1) So Caesar Straus, „Unser Depositengeldsystem und seine Gefahren" (Frankfurt a. M., Carl Jügel, 1892).
    2) a. a. O. S. 17.
    3) a. a. O. S. 26.

von 60 Mill. M, mit 25 % Einzahlung = 15 Mill. M, die an allen wichtigeren Handelsplätzen und Kapitalmärkten Filialen zu errichten und den Verkehr an den übrigen Plätzen durch Vermittlung der Reichsbank zu vollziehen habe [1]).

Warschauer dagegen verlangt die Errichtung einer staatlichen Reichsdepositenbank mit einem Aktienkapital von 50 Mill. M, eingezahlt mit 50 % = 25 Mill. M, der man vielleicht noch Einzelstaatsdepositenbanken an die Seite stellen könnte, die jener ebenso gegenüber zu stehen hätten, wie die Privatnotenbanken der Reichsbank gegenüberstehen [2]), und die ebenso wie diese Dezentralisationstendenzen zu verfolgen, also eine große Reihe von Nebenstellen in den betreffenden Bundesstaaten zu errichten hätten. Er prophezeit der Reichsdepositenbank, deren Depositen sich „mindestens auf eine Milliarde Mark" beziffern würden, eine Dividende von 21—22 %, was noch „äußerst niedrig bemessen" sei, eventuell aber, mit Rücksicht auf die Rentabilität der Londoner Joint Stock Banks eine „unbedingt wahrscheinliche" Rentabilität von 12 %. Vielleicht liegt gerade in dieser Prophezeiung die Erklärung dafür, daß Warschauer jenen Depositenbanken neben dem Erwerb erststelliger Hypotheken auch die Lombardierung von Industriepapieren und Bankaktien, wenn auch mit dem Zusatze gestatten will, es dürfe sich dabei aber nur um „erstklassige Effekten" handeln. Es werde dann allmählich allerdings eine große Zahl von Deponenten von den Kreditbanken abgehen, diese aber, die überdies doch nur vom Reiche nicht zu schützende (?!) Privatinteressen verträten, würden bei ihrer Rührigkeit es schon verstehen, sich neue und vielleicht ergiebigere Operationsgebiete zu erschließen [3]).

Zugleich wird aber von Warschauer und nach und neben ihm auch von anderen noch eine Reihe von Eventualvorschlägen für die bestehenden, Depositen annehmenden Bankinstitute gemacht, von denen die wesentlichsten die folgenden sind:

Es müsse das Verhältnis der Depositen, „sofern sie Spareinlagen seien" [4]), zum Aktienkapital, also der Höchstbetrag der anzunehmenden Depositen, auf etwa 200 % des Aktienkapitals gesetzlich fixiert werden (bei den Hypothekenbanken sei es ja bereits gesetzlich auf 50 % des letzteren normiert), da die Rechte der Gläubiger um so weniger gesichert seien, je kleiner das Betriebskapital sei.

---

1) a. a. O. S. 38—39.

2) Otto Warschauer, Das Depositenbankwesen in Deutschland in Conrads Jahrbüchern, 3. Folge, Bd. XXVII (1904), S. 473 ff., 477, 481.

3) a. a. O. S. 480—481.

4) a. a. O. S. 482.

Es müsse ferner entweder:

allgemein[1]) seitens aller Depositen annehmenden Banken, Bankgesellschaften m. b. H. und Kreditgenossenschaften[2]) oder seitens solcher „gewerbsmäßigen" Depositare, welche fremde Gelder über 50% des eigenen Anlage- und Gründungskapitals annehmen und Gründungs- oder Spekulationsgeschäfte betreiben oder sich an gewerblichen Unternehmungen beteiligen[3]) — das sind also gleichfalls alle heutigen Banken und sogar auch alle Bankiers — hinsichtlich der (in der Bilanz besonders anzuführenden) „Spareinlagen" der Grundsatz der Öffentlichkeit mehr als bisher gewahrt werden. Es müßten also von diesen Kategorien vierteljährliche (so der Antrag des Grafen v. Arnim-Muskau in der Börsengesetzkommission vom 10. März 1896) oder monatliche Ausweise veröffentlicht werden, deren Inhalt durch gesetzliche Normativbestimmungen festzulegen, und in denen auch der Prozentsatz der Spareinlagen gegenüber dem Aktienkapital anzugeben sei. Diese Rohbilanzen sollen enthalten:

a) die Gesamtsumme der Unternehmungen oder Gründungen für eigene oder fremde Rechnung;

b) die gesamten Einzahlungsverpflichtungen, die am Tage des Abschlusses auf Beteiligungen oder Unternehmungen irgendwelcher Art ruhen;

c) den Besitz der Aktien aller Art getrennt von den übrigen Wertpapieren;

d) die Gesamtsumme der für Reportierung und Lombardierung verwandten Gelder;

e) die Gesamtschulden, welche durch Lombardierung oder Reportierung eigener Wertpapiere oder Beteiligungen und durch Lombardierung und Reportierung fremder Wertpapiere oder Beteiligungen bestehen.

---

1) So Otto Warschauer S. 483—484.

2) Mit unbeschränkter Haftpflicht. Den Kreditgenossenschaften mit beschränkter Haftpflicht soll nach Warschauer die Annahme von Depositen überhaupt untersagt werden (a. a. O. S. 484).

3) So der Antrag des Grafen v. Arnim in der Börsengesetzkommission vom 10. März 1896, dessen Wortlaut u. a. bei Ad. Weber a. a. O. S. 259—260 abgedruckt ist. Für diejenigen Banken und Kaufleute, welche sich ausschließlich mit dem Depositengeschäft befassen, seien gewisse Normativbestimmungen zu erlassen, die ihnen den Betrieb von Report-, Spekulations-, Gründungs- und Emissionsgeschäften, abgesehen von Emissionen pupillarisch sicherer Art, sowie die Beteiligung an solchen Geschäften und an nicht ausdrücklich zugelassenen Emissionen verbieten, und die ihnen auch die Verpflichtung zur Veröffentlichung monatlicher Rohbilanzen auferlegen sollen, deren — im Antrag näher angegebenes — Schema gesetzlich festzulegen wäre.

Weiter wird von verschiedenen Seiten gefordert: entweder, daß — entsprechend der den amerikanischen Notenbanken (National-Banken) auferlegten Verpflichtung — den „Spardeponenten" der Kreditbanken ein Vorrecht vor den übrigen Gläubigern gewährt[1]), oder, daß ein gewisser Prozentsatz der Depositen in bestimmter gesetzlich festzulegender Weise angelegt werden solle.

3. Die unter anderen Gesichtspunkten gemachten Reformvorschläge.

Dagegen hat der Präsident der Preußischen Central-Genossen-schafts-Kasse, Heiligenstadt, ohne aber damit, wie er ausdrück-lich erklärte, etwa weiter erforderlichen gesetzlichen Maßregeln vor-greifen zu wollen, unter Berufung auf die amerikanischen Vor-schriften, verlangt, daß jedenfalls ein „Beginn" mit gesetzlichen Maßregeln dahin gemacht werde, daß jeder, der gewerbsmäßig Gelder ausleihe oder verwalte, eine Barreserve von 1—2% der gesamten fremden Gelder zu unterhalten und bei der Reichsbank zu hinterlegen habe[2]).

Der letztere, auch vor der Bank-Enquête-Kommission mit un-gefähr gleicher Begründung von zwei Sachverständigen übernommene und vertretene Vorschlag wird nicht mit der mangelnden Sicher-heit der Depositen bei den deutschen Kreditbanken begründet. Er stützt sich vielmehr darauf, daß einerseits — angeblich wesentlich durch Schuld der Banken — in der gesamten deutschen Volks-wirtschaft das Verhältnis des Anlagekapitals zu dem liquid zu er-haltenden Betriebskapital, andererseits in den deutschen Bankbilanzen das Verhältnis der liquiden Mittel zu den das Betriebskapital dar-stellenden Verbindlichkeiten ein ungesundes und daher zu verbessern-des sei.

Zugleich aber, und vielleicht in erster Linie, soll die hier vor-geschlagene Maßnahme — und zwar, wie Heiligenstadt aus-drücklich hervorhebt[3]), neben den sonst von ihm befürworteten Maßregeln — auch dazu dienen, „die Betriebsmittel der Reichs-bank zu verstärken" und diese, zur Sicherung der immer mehr an-wachsenden fremden Gelder der Banken, besonders der Depositen[4]), zur „Verwalterin der nationalen Reserve", zu erheben.

Im Sinne dieser Vorschläge ist denn auch wohl die Resolution der Vereinigung der Steuer- und Wirtschaftsreformer vom 13. und 14. Februar 1906[5]) auszulegen, worin der Reichskanzler aufgefordert

---

1) So u. a. von Otto Warschauer a. a. O. S. 486 (Gesetzentwurf § 3).

2) C. Heiligenstadt, Der deutsche Geldmarkt in Schmollers Jahrb. Bd. XXXI, Heft 4, S. 98.

3) a. a. O. S. 98 sub X.

4) a. a. O. S. 99.

5) Abgedruckt u. a. in der Zeitschrift „Handel und Gewerbe" vom 24. März 1906, 12. Jahrg., No. 24, S. 470.

wird, „entsprechend der seit 1875 (das ist das Jahr der Begründung der Reichsbank) hervorgetretenen Bedeutung des Giro- und Depositenverkehrs, eine gesetzliche Regelung der Deckung der Depositen der Reichsbank (!) und aller Banken herbeizuführen".

Der Reichstag hat sich bisher unter Hervorkehrung lediglich der angeblich gefährdeten Sicherheit der Depositen, darauf beschränkt, einem Kommissionsantrag in folgender Resolution vom 17. Juni 1896 zuzustimmen:

„den Herrn Reichskanzler zu ersuchen, in Rücksicht darauf, daß die erwerbsmäßige Verwendung fremder Gelder seitens der Banken und Kaufleute Sicherheitsmaßregeln für das mit Einlagen solcher Art beteiligte Publikum dringend erfordert, die Frage einer Prüfung zu unterziehen, wie solche Sicherheitsmaßregeln getroffen werden können, und eventuell, unter Erwägung der in dem Entwurf und seiner Begründung dargelegten Gesichtspunkte, ein diesbezügliches Gesetz baldtunlichst vorzulegen".

4. Die Voraussetzungen der ersteren Reformvorschläge.

Bevor auf diese einzelnen Reformvorschläge kritisch eingegangen werden kann, ist zunächst im Sinne der oben (S. 439 ff.) zuerst erwähnten Vorschläge und der sich grundsätzlich auf deren Boden stellenden Resolution des Reichstags die Vorfrage zu erörtern, ob in der Tat Reformen auf dem Gebiete des Bank-Depositenwesens, also „Sicherheitsmaßregeln", zum Schutze des beteiligten Publikums, nach der derzeitigen Lage und nach den gemachten Erfahrungen notwendig oder sogar dringlich erscheinen.

Man könnte in bezug auf

a) die behaupteten Vorzüge des englischen Banksystems hier zunächst ausführen, und hat es auch ausgeführt, daß das englische Banksystem, also das System der Arbeitsteilung zwischen den reinen Depositenbanken und den auch das Gründungs- und Emissionsgeschäft betreibenden Banken, notwendigerweise gegenüber dem deutschen, gemischten System eine größere Sicherung der Deponenten darbiete. Denn bei dem Gründungs- und Emissionsgeschäft seien, wie die Erfahrung in allen Ländern ausreichend bewiesen habe, große Gefahren nicht ausgeschlossen, welche der regelmäßige Betrieb des laufenden Bankgeschäfts nicht oder doch nicht in diesem Umfange mit sich bringe.

Nun ist aber, namentlich von Ad. Weber und Edgar Jaffé, schlagend nachgewiesen worden, daß speziell bei den englischen, reinen Depositenbanken — auf die jüngsten Erfahrungen mit den

amerikanischen Notenbanken will ich nicht erst noch besonders verweisen — sich trotz aller theoretischen Vorzüge in der Praxis die
allerschwersten Schäden und Mißstände ergeben haben.

Allerdings steht fest, daß die englischen Joint Stock Banks,
wie es die Theorie verlangt, direkt dem Gründungs- und
Emissionsgeschäft und der Börsenspekulation ferngeblieben sind.
Damit ist aber zunächst der große Übelstand verbunden, daß sie
auch keinerlei Interesse an den neu gegründeten Gesellschaften
und den von diesen emittierten Werten nahmen und nehmen,
während es ein besonderer Vorzug des deutschen Systems ist, daß
die deutschen Banken, schon im Interesse ihres Emissionskredits,
die Entwicklung der von ihnen begründeten Gesellschaften dauernd
kontrollieren. Auf der anderen Seite haben die englischen Banken
die Börsenspekulation und die Gründungs- und Emissionsgeschäfte
dadurch in sehr bedenklichem Umfange befördert, daß sie zugunsten
der großen Effektenhändler (jobbers und dealers) den Wechsel-
und Fondsmaklern gegen Verpfändung von Effekten aller
Art täglich ihre überflüssigen Gelder zur Verfügung stellten[1]). Dies ging so weit, das mit Bezug hierauf in der Zeitschrift
des Institute of Bankers vom Oktober 1899, S. 409, gesagt werden
konnte: Nearly the whole of the professional speculation on
the Stock-Exchange is carried on with bank-money[2])!
Unter den lombardierten Effekten befanden sich aber im letzten
Jahrzehnt ungemein große Beträge von Goldminen- und amerikanischen Eisenbahn-Shares, die in kritischen Zeiten nicht
oder nur mit großen Verlusten verwertbar sind, so daß also gerade
in kritischen Zeiten auch die Joint Stock Banks auf die Hilfe der
Bank von England angewiesen sind[3]). In kritischen Zeiten sind
also auf diese Weise auch die Joint Stock Banks auf das „Ein-
Reserve-System" angewiesen, d. h. auf jenes System, das auch
von englischer Seite längst als unzureichend und gefährlich erkannt worden ist[4]), zumal die Bank von England die bei ihr hinterlegten Gelder ihrerseits zum Teil wieder ausleiht[5]).

Diese indirekt der Börse und Spekulation zur Verfügung gestellten großen Beträge sind es aber im wesentlichen, welche in den
Bilanzen der Joint Stock Banks als „Money at call and short

---

1) Edgar Jaffé in den Verhandlungen des III. A. D. Bankiertages, S. 99.

2) „Fast die gesamte gewerbsmäßige Spekulation in der Börse
wird mit Bankgeldern betrieben."

3) Diese gewährt alsdann aber ihre Hilfe lediglich den Stockbrokers, nicht
aber den Joint Stock Banks selbst.

4) Edgar Jaffé, Das englische Bankwesen (2. Aufl., 1910), S. 232 ff., 241
und S. 320 ff. („Die Reform des Ein-Reserve-Systems").

5) eod. S. 327 u. 299, Anm. 1.

notice" erscheinen[1]), die also bei uns unter Reports und Lombards erscheinen würden,· während sie von Caesar Straus merkwürdigerweise mit dem Posten in unseren Bankbilanzen: Kupons und Sorten identifiziert, also für durchaus unbedenklich gehalten wurden[2]).

Diese von den Depositenbanken hergeliehenen, in den veröffentlichten Rohbilanzen so harmlos aussehenden Summen sind es weiter im wesentlichen, welche zu jenen Zuständen geführt haben, die Edgar Jaffé[3]) mit den scharfen Worten kennzeichnet:

„Nirgends werden so viele schwindelhafte Gründungen lanciert, als an der Londoner Fondsbörse, nirgends hat das Publikum so enorme Summen verloren, als gerade hier".

Auf der anderen Seite ist festzustellen[4]), daß in den großen Krisen, welche England wie alle übrigen Länder durchzumachen hatte, eine geradezu erschreckend große Zahl von Depositenbanken in Konkurs gegangen ist, worüber ich an anderer Stelle[5]) ein, wie mir scheint, ausreichendes Material bei-

---

1) Edgar Jaffé, in den Verhandlungen des III. A. D. Bankiertages, S. 99.

2) Caesar Straus a. a. O. S. 31.

3) In den Verhandlungen des III. A. D. Bankiertages, S. 99.

4) Nach J. W. Gilbart, The History, Principles and Practice of Banking, ed. 1901, London, I S. 310, 311 ff.; II S. 361 ff.; II S. 342 ff.

5) Vgl. 2. Aufl. dieses Buches S. 12—14, Anm. 1 u. oben S. 13 Anm. 1.

So fielen beispielsweise in der Krisis von 1857 zuerst die Borough Bank in Liverpool mit Lstrl. 1 200 000 Verbindlichkeiten, die Western Bank of Scotland, die noch im Jahre zuvor 9% Dividende verteilt hatte, mit 101 Filialen, die allein an vier insolvent gewordene Firmen Lstrl. 1 603 000 zu fordern hatte, obwohl ihr ganzes eigenes Kapital nur Lstrl. 1 500 000 betrug und die u. a. in den veröffentlichten Bilanzen einen Betrag von Lstrl. 260 000 unter den good assets aufgeführt hatte, den die Managers selbst nach aufgefundenen Notizen als uneinbringlich bezeichnet hatten. Die Derwent Iron Company schuldete der Bank allein Lstrl. 750 000 und hatte (außer einer Terrainhypothek) ihre eigenen debentures im Betrage von Lstrl. 250 000 als „Pfand" hingegeben, die noch dazu nichts anderes waren, als Schuldscheine ihrer Direktoren, welche die Company bildeten. Alles dies war aus den veröffentlichten Rohbilanzen natürlich nicht zu ersehen. 1858 fiel u. a. die Northumberland and Durham District Bank in Newcastle mit Lstrl. 1 256 000 Depositen, nachdem sie eben erst in der Halbjahrsversammlung der Aktionäre 7% Dividende verteilt hatte, was die Direktoren damit entschuldigten, daß sie, da so viele Aktionäre von ihren Dividenden lebten, es nicht hätten über sich gewinnen können, „to face them without paying any dividend"! („ihnen ins Gesicht zu sehen, ohne eine Dividende zu zahlen").

Im Jahre 1864 brachen nicht weniger als 27 Joint Stock Banks zusammen, und eine große Reihe weiterer folgte im Jahre 1866, so die Joint Stock Discount Company, die Barneds Bank in Liverpool mit 3½ Mill. Lstrl. Verbindlichkeiten, die Bank of London, die Consolidated Bank, die Agrar & Mattermans Bank, die English Joint Stock Bank, die Imperial Mercantile Credit Company, die European Bank usw.

brachte [1]). — Ferner ergibt sich, daß auch nach einer anderen Richtung die gepriesenen Vorzüge der englischen Joint Stock Banks nur scheinbare sind.

Das eingezahlte Kapital der englischen Depositenbanken (deren Zahl infolge von Verschmelzung von 118 im Jahre 1875 auf 45 im Jahre 1910 heruntergegangen war [2]), ist sowohl an sich, wie im Verhältnis zu den Verpflichtungen (liabilities) sehr gering. Es betrug 1910 bei diesen 45 Depositenbanken [3]) rund 47 $1/_2$ Mill. Lstr. = 969,3 Mill. M, also durchschnittlich für eine Bank nur etwa 21 $1/_2$ Mill. M, während die Reserven im Verhältnis zum eingezahlten Kapital (aber nicht im Verhältnis zu den liabilities) sehr hoch erscheinen ($1/_2$ bis $2/_3$ oder sogar 100 % des Aktienkapitals). Lediglich dies ist denn auch die Ursache, weshalb selbst bei geringem Bruttogewinn so hohe (natürlich lediglich auf das eingezahlte Kapital der Joint Stock Banks zu zahlende) Dividenden gezahlt worden sind [4]), auf die Warschauer verwiesen hat, der seine Reichsdepositenbank mit weit größeren eingezahlten Kapitalien ausstatten will.

Endlich zeigt Jaffé [5]), daß „mit Ausnahme einer Anzahl der besten Banken, die neben den für till money (5 %) und Clearingguthaben (5 %) reservierten Summen, eine Barreserve von 5—10 % (durchschnittlich 6 %) aufweisen, die englischen Depositenbanken überhaupt keine Bestände halten, die als Reserve in dem oben genannten Sinne anzusprechen wären". ¦ Als „Reserve in dem oben genannten Sinne" glaubt Jaffé (mit Rücksicht auf den hohen Bestand an fremden Geldern und das geringe eingezahlte Aktienkapital der englischen Depositenbanken) den Posten „money at call" (Reports und sonstige Darlehen an Wechselmakler und auf der

---

In der Krisis von 1878 fallierte von Depositenbanken zunächst die City of Glasgow Bank, die 4 Mill. Lstrl. an vier Firmen verliehen und 1877 falsche Bilanzen veröffentlicht hatte.   Es folgte eine Reihe anderer Banken.

1) Vgl. O. Glauert, Depositenbildung in England und in Deutschland (Conrads Jahrb., 3. Folge, Bd. VII, S. 808): „Vom Jahre 1814—1816 stellten 240 Landbanken ihre Zahlungen ein, vom Ende des Jahres 1825 ab binnen 6 Wochen 70" und Edgar Jaffé a. a. O. S. 196—197.

Nach Karl Mamroth, Die schottischen Banken (Conrads Jahrb., 3. Folge, Bd. XXIV, Heft 1, S. 43 Anm. 139, brachen in Schottland in der Zeit von 1804—1842 11 Notenbanken zusammen.

2) Hierbei sind aber weder die Bank von England, noch die schottischen und irischen Depositenbanken mitgerechnet.

3) Berücksichtigt man für 1910 die Depositenbanken des ganzen Vereinigten Königreichs von Großbritannien, also 65, so beträgt deren gesamtes einzahltes Kapital 64,1 Mill. Lstrl. == 1308,58 Mill. M. oder 20,13 Mill. M. für die einzelne Bank.

4) Edgar Jaffé, Das englische Bankwesen. 2. Aufl., S. 202 u. 291.

5) a. a. O. S. 299—305.

Fondsbörse) nicht ansehen zu können, weil ein Teil der auf der Fondsbörse ausgeliehenen Gelder im Fall einer Panik nicht flüssig zu machen sein werde.

Auch von dem sonach allein als Reserve anzusehenden Posten „cash" (d. h. Kassenbestände plus Guthaben bei der Bank von England) könne ein Teil nicht als Reserve angesehen werden, weil er zum täglichen Bankbetriebe unbedingt notwendig sei („till money"). Jaffé betont aber ausdrücklich, daß auch dies vielleicht noch ein zu günstiges Bild gebe, weil nach seiner Erfahrung ein großer Teil der englischen Depositenbanken — und einige der größten gehörten in dieser Richtung zu den ärgsten Sündern —, um in ihren öffentlichen Ausweisen den Posten: „Cash in hand" usw. möglichst groß erscheinen zu lassen, am Ende jedes Monats und besonders jedes Halbjahrs dem Markte große Summen entziehen[1]). Hiernach läßt sich ermessen, inwieweit die Begeisterung für das englische Vorbild in der praktischen Ausgestaltung desselben eine Stütze finden kann.

Ich gehe nunmehr zur Prüfung der Frage über, inwieweit man überhaupt berechtigt ist, diejenigen Reformvorschläge hinsichtlich des deutschen Banksystems, welche von der angeblich fehlenden Sicherheit der Depositengläubiger ausgehen, darauf zu begründen, daß hier, im Gegensatz zu England, die Aktienkapitalien und Reserven im Verhältnis zu den Verpflichtungen, ebenso die liquiden Mittel im Verhältnis zu den sofort oder rasch fälligen Verpflichtungen viel zu gering seien; daß ferner die Depositen in Deutschland zu Konsortialgeschäften und Effektenspekulationen verwandt würden, und daß endlich die Verbindung des Depositengeschäfts mit dem Gründungs- und Emissionsgeschäft in Deutschland zu schweren Schädigungen geführt habe.

Ich beginne mit dem ersteren, oft erhobenen Vorwurf.

b) Die angeblich im Verhältnis zu den Verpflichtungen zu geringen eigenen Mittel (Aktienkapitalien und Reserven) der deutschen Kreditbanken.

Bei den 165 deutschen Kreditbanken mit einem Kapital von mindestens 1 Mill. M, welche fast sämtlich in der Bilanz gesondert aufgeführte Depositen angesammelt haben (fast 3 Milliarden Mark), betrugen die Aktienkapitalien am

31. Dezember 1910 . . . . 2784 Mill. M
und die Reserven . . . . 719　„　„
also die eigenen Mittel . . . . 3503 Mill. M

---

1) Dieses „Frisieren" der Bilanz wird in England „Window dressing" (Schaufenster-Arrangieren) genannt. Edgar Jaffé a. a. O. S. 300.

gegenüber den sämtlichen Kreditoren (einschließlich der Akzepte) mit . . . . 7981 Mill. M
und den Depositen mit . . . . 3241 ,, ,,
also gegenüber sämtlichen Verpflich-
tungen in Höhe von . . . . 11222 Mill. M

Mit anderen Worten: Die eigenen Mittel dieser 165 Banken
betrugen etwas mehr als ein Drittel sämtlicher Verpflichtungen,
einschließlich der Akzepte und der Depositen. In England betrugen dagegen bei den englischen Depositenbanken (einschließlich der Bank von England, aber ausschließlich der
schottischen und irischen Banken) die eingezahlten Eigen-
kapitalien (Kapital und Reserven) im Jahre 1910 nur etwa
10% der fremden Gelder[1]).
Die 3241 Mill. M Depositen allein waren also durch Aktienkapital und Reserven mehr als voll gedeckt[2]).
Was die 8 größten Berliner Banken betrifft, so ergibt sich
für 1910 das Deckungsverhältnis der fremden Gelder (Verpflichtungen) und Aktienkapital und zum Aktienkapital und Reserven,
also zum eigenen werbenden Kapital dieser Banken, aus nach-
stehender Aufstellung:

Name der Bank	Aktien-kapital	Aktienkapital und Reserven (eig. werb. Kapital)	Fremde Gelder	Die fremden Gelder betragen in %	
		in Mark		des Aktien-kapitals	des ges. eig. Kap.
Deutsche Bank	200 000 000	305 726 165	1 534 641 672	767,3	501,9
Dresdner Bank	200 000 000	260 537 237	857 849 645	428,9	329,3
Disconto-Gesellschaft . . .	170 000 000	230 092 611	608 883 480	358,2	264,6
Bank für Handel u. Industrie	160 000 000	192 000 000	555 684 114	347,3	289,4
A. Schaaffhausen'scher Bank-Verein	145 000 000	179 159 829	345 790 462	238,4	192,9
Berliner Handels-Gesell-schaft	110 000 000	144 500 000	304 744 384	277,0	210,9
Commerz- und Discontobank	85 000 000	98 000 016	271 459 431	319,4	276,9
Nationalbank für Deutsch-land	80 000 000	93 720 000	281 242 795	350,5	300,1
Insgesamt	1150 000 000	1503 735 858	4 760 245 983	413,9	316,5

1) Vgl. auch Edgar Jaffé in den Verhandlungen des III. A. D. Bankiertages S. 96
und Das engl. Bankwesen S. 314. Ad. Weber a. a. O. S. 231. Bei allen 82 Depositenbanken bezifferte sich der Reservefonds allein per 30. Juni 1901 auf rund 31 Mill.
Lstrl. = 68% des eingezahlten Kapitals, aber nur auf ca. 4½% der Verbindlichkeiten.

2) Bei den 15271 Kreditgenossenschaften, von welchen Bilanzen Vorlagen,
betrugen die eigenen Mittel nach den „Materialien zur Frage des Depositenwesens''
(Bankenquêtestatistik 1910, S. 234/235) Ende 1907: 433 Mill. M., die fremden Gelder

Daß sich die eigenen Mittel dieser deutschen Kreditbanken lange nicht in gleichem Verhältnis wie die Verpflichtungen, sondern in weit geringerem Verhältnis vermehrt haben, ist selbstverständlich, da bei der Frage der Kapitalvermehrung auch schlechte Zeiten zu berücksichtigen sind, die oft, zumal wenn vorher nur geringe Dividenden gezahlt wurden, eine Aktienausgabe überhaupt nicht gestattet haben, oder die es wünschenswert erscheinen ließen, nicht mit zu hohen Kapitalien zu arbeiten, welche eine angemessene Verzinsung alsdann nicht hätten finden können. Die Reverven allein sind (worin ich einen Glanzpunkt der Aktiengesetzgebung sehe, während Ed. Wagon[1]) darin einen „Glanzpunkt im deutschen Bankwesen" sah) bei allen Kreditbanken (als Einheit genommen) von 12,90% im Jahre 1885 in stetiger Entwicklung bis zu 25,98% des Aktienkapitals im Jahre 1910 (718,96 Mill. M) und bei den Großbanken von 17,36 % des Aktienkapitals a. 1885 auf 35,96% (354,23 Mill. M) angewachsen und tragen heute mehr als 1½% bei allen Banken und 2,43% bei den Großbanken zur Dividende bei.

Es muß aber darauf hingewiesen werden, daß zwar Aktienkapitalien und Reserven „Garantiemittel" sind und daß eine befriedigende Höhe derselben den finanziellen Gesamtstatus hebt und die Gefahr eines Konkurses vermindert, daß sie aber im wesentlichen (einschließlich des zur Befriedigung der Gläubiger nicht erforderlichen Teils der Debitoren) Garantiemittel für die Aktionäre sind.

c) Die Liquidität der deutschen Kreditbanken[2]); der Liquiditätsschlüssel.

Garantiemittel für die Gläubiger, insbesondere für die Depositengläubiger, sind — jedenfalls in erster Linie — diejenigen Mittel, in denen das Vermögen der Banken angelegt ist, da die Gläubiger nicht nur über die Zahlungsfähigkeit der Bank überhaupt, sondern namentlich auch darüber beruhigt sein müssen, daß sie, soweit ihnen ein jederzeit fälliger Anspruch zusteht, auch jederzeit und, soweit die Fälligkeit des Anspruchs an Termine gebunden ist, zu diesen Terminen auf Zahlung rechnen können.

2922,2 Mill, M; die letzteren betrugen also fast das Funfzehnfache der eigenen Mittel dieser Genossenschaften.

1) Ed. Wagon, „Die finanzielle Entwicklung der deutschen Aktiengesellschaften" (Jena 1903, Gustav Fischer), S. 146; vgl. oben S. 383/384.

2) Vgl. Nicolaus Hansen, Das Problem der Liquidität im deutschen Kreditbankwesen (Heft 5 der Tübinger Staatswissensch. Abh., herausgeg. v. Carl Joh. Fuchs, Stuttgart, Ferdinand Enke, 1910).

M. a. W. für die Sicherheit der Gläubiger, insbesondere der Depositengläubiger, ist in erster Linie ausschlaggebend die Höhe der liquiden Aktiven der Bank und die Art, in der diese angelegt sind[1]).

Die liquiden Mittel zur Sicherstellung jederzeit oder in kurzer Frist fälliger Verbindlichkeiten müssen so groß und so geartet sein, daß die Bank damit denjenigen Betrag der letzteren alsbald auszahlen kann, dessen sofortige Auszahlung voraussichtlich in einer Krisis verlangt werden könnte. Die Frage aber, welcher Prozentsatz eventuell in einer Krisis eingefordert werden könnte, läßt sich allein beantworten nach Wahrscheinlichkeitsnormen[2]), die nach den Umständen (auch den Zeiten, Konjunkturen usw.) wechseln, also nur aus den praktischen Erfahrungen zu gewinnen sind, mit diesen also wechseln und daher nie gesetzlich festgelegt werden können.

Ebenso kann auch darüber, welche Mittel im allgemeinen als liquide Mittel anzusehen sind, nur die Erfahrung einer längeren Periode entscheiden, während viel leichter festgestellt werden kann, was nicht liquide ist.

Daraus folgt mit zwingender Notwendigkeit, daß es irgend ein festes und für alle Zeiten, Orte und Institute ohne weiteres anwendbares System zur Berechnung der Liquidität nicht geben kann; jedes System wird in dem einen oder anderen Punkte angefochten werden können und auch anfechtbar sein. Es kommt hinzu, daß auch die Art der Bilanzaufmachung bei den verschiedenen Banken, was ein großer Übelstand ist, bisher wenigstens ganz verschieden war, und daß überdies den einzelnen Konten nicht anzusehen ist, inwieweit in denselben (selbst wenn sie im allgemeinen, wie Wechsel, Reports, Lombards, als liquide anzusehen wären) im konkreten Falle illiquide Beträge stecken, oder inwieweit in einem Konto, das man vielleicht an sich nicht oder nicht voll zu den liquiden Mitteln zählen würde, im konkreten Falle trotzdem stets oder doch in normalen Zeiten alsbald verwertbare Effekten wie z. B. Konsols und ähnliche Werte, stecken.

Endlich wird man auch bei den Verpflichtungen, speziell bei den Depositen, zwischen den sofort (täglich) und den erst später fälligen Verpflichtungen bei Berechnung des Liquiditätsgrades, wenn man zu genau richtigen Resultaten kommen will, unterscheiden müssen, da nur die sofort (täglich) fälligen Verbindlichkeiten An-

---

1) Vgl. Edgar Jaffé, Das englische Bankwesen, 2. Aufl,, S. 291.
2) Vgl. Ad. Wagner, Beiträge zur Lehre von den Banken, Leipzig 1857, S. 166—170 und S. 61.

spruch auf Deckung durch alsbald greifbare Aktiva haben, während die später fälligen einen Anspruch auf Deckung nur zu den Fälligkeitsterminen besitzen[1]).

Dies vorausgeschickt, ist zunächst festzustellen, daß die bisher am meisten befolgte Methode der Liquiditätsberechnung davon ausgeht, daß zu den Verpflichtungen gerechnet werden:

> die Kreditoren einschließlich der Akzepte,
> die Depositen und
> die Ansprüche auf den (am Ende des Geschäftsjahres noch unverteilten) Reingewinn;

und zu den liquiden Mitteln:

> Kasse (einschließlich fremder Sorten und Coupons);
> Reports und Lombards (die leider meist in einer Summe in den Bilanzen erscheinen),
> Wechsel[2]), meist auch Guthaben bei Banken und Bankiers und
> Effekten;

dagegen keine Debitoren.

Es ist kein Zweifel, daß dieses Verfahren, welches namentlich von den Zeitungen, und speziell von der Frankfurter Zeitung, vielfach aber auch von den Fachzeitschriften, z. B. von dem Deutschen Ökonomist, angewandt wird, an sich sehr schematisch ist. Denn es macht bei den Kreditoren und Depositengläubigern keinen Unterschied zwischen sofort und später fälligen und trägt bei den Akzepten dem Umstande keine Rechnung, daß in der Regel, selbst in kritischen Zeiten, die zur Deckung verpflichteten Kunden, wenigstens in ihrer Mehrzahl, der Bank den zur Einlösung ihres Akzepts erforderlichen Betrag vor der Fälligkeit einsenden werden. Auch deshalb ist jenes Verfahren schematisch, weil es zu den liquiden Aktiven alle Effekten rechnet, was in der weitaus größten Zahl der Fälle viel zu optimistisch sein wird, während es die Debitoren überhaupt nicht einstellt, obwohl selbst in kritischen Zeiten ein großer Teil der Bankschuldner ohne Zweifel ihre fälligen Schulden auf Aufforderung alsbald bezahlen wird.

---

1) Dabei darf aber wiederum nicht verkannt werden, daß in den Zeiten einer Krisis eine Bank nur in Notfällen und meist nicht ohne Gefahr die sofortige Auszahlung von Geldern verweigern kann, die nach den bestehenden Abmachungen nicht sofort, aber in kurzer Frist fällig sind. (A. M., scheinbar wenigstens, der Deutsche Ökonomist vom 11. November 1905, 23. Jahrg., No. 1194, S. 566.)

2) In England gelten Wechsel für die Depositenbanken deshalb nicht als liquide Anlagen, ,,weil der Grundsatz besteht, daß keine erstklassige Bank als Verkäufer auf dem Wechselmarkt auftreten darf, ohne ihren Kredit aufs empfindlichste zu schädigen." (Edgar Jaffé, d. engl. Bankwesen, 2. Aufl., S. 306/307).

Alle diese Fehler sind aber deshalb weniger bedenklich, weil sie nicht nur (so die Einstellung aller Effekten) zugunsten der Liquidität, sondern auch (so die Nichteinstellung der Debitoren unter die liquiden Mittel, dagegen die Einstellung aller Akzepte unter die Verpflichtungen) zu Ungunsten der Liquidität begangen[1]), sich also bis zu einem gewissen Grade ausgleichen werden, und weil man das nämliche Verfahren auch bei der Vergleichung der jetzigen mit früheren Bankbilanzen anwendet.

Dies läßt sich auch rechnerisch nachweisen, wenn man das Schema behufs Vermeidung des einen oder anderen Fehlers etwas ändert, also z. B. bei den Passiven die Akzepte wegläßt oder nur mit $1/_3$ berücksichtigt, gleichzeitig aber unter die liquiden Aktiven auch die Debitoren zur Hälfte oder zu $1/_3$, dagegen die Effekten nicht ganz, sondern nur zu $1/_3$ oder zu 10 % einstellt, d. h. es wird auch bei einer solchen Änderung des Schemas das Schlußergebnis so ziemlich das nämliche sein.

Nach jenem üblichen Schema stellt sich nun der Liquiditäts-grad, also das Verhältnis der alsbald greifbaren Aktiven gegen-über allen Verbindlichkeiten (ohne Trennung der sofort oder später fälligen)[2]) von 1893 ab folgendermaßen:

a) Bei sämtlichen deutschen Kreditbanken:

1893	1894	1895	1896	1897	1898	1899	1900	1901
85	81	72	73	75	72	73	70	70
1902	1903	1904	1905	1906	1907	1908	1909	1910
72	67	66	62	61	60	62	63	68 %

1) Auf weitere Fälle wird von Lansburgh a. a. O. S. 36—38 aufmerksam gemacht, daß nämlich sowohl das Kapital- und Kassakonto, wie die übrigen Bilanz-positionen, durch die Beziehungen der Banken unter einander erheblich beeinflußt werden, derart, daß häufig die nämlichen Beträge notwendigerweise zweimal, viel-leicht sogar dreimal gezählt werden. So werden allerdings die sofort greifbaren Mittel aus diesem Grunde vielfach tatsächlich niedriger sein, als sie bilanzmäßig erscheinen, so wenn nach dem auf S. 36 gebildeten Beispiel eine Provinzialbank ihr Barguthaben an die Zentralbank weitergibt. Hier figuriert in der Tat der so weitergegebene Betrag in der Bilanz der ersteren als Bankguthaben, in der Bilanz der letzteren aber als Barbestand, und, falls sie ihr Giroguthaben bei der Reichsbank, wie das oft geschieht, als Kasse aufführt, zum drittenmal als Barbestand der Zentralbank bei der Reichs-bank. Eine Korrektur dieses Mißstandes liegt darin, daß in der Bilanz der Zentral-bank der ihr mindestens teilweise von der Provinzialbank übergebene Betrag nicht nur unter dem Barbestand, also den Aktiven, verbucht wird, sondern daß die be-treffende Provinzialbank selbst auch für den nämlichen Betrag unter den Kreditoren, also unter den Passiven, erscheint.

2) Schon in meinem Referat für den III. A. D. Bankiertag zu Hamburg am 5. September 1907 (Verhandlungen S. 22 und Sonderausgabe bei Leonhard Simion Nachf., Berlin 1907, S. 32) habe ich denn auch ausdrücklich hervorgehoben, daß eine dauernde Verschlechterung der Liquidität der Bankbilanzen „eine der bedenk-lichsten Schattenseiten" der Bankenkonzentration darstellen würde.

b) Bei den Berliner Banken[1]) auf:

1893	1894	1895	1896	1897	1898	1899	1900	1901
83	83	73	75	79	76	78	73	70

1902	1903	1904	1905	1906	1907	1908	1909	1910
76	71	70	65	63	63	64	65	73%

Es hat sich also dies Verhältnis seit den letzten 15 Jahren (mit geringen Unterbrechungen in den Jahren 1896, 1897 und 1902) bis auf das Jahr 1907 ständig verschlechtert, und jene Tatsache ist es hauptsächlich, welche den so verschieden zusammengesetzten Gegnern unseres heutigen deutschen Bankwesens Wasser auf die Mühle liefert[2]). Es kann aber nicht verkannt werden, daß jene Tatsache einerseits mit der gerade in diesem Zeitraum aufgekommenen starken Konzentrationsbewegung im Bankwesen und in der Industrie, andererseits mit den alle Erwartungen übersteigenden Anforderungen der Industrie an die Banken und in letzter Linie wohl auch mit dem hieraus allein schon leicht erklärlichen Wachstum der Spekulation in Verbindung steht. Diese Momente könnten in dem Anwachsen der Debitoren und der langfristigen Kredite sogar für die einzelnen Jahre dieser Tabelle leicht auch im einzelnen nachgewiesen werden. Aus der ersteren Tatsache erklärt sich z. B. namentlich die durch die sogenannten Interessengemeinschaften bedingte Erhöhung der dauernden Beteiligungen, aus den letzteren beiden Tatsachen zum großen Teil das Anschwellen der Debitoren und Akzepte. Hieraus läßt sich aber wieder die Erwartung ableiten, daß diese Konten sich ermäßigen werden einerseits mit dem Nachlassen der Konzentrationsbewegung oder doch mit der Erstarkung der inzwischen in so großer Fülle begründeten Filialen, Agenturen usw. der Banken, die zunächst, bis sie auf eigenen Füßen stehen können, große Anforderungen an die Stamminstitute stellen müssen, und andererseits, genau wie der Bankdiskont und der allgemeine Zinsfuß, mit dem Rückgang der industriellen Konjunktur. Das Bild, welches die Bankbilanzen bieten, muß eben notwendigerweise, da die Banken Kassenhalter der nationalen Wirtschaft sind, das gleiche sein, wie das Bild, welches die letztere bietet. Denn es entspricht nicht der Wirklichkeit, wenn auf der einen Seite behauptet, auf der anderen

---

1) Über den Begriff vgl. oben S. 378 Anm. 3.

2) Über die Liquidität der deutschen Kreditgenossenschaften vgl. bes. die Materialien zur Frage des Depositenwesens (Punkt VI des Fragebogens) für die Zwecke der Bankenquête bearbeitet in der Statistischen Abteilung der Reichsbank Berlin 1910, u. hier III. Zur Bilanzstatistik der deutschen Kreditgenossenschaften, S. 209—240 u. Friedr. Eichhorn, Die Liquidität der Kreditgenossenschaften in Conrads Jahrb., 3. Folge, Bd. XL, Heft 4 (Oktober 1910), S. 507—530.

Seite eingewendet wird, daß die Banken die „Leiter des Unternehmungsgeistes der Nation", also der nationalen Wirtschaft, seien.
Immerhin kann aber festgestellt werden, daß selbst in dem aus
natürlichen Gründen schlechtesten Jahr der obigen Tabelle (1907)
der Deckungsprozentsatz (also der Liquiditätsgrad) betragen hat:
Bei allen Kreditbanken (diese als Einheit betrachtet[1]) 60%
und bei allen Berliner Banken (diese als Einheit betrachtet) 63%.
Das will sagen: die sämtlichen Verpflichtungen der deutschen Kreditbanken sind um ein geringes weniger als
zu $2/_3$ durch liquide Mittel[2]) gedeckt gewesen[3]).

Heinemann hatte in einem Artikel in der „Nation" vom
7. Mai 1898 Nr. 32 den Liquiditätsgrad für 11 Berliner Großbanken
pro 1897 auf 61% berechnet, während er ihn pro 1906[4]), jedoch
ohne jede Berücksichtigung der Effekten[5]), mit nur etwas mehr als
50% gelten lassen will; ebenso A. Koppel im Plutus vom
26. Mai 1906, der bei den 5 größten Berliner Banken einen Rückgang der Liquidität von 75% (Ende 1890) auf 50% per Ende

---

1) Natürlich kann und wird bei den einzelnen Kreditbanken der Liquiditätsgrad ein günstiger oder auch ein — vielleicht erheblich — ungünstigerer sein können.

2) Ich wiederhole, daß selbstverständlich auch hinsichtlich der Liquidität
der Deckungsmittel bei den einzelnen Banken die allergrößten Verschiedenheiten
bestehen könnten, ohne daß dies aus irgendwelchen Bilanzen oder Rohbilanzen erkennbar wäre.

3) Hinsichtlich der Liquidität der österreichischen Aktienbanken be-
merkt der Ministerialsekretär Dr. Eugen Lopuczanski in Wien (in der Abhandlung:
Einige Streiflichter auf das österreichische Bankwesen, Volkswirtschaftliche Wochen-
schrift von A. Dorn, Bd. L, No. 1305, vom 31. Dezember 1908, S. 442) folgendes:
„Die Liquidität, insoweit sie durch das Verhältnis der sogenannten liquiden
Anlagen in: Barschaft, Eskompte, Lombard und Report zu der Gesamtsumme der
Kreditoren, Geldeinlagen und Akzepte illustriert wird, betrug Ende 1883 rund
65% und am Ende des Jahres 1907 rund 45%.
Diese Gegenüberstellung zeigt einen wesentlichen Rückgang in der
Liquidität der österreichischen Aktienbanken.
Doch ist auch der gegenwärtige Liquiditätsprozentsatz von 45% als ver-
hältnismäßig nicht ungünstig anzusehen."

4) Conrads Jahrb., 3. Folge, Bd. XXXIV, Heft 5 vom November 1907, S. 588;
vgl. eod. Bd. XX, S. 86—97.

5) Vgl. seine Abhandlung in Conrads Jahrb., 3. Folge, Bd. XX, S. 90, wo
bei 11 Berliner Banken per 31. Dezember 1899 nur eine Deckung von 57% durch
die sofort greifbaren Mittel herausgerechnet wird, wobei aber weder die Lombards
mitberechnet sind, welche bei jenen Banken Ende 1899 rund 463 Mill. M betrugen,
noch die Effekten, die 1898 bei jenen Banken den Betrag von 714,5 Mill. M ausmachten,
sondern lediglich Kasse, Sorten, Bankguthaben, Wechsel und Reports. Das ist nicht
folgerichtig, denn dieselben Bedenken, die man gegen die sofortige Greifbarkeit der
Lombards (in denen damals übrigens auch die Börsenreports enthalten waren) erheben
kann, lassen sich auch gegen die von Heinemann als sofort greifbar anerkannten
Reports, ja auch gegen die Wechsel erheben, die auch nicht durchweg sofort greifbar sind.

1905 herausrechnet, aber gleichfalls unter die Aktiven die Effekten gar nicht, dagegen unter die Verbindlichkeiten auch die Avale einstellt.

Die Frankfurter Zeitung dagegen geht bei ihrer Berechnung des Liquiditätsgrades per 31. Dezember 1906 in einem Artikel vom 4. April 1907 (Nr. 93) bei 45 Banken, nämlich bei allen, welche ein Aktienkapital von mehr als 10 Mill. M haben (zusammen nom. 2198,80), darunter 9 Berliner Banken und 36 Provinzbanken, von dem gleichen (üblichen) Schema (jedoch ohne Berücksichtigung des Reingewinns) aus und kommt dabei für jene 45 Banken auf einen Liquiditätsgrad von 67,80% und für die 9 Berliner Banken auf einen Liquiditätsgrad von 66,8%, also wiederum auf eine Deckung von rund $^2/_3$.

Endlich hat der Deutsche Ökonomist vom 23. November 1907 S. 561 nach dem üblichen Schema, aber unter Weglassung der Akzepte unter den Passiven und der Effekten unter den liquiden Mitteln, den Liquiditätsgrad per 31. Dezember 1906 bei 143 Banken mit mindestens 1 Mill. M Kapital mit gleichfalls rund $^2/_3$ festgestellt (Depositen und Kreditoren 6304 Mill. M; Kassa, Wechsel und Lombards 4043 Mill. M). Zu ungefähr dem gleichen Resultat käme man bei diesen 143 Banken, wenn man etwa auf die Passivseite die Akzepte mit $^1/_3$ und neben den Depositen und dem Rheingewinn die sonstigen Kreditoren nur mit $^1/_2$ einsetzen, also, entsprechend etwa dem Verhältnis der sofort fälligen zu den später fälligen, lediglich die sofort fälligen Schulden berücksichtigen, dagegen zu den liquiden Mitteln außer Kasse, Wechseln und Lombards inklusive Reports auch $^1/_3$ der Effekten einstellen würde, ohne jedoch irgendwelche Debitoren bei den liquiden Mitteln mitzurechnen (7394 Mill. M gegen 4406 Mill. M).

Diese letzteren Ergebnisse stimmen auch ziemlich mit dem Liquiditätsgrad von 62,76% überein, den Waldemar Mueller für 45 Banken (mit einem Kapital von 10 Mill. M und darüber) auf dem Hamburger Bankiertage annahm, obwohl er dabei die Effekten mit $^1/_2$ (statt mit $^1/_3$) unter die liquiden Mittel stellte und den Reingewinn wegließ, während er andererseits die ganzen Kreditoren unter die Passiven einstellt. Er gelangte sogar zu einem Liquiditätsgrad von 81,92, wenn er die Akzepte, was ich aber nicht für angängig halte, unter den Verbindlichkeiten völlig wegließ.

Man kann kaum in Abrede stellen, daß der bei fast allen diesen Variationen, soweit dabei nicht ganz willkürlich verfahren wurde, selbst im bisher schlechtesten Jahr ermittelte Liquiditätsgrad von etwa $^2/_3$ ein noch durchaus befriedigender ist, obwohl in dieser Beziehung die englischen Verhältnisse (aber aus den erörterten Gründen ganz naturgemäß) erheblich günstigere sind. Der Liquiditätsgrad

würde indessen auch bei den deutschen Kreditbanken sich noch
w e i t besser stellen, wenn man, wie es richtig wäre, die s o f o r t
g r e i f b a r e n Mittel lediglich den sofort fälligen Verbindlich-
k e i t e n gegenüberstellen würde, was aber, da viele Bankbilanzen
hierüber bisher keinen Aufschluß gewährten, vorläufig wenigstens,
nicht ausführbar ist.

Auch die A r t der liquiden Mittel kann im a l l g e m e i n e n
als eine angemessene bezeichnet werden:

Am 31. Dezember 1910 hat bei allen Banken a l l e i n die
K a s s e 690½ Mill. M[1]), also nahe 8 % des Gesamtbetrages der
Kreditoren und Depositen in Höhe von **9123 Mill. M**, betragen[2]).
Dabei sind unter den Kreditoren die Akzepte nicht berücksichtigt,
während wir oben (S. 446) sahen, daß selbst die besten englischen
Joint Stock Banks nur eine Barreserve von 5—10 % aufweisen, die
meisten aber gar keine Bestände besitzen, die als Reserven in dem
von E d g a r J a f f é festgestellten Sinne gelten könnten. Bei den
deutschen Banken kommen nun aber zu der Kasse hinzu: die
W e c h s e l — und das Wechselportefeuille ist bei den deutschen
Banken im Durchschnitt[3]) ein gutes —, die am gleichen Tage bei
allen Banken 3060,6 Mill. M ausmachten, so d a ß am 31. D e z e m b e r
1910 allein K a s s e und W e c h s e l mit 3751 Mill. M den Depositen von 3240,9 Mill. M gegenüberstanden.

Die natürlich von ausländischen Blättern eifrig übernommene
Behauptung, daß irgendwelche fremde Gelder oder gar irgendwelche
Depositen „in K o n s o r t i a l g e s c h ä f t e n oder in S p e k u l a t i o n e n
a n g e l e g t" seien, wird ohne weiteres durch die Tatsache widerlegt,
daß Ende 1910 der Gesamtbetrag, den die Posten: E f f e k t e n ,
H y p o t h e k e n und K o n s o r t i a l b e t e i l i g u n g e n bei den mehr-
genannten 165 Kreditbanken mit mindestens 1 Mill. M Kapital in
Anspruch nahmen, nämlich 1 6 2 1 Mill. M, nur etwas w e n i g e r als
die Hälfte des eigenen Vermögens dieser Banken, d. h. des
Aktienkapitals und der Reserven in Höhe von 3 503 213 000 M, darstellte[4])! Es müßten also noch etwa ½ dieser e i g e n e n Mittel in
jener Weise angelegt werden, ehe auch nur davon die Redé sein

---

1) Vgl. Robert F r a n z , Die deutschen Banken im Jahre 1910, S. 26.

2) Nach E u g e n K a u f m a n n , Das französische Bankwesen, S. 305, betrug
der Kassebestand (einschließlich der Guthaben bei der Bank von Frankreich und
der Kupons) in Prozenten der jederzeit fälligen Verbindlichkeiten für die 6 Jahre
1904—1909 im Durchschnitt: bei dem Crédit Lyonnais 9,12, beim Comptoir National
9,83 und bei der Société Générale 13,10 % .

3) Allerdings kommen sicherlich auch Wechsel in größeren Beträgen bei
einzelnen Banken vor, welche auf industrielle Festlegungen zurückzuführen sind.

4) Vgl. Robert F r a n z , Die deutschen Banken im Jahre 1910 (Sonderausgabe aus dem Deutschen Ökonomist, Berlin 1908), S. 26.

könnte, daß fremde Gelder, und nun gar Depositen, in Effekten (Spekulationen) oder Konsortialbeteiligungen angelegt seien.

Damit dürfte nachgewiesen sein, daß weder aus der Höhe, noch aus der Art der liquiden Mittel, noch endlich aus dem gegenwärtigen Liquiditätsgrade ein Grund entnommen werden kann, die deutschen Banken vom Standpunkte der mangelnden Sicherheit der Depositen aus „reformieren" zu wollen. Die Behauptung endlich, daß die Verbindung des Depositengeschäfts mit dem Gründungs- und Emissionsgeschäft bereits zu schweren Schädigungen geführt habe, ist nur insoweit richtig, als in einer Reihe von Konkursen nicht nur von Kreditbanken, sondern auch von Kreditgenossenschaften und Privatbankiers auch Depositengläubiger geschädigt worden sind. Es geschah dies aber, soweit Privatbanken in Frage stehen, meist infolge von verbrecherischen Handlungen der Bankverwaltung, die mit dem Gründungs- und Emissionsgeschäft als solchem in keiner Verbindung standen, die ferner in noch größerem Umfange bei den englischen reinen Depositenbanken vorkamen, und die endlich durch keine gesetzlichen Bestimmungen je werden völlig verhindert werden können.

Die über die Höhe dieser Schädigungen von Otto Warschauer gemachten Angaben[1]) sind bis zum Jahre 1907 in der Aufstellung vervollständigt worden, welche der Geschäftsinhaber der Disconto-Gesellschaft, Dr. Arthur Salomonsohn, auf dem Hamburger Bankiertage vortrug[2]), und an deren Richtigkeit und Vollständigkeit sicherlich nicht zu zweifeln ist. Nach dieser Aufstellung, welche außer neun Kreditbanken[3]) mit meist sehr geringen Aktienkapitalien auch zwei Institute betrifft, welche entweder noch bei der Konkurseröffnung oder vorher Genossenschaften waren (Hannoverscher Hypothekenverein und Spar- und Vorschußbank in Dresden), ist der Verlust, den die Depositengläubiger bei jenen in Konkurs geratenen Instituten in 14 Jahren, von 1894—1907, erlitten haben, auf im ganzen 24 Mill. M berechnet. Will man nun feststellen, welchen Prozentsatz der gesamten Deposition der deutschen Kreditbanken in jenen 14 Jahren dieser Gesamtverlust darstellt, so stellen sich einer solchen Feststellung naturgemäß verschiedene Schwierigkeiten entgegen:

Wollte man nämlich den Gesamtverlust auf den in diesen 14 Jahren jeweils per 31. Dezember ermittelten Saldo der Depositen verteilen, so wäre dies zunächst unrichtig, da in jedem folgenden Saldo der des vergangenen Jahres steckt. Außerdem würde man

---

1) a. a. O. S. 468—470.
2) Verhandlungen S. 118.
3) Allerdings sind seitdem die S. 458/459 erwähnten Konkurse hinzugekommen..

aber, selbst wenn man hiernach lediglich den Saldo per 31. Dezember 1906 mit 2,7 Milliarden einstellte, zu viel zu geringen
Depositenbeträgen gelangen. Denn die im Laufe jeden
Jahres eingezahlten Beträge sind es, auf die es ankommt,
da diese mit Rücksicht auf die Abhebungen, die namentlich in
den letzten Monaten des Jahres besonders hoch zu sein pflegen,
viel höher sein müssen.

Die Einstellung lediglich dieses Saldos von $2\frac{1}{2}$ Milliarden M
ergibt sonach einen hinter den wirklich eingezahlten Beträgen weit
zurückbleibenden Depositenbetrag.

Auf der anderen Seite ist der von Salomonsohn eingesetzte
Verlust von 24 Mill. M vermutlich viel zu hoch, weil nach dessen
Erläuterungen die Forderungen der Depositengläubiger auf Grund
der dem Konkurse letztvorausgegangenen Bilanzen aufgestellt sind.
während in vielen Fällen der Konkurseröffnung ein run vorausgegangen ist, bei dem sich ein Teil der Depositen durch Rückzahlungen vermindert haben dürfte.

Also die Depositen — bei denen überdies wohl nur der geringste Teil aus Spareinlagen bestanden hat — sind hier ohne
Zweifel zu niedrig, die Verluste wahrscheinlich zu hoch angenommen.
Setzt man gleichwohl beide Beträge unverändert an, dividiert
man also nur den Saldo von 2,7 Milliarden M Depositen durch den
ganzen Verlustbetrag von 24 Mill. M, so zeigt sich, daß sich auf
Bankdepositen im deutschen Reich in den 14 Jahren von 1894 bis
1907 ein durchschnittlicher Verlust von etwa 0,9% p. a. ergeben
hat. M. a. W.: es sind in den 14 Jahren von 1894 bis zum
Jahre 1907 auf 100 M Bankdepositen durchschnittlich nicht
ganz 90 Pfg. im Jahr verloren gegangen.

Dabei fallen in diese 14 Jahre zwei recht schwere Krisen, die
des Jahres 1901 und die des Jahres 1906, in denen sich das deutsche
Banksystem und die deutschen Banken, ungeachtet aller Schwierigkeiten und Gefahren, jedenfalls im ganzen glänzend bewährt haben.
Seitdem sind allerdings recht wesentliche neue Fälle in den Jahren
1907 und 1908 hinzugekommen, in welchen Depositen annehmende
Bankunternehmungen falliert haben und Depositengläubiger zu
Schaden gekommen sind. Und zwar geschah dies in diesen Jahren
nach meinen Ermittlungen bei 29 Privatbankgeschäften, 11 eingetragenen Genossenschaften m. b. H., 1 Gewerbebank, 1 Spar-
und Kreditbank, 2 Vorschuß- und Kreditvereinen, 1 (nicht als Genossenschaft m. b. H. eingetragenen) Volksbank, aber nur bei
2 Kreditbanken, der Solinger Bank in Solingen und der
Bonner Bank für Handel und Gewerbe in Bonn[1]).

---

1) Völlig unzuverlässig ist die Aufstellung im ,,Tag" vom 17. April 1908 mit
dem Titel: ,,Die hauptsächlichsten Bank- und Bankierinsolvenzen 1906/1907".

Der im Jahre 1910 erfolgte weitere Zusammenbruch dreier Kreditbanken, der Niederdeutschen Bank in Dortmund, der mit ihr in engerer Verbindung stehenden Lünener Bank, sowie der Vereinsbank Frankfurt a. O. wird allerdings auch einen Verlust an Depositen zur Folge haben. Die Ergebnisse stehen jedoch noch nicht fest. Durch eine von den Großbanken eingeleitete Hilfsaktion scheinen aber die schlimmsten Folgen abgewendet worden zu sein [1]).

Nach dem Erörterten kann man nicht von der Anlegung der Depositen in Konsortial- oder Spekulationsgeschäften, auch kaum von „schweren Schädigungen" sprechen, die den deutschen Depositengläubigern durch unser Banksystem entstanden seien, und daraufhin die Einführung reiner Depositenbanken oder besondere Sicherungsmaßregeln fordern, zumal Konkurse auch in England und bei den dortigen reinen Depositenbanken zur Genüge vorgekommen sind. Man darf sich aber nicht wundern, wenn die beständige Wiederholung derartiger, den deutschen Kredit auch im Auslande schädigender Behauptungen schließlich im Auslande, das vielfach nur auf solche Nachrichten wartet, ein lautes Echo findet, so daß sogar der englische Economist seinen Lesern kürzlich die Nachricht auftischte, die deutschen Banken hätten „ihre Depositen in Hypotheken angelegt" [2])!

II. Im einzelnen.

1· **Die Schaffung einer einheitlichen Privatdepositenbank oder staatlichen Depositenbank für das Deutsche Reich und einzelstaatlicher Depositenbanken.**

Die Forderung des Übergangs zu dem englischen Banksystem durch Schaffung einer einheitlichen Privatdepositenbank für das

---

Schon der Titel ist irreführend, da die Tabelle überhaupt nur eine einzige Kreditbank, die Marienburger Privatbank, eine Kommanditgesellschaft auf Aktien, mit einem übrigens schon in der oben erwähnten Aufstellung von Dr. Salomonsohn mit berücksichtigten Verlust für Depositengläubiger von 6 600 000 M enthält, während die Firma Haller, Söhle & Co., ungeachtet des Zusatzes: Hamburger Bank, keine Bank, sondern ein Privatbankgeschäft war. Andererseits führt die Aufstellung, deren wesentlichster Zweck laut Anmerkung der war, Angaben über Verluste an Depositen zu machen, ungehörigerweise auch reine Maklerfirmen sowie eine ganze Reihe von Bankgeschäften auf, die entweder gar keine Depositen hatten, oder bei denen die Depositengläubiger keine Verluste erlitten haben. Eine Firma hatte lediglich liquidiert, weil sie — und zwar ohne daß auch nur eine Gefährdung irgendwelcher Gläubiger in Frage gewesen war — von einer Bank übernommen worden war; eine mit einem Verluste mit 672 000 M aufgeführte Firma war auch mit Hilfe der Handelskammern nicht auffindbar.

1) Während der Drucklegung erfolgte ferner der Zusammenbruch der Göttinger Bank. Soweit sich die Sachlage übersehen läßt, scheint das Ergebnis hier ein gleiches zu sein.

2) Vgl. Deutscher Ökonomist vom 18. Januar 1908, 26. Jahrg., No. 1308.

Deutsche Reich (Caesar Straus) oder durch Schaffung einer staatlichen Depositenbank für das Deutsche Reich und daneben einer
Reihe von einzelstaatlichen Depositenbanken (Otto Warschauer),
erscheint nach vorstehendem, wenn damit eine größere Sicherheit
der Depositengläubiger angestrebt wird, sowohl an der Hand der
bisherigen Erfahrungen in Deutschland wie derjenigen in England
als nicht begründet.

Sie ist aber auch teils unausführbar, teils gefährlich.

Unausführbar ist der Gedanke der Straus'schen einheitlichen
Depositenbank schon deshalb, weil weder die deutschen Großbanken
noch die sonstigen Banken und Bankiers sich zur Gründung einer
einheitlichen Reichsdepositenbank vereinigen werden, die sie in ihrer
geschäftlichen Rückständigkeit, entgegen der Warschauer'schen
Berechnung, für vorläufig und auf längere Zeit unrentabel erachten.

Undurchführbar ist der Gedanke auch darum, weil die Reichsbank aus wohlverstandenen Gründen sich nie dazu hergeben wird,
für diese Depositenbank deren Geschäfte da zu besorgen, wo diese
Bank keine eigenen Stellen hat, wohl aber die Reichsbank. Das
Projekt hat denn auch seinerzeit gerade an letzterer Stelle, wenn ich
recht unterrichtet bin, eine entschiedene Ablehnung erfahren.

Vorläufig dürfte wohl das gleiche Schicksal auch das Warschauer'sche Projekt einer staatlichen reinen Reichsdepositenbank
(eventuell vereint mit einzelstaatlichen Staatsdepositenbanken) treffen [1]),
und zwar aus den verschiedensten Gründen. Einmal wird man sich
wohl auch in unseren Regierungskreisen der Überzeugung nicht
verschließen können, daß es nicht angängig ist, ein ausländisches,
dort aus den besonderen Umständen naturgemäß erwachsenes Kreditsystem ohne weiteres an die Stelle des heimischen, gleichfalls aus
unseren besonderen Verhältnissen heraus entstandenen Systems setzen
zu wollen. Man wird überdies anerkennen, daß unsere Banken an
dem glänzenden wirtschaftlichen Erfolg der letzten Jahrzehnte einen
großen Anteil hatten, und wird sicherlich Bedenken tragen, den
Arm zu lähmen, dessen ungeschwächter Kraft unser Wirtschaftskörper in den schweren Kämpfen, die er in den nächsten Jahrzehnten
ohne jeden Zweifel mit dem Auslande zu bestehen hat, aufs dringendste
bedarf und damit die Industrie, welche alsdann auf die Unterstützung
der Banken noch mehr wie bisher angewiesen sein wird, aufs
schwerste zu schädigen.

Man wird ferner die stets sehr „geschätzte" und dringend notwendige Steuerkraft der Banken nicht vermindern wollen, vor allem

---

1) Beim Beginn der Bankenquête von 1908 ließ der Reichskanzler ausdrücklich
durch den Unterstaatssekretär Wermuth erklären, daß eine Trennung zwischen
reinen Depositenbanken und gemischten Banken nicht beabsichtigt sei.

aber nicht die Reichsbank, die schon mit den konkurrierenden Notenbanken einen schweren Waffengang zu absolvieren hatte, eine zweifellos sehr ins Gewicht fallende Erschwerung und vielleicht Durchkreuzung ihrer Diskontpolitik durch Begründung staatlicher Depositenbanken noch besonders schaffen wollen. Daß diese Gefahr besteht, lehren die englischen Verhältnisse[1]). Diese zeigen, daß das eigene Wechselgeschäft der Bank von England schon seit längerer Zeit zurückgegangen ist, und daß sie, hauptsächlich infolge der Konkurrenz der großen Depositenbanken, gezwungen ist, ihre Wechsel zum jeweiligen Marktsatz zu diskontieren, der, abgesehen von Ausnahmefällen, auch nicht annähernd mehr dem offiziellen Bankdiskont entspricht. Sie zeigen ferner, daß die Bank von England die Zügel auch auf dem Gebiete der Lombarddarlehen an die großen Depositenbanken hat abgeben müssen, die in der Lage sind, dem Markt riesige Summen zu Lombardierungszwecken zur Verfügung zu stellen, mit denen sie etwaigen von der Bank von England für nötig erachteten Diskonterhöhungen mit Erfolg entgegenwirken können.

Auf diese Weise ist es dahin gekommen, daß die Bank von England aus dem Kreise ihrer Aufgaben, aus dem ohne Schaden für die Gesamtheit keine einzige ausgeschaltet werden kann, nur noch die eine mit Kraft und Erfolg durchzusetzen vermag: ihre Währungspolitik.

Damit ist zugleich die Unrichtigkeit der Ansicht nachgewiesen[2]), daß „kollidierende Interessen“ zwischen der Reichsbank und der privaten einheitlichen Depositenbank nicht zu befürchten, daß vielmehr „die Interessen gemeinschaftlich“ seien und beide Institute, „die Reichsbank als übergeordnetes Institut gedacht“, „für die Aufrechterhaltung und Unterstützung eines geordneten Geldumlaufs eintreten würden“. Durch eine Begründung staatlicher Depositenbanken würde noch dazu unser bisheriges deutsches Banksystem nicht etwa von Grund auf geändert, geschweige denn gebessert, sondern verschlechtert werden.

Zunächst allerdings würden die deutschen Kreditbanken gar keine Maßregeln ergreifen, da sie wohl meist der Überzeugung sein dürften, daß ihrem Depositengeschäft durch die neue Konkurrenz eine irgend erhebliche Gefahr, jedenfalls zunächst, nicht drohen dürfte.

Sollten aber die Kreditbanken nach Gründung staatlicher Depositenbanken oder auch nur nach energischer Verstärkung der jetzigen Bestrebungen der Seehandlung und anderer Staatsinstitute auf Vergrößerung ihres Depositengeschäfts einmal eine wirkliche Gefahr in

---

1) Vgl. Edgar Jaffé, Das englische Bankwesen, 2. Aufl. S. 244—259.
2) Caesar Straus a. a. O. S. 38—39; Otto Warschauer a. a. O. S. 474.

diesen Vorgängen erblicken, so wären sie natürlich in ihrem eigensten Interesse gezwungen, mit allen Mitteln den Konkurrenzkampf aufzunehmen. Sie würden also alsdann, soweit irgend möglich, ihre bestehenden Depositenabteilungen in besondere Depositenbanken verwandeln oder neue begründen und in beiden Fällen die Leitung[1], Verwaltung und Aktien dieser neuen Depositenbanken selbst übernehmen und in Händen behalten[2]).

Dann aber hätten wir die Reichsdepositenbank, ferner die einzelstaatlichen Depositenbanken und endlich eine große Reihe von konkurrierenden Privatdepositenbanken, die alle — die staatlichen und die privaten — genötigt wären, das ganze Deutsche Reich mit einer Unzahl von Nebenstellen zu versehen, und die sämtlich früher oder später — vielleicht im Verein mit den noch vorhandenen einzelstaatlichen Notenbanken — der Diskontpolitik der Reichsbank schwere, vielleicht unüberwindbare Hindernisse bereiten würden[3]), was im Gegensatz zu Ad. Webers Ansicht (a. a. O. S. 262) durchaus nicht „cura posterior" ist. Dieses Zukunftsbild ist für den hier vorausgesetzten Fall gerade nach den englischen Erfahrungen in keiner Weise übertrieben. Es dürfte genügen, um die Warschauerschen Projekte zu beseitigen, die noch dazu auf der nach meiner Überzeugung unrichtigen Meinung beruhen, daß unser Banksystem dem englischen nahe stehe und diesem zu weichen habe, während gerade die Engländer seit langer Zeit energisch eine

---

1) Damit allein fällt auch das von Lansburgh (a. a. O. S. 55) den deutschen Bankdirektoren unterstellte Motiv in sich zusammen, daß sie lediglich deshalb gegen Depositenbanken seien, weil diese angeblich ihnen (den Bankdirektoren) nicht genug Gewinn abwürfen! Dieser bedauerlicherweise gegen die Objektivität und Pflichtmäßigkeit aller deutschen Bankdirektoren gerichtete Angriff wird dadurch nicht entschuldbarer, daß Lansburgh (eod.) von der — angesichts des heutigen, absolut und relativ noch geringen deutschen Volksvermögens unrichtigen — Ansicht ausgeht, „daß die Depositenbank ungleich rentabler ist als die Effektenbank". Von den Leitern der deutschen Kreditbanken wurde und wird diese Ansicht nicht geteilt; in dem Augenblick, wo sie in der Folge zu einer anderen Ansicht gelangen, oder wo gesetzliche Maßregeln oder das Vorgehen staatlicher Institute oder Depositenbanken sie dazu nötigen sollten, werden sie Depositenbanken errichten.

2) Ebenso wie umgekehrt die Société de Déports in Frankreich nebenher eine besondere, von ihr völlig abhängige Emissionsbank begründet hat.

3) Vgl. O. Glauert a. a. O. S. 815; Reichsbankpräsident Richard Koch im Bank-Archiv, 4. Jahrg., No. 5, vom März 1905. Wenn hier davon gesprochen wird, daß die Aufgaben der Reichsbank in neuerer Zeit durch die „den offenen Markt beeinflussende Konzentration der Kreditbanken erschwert" werden, so wird das in erhöhtem Maße von der etwaigen Reichsdepositenbank und von den etwaigen privaten oder einzelstaatlichen Depositenbanken zu sagen sein; nur daß es sich bei diesen vielleicht nicht nur um eine Erschwerung, sondern vielfach um eine Durchkreuzung der Diskontpolitik der Reichsbank handeln dürfte. Vgl. Edgar Jaffé, Das englische Bankwesen, 2. Aufl. S. 244—259.

Reform ihres Banksystems fordern und uns, bis die bei uns entstandene Agitation auch die dortigen, sonst so klarsehenden Augen getrübt hat, um unser Bankensystem beneiden. Noch im Juli 1906 hat ein in Bankers Magazine erschienener Aufsatz über: „The future of International Banking" ausgeführt:

„In Deutschland finden wir eine Bankpolitik, die, obwohl in unwichtigeren Punkten von anderen Ländern entlehnt, von allen übrigen sich wesentlich unterscheidet, indem sie dem nationalen Geiste (to the national genius) vollen Ausdruck verleiht. Sie ist eine ebenso wissenschaftliche und völlig systematische, wie die engliche Bankpolitik eine unwissenschaftliche und vom Zufall geleitete (haphazard) ist. Das deutsche Bankwesen steht nicht abseits von der Industrie und dem Handel, wie das unsrige. Diese drei sind vielmehr auf das engste verbunden; sie stehen im besten Einvernehmen und fühlen sich gegenseitig solidarisch."

(The future of International Banking in: The Bankers Magazine No. 748, Juli 1906, S. 21: „In Germany we find a banking policy, which, though in minor points borrowed from other countries, differs essentially from all others in giving full expression to the national genius. It is as scientific and thoroughly co-ordinated as English banking policy is unscientific and haphazard. German banking does not stand aloof from industry and commerce as ours does. The three are all closely associated. They have a common understanding and a strong sentiment of solidarity.")

So das Ausland[1]). Bei uns genügt es schon, daß eine Henne goldene Eier gelegt hat, um auf vielen Seiten den Wunsch entstehen zu lassen, daß sie geschlachtet werde.

---

[1] Vgl. weiter die Ausführungen in: La chronique industrielle, maritime et coloniale vom 6. Januar 1905: „La haute Banque allemande", S. 3: „Grace l'appui et au concours que la haute finance lui a prêté, l'industrie allemande a pris en peu de temps un développement gigantesque. Il n'est point douteux que, sans cette alliance, sans cette union des forces industrielles et des forces financières, l'Empire n'eût pas réalisé les merveilles dont nous avons été les témoins."

Vgl. auch die bei Ad. Weber a. a. O. S. 257 angeführten Stimmen, worunter sich die von Anatole Leroy-Beaulieu und die eines englischen Fachmannes befinden, der von den deutschen Banken sagt: They are virtually the pioneers of the home and foreign trade of the German Empire" (vgl. Frederik J. Fuller und H. D. Rowan, „Foreign competition in its relation to Banking" im Journal of the Institute of Bankers, Vol. XXI, Part. II, pag. 55). Selbst André Sayous, der vielfach eine recht wenig freundliche Kritik an der Geschäftsgebarung der deutschen Banken übt und sich sogar in seinem Buche: „Les Banques de Depôt, les Banques de Crédit et les Sociétés financières (Paris 1901, L. Larose), S. 292/93) bis zur Behauptung versteigt, daß eine schwere, nicht einmal sehr schwere Panik, „forcerait la presque totalité des banques allemandes à suspendre leurs paiements", schließt doch das 3. Kapitel

Auf Grund der vorstehenden Erörterungen und angesichts der
ablehnenden Haltung, welche der Reichskanzler gemäß den bei
Beginn der Erörterungen der Bank-Enquête-Kommission gegebenen
Erklärungen gegenüber den Versuchen eingenommen hat, auf dem
Wege der Gesetzgebung unser bisheriges gemischtes Banksystem
einer Änderung zuzuführen, darf ich wohl darauf verzichten, den in
der zweiten Auflage meines Buches S. 155—160 geführten Nachweis nochmals ausführlich zu wiederholen, daß auch die Rentabilität dieser einheitlichen Depositenbanken, die nach Warschauer
eine Dividende von 21—22% (!), mindestens aber von 12%,
ergeben sollen, aller Voraussicht nach, zunächst jedenfalls, eine überaus
mäßige sein wird [1]).

---

dieses Buches mit den Worten: „Quoi qu'il en soit, tandis que les banques françaises
ont accentué la stagnation économique de notre pays, les banques allemandes ont
pris une part considérable au brillant essor industriel et commercial de l'Allemagne."

1) Ich wies dort u. a. darauf hin, daß aller menschlichen Voraussicht nach
die Annahme irrig ist, daß die Reichsdepositenbank die von Warschauer zur Grundlage seiner Rentabilitätsrechnung gemachten Einlagen in Höhe von mindestens
einer Milliarde Mark erhalten werde, wenn ihr etwa nicht die von den Post-
scheckämtern angesammelten Guthaben zugewiesen würden. Dies aber selbst vorausgesetzt, sind die Geschäftsspesen vom Bruttogewinn, der zunächst jedenfalls,
kaum höher als 1 % sein könnte, abzuziehen. Der Nettogewinn wird also (da die
Unkosten heute (s. oben S. 380 ff) bei den deutschen Kreditbanken rund
32 % des Bruttogewinnes absorbieren), auf den verzinslichen Depositenbetrag kaum
mehr als $\frac{1}{4}-\frac{1}{2}$ % ausmachen und die Dividende wird, je nach der Höhe des Aktienkapitals, etwa 5—6 % betragen, und auch dies nur nach und nach. Ich zeigte ferner,
daß die Analogie der englischen Depositenbanken, deren Dividenden Warschauer
zu seinen Schätzungen veranlaßt hatten, nicht zutrifft. Denn einmal sind dort die
eingezahlten Aktienkapitalien, auf welche die Dividenden zu zahlen sind, im Gegensatz zu den Reserven, meist sowohl absolut wie relativ, überaus geringfügig (1910
bei 65 Depositenbanken durchschnittlich nur 20 Mill. M für eine Bank), die Depositen aber betragen $6\frac{1}{3}$ Milliarden M (s. oben S. 175), sind also überaus hoch. Für das
Jahr 1900 ist für vier rein Londoner Depositenbanken, die eine Dividende von 16, 12,
13 und 7 % zahlten, der durchschnittliche Reingewinn nur auf etwa 0,68 % der Aktiven
berechnet worden (s. Edgar Jaffé, Das englische Bankwesen, 2. Aufl., S. 317/318).
Es kommt hinzu, daß in London auf ohne oder mit 7- oder 14 tägiger Kündigung
angenommene Deposten nur $1\frac{1}{2}$ % unter dem Bankdiskont an Zinsen vergütet
werden, und zwar nur auf Deposten, die mindestens einen vollen Monat zur Verfügung der Bank gestanden hatten, während der Mindestbetrag der jeweils deponierten
Beträge 10 Lstrl. ist. Gegenüber der — offensichtlich zur Erhöhung der Rentabilität
— von Warschauer gestatteten Lombardierung von „erstklassigen" Industriewerten und Bankaktien bis zu 30 % des Kurswerts habe ich Bedenken,
die ich auf seine Aufforderung hier gern dahin ausführe, daß Dividendenpapiere
erheblichen Kursschwankungen ausgesetzt und gerade in kritischen Zeiten entweder
schwer oder gar nicht oder nur mit großen Einbußen verkäuflich sind, während gerade
in solchen Zeiten ein Einschuß schwer geleistet und die Rückzahlung des Vorschusses
nicht so leicht zu erwarten ist. Auch würde damit gerade das erreicht werden, was
wir den englischen Depositenbanken verübeln, daß aus den Mitteln der Deposten-
banken die Börsenspekulation gefördert wird. — Endlich halte ich auch die von

2. Die Einräumung von Vorrechten an die Depositengläubiger.

Daß die Forderung der Einräumung von Vorrechten an die Depositengläubiger nicht durch die bisherigen Erfahrungen begründet werden kann, ist schon oben dargelegt. Sie würde aber auch, wenn sie besser begründet wäre, kaum gebilligt werden können. Man wird sich kaum entschließen können, die Depositengläubiger gegenüber den anderen Gläubigern der Bank, die ihr im Kontokorrentverkehr oder sonstwie gleichfalls bares Geld anvertraut haben, zu bevorzugen und damit auch der Gewährung von Kredit an die Banken den Todesstoß zu versetzen.

Dies um so weniger, als der Begriff der Depositen weder theoretisch noch praktisch feststeht, noch weniger aber bei der Fülle der auch hier in Frage kommenden und beständig wechselnden Verhältnisse gegenüber den Kontokorrentguthaben, Reports usw. gesetzlich festgelegt werden kann [1]).

3. Die gesetzliche Festlegung des Verhältnisses der „Spareinlagen" zum Aktienkapital.

Der letztere Einwand trifft von vornherein auch auf den Warschauerschen Vorschlag [2]) zu, das Verhältnis der Depositen „sofern sie Spareinlagen sind", zum Aktienkapital nach dem bei den Hypothekenbanken eingeführten System gesetzlich feststellen.

Dieser Vorschlag ist auch dann unannehmbar, wenn die Worte: „sofern sie Spareinlagen sind", weggelassen werden, zumal die Ge-

---

Warschauer sogar für „geboten" erachtete „Erwerbung erststelliger Hypotheken" für reine Depositenbanken, angesichts der Notwendigkeit der Rückzahlung ihrer jederzeit kündbaren oder kurzfälligen Depositen und der eventuell schweren Realisierbarkeit selbst erster Hypotheken, nicht für eine wünschenswerte Anlage, mindestens nicht in größerem Umfang.

1) Auch daraufhin können sich die Vertreter dieses Gedankens nicht berufen, daß nach römischem Recht die Gläubiger unverzinslicher Depositen im Konkurse des Bankiers (argentarius) ein Vorzugsrecht besaßen, von dem Papinian hervorhebt, daß es mit Rücksicht auf das Gemeinwohl eingeführt worden sei (utilitate publica receptum, vgl. l. 17 § 2, 3, 8 D. 16, 3). Denn der moderne Geschäftsverkehr läßt keinen Vergleich mit dem des argentarius zu.

2) Vgl. u. a. dagegen den Deutschen Ökonomist, 22. Jahrg., No. 1127, S. 432 (Juli 1904): „Man hat auch die Höhe der Depositenanlagen zum Aktienkapital in Beziehung gestellt. Das ist aber reine Spielerei ohne irgendwelchen Wert; denn einerseits sind die Reserven ebensowohl eigenes haftbares Vermögen der Banken, wie das Aktienkapital, und andererseits hat das eigene Vermögen für alle Passiven jeder Art zu haften, nicht nur für die Depositen. Ein bestimmtes Verhältnis zwischen eigenem Vermögen und Depositen zu schaffen, hätte nur dann einen Zweck, wenn außer den Depositen keine anderen Schulden vorhanden wären. Das ist der Standpunkt der Sparkassen, der verständigerweise für Banken nicht in Betracht kommen kann."

sichtspunkte, welche bei den Pfandbriefe ausgebenden, ein wesentlich
schematisches Geschäft betreibenden Hypothekenbanken die Feststellung eines solchen Prozentsatzes wünschenswert erscheinen
ließen, mit Rücksicht auf die bei den Kreditbanken vorhandenen
tausendfach verschiedenen und wechselnden Verhältnisse, welche
überhaupt keine gesetzlichen Normativbedingungen vertragen,
nicht zutreffen. Der Vorschlag Warschauers geht von der
Prämisse aus, daß das Aktienkapital (die Reserven rechnet
Warschauer dabei unrichtigerweise überhaupt nicht mit) in
einem bestimmten Verhältnis zu den Depositen stehen müsse,
während schon oben dargetan ist, daß als Garantiekapital für die
Gläubiger, also auch für die Depositengläubiger, zunächst jedenfalls,
nicht das Aktienkapital (und die Reserven), sondern die liquiden
Mittel zu gelten haben[1]) und daß wir in Deutschland die hohen
Aktienkapitalien im wesentlichen gerade deshalb für erforderlich
halten, weil wir einen gemischten Geschäftsbetrieb haben. Auch in
England, dessen Ansichten die Gegner doch sonst in allen diesen
Fragen für maßgebend erachten, steht man auf diesem Standpunkt[2]),

4. Gesetzliche Vorschriften über die Anlegung der Depositen.

Von einzelnen Sachverständigen sind der Bank-Enquête-
kommission von 1908 ferner Vorschläge unterbreitet worden, die
dahin gehen, man solle diejenige Anlegung der Depositengelder
welche derzeit bereits die deutschen Großbanken für richtig befunden
und durchgeführt hätten, zur Grundlage von gesetzlichen Vorschriften machen, weil es doch nicht angängig sei — diese
Wendung kehrt auch in der Literatur des öfteren und auch in
anderem Zusammenhange wieder —, daß die „Verwaltung des
deutschen Volksvermögens"[3]) 10 oder 12 Personen ohne jede gesetzliche Vorsichtsmaßregel anvertraut werden dürfte.

---

1) Vgl. Deutscher Ökonomist vom 13. Juli 1904 (22. Jahrg., No. 1127), S. 432.

2) Vgl. Edgar Jaffé, Das englische Bankwesen (2. Aufl.), S. 293: ... Banken,
die, jenem Prinzip folgend, ihr Aktienkapital erhöht haben, sind heute außerstande,
in der Höhe der Dividenden mit anderen, ebenso sicher fundierten Instituten zu
konkurrieren, die ein weit niedrigeres Verhältnis von Aktienkapital zu Verbindlichkeiten aufweisen; bei der ausgezeichnet geleiteten London- und County-Bank war
1900 das Verhältnis wie 4,38 : 100" und eod. S. 291: „Wir können konstatieren,
daß diejenigen Banken, die als die sichersten angesehen werden müssen, einen ganz
unverhältnismäßig kleinen Prozentsatz von Garantiemitteln zu ihren Verpflichtungen
zeigen, während vielfach diejenigen, welche ein bei weitem günstigeres Verhältnis
aufweisen, zu den weniger sicheren zu rechnen sind."

3) Das ist, so oft es auch wiederholt wird, zum mindesten eine starke Übertreibung, dazu bestimmt oder doch geeignet, leicht zu beeinflussende Kreise gruselig
zu machen. Denn das Volksvermögen besteht doch nicht lediglich aus den Depositen,
Akzepten und Kontokorrentguthaben, die Ende 1910 bei allen Banken mit mindestens
1 Mill. M Kapital zusammen etwa $11\frac{1}{4}$ Millionen M betrugen, und von diesen Banken

Deshalb wird entweder eine gesetzliche Vorschrift lediglich dahin gefordert, daß eine bestimmte Quote der Depositen in deutschen Staatspapieren anzulegen sei, was zugleich deren Kurs heben werde, oder es werden weitergehende Vorschriften dahin gewünscht, daß die Anlegung von 35 %, also etwa $1/3$, der Depositen der Sparkassen, Genossenschaften und Kreditbanken in folgender Weise erfolgen müsse:

20 % in (den Reichsbankvorschriften entsprechenden, also längstens 3 Monate laufenden und mit drei Unterschriften versehenen) Wechseln;

15 % entweder auch in Wechseln, Guthaben bei Girobanken und in höchstens 3 Monate laufenden Lombarddarlehen auf an einer deutschen Börse notierte Effekten (wobei eigene Aktien oder die der Konzernbanken und solche Wertpapiere ausgeschlossen sein sollen, die noch nicht 3 Jahre vorher von dem nämlichen Institut in den Verkehr gebracht wurden), oder in Reichsanleihe oder deutschen Staatsschuldscheinen oder endlich in erststelligen Hypotheken.

Dagegen ist einzuwenden, daß, wenn auch dieser Norm genügt ist, die Depositengläubiger, die ja nicht etwa ein Aussonderungsrecht an diesen Effekten erhalten sollen, im Ernstfalle, d. h. im Konkurse oder bei einer Krisis, ein Schaden ebenso treffen könnte, wie dies bisher möglich war; sie würden ihn nur viel schwerer empfinden, da sie das erlassene Gesetz naturgemäß wie eine Garantie gegen den Schaden hatten ansehen müssen.

Man kann aber, was wichtiger ist, derartige Normativbestimmungen bei den ungemein verschiedenartigen und komplizierten Verhältnissen, welche, im Gegensatz zu den mehr schematischen und schablonenhaften Geschäften der Hypothekenbanken und Versicherungsgesellschaften, bei den deutschen Kreditbanken vorliegen, überhaupt nicht ohne Schädigung der Eigenart der einzelnen Bank und des gesamten Kreditverkehrs erlassen. Es ist mit Rücksicht hierauf undenkbar oder doch mindestens überaus bedenklich, ganz generell für alle Zeiten, Orte und Verhältnisse eine bestimmte

---

werden auch nur die größten ebenso von 10—12 Personen geleitet, wie die staatlichen und privaten industriellen und landwirtschaftlichen Großbetriebe usw. Vielmehr setzt sich unser d. Z. auf zwischen 216 und 360 Milliarden M geschätztes Volksvermögen aus einer ganzen Reihe gewaltiger Beträge zusammen, so u. a. auch aus den ca. 15 Milliarden Mark, die als Spareinlagen bei den Sparkassen und Genossenschaften liegen, aus den riesigen in Pfandbriefen und Hypotheken angelegten Werten in Höhe von etwa 40 Milliarden Mark usw.

Daß ich trotzdem nicht die große Macht und die große Verantwortlichkeit gerade der Leiter unserer Großbanken verkenne, dürfte aus meinem Buche klar hervorgehen.

Art der Anlegung der Betriebsmittel festzulegen; ganz abgesehen von der mehr als zweifelhaften Frage, ob denn wirklich die gewünschte gesetzliche Anlegung die Liquidität der Anlagen unter allen Umständen gewährleistet.

5. Hinterlegung einer Quote der fremden Gelder bei der Reichsbank.

Ganz anders und großzügiger sind die Gesichtspunkte, von welchen Heiligenstadts Vorschlag[1]) ausgeht, es sollten die Kreditbanken gehalten werden, 1 bis 2 % vom jährlichen Durchschnittsbetrage ihrer sämtlichen Kreditoren (dieser Satz ist von Sachverständigen der Bank-Enquête-Kommission, die im übrigen jene Vorschläge und deren Begründung pure übernahmen, auf 5 % erhöht worden) in bar bei der Reichsbank zu hinterlegen.

Ausgehend von der Behauptung, daß von dem in die Hände der Banken gelangten volkswirtschaftlichen Betriebskapital 1886 bis 1895 im Jahresdurchschnitt nur rund 50 %, 1895—1905 sogar nur 37 % als Kasse oder in Wechseln oder Lombardforderungen Verwendung gefunden hätten (S. 83), folgert Heiligenstadt aus dieser angeblichen Tatsache, daß der Rest — also in der letzterwähnten Epoche 63 % — der den Kreditoren und Depositengläubigern gehörigen Gelder zu Anlagezwecken festgelegt worden sei, daß also ein übermäßiger Teil der Betriebskapitalien der Nation durch langfristige Kredite oder sonstige Festlegung in Unternehmungen zu Anlagekapitalien geworden sei.

Da nun eine Kapitalerhöhung der Reichsbank als der Ordnerin des Zirkulationswesens und des Kreditverkehrs das beste Mittel sei, um einen angemessenen Teil des Betriebskapitals der deutschen Volkswirtschaft dauernd in liquiden Betriebsmitteln zu erhalten (S. 87) und die Entscheidung über die Zweckbestimmung der Kapitalverwendung wenigstens bis zu einem gewissen Grade der Privatwillkür zu entziehen (S. 85), so rechtfertige sich sein obenerwähnter Vorschlag.

Er laufe somit in erster Linie darauf hinaus, die Betriebsmittel der Reichsbank zu verstärken (S. 98 sub X) und werde gleichzeitig die Banken verhindern, einen übermäßigen Teil ihrer Mittel festzulegen und dadurch die Deckung ihrer Verbindlichkeiten zu gefährden (S. 95).

Von den Vertretern dieses Vorschlags wurde der von den Banken bei der Reichsbank zu hinterlegende Barbetrag als „nationale Betriebsreserve", und zwar als eine „eiserne Reserve" bezeichnet,

---

1) In Schmollers Jahrb., Bd. XXXI, Heft 4, Der deutsche Geldmarkt, S. 72 bis 95. Im Ergebnis kommt auch die Besprechung dieses Vorschlages bei Otto Schwarz Diskontpolitik (Leipzig 1911), S. 130—132 auf eine Ablehnung hinaus.

welche der Reichsbank ermögliche, das Dreifache an Banknoten auszugeben, deren Deckung ihr nicht entzogen werden könne, und mit denen der Nation dauernd liquide Betriebsmittel zugeführt würden.

Bei näherer Erwägung dieser Gedanken müssen sowohl die Prämissen, von denen sie ausgehen, als die Zwecke, die sie verfolgen, und die Folgerungen, zu denen sie gelangen, als unhaltbar bezeichnet werden.

Was die Prämissen betrifft, so steht es zunächst, wie aus unseren früheren Ausführungen hervorgeht, nicht mit den Tatsachen im Einklang, daß die deutschen Kreditbanken „einen übermäßigen Teil ihrer Mittel festzulegen pflegen" (S. 95) und dadurch die Deckung ihrer Verbindlichkeiten gefährden. Wir sahen vielmehr, daß die sämtlichen Verpflichtungen der deutschen Kreditbanken zu fast zwei Drittel durch liquide Mittel gedeckt werden konnten, während jederzeit rückzahlbare Banknoten nach dem Gesetz nur zu ein Drittel in baar gedeckt sein müssen.

Die bei weitem zu ungünstige Berechnung des Liquiditätsgrades auf S. 83 der Heiligenstadt'schen Abhandlung rührt daher, daß in meines Erachtens nicht zu rechtfertigender Weise Kasse, Wechsel und selbst die Lombardforderungen nur zum Teil als liquide Mittel eingestellt, Reports und Effekten also gar nicht berücksichtigt werden [1]).

---

1) Bei der Rechtfertigung der — durchaus berechtigten — Weglassung der Debitoren unter den sofort greifbaren Mitteln wird auf (S. 82) der schwer begreifliche Satz ausgesprochen, daß „die Banken ziemlich regelmäßig, und in steigendem Maße, je ungünstiger der Geldmarkt wird, Unternehmungen des Handels und der Industrie in der Form des Kontokorrentkredits Kredite zur Erweiterung und zum Ausbau ihrer Werke in der Hoffnung und mit der Absicht gewähren, bei günstigerer Gestaltung des Geldmarktes diese Kredite durch Emission von Aktien und Obligationen wieder flott zu machen!" Den Banken eine solche Geschäftspolitik zu unterstellen, ist kaum angängig. Was allein wohl mitunter vorkam, ist, daß Kredite, die ursprünglich Betriebskredite waren, sich nach und nach, weil die Schuldner sie nicht zurückzahlen konnten, sehr gegen den Willen der Kreditgeber, in Anlagekredite verwandelten, oder daß Kredite, die in Wahrheit zu Anlagekrediten benutzt werden sollten, als Betriebskredite nachgesucht wurden, oder endlich, daß industriellen Aktienunternehmungen in guten Zeiten oder in solchen, die für gut galten, zur Fertigstellung bereits begonnener oder zur Erweiterung bestehender Anlagen, behufs Sicherung einer Rentabilität selbst in kritischen Zeiten, langfristiger Kredit, also Anlagekredit, in der Hoffnung und Erwartung gewährt wurde, der Schuldner werde in Form von Obligationen oder Aktien den Kredit baldigst wieder abstoßen können. Lansburgh ist sogar der (wohl zu weit gehenden) Ansicht, daß sich die Kredite, die den industriellen Aktiengesellschaften gegeben werden, gerade dadurch vor allen anderen auszeichnen, „daß sie fast zu jeder beliebigen Zeit abgestoßen werden können" (Die Verwaltung des Volksvermögens durch die Banken, Sonderabdruck, S. 9—10).

Daß aber irgendeine Bank oder irgendein Bankdirektor mit gesunden Sinnen regelmäßig und gerade in schlechten Zeiten und sogar „in steigendem

Was nun den Zweck betrifft, der mit dem Vorschlage erreicht werden soll, so ist zunächst in keiner Weise abzusehen, wieso die Reichsbank, falls sie selbst ihrerseits zu einer Erhöhung ihres Kredits durch die neuen Barmittel in den Stand gesetzt wird, die ihr die Banken zuführen sollen, diese Erhöhung in irgendwelcher liquideren Form ausführen werde, als sie bei der Hinterlegung der Barmittel seitens der Banken vorliegen wird, die ja gerade d i e s e Barmittel eventuell nur aus ihren paratesten Mitteln, ihren Barbeständen, Wechseln, Lombards usw., herausziehen müßten. Die nämlichen Barmittel würde dann die Reichsbank wieder in der annähernd gleichen Form, nämlich in Form von Wechseldiskontierungen und Lombards, gegen Hingabe ihrer Noten, anlegen.

Wahrscheinlich aber würden der Reichsbank neue Barmittel auf diese Weise gar nicht zufließen, sondern die Banken würden so viel, als die zu hinterlegende Quote ihrer Kreditoren beträgt, von ihren Giroguthaben, die ja immer den zu haltenden eisernen Bestand weit zu überschreiten pflegen, abschreiben und der Reichsbank gutschreiben lassen, wie sie es bei einer direkten Kapitalserhöhung, der Reichsbank, bei der sie mitwirken, voraussichtlich auch tun werden. Wollte man darauf erwidern, daß selbst in diesem Falle der Reichsbank auf Grund der ihr gutgeschriebenen Beträge eine dauernde Deckung für eine dreifache Notenausgabe gewährt sei, so wäre folgendes zu duplizieren: Von einer dauernden Hinterlegung, also von einer eisernen Reserve, kann schon deshalb nicht die Rede sein, weil der Reichsbank gleich hohe Beträge, wie die, welche ihr angeblich nicht direkt weggenommen werden können, i n d i r e k t entzogen werden können, nämlich in der Form der vermehrten Kreditentnahme durch Wechsel, Diskontierungen oder Lombarddarlehen oder durch Abziehung von den den vorgeschriebenen Minimalbestand übersteigenden Giroguthaben.

In den Zeiten einer Krisis aber — und gegen eine solche soll doch durch den Heiligenstadt'schen Vorschlag in erster Linie vor-

---

Maße, je ungünstiger der Geldmarkt wird". Kredite in der Absicht gewährt, sie bei günstigeren Zeiten wieder durch Aktien und Obligationen flott zu machen, das allerdings ist mir, trotz recht langer praktischer Erfahrung im Bankwesen, noch nicht bekannt geworden, und ich glaube auch, daß eine derartige Bank oder ein solcher Bankdirektor sich nicht lange würde halten können.

Ich möchte auch nicht unterlassen, darauf hinzuweisen, daß den Kreditbanken sehr häufig der umgekehrte Vorwurf gemacht wurde, sie hätten die Industrie vielfach auf den im allgemeinen für sie nicht passenden und viel zu teueren Weg des kurzfristigen Personalkredits mit der Auflage raschen und öfteren Umschlags geradezu hingedrängt, obwohl doch bei Meliorationen, Um- und Neubauten lediglich der langfristige, auf Jahre hinaus unkündbare oder doch nur in Raten rückzahlbare Kredit am Platze sei.

gesorgt werden, denn für gute Zeiten bedarf es keiner Sanierungs-
vorschläge — werden bei den Banken sehr viele Depositen zurückgezogen werden, werden sich also ihre Kreditoren vermindern, und
sie somit ganz von selbst in die Lage kommen, mindestens einen
Teil ihrer 1- oder 2 %igen Einlage von der Reichsbank zurück-
zuverlangen.

Wäre dem aber auch anders, so würde die Reichsbank in
einer Krisis gar nicht anders können, als, wenn damit ein run oder
ein Konkurs verhütet werden könnte, die „nationale Betriebsreserve"
ganz oder zum Teil herauszugeben, während sie ihr in geldflüssigen
Zeiten wie Blei im Magen liegen wird.

Damit kommen wir zu einer Frage, die durchaus nicht neben-
sächlicher Natur ist, nämlich zu der, ob die 1 oder 2 oder 5 % ver-
zinslich oder unverzinslich bei der Reichsbank liegen sollen.

Sollen sie nämlich verzinst werden, so sprechen gegen den
ganzen Gedanken alle die gewichtigen Gründe, welche überhaupt gegen
die Annahme verzinslicher Depositen seitens einer Zentralnotenbank
sprechen und welche die größten Zentralnotenbanken immer und
immer wieder, trotz stets erneuter Erwägung, veranlaßt haben, von
der Annahme verzinslicher Depositen abzusehen. Es spielt dabei
namentlich der Umstand eine große Rolle, daß, wenn die Zentralnotenbank den Verlust, der ihr in Höhe dieser Verzinsung an sich
erwachsen würde, nicht tragen will — und es ist kein Grund abzusehen, weshalb sie ihn ruhig übernehmen sollte — sie zum Abschluß von gewinnbringenden Kreditgeschäften in Form von Diskontierung und Lombarddarlehen geradezu genötigt sein würde,
und zwar unter Umständen gerade zu einer Zeit, wo sie der übermäßigen Kreditnachfrage im Lande mit allen ihr zu Gebote stehenden Mitteln, insbesondere mit einer Diskonterhöhung, entgegen-
treten muß.

Sollen die 1 oder 2 oder 5 % aber nicht verzinst werden, so würde
das einen erheblichen Verlust für die sie beschaffenden Kreditbanken
bedeuten, den sie naturgemäß auch nicht ruhig übernehmen, sondern
in irgendeiner Weise, namentlich aber dadurch einzuholen suchen
müßten, daß sie ihren Depositengläubigern, was ein wenig wünschens-
wertes Resultat wäre, weniger Zinsen gewähren würden. Sie würden
aber auch, was in normalen Zeiten noch weniger wünschenswert
wäre, dem Kreditverkehr weniger Mittel zur Verfügung stellen
können, also, da nun einer größeren Nachfrage nur ein kleineres
Angebot entspräche, zur Erhöhung des Zinsfußes beitragen. Und
sie würden endlich, was das wenigst wünschenswerte Ergebnis wäre,
nach genügend vorliegenden Erfahrungen, möglicher-, vielleicht wahrscheinlicherweise, ihre für ihre Liquidität erforderlichen, zinslos bei

ihnen liegenden Kassenreserven um so viel mindern, als ihr Anteil an der „nationalen Betriebsreserve" bei der Reichsbank beträgt.

Damit wäre das schöne Ergebnis gezeitigt, daß die Liquidität der Banken und damit der Gesamtwirtschaft um ebensoviel ver-schlechtert würde, als sie nach dem Vorschlag Heiligenstadts im Interesse der Liquidität der Banken und der Gesamtwirtschaft der Nation verbessert werden sollte!

Dieser Vorschlag kommt überdies in der Sache, wenn auch nicht in der Form, auf die Anträge hinaus, welche die Reichstags-kommission bei Beratung der Aktiennovelle von 1884 aus guten Gründen abgelehnt hatte[1]), den gesetzlichen Reservefonds be-sonders und zwar in bar oder in mündelsicheren Wertpapieren an-zulegen, Anträge, die später, nämlich im Jahre 1901, in einem Auf-satze in der „Gegenwart" von dem Kaiserl. Bankdirektor Dr. Vos-berg wieder aufgenommen worden sind.

Gegen diese Anträge und damit auch gegen die hier in Betracht kommenden Vorschläge sprechen aber, und zwar jeden-falls soweit die Bank-Aktiengesellschaften in Betracht kommen, sehr wichtige Bedenken[2]).

Sollten die Banken zur baren Deckung der Reserven oder zur Hinterlegung von Barmitteln bei der Reichsbank genötigt werden, so würde ihnen diese Summe an dem bisher voll beschäftigten Betriebskapital — es kann keine Rede davon sein, daß ihnen ledig-lich überschüssige Kapitalien entzogen werden — fehlen, sie müßten sie somit aus anderen Aktiven, z. B. dem Wechselportefeuille oder den Effekten usw., entnehmen.

Sie würden somit entweder ihren Geschäftskreis ver-mindern, also bisher gewährte Kredite zurückziehen oder neue ablehnen müssen, was zu einer Krisis, namentlich in der Industrie, führen könnte. Oder sie müßten versuchen, durch die Ausgabe neuer Aktien diese fehlenden Betriebsmittel zu ergänzen, was im Falle des Gelingens eine neuerliche Verstärkung der Kon-zentrationstendenzen und außerdem eine erneute Entnahme von Bar-mitteln aus dem Verkehr, nämlich der Valuta der Aktienemission, zur Folge hätte. Gelänge dies aber nicht, so bliebe es bei der Kalamität, also bei der Schädigung von Handel und Industrie, welche durch jene Vorschläge geschützt werden sollten. Es wird

---

1) S. Kommissionsbericht S. 26 . . . „daß es namentlich für Industrie-gesellschaften geradezu unwirtschaftlich sein würde, wenn man sie verpflichten wollte, Geld für den Reservefonds dem Geschäfte zu entziehen und selbständig anzulegen, während sie vielfach in der Lage seien, sich das notwendige Kapital gegen höheren Zins leihen zu müssen . . ."

2) Vgl. Deutscher Ökonomist vom 28. Dezember 1901, 19. Jahrg., Nr. 993.

aber eine Emission neuer Aktien vielfach nicht möglich sein, weil infolge der Hinterlegung von Barmitteln eine Schmälerung des Geschäftsumfangs und damit auch der Dividende entweder sofort eintreten oder im Publikum befürchtet werden und damit ein Kursrückgang der Aktien eintreten würde.

Wollten aber die Banken, ungeachtet der sich derart ergebenden Geschäftsschmälerung, eine angemessene Dividende herauswirtschaften, was ein Ziel des Geschäftsbetriebs jeder Aktiengesellschaft sein muß, so würden sie leicht zu gewagten Geschäften sich gedrängt sehen, insbesondere das Gründungs- und Emissionsgeschäft mehr als je zuvor forcieren müssen. Und so würde vielleicht ihre Liquidität, auf die sie möglicher-, ja wahrscheinlicherweise ohnehin nach Hinterlegung der Sicherheitsreserve weniger Bedacht nehmen werden, und ebenso die Qualität ihrer Anlagen bei einem run in Zukunft ungünstiger sein als zuvor. Würden aber nicht Barbeträge, sondern Effekten hinterlegt, so würde im Falle eines run, da alsdann vielleicht die meisten Banken diese hinterlegten Effekten verkaufen müßten, ein solcher Verkauf nicht oder nur mit großen Verlusten möglich sein. Hierdurch würde noch dazu, sofern mündelsichere Effekten hinterlegt sind, der Kurs gerade dieser Effekten in kritischen Zeiten übermäßig gedrückt werden.

Durch die Heiligenstadt'schen Vorschläge wird also produktives Kapital (Betriebskapital) der Volkswirtschaft in doppelter Weise entzogen, erstens durch die bei der Reichsbank festzulegenden Barreserven und zweitens durch die eventuellen Aktienemissionen.

Dabei nehme ich an, daß die 1—2% des Gesamtbetrages der Kreditoren, die sich ja bei einigen Vertretern dieser Vorschläge schon in 5% verwandelt haben und die überhaupt nach oben beliebig wandlungsfähig sind, bei der Reichsbank hinterlegt werden sollen, ohne daß jenen Kreditoren hieran etwa ein Pfandrecht — also eventuell ein Absonderungsrecht im Konkurse der Kreditbanken — zustehen soll. Ist dem so, dann kann und muß die Reichsbank, wie wir oben sahen, diese Barreserve im Falle eines run herausgeben, was aber vielleicht die Folge hätte, daß andere Gläubiger als gerade die Depositengläubiger, weil sie zuerst kommen, auch zuerst mahlen, daß also die Depositengläubiger leer ausgehen würden.

Ist dem aber nicht so, d. h. soll den sämtlichen Kreditoren ein Pfand- und eventuell Absonderungsrecht an jener Barreserve zustehen, dann würde die Reichsbank diese nach allgemeinen Regeln gerade im Falle eines run nicht ausliefern dürfen, so daß der Konkurs, den man durch die Barreserve vermeiden will, gerade dann unausbleiblich wäre.

Es erhellt aber auch aus diesen Erörterungen, daß jene Vorschläge in ihren praktischen Wirkungen zugleich auf das Gegenteil der Bestrebungen und Anstrengungen hinauslaufen, die neuerdings mit so viel rühmlichem Eifer aufgewandt werden, nämlich durch Vermehrung des Scheck- und Überweisungsverkehrs Barmittel für den Zahlungsverkehr entbehrlich und damit für den Kreditverkehr frei zu machen.

Weiter ist darauf hinzuweisen, daß durch eine Barhinterlegung selbst von 5% aller Kreditoren der deutschen Kreditbanken, d. h. von etwa 200—250 Mill. M, doch unmöglich „das Verhältnis des Betriebskapitals zum Anlagekapital" in der gesamten deutschen Volkswirtschaft in irgend erheblichem Umfange beeinflußt werden kann. Ferner hat, während in dem Vorschlage Heiligenstadts grade die Verstärkung der Betriebmittel der Reichsbank in die erste Linie gestellt wird, die Bankgesetzvovelle vom 1. Juli 1909 anerkannt, daß die eigenen Mittel der Reichsbank bisher für die Zwecke, denen sie zu dienen bestimmt sind, ausgereicht haben, und daß somit eine Notwendigkeit ihrer Erhöhung zurzeit nicht bestehe. Es ist deshalb nur eine nach und nach eintretende Erhöhung der Betriebsmittel durch eine allmähliche Verstärkung des Reservefonds vorgesehen worden. Endlich ist nicht zu vergessen, daß der Reichsbank tatsächlich Betriebsmittel, die voraussichtlich nicht unerheblich sein und stetig anwachsen werden, dadurch zufließen werden, daß ihr die Verwaltung derjenigen Summen vertragsmäßig zusteht, welche die Post auf dem Wege des Post-Überweisungs- und Scheckverkehrs ansammeln wird.

Sieht man aber gar, wie zuerst (von Heiligenstadt) die Hinterlegung von 1—2%, dann von Sachverständigen vor der Bank-Enquête-Kommission eine solche von 5% für angemessen erachtet worden ist, und daß inzwischen bereits einer dieser nämlichen Sachverständigen diese Quote auf 10% glaubte erhöhen zu sollen[1]), so erkennt man schon daraus das Bedenkliche und Gefährliche dieser ganzen Vorschläge. Denn warum bei den 10% stehen bleiben? Es wird sich schon jemand finden, sei es innerhalb oder außerhalb des Reichstages, der in heiligem Eifer und völlig unbestreitbarer Logik auch diese 10% für völlig ungenügend erklären wird, denn es ist klar, daß 50% auf der Reichsbank weit sicherer als 10% sind, wobei es dann freilich mit den Banken gehen wird, wie mit dem Esel, der beinahe ohne jede Nahrung ausgekommen wäre, nur daß er vorher verendete!

Meine Stellungnahme zu den erörterten Anträgen und zu den Reformvorschlägen auf dem Gebiete des Bankwesens überhaupt[2])

---

1) Georg Bernhard im „Plutus" vom 24. April 1909, S. 306.

2) In dem Annual Report of the Secretary of the Treasury relating to the Crisis of 1873 (im Auszug abgedruckt in No. 538 der Documents of the National

ist von dem Grundgedanken geleitet, daß ich allen denjenigen Anträgen entgegenstehe, die ohne erkennbaren Nutzen für die Allgemeinheit nur die Banken schädigen, welche ein wichtiger und notwendiger Faktor in unserer Gesamtwirtschaft sind, und ebenso denjenigen Anträgen, welche der Gesamtwirtschaft mehr Nachteile als Vorteile bringen, oder welche in ihren Zielen und Motiven unklar und in ihren Folgen unübersehbar sind, Dagegen würde ich mich Maßnahmen gegenüber, deren Durchführung den Banken gewisse Opfer auferlegt, wenigstens nicht von vornherein ablehnend verhalten, sofern sie auf der anderen Seite erheblichen Nutzen für die Allgemeinheit (und damit vielleicht auch wieder indirekte Vorteile für das Bankwesen) versprechen.

6. Veröffentlichung von Rohbilanzen nach einem gesetzlich festgelegten Bilanzschema·

Das letztere wird von den Publizitätsvorschlägen, insbesondere von demjenigen des Grafen Arnim-Muskau [1]), behauptet, der, wenn auch nicht nach dem Wortlaut, doch nach dem Sinn dieser seiner Vorschläge und nach der Natur des Bankgeschäfts in Deutschland, allen Banken und Kaufleuten, also auch den Bankiers, welche gewerbsmäßig Depositen in Beträgen annehmen, die im Jahresdurchschnitt die Hälfte (?) des verantwortlichen Kapitals überschreiten, die gesetzliche Verpflichtung auferlegen will, für den ersten jedes Kalendervierteljahrs Rohbilanzen. deren Schema vorgeschlagen wird und gleichfalls gesetzlich festgelegt werden soll, aufzustellen und spätestens am ersten des folgenden Monats in den zu amtlichen Publikationen bestimmten Blättern zu veröffentlichen.

Ich glaube nicht, daß derartige Rohbilanzen den Zweck erfüllen können, das Publikum und speziell die Depositengläubiger über die Lage der Bank, der sie ihre Depositen anvertraut haben oder anvertrauen wollen, in ausreichender Weise aufzuklären, möge

---

Monetary Commission des Senats der Vereinigten Staaten, S. 321 ff.) wird gegenüber den Nationalbanken ein gesetzliches Verbot der Zahlung von Zinsen auf Depositen verlangt. Solange Depositen zu vorübergehender Geldanlage benutzt würden, locke die Verzinsung große Beträge an solche Stellen, wo solche Zinsen bezahlt werden und wo die Spekulation am tätigsten ist, zu Zeiten, wo man sich in anderer Weise keinen solchen Nutzen verschaffen könne. Diese Depositen würden dann bei der ersten Rückkehr der Aktivität des legitimen Geschäfts zurückgezogen, was den Geschäftsgang der Banken störe, die übrigen Depositengläubiger unruhig und ängstlich mache und einen Zustand schaffe, dem die Banken dann leicht nicht mehr gewachsen seien (S. 327 ff.). Eventuell wird empfohlen (eod. S. 342 ff.), wenigstens einen ganz geringen Zinsfuß für alle Depositen festzusetzen, der nicht erhöht werden dürfe. Das letztere wäre aber nur eine lex imperfecta, da ja die so in ihrem Zinsgenuß beschränkten Depositengläubiger seitens der Banken durch anderweite Vergütungen und Fazilitäten schadlos gehalten werden können.

1) Abgedruckt u. a. bei Adolph Weber a. a. O. S. 259—260.

das Bilanzschema lauten wie es wolle. Denn entweder wird dieses
Schema außerordentlich spezifiziert sein, dann wird es in der
Regel ebenso wenig gelesen werden, wie lange Prospekte. Oder
das Schema ist, da ja naturgemäß, wovon auch der Arnim'sche
Vorschlag ausgeht, immer nur „Gesamtbeträge" bei den einzelnen
Bilanzposten angegeben werden können, nicht spezifiziert; dann
wird es zwar gelesen, erfüllt aber nur in den seltensten Fällen seinen
Aufklärungszweck, weil es gerade in den für die Sicherheit der
Banken wesentlichsten Punkten ganz im Stiche läßt.

So wird insbesondere, wenn in der Rohbilanz bei den Debitoren
zwischen gedeckten und ungedeckten unterschieden wird, gerade
das Entscheidende die Art der im einzelnen Falle gewährten Sicherheit sein, ob es sich z. B. um eine Hypothek auf einem bebauten
ländlichen oder städtischen Grundstück oder um eine Fabrikhypothek
oder um eine Terrainhypothek, und ob es sich um eine erste oder
zweite Hypothek handelt, oder ob Wertpapiere hinterlegt sind und
von welcher Qualität, oder ob Bürgen existieren, und in welchen
Vermögensverhältnissen diese stehen usw. Ebensowenig wird man
den Rohbilanzen die Zusammensetzung der einzelnen Konten,
so des Effekten- und Konsortialbestandes ansehen können, insbesondere nicht, ob die darin verzeichneten Effekten, Wechsel,
Reports, Lombards, Debitoren usw. gut oder schlecht sind usw.,
und doch kommt es auf die Qualität der Aktiva und viel weniger
auf ihre Quantität an. Auch können in sachlich durchaus gerecht-
fertigter Weise Akzepte an Stelle von Buchkrediten oder Buch-
kredite an Stelle von Akzepten, getreten sein u. a. m. Je mehr
man aber hier, was an sich mit Rücksicht auf die unbedingt zu
wahrende geschäftliche Diskretion unmöglich ist, in die Details gehen
wollte, um so mehr sorgt man dafür, daß die Veröffentlichung nicht
gelesen wird. Genau so ist es mit den Prospekten gegangen,
deren Einführung man jederzeit auch im Interesse der Aufklärung
des Publikums stürmisch verlangte. Sie werden, namentlich wenn
sie lang sind, niemals gelesen, es sei denn lange hinterher, wenn
etwa die emittierten Wertpapiere stark im Kurse zurückgegangen
sind, um eventuell einen Ersatzanspruch zu konstruieren.

Ferner lassen Gesamtsummen hinsichtlich des gewährten Kredits
gerade die gefährlichsten Fälle nicht erkennen, die so oft
Banken in England wie in Deutschland — ich erinnere an die Leipziger Bank — in den Konkurs getrieben haben[1]), den Fall z. B.,

---

[1]) Vgl. Felix Hecht, Die Katastrophe der Leipziger Bank (Störungen
im deutschen Wirtschaftsleben während der Jahre 1900 ff., herausgegeben vom Verein
für Sozialpolitik, Bd. VI, Geldmarkt, Kreditbanken S. 373 ff.): „Ende 1900 hatte
die Leipziger Bank einen Wechselbestand von 37 798 570,67 M ausweislich ihrer
Bilanz. Aber nicht ersichtlich ist aus dieser Bilanz, daß von diesen Wechseln

daß eine Bank einer und derselben Person, Firma, Gesellschaft oder Anstalt oder einer und derselben Branche
übermäßig hohe Kredite gewährt hat. Die den amerikanischen
Notenbanken auferlegte Verpflichtung, nie einen Einzelkredit über
eine gewisse Quote ($^1/_{10}$) ihres Aktienkapitals hinaus zu gewähren,
trägt einerseits der Lage und dem Status der einzelnen Banken
keine Rechnung, ist also zu schematisch, und läßt sich andererseits
wie die Erfahrung gelehrt hat, überaus leicht umgehen.

Die Erfahrung hat zudem bewiesen, daß die schmählichsten
Zusammenbrüche, wie sie z. B. in England namentlich in kritischen
Zeiten erfolgten, gerade bei Depositenbanken zu verzeichnen waren,
die ihren Status veröffentlicht hatten, noch dazu vielfach unmittelbar nach der Publikation, und ohne daß irgendein Dritter
den bevorstehenden Ruin nach solchen — formell völlig gesetzlichen
— Veröffentlichungen auch nur geahnt hätte.

Was die im Antrage Arnim geforderten Einzelheiten angeht,
so geht es zu weit, sie sämtlich hier zu besprechen. Nur gegen die
auch sonst oft wiederholte Forderung der Angabe aller Einzahlungsverpflichtungen auf Beteiligungen usw. möchte ich folgendes bemerken: Die Höhe dieser Einzahlungsverpflichtungen kann oft selbst
von der Konsortialleitung im voraus mit auch nur einiger Sicherheit nicht vorausgesehen und angegeben werden. So, wenn es sich
handelt um die Abwicklung langsichtiger Engagements aus der
Gründung oder der Übernahme von Fabriken oder Eisenbahnen
und sonstigen Anlagen; um die Sanierung notleidender oder fest-
gefahrener Unternehmungen; um internationale Geschäfte, bei denen
Sitz und Leitung des Geschäfts im Auslande liegt. Oder wenn
solche Geschäfte in Frage stehen, bei denen der eventuell — vielleicht à fonds perdu — hineinzusteckende Betrag oder die Fälligkeit
und Höhe etwaiger Nachschüsse oder, was ein besonders häufiger
Fall ist, die Höhe der so oft — selbst nach Beendigung des eigentlichen Konsortialgeschäfts — in großem Umfange erforderlichen
Rückkäufe (Aufnahmen) zur Zeit der Veröffentlichung der Rohbilanzen auch nicht entfernt zu übersehen ist u. dgl. m. Mit den
Konsortial-Einzahlungen geht es wie mit den Haushaltungs-Etats:
diejenigen Ausgaben stellen sich am häufigsten ein und stören am
sichersten die ganze Zukunftsberechnung, welche man bei Aufstellung dieser Rechnung nicht hat voraussehen können.

Rohbilanzen können aber endlich irreführend wirken auch
insofern, als vielfach erst im Laufe oder bei oder sogar nach dem
Ende des Geschäftsjahrs vor Fertigstellung der Jahresbilanz sich
herausstellt, welche Abschreibungen und Rücklagen erforderlich

rund 12 Mill M bei der Lotteriedarlehnskasse verpfändet gewesen
sind" (S. 384).

sind, deren Notwendigkeit und Höhe für die Beurteilung der Bank von wesentlicher Bedeutung sind, und weil ferner in einer Rohbilanz Kreditoren und Debitoren ohne Rücksicht darauf erscheinen, ob nicht, weil ein Kreditor zugleich Debitor ist und umgekehrt, Kompensationen in großem Umfange einzutreten haben[1]).

Wenn ich somit nicht glauben kann, daß in der Richtung der Aufklärung des Publikums über die wahre Lage der Bank sehr wesentliches durch die periodische Veröffentlichung von Rohbilanzen geleistet werden kann, so verkenne ich doch nicht, daß die öffentliche Kritik, welche sich an diese Veröffentlichungen anschließen wird, und welcher durch die Vergleichung gleichzeitig veröffentlichter Rohbilanzen verschiedener Banken eine viel breitere und zuverlässigere Grundlage gewährt wird, als sie eine einzelne Bilanz zu geben vermag, segensreich wirken kann.

Ich betrachte aber auch diese Veröffentlichungen als ein sehr gutes Selbsterziehungsmittel der Banken, deren gegenseitige Kritik an Hand der veröffentlichten Rohbilanzen allmählich zu übereinstimmenden oder sich nahekommenden Grundsätzen in bezug auf die Geschäftsführung, insbesondere aber in bezug auf die Art und den Umfang der Kreditgewährung, also nach und nach zu einer Einigung mindestens über einige Richtungen der Geschäftspolitik, führen wird. Diese Einigung aber kann sich dann zu einer festen und gesunden Tradition nach allen diesen Richtungen ausbilden, an der es bisher vielfach noch gefehlt hat.

Ich halte es ferner aus theoretischen und praktischen Gründen für sehr erfreulich und nützlich, wenn durch solche periodische Rohbilanzen auch die Art der Aufstellung solcher Bilanzen und damit nach und nach auch der Jahresbilanzen nach einheitlichen Grundsätzen erfolgt, womit zugleich die Vergleichung der Bankbilanzen aller Kreditbanken untereinander, die jetzt großen Schwierigkeiten unterliegt, ermöglicht wird.

Endlich ist nicht zu vergessen, daß jedes neue Hilfsmittel, welches uns gestattet, ohne von dem Flusse der Erscheinungen beirrt zu werden, die Gegenwart und die nächste Zukunft der jeweiligen Wirtschaftslage wie von einem Barometer abzulesen, naturgemäß die hier an sich so weit gezogene Irrtumsgrenze vermindern muß. Zu diesen Hilfsmitteln würden aber periodisch wiederkehrende Veröffentlichungen von Rohbilanzen der Kreditbanken[2]) ebenso ge-

---

1) Dr. Salomonsohn in den Verhandlungen des 3. Allg. Deutschen Bankiertags S. 116.

2) Über diese vgl. auch die treffende Bemerkung von Eugen Lopuszanski in der Abhandlung: Einige Streiflichter auf das österreichische Bankwesen (in der Volkswirtschaftl. Wochenschrift von Alex. Dorn, Wien, 31. Dezember 1908, Bd. LX, No. 1305, S. 433): „Ferner ist gerade das Bankwesen, obwohl es äußerlich nur ein

hören wie die des Statuts der Reichsbank oder die der Schwankungen des Reichsbank- und des Privatdiskonts und der Arbeitsnachfrage bei den deutschen Arbeitsnachweisen, sowie die Veröffentlichungen über den Wechselstempel, aus dem der jeweilige Wechselumlauf, und die über die Verkehrseinnahmen der Eisenbahnen, aus welchen die jeweilige Lage der Industrie am besten zu ersehen ist. Eines dieser Hilfsmittel ergänzt das andere.

Wenn ich jedoch, ungeachtet der unleugbaren und nicht unwesentlichen Vorteile, welche somit die periodische Veröffentlichung von Rohbilanzen mit sich bringt, gegen einen gesetzlichen Zwang zu derartigen Veröffentlichungen mich auf das entschiedenste aussprechen muß, so leiten mich dabei folgende, mir als zwingend erscheinende Erwägungen:

In erster Linie halte ich es für verkehrt und bedenklich, daß der Gesetzgeber durch eine solche Vorschrift, zu der man sich auch in England niemals hat entschließen wollen, in weiten Kreisen des Publikums, was die unbedingte Folge wäre, den Glauben erweckt, es werde durch diese Veröffentlichung eine volle Klarheit über den Status, also über die Sicherheit der Bank, erlangen, welcher es seine Depositen übergeben will oder übergeben hat. Dieser Glaube wäre, wie immer man das Schema wählen möge, ein irriger und derartige Irrtümer auch noch hervorzurufen, ist nicht Sache des Gesetzgebers und ist nicht seiner würdig. Vorgänge, wie die bei der Leipziger Bank und der Marienburger Privatbank, hätten sich bei der nämlichen Direktion aller Voraussicht nach ebenso abgespielt, auch wenn diese Banken Rohbilanzen veröffentlicht hätten, wie sie ja auch tatsächlich die schönsten Jahresbilanzen veröffentlicht haben, denen auch noch ein „Geschäftsbericht" zur Seite stand.

In zweiter Linie ist für meine ablehnende Haltung entscheidend die Erwägung, daß eine derartige gesetzliche Zwangsvorschrift gar nicht gedacht werden kann ohne ein gesetzliches Schema für die Bilanzaufstellung, für welches denn auch schon jetzt die zahlreichsten Vorschläge von berufener und nichtberufener Seite gemacht worden sind.

Ein gesetzliches, also für eine längere Reihe von Jahren unabänderliches Bilanzschema ist aber ein Unding, da sich der Geschäftskreis der Banken fortwährend ändert und demgemäß auch das Schema, wie sich bei den freiwilligen Bilanzveröffentlichungen schon

---

begrenztes Teilgebiet der Volkswirtschaft bildet, infolge seiner organischen Einrichtung und Bestimmung am besten geeignet, in seiner Gebarung und in seinem jeweiligen Zustande die Wechselwirkung der Kräfte und die Ergebnisse der Bewegung der heimischen Volkswirtschaft gleichsam wie in einem Querschnitt des volkswirtschaftlichen Organismus wiederzugeben".

nach einem Jahre gezeigt hat, beständigen, aus der Praxis zu gewinnenden Änderungen notwendigerweise unterliegen muß. Ein heute etwa von den Banken selbst aufgestelltes Schema wird notwendigerweise anders aussehen, als es vor 10 Jahren ausgesehen hätte und nach 10 Jahren aussehen muß.

Wenn auf irgendeinem Gebiete die völlige Unzulänglichkeit gesetzgeberischer Eingriffe von vornherein feststeht, so ist es auf diesem, da es sich hier nicht, wie bei Notenbanken, Versicherungsgesellschaften und Hypothekenbanken, um einen im wesentlichen schablonenhaft und schematisch sich abwickelnden Geschäftsbetrieb handelt, welcher letztere deshalb einer gesetzlichen Reglementierung eher noch zugänglich ist, die wir in Deutschland bei Mißständen immer noch infolge unserer jahrhundertelangen Gewöhnung als das ultimum refugium betrachten.

In dritter Linie haben die praktischen Erfahrungen gerade bei uns in Deutschland sattsam bewiesen, wie wenig bei uns der Beruf zur Gesetzgebung, namentlich in wirtschaftlichen Dingen, entwickelt ist. Fragen, wie Bilanzpublikationen oder Hinterlegung von Barmitteln zur Sicherung von Depositen scheinen dem Laien naturgemäß sehr einleuchtend, überaus notwendig und in der Ausführung einfach zu sein — les solutions simples séduisent toujours les esprits naïfs —, während sie doch in Wahrheit ungemein schwierig und kompliziert sind. Es ist deshalb zu befürchten, daß die von den verschiedensten Gesichtspunkten ausgehenden und die verschiedensten Zwecke verfolgenden Vertreter dieser Wünsche sie, wie wir das des öfteren erlebt haben, in einer Form durchsetzen würden, welche die schwersten Nachteile aller Art im Gefolge hat. Vor allem liegt die Gefahr überaus nahe, daß, was ja auch nach dem Wortlaut des Antrages des Grafen von Arnim beabsichtigt ist, nicht etwa nur die Sparkassen und Kreditgenossenschaften, sondern auch die Privatbankiers neben den Kreditbanken zu Bilanzpublikationen verpflichtet werden würden, was nach meiner Überzeugung völlig ausgeschlossen sein muß. Denn dem Privatbankier werden die Depositen anvertraut nicht so sehr mit Rücksicht auf die Größe seines Vermögens, als mit Rücksicht auf die angenommene Zuverlässigkeit seiner Person. Ein Zwang zur Offenlegung seiner Vermögensverhältnisse würde den Privatbankier auch gegenüber der Konkurrenz innerhalb des Privatbankierstandes schädigen und lahmlegen, und die Gesetzgebung sollte sich unter allen Umständen davor hüten, abermals, wie sie es im Börsengesetz getan hat, durch verkehrte Maßregeln die Schädigung oder Unterdrückung des mittleren und kleinen Bankierstandes auch noch zu fördern oder zu beschleunigen.

Ich habe es aus allen diesen Gründen sehr begrüßt, daß sich die Berliner Großbanken entschlossen haben, von 1909 ab an je per

Ende Februar, April, Juni, August und Oktober (im Dezember tritt die Jahresbilanz an die Stelle) freiwillig Rohbilanzen nach einem von ihnen festgestellten Schema, welches im wesentlichen dem Bilanzschema der Deutschen Bank entsprach, zu veröffentlichen, ein Beispiel, welches inzwischen bei den Aktienbanken vielfache Nachfolge gefunden hat. Einen gewissen Zwang dazu enthalten die neuen Bestimmungen über die Zulassung von Wertpapieren zum Börsenhandel (Verordnung des Bundesrats vom 4. Juli 1910), wo im § 4 Nr. 5 die Zulassung der Aktien inländischer Kreditbanken von der Übernahme der Verpflichtung abhängig gemacht ist, Bilanzübersichten nach dem von gewissen Mitgliedern der Berliner Abrechnungsstelle mit Zustimmung des Reichsbankpräsidenten eingeführten Muster in regelmäßiger Zeitabschnitten zu veröffentlichen.

Anstelle des oben erwähnten Schemas ist durch eine zu Anfang 1911 abgeschlossene Vereinbarung (vgl. Frankf. Zeitung vom 28. Februar 1911, Nr. 59) ein vollständigeres getreten, das am 5. Aug. 1911 durch den Reichsanzeiger im Reichsanzeiger publiziert wurde und vom Februar 1912 ab maßgebend sein soll. Wir wollen beide Formulare einander gegenüberstellen:

(Siehe S. 482 und 483)

Auch das neueste Schema wird nicht allen Ansprüchen genügen. Aber ein Schema, welches nicht von irgendwelchen Kritikern als ungenügend bezeichnet werden würde, ist nicht gut denkbar, möge es nun von den Banken oder ... von anderen Kritikern aufgestellt sein.

7. Bestrafung der „Banken und Bankiers, die zur Anlage von Depositen oder Spargeldern durch öffentliche oder schriftliche Aufforderung oder durch Agenten anreizen".

Gelegentlich der Verabschiedung der Bankgesetznovelle von 1909 hat der Reichstag den Reichskanzler um Vorlegung eines Gesetzentwurfs zur Bekämpfung der Gefahren ersucht, die dem Publikum durch Banken und Bankiers erwachsen, die zur Anlage von Depositen oder Spargeldern durch öffentliche oder schriftliche Aufforderungen oder durch Agenten anreizen.

Der Antrag soll sich nach den Kommissionsverhandlungen gegen Winkel- oder Animierbankiers oder solche Gewerbetreibende richten, die keinen Anspruch auf die Bezeichnung „Bankier" haben, aber dem Publikum, unter dem Versprechen besonders hoher Zinsen oder sonstiger Vorteile, seine Ersparnisse ablocken, ohne in der Lage zu sein, vielfach ohne auch nur zu beabsichtigen, die Einlagen zurückzuerstatten[1]).

---

1) Vgl. den Aufsatz: „Spargelder" in der „Neuen Politischen Correspondenz" vom 21. Mai 1909.

Aktiva.

Neues Schema.

1. Nicht eingezahltes Aktienkapital[1]).
2. Kasse, fremde Geldsorten u. Kupons.
3. Guthaben bei Noten u. Abrechnungs-(Clearing-)Banken[2]).
4. Wechsel und unverzinsliche Schatzanweisungen
   a) Wechsel (mit Ausschluß von b, c und d) und unverzinsliche Schatzanweisungen des Reichs und der Bundesstaaten
   b) eigene Akzepte[3])
   c) eigene Ziehungen[3])
   d) Solawechsel der Kunden an die Order der Bank[3])
5. Nostroguthaben bei Banken und Bankfirmen[4])
6. Reports und Lombards gegen börsengängige Wertpapiere[5])
7. Vorschüsse auf Waren und Warenverschiffungen
   davon am Bilanztage gedeckt:
   a) durch Waren, Fracht- oder Lagerscheine (vor der Linie)[6])
   b) durch andere Sicherheiten (vor der Linie).
8. Eigene Wertpapiere[7])
   a) Anleihen und verzinsliche Schatzanweisungen des Reichs und der Bundesstaaten
   b) sonstige bei der Reichsbank und anderen Zentralnotenbanken[8]) beleihbare Wertpapiere
   c) sonstige börsengängige Wertpapiere
   d) sonstige Wertpapiere
9. Konsortialbeteiligungen
10. Dauernde Beteiligungen bei anderen Banken und Bankfirmen[9])
11. Debitoren in laufender Rechnung
    a) gedeckte[10])
    b) ungedeckte[10])
    Außerdem:
    Aval- und Bürgschaftsdebitoren[11])
    (vor der Linie)
12. Bankgebäude
13. Sonstige Immobilien
14. Sonstige Aktiva

Altes Schema.

1—3. Kasse, fremde Geldsorten und Kupons.

4. Wechsel und kurzfristige Schatzanweisungen des Reichs und der Bundesstaaten.

5. Guthaben bei Banken und Bankiers.
6. Reports und Lombards.
7. Vorschüsse auf Waren und Warenverschiffungen.

8. Eigene Wertpapiere.

9. Konsortialbeteiligungen.
10. Dauernde Beteiligungen bei anderen Bankinstituten und Bankfirmen.
11. Debitoren in laufender Rechnung (Avaldebitoren vor der Linie).

12. Bankgebäude.
13. Sonstige Immobilien.
14. Sonstige Aktiva.

Summe der Aktiva

(Die hierzu offiziös gemachten Anmerkungen befinden sich auf S. 484 u. 485).

Passiva.

Neues Schema.	**Altes Schema.**

1. Aktienkapital
2. Reserven
3. Kreditoren
   a) Nostroverpflichtungen[12])
   b) seitens der Kundschaft bei Dritten
   benutzte Kredite
   c) Guthaben deutscher Banken und
   Bankfirmen
   d) Einlagen[13]) auf provisionsfreier
   Rechnung
   1. innerhalb 7 Tagen fällig[14])
   2. darüber hinaus bis zu 3 Monaten
   fällig[14])
   3. Nach 3 Monaten fällig[14])
   e) sonstige Kreditoren
   1. innerhalb 7 Tagen fällig[14])
   2. darüber hinaus bis zu 3 Monaten
   fällig[15])
   3. nach 3 Monaten fällig[16])
4. Akzepte und Scheks
   a) Akzepte
   b) noch nicht eingelöste Schecks

   Außerdem:
   Aval- und Bürgschaftsverpflich-
   tungen[11]) (vor der Linie)
   Eigene Ziehungen (vor der Linie),
   davon für Rechnung Dritter
   (vor der Linie[4])
   Weiterbegebene Solawechsel der Kunden an die Order der Bank (vor
   der Linie[4])
5. Sonstige Passiva

1. Aktienkapital.
2. Reserven.
3. Kreditoren in laufender Rechnung,

   Depositengelder.

4. Akzepte und Schecks (Avalverpflich-
   tungen vor der Linie).

5. Sonstige Passiva.

Summe der Passiva

(Die hierzu offiziös gemachten Anmerkungen befinden sich auf S. 484 u. 485).

Eine Gefahr für das Publikum besteht in der Tat nur in diesen Fällen, von denen aber einige wohl von vornherein ausscheiden; denn die schriftliche Aufforderung bestimmter Personen zur Hingabe

1) Es soll ersichtlich gemacht werden, welchen Betrag des Aktienkapitals die Bank noch einfordern kann.

2) Die Trennung dieser Guthaben (also spez der Guthaben bei der Reichsbank und den Privatnotenbanken) von der Kasse erfolgt, um klarzustellen, wieviel eigene Barbestände die Banken zur Deckung ihrer Verpflichtungen halten. Clearing-Banken sind z. B Bank des Berliner KassenVereins, Frankfurter Bank usw. Auch die Guthaben auf Postscheck-Konto gehören hierher. Guthaben bei derartigen ausländischen Banken nur insoweit, als sie von ausländischen Filialen deutscher Banken bei Zentralnoten und Clearing-Banken am Ort ihrer Niederlassung gehalten werden.

3) Aus dem Wechselbestande werden also nunmehr ausgeschieden und besonders nachgewiesen die von der Bank selbst akzeptierten und die von ihr ausgestellten sowie die noch in ihrem Portefeuille befindlichen, von ihren Kunden an die Order der Bank ausgestellten Sola- Wechsel, da Wechsel, die vielleicht nur im Interesse der Liquidität der Bilanz, also um die betr. Beträge aus den Debitoren verschwinden zu lassen, ausgestellt werden, den sonstigen seitens der Bank diskontierten Wechseln nicht gleichstehen. Ebenso sind, da derartige Wechsel auch seitens der Bank weiterbegeben sind, auch unter den Passiven — und zwar, da es sich nur um Eventual-Verpflichtungen handelt, vor der Linie — neben den von der Bank akzeptierten Wechseln auch alle von ihr gezogenen Wechsel und die von den Kunden an die Order der Bank ausgestellten und von der Bank weitergegebenen Sola-Wechsel ersichtlich zu machen.

4) Von den „Guthaben bei Banken und Bankfirmen" sind also jetzt, abgesehen von den Guthaben bei Noten- und Clearingbanken, durch die Bezeichnung Nostro-Guthaben die von den Banken bei anderen Kreditinstituten unterhaltenen Guthaben zu trennen, so daß die auf Darlehen beruhenden, also weniger liquiden anderweitigen Forderungen unter Debitoren zu verbuchen sind.

5) Der Zusatz: „Gegen börsengängige Wertpapiere" soll klarstellen, daß hier nur solche Reports und Lombards in Betracht kommen, bei denen es sich um die Beleihung von Wertpapieren handelt, die an inländischen oder ausländischen Börsen zum Börsenhandel zugelassen sind.

6) Durch diesen vor der Linie zu machenden Zusatz soll klargestellt werden, wieviele von den Vorschüssen auf Waren und Warenverschiffungen am Bilanztage tatsächlich durch Waren oder Dokumente gedeckt sind. Die Aushändigung „zu getreuen Händen" soll nicht als Deckung gelten und von ungedeckten Vorschüssen können hier nur solche in Betracht kommen, bei denen bestimmte Mengen der Waren innerhalb kurzer Zeit in den Pfandbesitz der Bank übergehen.

7) Es handelt sich hier um weitere Spezifikationen, die, namentlich, soweit es sich um Staatsanleihen und Schatzanweisungen des Reichs und der Bundesstaaten handelt, vielfach verlangt wurden.

8) Der Zusatz: „und anderen Zentralnotenbanken" ist gleichfalls mit Rücksicht auf die auswärtigen Filialen deutscher Banken gemacht worden. Solche bei ausländischen Zentralnotenbanken beleihbare Wertpapiere sollen aber nur insoweit aufgenommen werden, als sie sich im Besitz von Filialen deutscher Banken am Sitz der betreffenden Zentralnotenbank befinden.

9) Also namentlich in Form des dauernden Besitzes von Aktien, welche somit nicht mehr unter die eigenen Wertpapiere eingereiht werden dürfen.

von Depositen durch Gewerbetreibende, welche zur Rückgabe schon zur Zeit der Aufforderung nicht gewillt oder zu dieser Zeit und voraussichtlich auch später nicht in der Lage sind, dürfte als Betrugsversuch anzusehen sein. Gegen Personen aber, welche nach der Art ihres Gewerbebetriebes nicht befugt sind, sich „Bankier" zu nennen, einzuschreiten, ist der zum Schutze der Interessen des Bank- und Bankiergewerbes begründete Centralverband des Deutschen Bank- und Bankiergewerbes zu Berlin nach dem Gesetz betreffend den unlauteren Wettbewerb dahin einzuschreiten berechtigt, daß sie von der unbefugten Bezeichnung keinen öffentlichen Gebrauch machen dürfen. Er hat dies auch, wie ich mitteilen kann, in einer Reihe von Fällen getan [1]). Gegen solche Nicht-Bankiers oder gegen Sparkassen, die, wie wir sahen, häufig sehr illiquide sind, in einem Gesetzentwurf vorzugehen, fordert aber der Wortlaut der überaus schlecht gefaßten Reichstagsresolution den Reichskanzler gar nicht auf, da ein Vorgehen nur gegen Banken und Bankiers verlangt wird. Überdies werden auch hier wieder die völlig verschiedenen Ausdrücke: Depositen und Spargelder zusammengeworfen und endlich wird ein Vorgehen auch dann für wünschenswert erklärt, wenn auch nur schriftlich, also nicht öffentlich, zur Anlage von (?) Depositen oder Spargeldern (gemeint ist wohl: Anlage von Geldern in der Form von Depositen oder Spargeldern) aufgefordert wird.

10) Auch diese Trennung entspricht einem oft geäußerten Wunsche; der weitergehende Wunsch, auch die Art der Unterlagen anzugeben, erschien praktisch nicht durchführbar.

11) Die Trennung der aus Bürgschaftsübernahme eventuell entstehenden Verpflichtungen von den Eventualverpflichtungen aus Avals ist wünschenswert und auch auf der Passivseite durchgeführt.

12) Weitere Spezifikationen: Die besondere Angabe der Nostro-Verpflichtungen soll klarstellen, wieviel Kredit die Banken sich selbst bei der Reichsbank, der Seehandlung und anderen in- oder ausländischen Banken verschafft haben, während hiervon unter b) die Kredite getrennt sind, welche die Banken ihrer Kundschaft bei anderen Kreditinstituten zur Verfügung gestellt haben und unter c) wieweit von inländischen Banken Guthaben bei anderen Banken gehalten werden.

13) Das Wort: Depositen ist durch Einlagen ersetzt, bei denen es sich meist, wenn auch nicht immer um provisionsfreie Konten handeln wird und es ist vereinbart, daß im wesentlichen hier nur solche Gelder zu buchen sind, die seitens der Gläubiger freiwillig der Bank zur Verzinsung auf solche Konten überlassen werden, die in der Regel im Kredit bleiben. Dagegen sollen die börsenmäßig genommenen Ultimo- und Termingelder sowie solche Gelder, für die seitens der Bank Sicherheiten gestellt sind, nicht als Einlagen, sondern, sofern sie nicht unter 3a oder 3c fallen, unter den Kreditoren verbucht werden.

14) Die Trennung sowohl der Einlagen wie der Kreditoren nach den Kündigungsfristen ist für die Beurteilung der Liquidität der Bankbilanzen besonders wichtig.

1) Einen solchen Fall nennt die „Neue Politische Correspondenz" vom 21. Mai 1909.

Eine solche schriftliche Aufforderung, die doch wohl auch e i n e Form der „Anreizung" ist, kann aber unter Umständen sehr wohl Pflicht der Bank oder des Bankiers sein, wenn der Kunde, dessen Geschäfte jene besorgen, etwa aus Nachlässigkeit oder Unkenntnis Gelder unverzinslich liegen läßt.

Da nun überdies das in der Resolution gebrauchte Wort: Anreizen ein ungemein elastisches ist, was schon in anderen Fällen in Theorie und Praxis zu den verschiedensten Auslegungen geführt hat, so glaube ich nicht, daß auf dem in der Reichstagsresolution vorgeschlagenen Wege sich ein irgend brauchbares Ergebnis gewinnen läßt.

Strafbestimmungen aber einzuführen, die entweder weit über das gewünschte und wirtschaftlich richtige Ziel hinausgehen, oder in der Praxis überhaupt keine Anwendung finden, ist fast gleich bedenklich.

8. Das Aufsichtsamt.

Auch das von verschiedenen Seiten in neuerer Zeit, insbesondere von Obst, gewünschte staatliche Aufsichtsamt ist zu verwerfen. Ein solches hat noch nie und nirgends vor etwaigen betrügerischen Manipulationen schützen können, ist aber in hohem Grade geeignet, das Publikum in eine Sicherheit zu wiegen, die es seiner Natur nach nicht bieten kann. Denn selbst bei größter Sachkunde würde eine solche Behörde nicht in der Lage sein, über die Bonität der Aktiva der Bank eine zureichende Feststellung zu treffen, wobei ganz davon abgesehen werden kann, daß es keiner Bank zuzumuten ist, ihren vom Aufsichtsamt als Sachverständige zugezogenen Konkurrenten Einblick in ihre geschäftlichen Verhältnisse zu gewähren [1]).

Die Erfahrungen, die zu allen Zeiten und in allen Ländern mit der (naturgemäßen) Unzulänglichkeit staatlicher Aufsicht gemacht wurden (vgl. oben S. 45 Anm. 3, S. 49 und unten S. 488) sollten von der Wiederholung solcher Versuche abschrecken.

Damit ist die Erörterung der bisher aufgestellten Reformvorschläge beendet, die fast alle, der bei uns vorherrschenden Richtung und der Zeitströmung entsprechend, auf irgendein staatliches oder gesetzgeberisches Eingreifen gerichtet sind, welches man

---

1) Vgl. Älteste der Berliner Kaufmannschaft, Berl. Börsen-Ztg., No. 264 vom 9. Juni 1909; Alfred Loewenberg im „Tag", No. 198 vom 25. August 1909 und namentlich Koch in der Zeitschrift f. Handelswissenschaft u. Handelspraxis, Bd. II, S. 38 f., der mit Recht noch darauf hinweist, daß der Vorschlag zur Vermehrung des Beamtenapparats eigentümlich anmute in einer Zeit, in der alle Welt dessen Verminderung betreibt.

gerade in dem sonst in dieser Materie für vorbildlich erklärten Lande, in England, den Depositenbanken gegenüber stets mit aller Entschiedenheit verworfen hat. Obwohl ich in keiner Weise der sanft entschlafenen Manchestertheorie huldige, bekenne ich mich doch in diesen wichtigen, weitverzweigten und schwierigen Fragen zu der Meinung, die einer der hervorragendsten Kenner gerade unserer Materie vor etwa 50 Jahren kundgegeben hat und die leider nichts an ihrer Aktualität, aber auch nichts an ihrer Richtigkeit eingebüßt hat:

„Das unglückliche Bevormundungssystem hat sich noch niemals erprobt. Es führt nur immer weiter, und wenn man einmal dasselbe adoptiert hat, so gibt es bald nichts mehr, wo hinein der Staat sich im Interesse seiner Angehörigen nicht einmischen zu müssen glaubt und wofür die letzteren nicht hoffend und Hilfe verlangend auf den Staat blicken, während sie ihre Tätigkeit auf das Klagen beschränken."

Der diese Worte im Jahre 1857 niederschrieb, war kein Geringerer als Adolph Wagner[1]). Ich gestehe offen, daß ich auf dem Gebiete, welches uns hier beschäftigt, in diesem seinem in jungen Jahren niedergeschriebenen Bekenntnis eine größere Überzeugungskraft finde, als in seinen späteren, bedauerlicherweise völlig hiervon abweichenden Ansichten und Vorschlägen.

Gegen eine verbrecherische Behandlung der Depositen helfen keine staatlichen Maßregeln, insbesondere keine gesetzlichen Vorschriften und kein Aufsichtsamt, welches Wagner bereits vor Jahren, unter dem unmittelbaren Eindruck der Krisis von 1901, also in einem für objektive und ausgereifte Vorschläge am wenigsten geeigneten Zeitpunkte, vorgeschlagen hatte[2]), obwohl das deutsche Bankwesen ein solches offensichtliches Mißtrauensvotum (denn es ist ein Mißtrauensvotum, man möge sich drehen und wenden, wie man wolle) meines Erachtens in keiner Weise verdient hat. Worauf es vor allem auf diesem Gebiete ankommt, ist die Ehrlichkeit, Zuverlässigkeit und Tüchtigkeit der Bankverwaltung. In Amerika hat[3]) der amtliche Bericht des Präsidenten des Bundeskontrollamts (des Comptrollers of the Currency), welcher letztere auch Revisionen durch besondere Revisoren (Examiners) bei den

---

1) In dem Buche „Beiträge zur Lehre von den Banken", Leipzig 1857, S. 159.
2) Ad. Wagner, „Bankbrüche und Bankkontrollen" in der deutschen Monatsschrift für das gesamte Leben der Gegenwart (ed. Lohmeyer), 1. Jahrg., Heft 1 (Oktober 1901), S. 74—85, und Heft 2 (November 1901), S. 248—258, insbesondere S. 255. Vgl. hiergegen insbesondere den Deutschen Ökonomist vom 19. Oktober 1901 und 1. November 1902 und R. Rosendorff, „Bankbrüche und Bankkontrollen" in Hirths Annalen des Deutschen Reichs 1902, No. 3 S. 182—197.
3) Paul Marcuse a. a. O., S. 136.

National Banks anordnen kann, vom Jahre 1895 (S. 57 ff,), offen erklärt, daß in der Regel erst die Revisionen nach erfolgtem
Konkurs die Schäden, Fehler und Verbrechen aufgedeckt haben,
und daß keine Überwachung Außenstehender imstande sei,
einen Ersatz für Ehrlichkeit und Tüchtigkeit der Bankleitung zu schaffen[1]).

---

1) Daß nach einem Bericht des Comptrollers of the Currency vom 23. Sept.
1908 mehr als die Hälfte der Präsidenten aller Nationalbanken sich mit der Kontrolle
wie sie bisher von den „National Bank Examiners" ausgeübt war, einverstanden
erklärt haben soll, wie Obst hervorhebt, kann eine ganz andere Bedeutung haben,
als die einer Anerkennung, daß sich die Einrichtung bewährt habe.

Die vom Comptroller of the Currency eingesetzten Examiners kontrollieren
jährlich mindestens einmal, oft auch zweimal im Jahr jede Nationalbank; diese
Examiners werden genau in Kenntnis gesetzt von den Gründen, welche zur Zahlungseinstellung oder zum Konkurs von Nationalbanken geführt haben. Sie beschränken
sich nicht auf eine Prüfung der Kasse, Wechsel, Bücher und Fakturen, sondern sie
haben den ganzen Geschäftsgang zu beobachten, müssen sich über den Ruf und die
Fähigkeit der Geschäftsleiter und die Art der Geschäftsführung, auch die Häufigkeit
der Konferenzen der Direktoren, erkundigen. Sie müssen auch, wenn möglich, den
Charakter der Kredite und Diskontierungen der Bank und die Ursachen etwaiger
Verluste sowie etwaige Darlehen oder Kredite feststellen, welche die Bank an Angestellte gewährt hat. Sie haben sich über den Stand der gesetzlichen Barreserve,
über die Kredite, welche die Bank selbst entnimmt, und über die genaue Beobachtung der gesetzlichen Vorschriften zu vergewissern.

Abschnitt IV.

Die Konzentrationsbewegung im deutschen Bankwesen während der zweiten Periode (1870 bis zur Gegenwart).

Erstes Kapitel.

Ursachen der Konzentrationsbewegung.

§ 1. Allgemeine Ursachen[1]).

Wir haben bisher die Frage noch nicht beantwortet: mit welchen Mitteln und auf welchen Wegen die deutschen Banken, welche, wie wir sahen, in diese Epoche mit überaus geringfügigen Kapitalien eintraten, es verstanden haben, die Aufgaben zu lösen, welche ihnen die gewaltige wirtschaftliche Entwicklung dieser Epoche in immer steigendem Umfange gestellt hat.

Die Antwort lautet zunächst und ganz im allgemeinen dahin: Die nämlichen Faktoren, welche wir oben (S. 77) bereits als die wesentlichsten in der wirtschaftlichen Gesamtentwicklung dieser Epoche festgestellt haben, finden wir auch in der Bankenentwicklung wieder: Expansion und Konzentration der Kapitalien, Kräfte und Unternehmungen. Diese zwei Faktoren, die sich bei oberflächlicher Betrachtung auszuschließen scheinen, stehen in Wahrheit, und zwar ein jeder zum andern, im Verhältnis von Ursache und Wirkung.

---

1) Vgl. namentlich Hermann Schumacher, Die Ursachen und Wirkungen der Konzentration im deutschen Bankwesen (27. Januar 1906) in Schmollers Jahrb., Bd. XXX, Heft 3, S. 884 ff.; Paul Wallich, Konzentration im deutschen Bankwesen (Stuttgart und Berlin, Cotta 1905); Julius Steinberg, Die Konzentration im Bankgewerbe (Berlin, Franz Siemenroth 1906); Adolf Weber, Die Konzentration im deutschen Bankwesen (in den Krit. Blättern f. d. ges. Sozialwissenschaften, II. Jahrg Heft 7, S. 299—303); Edgard Depitre, Le mouvement de concentration dans les Banques Allemandes (Paris, Arthur Rousseau, 1905); Otto Warschauer, Die Konzentration im deutschen Bankwesen (Conrads Jahrb., 3. Folge, Bd. XXXII, S. 145—162; André Sayous, La concentration du trafic de banque en Allemagne (Journ. des Economistes vom 15. Januar 1899.)

Die Konzentration, ein Kind der kapitalistischen Wirtschaftsordnung, ist aber weder allein der modernen, noch auch lediglich
der deutschen Entwicklung eigentümlich; sie ist so alt wie die
kapitalistische Wirtschaftsordnung selbst, sie ist ebenso international
wie diese, und stellt sich im staatlichen wie im privaten Wirtschaftsbetriebe mit fast allen ihren Begleiterscheinungen ein.

Ebenso alt: hierfür nur ein einziges Beispiel aus der Fülle
der Erscheinungen. Schon „während des letzten Viertels des 15. und
des ersten Viertels des 16. Jahrhunderts vollzieht sich ein Konzentrationsprozeß der im Bergbau investierten Kapitalien, wie er
in unserer Zeit sich kaum rapider abspielt"[1], wie denn auch einzelne
Formen der Konzentration, so die kombinierten Betriebe in der
Industrie, bis in die Anfänge des Großbetriebs überhaupt zurückverfolgt werden können.

Ebenso international, denn sie zeigt sich u. a. in England
und Amerika, in Frankreich und Belgien in ähnlicher, sogar meist
in erheblich stärkerer Weise, wie bei uns[2]), und zwar sowohl in der
Industrie als im Bankwesen.

Ebenso im staatlichen wie im privaten Wirtschaftsbetriebe,
was schon deshalb selbstverständlich ist, weil sich auf beiden Gebieten, wenn auch nicht durchweg im nämlichen Umfange, dieselben
Ursachen geltend machen, vor allem aber das Bedürfnis nach zentraler
Leitung der Gesamtbetriebe von einer Stelle aus. So wurde der
Betrieb der Post, nach Beseitigung aller ursprünglichen Unternehmungen, Betriebe und Regale, in Deutschland im wesentlichen in
einer Hand vereinigt. So wurde der Eisenbahnbetrieb zunächst aus der Führung zahlloser Privatgesellschaften in den
einzelstaatlichen Betrieb übergeleitet, um dann vielleicht, nach
Zwischenstufen (wie die preußisch-hessische Eisenbahnbetriebsgemeinschaft, die 1904 geplant gewesene Betriebsmittelgemeinschaft der deutschen Staatsbahnverwaltungen, die freilich
zunächst nur in eine Güterwagengemeinschaft[3]) auslief), zu
weiteren Vereinheitlichungsformen zu gelangen, mögen auch derzeit noch dem Reichsbetrieb oder der Reichseisenbahngemeinschaft erhebliche Schwierigkeiten und Widerstände entgegenstehen.

---

1) W. Sombart, Der moderne Kapitalismus, Bd. I, S. 407.

2) Für den Konzentrationsprozeß im Bankwesen des Auslandes vgl. u. a. auch
die sehr sachverständigen Darlegungen in der „Vossischen Zeitung" vom 26., 27.,
28. und 31. Januar 1905 (betr. Österreich-Ungarn, Großbritannien, Frankreich,
Belgien und die Vereinigten Staaten von Amerika). Sie sind im folgenden an den betreffenden Stellen mit berücksichtigt.

3) Deutscher Staatsbahnwagenverband vom 1. April 1909.

Eine ähnliche Erscheinung spiegelt sich wieder in der Aufsaugung der Kapitalien, Unternehmungen und Arbeitskräfte durch die Städte, namentlich die Großstädte; in der starken Vermehrung der Einwohnerzahl der Städte, namentlich der Industriestädte; in dem Kampf des Großhandels der Warenhäuser und der Großindustrie gegen den Kleinhandel, den industriellen Kleinbetrieb, die Hausindustrie und das Handwerk; in dem Übergewicht der „gemischten" gegenüber den „reinen" Stahl- und Walzwerken; der des Großgrundbesitzes gegenüber dem kleinbäuerlichen Besitz; der Großmüller gegenüber den kleinen Müllereibetrieben u. a. m.[1]).

Lediglich die Intensität und die Schnelligkeit der Konzentrationstendenzen nimmt in dieser Epoche zu, und zwar namentlich infolge gewisser, die Grundlagen und den Umfang von Produktion und Absatz völlig verändernder Faktoren: der Verbesserung, Erweiterung und größeren Zuverlässigkeit der Verkehrsmittel, sowie der großen Erfindungen und Entdeckungen, welche ganze Industrien teils völlig umgewälzt und vor neue Aufgaben gestellt, teils neu geschaffen haben.

Besonders rapid mußte sich aber die Expansions- und Konzentrationsbewegung dieser Epoche namentlich in der deutschen Industrie wegen der geradezu stürmischen und sprunghaften Entwicklung gestalten, die sie, wie wir sahen, in dieser Zeit aufzuweisen hat, und damit auch im deutschen Bankwesen, welches durch die tausend Beziehungen des sich im Kontokorrent-, Akzept-, Diskontierungs-, Lombard- und Reportgeschäft abwickelnden Kreditverkehrs und durch das Emissions-, Umwandlungs-, Gründungs- und Konsortialgeschäft mit dem Wohl und Wehe der deutschen Industrie verknüpft ist[2]); hier aber wieder in erster Linie bei den deutschen Banken schon deshalb, weil diese fast ohne Ausnahme in der Rüstung der Aktiengesellschaft (oder der verschwisterten Kommanditgesellschaft auf Aktien) auftraten.

Denn die Aktiengesellschaft ist die schärfste und sicherste und deshalb bevorzugteste Waffe, welche die kapitalistische Wirtschaftsordnung zur Durchfechtung ihrer Konzentrationstendenzen zur Ver-

---

1) S. hierzu in erster Linie verschiedene Abschnitte (Vorträge) in dem klassischen Werke von Karl Bücher, Die Entstehung der Volkswirtschaft (Tübingen, Verlag der Lauppschen Buchhandlung, 1901), namentlich die Abschnitte IV: Die gewerblichen Betriebssysteme in ihrer geschichtlichen Entwicklung, S. 175 ff.; V: Der Niedergang des Handwerks, S. 215 f.; VII: Arbeitsvereinigung und Arbeitsgemeinschaft, S. 283 f. und IX: Arbeitsgliederung und soziale Klassenbildung, S. 367 ff

2) Der Abschnitt III, 2. Kapitel, §§ 1 u. 2 (oben S. 162—334) enthält hierüber jetzt reiches Material, auf das hier verwiesen werden muß, um Wiederholungen zu vermeiden; vgl. im übrigen das wertvolle Buch von Otto Jeidels, „Das Verhältnis der deutschen Großbanken zur Industrie, mit besonderer Berücksichtigung der Eisenindustrie" (Leipzig, Duncker & Humblot, 1905).

fügung hat. Stellt doch schon die Aktiengesellschaft selbst eine vollendete Konzentration dar: eine Zusammenfassung kleiner und zersplitterter, an sich von produktiver Verwertung mehr oder weniger ausgeschlossener Vermögensteile in einer Gesamtkapitalmasse, welche als solche unter einheitlicher Leitung wirtschaftliche, also produktive Zwecke zu verfolgen bestimmt und geeignet ist. Die Aktiengesellschaft übt aber auch auf Grund der leichten Veräußerlichkeit und Vererblichkeit der Anteile, ferner infolge der durch die fast völlige Loslösung von der Person des Unternehmers in viel höherem Grade als bei den anderen Unternehmungsformen gewährten Wahrscheinlichkeit längerer Lebensdauer, endlich mit Rücksicht auf die (theoretische) Unbegrenztheit der auf das zusammengefaßte Kapital zu erwartenden Dividende, eine ungemein starke Anziehungskraft auf verfügbare Kapitalien aus. Sie besitzt also in höherem Grade als jede andere Unternehmungsform die Möglichkeit, ihre Kredit- und Erweiterungsbedürfnisse durch Kapitalerhöhungen zu befriedigen. Die Leichtigkeit der Kapitalbeschaffung aber ruft naturgemäß wieder die Tendenz zur Kapitalvergrößerung hervor, und zwar deshalb in immer steigendem Verhältnis, weil es sowohl auf dem Gebiete der Industrie wie des Handels und des Bankwesens ein wirtschaftliches Gesetz zu sein scheint, daß ein doppeltes Kapital mehr als doppelte Produktion oder mehr als doppelten Umsatz[1]) ermöglicht, und daß schon deshalb die Tendenz zur Kapitalvergrößerung sich verstärkt mit dem Wachstum dieses Kapitals und somit bei größeren Kapitalien relativ weit bedeutender ist, als bei kleineren.

§ 2. Besondere Ursachen.

Die ungeahnten, stürmisch auftretenden Bedürfnisse sowohl des Staates und der Gemeinden (s. oben S. 311 ff), wie namentlich der Industrie und des Handels, die sich naturgemäß auf den beiden der Vermittlung des Bankwesens unterstehenden Gebieten, dem nationalen und internationalen Zahlungs- und Ausgleichungsverkehr, und (in erster Linie) auf dem des Kreditverkehrs, äußerten, machten ebenso naturgemäß eine Verstärkung und Erweiterung der bei Beginn der Epoche ungemein schwachen Kapital- und Kreditbasis der Banken zu einer gebieterischen Notwendigkeit. So wurden denn unter starkem Druck zunächst die verfügbaren Mittel des Landes zu den Kreditzentralen, die gleichsam Hochreservoirs für die Ansammlung der Kapital- und Kreditmittel darstellen, den Banken, hinaufgepumpt, um dann von dieser

---

[1]) Aber nicht ohne weiteres auch doppelte Rentabilität.

Stelle aus, wo auch am besten, wie von einer Anhöhe, der Umfang der Gesamtbedürfnisse und die Art und das Verhältnis der Verteilung der Befriedigungsmittel übersehen werden kann, leichter und rascher in die einzelnen, tiefer gelegenen Kanäle geleitet zu werden. Mit anderen Worten: die — in erster Linie auf dem Wege der Kapitalerhöhungen sich vollziehende — Konzentration der Bankkapitalien war vor allem eine Ansammlung und Erweiterung der für den Industriekredit erforderlichen Mittel bei den Banken.

. Die Notwendigkeit dieser Konzentration, die auch auf dem Gebiet der Kreditgewährung durch das hier besonders notwendige, am besten im Großbetrieb durchführbare Prinzip der Risiko-Teilung und Risiko-Minderung sich stark erhöht[1]), wird im Bankwesen wie in der Industrie durch eine Fülle rein technischer Ursachen gesteigert:

Der Kreditverkehr, dem die Banken, zumal nachdem ihnen die wesentlichsten Sorgen des Zahlungsverkehrs durch die Zentralnotenbanken abgenommen sind, in erster Linie zu dienen haben, hat die unverkennbare Tendenz, in stärkerem Verhältnis und in rascherem Tempo zuzunehmen als die eigenen Barkapitalien der Banken, die ihm zunächst zu dienen haben.

Die Schwierigkeiten der Beschaffung dieser Barmittel, speziell auf dem Wege der Kapitalerhöhung, wachsen überdies schneller als die Kreditbedürfnisse. Denn die Möglichkeit, die eigenen Mittel der Bank zu vergrößern, ist nicht nur abhängig von der Dividende, welche die Bank bisher gegeben hat und von dem dadurch wesentlich, aber durchaus nicht immer ausschließlich beeinflußten Kursstande ihrer alten Aktien, sondern vor allem von der Lage und Kraft des Geldmarktes. Dieser aber kann vielleicht im kritischen Augenblick aus allgemeinen Gründen, weil seine Kraft überhaupt durch eine verkehrte Gesetzgebung geschwächt ist, oder wenn zu viel „junge" Bankaktien zu gleicher Zeit oder rasch hintereinander ausgegeben wurden, entweder für neue Werte überhaupt oder speziell für neue Bankaktien (die, wie Industrieaktien, bei

---

1) Vgl. Herm. Schumacher a. a. O., S. 5/6. Der grundsätzlich richtigen Forderung, solchen Kunden, welche große Kredite bei den Banken entnehmen, die Verpflichtung aufzuerlegen, ihren gesamten Geschäftsverkehr bei der den Kredit gewährenden Bank zu konzentrieren, damit diese ihn übersehen kann, wird, wo dies immer angängig erscheint — vielfach ist es aus Rücksicht auf die Konkurrenz schwer durchführbar — in großem Umfange von den Banken entsprochen. Leider aber läßt sich die Beachtung der eingegangenen Verpflichtung seitens der Kunden, wie sich dies im Falle Terlinden gezeigt hat, nicht kontrollieren, und dies macht eine solche Vertragsklausel so lange zu einer lex imperfecta, als nicht eine Zentralkreditstelle existiert, die leider ungeachtet verschiedener Anläufe bisher infolge praktischer Schwierigkeiten noch nicht zustande gekommen ist.

wechselnder wirtschaftlicher Konjunktur auch in ihren Dividenden-
aussichten schwanken), nicht oder nur im beschränktem Umfange
aufnahmefähig sein.

Dann aber hat die Möglichkeit der Kapitalerhöhung noch ihre
besonderen technischen (geschäftlichen) G r e n z e n , da in — niemals
ganz ausbleibenden — schlechten Zeiten, namentlich solchen, die
nicht etwa nur das Emissionsgeschäft, sondern auch das laufende
Geschäft stark beeinträchtigen, allzu hohe Aktienkapitalien naturgemäß nur schwer eine ausreichende Dividende erzielen können.
Dies ist zutreffend, auch wenn man nicht dem inzwischen genügend
als unbegründet erwiesenen Pessimismus zu huldigen braucht, dem
mir gegenüber im Jahre 1889 der damalige Chef einer der größten
deutschen Privatbankfirmen dahin Ausdruck gegeben hat, er glaube
nicht, daß die Banken mit ihren großen Kapitalien eine viel höhere
Dividende auf die Dauer zu erzielen vermöchten, als etwa den landes-
üblichen Zinssatz.

Von der Erreichung bestimmter — natürlich je nach dem
Einzelfall wechselnder — Grenzen ab, welche die Erhöhung des
eigenen Kapitals der Banken nicht überschreiten kann, ist also die
Notwendigkeit von selbst gegeben, f r e m d e s K a p i t a l zu den wachsenden geschäftlichen Zwecken der Banken heranzuziehen. Dieses
ist aber nicht etwa nur in steigendem Maße geeignet, die Rentabilität des Betriebes, also die Quote und überdies die Stetigkeit der
Dividenden, zu erhöhen. Es vergrößert vielmehr auch, namentlich
bei Schaffung besonderer Depositenkassen behufs Heranziehung dispo-
nibler Kapitalien, den Umfang der (Anlage-bedürftigen) K l i e n t e l ,
und damit in ganz besonderem Maße die E m i s s i o n s k r a f t d e r
B a n k , also ihre Fähigkeit, die von ihr (für eigene oder fremde
Rechnung) emittierten Werte f e s t und d a u e r n d bei ihr nach ihren
Vermögensverhältnissen und ihrer Vertrauenswürdigkeit genau bekannten Kunden unterzubringen. Jeder Emissionserfolg einer Bank
aber wirkt auch wieder durch den psychologischen Eindruck, der
hier überhaupt eine große Rolle spielt, m a c h t e r h ö h e n d , und jede
Machterhöhung bewirkt nicht nur, und zwar in sehr bedeutendem
Umfange, sondern auch eine Förderung des Geschäftsumfanges der
Bank und damit eine Förderung der Konzentration. Auch wendet
sich die Kundschaft, speziell der Kreis der Provinzialbankiers, der
einen so erheblichen Teil der Kundschaft der Berliner Banken bildet,
am liebsten denjenigen Banken zu, bei welchen sie, neben sonstigen
Vorteilen, die größte Aussicht hat, bei E m i s s i o n e n entweder durch
Unterbeteiligungen oder durch Zuweisung von Subskriptions- oder
Zahlstellen, oder durch besondere „Bonifikationen" geschäftliche Vorteile zu genießen.

Die Emissionen, welche an sich zu ihrer glatten Durchführung eine erhebliche Kapitalkraft der Emittenten voraussetzen, da letztere auch in der Lage sein müssen, die nicht abgesetzten Werte ohne Schädigung ihrer sonstigen geschäftlichen Kraft lange Zeit selbst zu behalten, wirken aber noch in anderer Richtung konzentrationsfördernd. Denn da jede Emission naturgemäß in erster Linie denjenigen Ort aufsucht, der ihr durch eine besonders starke Börse die beste Aussicht auf schlanken und festen Absatz der emittierten Werte eröffnet, so wurde von Beginn dieser Epoche ab Berlin vor allem bevorzugt, dessen Börse in immer steigendem Maße, namentlich aber von 1870 ab, bis zu ihrer großen Schwächung durch das Börsengesetz (1. Januar 1897), die übrigen deutschen Börsen an Kraft, d. h. an Aufnahmefähigkeit in guten und Widerstandsfähigkeit in schlechten Zeiten, übertraf, und sich bis dahin auch auf die übrigen Märkte, namentlich in London und Paris, einen bedeutenden, teilweise sogar ausschlaggebenden Einfluß zu erringen gewußt hatte.

Dadurch gewannen die Berliner Banken (die auch in der Heranziehung fremden Kapitals, speziell im Wege des Depositengeschäfts, teils aus allgemeinen Gründen, teils durch die von ihnen zuerst ins Werk gesetzte Schaffung von Depositenkassen, die ersten waren) wiederum einen gewaltigen Vorsprung. So wurde auch aus diesem Grunde durch das Emissionsgeschäft die Konzentration, nämlich diejenige der Kapitalien in der Hauptstadt, also in den Berliner Banken, gesteigert.

Die so gewonnene größere Emissionskraft mußte aber namentlich auch im internationalen Geschäft der Banken, und zwar in einer Reihe von Beziehungen, bedeutsam werden. Denn bei den großen internationalen Emissionsgeschäften werden diejenigen Banken naturgemäß besonders geschätzt und vorzugsweise herangezogen, welche bereits in einer Reihe von Emissionen Proben ihrer Emissions-, d. h. Absatzkraft abgelegt haben. Wird der deutsche Markt mit Rücksicht auf die wünschenswerte Verbreiterung des Absatzgebiets der Papiere aufgesucht, was leider infolge der Fehler der Gesetzgebung, welche die Bedeutung und Kraft unserer Börsen lahm gelegt haben, seit dem Ende der 90er Jahre immer seltener geschehen ist, so wird unter jenen Banken wieder diejenige Bank bevorzugt, die durch die Größe ihrer Klientel, also durch den Umfang ihrer Geschäfte, am meisten den Markt beherrscht.

In anderen Fällen, wo es sich weniger um die Verbreiterung des Absatzgebietes der Papiere, die Erhöhung ihrer Umlaufsfähigkeit und die Ermöglichung internationaler Arbitragen, als darum handelt, große, nur auf dem Wege internationalen Zusammenwirkens ausführbare Aufgaben, z. B. Konversionen sehr großer Beträge von

Papieren, welche bereits in den verschiedensten Ländern notiert und untergebracht sind, erfolgreich und im ersten Anlauf durchzuführen, wird stets diejenige Bank bevorzugt werden, welche nicht nur durch rasche und gute Plazierung ihrer Emissionen und den stark angewachsenen Kundenkreis, sondern namentlich auch durch die Ausdehnung ihrer internationalen Beziehungen, und endlich durch den offenliegenden Umfang ihrer Kuponeinlösung für die betreffende Anleihe, bereits nachgewiesen hat, daß sie für die glatte und endgültige Abwicklung des Geschäfts ein wünschenswerter Bundesgenosse ist.

Mit dem Anwachsen der Emissionen und der Kapitalbeträge um die es sich handelt, wächst also für die Banken die Notwendigkeit und der Vorteil, auf dem Wege der Expansion und Konzentration allen Anforderungen des heimischen und internationalen Emissionsgeschäfts gerecht zu werden: die Massenemission und der Massenabsatz, welcher hier vorausgesetzt wird, kann nur starken Emissionshäusern gelingen, welche auf Grund der Ausdehnung ihres Geschäftsbetriebs und der genauen Kenntnis der Eigenschaften und Vermögensverhältnisse ihrer großen Klientel die Kraft haben, die emittierten Werte gut und dauernd, also „in festen Händen" unterzubringen. Diese Banken entheben denn auch sich selbst und ihre heimischen oder internationalen Konsorten der wenig angenehmen Notwendigkeit, nach der Emission im Wege der Intervention das wieder auf den Markt geworfene Material an eben erst abgesetzten Effekten aufnehmen zu müssen.

Ähnliche Vorgänge lassen sich bei der Ausdehnung des Wechselgeschäfts der Banken beobachten: denjenigen Banken werden die Geschäftswechsel der Kundschaft am reichlichsten zufließen, die es am raschesten verstanden haben, ihre industriellen und kommerziellen Beziehungen zu erweitern. Mit der Ausdehnung der Beziehungen wächst aber von selbst sowohl die Konzentration der Kapitalien wie die Expansion des Geschäftsbetriebs, und diese wieder bewirkt die Erweiterung der Beziehungen, namentlich auch eine immer erheblichere Vermittlung des internationalen Zahlungs- und Geschäftsverkehrs und damit auch des Devisengeschäfts. Es handelt sich also auch hier um Vorgänge, die sowohl Ursache wie Wirkung fortschreitender Konzentration sind.

Ebenso liegt es beim Akzeptverkehr der Banken. Der Umfang dieses Geschäfts wird, wie wir sahen, in sehr starkem Maße durch die Ausdehnung der überseeischen Beziehungen gefördert (vgl. oben § 4, I—III). Diese aber bringen wieder die Errichtung von Filialen mit sich, teils an solchen einheimischen Plätzen, welche, wie Hamburg und Bremen, Zentralen des Überseeverkehrs sind, teils (aus gleichem Grunde) an ausländischen Plätzen, wie London und New-York, oder die Begründung von besonderen im Auslande zu errichtenden Banken oder von Kommanditen und anderen Beteiligungsformen jeder Art. Sie wirken also in hohem Grade konzentrationsfördernd, zumal natürlich besonders im Auslande das Akzept kapitalstarker Großbanken, welche im Auslande bekannt sind, leichter, in größeren Beträgen und zu besseren Bedingungen genommen wird und umlaufen kann, als das Akzept im Auslande unbekannter und kleinerer Banken.

Sofern jedoch das Akzept der Banken von Provinzialbankiers oder Industriellen gesucht wird, werden diese nicht nur diejenigen Banken bevorzugen, welche ihnen bessere Bedingungen oder sonstige Erleichterungen und außerdem Vergütungen außerhalb des Akzeptverkehrs gewähren können, sondern vor allem diejenigen, deren Akzept sie am anstandslosesten, auch wenn es sich um zahlreiche Wechsel und hohe Wechselbeträge handelt, zum Privatsatz diskontieren lassen können.

Auch die Technik des Abrechnungs- und Giroverkehrs[1]) wirkt insofern konzentrationsfördernd, als dieser Verkehr von um so höheren Nutzen ist, je umfangreicher die Geschäftsbeziehungen und je zahlreicher die Klienten der Banken sind, welche jenen Verkehr unterhalten, dessen Voraussetzung überdies die Unterhaltung eines sehr bedeutenden, in der letzten Zeit noch erheblich heraufgesetzten Mindestbarguthabens ist[2]). Der Giro-, Scheck- und Abrechnungsverkehr ist ja überhaupt ein bankmäßig organisierter Zahlungsverkehr, der sich zwar ohne Bargeldübertragungen, aber auf Grund eines Bargeldvorrats vollzieht[3]).

Gegenüber der Aufzählung der besonderen wirtschaftlichen Gründe, welche zu den Expansions- und Konzentrationsbestrebungen im deutschen Bankwesen Anlaß gaben, sei jedoch auch darauf hingewiesen, daß mitunter wohl solche Bestrebungen nicht rein wirtschaftlichen oder geschäftlichen, sondern auch äußerlichen (Etikette-, Konkurrenz- usw.) Gründen ihre Entstehung verdankten; so, wenn man dort nicht zurückbleiben wollte, wo die andere Bank vorausgegangen war, wenn man z. B. Filialen an genau den nämlichen Plätzen errichtete, wo sie eine andere Bank kurz zuvor, vielleicht nur in einer anderen Reihenfolge, begründet hatte[4]), oder wenn

---

[1]) Vgl. K. Fleischhammer, Zentralisation im Bankwesen in Deutschland (Schmollers Jahrb. f. Gesetzgebung, Verwaltung u. Volkswirtschaft, 25. Jahrg., Heft 2, S. 241 ff.).

2) Vgl. No, 12 der „Bestimmungen für den Giroverkehr der Reichsbank". — Nach Nr. 10 dieser Bestimmungen werden die Girogelder nicht verzinst.

3) Helfferich, Der deutsche Geldmarkt 1895—1902, S. 44.

4) Auch in England scheint derartiges vorgekommen zu sein (vgl. Edgar Jaffé, Das englische Bankwesen, 2. Aufl., S. 276); ebenso in Österreich: Im Jahre

man bei der Bemessung des Betrages einer Kapitalerhöhung nicht ausschließlich von der Rücksicht auf das Bedürfnis, sondern von dem Umstande sich leiten ließ, daß man hinter dem eben vielleicht erhöhten Kapital einer andern Bank nicht zurückbleiben dürfe, u. a. m.

Zweites Kapitel.

Die für den Umfang und die Schnelligkeit der Konzentrationsbewegung maßgebend gewesenen Gründe.

§ 1. Allgemeine Gründe.

Der Umfang der Konzentration im Bankwesen, deren Ursachen wir im vorigen Kapitel schilderten, ist a priori unbegrenzt, weil das Kapital, theoretisch jedenfalls, keine Grenzen kennt, auch der Konzentration weniger Widerstand entgegensetzt und geringere technische Schwierigkeiten und Hemmungen bereitet, wie sie z. B. im Falle der Vergrößerung von Anlagen oder Betrieben in der Industrie in großem Umfange erwachsen können, vielmehr umgekehrt die immer wachsende Expansion und Konzentration voraussetzt und herausfordert. Dieses Bedürfnis und diese Tendenz des Kapitals wächst bei zunehmendem Kapitalreichtum des Landes, also in dem Grade, in welchem produktiv verwertbares Kapital vorhanden ist, und steigert sich in dem Verhältnis, in welchem die Verteilung dieses produktiven Kapitals auf immer breitere Schichten des Volkes sich vollzieht.

Jene Tendenz des Kapitals findet aber auch kein so kräftiges Gegengewicht, wie es z. B. im Handel besteht, wo der noch weit überwiegende Kleinbetrieb dem Vordringen des Großbetriebs sehr starken Widerstand entgegensetzt, oder wie es in der Industrie vorhanden ist, wo, wenigstens zeitweise und in einzelnen Industriezweigen, die Kartelle bis zu einem gewissen Grade die Erhaltung kleinerer und schwächerer Unternehmungen eher förderten, als verhinderten.

§ 2. Besondere Gründe.

Nicht nur die Intensität, sondern auch die Schnelligkeit der Konzentrationsbewegung wächst, wenn besondere Ursachen, die

---

1899 errichtete die Anglobank eine Filiale in Aussig, im nämlichen Jahre der Wiener Bank-Verein; im Jahre 1901 wurde in Trautenau eine Filiale der Anglobank begründet u. a. m.

(Weitere Beispiele in dem Artikel des Prager Tageblatts vom 12. Oktober 1905, Nr. 281: Die Konkurrenz im österreichischen Bankwesen.)

im Bankwesen mehr als anderswo wirken, entweder gewisse auch hier an sich vorhandene äußere Hemmnisse der Konzentrationsbewegung beseitigen, oder neue Faktoren schaffen, welche die Konzentrationsbewegung plötzlicher einsetzen oder stärker und rascher, als dies sonst der Fall gewesen wäre, sich entwickeln lassen. In diesen Fällen braust der Strom der Konzentrationsbewegung, als ob durch ein Elementarereignis alle Stauvorrichtungen beseitigt oder alle Dämme geborsten wären, mit geradezu unheimlicher Gewalt vorwärts.

Nach beiden Richtungen haben in der letzten Epoche besonders vier Faktoren gewirkt, vor allem:

I. Die kurz nach der Krisis von 1873 einsetzenden „Entgründungen" von Banken, deren Verlauf unten (S. 515/516) näher geschildert werden wird.

II. Die in Deutschland in größerem Umfange schon in den 70er Jahren beginnende, nach außen aber in den 90er Jahren am meisten in die Erscheinung getretene Kartellbewegung in der Industrie.

Hierher gehört vor allem:

die Bildung des Rhein.-Westfäl. Kohlensyndikats im Jahre 1893 und

die des Rhein.-Westfäl. Roheisensyndikats im Jahre 1897[1]).

Das Zustandekommen dieser Verbände übte in ganz Deutschland eine starke psychologische Einwirkung aus, der sich auch das Bankwesen nicht entziehen konnte. Für das letztere traten aber natürlich die geschäftlichen Erwägungen in den Vordergrund. Zunächst war anzunehmen und wurde allgemein angenommen, daß, dank der geschlossenen Aktion dieser Syndikate, der Preisschleuderei im Inlande und der Konkurrenz des Auslandes bald ein Riegel werde vorgeschoben werden, daß also eine Zeit des Aufschwungs für die Montanindustrie, und damit auch für das Bankwesen, beginnen werde. Für beide Fälle aber, für die erfolgreiche Durchführung des Kampfes nach innen und außen wie für die demnächst zu erwartende Zeit des Aufschwungs, waren größere Mittel nötig. Sie mußten in erster Linie vom Bankwesen beschafft werden, das vor allem, wie auch in zahlreichen Geschäftsberichten betont wurde, in jenen Kämpfen der Industrie zur Seite zu stehen verpflichtet war.

---

1) Das Rheinisch-Westfälische Roheisensyndikat (Näheres bei August Hillingraus, Das Rhein.-Westf. Roheisensyndikat und seine Auflösung in Schmollers Jahrb., 35. Jahrg., 3. Heft [1911], S. 203—243, 1. Teil.) hatte, wie wir oben (S. 152 Anm. 2) sahen, am 1. Januar 1909 zunächst sein Ende erreicht, ebenso das Lothringisch-Luxemburgische und das Siegerländer Roheisensyndikat. Über das letztere s. Näheres a. a. O. S. 174—182, 197 und 202—204.

Das Bankwesen hatte auch große geschäftliche Vorteile von einer intensiveren Gestaltung der Beziehungen zur Industrie, und namentlich zur Montanindustrie in Rheinland-Westfalen und Oberschlesien, zu erwarten. Es konnte zudem angenommen werden, daß die immer mehr anwachsenden Betriebe der Montanindustrie mit der Unterstützung, dem Kapital und dem Kredit ihrer bisherigen Banken nicht ausreichen würden, von denen einige, wie z. B. der A. Schaaffhausen'sche Bankverein, schon seit seiner Gründung, die Beziehungen zur Montanindustrie als Spezialität gepflegt hatten. Aus näheren Beziehungen zu der letzteren Industrie und vor allem zu den neu gebildeten Kohlen- und Eisensyndikaten des rhein.-westfälischen und oberschlesischen Reviers, mußte sowohl auf dem Gebiete des Zahlungsverkehrs als auf dem des Kreditverkehrs, eine Reihe lohnender Geschäfte, ein starker Zufluß verfügbarer Gelder, überdies ein großer Zuwachs an Macht und Einfluß nach den verschiedensten Richtungen, erwartet werden.

Diese Gründe waren es, welche zunächst im Jahre 1897, also in dem Jahre der Gründung des Rheinisch-Westfälischen Roheisensyndikats, die Deutsche Bank veranlaßten, mit einem Schlage einen wohl schon seit der Gründung des Rheinisch-Westfälischen Kohlensyndikats im Jahre 1893 erwogenen Plan auszuführen, der es ihr ermöglichte, sowohl in Rheinland-Westfalen, wie im oberschlesischen Revier festen Fuß zu fassen. Die Herstellung einer Interessengemeinschaft einerseits mit der Bergisch-Märkischen Bank in Elberfeld, die mit ihren zahlreichen Filialen und langjährigen Beziehungen zur Industrie, und speziell zur Montanindustrie, in Rheinland-Westfalen einen alten und befestigten Besitzstand hatte, und andererseits mit dem Schlesischen Bankverein in Breslau, der in Oberschlesien gleichfalls in sehr erheblichem Umfange und mit bestem Erfolge die industriellen Beziehungen gepflegt hatte, verwirklichte die mit Eingehung der Interessengemeinschaft verfolgten geschäftlichen Absichten sowohl in überaus geschickter Weise, wie von vornherein in sehr großem Maßstabe.

Die übrigen Banken folgten erst nach einiger Zeit, und dann mit mehr oder minder großer Energie und mehr oder minder großem Erfolge, auf diesem Wege, und es begann nun eine Art von Konkurrenzrennen behufs Herstellung engerer industrieller Beziehungen, die denn auch bald in der einen, bald in der anderen Weise angeknüpft oder verstärkt wurden, wie wir des näheren noch später sehen werden.

Hier mag nur noch, wegen des Anschlusses gerade an die Kartellbewegung, erwähnt werden, daß 1897, wie wir schon in anderem Zusammenhange erwähnten, der A. Schaaffhausen'sche

Bankverein eine Gesellschaft mit beschränkter Haftung: „Syndikatskontor des A. Schaaffhausen'schen Bankvereins, G m. b. H." gründete, welche dem Verbande Deutscher Drahtseilfabrikanten, dann aber auch anderen Syndikaten, Kartellen und Verbänden, sich als Verkaufsbureau und Abrechnungsstelle zur Verfügung stellte. Ferner wurde auch von verschiedenen Banken, soweit sie nicht schon nach dieser Richtung eine befestigte Stellung hatten, von nun ab speziell der Eintritt in den Aufsichtsrat derjenigen Montanunternehmungen allmählich durchgesetzt, welche in der Verwaltung der maßgebenden Syndikate eine besonders einflußreiche Stellung hatten. So erfolgte nach und nach u. a. der Zutritt der Dresdner, Deutschen und Darmstädter Bank sowie des A. Schaaffhausen'schen Bankvereins zum Aufsichtsrat und zur Bankengruppe der Harpener Bergbau-Aktiengesellschaft, und der beiden ersteren Banken auch zur Bankengruppe und zum Aufsichtsrat der Gelsenkirchener Bergwerks-Aktiengesellschaft; der Dresdner Bank zur Verwaltung und Gruppe der Vereinigten Königs- und Laurahütte; der Deutschen Bank zur Verwaltung und Gruppe der Consolidation Bergwerks-A.-G. zu Schalke und des Phönix usw.

Natürlich traten nun auch — und zwar in beträchtlicher Anzahl — Industrielle, und speziell einflußreiche Persönlichkeiten aus der Montanindustrie, in den Aufsichtsrat der Großbanken ein so daß Ende Dezember 1910 vertreten waren:

im Aufsichtsrat der	Bank für Handel und Industrie	6 Industrielle		
,, ,,	,, Berliner Handelsgesellschaft	13	,,	[1]
,, ,,	,, Deutschen Bank	5		
,, ,,	,, Disconto-Gesellschaft	2	,,	[2]
,, ,,	,, Dresdner Bank	8	,,	[3]
,, ,,	des A. Schaaffhausen'schen Bankvereins	17	,,	[4]

1) Darunter die Generaldirektoren der Allgemeinen Elektricitäts-Gesellschaft, der Harpener Bergbau-A.-G. in Dortmund, der Oberschlesischen Eisenindustrie A.-G., der Bergwerksgesellschaft Hibernia, der Consolidation, Bergwerks-A.-G. zu Schalke, der Westfälischen Draht industrie in Bonn, der Deutschen Continentalen Gasgesellschaft in Dessau, der Österreichischen Alpinen-Montangesellschaft in Wien und der Prager Eisenindustrie in Wien.

2) Es waren dies die Generaldirektoren der Gelsenkirchener Bergwerks-A.-G. und der Dortmunder Union; außerdem aus den Schiffahrtskreisen die Generaldirektoren der Hamburg-Amerika-Linie und des Norddeutschen Lloyd.

3) Darunter je ein Generaldirektor der Königs- und Laurahütte, der Schlesischen A.-G. für Bergbau und Zinkhüttenbetrieb in Lipine und der Kattowitzer Aktiengesellschaft für Bergbau und Eisenhüttenbetrieb.

4) Darunter die Generaldirektoren des Phönix, des Eisenwerks Kraft in Kratzwieck, der Gerresheimer Glashüttenwerke.

Ebenso gab dann auch wieder die engere Verbindung mit den Großbanken und deren großen Mitteln den einzelnen industriellen Unternehmungen neuen Anreiz, ihre Betriebe und ihren Einfluß im Revier, sowie ihre Machtstellung gegenüber den anderen Unternehmungen und Gruppen, insbesondere auch gegenüber den Kartellen und innerhalb derselben, zu erweitern, und zwar durch Kombinationen, Konsolidationen und Fusionen jeder Art. Auf diese Weise wirkte die Konzentration im Bankwesen, deren Umfang und Schnelligkeit in hohem Grade durch die Industrie, und namentlich durch die Kartellbildungen, beeinflußt war, wiederum ihrerseits auf die industriellen Konzentrationen ein.

III. Die Fehler der (Stempel- und Börsen-) Gesetzgebung.

Die Schnelligkeit der Konzentrationsbewegung wurde aber erhöht durch die schweren Belastungen des Wertpapierverkehrs, welche namentlich die Reichsstempelgesetze vom 27. April 1894 und vom 14. Juni 1900 herbeiführten, sowie durch das gerade im mehrgedachten Jahre 1897 in Kraft getretene Börsengesetz vom 22. Juni 1896/1. Januar 1897.

1. Schon im Jahre 1884, als es hieß, daß eine prozentuale Besteuerung der Umsätze herbeigeführt werden solle, was dann auch durch das Gesetz vom 24. Mai 1885 geschah, wurde von sachverständiger Seite darauf hingewiesen, daß die Folge „die Monopolisierung des Bankgeschäfts in wenigen mächtigen Händen" sein werde[1]).

Man schritt aber auf dem einmal eingeschlagenen Wege weiter fort:

Das Reichsstempelgesetz vom 27. April 1894 verdoppelte den bisherigen Umsatzsteuersatz (von $1/_{10}$ $^0/_{00}$ auf $2/_{10}$ $^0/_{00}$) und ordnete an, daß die Umsatzsteuer nicht mehr, wie bisher, von vollen (je) 1000 M, sondern von angefangenen (je) 1000 M zu entrichten sei, ließ aber immerhin noch die Steuerfreiheit der Umsätze unter 600 M bestehen.

Das Gesetz vom 14. Juni 1900 beseitigte aber nicht nur die letztgedachte Befreiung[2]), sondern setzte auch sämtliche Sätze des Effektenstempels wesentlich hinauf, erhöhte den Schlußnotenstempel für die Umsätze in Dividendenpapieren und Schuldverschreibungen auswärtiger Korporationen auf $3/_{10}$ $^0/_{00}$ und führte die Besteuerung für die Ausgabe von Kuxen und den Umsatz in solchen ein.

Nun hatte allerdings das Gesetz vom 1. Oktober 1885 dem Provinzbankier gestattet, die Originalschlußnote des Zentralbankiers

---

1) Vgl. u. a. Frankfurter Zeitung vom 26. Mai 1884, Nr. 147.
2) Die nun eintretende Besteuerung war für den Käufer besonders drückend, weil die Steuer immer für einen Betrag von 1000 M entrichtet werden mußte.

am Börsenplatze, an den jener den Auftrag seines Klienten weiter-
gegeben hatte, unter gewissen Voraussetzungen direkt und ohne
neue Steuerpflicht auch an seinen Kunden weiter zu geben; aber
von dieser Erleichterung konnte der Provinzbankier, wollte er nicht
den Kunden direkt mit seinem Zentralbankier bekannt machen,
keinen Gebrauch machen.

So mußte denn bis zum Gesetze vom 27. April 1894, welches
einen gangbaren Weg einführte, der Provinzialbankier auch die
zwischen ihm und seinem Kunden gewechselte Schlußnote stempeln,
wodurch die Gesamtspesen des Geschäfts vergrößert wurden, auf
welchem letzteren überdies die damals noch besseren, der Mühe-
waltung und den allgemeinen Geschäftsunkosten entsprechenden
Provisionen des Provinzialbankiers und die beim Zentralbankier entstandenen Provisionen und Kurtagen ruhten.

Die natürliche Folge war, daß sich die Kundschaft des Provinzialbankiers behufs Ermäßigung der Gesamtspesen, ungeachtet
aller Bemühungen des letzteren, direkt an den Zentralbankier oder
an die in ihrem Bezirk errichtete Filiale der Großbank wandte. Dies
geschah in immer größerem Umfange mit dem Augenblicke, wo
die Banken der Kundschaft nicht nur durch Beteiligungen bei Emissionen entgegenkamen, sondern wo sie ihr auch im Effektenkommissionsgeschäft günstigere Bedingungen und niedrigere Provisionssätze gewährten.

Zur Herabdrückung der Provisionssätze boten weitere Fehler
der Stempelgesetzgebung die Handhabe:

Die Banken kamen immer mehr in die Lage, die große Zahl
der bei ihnen zusammenströmenden Kauf- und Verkaufsaufträge in
sich zu kompensieren. Sie gewannen dadurch, solange diese
Kompensationsgeschäfte noch von jeder Steuerpflicht befreit waren,
zunächst bei jedem Geschäfte, welches sie in solcher Weise „in sich"
machten, mindestens einen vollen Stempel. Sie waren auch ferner
infolge dieser Gewinne imstande, den Provisionssatz für ihre Bemühungen immer mehr herabzusetzen, bis er den bis dahin noch nie
dagewesenen Satz von ½ °/₀₀ erreichte, der in keinem auch nur annähernd vernünftigen Verhältnis mehr zu den aufzuwendenden Bemühungen, den Generalunkosten und den Risiken steht, und wohl
auch im Auslande nirgends vorkommt.

Jene „Kompensationsgeschäfte" wurden nun aber erst 3½ Jahre
nach dem Inkrafttreten des Börsengesetzes, nämlich im § 12 des
Reichsstempelgesetzes vom 14. Juni 1900, zur Besteuerung herangezogen, also zu einem Zeitpunkte, wo die infolge des Börsengesetzes
eingetretenen starken Kapitalvermehrungen der Banken und ferner
die inzwischen erfolgte Gründung einer sehr großen Anzahl von
Filialen und Depositenkassen usw., es mittleren und kleinen Provin-

zialbankiers fast ausgeschlossen erscheinen ließ, den Vorsprung einzuholen, den die Banken auch hierdurch wieder erlangt hatten.

Überdies machten die eingetretenen Stempelerhöhungen den
mittleren und kleinen Privatbankiers, oder doch einem großen Teil
derselben, wichtige und früher sehr lohnend gewesene Geschäftszweige unmöglich:

Dazu gehörte einerseits ihre Tätigkeit in der Tagesspekulation,
welche die Ausnutzung der täglichen Kursschwankungen der Wertpapiere zum Ziel hat, und durch die damit bewirkte Ausgleichung
kleinerer Kursdifferenzen zur Stetigkeit und Gleichmäßigkeit der
Kurse beiträgt. Es handelt sich also um eine geschäftliche Tätigkeit, welche der Preisbildung einen wirtschaftlich berechtigten und
vorteilhaften Dienst leistet, welche jedoch angesichts der geringfügigen Gewinnmargen einen Umsatzstempel von $^3/_{10}$ $^0/_{00}$ nicht ertragen konnte [1]).

Andererseits gehörte hierzu die sogenannte Arbitrage, also
diejenige Börsentätigkeit, welche bei sowohl an einheimischen, als
auch an ausländischen Börsen gehandelten sogenannten internationalen
Wertpapieren durch Ausnutzung der zwischen den verschiedenen
Börsen bestehenden Kursdifferenzen in sehr erheblichem Umfange
kursausgleichend, nivellierend, gewirkt, überdies aber eine im Interesse unserer Zahlungs- und Handelsbilanz wirtschaftlich überaus
wünschenswerte Aufgabe erfüllt hatte [2]).

Zudem wurde den Privatbankiers, teils infolge der steuerlichen
Belastungen, teils infolge der Vorschrift des § 8 des sogenannten
Bankdepotgesetzes vom 5. Juli 1896 [3]) und der noch zu besprechenden börsengesetzlichen Beschränkungen, ein Teil der Ge-
schäftsobjekte entzogen, nämlich ein großer Teil des Geschäfts
in ausländischen Wertpapieren, welches sich nach dem Auslande wandte, also von ausländischen, und nicht mehr von einheimischen Bankiers gemacht wurde.

Infolge aller dieser Umstände wurde aber das den mittleren
und kleinen Privatbankiers verbliebene Effektenkommissionsgeschäft
nicht nur seinem Umfange nach von Jahr zu Jahr geringer, sondern

---

1) Vgl. Centralverbands-Denkschrift vom Dezember 1903, S. 32—34, und
Verhandlungen des II. Allgem. Deutschen Bankiertages zu Berlin am 16. und 17. Mai
1904, S. 58 (Mommsen); S. 73/74 (Arons); S. 83/84 (Franck) und Frankfurter
Zeitung vom 31. Mai 1901.

2) Vgl. Centralverbands-Denkschrift, S. 42 ff.; Verhandlungen des I. Allgem.
Deutschen Bankiertages zu Frankfurt a. M. vom 19. und 20. September 1902, S. 58/59
(v. Pflaum) und Dr. Alfred Meyer, Die deutschen Börsensteuern 1881—1900
(Stuttgart u. Berlin, J. G. Cotta'sche Buchhandlung Nachf. 1902), S. 55 ff.

3) Vgl. Riesser, Das Bankdepotgesetz vom 5. Juli 1896. Aus der Praxis
und für die Praxis, insbesondere des Handelsstandes, erläutert, Berlin, Otto Liebmann, 2. Aufl., 1906, S. 67 ff.

auch immer weniger rentabel, da es, bei der Geringfügigkeit der Provisionssätze, um rentabel zu sein, vor allem sehr erhebliche Umsätze voraussetzt, die sich immer mehr bei den Banken, und hier wieder vor allem bei den Berliner Banken und deren Filialen, konzentrierten.

2. Was das am 1. Jan. 1897 in Kraft getretene (jetzt im wesentlichen nur in einem Abschnitt abgeänderte) Börsengesetz vom 22. Juni 1896 angeht, so können hier natürlich die überaus großen Schäden nicht besprochen werden, welche es der Kraft der deutschen Börsen und damit indirekt auch der Kraft und Konkurrenzfähigkeit des deutschen Bankwesens zugefügt hat. In dieser Beziehung muß besonders auf die Darlegungen und Materialien verwiesen werden, welche in den beiden Denkschriften des Centralverbands des Deutschen Bank- und Bankiergewerbes (E. V.) vom Juni 1901 und Dezember 1903 niedergelegt sind[1]). Hier kann die Frage nur in weit engeren Grenzen, nämlich nur insoweit behandelt werden, als sie die **Verschärfung der Schnelligkeit der Konzentrationsbewegung** betrifft.

Durch das Verbot des Termingeschäfts in Wertpapieren, durch welches weite und ungemein wichtige Kreise der letzteren, nämlich die **Montan- und Industriepapiere**, betroffen wurden, und durch die großen Beschränkungen des Termingeschäfts in anderen Wertpapieren[2]) ist nicht viel mehr erreicht worden, als daß seit 1897 das **Kassageschäft** in den Vordergrund aller börsenmäßigen Umsätze

---

1) Über die wirtschaftlichen Schädigungen, welche das Börsengesetz im Gefolge gehabt hat, vgl. u. a. Riesser: „Die Notwendigkeit einer Revision des Börsengesetzes" vom 22. Juni 1896/1. Januar 1897 (Berlin 1902, Leonhard Simion Nachf.) sowie derselbe: „Stand und Aussichten der Börsengesetzreform" (Berlin 1907, Leonh. Simion Nachf.) und die in der letztgedachten Centralverbands-Denkschrift, S. 17 Anm. * angeführten Schriften. Aus der nationalökonomischen Literatur ist zu ververweisen auf:

Franz Eulenburg, Die gegenwärtige Wirtschaftskrisis, Symptome und Ursachen (Conrads Jahrb., 3. Folge, Bd. XXIV, S. 382); Helfferich, Der deutsche Geldmarkt 1895—1902, a. a. O. S. 27; Ad. Weber, Depositenbanken und Spekulationsbanken, S. 7; Rud. Eberstadt, Die gegenwärtige Krisis, ihre Ursachen und die Aufgaben der Gesetzgebung, Berlin 1902 (K. Hoffmann), S. 33; v. Halle, Amerika, seine Bedeutung für die Weltwirtschaft und seine wirtschaftlichen Beziehungen zu Deutschland, insbesondere zu Hamburg (Verlag der Hamburger Börsenhalle, 1905), S. 31: „Auch die Beteiligung an den Finanzgeschäften der verschiedenen Staaten hat in Deutschland, namentlich unter der verhängnisvollen Börsengesetzgebung des letzten Jahrzehnts, keine entsprechenden Fortschritte mehr gemacht"; und Otto Warschauer, Die Reform des Börsengesetzes in Deutschland (Conrads Jahrb. f. Nationalökonomie u. Statistik, 3. Folge, Bd. XXX, 4. Heft, Okt. 1905, S. 433—469).

2) Von diesen Beschränkungen wurde ohne jeden Unterschied sowohl das og. „legitime" wie das „illegitime" Termingeschäft betroffen.

gestellt wurde, welches „für die Bewerkstelligung der gleichen Umsätze eine größere Kassehaltung erforderlich gemacht und damit
den Gesamtbedarf der deutschen Volkswirtschaft an Geld gerade in
der Zeit der außerordentlichen Zunahme der Umsätze noch weiter
gesteigert"[1]) hat.

Die mittleren und kleineren Privatbankiers waren aber naturgemäß außerstande, den durch das Kassageschäft so stark vermehrten
Bargeldbedarf mit ihren Mitteln, die auch eine längere Festlegung
nicht gestatteten, zu befriedigen. Dagegen vergrößerten die Banken,
welche durchweg die Steigerung des Geldbedarfs als notwendige
Folge der Terminhandelsbeschränkungen schon bei Ankündigung
der Börsengesetzvorlage vorausgesehen hatten[2]), vor und nach dem
Inkrafttreten der letzteren ihre Kapitalien, also ihre Betriebsmittel,
ohne Schwierigkeiten in sehr bedeutendem Umfange[3]) und zogen
nun natürlich mit noch größerer Intensität die Kundschaft der Privatbankiers an sich.

Mag nun auch auf Grund der fast auf allen Wirtschaftsgebieten
festzustellenden Einheitsbestrebungen und Großbetriebs-Tendenzen,
sowie auch nach den Erfahrungen des Auslands (Amerika vorläufig
ausgenommen) mit einiger Wahrscheinlichkeit anzunehmen sein, daß
früher oder später ohnedies eine Schwächung des Privatbankierstandes
als Folge der Konzentrationsbewegung nach und nach eingetreten
sein würde[4]), so ist es doch zweifellos, daß die geschilderten Maß-

---

1) **Helfferich**, a. a. O. S. 27.

2) Vgl. u. a. die Geschäftsberichte der Deutschen Bank für 1895 und der
Dresdener Bank für 1896.

3) S. u. a. den Artikel der **Frankfurter Zeitung** vom 15. November 1904,
Nr. 318: Börsengesetz und Bankenanschwellung mit 2 Tabellen, welche die Steigerung
darstellen, die bei den (damals) 10 Berliner Großbanken und bei 20 Provinzialbanken einerseits im Jahre 1896 und andererseits im Jahre 1903 gegenüber dem
Stande von 1884 eingetreten sind.

4) So hatte schon die Gründung der „Provinzialbanken" in dem Anfang
der 70er Jahre [Prov.-Disconto-Gesellschaft, Prov.-Gewerbebank in Berlin; Süddeutsche Provinzialbank in Stuttgart, Prov.-Wechslerbank in Breslau; Prov.-Makler-
bank in Berlin und Allgem. Deutsche Filialen-Kreditanstalt in Leipzig] fast durchweg
auf der Umwandlung und Aufsaugung von Privatbankgeschäften beruht. Der
Gedanke dieser Provinzial- (Union-Central-) Banken war aber verfrüht und scheiterte
deshalb meistens. Für England vgl. u. a. **Edgar Jaffé**, Das englische Bankwesen, 2. Aufl.
(1910), S. 279, 1844—75: „Langsame Konsolidierung der Aktienbanken in London und
der Provinz durch Aufsaugung und Verdrängung der Privatbankiers;
1878—1890: Zusammenschluß der Provinzialbanken zu größeren Instituten; einige
fassen in London Fuß; 1890—1896: Fast völlige Verdrängung der Privatbankiers auch in London. Die großen Provinzialbanken haben sich in London konsolidiert." J. W. Gilbart, a. a. O. (eod. 1901) S. 423 erwähnt, daß schon im Jahre
1836 nicht weniger als 138 Privatgeschäfte von Depositenbanken aufgesogen (merged)

nahmen der Stempelgesetze und des Börsengesetzes die Schnelligkeit der Konzentrationsbewegung erheblich gefördert, also den
Rückgang der wirtschaftlichen Kraft des Privatbankierstandes,
der sich erst in der neuesten Zeit wieder etwas zu erholen scheint,
ungemein verschärft und beschleunigt haben [1]).

Dies aber allein, der materielle Niedergang, nicht etwa der
ziffernmäßige Rückgang, kann das Thema probandum sein, und nur
diese Tatsache kann sowohl wirtschaftliches wie wissenschaftliches
Interesse beanspruchen.

Ein solcher Niedergang eines Standes kann auch bei ziffermäßiger Vermehrung der Anzahl seiner Angehörigen oder Betriebe vorliegen [2]), insbesondere dann, wenn diese Vermehrung nur
ein naturgemäßer und entsprechender Ausdruck des gesamten
Bevölkerungszuwachses ist, oder wenn zwar zahlreiche, aber meist
kapitalschwache Elemente hinzugekommen sind, während eine kleinere
aber weit kapitalkräftigere Anzahl ausgeschieden ist.

Umgekehrt kann aber auch eine starke Blüte und erhebliche
Verbesserung der Lage und Kraft eines Standes bei ziffermäßiger
Verminderung der Anzahl seiner Betriebe oder Angehörigen vorliegen. So z. B., wenn die Anzahl der Banken, wie dies vielfach
auch im Auslande, insbesondere in England und Frankreich, ge-

---

wurden. Die Zahl der Privatbankiers in England und Wales hat sich von 448 im Jahr
1837 und 261 im Jahre 1858 auf 226 im Jahre 1878, 144 im Jahre 1891 und 100 im
Jahre 1896 vermindert.

Bezüglich Österreichs sagte das Neue Wiener Tageblatt schon am 13. September 1903, daß das Verschwinden des Privatbankierstandes „noch ungleich rascher
vor sich geht als in Deutschland. Wir sind schon fast an dem Ende des Umwandlungsprozesses angelangt".

Nach dem Berliner Tageblatt vom 27. Mai 1904, No. 265 existierte im Mai 1904
in Krefeld, wo 20 Privatbankiers ihr Geschäft betrieben hatten, kein einziges
privates Bankgeschäft mehr. Über die Nachteile, die mit diesem Niedergang
des Privatbankierstandes verbunden sind, vgl. Frankfurter Zeitung vom 11. Januar
1905: „Aktienbanken und Privatbankiers", und die Centralverbands-Denkschrift
von 1903, S. 39 ff.

In Amerika sind die Privatbankiers auch jetzt noch sehr zahlreich (1902:
4188), obwohl die Zahl der Banken sich auch dort ungemein vermehrt hat, und zwar
von 9338 im Jahre 1892 auf 13 684 Ende 1903 (Voss. Zeitung vom 31. Januar 1905),
und obgleich auch dort Bankenfusionen eine sehr große Rolle spielen (1901 wurden 27,
1902 46 Nationalbanken von anderen Nationalbanken aufgenommen).

·   1) Eine andere Frage ist es, ob die hieraus hervorgegangene, starke Depression
und der dadurch verursachte Mangel an Widerstandskraft in dem zu beobachtenden
Umfange gerechtfertigt ist, s. unten Abschn. VI sub. II.

2) Beispiel: Die in der Zählung von 1907 gegenüber der von 1882 festgestellte
starke Vermehrung der kleinen (weniger als 2 ha umfassenden) landwirtschaftlichen
Betriebe, welche etwa 59% der gesamten landwirtschaftlichen Betriebe darstellen.
Sie betrugen 1907 3 378 509 gegenüber 1882 3 061 831 (Statist. Jahrb. f. d. Deutsche
Reich für 1911, S. 34).

schehen ist, dadurch vermindert wurde, daß eine große Zahl von
Kleinbetrieben durch einzelne dadurch immer mächtiger gewordene
Großbetriebe aufgesaugt worden ist [1].

Es ist daher wissenschaftlich ebenso unhaltbar, lediglich aus
der Vermehrung, wie lediglich aus der Verminderung der absoluten
Ziffern irgendwelche generellen Schlüsse ziehen zu wollen, insbesondere, wenn dies ohne die allergenaueste Prüfung der unterliegenden
Ursachen geschieht.

Selbstverständlich soll damit nicht bestritten werden, daß die
ziffernmäßige (absolute) Verminderung oder Vermehrung der Zahl
der Betriebe und Personen auch mit dem Niedergang oder dem
Aufschwunge des betreffenden Standes zusammentreffen kann; sie
muß jedoch nicht damit zusammentreffen.

Die in der 3. Auflage dieses Buches noch im einzelnen dargelegten Tatsachen beweisen nun, daß in den sechs dem Inkrafttreten des Börsengesetz nachgefolgten Jahren, also 1897—1902, eine
überaus erhebliche Schnelligkeit der Bankenkonzentration und eine
gleich erhebliche Schnelligkeit des Niederganges des Privatbankierstandes eingetreten war.

Ob es heute noch ein Interesse hat, angesichts dieses notorischen
Schlusses der Entwicklung jener sechsjährigen Periode, noch weiter
zu differenzieren und der Schnelligkeit im Wachstum der Berliner
Banken in dieser Periode diejenige der Provinzbanken vergleichend
gegenüber zu stellen, kann bezweifelt werden, zumal die Tatsache
feststeht, daß auch im Bereiche der Provinzialbanken sich die nämliche Konzentrationsbewegung wie bei den Großbanken gezeigt
hat, daß aber die Schnelligkeit bei den verschiedenen Provinzialbanken nicht überall die gleiche war.

Während z. B. die 12 bedeutendsten rheinisch-westfälischen Banken von Ende 1893 bis Ende 1900, also zu einer Zeit, wo sie
(allerdings mit Ausnahme der bedeutendsten, der Bergisch-Märkischen Bank) noch nicht „angegliedert" waren, ihr Kapital von 107
auf 350 Mill. M, also um ca. 226%, vermehrten [2], so ergibt sich wieder

---

1) Die Zahl der Londoner Banken (ohne die Kolonial- und die sogenannten
fremden Banken) verminderte sich infolge von Verschmelzungen von 115 im Jahre
1885 auf 77 im Jahre 1901 (vgl. Schmoller, Grundriß II, S. 232).

2) Nach Ad. Weber, Die rheinisch-westfälischen Provinzbanken und die
Krisis (in den Schriften des Vereins f. Sozialpol. CX und Störungen im deutschen
Wirtschaftsleben usw., Bd. VI, S. 326 u. 327). Die hieraus gezogene Folgerung, daß
sich somit das Aktienkapital dieser Banken in dieser Zeit verhältnismäßig noch
rascher als das der großen Berliner Banken vermehrt habe, kann nicht ohne
weiteres als richtig zugegeben werden. Einmal um deswillen nicht, weil nur 6 von
den (damaligen) 10 Berliner Großbanken verglichen sind, die in der Tat in diesen
7 Jahren ihr Aktienkapital „nur" von 428 Mill. M auf 705 Mill. M, also „nur" um etwa
64% (gegenüber jenen 226%), vermehrt haben. Dann aber auch deshalb nicht, weil

aus den folgenden Zahlen, die nach den Angaben der Central-verbandsdenkschrift vom Dezember 1903 zusammengestellt sind, daß gegenüber dem Jahresdurchschnitt der Periode 1883—1890 der Jahresdurchschnitt der werbenden Kapitalien gestiegen ist:

Bei 22 von den Berliner Großbanken (damals) unabhängigen Instituten	Bei den (damals) 10 Berliner Großbanken
In den Jahren 1891—1896 um 14,9%	um 43,7%
in den Jahren 1897—1902 „ 53,9%	„ 153,2% [1])

Nachdem aber einmal ein großer Teil der Provinzialbanken verschiedenen Berliner Großbanken „angegliedert" war, kann darüber kaum ein Zweifel sein, daß ihr alsdann besonders auffälliges Wachstum (an Kapital, Filialen usw.) naturgemäß durch die Anlehnung an solche Großbanken in sehr hohem Maße beeinflußt worden ist. Und umgekehrt haben, namentlich seit dem Jahre 1905, infolge des besonders im Jahre 1904 so stark gesteigerten Wachstums der Groß-banken und der abhängigen Konzernbanken in der Provinz, die-jenigen Provinzbanken, welche nicht angegliedert waren behufs Erhaltung ihrer Selbständigkeit und ihres Wirkungskreises mit Erfolg gesucht, auch ihre Interessensphäre ständig zu erweitern. Dies ist namentlich geschehen in den Jahren 1906 und 1907, in denen umgekehrt der Konzentrationsprozeß der Großbanken einen Still-stand aufwies.

So hatte u. a. — ich will nur einige besonders prägnante Bei-spiele hervorheben — in Mitteldeutschland der Magdeburger Bank-Verein (begr. am. 12. Juni 1867 als Kommanditgesellschaft auf Aktien unter der Firma Klincksiek, Schwanert & Co., seit 1897 Aktien-gesellschaft unter obiger Firma, Aktienkapital 15 Mill. M) am 1. Ok-tober 1911:

> Filialen: 10 (Aschersleben, Burg bei Magdeburg, Braun-schweig, Dessau, Hildesheim, Naumburg, Nordhausen, Peine, Salzwedel, Stendal).
>
> Depositenkassen: 5 (in Magdeburg).
>
> Dauernde Beteiligungen: 2 (G. Vogler in Quedlinburg und Thale, sowie Meyer & Windmüller in Essen).

---

alle diese Großbanken bereits vorher, nämlich von etwa 1885 ab, ihre Kapitalien erheblich vermehrt hatten.

1) Anderweite Berechnungen siehe in den Artikeln der Frankfurter Zeitung vom 6. und 7. Mai 1903, Nr. 125 und 126: „Konzentration im Bankgeschäft" und vom 15. November 1904, Nr, 318: „Börsengesetz und Bankanschwellung". Nimmt man dagegen die Zeit von 1890—1901, so verschiebt sich das Bild; vgl. W. Christians, „Die Entwicklung der deutschen Aktienbanken von 1890—1901", im Bank-Archiv, 2. Jahrg., Nr. 4, Januar 1903, S. 53 ff., insbesondere S. 56 (auch separat erschienen).

In sich aufgenommen:

1905	die Bankfirma	S. Frenkel in Nordhausen;
1905/06	,,	,, Herzfeld & Büchler in Aschersleben;
1906	,,	,, H. Bach in Nordhausen;
1907	,,	,, Gebrüder Dux in Hildesheim;
—	,,	,, Friedrich Franz Wandel in Dessau;
1908	,,	,, J. Wertheimer in Peine;
1909	,,	,, Otto Weibezahl & Co. in Braunschweig;
—	,,	,, Meyer Seckel in Peine;
1910	,,	,, Schultze & Schaele in Magdeburg;
—	,,	,, Tasse & Rothenstein in Dessau;
—	,,	,, Bernhard Beschütz in Salzwedel.

Allein von 1905 bis Oktober 1911 hat also der Magdeburger Bankverein 11 Bankfirmen behufs Begründung von Filialen in sich aufgenommen.

Seit 1907 steht er in enger Verbindung mit der Disconto-Gesellschaft; ein Direktor der letzteren ist Mitglied des Aufsichts-rats des Bankvereins.

Die Magdeburger Privatbank in Magdeburg und Ham-burg, begr. 1856, hatte bis zu ihrer Vereinigung mit dem Dresdner Bankverein in Dresden (1910) und der Veränderung ihrer Firma in „Mitteldeutsche Privatbank, Aktiengesellschaft":

Filialen: 13 (Dessau, Eisenach, Eisleben, Erfurt, Halber-stadt, Halle a. S., Langensalza, Mühlhausen i. Th., Nord-hausen, Sangerhausen, Torgau, Weimar, Wernigerode i. H.

Depositenkassen: 33 (in Aken a. E., Barby a. E., Bis-mark (Altmark), Burg bei Magdeburg, Calbe a. S., Egeln, Eilenburg, Finsterwalde N.-L., Frankenhausen, Gardelegen, Genthin. Helmstedt, Hettstedt, Ilversgehofen, Klötze, Merseburg, Neuhaldensleben, Oschersleben, Osterburg, Osterwieck, Perleberg, Quedlinburg, Salzwedel, Schöne-beck a. E., Sondershausen, Stendal, Tangerhütte, Tanger-münde, Thale a. H., Wanzleben, Wittenberg (Bezirk Halle), Wittenberge (Bezirk Potsdam), Wolmirstedt.

Kommandite: 1 (Ascherslebener Bank, Gerson, Cohen & Co., Kommanditgesellschaft in Aschersleben).

Die Magdeburger Privatbank hatte in sich aufge-nommen:

1905	die Nordhäuser Bank in Nordhausen;
—	die Bankfirma Wilhelm Hauffe in Eilenburg;
—	,, ,, Julius Elkan in Weimar;
—	,, ,, Tobias Fricke in Gardelegen;
1906	,, Disconto-Gesellschaft Hettstedt;
—	,, Bankfirma F. W. Quensel in Sangerhausen;
—	,, ,, F. Unger in Erfurt;

1906 die Wittenberger Spar- und Leihbank, eingetragene Genossenschaft m. b. H. in Wittenberg;
— die Bankfirma Paul Thiele in Merseburg;
1906/07 den Eisleber Bankverein Ulrich-Zickert & Co. in Eisleben;
— die Creditbank Eisenach A.-G. in Eisenach (Akt.-Kap. 1½ Mill. M);
1907 die Vereinsbank Mühlhausen in Thüringen mit Filia lein Langensalza (Akt.-Kap. 2 100 000 M);
— die Torgauer Bank in Torgau (Akt.-Kap. 1 Mill. M);
— den Sangerhäuser Bankverein in Sangerhausen (Akt.-Kap. 898 000 M);
1908 die Wernigeroder Kommanditgesellschaft auf Aktien Fr. Krumbhaar in Wernigerode mit Filiale in Osterwieck i. H. (Akt.-Kap. 1½ Mill. M);
— die Wechslerbank in Hamburg (begr. 1872, Kapital 7,5 Mill. M);
— die Erfurter Bank Pinckert, Blanchart & Co. in Erfurt (Akt.-Kap. 3 800 100 M);
— die Bankfirma August Sonnenthal in Dessau;
1909 den Vorschuß-Verein zu Hersfeld, eingetr. Genossenschaft m. b. H.

Nach der im Jahre 1909 erfolgten Fusion mit dem Dresdner Bankverein in Dresden[1]) mit Wirkung vom 1. Januar 1909 hatte die Bank, welche nunmehr die Firma Mitteldeutsche Privatbank A.-G. führt, ihr Kapital auf 50 000 000 M, 1911 auf 60 000 000 M erhöht. Sie hatte danach folgende Bankhäuser in sich aufgenommen:

1910 die Bankfirma Erttel, Freyberg & Co. in Leipzig[2]);
1911 „ „ Engelhardt & Weymar in Mühlhausen i. Th.;
— den Calbenser Bankverein, e. G. m. b. H. in Calbe i. Sa.

An Depositenkassen hatte sie ferner errichtet 1910 in Riesa, 1911 in Aue im Erzgeb., Eibenstock i Sa. und Stollberg im Erzgeb. je eine.

Die Magdeburger (Mitteldeutsche) Privatbank hat also von 1905 ab behufs Begründung von Filialen und Depositenkassen in sich aufgenommen: 10 Privatbankgeschäfte und 12 Banken.

Was Süddeutschland angeht, so standen namentlich folgende Banken im Vordergrunde der Konzentrationsbewegung:

---

1) Der Dresdner Bankverein, gegründet 1887. Kapital 21 Mill. M, hatte seinerseits die folgenden Firmen übernommen:

1887 die Weimarische Filialbank in Dresden,
1890 die Filialen der Geraer Bank in Dresden, Chemnitz und Leipzig,
1900 die Bankfirmen Hch. Wm. Bassenge & Co. in Dresden, die in unveränderter Firma fortgeführt wurde,
1905 die Sächsische Discont-Bank in Dresden, Grundkapital 3 Mill. M,
1907 die Bankfirmen Ernst Petasch in Chemnitz und Krober & Co. in Meißen.

Außer den sich aus diesen Übernahmen ergehenden Niederlassungen hatte er Filialen in Kamenz, Meißen, Sebnitz, Wurzen, ferner Depositenkassen in Lommatzsch und Öderan.

2) Diese Firma war bis dahin eine Kommandite der Nationalbank für Deutschland.

Die Bayerische Vereinsbank in München (Aktienkapital
45 000 000 M). Sie hat

Filialen: 12 (Augsburg, Bad Kissingen, Bayreuth, Erlangen,
Fürth, Kempten, Landshut, Nürnberg, Passau, Regens-
burg, Straubing und Würzburg).
Depositenkassen: 7 (München. Nürnberg 4, Hersbruck,
Schwabach).

Sie hat in sich aufgenommen:

1886 die Bankfirma	Joseph v. Hirsch in München;	
1892 ,, ,,	Guggenheimer & Co. in München;	
1899 ,, ,,	Adolf Böhm in Landshut;	
1905 ,, ,,	Gregor Oehninger's Sohn & Co. in Würzburg;	
1906 ,, ,,	Stiglmeier & Böhm in Straubing;	
1907 ,, ,,	Franz Eglauer in Passau;	
1908 ,,	Nürnberger Bank in Nürnberg, Lauf, Erlangen, Schwabach und Hersbruck;	
— ,,	Würzburger Volksbank in Würzburg;	
— ,,	Bankfirma Friedrich Feustel in Bayreuth und Bad Kissingen;	
— ,, ,,	Leyherr & Co. in Augsburg;	
— ,, ,,	F. S. Euringer in Augsburg;	
— ,, ,,	August Leipert in Kempten.	

Sie hat also seit 1885 10 Bankfirmen und 2 Banken in sich
aufgenommen.

Die Bayerische Handelsbank in München erhöhte 1906
ihr Kapital von 27 171 800 M auf 33 963 809 M, 1908 auf 35 600 000 M
und errichtete Filialen in Amberg, Ansbach, Aschaffenburg, Bamberg, Bayreuth, Deggendorf, Donauwörth, Gunzenhausen, Hof, Immen-
stadt, Kempten, Kronach, Kulmbach, Lichtenfels, Marktredwitz,
Memmingen, Mindelheim, Münchberg, Neuburg a. D., Nördlingen,
Regensburg, Rosenheim, Schweinfurt, Selb, Traunstein und Würzburg. Sie hat behufs Begründung oder Erweiterung von Filialen
folgende Bankgeschäfte übernommen:

1899 die Bankfirma	Ignaz Wolfsheimer in Kempten;	
1905 ,, ,,	L. Ullmann & Söhne in Kempten;	
— ,, ,,	Hermann Hellmann in Bamberg und Kronach;	
— ,,	Gewerbebank Memmingen, G. m. b. H. in Memmingen;	
— ,,	Bankfirma M. Wolfsthal in Aschaffenburg;	
1903 ,, ,,	F. L. Bauer in Kulmbach;	
1905 ,, ,,	Wolf S. Gutmann in Ansbach;	
— ,, ,,	Heinrich Mayer in Memmingen;	
1906 ,, ,,	Schüller & Co. in Bayreuth und Hof;	
— ,, ,,	A. Krauss in Bayreuth und Münchberg;	
1907 ,, ,,	Hans Mayer in Lichtenfels;	
— ,, ,,	Ludwig Rosenfelder in Nördlingen;	
— ,, ,,	Fr. X. Miller in Mindelheim;	
— ,, ,,	Max de Crignis in Neuberg a. d. Donau;	
1908 ,, ,,	Wilhelm Frank in Gunzenhausen;	
— ,, ,,	F. J. Gutmann in Ansbach;	

1908 die Bankfirmen Rich. Kirchner in Würzburg;
— „ „ Haymann & Co. in Regensburg;
— „ Creditbank Rosenheim, A.-G. (Akt.-Kap. 1 000 000 M);
1910 „ Bankfirma Anton Storr in Donauwörth;
— „ Volksbank Traunstein e. G. m. b. H. in Traunstein;
1911 „ Bankfirma Max Weinschenk & Co. in Deggendorf.

Sie hat also seit 1899 19 Bankfirmen und 3 Banken in sich aufgenommen.

Die Rheinisch-Westfälische Disconto-Gesellschaft A.-G. in Aachen (Akt.-Kap. 95 Mill. M.), welche wir aus den in Tab. VIII entwickelten Gründen nicht zum Konzern der Disconto-Gesellschaft, sondern zu den selbständigen Provinzbanken zu rechnen haben, hat jetzt 18 Filialen (Bielefeld, Bochum, Bonn, Coblenz, Cöln, Dortmund, Düsseldorf, Godesberg, Gütersloh, Kreuznach, Lippstadt, M.-Gladbach, Neuß, Neuwied, Recklinghausen, Remscheid, Traben-Trarbach, Viersen), ferner 6 Depositenkassen (3 in Cöln und je 1 in Kalk, Malmedy und Ratingen) und 2 Kommanditen (Delbrück, Schickler & Co., Berlin und M. W. Koch & Co., Frankfurt a. M.). Sie hat aufgenommen:

(Akt.-Kap. M.)

1901 die Bank für Rheinland u. Westfalen 10 000 000
— „ Coblenzer Bank 2 000 000
1902 „ Bankfirma Groethuysen & Linx-
weiler in Viersen.
1904 „ Kölnische Wechsler- und
Kommissionsbank 12 000 000
1905 den Neuwieder BankVerein . 1 000 000
— die Bochumer Bank in Bochum 5 000 000 mit Filialen Dortmund und
Recklinghausen;

— „ Westfälische Bank in Biele-
feld . . . . 10 000 000 mit Filialen in Lippstadt
und Gütersloh;

— „ Bankfirma Otto Lohmann in
Bielefeld.
— „ Düsseldorfer Bank in Düssel-
dorf . . . . 5 000000 mit Filiale in Neuß;
1906 „ Bankfirma Joh. Ohligschlaeger
G. m. b. H. in Aachen, Stammkapital 5 500 000 M.
1907 „ Remscheider Kredit- und
Sparbank 750 000
1909 „ Volksbank in Erkelenz.
Sie ist dauernd beteiligt bei
Hardy & Co., G. m. b. H. in Berlin . . . 15 000 000
der Eschweiler Bank 1 000 000
„ Dürener Bank . . . . 11 000 000 welche ihrerseits 1905 die
Euskirchener und die Jü-
licher Volksbank aufnahm,
unter Errichtung von Filialen
in Euskirchen und Jülich;

(Akt.-Kapital M.)

der Volksbank Geilenkirchen-Hüns-		
hoven	315 000	
„ Bergischen Kreditanstalt in		
Gummersbach	2 000 000	eingezahlt mit 1 505 000 M, mit Zahlstellen in Halver und Wipperfürth;
„ Eupener Kreditbank	500 000	
„ Herforder Discontobank . . .	2 500 000	
„ Bünder Bank	1 000 000	
„ Unnaer Bank	2 000 000	
„ Crefelder Bank	3 000 000	
„ Hamelner Bank	2 000 000	eingezahlt mit 1 500 000 M.

IV. Spezielle Gründe für die Konzentrationsgeschwindigkeit der Jahre 1901—1904.

Die Konzentrationsgeschwindigkeit hat sich aber im Verlaufe zweier Krisen, nämlich in den dem Jahr 1870 folgenden Jahren durch die jetzt fast nur noch historische Bedeutung beanspruchende Gründung der sogenannten „Provinzial"-Banken[1]), und dann wieder in den Jahren 1901—1904 einschließlich, ungemein vergrößert. Insbesondere hat sie in letzterem Jahre ganz überraschende und mitunter geradezu unheimliche Dimensionen angenommen. War auch bereits vorher eine ganz bedeutende Schnelligkeit, wie wir sahen, festzustellen, so vollzog sich in diesen vier Jahren der Vorgang mit einer Geschwindigkeit, welche die eines Blitzzuges zu überholen und die Möglichkeit dieser Überholung in ähnlicher Weise nachweisen zu wollen schien, wie die in diesen Jahren tatsächlich durchgeführte starke Überholung jener Geschwindigkeit durch die elektrischen Schnellbahnen.

Zu dieser Geschwindigkeitssteigerung wirkten auch wieder, wie so vielfach auf diesem Gebiete, psychologische Momente stark mit:

1. Die Krisis der Jahre 1873 und 1900.

Man kann im allgemeinen die Beobachtung machen, daß stets nach einer Krisis die Intensitat vorhandener Konzentrationstendenzen und die Schnelligkeit der Konzentrationsbewegung sich in sehr erheblichem Umfange vergrößert.

Nach jeder Krisis, die eine Reihe von Unternehmungen völlig vernichtet und wegfegt, empfinden die schwachen Elemente, die durch irgend eine Unterstützung mit halbwegs heilen Knochen die

---

1) Vgl. Paul Wallich a. a. O. S. 16—24; Hauptbeispiel die im Jahre 1871 seitens der Disconto-Gesellschaft mit einem Kapital von nom. 30 Mill. M begründete, aber schon 1878 in Liquidation getretene Provinzial-Discontogesellschaft.

Zeit überstanden haben, recht bald, daß sie nur bei einem Aufgehen in ein anderes Unternehmen dauernd gerettet werden können[1]). Dies zumal dann, wenn sie in den der Krisis vorausgegangenen Aufschwungszeiten ihre ganze Basis durch Vergrößerung ihrer Betriebe oder Kapitalien in einer Weise verbreitert hatten, welche in Zeiten des Stillstandes eine volle und rationelle Ausnutzung dieser Betriebsanlagen oder Kapitalien nicht mehr gestattet.

Mit Recht hat deshalb auch Wallich[1]) darauf aufmerksam gemacht, daß schon nach der Krisis von 1873 die in den Jahren der aufsteigenden Konjunktur 1870—1872 begonnene Konzentrationsbewegung im deutschen Bankwesen ein stärkeres Tempo durch die „Entgründungen" von Banken eingeschlagen hat, die durch stärkere Banken durchgeführt wurden.

Indem die letzteren durch ihre Mitwirkung bei der Liquidation die in schlimme Lagen geratenen schwächeren Banken vielfach vor dem Zusammenbruch retteten, ihnen aber jedenfalls die Realisierung ihrer Bestände erheblich erleichterten, sicherten sie sich meist die Übernahme bestehender wertvoller Geschäftsverbindungen, Zahlstellen usw. und gewannen so einen bedeutenden Zuwachs an Macht und Einfluß.

In dieser Weise und zu solchen Zwecken übernahm die Deutsche Unionbank in Berlin die Liquidation von vier Banken in der Zeit von 1871—1874; die Deutsche Bank die Liquidation der Allgemeinen Depositenbank und der Elberfelder Disconto- und Wechselbank und eben jener Unionbank, welche die Nachteile dieser Operationen, die Festlegung von Mitteln, allzuschwer hatte empfinden müssen, in der Zeit von 1873—1876; die Dresdner Bank die Liquidation von vier Banken, der Dresdner Handelsbank, des Sächsischen Bankvereins, der Sächsischen Kreditgesellschaft und der Thüringischen Bank in Sondershausen in der Zeit von 1873—1878, und endlich die Württembergische Vereinsbank die Liquidation der Stuttgarter Bank von 1875 ab.

Bald darauf (von 1876 bis in die 80er Jahre hinein) führte die Deutsche Bank die Liquidation von vier weiteren Banken durch: des Berliner Bankvereins und der Berliner Wechslerbank, des Frankfurter Bankvereins, mit der die Errichtung einer Filiale in Frankfurt a. M. verbunden wurde, und der (alten) Niederlausitzer Bank in Kottbus.

1876 wies die Bilanz der Deutschen Bank einen Posten von etwa 6½ Mill. M billig erworbener Aktien von meist in Liquidation befindlichen Banken auf, während gleichzeitig die Anzahl ihrer provisionspflichtigen Konten sich von 855 auf 1354 vermehrt hatte.

---

1) Paul Wallich, Die Konzentration im Deutschen Bankwesen, Fünftes Kapitel: Die Liquidationen, S. 34—38.

516 Besondere Gründe f. d. Konzentrationsgeschwindigkeit a. 1873 u v. 1901—1904.

Die Unternehmungen aber, die in der Krisis fremder Hilfe nicht bedurften, sondern sie aus eigener Kraft überstanden hatten, waren meist diejenigen, welche sich vorher eine starke Vergrößerung dieser Kraft durch Konzentration und Konsolidation ihrer Betriebe und Kapitalien zu sichern gewußt hatten, und diese Tatsache, die gewöhnlich erst während der Krisis den Außenstehenden zum Bewußtsein kommt, wirkt natürlich wiederum stark auf diejenigen Unternehmungen, welche rechtzeitig Gleiches zu tun verabsäumt hatten, und die nun nachträglich so rasch als möglich nachzukommen suchen.

Auf der anderen Seite pflegen gewöhnlich diejenigen Unternehmungen, so auch die Banken, welche die Krisis nicht nur überstanden, sondern darin auch Gelegenheit gefunden haben, anderen Unternehmungen beizustehen, gerade aus der Krisis neue Unternehmungslust zu schöpfen. Sie können auch in einer Krisis leichter und mit geringeren Opfern oder mit größeren Gewinnen, wie sonst, geeignete Objekte zur Befriedigung ihrer Expansionslust finden, welche allerdings dann auch in besonders hohem Grade von der unterstützenden Bank abhängig zu werden pflegen, wenn sie von ihr nicht liquidiert oder aufgesogen werden. Nach der Denkschrift des Centralverbands des Deutschen Bank- und Bankiergewerbes sind in den Jahren 1901/1902, also während und nach der Krisis von 1901, nicht weniger als 41 Filialen von Banken neu gegründet worden, meist an Stelle aufgesogener Privatbankgeschäfte, während im ganzen 116 Bankierfirmen in dieser kurzer Zeit erloschen sind. Und „eine ganze Reihe größerer Banken, die in der Aufschwungszeit ihre Selbständigkeit zu wahren gewußt hatten, nun aber durch unglückliche Umstände gezwungen waren, an einer Berliner Großbank eine Stütze zu suchen, zahlen so der Krisis, je nach den lockeren oder engeren Beziehungen, in die sie eintraten, einen mehr oder minder harten Tribut an ihrer Selbständigkeit"[1]).

Im Jahre 1903 waren die „dauernden Beteiligungen" der Deutschen Bank auf rund 57 Mill. M (gegenüber rund 50 Mill. M im Jahre 1899), die der Disconto-Gesellschaft auf rund 58 Mill. M (gegenüber rund 51 Mill. M. im Jahre 1899) gewachsen.

Endlich — und dies gilt namentlich auf dem Gebiete des Bankwesens, wo das Vertrauen eine so große Rolle spielt — pflegt sich naturgemäß nach jeder Krisis das allgemeine Vertrauen denjenigen Instituten in erster Linie zuzuwenden, welche gerade während der Krisis durch Unterstützung anderer, durch tatkräftiges Eingreifen an der Börse u. dgl. m., ihre Energie, Einsicht und Kraft besonders erwiesen haben, während sich, oft sehr unberechtigter-

---

1) So Paul Wallich a. a. O. S. 131.

weise, gerade dann das Vertrauen des Publikums von den andern Instituten, also auf dem Gebiete des Bankwesens von den mittleren und kleineren Privatbankiers, abwendet. Dabei spielt denn auch die Frage der Sicherheit der Effektenaufbewahrung dann besonders eine Rolle, wenn etwa vorher, wie in den Herbstvorgängen des Jahres 1891 in Berlin, in der Tat einmal, wenn auch nur in vereinzelten Fällen, ein besonderer Grund zum Mißtrauen gegeben war.

Besonders konzentrationsfördernd wirkte aus solchen Gründen das sofortige und kräftige Eingreifen der Großbanken anläßlich des Zusammenbruchs der Pommerschen Hypothekenbank, der Preußischen Hypotheken - Actien - Bank und der Deutschen Grundschuldbank (1901). Ebenso wirkte das energische Zugreifen der Deutschen Bank, welche am gleichen Tage, an dem die Zahlungseinstellung der Leipziger Bank veröffentlicht wurde (25. Juni 1901), die Errichtung einer eigenen Filiale in Leipzig bekannt machte. Der etwa gleiche Vorgang im Jahre 1910, als die Dresdner Bank zwei Tage nach der Zahlungseinstellung der Vereinsbank in Frankfurt a. O. eine Filiale in Frankfurt a. O. errichtete, wirkte nur deshalb nicht in gleicher Weise, weil es sich bei dem Zusammenbruch der Vereinsbank nicht um eine allgemeine Krisis, sondern um einen vereinzelten Fall handelte.

2. Die Gründung der United States Steel Corporation am 23. Februar 1901.

In diesen Jahren aber (1901 ff.) und dann wieder im Jahre 1904, wo der Rekord in der Schnelligkeit der Konzentrationsbewegung erreicht wurde, spielten noch weitere wichtige Vorgänge eine tiefgreifende psychologische Rolle: Es ist keine Übertreibung, wenn man behauptet, daß wenige wirtschaftliche Vorgänge in dieser ganzen zweiten Epoche die Gedanken der weitesten Kreise so beschäftigt und die Gemüter so erregt haben, wie die am 23. Februar 1901 mit dem ungeheuren Kapital von 1 Milliarde und 100 Millionen Dollars erfolgte Gründung der United States Steel Corporation.

Man hatte in Deutschland teils wirklich übersehen, teils die Augen vor der Tatsache verschlossen, daß damit in Amerika lediglich ein, noch dazu nur vorläufiger, Höhepunkt einer Konzentrationsbewegung erreicht war, die dort schon 20 Jahre zuvor mit großer Wucht begonnen und sich nach und nach — meist im Wege der Trusts — auf einer großen Reihe von Gebieten durchgesetzt hatte. Das „Gesetz der großen Zahl" hat selten eine so große starke Wirkung wie in diesem Falle ausgeübt. Nun erst wurde man sich allerseits, und zwar weit über die Bankkreise und die direkt beteiligten Industriekreise hinaus, darüber klar, daß man sich in Deutschland, dessen weit geringerer Kapitalreichtum die Chancen nicht gerade verbessert, auf einen mit der Zeit immer schwereren Kampf gefaßt machen müsse, der denkbarerweise auch einmal erheblich mehr in der Defensive als in der Offensive durchzuführen sein werde. Demgegenüber erschien es als dringende Notwendigkeit, die Konzentrationsbewegung noch zu verstärken, und zwar speziell gegenüber der in Amerika üblichen Trustbildung, die eine völlige Herrschaft über die in ihr zusammengefaßten Unternehmungen und ihre Geschäftsführung bedeutet und damit auch die Möglichkeit einer Verminderung der Produktionskosten eröffnet, auf deren Reduktion die deutschen Kartelle fast durchweg, schon angesichts der Selbständigkeit der kartellierten Unternehmungen, einen maßgebenden Einfluß nicht hatten gewinnen können.

3. Die Errichtung des Stahlwerksverbands in Düsseldorf am 1. März 1904.

Eine solche Konzentrationsverstärkung erschien sowohl auf dem Gebiete der zunächst in der Front stehenden Haupttruppe, der Industrie, als auf dem der Hilfstruppe, des deutschen Bankwesens, erforderlich. So gelang es denn unter dem frischen Eindruck jenes amerikanischen Vorgangs, am 1. März 1904 nach sehr schweren Mühen die lange vorbereitete und in den weitesten Kreisen begrüßte Gründung des Stahlwerksverbandes in Düsseldorf durchzusetzen, der am 1. Januar 1905 die Errichtung des Oberschlesischen Stahlwerksverbandes [1]) folgte. Alle diese amerikanischen und deutschen Vorgänge zusammen aber verstärkten wieder die stürmische Konzentrationsentwicklung, die in diesen Jahren, namentlich im Jahre 1904, im deutschen Bankwesen, vielfach auf Kosten der mittleren und kleinen Bankgeschäfte, sich vollzogen hat.

Drittes Kapitel.
Die Konzentrations-Wege und -Formen.
§ 1. Der äußere Gang der Entwicklung.
A. Die einzelnen Großbanken.

Der äußere Werdegang der Berliner Großbanken [2]), deren man noch im Jahre 1903 in der Regel zehn gezählt hatte, ist in tabellarischer

---

1) Der Düsseldorfer Stahlwerksverband ist bis zum 30. Juni 1912 geschlossen; hinsichtlich des Oberschlesischen vgl. oben S. 152 Anm. 2.

2) Nach alphabetischer Reihenfolge. Die Aktienkapitalien und Reserven sind dort, wo nicht etwas anderes ausdrücklich bemerkt ist, so angegeben, wie sie sich per 31. Dezember 1910 stellten. Bei den Angaben auf S. 520 ff. ist mit Rücksicht auf die bedeutenden Kapitalserhöhungen des Jahres 1911 der 31. Oktober 1911 zugrunde gelegt. Zwischenbilanzen veröffentlichende Banken sind nach diesen, die anderen nach den Bilanzen per 31. Dezember 1910 einschließlich der neu erfolgten Reservefendserhöhungen und der etwaigen Kapitalsvermehrung eingestellt.

Form in der Beilage VII am Schlusse dieses Buches dargestellt. Hieraus ergibt sich, was die heutige Zahl der Großbanken betrifft, folgendes:

Das Kapital der Mitteldeutschen Creditbank von 60 Mill. M ist seitens mehrerer Provinzialbanken erheblich übertroffen (Rheinisch-Westfälische Disconto-Gesellschaft und Rheinische Creditbank 95 Mill. M; Allgemeine Deutsche Credit-Anstalt 90 Mill. M; Bergisch-Märkische Bank 80 Mill. M; Barmer Bankverein und Essener Credit-Anstalt 75 Mill. M). Auch das Kapital der Nationalbank für Deutschland von 90 Mill. M und der Commerz- und Disconto-Bank von 85 Mill. M ist durch dasjenige der Rheinisch-Westfälischen Disconto-Gesellschaft sowie der Rheinischen Creditbank mit 95 Mill. M übertroffen. Bei Rangierung lediglich nach der Höhe der Aktienkapitalien und bei der üblichen Zugrundelegung eines Minimalaktienkapitals von 100 Mill. M für den Begriff einer Großbank, kann man also heute zu den Großbanken nur noch folgende sechs Banken zählen:

		Aktienkapital
1.	die Deutsche Bank	200 Mill. M
2.	„ Dresdner Bank	200 „ „
3.	„ Disconto-Gesellschaft	200 „ „
4.	„ Bank für Handel und Industrie	160 „ „
5.	den A. Schaaffhausen'schen Bankverein . .	145 „ „
6.	die Berliner Handelsgesellschaft	110 „ „

Geht man aber bis zu einem Aktienkapital von 80 Mill. M herunter, so wird man zu den Großbanken jetzt noch weiter die Rheinisch-Westfälische Disconto-Gesellschaft A.-G. und die Rheinische Creditbank (95 Mill. M), die Nationalbank für Deutschland und die Allgemeine Deutsche Credit-Anstalt (90 Mill. M), sowie die Commerz- und Disconto-Bank (85 Mill. M) und die Bergisch-Märkische Bank (80 Mill. M) zu rechnen haben.

In letzterem Falle würde man als Berliner Großbanken nicht nur die sechs oben bezeichneten Großbanken bezeichnen müssen, die in Berlin ihren Sitz oder doch ihren geschäftlichen Schwerpunkt haben, sondern acht, nämlich außerdem noch die Commerz- und Disconto-Bank und die Nationalbank für Deutschland.

Von den sechs Großbanken hat allein die Berliner Handelsgesellschaft an dem Grundsatz unbedingter Zentralisation im allgemeinen bisher streng festgehalten; sie besitzt weder Filialen, noch Interessengemeinschaften und hat erst im Jahre 1911 sich an einem Privatbankgeschäft (S. L. Landsberger in Berlin und Breslau) kommanditistisch beteiligt und ein „Stadtbureau" in ihrem

Bankgebäude errichtet, welches eine Depositenkasse ist, obwohl der Name vermieden wird.

B. Die Kapitalmacht der Großbankengruppen.

Die fünf größten Berliner Banken bilden nunmehr mit den (sei es durch Aktienbesitz, sei es durch Vertrag) zu ihren **inländischen Interessengemeinschaften** gehörigen Banken und deren **inländischen Interessengemeinschaften** (wobei jedoch nur die **Aktienkapitalien und Reserven**, also lediglich die eigenen, aber nicht die fremden Gelder, berücksichtigt sind) die nachfolgenden Gruppen, deren **Kapitalmacht** nach dem Stande per 31. Oktober 1911 berechnet ist:

I. Die Gruppe der Deutschen Bank.

Dazu gehört[1]):	Aktienkapital M	Reserven M
Die Deutsche Bank selbst	200 000 000	107 781 263
ferner:		
1. Bergisch-Märkische Bank in Elberfeld . .	80 000 000	23 454 196
mit der: Siegener Bank für Handel und Gewerbe in Siegen.	6 000 000	1 460 000
2. Schlesischer Bankverein in Breslau	40 000 000	15 500 000
mit: a) dem Kattowitzer Bankverein A.-G. in Kattowitz	2 000 000	247 901
b) dem Oberschlesischem Credit-Verein in Ratibor	1 800 000	360 000
c) der Niederlausitzer Bank A.-G. in Cottbus.	1 500 000	58 905
3. Hannoversche Bank in Hannover	30 000 000	7 500 000
mit: a) der Osnabrücker Bank in Osnabrück	14 500 000	3 975 000
b) „ Hildesheimer Bank in Hildesheim	10 000 000 [2])	4 000 000
c) „ Braunschweiger Privatbank A.-G. in Braunschweig.	5 000 000	288 392
d) der Leher Bank in Lehe	2 000 000	527 781
4. Mecklenburger Hypotheken- u. Wechselbank in Schwerin	9 000 000	7 050 000
mit der Mecklenburgischen Sparbank	4 000 000	850 000
5. Essener Credit-Anstalt in Essen a. d. R. . .	72 000 000	23 090 000
6. Sächsische Bank in Dresden	30 000 000	7 500 000
7. Essener Bankverein in Essen a. d. R. . . .	25 000 000	2 845 176
8. Oldenburgische Spar- und Leihbank in Oldenburg i. Gr.	4 000 000	1 900 000
9. Privatbank zu Gotha	9 250 300	1 597 877
10. Rheinische Creditbank in Mannheim . . .	95 000 000	18 500 000
mit der Pfälzischen Bank in Ludwigshafen .	50 000 000	10 000 000
In Summa	691 050 300	238 486 491
plus Reserven	238 486 491	
	929 536 791	

---

1) Vgl. Beilage VII unter III.
2) Ende 1911 auf 12 000 000 M erhöht,

Rechnet man die „befreundeten Banken" (s. Beilage VII) hinzu, so erhöhen sich die Aktienkapitalien der Gruppe um 272 000 000 M, die Reserven um 64 844 163 M, in Summa 336 844 163 M, also die Gesamtkapitalmacht auf 1 266 380 954 M, also 1¼ Milliarden M.

II. Die Gruppe der Disconto-Gesellschaft.

Dazu gehört[1]):

	Aktienkapital M	Reserven M
Die Disconto-Gesellschaft selbst	200 000 000	80 092 611
ferner:		
1. Norddeutsche Bank in Hamburg	50 000 000	14 000 000
2. Allgemeine Deutsche Credit-Anstalt in Leipzig	90 000 000	38 061 079
mit		
a) der Communalbank des Königreichs Sachsen in Leipzig	2 250 000	664 550
b) A. Busse & Co. in Berlin	2 000 000	150 744
c) der Vogtländischen Bank in Plauen i. V. . .	5 500 000	3 690 000
d) „ Oberlausitzer Bank in Zittau	2 700 000	869 000
e) „ Vereinsbank in Zwickau.	4 500 000	2 615 000
3. Barmer Bankverein in Barmen	75 000 000	14 100 000
4. Süddeutsche Disconto-Gesellschaft, Mannheim	38 500 000	2 789 062
und als Tochtergesellschaften (5 u. 6 zugleich Konzernbanken der Allgemeinen Deutschen Credit-Anstalt):		
5. Bayerische Disconto- und Wechslerbank in Nürnberg	12 000 000	250 000
6. Bank für Thüringen vorm. B. M. Strupp, Aktiengesellschaft in Meiningen .·	10 000 000	505 484
7. Stahl & Federer A.-G, in Stuttgart	12 000 000	324 082
In Summa	504 450 000	158 111 612
plus Reserven	158 111 612	
	662 561 612	

III. Die Gruppe der Dresdner Bank.

Dazu gehört[2]):

	Aktienkapital M	Reserven M
Die Dresdner Bank selbst	200 000 000	61 000 000
ferner:		
1. Märkische Bank in Bochum.	9 000 000	1 120 000
2. Rheinische Bank in Essen	28 000 000	3 160 000
Transport:	237 000 000	65 280 000

---

1) Vgl. Beilage VII unter IV. Die Deutsch-Bulgarische Bank in Sofia bleibt als ausländische Bank, die Revisions- und Vermögensverwaltungs-Aktiengesellschaft, weil sie keine eigentliche Bank ist, außer Betracht.

2) Vgl. Beilage VII unter V.

	Übertrag	237 000 000	65 280 000
3. Oldenburgische Landesbank in Oldenburg 3 000 000 M. eingezahlt 40%		1 200 000	724 640
4. Mecklenburgische Bank in Schwerin 5 000 000 Mark, eingezahlt 40% = ...		2 000 000	431 212
mit der:			
a) Rostocker Gewerbebank, A.-G. in Rostock		980 000	168 501
b) Neuvorpomm. Spar- u. Creditbank A.-G. in Stralsund		1 000 000	73 967
5. Landgräflich Hessische konzessionierte Landesbank in Homburg v. d. H.		1 000 000	244 289
6. Schwarzburgische Landesbank zu Sondershausen (nom. 2 500 000 M) eingezahlt		1 000 000	213 823
7. Mülheimer Bank in Mülheim a. d. R.		9 000 000	1 006 257
	In Summa	253 180 000	68 142 689
	plus Reserven	68 142 689	
		321 322 689	

IV. Die Gruppe der Darmstädter Bank.

Dazu gehört[1]:

	Aktienkapital M	Reserven M
Die Darmstädter Bank selbst	160 000 000	32 000 000
ferner:		
1. Breslauer Discontobank in Breslau	25 000 000	2 034 067
2. Ostbank für Handel und Gewerbe in Posen	22 500 000	3 653 000
Hierzu als Tochtergesellschaft:		
Württembergische Bankanstalt vorm. Pflaum & Co.[2])	12 000 000	3 412 332
In Summa	219 500 000	41 099 399
plus Reserven	41 099 399	
	260 599 399	

---

1) Vgl. Beilage VII unter I. Die früher hier als Interessengemeinschaft genannt gewesene Deutsche Nationalbank in Bremen ist nach Abstoßung des Aktienbesitzes seitens der Darmstädter Bank hier nicht mehr zu zählen.

2) Auch die Württembergische Vereinsbank (Aktienkapital 36 000 000 M) könnte hinzugerechnet werden, da die Württembergische Bankanstalt mit ihr in Interessengemeinschaft steht. Sie ist aber bereits als befreundete Bank der Deutschen Bank berücksichtigt.

V. Die Gruppe des A. Schaaffhausen'schen Bankvereins.

Dazu gehört[1]):

	Aktienkapital M	Reserven M
Der A. Schaaffhausen'sche Bankverein selbst	145 000 000	34 159 829
ferner:		
Mittelrheinische Bank in Coblenz	20 000 000	3 172 000
mit der:		
Tochtergesellschaft: der Westfälisch-Lippischen Vereinsbank A.-G. in Bielefeld	7 000 000	540 000
In Summa	172 000 000	37 871 829
plus Reserven	37 871 829	
	209 871 829	

Diese fünf Gruppen umfassen also, Aktien-kapitalien und Reserven (mit dem in der Anmerkung 2 näher erörterten Vorbehalt) zusammengerechnet zu-züglich der befreundeten Banken bei Gruppe I, eine Kapitalmacht[2]) von . . . . 2 720 736 483 M also von nicht viel weniger als 2³/₄ Milliarden M, während die Aktienkapitalien allein 2 112 180 300 und die Reserven allein 607 556 183 M betragen.

---

1) Vgl. Beilage VII unter VI. Die Ostbank für Handel und Gewerbe, welche 1905 die frühere Konzernbank des A. Schaaffhausen'schen Bankvereins: die Ostdeutsche Bank, A.-G., vorm. J. Simon Wwe. & Söhne in Königsberg, in sich aufgenommen hat und somit nunmehr auch dem Schaaffhausen-Konzern angehört, war bereits früher Mitglied der Interessengemeinschaften der Bank für Handel und Industrie (Darmstädter Bank) und kann daher hiernicht nochmals gezählt werden.

2) Ich habe hier mit Absicht die Tatsache außer Betracht gelassen, daß be-kanntlich die Angliederung von Banken sich vielfach durch einen (mittelst Kapitals-erhöhung der angliedernden Bank ermöglichten) Aktienumtausch vollzogen hat, daß also öfters (nicht immer), bei vollem Ansatz der Aktienkapitalien sowohl der an-gliedernden als der angegliederten Bank, eine zu hohe (aber durchaus nicht unbe-dingt eine doppelte) Berechnung von Aktienkapital, rein kalkulatorisch ge-nommen, stattfindet.

Es kann auch eine doppelte oder dreifache Kapitalaufrechnung vorliegen, wenn die Angliederung nicht durch Aktienumtausch, sondern durch Aktienerwerb (ohne Kapitalserhöhung) erfolgt, da z. B. das volle Aktienkapital oder ein Teil des Kapitals derjenigen Provinzialbank, von einer Zentralbankauf letzterem Wege „an-gegliedert" wird, sich nochmals unter den „dauernden Beteiligungen" der Zentral-bank findet. Andererseits findet sich unter den „dauernden Beteiligungen" der Provinzialbank vielleicht nochmals das Aktienkapital (oder ein Teil des Aktien-kapitals) weiterer Banken, welche wieder die Provinzialbank ihrerseits sich auf dem Wege des Aktienerwerbs „angegliedert" hat, wenn sie dieselben vielleicht auch als selbständige Aktiengesellschaften hat fortbestehen lassen.

Selbstverständlich würden diese Summen noch in sehr erheblichem Umfange höher sein, wenn man überall auch noch, was ich

Bei diesem, schon in der ersten Auflage bewußt eingeschlagenen Wege bin
ich auch nach erneuter Erwägung verblieben, zumal bei jeder anderen Berechnungs-
weise Fehler mindestens in dem gleichen, meist aber in wesentlich erhöhtem Umfange
entstehen müssen, denen man nur entgehen kann, wenn man von der Ziehung von
Endsummen überhaupt absieht.

Im Falle des Aktienumtausches läßt es sich in den meisten Fällen, da es gewöhnlich an bestimmten Mitteilungen in den Geschäftsberichten fehlt, nicht erkennen,
wie viele Aktionäre der anzugliedernden Bank von dem Angebot, ihre Aktien in
Aktien der angliedernden Bank umzutauschen, Gebrauch gemacht haben. Das
wird schlagend durch die mühevolle und umständliche Berechnung bewiesen, welche
Ernst Loeb in der mehrfach zitierten Abhandlung: Die Berliner Großbanken in
den Jahren 1895—1902 auf S. 101—103 hat anstellen müssen, um, was ihm schließlich
nur teilweise gelungen ist, zu ermitteln, wie viele Aktionäre der Bergisch-Märkischen
Bank und des Schlesischen Bankvereins im Jahre 1897 die Umtauschofferte der
Deutschen Bank angenommen haben.

Es läßt sich aber meist noch weniger feststellen, wie viele der zum Umtausch
eingelieferten Aktien bei der angegliederten Bank dauernd verblieben und wie viele
veräußert worden sind, so daß man jeweils auf fast ganz in der Luft schwebende
Schätzungen angewiesen ist.

Ebenso geben im Falle des bloßen Aktienerwerbs die Bilanzen keinen sicheren
Anhalt für genaue Zahlen, da sie die sämtlichen „dauernden Beteiligungen" meist
nur in einer Summe zusammenfassen.

Wenn somit auf diesem Wege, von einzelnen Ausnahmen abgesehen, der Betrag nicht bestimmt zu ermitteln ist, welcher, um ein rechnerisch sicheres Resultat
zu erzielen, von den Aktienkapitalien der Angliederungsbanken abzuziehen wäre, so
führt auch der von anderer Seite vorgeschlagene Berechnungsmodus, bei den einge-
tauschten Aktien die Buchwerte aus den Bilanzen oder Geschäftsberichten der
Angliederungsbanken festzustellen, deshalb nicht weiter, weil diese Buchwerte meist
aus jenen Quellen nicht zu ersehen sind und es natürlich untunlich wäre, da, wo dies
möglich ist, dieses Verfahren, in anderen Fällen aber ein anderes Verfahren einzuschlagen.

Da nun zudem innerhalb der nämlichen Gruppe Angliederungen teils durch
Aktienumtausch, teils durch sonstigen Aktienerwerb, also auch ohne daß eine Kapitalerhöhung der Angliederungsbank stattgefunden hat, erfolgt sind, so entstehen hierdurch auch innerhalb der einzelnen Gruppen Verschiedenheiten, die, wenn man ihnen
kalkulatorisch Rechnung tragen wollte, ein ganz falsches Bild der Machtverhältnisse
der einzelnen Gruppen untereinander ergeben würden.

Endlich aber — und dies ist vielleicht das wesentlichste — ist es gar nicht
die Aufgabe, die Kapitalien, sondern die Kapital-Macht der einzelnen Gruppen
darzustellen, und diese ist kaum anders darstellbar, als durch Angabe der Aktienkapitalien und Reserven, wenn man nicht mit Otto Jeidels (a. a. O. S. 91—93)
noch weiter gehen und die ganzen werbenden Kapitalien, also auch die fremden
Gelder, mit in Rechnung stellen will.

Die Einstellung der vollen Aktienkapitalien und Reserven rechtfertigt sich
aber, wenn man lediglich die Kapital-Macht darstellen will, die tatsächlich allein
interessiert, durch die Erwägung, daß in diesen sich nach außen die Einflußsphäre,
der Kredit und die geschäftliche Kraft der Banken verkörpert. Es erscheint in der
Tat, wie W. Christians (im Deutschen Ökonomist vom 2. Dezember 1905, 23. Jahrg.,
Nr. 1197, S. 597) mit Recht ausführt, nicht angängig, deshalb, weil z. B. das gesamte
Kapital der Norddeutschen Bank im Portefeuille der Disconto-Gesellschaft liegt,

aber nicht für angängig halte[1]), die im Geschäft arbeitenden fremden Kapitalien berücksichtigen würde, deren Entwicklung die in der Beilage VII enthaltenen Aufstellungen zeigen.

Interessant sind die Verschiebungen, welche sowohl in bezug auf die Gruppenzugehörigkeit als innerhalb der einzelnen Konzernbanken eingetreten sind und beständig eintreten. So gehört die ursprünglich von der Provinzial-Discontogesellschaft (s. oben S. 514 Anm. 1) begründete Bergisch-Märkische Bank in Elberfeld nicht mehr der Gruppe der Disconto-Gesellschaft, sondern derjenigen der Deutschen Bank an. So hat ferner die Ostbank für Handel und Gewerbe, welche zur Gruppe der Darmstädter Bank gehört, die Ostdeutsche Bank A.-G. vorm. J. Simon Wwe. in Königsberg i. Pr., die der Gruppe des A. Schaaffhausen'schen Bankvereins angehörte, in sich aufgenommen, und so ist im Jahre 1909 innerhalb der Gruppe der Deutschen Bank die Duisburg-Ruhrorter Bank und 1906 der Westfälische Bankverein, der seit 1904 mit ihr in Interessengemeinschaft gestanden hatte, von der Essener Credit-Anstalt aufgenommen worden. Endlich ist 1907 die zur Gruppe der Deutschen Bank gehörende Emder Bank, welche in Interessengemeinschaft mit der Deutschen Bank stand, von der in Interessengemeinschaft mit der Hannoverschen Bank (Deutsche Bank-Gruppe) stehenden Osnabrücker Bank aufgenommen worden. Am bedeutsamsten wohl ist die Verschiebung, die im Jahre 1911 sich am Oberrhein voll-

---

welche dagegen den Aktionären der Norddeutschen Bank 50 Mill. M von ihrem Gesamtkapital von 170 Mill. M hingegeben hat, das letztere nunmehr nur noch mit 120 Mill. M und das Gesamtkapital beider Banken nur mit 170, statt mit 220 Mill. M aufzuführen. Dies aber müßte allerdings geschehen auf Grund der prinzipiellen Forderung, die behufs Umtauschs hingegebenen Aktien der Angliederungsbank nicht neben den Aktien der angegliederten Bank zu berücksichtigen.

Auch nach der Umtauschoperation ist und bleibt die Kapitalmacht beider Banken gleich der Summe der Aktienkapitalien und Reserven, wie dies auch vom D. Ökonomist, außer in dem zitierten Artikel vom 2. Dezember 1905 über die Kapitalmacht der Bankengruppen (a. a. O. S. 597), schon früher (in Nr. 1178 vom 22. Juli 1905), und ebenso von Jul. Steinberger (a. a. O. S. 7) und von Otto Jeidels (a. a. O. S. 91/92) in ihren Aufstellungen anerkannt ist.

Übrigens würde das Gesamtbild kaum wesentlich verändert werden, wenn man mit Wallich (a. a. O. S. 138/391, Tab. XIV) bei den Gruppen der Deu'schen Bank 64, der Disconto-Gesellschaft 75, der Dresdner Bank 15 und der Darmstädter Bank 22 Millionen — Beträge, die nach obigem teilweise willkürlich gegriffen sind —, also insgesamt 176 Millionen oder, wenn man selbst mit Lansburgh (a. a. O. S. 35) bei sämtlichen Banken die gleichfalls willkürlich gegriffene Summe von etwa 1½ Milliarde M für Aktienbeträge, die als Effekten oder dauernde Beteiligungen in den Bilanzen dritter Institute wiederkehren, von den oben aufgeführten rund 2½ Milliarden M abziehen wollte.

Die Tragweite der ganzen Frage ist also bei den Summen, um die es sich hier handelt, ziemlich gering.

1) Im Gegensatz zu Otto Jeidels (a. a. O. S. 91—93).

zogen hat. Die der Gruppe des A. Schaaffhausen'schen Bankvereins
angehörige Pfälzische Bank nahm die mit der Rheinischen Creditbank in Mannheim in Interessengemeinschaft stehende Süddeutsche
Bank in Mannheim in sich auf. Die Rheinische Creditbank schloß
nunmehr mit der Pfälzischen Bank, deren Aktien sie auch zum Teil
erwarb, einen Interessengemeinschaftsvertrag, so daß die Pfälzische
Bank nunmehr dem Konzern der Deutschen Bank angehört.

Der ganze bisherige Entwicklungsgang der Konzentration, wie
er sich namentlich (in den letzten Jahren) innerhalb der Provinzbanken vollzogen hat, macht es wahrscheinlich, daß das Ende der
Konzentration im deutschen Bankwesen, mindestens außerhalb Berlins, noch lange nicht erreicht ist.

§ 2. Die Gesamtrichtung der Konzentrations-Wege und -Formen.

I. Schema der Gesamtentwicklung.

Die Konzentration im deutschen Bankwesen war
einerseits eine örtliche Konzentration von Banken, namentlich
deren Konzentration in Berlin,
andererseits eine Kapital- und Machtkonzentration.
Diese letztere vollzog sich entweder:

A. auf direktem Wege,

und zwar:

1. durch Kapitalserhöhungen;
2. durch Angliederung von Unternehmungen (Banken
   oder Privatbankgeschäften);
3. mittelst Schaffung dauernder Interessengemeinschaften, und zwar:

   a) durch Gründung von Tochter- oder Trustgesellschaften,
   b)   „   Erwerb von Aktien,
   c)   „   Vertrag,
   d)   „   Aktienaustausch.

Oder sie vollzogen sich:

B. auf indirektem Wege[1]),

mittelst einer die Einflußsphäre der Bank erweiternden, also
deren Macht erhöhenden Dezentralisation des Betriebes,
und zwar:

---

1) Zu den indirekt die Kapitalkonzentration fördernden Faktoren gehört
auch, wie wir sahen, die Bildung von Konsortien oder Gruppen; sie gehört aber trotzdem nicht hierher, da sie nicht bewußt die Konzentration zum Zweck hat, sondern
auf ganz anderen Beweggründen beruht, nämlich auf dem Prinzip der Risikoteilung
einerseits, und der Erleichterung der Emissionsdurchführung andererseits.

1. durch Begründung von: Kommanditen,
2. „   „   „ Filialen,
3.   „ Agenturen,
4. „   „.   „ Depositenkassen.

In der obigen Einteilung deckt sich die „örtliche Konzentration" mit der von Ad. Weber[1]) angenommenen „lokalen Konzentration" und die Kapitalkonzentration mit Ad. Webers Ausdruck: Vermögenskonzentration (Aufsaugung früher selbständiger Institute oder Kapitalserhöhungen). Sowohl der letztere Ausdruck wie das, was Ad. Weber unter „administrativer Konzentration" versteht (Gründung befreundeter Institute, Ausdehnung des Filialnetzes, unter Umständen Durchführung von Liquidationen und Sanierungen), ist bei mir durch die Bezeichnung Kapital- und Machtkonzentration zusammengefaßt.

Ich habe diesen Ausdruck: Kapital- und Machtkonzentration gebraucht, weil man nicht gut von einer „Kapitalkonzentration" sprechen kann, wenn eine Dezentralisation des Betriebes durch Begründung von Kommanditen, Filialen, Agenturen und Depositenkassen in Frage steht, während es sich in letzteren Fällen zweifellos um eine Machtkonzentration handelt. Das gleiche Bedenken steht aber auch, wie ich meine, der Weberschen Bezeichnung: administrative Konzentration entgegen, wenn es sich, wie z. B. bei der Ausdehnung des Filialnetzes, um das Gegenteil einer administrativen Konzentration, nämlich um eine Dezentralisation handelt.

Dagegen habe ich das, was Ad. Weber „Interessenkonzentration" nennt, nämlich „Vereinigungen von Banken zur Wahrnehmung bestimmter einzelner Interessen, z. B. das Preußen-Konsortium, die Rothschild-Gruppe", aus meinem Konzentrationsschema bewußt ausgeschieden, weil die Bildung von Konsortien oder Gruppen zwar zu den indirekt die Konzentration fördernden Faktoren gehört, aber nicht direkt die Konzentration zum Zwecke hat. Vielmehr beruht diese Bildung dauernder Konsortien oder Gruppen auf ganz anderen Beweggründen und verfolgt ganz andere Ziele. Sie beruht auf dem Prinzip der Risikoteilung und verfolgt das Ziel der größeren Sicherung der übernehmenden oder emittierenden Banken einerseits und die Erleichterung der Durchführung der Emission usw. andererseits.

Was aber Weber mit seiner Einteilung erreichen will, und womit ich mit ihm durchaus einig bin, hoffe ich in diesem Buche

---

1) In den kritischen Blättern für die gesamten sozialen Wissenschaften, Bd. II, Heft 7, S. 300.

durchgeführt zu haben. Ist dies richtig, dann ist die Frage des
Schemas unerheblich. Er will, und ich will mit ihm, daß die
Triebfedern, die inneren oder äußeren Momente, die zur
Konzentration führen, dargelegt werden, er will geschildert haben,
wo die Konzentrationsentwicklung im Bankwesen Ursache oder
Wirkung gegenüber der industriellen Konzentrationsentwicklung
ist und umgekehrt. Auf diese Schilderung habe ich schon in
der dritten dieses Buches und auch jetzt den Hauptwert gelegt.

Im Anschluß hieran sei mir gestattet, noch folgendes zu bemerken:

Ich kann mich, nach Erwägung der gesamten Entwicklung,
namentlich der neuesten Zeit, nicht der Ansicht von Weber anschließen, daß bei den Großbanken mit der Zeit unverkennbar ein
Drang nach Spezialisation zu beobachten ist, da sich der
A. Schaaffhausen'sche Bankverein vorzugsweise der Montanindustrie,
die Dresdner Bank der Textil- und chemischen Industrie, die Deutsche
Bank der elektrotechnischen Industrie und dem überseeischen Großhandel, die Disconto-Gesellschaft (die Darmstädter Bank ist nicht
erwähnt) den Transportunternehmungen widme. Soweit eine solche
Spezialisierung überhaupt zu beobachten war, läßt sie sich teilweise historisch erklären. So bei dem A. Schaaffhausen'schen
Bankverein die besondere Pflege des montanindustriellen Geschäfts in dem rheinisch-westfälischen Bezirk aus seinem Sitz und
der Übernahme der alten Beziehungen des Bankhauses A. Schaaffhausen, aus dem er hervorgegangen ist; bei der Dresdner Bank
aus den besonderen Beziehungen zur sächsischen Industrie usw.
Zum Teile ist diese Spezialisierung auch nur der Ausdruck
eines bestimmten Programms gewesen, welches z. B. die Deutsche
Bank zur energischen Durchführung der Pflege des Depositengeschäfts, der überseeischen Geschäftsbeziehungen und der
kräftigen Förderung der industriellen Exportpolitik führte (s. oben
§ 6 sub 1).

Diese Spezialisierung ist aber, wo sie vorlag, nach und nach
immer mehr zurückgetreten, und zwar deshalb, weil der Kreis
der Bankaufgaben ein immer größerer geworden ist, und weil die
übrigen Banken schon aus Konkurrenzrücksichten immer mehr auch
in ihren Geschäftsbereich dasjenige zogen, was ursprünglich eine
andere Bank zuerst und in erster Linie auf ihr Programm geschrieben
hatte. So läßt sich z. B. heute entschieden nicht mehr sagen, daß
die Deutsche Bank das überseeische oder das elektrotechnische Geschäft
speziell oder auch nur in erster Linie betreibe; in bezug auf das
überseeische Geschäft dürfte ihr die Disconto-Gesellschaft, in bezug

auf das elektrotechnische die Berliner Handels-Gesellschaft zum mindesten äußerst nahe kommen.

So ist ferner, was bei Jeidels und in diesem Buche nachgewiesen ist, auf dem Gebiete der Motanindustrie längst nicht mehr der A. Schaaffhausen'sche Bankverein allein tätig[1]), der naturgemäß nicht einmal mehr das frühere Übergewicht in seinem Heimatsbezirk voll behauptet. Der Bankverein ist vielmehr in der Pflege der bankmäßigen Beziehungen zur Montanindustrie von einer Reihe anderer Banken (wie von der Dresdner Bank, die längst nicht mehr durch ihre Beziehungen zur Textil- und chemischen Industrie gekennzeichnet werden kann[2]), von der Berliner Handels-Gesellschaft, von der Disconto-Gesellschaft und von der Deutschen Bank) zum Teil überflügelt, zum Teil erreicht worden.

Auf dem Gebiete der Transportunternehmungen sind alle Großbanken heute ähnlich tätig wie die Disconto-Gesellschaft, während auf dem speziellen Gebiete der Straßen- und Kleinbahnen die Dresdner Bank, die Berliner Handels-Gesellschaft und die Darmstädter Bank sich wohl ziemlich gleichstehen.

Es läßt sich also heute bei Betrachtung der Geschäftstätigkeit der Großbanken nur von besonders hervortretenden Richtungen ihrer Tätigkeit sprechen.

Die obigen Einwendungen richten sich aber nur gegen eine einzelne Unterlage des Weberschen Verlangens, welches deshalb nicht weniger begründet ist und dem ich in dieser, wie schon in der 3. Auflage, durchweg Rechnung zu tragen versucht habe.

Die von Rud. Eberstadt[3]) angeregte Unterscheidung zwischen der „kapitalistischen Zentralisierung", die dann vorliege, wenn das Kapital an einer bestimmten Stelle vereinigt wird, und der „organisatorischen Zentralisierung", die dort anzunehmen sei, wo die Organisation an einer bestimmten Stelle vereinigt wird, habe ich nicht übernehmen können. Ich glaube nicht, daß sie zutreffend ist; mindestens hebt sie nicht das für die deutsche Entwicklung ent-

---

1) Vgl. die Ausführungen unten S. 410ff, oben S. 385ff, ferner Beilage IV und die Tabellen bei Jeidels a. a. O. S. 172/173.

2) Nach der Beilage IV ist im Aufsichtsrat von Gesellschaften der chemischen und der Textilindustrie im Jahre 1911 vertreten gewesen:
Die Deutsche Bank bei der ersteren durch 3, bei der letzteren durch 8 Vertreter.
„ Darmstädter Bank bei der ersteren durch 4, bei der letzteren durch 6 Vertreter.
„ Disconto-Gesellschaft bei der ersteren durch 5, bei der letzt. durch 5 Vertreter.
Der A. Schaaffhausen'sche Bankverein bei der ersteren durch 5, bei der letzteren durch 4 Vertreter.
Die Dresdner Bank bei der ersteren durch 2, bei der letzteren durch 5 Vertreter.

3) Depositenbankwesen und Scheckverkehr in England, S. 259.

scheidende hervor und trägt deshalb nicht zur Klärung bei; denn beide Arten können sich ebenso oft vereinigen, wie ausschließen.

II. Die zwei Zeitabschnitte der Gesamtentwicklung.

In der Gesamtentwicklung lassen sich zunächst zwei Zeitabschnitte unterscheiden:

In dem ersten (1870—1897) suchte sich das Konzentrationsbedürfnis zunächst auf denjenigen Wegen durchzusetzen, welche bisher der Konzentration auch in Industrie und Handel als Schema gedient hatten, also zunächst durch dasjenige System, welches wir in Anlehnung an die industrielle Kombination der Betriebe, den **gemischten Geschäftsbetrieb** nannten: die Verbindung des laufenden Geschäfts (einschließlich des Depositengeschäfts) mit dem Gründungs-, Umwandlungs- und Emissionsgeschäft; alsdann namentlich durch **Kapitalserhöhungen** und durch die verschiedenen Formen der **Dezentralisation des Betriebes:** Kommanditen, Filialen, Agenturen und Depositenkassen.

Völlig zentralisiert blieb in diesem Zeitabschnitt von den Großbanken nur die Disconto-Gesellschaft und die Berliner Handelsgesellschaft.

In dem **zweiten** Zeitabschnitt (1897 bis heute) wird in immer steigendem Umfange weniger die Dezentralisation des Betriebes zur Trägerin der Konzentrationsbestrebungen, als die Interessengemeinschaft, welche vor allem eine Verstärkung der industriellen Beziehungen, aber auch eine Erweiterung der Emissionsbasis und Absatzkraft zum Zweck hat.

Fast völlig zentralisiert[1]) bleibt auch in diesem Zeitabschnitt allein die Berliner Handelsgesellschaft.

Das **Gesetz der Ökonomie** beherrscht in beiden Zeitabschnitten die Auswahl der Konzentrationsformen, d. h.: von den sich darbietenden Formen wird stets diejenige bevorzugt, von der angenommen wird, daß sie den zunächst wichtigen Zweck nicht nur am **vollständigsten,** sondern auch am **einfachsten** und **raschesten** und gleichzeitig auf einem tunlichst **Kosten** und **Risiko** ersparenden Wege erreichen läßt.

§ 3. Die einzelnen Konzentrations-Wege und -Formen.
Ihre Vorteile und Nachteile.

Eine Reihe von Vorteilen und Nachteilen der Konzentration wird sich schon aus der Erörterung der einzelnen Wege und Formen ergeben, welche die Konzentration im deutschen Bankwesen ein-

---

1) Sie hat nur eine kommanditistische Beteiligung und ein „Stadtbureau" (Wechselstube) in neuester Zeit (1911) aufzuweisen.

geschlagen hat. Diese Erörterung schließt sich am besten an das Schema an, welches wir oben (§ 2 sub I dieses Kapitels) für die Gesamtrichtung der Konzentration aufgestellt haben.

I. Die örtliche Konzentration.

Daß die Hauptstadt des Reiches eine besondere Anziehungskraft gerade auf die Banken und die Bankkapitalien ausgeübt hat, bedarf nach alledem, was wir bereits früher über die allgemeine wirtschaftliche Entwicklung Deutschlands überhaupt und die der Reichshauptstadt im besonderen gesagt haben, kaum noch der Begründung[1]). Der Zug nach der Hauptstadt, in der sich auch die Mehrheit der Zentralbehörden des Reiches vereinigt, mußte sich aber im Bankwesen naturgemäß am schärfsten ausprägen. Denn für dieses kam die Stadt Berlin mit dem überaus starken Wachstum ihrer erwerbstätigen und konsumierenden Bevölkerung nicht nur als Zentralpunkt des Massenbedarfs, des Massenverbrauchs, der Kapital-, Steuer- und Kaufkraft und einer Reihe von industriellen und kaufmännischen Betrieben in Betracht, sondern auch als kräftigste Sammelstelle für verfügbare Kapitalien und als Sitz einer Reihe der wichtigsten mit dem Zahlungs- und Kreditverkehr und teilweise auch mit dem Emissionswesen eng verbundener Behörden und Einrichtungen, so der 1875/76 errichteten Reichsbank, der Seehandlung, der immer mehr in den Vordergrund tretenden Berliner Börse, der schon 1850 begründeten Bank des Berliner Kassenvereins u. a. m.

Wir sehen denn auch, daß schon bald nach der Gründung des Deutschen Reiches von den in der ersten Epoche errichteten deutschen Banken, welche außerhalb Berlins ihren Sitz hatten, eine nach der anderen Niederlassungen in Berlin[2]) errichteten:

So bereits 1871 die Bank für Handel und Industrie (Darmstadt),
       1873 „ Mitteldeutsche Creditbank (Meiningen, später Frankfurt a. M.),
       1881 „ Dresdner Bank (Dresden),

---

1) Auch hier spielen übrigens nicht nur wirtschaftliche, sondern auch psychologische Faktoren mit, auf deren Bedeutung und Kraft gerade auf dem Gebiet der Konzentrationsbestrebungen wir im Text so vielfach hingewiesen haben: „Bedürfnis nach individueller Freiheit" (W. Sombart, D. mod. Kapitalismus II, S. 237), größerer Raum für individuelle Betätigung, weitere Ziele usw., und späterhin die Attraktionskraft der Massenansammlung, des Massenverkehrs, der raschesten Kenntnis des „Neuesten" auf wirtschaftlichem und auf politischem Gebiete u. dgl. m.

2) Abgesehen von denjenigen Banken, welche sich mit einer bloßen Vertretung in Berlin in der unzureichenden Form der Kommanditierung eines Berliner Bankhauses begnügten (vgl. Paul Wallich a. a. O. S. 56, Tab. VIII).

1891 der A. Schaaffhausen'sche Bankverein (Köln);
1898 folgte die Commerz- und Disconto-Bank
(Hamburg)[1].

Auch der geschäftliche Schwerpunkt dieser Banken (was allerdings vom A. Schaaffhausen'schen Bankverein nur bedingt gelten
kann) verschob sich meist von der Errichtung dieser Filialen ab
nach und nach derart nach Berlin[2], daß sie schon seit langer Zeit
allgemein zu den Berliner Banken bzw. Großbanken gerechnet
werden.

Dieser Vorgang, der in neuester Zeit (1909) in der Übernahme
des Bankhauses Hardy & Co. G. m. b. H. in Berlin durch die
Rheinisch-Westfälische Disconto-Gesellschaft A.-G. in Aachen
eine interessante Fortsetzung gefunden hat, darf nicht übersehen
werden. Er zeigt, daß es kaum angängig ist, einen scharfen Gegensatz zwischen „der allgemeinen Entwicklungstendenz" in England
und in Deutschland dahin festzustellen, daß die Ausbreitung des
englischen Bankwesens von der Provinz nach London, die des
deutschen umgekehrt, nämlich von der Hauptstadt nach der
Provinz, stattgefunden habe[3]. Es darf zudem nicht vergessen
werden, daß die Errichtung von Filialen in Berlin bis 1897, infolge
der überaus raschen Steigerung der Kapitalkraft und Macht der
Berliner Banken, den Provinzialbanken im allgemeinen als ein wenig
Erfolg versprechender Schritt erscheinen mußte, während sie nach
1897 mindestens den Konzernbanken selbstverständlich als zwecklos
und nicht angängig erschien. Die Eingehung der Interessengemeinschaft der Deutschen Bank mit der Bergisch-Märkischen Bank und
dem Schlesischen Bankverein im Jahre 1897 ist im 1897er Geschäftsbericht der Deutschen Bank ausdrücklich folgendermaßen begründet
worden:

„Die fortschreitende Konzentration des Bankgeschäfts in
Berlin, welche bereits eine Reihe von Provinzial-
instituten zur Errichtung von Filialen in Berlin veranlaßt hat, ließ es notwendig erscheinen, unsere Verbindungen mit der Provinz fester zu knüpfen."

Es wird hier also direkt die Ausbreitung nach der Provinz
als eine Konsequenz des bereits umgekehrt vollzogenen Zuges
von Provinzbanken nach Berlin bezeichnet.

---

1) Auch die Breslauer Discontobank in Breslau hatte im Jahre 1896 eine
Filiale in Berlin begründet, die aber im Jahre 1902 von der Bank für Handel und
Industrie übernommen worden ist.

2) Es ist dies der nämliche Vorgang, welcher sich in Frankreich bei der Pariser
Agentur des Crédit Lyonnais abgespielt hat.

3) So Rud. Eberstadt, Depositenbanken und Scheckverkehr in England,
a. a. O. S. 251 und 259 Anm. 2.

Auch für England ist übrigens daran zu erinnern, daß der, wie auch ich mit E b e r s t a d t annehme, an sich „naturgemäße" Zug der Provinzbanken nach der Hauptstadt[1]) dort erst spät eintrat, und zwar deshalb, weil er zuerst künstlich durch die Gesetzgebung zurückgehalten wurde. Erst seit 1833 durften sich nämlich Provinzbanken auch in London und in einem Umkreis von 65 englischen Meilen niederlassen, und zwar zunächst nur dann, wenn sie keine Banknoten ausgaben[2]). Später aber wurde umgekehrt der Zug der Provinzbanken nach London erheblich verstärkt durch gewisse Vorteile, deren nur in London domizilierende Banken teilhaftig werden konnten. Namentlich mußten die Provinzbanken, um sich und ihrer Klientel die Teilnahme am „country clearing" zu sichern, ein in London domizilierendes, dem Clearinghouse angehöriges Bankhaus, bei dem sie größere Guthaben halten mußten, zum clearing agent bestellen.

Endlich kann neuerdings (von 1897 ab) auch in England eine Ausdehnung der Londoner Banken nach der Provinz festgestellt werden[3]).

II. Die Kapital- und Macht-Konzentration.

A. Auf direktem Wege.
1. Durch Kapitalserhöhungen.

Über diejenige Kapitalkonzentration, welche sich durch Kapitalserhöhungen vollzieht und sich im Auslande ebenso findet wie bei uns[4]), ist im Vorstehenden bereits wiederholt, besonders in bezug auf die wirtschaftlichen und geschäftlichen Grenzen, die hier gezogen sind, gesprochen worden[5]). Maßgebend für die Kapitalserhöhungen waren sowohl äußere Vorgänge, wie die Begründung von Filialen, die Aufnahme von Bankgeschäften oder Banken, die Eingehung von durch Aktienaustausch herzustellenden Interessengemeinschaften u. dgl. m., als auch innere Gründe. Dahin gehört vor allem die Notwendigkeit der Beschaffung von Mitteln zur Stärkung und Erweiterung des laufenden Geschäfts und zur Verbesserung der Liquidität. Die Erhöhung der eigenen Kapitalien

---

1) Vgl. für Frankreich A n d r é A. Sayous: „Die Konzentration des Bankverkehrs in Frankreich", im Bank-Archiv, 3. Jahrg., Nr. 8, vom 3. Mai 1904, Tab. 1, S. 129.
2) E d g a r J a f f é, Das englische Bankwesen, 2. Aufl., S. 44.
3) E d g a r J a f f é, eod. S. 279.
4) So ist das K a p i t a l der Joint Stock Banks in Großbritannien während der Jahre 1900—1905, in welchen ihre Zahl von 83 auf 62 zurückgegangen ist, von rund 76 Mill. £ auf rund 79½ Mill. £ gestiegen. Seitdem ist der Gesamtkapitalbetrag, aber nur infolge der beträchtlichen Fusionen, zurückgegangen.
5) S. oben S. 494.

muß aber nach soliden Grundsätzen auch dann erfolgen, wenn der Geschäftsumfang sich durch Zuschuß fremden Kapitals stark vergrößert hat.

Man kann sagen, daß sich gerade gelegentlich der Vornahme oder Unterlassung derartiger rechtzeitiger und ausreichender Kapitalserhöhungen das Maß der Einsicht, Vorsicht und Voraussicht der Bankleitung klar erkennen läßt. Diese letztere hat jedoch bei Beantragung solcher Kapitalserhöhungen vielfach mit einer starken Enttäuschung der Börse zu rechnen, für welche eine Kapitalserhöhung ohne äußeren, die Spekulation anregenden Grund in der Regel keinen Reiz bietet, falls nicht etwa zwischen dem Ausgabekurs der jungen und dem Tageskurse der alten Aktien eine besonders starke Marge gelassen wird.

Die Kapitalserhöhungen bei den Großbanken ergeben folgendes Gesamtbild:

Die Kapitalien der vier ältesten Banken betrugen (in Millionen Mark):

	Im Gründungsjahre	Im Jahre 1870	Ende 1911
Darmstädter Bank[1]	(1853) 17,1	25,8	160
Berliner Handelsgesellschaft[2] . .	(1856) 16,8	16,8	110
Disconto-Gesellschaft[3]	(1851) 30	30	200
A. Schaaffhausen'scher Bankverein[4]	(1848) 15,6	15,6	145
Zusammen	79,5	88,2	615

1) Die Einzelerhöhungen bei der Darmstädter Bank in der zweiten Epoche waren:

bis 1880 auf 60 Mill. M   bis 1902 auf 132 Mill. M
„ 1889 „ 80 „ „   „ 1904 „ 154 „ „
„ 1898 „ 105 „ „   „ 1910 „ 160 „ „
    (In letzterer Höhe bisher verblieben.)

2) Die Einzelerhöhungen bei der Berliner Handelsgesellschaft in der zweiten Epoche waren:

bis 1880 auf 30 Mill. M (1882 reduziert auf 20)   bis 1896 auf 80 Mill. M
„ 1886 „ 30 „ „   „ 1899 „ 90 „ „
„ 1887 „ 40 „ „   „ 1903 „ 100 „ „
„ 1889 „ 50 „ „   „ 1908 „ 110 „ „
„ 1891 „ 65 „ „   (In letzterer Höhe bisher verblieben.)

3) Die Einzelerhöhungen bei der Disconto-Gesellschaft in der zweiten Epoche waren:

bis 1880 auf 60 Mill. M   bis 1899 auf 130 Mill. M
„ 1889 „ 75 „ „   „ 1902 „ 150 „ „
„ 1898 „ 115 „ „   „ 1904 „ 170 „ „
    „ 1911 „ 200 „ „

4) Die Einzelerhöhungen bei dem A. Schaaffhausen'schen Bankverein in der zweiten Epoche waren:

bis 1880 auf 36 Mill. M   bis 1899 auf 100 Mill. M
„ 1891 „ 48 „ „   „ 1904 „ 130 „ „
„ 1895 „ 60 „ „   „ 1908 „ 145 „ „
„ 1897 „ 75 „ „   (In letzterer Höhe bisher verblieben.)

Während das Kapital der gleichfalls zu den ältesten Banken gehörigen Mitteldeutschen Creditbank (begr. 1856 mit 24 Mill. M;
s. oben S. 67/68 u. 163 Anm. 3) sich Ende 1911 auf 60 Mill. M gestellt,
sich also um das 2½fache vermehrt[1]) hatte, sind die Kapitalien
jener 4 Banken in der Epoche von 1848—1869, also in 21 Jahren,
nur um etwa 8½ Mill. M (8,7), dagegen von 1870 bis Ende 1911,
also in 40 Jahren, von 88,2 auf 615 Mill. M, also um fast das
Siebenfache, gestiegen[2]).

---

1) Die Einzelerhöhungen der Mitteldeutschen Creditbank in der zweiten
Epoche waren:

bis 1880 auf 30 Mill. M	bis 1899 auf 45 Mill. M
„ 1897 „ 36 „ „	„ 1905 „ 54 „ „
	„ 1911 „ 60 „ „

Nimmt man das Gründungskapital, da 3 000 000 Tlr. im Portefeuille der Bank blieben,
nicht mit 8 000 000 Tlr., sondern nur mit 5 000 000 Tlr. (= 15 000 000 M) an, so
würde sich das Kapital vervierfacht haben.

2) In Österreich betrug das werbende Kapital (Grundkapital + Reserven,
Akzepte, Depositen und Kreditoren) aller österreichischen Aktien- und Landesbanken
Ende 1902 rund 7½ Milliarden Kronen, wovon allerdings allein auf die Österreichisch-
Ungarische Bank etwa 2½ Milliarden (2432 Millionen) und auf die Kreditanstalt
494 Millionen Kronen entfielen. Von 60 Banken besaßen 6 zusammen mehr als 60%
des Gesamtkapitals. Ende 1908 hatten die nachfolgenden österreichischen Banken
die von 1905 ab auch ihr Filialnetz stark vergrößert haben (s. S. 557/58, Anm. 6),
folgende Aktienkapitalien:

			gegenüber dem Kapital des Gründungsjahres von
1. die k. k. priv. Credit-Anstalt für Handel und Gewerbe . . .	120 Mill. Kr.		100 Mill. fl. (ab 1864 erst 60 Mill. fl.)
2. die k. k. priv. Österr. Boden- . Creditanstalt.	45 „ „		7 200 000 Kr. (1864)
3. die k. k. priv. Österr. Länder- bank	130 „ „		100 000 000 Frcs. (1880)
4. der Wiener Bank-Verein. . . .	130 „ „		6 400 000 Kr. (1869)
5. die Anglo-Österr. Bank	80 „ „		12 000 000 „ (1853)
6. „ Niederösterr. Escompte-Ge- sellschaft	75 „ „		10 461 000 „ (1853)
7. die Unionbank	60 „ „		2 000 000 „ (1870)

Ebenso haben die großen ungarischen Banken in letzter Zeit ihre Aktienkapitalien (und teilweise auch die Zahl ihrer Filialen) stark erhöht, so insbesondere:

    1. die Ungarische Allgemeine Creditbank auf 60 Mill. Kr.
    2. „ Pester Ungarische Commercialbank „ 50 „ „
    3. „ Ungarische Escompte- u. Wechsler-
       bank . . . . „ 50 „ „

In Frankreich ist das Aktienkapital von 1870 bis Ende 1908 gewachsen:
    bei dem Crédit Lyonnais (mit 43 Agenturen in Paris, 9 in den Vororten von
Paris, 174 in Provinzialstädten Frankreichs und in Algier) von 20 auf 250 Mill. Frcs.;
    bei dem Comptoir National d'Escompte de Paris (mit 35 bureaux de quartiers
in Paris, 14 Agenturen in den Vororten und 150 Agenturen in der Provinz) von 50 auf
150 Mill. Frcs.;

Das Kapital der zu Beginn der zweiten Epoche (1870 und 1872) begründeten beiden Banken betrug (in Millionen Mark):

	Im Gründungsjahre	Ende 1911
Deutsche Bank[1] ..	(1870) 15	200
Dresdner Bank[2] ..	(1872) 9,6	200
Zusammen	24,6	400

Es ist also seit dieser Zeit, also in 40 bzw. 38 Jahren, um mehr als das **Fünfzehnfache** gestiegen.

Das Kapital der übrigen Berliner Banken betrug (in Millionen Mark):

	Im Gründungsjahre	30. Juni 1911
Commerz- und Disconto-Bank[3]	(1870) 15	85
Nationalbank für Deutschland[4]	(1881) 20	90
Zusammen	35	175

Es hat sich also **verfünffacht**.

2. Durch Aufnahme von Bankgeschäften und Fusionen von Banken.

Soweit sich die Kapitalkonzentration durch **Aufnahme von Privatbankgeschäften** vollzieht, ist schon eingehend über die wesentlichsten Gründe gesprochen worden, welche hierzu geführt haben.

Die Großbanken hatten ihrerseits, also **direkt**, bis zum 30. September 1911 vorwiegend **Privatbankgeschäfte** (42) in sich aufgenommen, während die Zahl der bis dahin durch Fusion auf sie übergegangenen **Banken** nur 11 betrug.

Dagegen hatten die **Konzernbanken**[5] nach der Beilage VIII am Schlusse dieses Buchs bis zum 30. September 1911 116 Privatbankgeschäfte und 45 Banken in sich aufgenommen, und zwar:

---

bei dem Crédit Industriel et Commercial (mit 30 succursales in Paris, 3 in den Vororten und 1 agence in London) von 15 auf 100 Mill. Frcs.;

bei der Société Générale pour faVoriser etc. (mit 88 succursales, agences et bureaux in Paris und Vororten, 637 Agenturen in der ProVinz und je 1 Agentur in London und in St. Sebastian (Spanien) von 60 auf 300 Mill. Frcs.

1) Die Einzelerhöhungen bei der **Deutschen Bank** waren: bis 1880 auf 45, 1881 auf 60, 1888 auf 75, 1895 auf 100, 1897 auf 150, 1902 auf 160, 1904 auf 180, 1905 auf 200 Mill. M; in letzterer Höhe ist es bisher verblieben.

2) Die Einzelerhöhungen bei der **Dresdner Bank** waren: bis 1880 auf 15, 1881 auf 24, 1883 auf 36, 1887 auf 48, 1889 auf 60, 1892 auf 70, 1895 auf 85, 1897 auf 110, 1899 auf 130, 1904 auf 160, 1907 auf 180 Mill. M; 1910 auf 200 Mill. M.

3) Die Einzelerhöhungen bei der **Commerz- und Disconto-Bank** waren: bis 1883 auf 40, 1897 auf 50, 1904 auf 85, Mill. M; in letzterer Höhe ist es bisher verblieben.

4) Die Einzelerhöhungen bei der **Nationalbank für Deutschland** waren: bis 1883 auf 24, 1899 (nach Reduktion auf 21 und 18) auf 27, 1890 auf 36, 1895 auf 45, 1898 auf 60, 1905 auf 80, 1911 auf 90 Mill. M; in letzterer Höhe ist es bisher verblieben.

5) Bei dem A. Schaaffhausen'schen BankVerein kann von einem Konzern in dieser Beziehung jetzt nicht mehr gesprochen werden.

	Privatbank-geschäfte	Banken
der Konzern der Darmstädter Bank	8	3
„ „ „ Deutschen Bank	45	30
„ „ „ Disconto-Gesellschaft	61	11
„ „ „ Dresdner Bank	2	1
	116	45

Großbanken und Konzernbanken zusammen haben also bis zum 30. September 1911 in sich aufgenommen: 158 Privatbank-geschäfte und 56 Banken. Wenn man aber die weiteren Firmen berücksichtigt, welche von Banken vor ihrer Fusion mit Großbanken oder von Tochterbanken der letzteren aufgesaugt wurden, so sind allein innerhalb der Großbanken und ihrer Konzerne bis zum 30. September 1910 aufgenommen worden: 197 Privatbank-geschäfte und 62 Banken.

Ähnliche Verhältnisse liegen auch bei den selbständig gebliebenen Provinzbanken vor[1]).

Den äußeren Grund zu solchen Annahmen bot vielfach der Wunsch der Banken, durch Übernahme blühender Privatbank-geschäfte an den betreffenden Plätzen eine feste Grundlage, einen starken Kreis von Kunden und geschäftlichen Beziehungen, für die Errichtung von Filialen zu gewinnen. Diejenigen (inländischen) Bankfilialen, welche ohne eine solche Anlehnung begründet worden sind, blieben stark in der Minderheit gegenüber den übrigen und hatten denn auch, wie das natürlich ist, in der Regel eine weit längere Wartezeit als diese bis zur Erreichung einer angemessenen Rentabilität und eines stärkeren Einflusses in ihrem Bezirke, meist auch eine längere Abhängigkeit von den Mitteln der Hauptbank, auszuhalten. Die Zahl der mit solcher Anlehnung oder ohne eine solche errichteten Filialen ist bei den Banken im einzelnen sehr verschieden. Bei der Dresdner Bank ist die große Mehrzahl ihrer 25 Filialen und 20 Geschäftsstellen auf Grund solcher Über-nahmen entstanden; bei der Disconto-Gesellschaft, die jetzt 6 Filialen besitzt, sind es 3, Bremen, Mainz[2]) und Frankfurt a. M. (letztere Filiale übernahm wenigstens einen großen Teil der ge-schäftlichen Beziehungen der Firma M. A. v. Rothschild & Söhne); bei der Deutschen Bank sind es von 7 Filialen 3 im In-

---

1) Vgl. u. a. die auf S. 509—514 verzeichneten Aufnahmen von Banken und Privatbankgeschäften durch selbständig gebliebene Provinzialbanken. Bei-spielsweise hat allein die Rheinisch-Westfälische Disconto-Gesellschaft in Aachen im ganzen 9 Banken und 3 Privatbankgeschäfte (hiervon in dem einen Jahre 1905 4 Banken und ein Privatbankgeschäft) in sich aufgenommen; vgl. oben S. 513/514.

2) Unter Übernahme der Bankfirma Bamberger & Co. in Main:.

lande, nämlich in Leipzig, Dresden und Frankfurt a. M [1]); bei der Darmstädter Bank endlich sind es von 10 Filialen nur 3, nämlich die in Hannover, in Halle a. S. und München, dagegen verschiedene von den 13 sogenannten Niederlassungen.

Ähnlich liegt es bei den Konzernbanken, unter denen aber die jetzt zur Interessengemeinschaft der Deutschen Bank gehörige Pfälzische Bank wohl fast alle, wenn nicht alle ihre zahlreichen (16) Filialen auf diesem Wege errichtet hat, und das gleiche gilt im wesentlichen auch von den großen Provinzialbanken, so von der Bergisch-Märkischen Bank, dem Magdeburger Bankverein, der Magdeburger Privatbank, der Bayrischen Vereinsbank und der Bayrischen Handelsbank.

Auch die Aufnahme von Banken im Wege der Verschmelzung (Fusion) erfolgte meist behufs Schaffung einer Grundlage für die Errichtung von Filialen. Im übrigen, also soweit es sich nicht um die Schaffung einer solchen Grundlage handelte, hatte sie, wie wir sahen, keine ausschlaggebende Bedeutung, und zwar weder bei den Großbanken, noch bei den Konzernbanken [2]), welche in der zweiten Epoche nach Tabelle VIII im ganzen 45 Banken in sich aufgenommen haben, zumal bei jeder solchen Fusion erfahrungsgemäß eine Anzahl von Beziehungen — unter ihnen mitunter auch recht wertvolle — verloren gehen, von der Konkurrenz übernommen werden u. dgl. m. Für die Vornahme einer solchen Fusion mußten deshalb besondere geschäftliche Gründe sprechen, insbesondere:

a) wenn es galt, eine unbequeme Konkurrenz dauernd zu beseitigen; Fälle dieser Art waren überaus selten; bei den Provinzialbanken läßt sich hierher rechnen die 1905 erfolgte Fusion des Dresdner Bankvereins (Aktienkapital 21 Mill. M) mit der Sächsischen Discont-Bank (Aktienkapital 3 Mill. M);

b) wenn bei der beabsichtigten Geschäftserweiterung einer Bank das „anzugliedernde" Institut ungefähr die gleiche Geschäftspolitik in dem gleichen oder in einem anderen Bezirk (Provinz, Bundesstaat) befolgt hatte, also z. B. ebenso wie die expansionslustige Bank das Kommissions-, Kontokorrentoder Wechselgeschäft seit langen Jahren gepflegt hatte, welchenfalls von der Übernahme nur eine Erweiterung der geschäftlichen Beziehungen zu erwarten war (Beispiel: die im Jahre 1909 vereinbarte Fusion der Magdeburger Privatbank zu

---

1) Die (3) Auslandsfilialen der Deutsche Bank sind sämtlich ohne Übernahme eines Bankhauses begründet worden.

2) Wenn Paul Wallich, a. a. O. S. 59 ff. für die Zeit von 1880 bis 1895 die Fusion als die überhaupt „charakteristische Form für die Konzentration" im deutschen Bankwesen bezeichnet, so kann ich dem auch für diese Zeit nicht beitreten.

Magdeburg mit dem Dresdner Bankverein in Dresden); wenn ferner

c) die Angliederung einer .Bank um deswillen zu besonders günstigen Bedingungen zu erreichen war, weil sie entweder ihre geschäftlichen Zwecke überhaupt nicht[1]), oder nicht in dem beabsichtigten Umfange[2]), oder nicht mehr[3]) zu erfüllen vermochte; in diesen Fällen liegt auf seiten der anzugliedernden Bank in der Regel eine Not- oder Zwangsfusion vor[4]).

Zu den in solchen Fällen für die übernehmende Bank sich meist ergebenden besonders günstigen Bedingungen rechnet speziell der Fall, daß der innere Wert (Liquidationswert) der zu übernehmenden Bank den Übernahmekurs ihrer Aktien erheblich überschreitet, so daß hierin stille Reserven für die übernehmende Bank liegen, vorausgesetzt allerdings, daß nicht im Verlaufe der Liquidation durch Mindererlöse oder Verluste das zur Zeit der Eingehung des Fusionsvertrages angenommene Bild sich ändert[5]).

Eine solche Zwangs- oder Notfusion kann auch dann vorliegen, wenn eine Konzernbank unter starkem Druck der leitenden Bank zur Fusion mit einer anderen der nämlichen Gruppe angehörigen Bank veranlaßt wird. Dies lag vor im Jahre 1905, als die Ostfriesische Bank, nachdem sie in einem Konkurse nicht unerhebliche Verluste erlitten hatte, zum Aufgehen in die Osnabrücker Bank veranlaßt wurde.

Andere Gründe, aber doch auch Gründe der Gruppenpolitik, sind es, welche im Jahre 1909 den Übergang der Duisburg-Ruhr-

---

1) Hinsichtlich einer Bank, die in der Tat nicht lange nach ihrer Gründung als solche verschwand, sagte die Börse schon kurz nach der Gründung, die Aktien würden ,,per Verschwinden'' gehandelt.

2) Hierher gehört der Fall der Berliner Bank, die ihren Zweck, den Kreditverkehr mit den mittleren und kleineren Gewerbetreibenden zu pflegen, nicht in dem beabsichtigtem Umfange hatte erreichen können.

3) Dahin gehört u. a. der Fall der Hessischen Notenbank in Firma: Bank für Süddeutschland, die infolge der Bankgesetznovelle ihre Zwecke nicht mehr so wie beabsichtigt und erforderlich war, erreichen konnte. Auch im übiigen spielt bei den Fusionen die Aufsaugung früherer Notenbanken (6) durch andere (Kredit-) Banken eine gewisse, wenn auch bescheidene Rolle (s. Paul Wallich, a. a. O. S. 78); ferner gehört hierher die im Jahre 1905 erfolgte Übernahme der Braunschweigischen Creditanstalt (Akt.-Kap. 6 750 000 M) durch die Braunschweigische Bank (Akt.-Kap. 10 500 000 M), welche letztere dann weiter im Jahre 1906 die Bankfirmen Hermann Schoof in Helmstedt und Hugo Rennau in Schöningen in sich aufnahm.

4) Vgl. den Artikel: ,,Zwangsfusionen'' im Berliner Tageblatt (Handelszeitung) vom 15. Januar 1906.

5) So bei der ,,Aufnahme'' der Anglo-Deutschen Bank durch die Dresdner Bank 1892.

orter Bank an die Essener Kreditanstalt herbeiführten, welche letztere zusammen mit der Deutschen Bank, der Führerin der Gruppe, im Jahre 1902 die Mehrheit der Aktien der Duisburg-Ruhrorter Bank erworben hatte.

Im Auslande haben sich dagegen die Bankkonzentrationen vielfach in erster Linie auf dem Wege von Fusionen vollzogen. So sehen wir in Schottland schon 1829—1844 nicht weniger als 16 Fusionen großer Banken, denen in den Jahren 1857—1864 noch vier weitere folgten [1]). In England sind Fusionen der allgemein übliche Weg gewesen, auf dem die Vergrößerung der Provinzbanken und deren schließlicher Einzug in London erfolgte. Nach dem Bankers' Magazine (London) sind in Großbritannien von 1877—1886: 42, von 1887—1898: 124, von 1889—1905: 86, von 1907—1909: 16 Bankenfusionen zu verzeichnen. In London allein hat sich dadurch die Zahl der Privatbanken (mit Ausschluß der Kolonialbanken) von 115 im Jahre 1885 auf 38 im Jahre 1905 und die Zahl der Joint Stock Banks in England und Wales (mit Ausschluß der Bank von England) von 112 im Jahre 1889 auf 39 im Jahre 1909 vermindert [2]). Die 1836 (unter anderer Firma) in Birmingham gegründete heutige London City & Midland Bank allein hat auf ihrem Expansions- und Konzentrationswege nicht weniger als etwa 20 Provinzbanken und zwei Londoner Großbanken, eine andere, die Lloyds Bank, hat in 21 Jahren (1884—1904) 35 andere Banken aufgezehrt! In England sind die großen Massenbetriebe durchgängig in der Weise entstanden, daß sie Schritt für Schritt oder, wenn sich Gelegenheit bot, in einem Zug, die in ihrem Arbeitsbereich bestehenden kleinen und mittleren Bankgeschäfte aufsaugten. Die Zahl der während der letzten Jahrzehnte in die Großbetriebe einverleibten Bank- geschäfte ist eine außerordentlich hohe; die äußere Organisation des englischen Bankwesens ist hierdurch seit 1880 völlig und von Grund auf verändert worden. Der Fusionsprozeß dauert noch immer an [3]). Im Jahre 1909 ist ein Zusammenschluß von zwei der mäch- tigsten und ältesten Londoner Depositenbanken erfolgt: der London and Westminster Bank Limited und der London and County Banking Company Limited. Die erste Bank war die älteste Londoner Depositenbank (gegr. 1834), die letztere wurde 1836 er- richtet, hatte 222 Zweigstellen (offices) und hatte über £ 40 Mill. current and deposit accounts. Die vereinigte Bank führt die Firma: London County and Westminster Bank Limited und

---

1) Rud. Eberstadt, Depositenbankwesen und Scheckverkehr in England, a. a. O. S. 249.

2) Edgar Jaffe, Das engl. Bankwesen, 2. Aufl., S. 281.

3) Edgar Jaffe, a. a. O. S. 280 ff.

besitzt ein mit £ 3 500 000 eingezahltes Kapital von 14 000 000 £, Reserven in Höhe von rund £ 4 250 000 und current and deposit accounts von mehr als £ 70 Mill., was ihr die zweite Stelle unter allen großbritannischen Depositenbanken gibt.

„Das Anwachsen der Banken ausschließlich durch Ausdehnung des eigenen Filialsystems, ohne jede Amalgamation mit bereits bestehenden Banken, erfolgt nur dort, wo es galt, ganz neue, dem Bankwesen überhaupt noch nicht erschlossene Gebiete zu eröffnen" [1]). Von 1877—1904 sind in England im ganzen nicht weniger als 224 Banken durch andere Banken, die noch jetzt existieren, aufgenommen worden.

In den Vereinigten Staaten von A m e r i k a, in welchen die Konzentration im allgemeinen sich mehr auf dem Wege der Interessengemeinschaften großer Bankgruppen vollzieht, sind im Jahre 1901 21 Nationalbanken von anderen Nationalbanken und sechs von sonstigen Banken aufgenommen worden, im Jahre 1902: 46 von Nationalbanken und 11 von sonstigen Banken [2]); im Jahre 1903/1904 im ganzen 38 Banken. — In F r a n k r e i c h sind Fusionen verschiedener Banken bei den sog. banques d'affaires häufig, während sie bei den großen Kreditinstituten selten vorgekommen sind, welche letzteren aber sehr viele Privatbankfirmen in sich aufgenommen haben [3]).

3. Durch Schaffung dauernder Interessengemeinschaften.

Der Konzentrationsprozeß im deutschen Bankwesen vollzog sich seit 1897 im wesentlichen in der Form der — meist durch Aktienaustausch vollzogenen — I n t e r e s s e n g e m e i n s c h a f t e n v o n G r o ß b a n k e n m i t P r o v i n z b a n k e n.

Bis E n d e 1896 waren an (inländischen) Interessengemeinschaften im deutschen Bankwesen nur zwei vorhanden, nämlich:

(1881) die der Württembergischen Bankanstalt vorm. Pflaum & Co. (Tochtergesellschaft der Bank für Handel und Industrie) mit der Württembergischen Vereinsbank, welche auf Vertrag beruhte [4]), und

1895) die der Disconto-Gesellschaft mit der Norddeutschen Bank, welche auf Aktienbesitz beruhte.

---

1) K a r l M a m r o t h, Die schottischen Banken, S. 10, Anm. 38.
2) Voss. Zeitung vom 31. Jan. 1905; vgl. C h a r l e s J. B u l l o c k, Concentration of Banking Interests, in der „Atlantic Monthly" vom August 1903.
3) Vgl. C. S t e g e m a n n, Die Entwicklung des französischen Großbankbetriebes (Münster i. W., Theißing, 1908), S. 22/23, 26, 39.
4) S. Beil. VII unter 1.

Zwischen Anfang 1897 und Ende 1900 wurden bereits neun (inländische) Interessengemeinschaften vereinbart, die Zahl derselben hatte sich also Ende 1900 bereits mehr als vervierfacht. Bis Ende 1902 war die Anzahl auf 16 gestiegen, hatte sich also gegen 1895 um das Achtfache vermehrt; bis Ende 1911 beliefen sie sich auf 26 und, wenn man die 20 Unter-Interessengemeinschaften der Konzernbanken (Beilage VIII) mit berücksichtigt, auf 46, was gegenüber dem Stande von 1896 eine ca. 22fache Vergrößerung ergibt.

Den Löwenanteil an der letztgedachten Erhöhung tragen die Jahre 1904 und 1905, in welchen 18 Interessengemeinschaften (einschließlich derjenigen der Konzernbanken) vereinbart wurden, und zwar entfallen auf:

```
die Bank für Handel u. Industrie    1
 „  Deutsche Bank  . . . . .   6   und   1  Unter-Interessengemeinschaft
 „  Disconto-Gesellschaft  . . .   2
 „  Dresdner Bank . . . . . .   6   und   2  Unter-Interessengemeinschaften
              In Summa:   15   nebst   3  Unter-Interessengemeinschaften.
```

Von den gesamten in dieser Epoche abgeschlossenen Haupt- und Unter-Interessengemeinschaften entfielen am 30. September 1911 auf:

```
 „  Bank für Handel u. Industrie    2   nebst   0  Unter-Interessengemeinschaft
 „  Deutsche Bank  . . . . .   10    „    10  Unter-Interessengemeinschaften
 „  Disconto-Gesellschaft  . . .    6    „     7     „          „
 „  Dresdner Bank . . . . . .    7    „     2     „          „
der A. Schaaffh. BankVerein .    1    „     1  UnterI-nteressengemeinschaft
                                26   nebst  20  =  46 Haupt- und Unter-Interessen-
                                                        gemeinschaften.
```

Von den Interessengemeinschaften entfallen aber nicht weniger als 10 auf die Montanreviere (Rheinland-Westfalen und Oberschlesien). Hierher gehören im einzelnen folgende Interessengemeinschaften.

I. In Oberschlesien.

Die Hauptinteressengemeinschaften:

1. Der Bank für Handel und Industrie mit

der Breslauer Disconto-Bank in Breslau:

12 Filialen, 6 Depositenkassen, 2 Agenturen, Aktienkapital 25 000 000 M;

2. der Deutschen Bank mit

dem Schlesischen Bankverein in Breslau:

14 Filialen, 5 Depositenkassen, Aktienkapital 40 000 000 M;

II. In Rheinland-Westfalen.

Die Interessengemeinschaften:

1. der Deutschen Bank mit

			Aktienkap. M
a) der Bergisch-Märkischen Bank in Elberfeld. . .	19 Filialen 15 Depositenkassen. .		80 000 000
b) „ Essener Kreditanstalt in Essen	12 „ 8 Agent. 2 Depositenk.		72 000 000
c) dem Essener BankVerein in Essen	4 „ 2 .,		25 000 000
Zusammen	35 Filialen 8 Agent. 19 Depositenk.		177 000 000

2. der Disconto-Gesellschaft[1]) mit:

dem Barmer Bankverein in
Barmen . . . .   20 Filialen   7 Depositenkassen . .   75 000 000

3. der Dresdner Bank mit:

a) der	Märkischen Bank in Bochum	11 Filialen 2 Agent. 1 Depositenk.	9 000 000
b) „	Rheinischen Bank in Essen (früher in Mülheim a. Rh.)	4 „ 1 „	21 000 000
c) „	Mülheimer Bank . .	3 „	9 000 000
	Zusammen	18 Filialen 2 Agent. 2 Depositenk.	39 000 000

4. dem A. Schaaffh. Bankverein in Köln mit

der Mittelrheinischen Bank
in Koblenz   4   „ 20 000 000

Es waren also allein in Rheinland-Westfalen, am 30. September 1911 (außer drei Großbanken[2]) mit 13 Filialen in diesem Bezirk) nicht weniger als 8 Konzernbanken mit einem Aktienkapital (ohne Reserven und ohne fremde Kapitalien) von 311 000 000 M und überdies 77 Filialen, 10 Agenturen und 28 Depositenkassen von Konzernbanken vorhanden; letztere Zahl ist aber in beständigem Wachsen begriffen. Diese — lange noch nicht abgeschlossene — Organisation

---

1) Die Westdeutsche Bank vorm. Jonas Cahn in Bonn kann selbstverständlich, weil 1904 in den A. Schaaffhausen'schen BankVerein aufgegangen, nicht besonders aufgeführt werden, ebensowenig (aus dem gleichen Grunde) die Niederrheinische Kreditanstalt vorm. Peter & Co. in Krefeld (fusioniert 1904).

2) Die Deutsche Bank hat keine Filialen in diesem Bezirke.

stellt somit einen erheblichen Teil des Rüstzeugs dar, mit dem die einzelnen Bankgruppen den heute im Vordergrunde ihrer Gesamtinteressen stehenden Konkurrenzkampf um die industriellen Beziehungen durchfechten.

Die Schaffung dauernder Interessen-Gemeinschaften kann sich vollziehen:

     a) durch Gründung von Tochter- oder Trust-Gesellschaften;
     b) durch Erwerb von Aktien bereits bestehender Banken;
     c) durch Vertrag;
     d) durch Aktien-Austausch.

Diese verschiedenen Arten der Interessen-Gemeinschaften sind nunmehr im einzelnen zu erörtern.

a) Durch Gründung von Tochter- oder Trustgesellschaften.

Die Errichtung von Tochterbanken spielte zu Beginn der zweiten Epoche eine recht erhebliche Rolle, die aber jetzt, da diese Tochterbanken sämtlich verschwunden sind, nur ein historisches Interesse hat. Es handelt sich um die Gründung der sog. Provinzialbanken zu Anfang der 70er Jahre, auf die Tischert[1]) und dann speziell Wallich[2]) in neuerer Zeit wieder die Aufmerksamkeit gelenkt haben. Es waren dies selbständige Tochterbanken, die von einer Bank an ihrem eigenen Sitze errichtet waren und die meist sofort nach ihrer Gründung und in der Regel auf der Grundlage übernommener Privatbankgeschäfte, ihrerseits wieder Filialen und Kommanditen in bestimmten Staaten oder Provinzen begründeten, aber, da sie am Sitz des Mutterinstituts errichtet waren, im Gegensatz zu an anderen Plätzen errichteten Filialen, ihre Tätigkeit so abgrenzen mußten, daß sie dem Mutterinstitut keine Konkurrenz machten. Sowohl die letztere Tatsache wie der Umstand, daß die Provinzialbanken, noch ehe sie selbst Wurzel geschlagen hatten, Filialen und Kommanditen an anderen Plätzen errichteten, die sie weder aus eigener Kraft genügend alimentieren, noch kraft eigener Erfahrung ausreichend kontrollieren konnten, also sowohl technischgeschäftliche wie allgemein wirtschaftliche Gründe, brachten es mit sich, daß alle diese Provinzial-, Filial- und Zentralbanken den Todeskeim schon bei ihrer Entstehung in sich trugen. Die industriellen Bankbeziehungen waren damals auch noch ganz unentwickelt, die Privatbankgeschäfte aber meist noch sehr bedeutend. Ich kann

---

1) Georg Tischert, Filialsystem und Zentralisation im Bankwesen (Bank-Archiv vom Mai 1903, No. 8, S. 119/20).

2) Paul Wallich, Die Konzentration im deutschen Bankwesen 1905, S. 17—24 u. Tab. II, S. 19.

daher die Ansicht, daß der Plan, für den auch die Zeit noch lange nicht reif war, „gut angelegt" gewesen sei[1]), nicht teilen.

Im einzelnen handelte es sich um folgende Gründungen: In den Jahren 1871 und 1872 wurden vier solcher „Provinzial-Disconto-Gesellschaften" in Berlin begründet. Davon war die bedeutendste die von der Disconto-Gesellschaft mit einem Nominalkapital von 30 Mill. Tlr. begründete Provinzial-Disconto-Gesellschaft in Berlin, die alsbald eine große Reihe von Filialen und Kommanditen errichtete, nämlich in Hannover (unter Aufnahme des Bankhauses M. J. Frensdorff), in Bernburg, Straßburg, Hamburg, Duisburg, Braunschweig, Hameln und Halle, und außerdem die Bergisch-Märkische Bank in Elberfeld und die Aachener Disconto-Gesellschaft in Aachen, bei welchen letzteren sie, was als besonderer und früher Fall einer „dauernden Beteiligung" einer Bank an einer andern spezielles Interesse beansprucht, mit je einer ungeteilten Aktie von 500 000 Tlr. beteiligt blieb. Die Provinzial-Disconto-Gesellschaft selbst mußte aber schon von 1878 ab durch die Disconto-Gesellschaft mit großen Opfern und Schwierigkeiten, nachdem die Filialen schon vorher nach und nach aufgegeben worden waren, übernommen werden.

Die übrigen gleichzeitig in Berlin von Banken begründeten „Provinzialbanken" waren: die Provinzial-Wechslerbank (von der Berliner Wechslerbank errichtet), die Provinzial-Gewerbebank (von der Gewerbebank H. Schuster & Co. in Berlin errichtet) und die Provinzial-Makler Bank in Berlin.

Von 1872 ab wurden dann weiter begründet: Die Süddeutsche Provinzialbank in Stuttgart (von der Stuttgarter Bank), die Provinzial-Wechsler-Bank in Breslau (von Privatbankfirmen in Breslau) und die Allgemeine Deutsche Filialen-Credit-Anstalt in Leipzig (von der allgemeinen Deutschen Credit-Anstalt in Leipzig).

Endlich wurde seitens der Deutschen Unionbank in Berlin, die selbst schon 1876, unter Beihilfe der Deutschen Bank, liquidieren mußte, von 1871 ab eine Reihe von Union-Banken begründet, von denen lediglich die (1895 in die Pfälzische Bank aufgegangene) Unionbank in Mannheim ein längeres Dasein fristete; ferner 1873 seitens einer Berliner Bankfirma eine Reihe von süddeutschen Zentralbanken (die Bayerische Zentralbank in München, die Badische in Karlsruhe, die Fränkische in Nürnberg, die Württembergische in

---

[1] Jubiläumsbericht der Disconto-Gesellschaft, S. 208. Die Form der selbständigen Provinzialbanken am Sitze des Mutterinstituts wurde wohl auch aus ähnlichen Erwägungen gewählt, welche schon 1864 die Darmstädter Bank veranlaßt hatten, ihre Filiale in Mainz in eine Kommandite zu verwandeln, „um den Kreis der Anstalten, welche die Bank . . direkt verpflichten können, . . . zu beschränken".

Stuttgart und die Süddeutsche in Frankfurt a. M.), welche aber durchweg, meist sofort nach der Gründung, liquidiert wurden.

Im übrigen spielt die Errichtung von Tochtergesellschaften durch die Banken, wie aus der Darstellung der Entwicklung der einzelnen Großbanken (Beilage VII) zu ersehen ist, lediglich, soweit es sich um Errichtung deutscher Tochterbanken im Ausland handelt, eine Rolle. Die Gründung deutscher Tochterbanken im Ausland hatte sich aus den bereits geschilderten Gründen als eine geschäftliche Notwendigkeit für die Pflege speziell des überseeischen Verkehrs herausgestellt, für den die Errichtung von Filialen teils nicht ausreichte, teils aus allgemeinen, noch zu besprechenden Gründen, in größerem Umfange wenigstens, nicht wünschenswert erschien.

Sofern aber nicht der überseeische Verkehr oder die Beziehungen mit den Kolonien, oder die Erweiterung der geschäftlichen Verbindungen mit auswärtigen Staaten[1]) in Betracht kommen, waren die Gründungen von Tochtergesellschaften (Tochterbanken), abgesehen von den erwähnten verfrühten und schon deshalb mißglückten Versuchen der 70er Jahre, bis in die neueste Zeit nicht sehr zahlreich. Aus neuerer Zeit[2]) ist, abgesehen von zwei nach dem Muster der Deutschen Treuhandgesellschaft im Jahre 1905 errichteten Aktiengesellschaften (der Revisions- und Vermögens-Aktiengesellschaft und der Treuhand-Vereinigung, Aktiengesellschaft in Berlin), aus dem Kreise der Großbanken zu verzeichnen: die seitens des A. Schaaffhausen'schen Bankvereins im Jahre 1900 getätigte Gründung der Westfälisch-Lippeschen Vereinsbank, für welche wohl besondere persönliche und lokale Gründe maßgebend waren; außerdem die seitens der Disconto-Gesellschaft in Gemeinschaft mit der Bayrischen Hypotheken- und Wechselbank im Jahre 1905 getätigte Errichtung einer Tochterbank in Nürnberg, der Bayrischen Disconto- und Wechselbank[3]); ferner die von der Disconto-Gesellschaft (zusammen mit der Mitteldeutschen Creditbank, dem Bankhause B. M. Strupp und der Allgemeinen Deutschen Credit-Anstalt) im Jahre 1905 durchgeführte Errichtung der Bank für Thüringen vormals B. M. Strupp A.-G. in Meiningen; die von der Hannoverschen Bank (zusammen mit der Osnabrücker und der Hildesheimer Bank) im Jahre 1905 besorgte Umwandlung der Braunschweiger Privatbankfirma Ludwig Peters Nachf. in die Braunschweiger Privatbank A.-G. und die im gleichen Jahr,

---

1) Vgl. oben (3. Abschn., 2. Kap., § 4, sub II).

2) In der ersten Epoche (1848—1870) und zu Beginn der zweiten Epoche war es wesentlich die Darmstädter Bank, welche mit der Gründung von Tochtergesellschaften vorging.

3) Vgl. Beilage VII.

unter Mitwirkung der Disconto-Gesellschaft und der Berliner Handelsgesellschaft, erfolgte Umwandlung der Bankfirma Perls & Co. in Breslau in die Schlesische Handelbank A.-G. in Breslau.

Im allgemeinen hat die praktische Erfahrung bewiesen, daß die inländischen Tochtergesellschaften fast nur die Nachteile der Filialen, nicht aber deren Vorteile aufweisen.

Die Tochtergesellschaften entziehen sich nicht nur sehr leicht jedem Einfluß auf ihre Geschäftsführung, die somit Wege einschlagen kann, welche von denen der Mutterbank grundsätzlich verschieden sind, sondern auch jeder eingehenden und dauernden Kontrolle ihrer Geschäftätigkeit. Sie erfordern dagegen einen dauernden Aktienbesitz und stellen vielfach, und dann natürlich in besonders unbequemer Weise, gerade in kritischen Zeiten erhebliche Kapitalansprüche an die Muttergesellschaft, was wir speziell in der Geschichte des Crédit mobilier verfolgen konnten, dessen Niedergang wesentlich dadurch mit verschuldet wurde [1]).

Dies waren wohl die wesentlichsten Gründe, weshalb bisher, weit mehr als die inländischen Tochterbanken, die Trustgesellschaften sowohl auf die Entwicklung des deutschen Bankwesens überhaupt, als auf die Konzentrationsbewegung im besonderen von Einfluß waren, die auf industriellem Gebiete, namentlich aber auf dem Gebiete der elektrotechnischen Industrie, in sehr großem Umfange von den Großbanken oder unter ihrer Mitwirkung errichtet wurden. Die Erörterung des Wesens und der Vorzüge und Gefahren dieser Trustgesellschaften würde jedoch den Rahmen dieser Arbeit weit überschreiten. Die wesentlichsten der von den Großbanken begründeten Trustgesellschaften auf vorgedachtem Gebiete sind in der Anmerkung 2 auf S. 113 verzeichnet. Hierher gehören sie nur insoweit, als sie dazu dienten, den Banken direkt oder indirekt einen Teil ihrer finanziellen Aufgaben, vor allem auf dem Gebiete der Emissionstätigkeit, teils abzunehmen, teils zu erleichtern; oder insofern, als sie dazu bestimmt waren, die Werte kleinerer Unternehmungen, welche an sich seitens der Banken nicht emittiert werden konnten, behufs Gewinnung einer besonderen Grundlage für auszugebende Obligationen aufzunehmen, also finanziell verwertbar zu machen [2]); oder endlich insofern, als sie von den Banken dazu verwendet wurden, deren Einfluß auf bestimmte Industrie-

---

1) Bei den in neuester Zeit, wie aus obigem hervorgeht, in etwas größerer Zahl begründeten inländischen Tochtergesellschaften hat man einige der geschilderten Nachteile vielfach dadurch zu mildern gesucht, daß die Gründung durch mehrere Institute zusammen erfolgte.

2) Auch die Vorschrift des § 41 (früher 39) des Börsengesetzes beförderte im hohen Grade die Bildung von Trustgesellschaften.

zweige durch die unter der Flagge der Trustgesellschaften betätigte Gründung oder Erweiterung von industriellen Unternehmungen
durch Hilfeleistung bei deren Organisation sowie bei dem Absatz
der Werte solcher Unternehmungen zu vergrößern [1]).

Daß diese der Verfügung der Banken unterstellten Trustgesellschaften stark konzentrationsfördernd wirkten, geht aus der
Natur ihrer Dienste hervor.

b) Durch Erwerb von Aktien.

Die Schaffung dauernder Interessengemeinschaften durch Erwerb von Aktien bereits bestehender Banken, welche sich im allergrößten Maßstabe vollzieht, bedarf im allgemeinen keiner besonderen
Erläuterung. Nur ist darauf hinzuweisen, daß durch Aktienbesitz
allein eine eigentliche Interessengemeinschaft nicht entstehen kann,
wenn dieser nicht, was ja in den meisten Fällen die Veranlassung
zum Erwerb der Aktien bilden wird, Hand in Hand geht mit weiteren eine enge Verbindung herstellenden Momenten. Diese Momente
bestehen entweder in einem Vertrage mit der Bank, deren Aktien
erworben sind, wonach die letztere sich verpflichtet, ihre Bankgeschäfte mindestens zum wesentlichsten Teile mit der erwerbenden
Bank zu machen, während die übernehmende Bank ihr ein „Meist-
begünstigungsrecht" einräumt, oder in dem Eintritt eines Vertreters
oder mehrerer Vertreter der die Aktien erwerbenden Bank in den
Aufsichtsrat der anderen Bank [2]).

Da diese Voraussetzungen bei dem Verhältnis der Disconto-
Gesellschaft zur Rheinisch-Westfälischen Disconto-Gesellschaft A.-G,
soweit ich es festzustellen vermochte, zurzeit fehlen [3]), so habe ich,

---

1) Näheres s. bei Max Jörgens, Finanzielle Trustgesellschaften (Stuttgart
und Berlin, J. G. Cotta Nachf., 1902); Rob. Liefmann, Beteiligungs- und Finanzierungsgesellschaften (Jena, Gust. Fischer, 1909), S. 369 ff.

2) Die „engere Verbindung" besteht aber auch in solchen Fällen meist in
einer mehr oder weniger entschiedenen Unterwerfung derjenigen Bank, deren Aktien
erworben werden, unter den Willen und die Leitung der die Aktien erwerbenden Bank,
das sind dann mehr „Schutzgemeinschaften" als Interessengemeinschaften.

Eine ganz besondere Art der Interessengemeinschaft stellt die im Jahre 1905
hergestellte Verbindung der Landwirtschaftlichen Reichsgenossenschafts-
bank in Darmstadt mit der Preußischen Central-Genossenschafts-Kasse dar.
Hier ist der ersteren gestattet worden, sich mit 1 Mill. M am Kapital der letzteren
zu beteiligen, während das weit schwächere Darmstädter Institut den Geschäftsverkehr mit den preußischen Verbandskassen an die preußische Centralgenossen-
schaft abzutreten hatte. Die Aktienbeteiligung bildet hier das Äquivalent für diese
Abtretung.

3) Vgl. Frankfurter Zeitung No. 216 (vom 6. August 1905), wo angenommen
wird, daß der Besitz der Disconto-Gesellschaft an Aktien der Rheinisch-Westfälischen
Disconto-Gesellschaft mit 2 000 000 M eher noch etwas zu hoch geschätzt sei.
Näheres über die Rheinisch-Westfälische Disconto-Gesellschaft s.
oben S. 513/514.

abweichend von dem Standpunkt der ersten Auflage (S. 188 Nr. 3), die erstere Bank nicht mehr dem Konzern der Disconto-Gesellschaft zurechnen können, obwohl die Disconto-Gesellschaft Aktien der Rheinisch-Westfälischen Disconto-Gesellschaft im Betrage von etwa 2 000 000 M im Besitze haben soll [1]. Dagegen kann der Magdeburger Bankverein, da er 1907 eine engere Verbindung mit der Disconto-Gesellschaft auch durch wechselseitige Entsendung je eines Vertreters in den Aufsichtsrat beider Banken hergestellt hat, dem Konzern der Disconto-Gesellschaft zugerechnet werden.

c) Durch Vertrag.

Die Interessengemeinschaft, welche auf dem Wege vertragsmäßiger Einigung zweier (meist annähernd gleichstarker) Banken über eine ratierliche Teilung der aus dem beiderseitigen Geschäftsverkehr resultierenden Ergebnisse hergestellt wird, kann vom rein theoretischen Standpunkte aus jedenfalls nur dann die beabsichtigten Zwecke ganz erfüllen, wenn beide Kontrahenten entweder im wesentlichen die gleiche Geschäftspolitik verfolgen oder wenn sich beide Kontrahenten in ihrer geschäftlichen Tätigkeit in glücklicher Weise ergänzen.

Das letztere war bei dem früheren Hauptbeispiel dieser vertragsmäßigen Interessengemeinschaft (Dresdner Bank-Schaaffhausen) jedenfalls insofern der Fall, als die Dresdner Bank zur Zeit der Eingehung des am 10. September 1903 abgeschlossenen Vertrages mit ihrem großen Filialnetze weit mehr als der A. Schaaffhausen'sche Bankverein die internationalen Beziehungen, die Beziehungen zur Börse, das Depositengeschäft und die Emissionstätigkeit gefördert hatte, während der A. Schaaffhausen'sche Bankverein nicht nur erheblich länger, als die Dresdner Bank, sondern auch in größerem Umfang und mit größerem Erfolg intime Beziehungen zur Industrie, und namentlich zur Montan-, speziell Eisenindustrie in Rheinland-Westfalen [2], intensiv gepflegt hatte.

In diesem Falle (Dresdner Bank - Schaaffhausen) dürfte deshalb der in zweiter Linie bezeichnete Gesichtspunkt für die Schaffung der Interessengemeinschaft vor allem ausschlaggebend gewesen sein, während natürlich jede derartige Gemeinschaft durch die Vereinigung der Kräfte, Intelligenzen, Unternehmungen und Kapitalien einen ungemein großen Machtzuwachs für die Beteiligten bedeutet, deren organische Vereinigung als solche immer eine sehr

---

1) Ähnlich liegt es bei der Schlesischen Handelsbank A.-G. in Breslau (früher Perls & Co.), deren Aktienkapital bei der Gründung bez. Umwandlung im Jahre 1905 zu einem Teile von der Berliner Handelsgesellschaft und der Disconto-Gesellschaft übernommen wurde.

2) Vgl. Otto Jeidels, S. 261.

viel größere Kraft bedeuten wird, als die bloße Summe der Einzelkräfte sie darstellt.

Aber auch die Schwächen und Gefahren einer solchen Interessengemeinschaft lassen sich, worauf ich schon früher hinwies,
namentlich dann nicht unterschätzen, wenn n i c h t im wesentlichen
gleiche Gewichte auf den beiden Wagschalen der Gemeinschaft liegen.

Zunächst werden durch eine derartige Gemeinschaft, welche
die formelle Selbständigkeit der einzelnen Unternehmungen in keiner
Weise antastet, die Generalunkosten n i c h t oder nicht wesentlich,
jedenfalls aber nicht notwendigerweise, vermindert.

Ferner werden Differenzen hinsichtlich der Geschäftsführung
und der gemeinsamen Geschäftspolitik, die bei gleich starken Gesellschaften kaum zu großen Gefahren führen können, doch bei
irgendwelcher erheblicher Präponderanz eines Teiles nicht ohne Bedenken sein.   Denn dem schwächeren Teil steht solchenfalls im
wesentlichen nur der Appell an den natürlich aus den beiderseitigen
Verwaltungen gebildeten Ausschuß oder Delegationsrat zu, der jedoch alsdann leicht die Tendenz haben könnte, sich für den Stärkeren zu entscheiden.   Geschieht dies aber auch nicht, so sind leicht
Verstimmungen die Folge[1]), die angesichts der in der Regel langen
Dauer des Vertrages unerquicklich sind, und die, da man sich gegenseitig zu tief in die Karten gesehen hat, um sich, was an sich dann
das Naturgemäße wäre, t r e n n e n zu können, leicht zu einer ge-
zwungenen F u s i o n führen, die in einem solchen Falle auch nicht
ohne Bedenken ist.

Verstimmungen können aber auch dadurch entstehen, daß das
eine Institut — vielleicht wiederholt — besonders schlechte Resultate

---

1) Nach dem Berliner Jahrb. f. Handel u. Industrie (Jahrg. 1908, Bd. I, S. 261)
hätten, was ich nicht nachprüfen kann, solche — meinerseits bereits in der 1. Auflage
dieses Buches bei Interessengemeinschaften als im allgemeinen naheliegend bezeichneten — „Differenzen hinsichtlich der Geschäftsführung und der gemeinsamen Geschäftspolitik", auch bei dem Schulbeispiel Dresdner Bank-Schaaffhausen sich
gezeigt, und zwar schon 1904 hinsichtlich des Hibernia-Verstaatlichungsplans und 1908
hinsichtlich der Vorkommnisse bei der Internationalen Bohrgesellschaft in Erkelenz,
deren Aktien zum größten Teil der A. Schaaffhausen'sche BankVerein besaß. Übrigens
sind auch industrielle Interessengemeinschaften — und zwar hier meist durch Fusion —
wieder aufgelöst worden, wie die 1904 für 5 Jahre abgeschlossene Interessengemeinschaft zwischen der Bismarckhütte und der Oberschlesischen Eisenindustrie
A.-G. in Gleiwitz, sowie die 1904 für 31 Jahre eingegangene mehrerwähnte Interessengemeinschaft zwischen dem Schalker Gruben- und Hütten-Verein, der Gelsenkirchener Bergwerks-A.-G. und dem Eisenhüttenwerk Rote Erde A.-G.
Aachen (Fusion 1907); die 1905 auf 35 Jahre abgeschlossene Interessengemeinschaft
zwischen den Firmen Arthur Koppel und der Aktiengesellschaft für Feld- und
Kleinbahnbedarf vormals Orenstein & Koppel in Berlin, auch hier im Wege der
Fusion; die erstere Firma ging in die letztere auf und führt nun die Firma: Orenstein
& Koppel, Arthur Koppel Aktiengesellschaft.

erzielt hat, während das andere gute erzielte, und nun wenig erbaut sein wird, den Genossen dauernd aus seinem Gewinn „herauszufüttern". Dies wird natürlich zu einer Gefahr, wenn, unter Berücksichtigung der ständig guten Resultate des einen, der andere Teil den Ehrgeiz und die Lust, ähnliches zu erreichen, hinter die bequemere „Versicherung" des Anteils zurückstellt, der ihm vertragsmäßig an den Gewinnen seines Partners unter allen Umständen verbleiben muß, wenn er also mehr oder weniger seinen Partner für sich arbeiten läßt.

Schlimmer noch könnte es werden, wenn der eine Teil den andern, unter Hinweis auf den Verteilungsschlüssel, welcher auf Grund des bei Eingehung des Vertrages bestehenden Zustands festgesetzt, also vielleicht bei einer Vergrößerung oder Erweiterung der Unternehmungen nicht mehr völlig zutreffend ist, an einer berechtigten Expansion zu hindern versuchen sollte. Dies würde namentlich dann schwer erträglich sein, wenn etwa ein schwächerer Teil den stärkeren in dieser Weise in der Entwicklung unterbinden wollte.

Auch verschiedene Ansichten über Reserven und Abschreibungen u. dgl. m. können leicht zu einer Quelle von Verstimmungen und Differenzen selbst dann werden, wenn ein Delegationsrat zur Entscheidung solcher Fragen besteht, da dieser wohl Differenzen entscheiden, aber nicht Verstimmungen beseitigen kann.

Da nun die Fälle zu den seltesten gehören werden, wo infolge glücklicher Ergänzung des gegenseitigen Geschäftsbetriebs oder infolge des gleichen Gewichts der beider vereinigten Unternehmungen die oben angedeuteten Gefahren entweder wegfallen oder doch stark gemindert werden, so dürfte diese Form der Interessengemeinschaft auf dem Gebiete des Bankwesens Aussicht auf starke Verbreitung kaum besitzen[1]), obschon eine solche Beseitigung gegenseitiger Konkurrenz auf dem Wege vertragsmäßiger Gleichstellung zweier Institute, statt auf dem der Unterdrückung eines Instituts, an sich sicherlich einen wünschenswerten Weg darstellt.

d) Durch Aktienaustausch.

Durchaus anders liegt es, wie auch die praktische Erfahrung bewiesen hat, bei der Interessengemeinschaft durch Aktien-

---

1) Auch dies hat sich in der Zeit seit der ersten Auflage dieses Buches (1905) bis heute bewahrheitet (über die Interessengemeinschaft Rheinische Creditbank — Pfälzische Bank, die übrigens auch einen Aktienaustausch zur Grundlage hat, ist ein abschließendes Urteil noch nicht zu bilden); hingegen sind in der Industrie inzwischen noch zahlreiche Interessengemeinschaften zustande gekommen, wie die unten (S. 576 ff. u. 580 ff.) noch zu schildernden großen Interessengemeinschaften auf dem Gebiete der chemischen Industrie u. a. m. (vgl. Henry Völcker, Vereinigungsformen und Interessenbeteiligungen in der deutschen Großindustrie in Schmollers Jahrbuch f. Gesetzgebung, Bd. XXXIII, Heft 4, S. 11 ff.).

austausch, wie sie im Jahre 1897 zunächst die Deutsche Bank mit der Bergisch-Märkischen Bank und dem Schlesischen Bankverein abgeschlossen hat.

Derartige Interessengemeinschaften sind im deutschen Bankwesen vielfach seitens einer größeren Bank im Interesse ganz bestimmter Ziele ihrer Industriepolitik mit anderen, auch weit kleineren Banken abgeschlossen worden.

So wurden z. B. die vorerwähnten Interessengemeinschaften seitens der Deutschen Bank abgeschlossen, um in den wesentlichen Industriebezirken, dem rheinisch-westfälischen und dem oberschlesischen, festen Fuß zu fassen.

Für die Interessengemeinschaft, welche die Deutsche Bank im Jahre 1902 mit der (1909 von der Essener Credit-Anstalt aufgenommen) D u i s b u r g - R u h r o r t e r B a n k einging, war zweifellos die Rücksicht auf die enge Verbindung wesentlich bestimmend, welche die letztere Bank mit der Familie H a n i e l, der Eigentümerin der Guten Hoffnungshütte und der Zeche Rheinpreußen, unterhielt.

Die 1904 mit dem E s s e n e r B a n k v e r e i n seitens der Deutschen Bank eingegangene Interessengemeinschaft galt sicherlich in erster Linie seiner Verbindung mit dem Großindustriellen C a r l F u n k e in Essen, dem Besitzer der Gewerkschaft König Ludwig.

Endlich hat den A. Schaaffhausen'schen Bankverein bei der Interessengemeinschaft, die er 1903 mit der Mittelrheinischen Bank in Koblenz einging, offensichtlich die Absicht geleitet, der mit dieser Bank eng liierten Kohlenrhederfirma, Spaeter & Co., der Gründerin der Rombacher Hüttenwerke, näher zu treten, um durch diese auch zur lothringisch-luxemburgischen Eisenindustrie weitere Beziehungen zu erhalten. Es mag dabei ferner die Tatsache mitgesprochen haben, daß der Großindustrielle Hugo Stinnes dem Aufsichtsrat der Mittelrheinischen Bank angehörte.

Die Tatsache des besonders starken Umsichgreifens der Interessengemeinschaften d u r c h A k t i e n a u s t a u s c h ist unschwer zu erklären:

Diese Art der Interessengemeinschaft unter Banken, die entweder die nämliche Geschäftspolitik verfolgen oder sich gegenseitig in ihrer geschäftlichen Tätigkeit, namentlich in ihren Beziehungen zur Industrie, ergänzen, bietet zunächst einen starken g e s c h ä f t l i c h e n Anreiz, der um so höher ist, je höher das Agio der Aktien derjenigen Bank steht, welche den Aktionären der „anzugliedernden" Banken den Umtausch anbietet. Denn das Verhältnis des Umtausches k a l k u l i e r t sich für den Anbietenden und den Umtauschenden nach dem Verhältnis der Kurswerte der umzutauschenden Werte zu einander. Dieses Verhältnis muß natürlich für die anbietende Bank um so günstiger sein, je höher ihre eigenen Aktien stehen.

Die Interessengemeinschaft durch Aktienumtausch bietet aber auch im übrigen, und zwar beiden Teilen, fast nur Vorteile:

Sie beläßt allen Beteiligten, deren sonst vielleicht vorhandener gegenseitiger Wettbewerb damit aufgehoben ist, nach innen volle Selbständigkeit, Entwicklungs- und Bewegungsfreiheit, sichert aber doch die Leitung und Durchführung der Geschäftspolitik n a c h a u ß e n von einer Zentralstelle aus nach einheitlichen Gesichtspunkten.

Sie verschafft den Konzernbanken die Möglichkeit, ihre Kraft auf denjenigen Bezirk zu konzentrieren, wo die Wurzeln dieser Kraft liegen, ohne sich „durch eine Niederlassung in der Reichshauptstadt von ihrem eigentlichen Gebiet ablenken zu lassen"[1]), und ohne sich in letzterer selbst auf einen Konkurrenzkampf einlassen zu müssen, der ihnen um so geringere Chancen geboten hätte, je später sie diese Niederlassung begründet haben würden. Sie gewährt ihnen endlich den Vorteil der Anlehnung an eine Großbank, und hiermit nicht nur eine Verstärkung ihrer Stellung, ihrer Macht und ihres Einflusses, sondern zugleich auch einen erheblichen Teil derjenigen Vorteile, welche die Großbank selbst besitzt; endlich sichert sie ihnen im Bedarfsfalle auch in kritischen und schlechten Zeiten einen starken Halt, dessen Vorhandensein schon ihre eigenen Dispositionen in erheblichem Grade zu unterstützen geeignet ist.

Die leitende Großbank aber zieht aus der Kombination gleichfalls eine Fülle von Vorteilen: sie erweitert ihr Macht- und Geschäftsgebiet und vertieft und vergrößert ihre Kenntnis von der Lage der verschiedenen Zweige der Industrie und des Handels durch sachkundige Informationen der an Ort und Stelle sitzenden oder vertretenen Institute. Sie verfügt über ein ausgedehntes Absatzgebiet bei ihren Emissionen, ist in der Lage, der Kundschaft größere Vorteile und bessere Informationen zu gewähren, und sie insbesondere rascher und in weiterem Umfange in ihren geschäftlichen Maßnahmen zu unterstützen.

Sie ist endlich imstande, bei ihrer gesamten Geschäftspolitik ein e i n h e i t l i c h e s P r o g r a m m aufzustellen, welches auch den wirtschaftlichen Gesamtinteressen in höherem Maße Rechnung tragen kann, als dies bei kleinerem Geschäftsumfang oder bei einer Zersplitterung der Kräfte möglich ist.

Alle diese Vorteile werden auf dem Wege der Interessengemeinschaft durch Aktienaustausch sowohl in größtem Umfang, wie auf sehr einfachem Wege und mit geringem Risiko beschafft, da sich das Ziel schon durch einen relativ nicht sehr erheblichen Aktienbesitz erreichen läßt.

---

1) Bericht der Bergisch-Märkischen Bank für das Jahr 1897, S. 3.

Die Gefahr besteht allerdings auch hier, daß allzuviel Ansprüche an die leitende Bank gestellt werden könnten[1]); doch wird diese Gefahr von vornherein durch die Tatsache gemildert, daß der leitenden Bank durch diese Kombination in immer höherem Grade auch verfügbare Mittel der Konzernbanken und ihrer Klientel zufließen.

B. Auf indirektem Wege, mittels Dezentralisation des Betriebes.

1. Durch Begründung von Kommanditen.

Die Zahl der Kommanditen, die nach Tabelle 1 der Beilage VIII im Jahre 1895 bei den 6 Großbanken zusammen nur 11 betrug, also ungemein gering war, war bis Ende 1911 sogar auf 7 herabgegangen, so daß durchschnittlich auf eine Großbank nur etwa eine Kommandite kommt.

Bei den Konzernbanken aber (Tabelle 8 der Beilage VIII) betrug die Zahl der Kommanditen Ende 1911 nur 17, war also relativ noch bedeutend geringfügiger.

Die Darmstädter Bank besaß ursprünglich eine sehr große Anzahl von Kommanditen (bis zu 16) und hatte schon 1854 eine Kommandite in New-York, 1857 eine solche in Paris errichtet, während sie zu gleicher Zeit bereits Kommanditen in St. Petersburg, London, Smyrna und Konstantinopel zur Pflege der aus-

---

1) Paul Wallich (a. a. O. S. 102) erwähnt mit Recht auch noch die steuerlichen Bedenken, unter Zitierung des Ausspruchs von Jörgens, Finanzielle Trustgesellschaften, S. 75: „Die bei der Aktiengesellschaft mögliche doppelte Besteuerung durch Erfassung des Einkommens bzw. des Ertrages 1. bei der Gesellschaft, 2. beim Aktionär, verschärft sich natürlich zu einer dreifachen Besteuerung, wenn eine Aktiengesellschaft die andere besitzt". Wallich sagt ferner mit Recht (a. a. O. S. 110), daß „die dauernde Beteiligung im Bankwesen prinzipiell den gleichen Fortschritt über die Unternehmungsform der Aktiengesellschaft darstellt, wie ihn die Aktiengesellschaft über die Form der Einzelunternehmung bedeutet". Nur seiner Begründung des letzteren Satzes kann ich um deswillen nicht beitreten, weil ich gerade eine charakteristische Eigenschaft des modernen Aktienwesens darin erblicke, daß (im Gegensatze zu Wallich a. a. O. S. 111) dem Aktionär, (von besonders liegenden Ausnahmefällen abgesehen), zwar ein „Unternehmungs-Interesse", aber nicht ein „Unternehmer-Interesse" zuzuerkennen ist. Letzteres um so weniger, als nicht etwa der einzelne Aktionär, sondern die Gesamtheit der Aktionäre als Unternehmer anzusehen ist. Diese hat aber, wenn auch vielleicht nicht die Unternehmer-Fähigkeit, die auch dem physischen Unternehmer abgehen kann, so doch sicherlich den Unternehmer-Willen, wie schon daraus hervorgeht daß sie das Unternehmen nicht auflöst, sondern betreibt, d. h. betreiben läßt. Es ist daher auch unrichtig, wenn neuerdings behauptet wird (von Ad. Gottschewsky in der interessanten und vielfach anregenden Abhandlung: Über die Aktienform der Unternehmung, in Schmollers Jahrb., 31. Jahrg., Heft 1, S. 199 ff.), daß bei der Aktiengesellschaft überhaupt kein Unternehmer vorhanden sei.

ländischen Beziehungen zu errichten beabsichtigte. Und schon 1856
plante einer ihrer Gründer Gust. v. Mevissen, nichts weniger als die
Errichtung einer „Zentralbank für ausländische Kommanditen"
mit einem Kapital von 100 Mill. Tlr. (!), die dafür sorgen sollte,
„daß die deutschen Kapitalien der verschiedenen Banken, welche
alle Kommanditen im Ausland erstreben, sich in Zukunft nicht
mehr zersplittern und zugleich die möglichst tüchtige Vertretung
stattfinde"

Die Darmstädter Bank hatte in den Krisenzeiten zu Ende der
50er und Anfang der 60er Jahre mit dem anfangs von ihr bevor-
zugten Filialsystem keine guten Erfahrungen gemacht. Sie löste
deshalb 1863 auch ihre bereits seit 1854 bestehende Filiale Mainz
auf und verwandelte sie in eine Kommandite, „lediglich um den
Kreis der Anstalten, welche die Bank durch ihre Dispositionen
direkt verpflichten können, auf ein engeres Maß zu beschränken".

Aber wenn auch die Kommandite vor der Filiale in der Tat
voraus hat, daß die Bank nicht direkt durch die Geschäfte der
Kommandite verpflichtet wird, so ist doch der Unterschied ein mehr
äußerlicher, da, wenn die Kommandite sich infolge ihrer Geschäftsführung in schlechter Lage befindet, die Bank sie ebensowenig wie
eine Filiale im Stiche lassen kann. Außerdem zeigt die Form der
Kommandite Gefahren, welche den Filialen nicht oder nicht in dem
Umfange eigen sind.

Sie ist zunächst, ebenso wie die Tochtergesellschaft, selbst
bei Existenz von Verträgen, welche der Kommanditistin besondere
Kontrollrechte einräumen, schwerer als die Filiale kontrollierbar,
und wird sich um so weniger kontrollieren lassen, je größer ihre
Erfolge werden, je entschiedener also das berechtigte Kraftgefühl
des Geranten einer Einmischung widerstrebt. Dadurch wird es
auch bei der Kommandite leichter wie bei der Filiale möglich, daß
ihre ganze Geschäftspolitik sich abweichend von der der kommanditierenden Bank, unter Umständen sogar im Gegensatze zu dieser
entwickelt.

Auch sind Überraschungen leichter möglich, da sich
die Kommandite — und zwar um so weniger, je länger sie besteht —
bindenden und sie in ihrer freien Bewegung hindernden Instruktionen, z. B. bezüglich der Höhe der ungedeckten Kredite, der Art
der Sicherheiten bei gedeckten Krediten, des Umfangs der Akzepte
usw., nicht so leicht fügen wird. Wir haben gesehen, daß infolge
solcher Überraschungen u. a. die Deutsche Bank ihre Kommanditen
in New-York und Paris nach schweren Verlusten liquidieren mußte

---

1) Vgl. Jubiläumsbericht der Disconto-Gesellschaft, S. 204/205.

(s. oben § 4). Durch derartige Instruktionen geht auch nur zu leicht der Vorteil wieder verloren, den an sich gerade die Selbständigkeit des Geranten und die ihm offenstehende Möglichkeit, seine geschäftliche Individualität frei zu bestätigen, gewährt.

Ferner zieht die Kommandite nach den verschiedensten Richtungen sehr erhebliche Vorteile aus der Verbindung mit der sie kommanditierenden Bank, während die Vorteile der letzteren vielfach nicht sehr bedeutend sind, zumal die Kommandite mit ihren begrenzten Mitteln oft nur sehr schwer die am Ort etwa vorhandene Konkurrenz großer Banken bestehen kann. Dagegen droht die Gefahr, daß die Kommandite, nachdem sie groß geworden, den Vertrag kündigt und sich völlig unabhängig macht.

Endlich ist die kommanditierende Bank zu irgend einem Einschreiten außerstande, wenn die Geschäftsführung des Leiters der Kommandite eine ungenügende oder lässige ist, während natürlich gegen den Leiter einer Filiale solchenfalls eingeschritten werden könnte und würde.

Stirbt der Gerant, so muß entweder liquidiert werden, was meist nicht im Interesse der Bank liegt, oder es kann die letztere, wenn für diesen Fall, wie meist, vertragsmäßige Vorkehrungen getroffen sind, bis zur Wahl eines geeigneten Nachfolgers in große Schwierigkeiten und Unannehmlichkeiten geraten. Die Kommandite ist eben nicht nur in allen ihren Erfolgen, sondern vielfach auch in ihrer Existenz im wesentlichen an die Person des Leiters gebunden [1]).

Der Vorteil aber, den die kommanditierende Bank durch eine Erweiterung ihrer geschäftlichen Beziehungen und ihrer industriellen und kommerziellen Informationen von der Kommandite an sich haben könnte, wird durch die losere Verbindung geschwächt, in der die Kommandite zur kommanditierenden Bank, im Gegensatz zu Filialen steht, deren Leiter zu periodischen Berichten usw. verpflichtet sind.

Als Vorteil der Kommanditen ist dagegen anzuerkennen, daß in vielen Fällen der persönliche Einfluß und das Ansehen der Geranten, verbunden mit ihrer genauen Kenntnis der örtlichen Verhältnisse und der Klientel, sowohl eine vornehme Vertretung der Bank wie eine befriedigende, wenn auch meist nicht sehr hohe Rente sichert. Die Darmstädter Bank erzielte z. B. aus ihren Kommanditen, deren Zahl in der zweiten Epoche von 13 im Jahre 1875 auf 9 im Jahre 1889 zurückging, in dieser Zeit, also von 1875 bis 1889, aus ihren Kommanditeinlagen von 153 Mill. M 7 % Zinsen, während ihr die „dauernden Beteiligungen" bei Aktienbanken in

---

1) Vgl. Geschäftsbericht der Darmstädter Bank pro 1871, S. 12/13.

Höhe von 1690 Mill. M in der gleichen Zeit nur 6 % Zinsen brachten [1]). In den Jahren 1896—1900 stieg der Ertrag ihrer Kommanditen sogar auf 7½, 10, 8, 10 und 7½ %, während er in den Jahren 1901 und 1902 nur 4 und 6 % betrug [2]).

Jenem Vorteil stehen jedoch, wie wir sahen, überwiegende Schwächen und Gefahren gegenüber. Hiernach rechtfertigt es sich, daß man, wie die oben mitgeteilten Ziffern beweisen, im deutschen Bankwesen von der Gründung und Erhaltung von Kommanditen immer mehr abkommt.

2. Durch Begründung von Filialen.

Was die Dezentralisation des Betriebes auf dem Wege der Schaffung von (inländischen) Filialen (einschließlich der selbstständigen „Zweigniederlassungen", „Geschäftsstellen") angeht, so ersehen wir aus der Beilage VIII, Tab. 1, daß die Zahl derselben bei den deutschen Großbanken Ende 1911 sowohl absolut wie relativ überaus gering ist: es sind 98 (104 abzüglich der 6 Hauptniederlassungen) bei den 6 Großbanken [3]), und (nach Beilage VIII) 244 (285 abzüglich der 41 Hauptniederlassungen) bei den 41 Konzernbanken, so daß auf jede der Konzernbanken noch nicht einmal 6 Filialen im Durchschnitt entfallen [4]), und ähnlich liegen die Dinge auch bei den übrigen Provinzbanken. In der Provinz ist die Anzahl der Filialen, wenigstens wenn man die absoluten Ziffern betrachtet, erheblicher als in Berlin, wo aber die sehr bedeutende Zahl der Depositenkassen mit in Betracht kommt.

Im ganzen ist jedoch überall die Anzahl der Filialen, mindestens im Verhältnis zur Zahl der beteiligten Banken, nicht sehr erheblich. Dies ist um so auffälliger, als wir, mit Ausnahme von Amerika [5]), fast im gesamten Ausland [6]), eine überaus umfangreiche Entwicklung

---

1) Vgl. Model, S. 75/76.

2) Vgl. Loeb bei Model, S. 168.

3) Hier sind aber wieder im einzelnen die Verhältnisse ganz verschieden; die Dresdner Bank hat unter den Großbanken die größte Zahl von Filialen (26 im Jahre 1911).

4) Hinzu kommen noch 4 Filialen der in Beilage VIII mit berücksichtigten Tochtergesellschaft des A. Schaaffhausen'schen Bankvereins, der Westfälisch-Lippeschen Vereinsbank, sowie 11 Filialen der Stahl & Federer Aktiengesellschaft und 2 Filialen der Revisions- und Vermögens-A.-G., zusammen 17 Filialen. Das Gesamtbild und die Zahl der durchschnittlich auf eine Konzernbank entfallenden Filialen wird dadurch nicht geändert.

5) In Amerika stehen in erster Linie gesetzliche Vorschriften im Wege.

6) Auch in Österreich war lange die Zahl der Filialen der großen Banken (mit Ausnahme der Österreich-Ungarischen Bank, welche Notenbank ist) eine relativ nicht erhebliche. Die Österreichische Kreditanstalt hatte Ende 1904 nur 7, der Wiener Bankverein 4, die Österreichische Länderbank 2 Filialen; die

des Filialensystems beobachten. So berichtet Ad. Weber[1]), daß in England und Wales bereits Ende 1899 12 Banken existierten, von denen jede mehr als 100 Filialen zählte und die zusammen (einschließlich der Hauptniederlassungen) 2304 Niederlassungen hatten, während die Gesamtzahl aller Bankniederlassungen Ende 1899 in England und Wales sich auf 4540 (1876 auf 3548) belief, von denen etwa 816 nicht täglich geöffnet waren, sondern nur zu besonderen Tagen (z. B. Markttagen) zur Verfügung standen.

Im Jahre 1901 existierten in England bereits 21 Banken, die mehr als 100 Filialen hatten, und es betrug die Gesamtzahl der Bankstellen im Vereinigten Königreich 6672, von welchen 4872 auf England, 1087 auf Schottland, 690 auf Irland und 23 auf die Insel Man entfielen[2]), wovon jedoch 1124 nicht täglich geöffnet waren[3]). Über ein Viertel aller bestehenden Filialen ist allein in den 8 Jahren von 1896—1903 eröffnet worden, so daß der Vorsitzende der London and County Bank bei der Generalversammlung im Februar 1902 sagen konnte, es gebe „beinahe keine Straße in London, die nicht eine Bankfiliale hätte, und wenn es so weitergehe, so würden die Zweigbureaus an Zahl noch die Wirtshäuser übertreffen"[4]). Eine einzige Bank, die London City and Midland Bank, hatte Anfang 1905 447 Filialen, also 257 Filialen mehr als die sämtlichen Berliner Großbanken zuzüglich der ihnen Ende 1904 affiliierten 52 Provinzbanken zusammengenommen; am 31. Dezember 1908 hatten die Depositenbanken in Großbritannien und Irland, deren Anzahl damals 63 betrug, nicht weniger als 6801 branches und sub-branches[5]). Für Ende 1910 wird die Zahl der Zweigstellen auf 7151 angegeben. Derzeit haben vier Banken in England und Wales mehr als 400 Stellen, und zwar:

---

letztgedachten 3 Banken besaßen jedoch eine Anzahl von Wechselstuben; 1905 beginnt jedoch eine Vermehrung der Filialen; in Böhmen allein waren nach dem Prager Tageblatt vom 27. Dezember 1905 schon Ende 1905 31 Filialen und Agenturen von böhmischen Banken sowie 27 Filialen und Agenturen von Wiener Banken vorhanden, abgesehen von 54 Filialen und Nebenstellen der Österreichisch-Ungarischen Bank. Jetzt (1911) haben, soweit ich sehen kann, die Creditanstalt 20, der Wiener Bank-Verein 23, die Anglo-Österr. Bank 27, die Österr. Länderbank 6 Filialen u. 5 „Exposituren", die Böhmische Unionbank 23 u. der Mercur 18 Filialen (abgesehen von 2 Tochterinstituts). Budapester Tochterinstituts).

1) Depositenbanken und Spekulationsbanken (1902), S. 62 ff.

2) Rud. Eberstadt, Depositenbanken und Scheckverkehr in England, S. 248.

3) Es ist jedoch geraten, bezüglich Englands nur von Bankstellen, nicht von Filialen, zu sprechen, da mindestens die Londoner „Filialen" vielfach mehr den Charakter unserer Depoitenkassen als den unserer Filialen besitzen.

4) Edgar Jaffé, Das englische Bankwesen, 2. Aufl., S. 275. Auch hier ist aber auf die obige Anmerkung 3 zu verweisen.

5) Edgar Jaffé, Das englische Bankwesen, 2. Aufl., S. 47/48.

London City and Midland Bank 689 (gegen 315 a. 1900),
Lloyds Bank 589 (gegen 311 a. 1900),
Barclay & Co. 497 (gegen 269 a. 1900),
Capital and Counties Bank 447 (gegen 185 a. 1900).

Weitere vier Banken besitzen über 200 und 11 (einschließlich der schottischen und irischen 20) Banken über 100 Zweigstellen[1]).

Die Zweigstellen der Lloyds Bank teilen sich in rund 500 places of business (branches) und rund 160 subbranches and agencies.

In Frankreich[2]) erhöhte sich die Zahl der Agenturen und Filialen von Ende 1894 bis Ende 1908, also in vierzehn Jahren, bei:

	1894		1908		
	in Paris u. Vororten	in der Provinz	in Paris u. Vororten	in der Provinz	im Ausland (u. in Algier)
dem Crédit Lyonnais	von 27	96	auf 62	175	20
„ Comptoir national d'Escompte	„ 15	24	„ 49	150	
der Société générale	„ 37	141	„ 88	637	

Diese drei Institute allein hatten also Ende 1908 zusammen 199 Filialen und Agenturen in Paris und Vororten und 961 Filialen, Agenturen und Bureaus in der Provinz, also zusammen 1160 Stellen[3])

In Schottland[4]) betrug die Zahl der Filialen, gegenüber den erwähnten 1087 im Jahre 1901 (bei 10 Banken: 589 im Jahre 1865, 688 im Jahre 1872, 912 im Jahre 1873, 1021 im Jahre 1895 und 1242 im Jahre 1910. Schon 1871 gab es dort Bankfilialen[5]) an 283 Orten, darunter an 61 Orten unter 1000 Einwohnern, an 70 zwischen 1000 und 2000, an 35 zwischen 2000 und 3000 und an 33 Orten zwischen 3000 und 4000 Einwohnern! In den 70er Jahren existierten bereits in Brechin, das damals 9000 Einwohner zählte, nicht weniger als sieben Filialen verschiedener Banken. Dies ist selbst dann ungemein erheblich, wenn man die Tatsache mit in Betracht zieht, daß zu der Stadt auch ihre ganze ländliche Umgebung gehört.

---

1) Näheres s. bei Friedr. Glaser, Die Entwicklung des Filialnetzes der englischen Banken in der Zeitschr. Der „Bankbeamte", 19. Jahrg., S. 205/206.

2) Vgl. für die Zeit bis 1903 André A. Sayous, Die Konzentration des Bankverkehrs in Frankreich, im Bank-Archiv, 3. Jahrg., No. 8 vom Mai 1904, S. 129—132, insbesondere Tab. I: Anzahl der Agenturen und Filialen der französischen Kreditinstitute in Paris und dessen Umgebung (S. 129) und Tab. II: Anzahl der Agenturen und Filialen der französischen Kreditinstitute in der Provinz (S. 130): ferner Voss. Zeitung vom 28. Januar 1905.

3) Kleine Abweichungen in den Zahlen zeigt die Tabelle bei Bernh. Mehrens, Die Entstehung und Entwicklung der großen französischen Kreditinstitute (1911), S. 220.

4) Vgl. Karl Mamroth, Die schottischen Banken a. a. O. S. 20 ff.

5) S. jedoch Anm. 3 auf S. 558.

Der unter deutscher Mitwirkung erst 1895 begründete Credito Italiano in Rom besaß Ende 1908 bereits 17, und die unter gleicher Mitwirkung 1894 begründete Banca Commerciale Italiana in Mailand hat jetzt sogar schon 33 Filialen in Italien.

Man muß sich aber hüten, alle diese Ziffern ohne weiteres, wie dies vielfach geschieht, den deutschen gegenüberzustellen und daraus dann einen tiefergehenden Gegensatz zu konstruieren, als er tatsächlich besteht. Denn was zunächst Frankreich betrifft, so sind die dort so zahlreich bestehenden Zweigniederlassungen zum großen Teil[1]) weniger Filialen in unserem Sinne, als — bei weitem leichter zu begründende — „Agenturen"[2]), die bei weitem geringere Bedeutung und einen geringeren Geschäftskreis haben als die Filialen, welche bei uns mitunter Geschäfte, namentlich solche örtlicher Bedeutung, selbständig übernehmen, an welchen die Zentrale selbst nicht teilnimmt. Auch die englischen Verhältnisse sind durchaus nicht direkt vergleichbar. Denn einerseits besitzen, wie wir schon hervorhoben, viele der als Filialen gerechneten Bankstellen, insbesondere in London, mehr den Charakter unserer Depositenkassen, als den unserer Filialen, andererseits handelt es sich hier im wesentlichen[3]) entweder nur um Notenbanken, wie in Schottland, oder teils um Noten-, teils um Depositenbanken, für deren Filialbildung ganz andere und teilweise zwingende technische Gründe bestimmend gewesen sind, als solche bei unseren Banken obwalten. Denn diese letzteren betreiben entweder das Depositengeschäft überhaupt nicht, oder mit einer großen Reihe anderer Tätigkeiten zusammen, und betreiben es außerdem niemals in erster Linie.

Die Notenbanken sind zur Hebung der Notenzirkulation[4]), die Depositenbanken behufs Heranziehung der verfügbaren Kapitalien immer größerer Schichten der Bevölkerung, insbesondere aus den Kreisen der (nicht nur in den großen Städten konzentrierten)

---

1) Die Worte: „zum großen Teil" sind mit Rücksicht auf eine als berechtigt anzuerkennende Einwendung von C. Hegemann, Die Entwicklung des französischen Großbankbetriebes (Münster i. W. 1908, Theissing), S. 27, hinzugesetzt. Er selbst sagt freilich (S. 94) sogar von den französischen Filialen der Kreditinstitute, daß sie weiter nichts seien als Instrumente, welche die Anweisungen der Zentrale ausführen.

2) Deshalb faßt wohl auch André A. Sayous in der oben auf S. 559 Anm. 2 erwähnten Abhandlung Agenturen und Filialen zusammen.

3) Von den größeren englischen Banken ist nur die Parr's Bank eine Notenbank mit verschwindendem Zettelgeschäft.

4) Auch unsere Reichsbank hatte Ende 1910 493 (1903: 379) Zweigstellen (Verwaltungsbericht der Reichsbank für das Jahr 1910, S. 16). In Schottland vermehrte sich der Kreis der Filialen im Jahre 1854 ganz erheblich, weil der Stempel auf Banknoten von 5 Pence auf 1 Penny reduziert wurde (Karl Mamroth a. a. O. S. 19/20).

mittleren und kleinen Kapitalisten und Gewerbetreibenden, zur Schaffung eines immer dichteren Netzes von Zweigstellen geradezu genötigt, wenn sie ihre Zwecke erfolgreich durchsetzen wollen. Ähnliches würden wir auch wohl in Deutschland erleben, wenn die „einheitliche Depositenbank" oder gar eine Mehrheit von Konkurrenz-depositenbanken zur Wirklichkeit werden sollte.

„Ohne das Emissionsrecht hätten die schottischen Banken weder so viele Filialen etablieren, noch derartige Erleichterungen an Deponenten gewähren können, und ohne die Filialen und diese Erleichterungen würden sie niemals Depositen gehabt haben[1]."

In Deutschland bestand ursprünglich wenig Neigung, die Vorteile der zentralen Leitung von einem Punkte aus durch Errichtung von Filialen abschwächen zu lassen, man befürchtete auch vielfach, daß die Anforderungen, welche die Filialen an das Mutterinstitut stellen würden, leicht ins Ungemessene gehen, und die Geschäftspolitik sowohl wie die Generaldisposition über die Mittel der Bank, die in einer Hand bleiben müssen, durchkreuzen könnten.

Immerhin konnte man auch hier die Vorteile nicht verkennen, welche eine Betriebsdezentralisation durch Filialen, neben dem Machtzuwachs und der Verstärkung der Widerstandsfähigkeit, die eine solche geschäftliche Erweiterung für die betreffende Bank in der Regel zur Folge hat, zu gewähren vermag.

Zu diesen Vorteilen gehört vor allem die nahe Fühlung, welche die Filiale mit der Industrie und dem Handel ihres Bezirks allmählich gewinnen muß; die genaue Einsicht, die sie in täglicher Berührung nach und nach von den Kreditbedürfnissen und Gewohnheiten, den Vermögensverhältnissen und der Vertrauenswürdigkeit der dort wohnhaften Firmen und Personen erhalten muß, so daß sie in der Lage ist, die Zentrale über alle diese wissenswerten Details aufs genaueste und sicherste zu informieren. Durch die besonderen örtlichen Bedürfnisse wird aber vielfach auch eine Erweiterung des Tätigkeitsgebiets der Bank in diesem Bezirk herbeigeführt; es müssen oder können dort vielleicht Zweige des Bankgeschäfts betrieben werden, welche die Bank selbst in ihr Programm vielleicht nicht aufgenommen hatte oder mangels sachverständiger Kräfte nicht hatte aufnehmen können, und so bilden oft die Filialen und ihre Leiter sowie die aus deren Schulung hervorgehenden Beamten eine willkommene Ergänzung des Bankbetriebes, ihrer Direktion und ihrer Beamten.

Bei Verteilung der Filialen, Agenturen, Kommanditen und Depositenkassen über vielfach wirtschaftlich ganz verschieden ge-

---

1) Aus Somers, The Scotch banks and system of issue, Edinburg 1873 (s. Karl Mamroth a. a. O. S. 27).

artete Gebiete, ist es der Zentrale leichter möglich, ihre Kapital-
und Kreditangebote angemessen zu verteilen und den in Höhe und
Art verschiedenen Kreditbedürfnissen anzupassen [1]).

Der Nutzen der Informationen, welche die Filialen für die
Zentralleitung beschaffen können, kann aber durch verschiedene
Mittel, welche bereits in mehreren Banken zur Anwendung gelangen,
erheblich gesteigert werden. Einmal dadurch, daß ihnen aufgegeben
wird, neben den selbstverständlichen Aufstellungen, die sie über
ihre Kassadispositionen, den Stand ihrer Engagements, ihrer Lombards,
Debitoren und Kreditoren, Wechsel, Akzepte usw. in bestimmten
Zwischenräumen einzureichen haben, schriftliche Berichte über den
Stand der in ihrem Bezirk besonders vertretenen Industrien an die
Zentralleitung zu erstatten, welche letztere diese Berichte dann auch
bei den übrigen Filialen zirkulieren läßt. Oder dadurch, daß (was
vielfach auch neben diesen schriftlichen Berichten einhergeht), die
Filialleiter sich sämtlich periodisch, also z. B. vierteljährlich, am Sitze
der Zentralleitung versammeln, um dort unter dem Vorsitze eines
Direktors über das, was sich bei ihnen inzwischen geschäftlich zu-
getragen hat, mündlich zu berichten und gleichzeitig von der Zentralleitung zu hören, wie diese sich die nächsten Ziele der Gesamtbank
denkt, und wie sie die gesamte wirtschaftliche Lage beurteilt, damit
die Filialen ihre Geschäftsführung und ihre Dispositionen hiernach
einrichten können. Gleichzeitig ist die Zentralleitung in der Lage,
auf Grund der schriftlichen und mündlichen Berichte festzustellen
und sämtlichen Filialleitern zur Kenntnis zu bringen, ob und inwieweit vielleicht die Filialen die gewährten Kredite zu einseitig verteilt, oder ob sie die aus allgemeinen oder besonderen Gründen zu
ziehenden Grenzen überstiegen haben, oder ob eine Anspannung
der Mittel vorliegt, die durch geeignete Maßregeln wieder auszugleichen ist u. dgl. m.

Ein weiterer Nutzen der Filialen für die Bank besteht in der
Erweiterung der Emissionskraft der letzteren, da der Kreis der
für den Absatz von Papieren in Betracht kommenden Klientel in
oft sehr erheblicher Weise durch die Filialen verstärkt wird, und
zugleich in der Erleichterung ihrer Emissionstätigkeit. Denn
selbstverständlich sind alle Emissionen von örtlicher Bedeutung, wie
die der im Bezirk der Filiale heimischen Industriewerte oder die der
dorthin gehörigen kommunalen Obligationen oder landwirtschaftlichen
oder sonstigen Pfandbriefe u. dgl. m., und alle Emissionen, die nach
den Zulassungsvorschriften wegen zu geringer Höhe der Kapitalien
am Sitze der Gesellschaft nicht emittiert werden können, den Filialen
zu überlassen.

---

1) Vgl. Bernh. Mehrens a. a. O. S. 253.

Durch die letzteren erweitert sich aber auch vielfach der Kreis derjenigen Werte, welche die Bank dem Kapitalanlagebedürfnis ihrer Kundschaft zur Verfügung stellen kann, da die Filiale die sonst schwer erhältlichen oder nicht immer sicheren Berichte über solche Werte in der Regel der Zentralleitung mit Sachkenntnis und Zuverlässigkeit wird erstatten können.

Ferner wird es den Filialen infolge genauer Kenntnis der Firmen und Personen ihres Bezirks, ihrer Vermögenslage, sowie ihrer geschäftlichen oder sonstigen Lage, in der Regel möglich sein, die verfügbaren Kapitalien, besonders die der mittleren und kleinen Gewerbetreibenden und Kapitalisten ihres Bezirks, als Depositen heranzuziehen. Der Bank wird somit auch durch die Gesamttätigkeit ihrer Filialen in stets wachsendem Umfange die Erleichterung des Zahlungs- und Wechselverkehrs ihrer Kundschaft ermöglicht, deren geschäftliche Zwecke und Maßnahmen sie nun immer mehr durch Erleichterungen und wertvolle Mitteilungen sowie durch Ratschläge jeder Art unterstützen kann. Ebenso wird ihr hierdurch die Erweiterung und intensivere Betreibung des Giro-, Abrechnungs- und Scheckverkehrs besser gelingen, was in hohem Grade im allgemeinen wirtschaftlichen Interesse liegt.

Die Verschiedenheit der Tätigkeit ihrer Filialen ist zugleich eine Art von Versicherung der Bank gegen Verluste, die sie selbst oder eine ihrer Filialen in einem Jahre erleiden könnte, da solche Verluste dann wieder leichter durch Mehrgewinne anderer Filialen auszugleichen sind.

Nach der Tabelle, die Ernst Loeb aufgestellt hat[1]), waren die Gesamtumsätze der Filialen der Deutschen Bank in den Jahren 1896—1902 zusammengenommen etwas höher, als die Gesamtumsätze der Zentrale; das Kassakonto erheblich höher als dasjenige der Zentrale; das Wechsel- und Kontokorrentkonto etwa ebenso hoch, während das Akzeptkonto — mit Rücksicht jedenfalls auf das von der Zentrale aus betriebene überseeische Geschäft — nur ein Drittel bis ein Fünftel des Akzeptkontos der Zentrale betrug.

Der Depositenbestand verteilte sich bei der Deutschen Bank in jenen Jahren folgendermaßen (in Millionen Mark):

	Gesamtbestand	HierVon:	
		Bestand der Zentrale	Bestand der Filialen
1896	92,6	60,0	26,6
1897	101,7	75,6	26,1
1898	121,7	90,2	31,5
1899	155,5	114,5	41,0
1900	190,9	138,2	52,7
1901	214,5	149,9	64,6
1902	213,5	157,8	55,1[2])

1) Die Berliner Großbanken in den Jahren 1895—1902 usw., S. 114.

2) Eine Weiterführung dieser Tabelle ist deshalb nicht möglich, weil die Geschäftsberichte seit 1903 keine nach Zentrale und Filialen getrennte Bilanz wiedergeben.

Allerdings steht den vorgedachten Vorteilen auch eine Reihe zum Teil recht schwerwiegender Nachteile gegenüber:

Die Durchführung der allgemeinen Geschäftspolitik der Bank wird zunächst naturgemäß um so schwieriger, je mehr Filialen vorhanden sind, die, je nach der Art und dem Umfang ihres Geschäfts und der besonderen Ziele, die sie nach Lage der speziellen Verhältnisse ihres Bezirks sich stellen müssen, auch besondere Instruktionen erhalten müssen. Eine Schematisierung durch allgemeine, von jeder Filiale ohne weiteres zu beachtende Geschäftsinstruktionen ist, abgesehen von gewissen aus der Erfahrung abstrahierten Vorschriften — z. B. daß zweite Hypotheken oder Terrainhypotheken oder bestimmte Gattungen von Papieren oder nicht börsengängige Effekten überhaupt nicht oder nur unter gewissen Bedingungen und nicht als alleinige Sicherheit, zur Deckung von Krediten dienen dürfen u. dergl. m. —, in der Regel ausgeschlossen und wird am besten gar nicht versucht. Denn derartige, die Lage des Einzelfalls nicht sorgfältig berücksichtigende Instruktionen wären doch nur dazu da, um nicht gehalten zu werden. Aber auch sorgfältig durchdachte und ausgearbeitete Instruktionen werden nur dann von Nutzen sein können, wenn sie in die Hand verständiger Filialleiter gelangen, und selbst dann sind zwei Fälle möglich:

Entweder diese Instruktionen sind zu scharf[1]), d. h. sie lassen dem Filialleiter zu wenig Raum für eigenes Handeln, zwingen ihn vielmehr, in jeder auch nur irgend wichtigeren Sache erst an die Direktion zu berichten; dann wird allmählich jede Initiative des Filialleiters gelähmt, er wird zu einem Automaten erzogen, oder verliert doch gerade dasjenige Gefühl, welches ihn vor allem ständig durchdringen müßte: das Gefühl persönlicher Verantwortlichkeit.

Oder diese Instruktionen sind zu weit und zu mild gefaßt, dann vermehrt sich unter Umständen diejenige Tendenz, die ohnehin den Filialen nur allzu leicht innewohnt, die zentrifugale Tendenz, die dahin geht, daß die Filialen sich, nicht beengt durch klare und bestimmte Direktiven, auch nicht um die allgemeine Geschäftspolitik der Bank und deren Gesamtdisposition kümmern, sich also völlig losgelöst und selbständig und nicht als Glieder eines einheitlichen Ganzen fühlen, was sehr bedenkliche Folgen haben kann.

Was aber die Kontrolle betrifft, die ja theoretisch allen Überraschungen zuvorkommen und allen Übelständen so rasch auf die

---

1) In Frankreich haben die Filialleiter infolge der stärkeren Zentralisierung und der größeren Bedenken der Zentralleitungen gegen langfristige industrielle und kommerzielle Kredite eine überaus geringe Selbständigkeit (vgl. Mehrens a. a. O. S. 289 u. 291). Dieser Umstand dürfte zu den Klagen der französischen Gewerbetreibenden über die geringe Beweglichkeit des Bankenapparats wesentlich Veranlassung geben.

Spur kommen müßte, daß rechtzeitige Abhilfe möglich ist, so ist an sich diese Aufgabe, die der Gesetzgeber im § 246 des HGB. sogar den Mitgliedern des Aufsichtsrats glaubt stellen zu können: „die Geschäftsführung in allen Zweigen der Verwaltung zu überwachen", selbst für die Direktion, die ja nicht am Sitz der Filiale weilt, und für die von ihr bestellten ständigen Kontrolleure ungemein schwierig. Sie wird aber natürlich immer schwieriger und komplizierter, je mehr die Zahl der Filialen und der Umfang der geschäftlichen Tätigkeit und der Aufgaben der Filialen wächst. Wie in England eine Bank mit etwa 400 Filialen diese Aufgabe in stets vollkommener und befriedigender Weise lösen kann, ist daher eine besonders interessante Frage[1]), da man bei der überaus großen Gewissenhaftigkeit und Solidität englischer Kaufleute ohne weiteres annehmen darf, daß auch sie sich dieser Aufgabe mit der größten Sorgfalt annehmen werden, obwohl der Board of directors in England „so gut wie gar keiner Diligenzpflicht unterworfen" ist, und obwohl es sogar bestritten ist, ob die Direktoren auch nur für „Crassa negligentia" d. h. für einen dem englischen Recht bekannten noch höheren Fahrlässigkeitsgrad als lata culpa, haftbar sind[2]).

Auf den weiteren Nachteil, die eventuell lange Wartezeit, bis die Filiale sich eine stetige und ausreichende Rentabilität gesichert hat, haben wir oben schon hingewiesen. Insbesondere dann, wenn sie ohne Anlehnung an ein bestehendes Geschäft begründet ist, wird es in der Regel, von einzelnen Ausnahmen abgesehen, recht lange dauern, bis eine neu errichtete Filiale sich auf eigene Füße stellen kann, also vielleicht Gläubiger der Bank wird, statt, und zwar oft in sehr erheblichen Beträgen, ihr Schuldner zu sein, und noch länger, bis sie eine angemessene Rente abwirft. Die Generalunkosten[3]) sind meist von vornherein recht erhebliche und werden vielfach auch noch durch den Erwerb eigener Bankhäuser, welche die Filiale schon der Konkurrenz wegen entweder gleich errichtet oder baldigst zu errichten anstrebt, sehr erhöht.

---

1) Vgl. hierüber näheres bei Edgar Jaffé, Das englische Bankwesen, 2. Aufl., S. 269—273.

2) Ad. Weber, Depositenbanken und Spekulationsbanken, S. 41.

3) Was die Einkommensteuern betrifft, so sind diese landesgesetzlich geordnet. Aktiengesellschaften z. B., die ihren Hauptsitz in Preußen und Filialen in einem anderen deutschen Bundesstaat haben, müssen in Preußen denjenigen Teil ihres Gesamteinkommens versteuern, der aus dem Geschäftsbetrieb der in Preußen belegenen Niederlassungen stammt.

Ebenso werden solche Aktiengesellschaften, die ihren Sitz außerhalb Preußens haben, aber Filialen in Preußen besitzen, zur preußischen Einkommensteuer mit demjenigen Teile ihres Gesamteinkommens herangezogen, der aus den preußischen Niederlassungen stammt.

Auch ist meist, zunächst wenigstens, das Kapital sehr groß, welches die Bank in ihren Filialen investieren muß, was vielfach nicht ohne Erhöhung des Aktienkapitals geschehen kann; die von Ernst Loeb aufgestellte Tabelle[1]) zeigt, daß z. B. die Deutsche Bank am Ende des Jahres 1902 nicht weniger als 40% ihres Kapitals in ihren Filialen investiert hatte.

Endlich ist eine Filiale, selbst wenn ihre Errichtung sich nicht als ein glücklicher Gedanke erwiesen hat, schon infolge der Eintragungspflicht und der amtlichen Veröffentlichung der Eintragung, nicht entfernt so leicht wie eine „Agentur" oder Depositenkasse zu verlegen oder zu löschen.

Alle diese Nachteile aber würden, zumal sie zum größten Teile sich ebenso auch im Auslande zeigten, wo die Filialbildung dennoch eine sehr erhebliche war, um so weniger zur Erklärung der bisher geringen Filialbildung in Deutschland hinreichen können, als jenen Nachteilen doch auch, wie wir sahen, Vorteile sehr erheblicher Art gegenüberstehen.

Man wird sich daher das, im Gegensatz zu den im übrigen so starken Konzentrationstendenzen, in Deutschland bisher festzustellende erhebliche Zurückbleiben der Filialbildung meines Erachtens nur in folgender Weise erklären können:

Einmal dadurch, daß die ungemein starken und dringlichen Aufgaben, die das deutsche Bankwesen in dieser Epoche in sehr kurzer Zeit zu erfüllen hatte, den Ausbau seiner inneren Organisation überhaupt einigermaßen gehemmt haben.

Ferner dadurch, daß man bis in die 90er Jahre hinein in weiten Kreisen des deutschen Bankwesens, was bezüglich einer Reihe von Großbanken aus ihrer ganzen damaligen Haltung hervorgeht, einer Ausdehnung der Konzentrationsbestrebungen gerade durch De-zentralisation des Betriebes aus prinzipiellen Gründen sehr wenig sympathisch gegenüberstand, soweit es sich nicht um Errichtung von am Sitze der Hauptniederlassung befindlichen, also leichter kontrollierbaren, Depositenkassen handelte.

Endlich, was die Zeit nach 1897 angeht, dadurch, daß man von da ab in den Interessengemeinschaften eine Form gefunden hatte, welche die mit dem Filialsystem erreichbaren Zwecke sowohl vollständiger und einfacher, wie unter geringerem Einsatz von Kapital, Kosten und Risiko erreichen ließ.

Es ist mir aber, da die Weiterbildung von Interessengemeinschaften in absehbarer Zeit an natürlichen Grenzen angelangt sein wird, bei Fortdauer der Konzentrationstendenzen nicht zweifelhaft, daß, spätestens nach Erreichung jener Grenzen, vielleicht aber schon

---

1) a. a. O. S. 112.

vorher, auch in Deutschland ein starker Ausbau des Filialsystems erfolgen wird.

3. Durch Begründung von Agenturen.

Was die Dezentralisation des Betriebes durch Agenturen angeht, so wären die letzteren an sich ohne Zweifel auch bei uns die beste Form für eine umfangreichere Errichtung von Bankstellen. Die Agentur kann aufs leichteste errichtet, und, da sie nicht einzutragen, sogar als solche in Deutschland, im Gegensatz zur Filiale, gar nicht eintragungsfähig ist, ebenso leicht wieder aufgehoben und verlegt werden. Sie bedarf eines weit geringeren Apparats von Beamten, und erfordert, da sie auch nach außen weniger in die Erscheinung tritt als die Filiale, auch sonst geringere Generalunkosten[1]). Der Umstand aber, daß — im Gegensatz zur Filiale — die Eintragung einer Agentur als solcher im Handelsregister nicht stattfinden kann, hat wichtige Konsequenzen, deren erste die ist, daß die Vertretung nicht nach Maßgabe der sonst üblichen statutarischen und bankmäßigen Grundsätze, sondern nur auf Umwegen und mit Schwierigkeiten geregelt werden kann. Diese Schwierigkeiten erhöhen sich dadurch aufs empfindlichste, daß aus dem nämlichen formalen Grunde die Agentur als solche gerade von denjenigen Behörden, mit denen sie täglich zu tun hat, nicht anerkannt wird. Die Reichsbank läßt die „Agentur" als solche nicht zum Giroverkehr zu, die Post liefert der „Agentur" Briefe und sonstige Sendungen, insbesondere Wertsendungen, nicht ab. Es müssen also der Bank im ersteren Falle durch Hin- und Hersendung von Barbeträgen erhebliche Zinsverluste, im letzteren Falle durch Bestellung von besonderen Bevollmächtigten, welche nur Vertreter der Bank selbst und nicht solche „der Agentur" sein könnten, große Schwierigkeiten und Weiterungen entstehen.

So ist die Errichtung von Agenturen als Zweigstellen von Banken in Deutschland bedauerlicherweise überaus erschwert. Es würde also nichts unrichtiger sein, als etwa aus der beträchtlichen Zahl der „Agenturen", die sich bei den Provinzbanken tatsächlich finden, und die nach Beilage VIII allein bei den 41 Konzernbanken 377 beträgt, schließen zu wollen, daß sie in der Provinz sich nun

---

1) Es würde deshalb an sich ohne jeden Zweifel auch in Deutschland die „Agentur", statt der Filiale, eine sehr bedeutende Rolle spielen, zumal es auch kaufmännisch richtiger wäre, zunächst die leichtere Form zu wählen, und diese sich allmählich, mit steigendem Geschäftsumfang, in die schwerere und bedeutsamere Rechtsform, die Filiale, hineinwachsen zu lassen. Um solche Zwecke zu erreichen, haben denn auch einige Banken, z. B. die Pfälzische Bank, Zweigstellen errichtet, denen sie die Firma „Agentur" oder „Depositenkasse" oder „Depositenkasse und Wechselstube" gaben, die aber als Filialen eingetragen werden mußten.

doch auf irgendeinem Wege eingebürgert hätten, daß hier also das
Mittel gefunden sei, dasjenige, was man auf dem Wege von Filialen
nicht erreichen konnte oder wollte, auf dem Wege von „Agenturen"
durchzusetzen. Denn von den 377 Agenturen der Konzernbanken
führt einerseits eine sehr große Zahl nur den Namen Agentur, ist
aber im Handelsregister als Filiale eingetragen und entfallen andererseits nach der Beilage VIII nicht weniger als 332 auf Mecklenburg und die wirtschaftlich gleichartigen Gebiete (Neuvorpommern und
Oldenburg), wo ganz besondere Verhältnisse herrschen. Hier handelt es
sich nämlich nur dem Namen nach um „Agenturen" im Sinne von selbständigen Bankniederlassungen. In Wahrheit vertreten lediglich
entweder selbständige Kaufleute mit auch anderweitigem Geschäftsbetrieb, oder — den lokalen Gewohnheiten entsprechend — Bürgermeister und Rechtsanwälte a. D. oder sonstige angesehene oder ver-
trauenswürdige Personen nebenher den Dienst von Bankagenten,
die dann mitunter auch, wenn sie als Kaufleute eingetragen sind, ihrer
Firma zu näherer Kennzeichnung des Geschäfts gemäß § 18 Abs. 2
Satz 2 HGB. den Zusatz: „Agentur der . . . Bank" hinzufügen.

Überdies handeln diese Agenten naturgemäß nur auf Grund
einer begrenzten Vollmacht, die sich also in erster Linie auf
Empfangnahme von Geldern und Effekten und vielleicht auf eine
kleine Reihe eng begrenzter Hilfsgeschäfte bezieht, und die nur
dort erteilt werden kann, wo, wie in den obigen Gebieten, eine Anzahl absolut vertrauenswürdiger Personen zur Verfügung steht, und
wo man überdies bei der Kleinheit und Übersehbarkeit der Verhältnisse alle Bedenken leichter zurückstellen kann, die an sich vorhanden sind. Denn entweder muß man einem solchen nicht zu den
Angestellten der Bank gehörenden Agenten, im Gegensatz zu
sonstiger bankmäßiger Übung, das Recht geben, über den Empfang
der bei ihm eingegangenen Depositengelder [1]) im Namen der
Bank zu quittieren: dann läuft die Bank die Gefahr nicht oder
nicht rechtzeitig erfolgter Ablieferung der eingenommenen Beträge
an sie. Oder es wird ihm ein solches Recht nicht eingeräumt,
die Bank oder eine Filiale, der die „Agentur" unterstellt ist, behält
sich also selbst das Recht vor, über die bei der „Agentur" eingegangenen Beträge zu quittieren: dann wird das Publikum der
Agentur vielleicht größere Beträge überhaupt nicht anvertrauen, die
Agentur kann also eine Kundschaft in größerem Umfange nicht
erwerben.

---

1) Hierum handelt es sich im wesentlichen, da z. B. in Mecklenburg, Oldenburg, Schleswig-Holstein und Elsaß-Lothringen mehr als sonst in Deutschland, namentlich auf seiten der ländlichen Bevölkerung, die Gewohnheit besteht,
verfügbare Summen, selbst recht erhebliche, nicht anzulegen, sondern, und zwar
meist auf sehr lange Zeit, als Depositengelder stehen zu lassen.

Die oben für Mecklenburg und die angrenzenden Gebiete geschilderten, aus lokalen Bedürfnissen und Gepflogenheiten erwachsenen Verhältnisse lassen sich nicht verallgemeinern, wie sie denn auch tatsächlich im ganzen übrigen Deutschland in dieser Weise nicht oder so gut wie nicht bestehen. Namentlich lassen sie sich nicht auf größere Gebiete verpflanzen.

4. Durch Begründung von Depositenkassen.

Damit sind wir zu der letzten Rechtsform gelangt, in der sich die Dezentralisation des Betriebes in Deutschland vollzogen hat, nämlich zu der Schaffung von Depositenkassen, also von Betriebsstätten, welche alle Bankgeschäfte betreiben, mit Ausnahme des Emissionsgeschäfts und des An- und Verkaufs eigner Effekten, und deren Vorsteher Handlungsvollmacht erhalten, die gewöhnlich im Bureau angeschlagen wird. Diese Handlungsvollmacht ermächtigt die Vorsteher in der Regel, alles dasjenige namens der Bank tun und erklären zu dürfen, was der regelmäßige Betrieb einer Depositenkasse (und Wechselstube) mit sich bringt.

Depositenkassen konnten in Deutschland, wie in anderen Ländern, mit Aussicht auf irgendwelchen Erfolg naturgemäß nur zu einer Zeit errichtet werden, wo die Kapitalbildung bereits einen gewissen Umfang erreicht hatte.

Die Zahl der Depositenkassen der Berliner Großbanken erhöhte sich nach Beilage VIII Tabelle 1 von Ende 1896, wo sie nur 27 betrug, schon von 1897 ab, wo das die Bankenkonzentration befördernde Börsengesetz in Kraft trat, bis zum Jahre 1900 auf 53, also um etwa das Doppelte.

Von 1900 bis 1902 wird aber die Steigerung noch viel erheblicher: Die Anzahl der Depositenkassen im Jahre 1902 (72) hatte sich gegen die des Jahres 1896 (18) also vervierfacht und steigt alsdann noch, aber weniger stark, bis auf 276 Ende 1911, so daß sich von Ende 1896 bis Ende 1911 die Zahl der (inländischen) Depositenkassen der Großbanken mehr als das Fünfzehnfache vermehrt hat.

Dagegen beträgt nach Beilage VIII Tabelle 8 Ende 1911 die Zahl der Depositenkassen bei den 41 Konzernbanken nur 126, ist also sowohl absolut wie relativ überaus unerheblich.

Die allgemeinen wirtschaftlichen und geschäftlichen Vorteile, und ebenso die im Hinblick auf die mögliche Förderung der Spekulation von ihnen drohenden Gefahren, welche mit der Errichtung von Depositenkassen verbunden sind, haben wir schon wiederholt (s. bes. S. 167—169) erörtert, so daß hier auf diese Darlegungen verwiesen werden kann. Hierzu gehört besonders die dem mittleren und kleineren Kapitalisten und Gewerbetreibenden gewährte Gelegenheit, ihre Ersparnisse, auch ganz geringfügige, **produktiv anzulegen**; der ihnen so gegebene starke Anreiz zur **Sammlung von Barbeständen und Reserven**, die auf diese Weise nutzbar gemacht werden, und der ihnen auf diesem Wege erwachsende Vorteil, daß ihnen ein großer Teil ihrer **Kassaführung**, die vielleicht sonst eine recht ungeregelte wäre, durch die Bank abgenommen wird. Für die Bank: die Möglichkeit, in gewisser Weise und in bestimmtem Umfang, sowie unter Einhaltung gewisser Voraussetzungen, über die deponierten Gelder im **Rahmen des laufenden Geschäfts zu verfügen**[1]); eine immer größer werdende Kundschaft, deren Gewohnheiten, Solidität und Vermögensverhältnisse sie genau kennen lernt, für den **Absatz ihrer Werte**, also für die **Verstärkung ihrer Emissionskraft**, benutzen und zur Ausdehnung des **Scheck-, Giro- und Abrechnungsverkehrs**, also zur **Erleichterung des Zahlungsverkehrs und Verringerung des Bargeldumlaufs**, heranziehen zu können, was im allgemeinen wirtschaftlichen Interesse liegt und gleichzeitig auch eine bessere **Ausgestaltung des Kreditverkehrs** herbeiführt. Endlich muß auch noch auf die zutreffenden ferneren Gesichtspunkte hingewiesen werden, die u. a.[2]) Conrad angeführt hat[3]). „Durch die Tätigkeit der Bank übernimmt die Einlage **mehrfache wirtschaftliche Aufgaben zu gleicher Zeit**. Dieselbe Summe, welche der Einleger der Bank übergeben hat, kann von ihm wirtschaftlich verwendet werden, indem der Fabrikant auf Grund seines Guthabens bei der Bank Bestellungen macht, der Kaufmann Waren bezieht usw.; der Bankier verwendet das Geld in seinem Interesse, indem er einem Kunden Darlehen gewährt. Dieser wiederum, sagen wir ein Fabrikant, benutzt den Vorschuß, um seine Arbeiter zu bezahlen, die ihrerseits damit Einkäufe machen; und alles dieses vollzieht sich noch während derselben Wochen, während welcher die Depositen der Bank übergeben sind. Dieselbe Summe hat damit mehrfache wirtschaftliche Funktionen zu gleicher Zeit übernommen und leistet deshalb für die Gesamtheit das Mehrfache von dem, was ohne die Vermittlung der Banken möglich wäre. Hierin liegt der Hauptvorteil der Banken für den **Geldumlauf**, und dieser wird im allgemeinen nicht genügend gewürdigt[4])."

---

1) Vgl. z. B. Ad. Wagner, Beiträge zur Lehre von den Banken (Leipzig 1857), Leopold Voß, S. 164 ff. und oben S. 164/165 u. 167 Anm. 2.

2) Aus früherer Zeit vgl. u. a. Ad. Wagner a. a. O. S. 70/71.

3) Grundriß zum Studium der politischen Ökonomie (4. Aufl. Jena 1902, Gustav Fischer), S. 149.

4) Vgl. Riesser, Scheckverkehr und Scheckrecht, in den Veröffentlichungen des Mitteleurop. Wirtschaftsvereins, Heft IV (Berlin, Puttkammer & Mühlbrecht 1907), S. 40.

Es ist wohl kaum ein Zweifel, daß die Zahl der Depositen-kassen, die jetzt nicht nur bei den 41 Konzernbanken, wo wir Ende 1911 nur 126 solcher Kassen feststellen konnten, sondern meist auch bei den übrigen Provinzbanken noch ziemlich gering ist, sich noch sehr erheblich erhöhen wird. Ebenso wird voraussicht-lich die jetzt bereits beträchtliche Zahl der Depositenkassen der Berliner Großbanken sowohl in Berlin selbst, wie außerhalb, noch eine bedeutende Vermehrung erfahren, obwohl schon heute auch auf manche Straßen Berlins hinsichtlich der Depositenkassen der einzelnen Banken ohne weiteres die Schilderung der Londoner Verhältnisse anwendbar ist: „In einer Vorstadt Londons befinden sich in einer einzigen Straße innerhalb eines Umkreises von 10 Mi-nuten 7 Filialen, und 3 weitere in einer angrenzenden Straße"[1]). Nur ist, wenn Berlin geschildert wird . . . der Umkreis von 10 Mi-nuten zu kürzen!

Und sehr bald wird die Zeit kommen, wo der Aufmarsch der Depositenkassen in Berlin lebhaft an das Bild erinnern wird, welches als Merkmal der industriellen Konzentration von der Gegend von Duisburg bis Dortmund gezeichnet wurde:

„Schacht liegt an Schacht, Hochofen neben Hochofen"[2]).

---

1) Edgar Jaffé, Das englische Bankwesen, 2. Aufl., S. 275.
2) Hans Gideon Heymann a. a. O. S. 132.

Abschnitt V.

Der gegenseitige Einfluß der Bank- und Industrie-Konzentration.

I. Die Industriekonzentration und ihre wesentlichsten Gründe.

Innerhalb des Rahmens dieses nicht ausschließlich der Konzentrations-Entwicklung gewidmeten Buches kann selbstverständlich nur in großen Zügen dargelegt werden, ob und in wieweit die Bankenkonzentration durch die industrielle Konzentration, und umgekehrt diese durch jene beeinflußt worden ist.

1. Die Anfänge der Konzentrationstendenzen in der Industrie müssen notwendigerweise schon mit dem Momente einsetzen, wo nicht mehr allein für den eignen Verbrauch, sondern auch für den fremden Bedarf gearbeitet wird und dieser der Produktion seine Gesetze vorzuschreiben beginnt. In diesem Moment entsteht die Notwendigkeit der Arbeitsteilung und, bei wachsender Gleichmäßigkeit der Nachfrage und zunehmender Konzentration des Bedarfs, auch die Notwendigkeit der Erhöhung des Produktionsumfanges und der Konzentration der Produktionsstätten.

Die Erhöhung des Produktionsumfanges wird auch erforderlich auf Grund der nach und nach gemachten Erfahrung, daß der Betrieb erst bei einem bestimmten Produktionsumfange rentabel werden kann. Die Rentabilität aber hängt wieder unter anderem von der tunlichsten Verminderung der Betriebskosten ab, welch' letztere regelmäßig, wenigstens in der Industrie, mit der Vergrößerung der Betriebe relativ eher abnehmen als zunehmen. Die Möglichkeit der Entwicklung der Produktion unter gleichzeitiger Steigerung der Rentabilität und relativer Verminderung der Betriebskosten wird aber in hohem Maße bedingt von der Zentralisation der Betriebe und der Leitung.

Eine solche Zentralisation kann in verschiedener Weise erreicht werden:

a) durch möglichste Konzentration der Industrie in bestimmten Gegenden (Bezirken, Städten) mit zahlreichen geschulten, besonders billigen Arbeitskräften, oder mit ausnutzbaren Wasserkräften und mit sonstigen Vorzügen, wie etwa bequemer, rascher und wohlfeiler Beförderung der Rohstoffe und Waren zu Wasser oder zu Land u. dgl. m.

b) durch die Kombination der Betriebe[1]), die ausgeführt wird: entweder im Wege der Vereinigung eines Betriebes mit anderen im Produktionsprozeß vorausgehenden oder nachfolgenden Betrieben, von denen der eine das Material, den Rohstoff, liefert, der andere es verarbeitet, also durch die Zusammenfassung mehrerer Produktionsstadien.

In dieser Weise werden namentlich Kohlengruben und Hochöfen, oder Stahlwerke und Hochöfen, oder Maschinenfabriken und Walzwerke miteinander kombiniert, also entweder solche Betriebe, die mit Rücksicht auf die Lieferung von Roh- und Betriebsmaterialien, wie Erz und Kohle, oder solche, die mit Rücksicht auf die Verfeinerung der Produkte, wie Roheisen, Halbzeug, Luppen, Walzdraht u. a. m., aufeinander angewiesen sind;

oder im Wege der Vereinigung mehrerer nebeneinander herlaufender Betriebe;

oder endlich im Wege der Vereinigung verwandter oder solcher Betriebe, die im Verhältnis von Hilfsbetrieben zueinander stehen.

Derartige Fälle liegen z. B. vor, wenn Eisenhütten mit Kohlenzechen sich zu Hüttenzechen, oder wenn Kohlenzechen sich mit Eisenhütten zu Zechenhütten vereinigen. Solche Betriebsvereinigungen (Kombinationen) haben nach der deutschen Kartellenquete allein in der deutschen Eisenindustrie bis 1905 bei 4962 Betrieben stattgefunden, welche in sich 18 Betriebsarten umfassen, und zwar sind u. a. von diesen 4962 kombinierten Betrieben 12 mit 10 anderen, 23 mit 11 anderen und 29 mit 12 anderen verbunden worden[2]). Die betriebstechnischen Vorteile solcher Kombinationen gipfeln darin, daß Produktion und Verarbeitung unter gemeinsame Leitung kommen, welche dafür sorgt, daß ein Betrieb dem anderen in die Hand arbeitet und den andern kontrolliert, daß also z. B. dem verarbeitenden Betriebe wirklich das Material in derjenigen Güte und Zusammensetzung von den anderen Betrieben geliefert werde, welche dieser Betrieb für seine besonderen Zwecke braucht, während schlechtes Material und Ausfall leicht wieder im eigenen Betriebe

---

1) Näheres darüber s. bei W. Sombart, Der moderne Kapitalismus, I, S. 535 bis 569; bei Hans Gideon Heymann, Die gemischten Werke im deutschen Groß-Eisengewerbe (Stuttgart u. Berlin 1904, J. G. Cottasche Buchhandlung Nachf) S. 211 ff. u. 280 ff.

2) Kontradiktor. Verhandlungen über deutsche Kartelle, Heft 5, Anl. I, S. 102ff.

Verwendung finden kann. Auch kann in solchen Fällen eine besondere Arbeitsteilung oder umgekehrt eine rationellere Arbeitsvereinigung erfolgen. Die wirtschaftlichen Vorteile bestehen im wesentlichen, wenigstens in der Regel, in einer Verminderung der Generalunkosten, der Rohmaterialien, der Frachtspesen usw., ferner in einer Art Selbstversicherung, weil der eine Zweig verdienen kann, wenn der andere verliert, und durch die vielseitige Produktion die ungünstige Konjunktur für den einen durch eine günstige für den anderen ausgeglichen und das technisch und wirtschaftlich verderbliche völlige Stilllegen eines Einzelbetriebes leichter vermieden werden kann. Auch kann in gemischten Werken, soweit nicht Bestimmungen von Kartellverträgen entgegenstehen, in kritischen Zeiten die Produktion und der Absatz des einen Betriebszweigs, also einer Produktionsstufe, verstärkt, der des anderen Betriebszweiges eingeschränkt werden.

Die Vorteile solcher Kombinationen erhöhen sich, wenn, was in der Regel nicht der Fall sein wird, die verschiedenen Betriebe auch örtlich konzentriert sind, „so wenn neben die Unternehmungskombination auch die Betriebskombination tritt"[1]).

Die Betriebsvereinigung kann aber auch erfolgen:

c) durch andere Stufenfolgen der Konzentration, so durch völligen Zusammenschluß mehrerer, auch nicht gleichartiger Unternehmungen auf dem Wege der Fusion oder durch Abschluß von Interessengemeinschaften oder durch Erwerb von Aktien eines anderen Unternehmens oder durch den Abschluß von die Konkurrenz ausschließenden oder die Lieferung von Kohlen oder Erzen usw. zu Vorzugsbedingungen bezweckenden Verträgen u. a. m., oder endlich durch eine Kombination von bloßen Betriebskombinationen, Fusionen und Interessengemeinschaften. Alles dies kann auch dem Zwecke dienen, die Betriebskosten zu vermindern oder außerdem dem Zweck, in dem einen Werk die Massenfabrikation, in dem andern die Qualitätsfabrikation zu betreiben. Für alle diese hier nur einleitend und summarisch erwähnten Fälle sind Beispiele in Fülle vorhanden, von denen ich an dieser Stelle (vgl. im übrigen S. 590 ff.) nur einige aus neuerer Zeit erwähnen möchte[2]).

---

1) Hans Gideon Heymann, a. a. O. S. 211.

2) Aus älterer Zeit folgendes Beispiel: Die Machinenfabrik A. Borsig, welche schon im Jahre 1847 ein Puddel- und Walzwerk für die Zwecke ihrer Maschinenfabrik erbaut hatte, pachtete alsdann Kohlen- und Erzgruben und errichtete in den 60 er Jahren in Oberschlesien weitere Puddel- und Walzwerke, „hat sich also aus einer „Maschinenfabrik" durch systematische Angliederung von Halbfabrikat- und Rohstoffbetrieben zum großen gemischten Stahlwerk entwickelt" (Hans Gideon Heymann, a. a. O. S. 186/87). Eine Fülle weiterer Beispiele aus neuester Zeit in der oben auf S. 551 Anm. 1 zitierten Schrift.

Es gehören zunächst hierher die Fusionen des Eisen- und
Stahlwerks Hoesch mit der Zeche Westfalia; der Rheinischen
Stahlwerke mit der Zeche Zentrum; des Eschweiler Walzwerks
mit der Ehrenfelder Röhrenfabrik; der Aktiengesellschaft für Bergbau und Hüttenbetrieb Phönix mit dem Steinkohlenbergwerk Nordstern (1907); der Bismarckhütte mit dem Eisen- und Stahlwerk
Bethlen Falva (1906); der Deutsch-Österreichischen-Mannes-
mannröhren-Werke mit den Saarbrücker Gußstahlwerken. Ferner
sind hierher zu zählen der Erwerb der Aktien der Maschinenfabriken
von Escher, Wyß & Co. in Zürich durch die Felten & Guilleaume-
Lahmeyerwerke A.-G. (1906); der Erwerb der Oberschwäbischen
Zement-Werke A.-G. durch das Stuttgarter Immobilien- und
Baugeschäft (1906). Endlich sind hierher zu rechnen: die Über-
nahme der Henrichshütte mit Walzwerken und Hochöfen durch die
Lokomotivfabrik Hendschel & Sohn in Kassel (1904) und die
Interessengemeinschaften der Oberschlesischen Eisenbahn-
Betriebs-Aktiengesellschaft mit der Firma Steffens & Nölle A.-G,
in Berlin sowie die der Berlin-Anhaltischen Maschinenbau-
Aktiengesellschaft mit der Stettiner Chamottefabrik A.-G. vorm.
Didier u. a. m. Aus neuester Zeit (1910) der Ankauf der Zeche
Victor, die für ihre großen Anlagen keinen genügenden Kohlen-
absatz hatte, durch den Lothringer Hüttenverein Aumetz-
Friede, dem es bei starken Eisenerzvorräten an Kohle fehlte, und
die Übernahme der Union, Aktien-Gesellschaft für Bergbau, Eisen-
und Stahlindustrie in Dortmund (Dortmunder Union) durch die
Deutsch-Luxemburgische Bergwerks- und Hütten-Aktien-
Gesellschaft in Bochum. Hier sollte die Fusion während des
Bestandes der Syndikate die Quoten verbessern (z. B. bei dem
Träger-Syndikat), die bessere Ausnutzung der Zechenanlagen und
ferner ermöglichen, daß auf dem ersteren Werk die Qualitäts-
fabrikation, auf dem letzteren die Massenfabrikation in den
Vordergrund gestellt werde.

Ein besonderes Interesse beanspruchen wegen der Gründe, die
hier zur Vereinigung geführt haben, folgende Fälle aus neuester Zeit:

Die 1905 beschlossene Übernahme der Huldschinskyschen
Hüttenwerke A.-G. durch die Oberschlesische Eisenbahn-
Bedarfs-Aktiengesellschaft im Wege der Fusion beruht im
wesentlichen darauf, daß auf diesem Wege die Werke der ersteren
Gesellschaft durch Rohprodukte und Halbfabrikate, die ihnen bisher
fehlten, eine zweckmäßige Ergänzung erhielten, während die übernehmende Gesellschaft nunmehr in die Lage kam, durch Arbeits-
austausch einen rationelleren und ausgedehnteren Betrieb herzustellen. Ähnliche Gründe hatte die im Jahre 1910, speziell mit Rücksicht auf die Röhrenproduktion, abgeschlossene Interessengemeinschaft

der Oberschlesischen Eisenbedarfs-Aktien-Gesellschaft mit der Bismarckhütte; sie erfolgte im wesentlichen behufs Minderung der Selbstkosten der Röhrenproduktion.

Die im Jahre 1906 beschlossene Fusion des Phönix A.-G. für Bergbau und Hüttenbetrieb in Ruhrort und des Hoerder Bergwerks- und Hüttenvereins, also zweier ganz gleichartiger, wenn auch räumlich getrennter, Werke, hatte im wesentlichen darin ihren Grund, daß beide Werke, ungeachtet ihres Umfangs, eine gewisse Unvollständigkeit aufwiesen, denen durch die Fusion ausgeholfen werden sollte. Bei dem Phönix bestand diese Unvollständigkeit in der zu geringen Rohstahlproduktion, bei dem Hoerder Verein in der unzureichenden eigenen Förderung von Kohlen, speziell an zur Koksbereitung geeigneten Kokskohlen. Nach der Fusion konnte also ein jeder Betrieb dem anderen dasjenige liefern, was vor der Fusion sich ein jedes Werk erst durch Zukauf beschaffen mußte, und zwar, was besonders ins Gewicht fällt, in derjenigen Menge und in derjenigen besonderen Qualität, wie sie benötigt wurde.

Die Sicherung des Absatzes bestimmter Produkte, namentlich im Falle der Nichterneuerung des Stahlwerksverbandes, bezweckten gewissen Verbindungen, welche nach dem Zusammenbruch der Röhren-Syndikate erfolgten, so die Interessengemeinschaft der Gelsenkirchener Bergwerks-Akt.-Ges. mit J. P. Piedboeuf & Co., Röhrenwalzwerke zu Eller und der Düsseldorfer Röhrenindustrie-Akt.-Ges. in Düsseldorf-Oberbilk (1910), die Übernahme der Düsseldorfer Röhren- und Eisenwalzwerke vorm. Poensgen durch den Phönix (1910). Im wesentlichen zum Zwecke der Absatzsicherung erfolgten auch 1910: die Übernahme der Cöln-Eschweiler-Eisenwerke durch den Eschweiler Bergwerksverein (Absatz der Hochofenproduktion) und die Übernahme der Drahtgießerei und Drahtwarenfabrik Eduard Hobrecker durch die Westfälische Drahtindustrie zu Hamm (Absatz des Walzdrahts). Zwecks Herabsetzung der Betriebskosten und Verfeinerung der Produktion ist für 1912 von Aumetz-Friede eine Interessengemeinschaft mit dem Façoneisen-Walzwerk L. Mannstaedt & Co. Aktiengesellschaft und der Düsseldorfer Eisen- und Drahtindustrie geplant[1]).

Auch die in der chemischen Industrie vollzogene, später noch näher zu schildernde Interessengemeinschaft zwischen den Höchster Farbwerken vorm. Meister, Lucius und Brüning in Höchst am Main und der Firma Leopold Cassella & Co. in Frankfurt a. M. beruhte im wesentlichen einerseits darauf, daß das eine Werk eine Anzahl von Rohstoffen produzierte, deren das andere für seine Pro-

---

1) Vgl. S. 609 Anm. 2 und einen anderen, ähnlich gelagerten Fall auf S. 608/609.

duktion bedurfte, andererseits darauf, daß sich beide Werke hinsichtlich einer Anzahl von Produkten, die das eine herstellt und das andere kauft, günstig ergänzen könen. Sie beruhte ferner darauf, daß in bezug auf gewisse Produkte die Gefahr einer stets wachsenden Konkurrenz beider Werke bestand.

Aus welchen Gründen sich in der elektrotechnischen Industrie und in der Montan-Industrie die Konzentrationsentwicklung im Einzelnen vollzogen hat, wird später (S. 581 ff.) geschildert werden.

2. Die durch die vorgedachten und andere wirtschaftliche und technische Gründe herbeigeführte Kombination der Unternehmungen beförderte aber zugleich die gruppenweise Zusammenfassung selbstständiger Unternehmungen in den Kartellen, von denen wir oben (S. 145 ff.) schon eingehend gesprochen haben, weil die „Kartell-Fähigkeit" eines Industriezweiges mit der Ausdehnung sowohl der Produktion wie der Unternehmungen wächst. Denn eine wesentliche Voraussetzung, jedenfalls aber eine sehr erhebliche Förderung der Kartellbildung ist, wie wir sahen, die Existenz nur weniger und konzentrierter Unternehmungen, also einer möglichst kleinen Anzahl von Großbetrieben oder Riesenbetrieben, und die durch diese in großem Umfange betriebene Herstellung von Massengütern. Auf der anderen Seite aber förderte wieder:

3. Die Kartellbildung ihrerseits beförderte in hohem Grade die industrielle Konzentration in ihren verschiedenen Formen, namentlich die Kombination der Betriebe und die Fusion von Unternehmungen, ganz besonders aber die Schnelligkeit, mit der sich die industrielle Konzentration vollzogen hat[1]).

---

1) Näheres über diese hochinteressanten Vorgänge, die leider im Rahmen dieser Arbeit nicht näher geschildert werden können, vgl. vor allem bei:

Rob. Liefmann, Die kontradiktorischen Verhandlungen über deutsche Kartelle (Conrads Jahrb., 3. Folge, Bd. XXV, S. 638 ff.) 1903.

Derselbe, Die Verhandlungen über die Roheisensyndikate und den Halbzeug-verband in der deutschen Kartellenquête (Conrads Jahrb., 3. Folge, Bd. XXVII, S. 525 ff., 1904.

Derselbe, Kartelle und Trusts (Stuttgart, Ernst Heinr. Moritz), 1905; vgl. insbesondere S. 99 ff.: Die Weiterbildung der Kartelle.

Derselbe, Krisen und Kartelle in Schmollers Jahrb., Jahrg. 1902, S. 661 ff. und Schriften des Vereins für Sozialpolitik, Bd. CXIII, S. 261 ff.

Derselbe, Die Weiterbildung der Unternehmungsformen unter dem Einfluß der Kartelle (Deutsche Wirtschaftsztg., 1. Jahrg., Nr. 2, 3 u. 4, Jan. u. Febr. 1905).

v. Landmann, Die amtlichen Erhebungen über das deutsche Kartellwesen (Annalen des Deutschen Reichs 1904, Nr. 1, 2 u. 4).

Hans Gideon Heymann, a. a. O.

Vgl. ferner die „Kontradiktorischen Verhandlungen über deutsche Kartelle", Heft 1—8, Berlin 1903 und 1904 (Franz Siemenroth), und hier wieder in erster Linie die Referate des Reg.-Rats Voelcker über das Rheinisch-Westfälische Kohlensyndikat, Heft 1 (Sitzung vom 26./27. Februar 1902), S. 25—47 u. S. 275 ff.

Anm. [Verzeichnis der Syndikatszechen, welche in den Besitz anderer Zechen

Denn mit Rücksicht auf die Kartelle diente die Konzentration den industriellen Unternehmungen:

a) als Mittel, um innerhalb der Kartelle eine bessere Stellung zu erlangen; in dieser Weise haben z. B. die im Rheinisch-Westfälischen Kohlensyndikat vereinigten Zechen in sehr großem Umfang durch Verschmelzung mit anderen, namentlich zurzeit außer Betrieb befindlichen oder schlecht rentierenden Zechen, zu höheren Beteiligungsziffern zu gelangen gesucht. Dahin gehört, u. W. die Übernahme der Zeche Steingatt durch die Bergbaugesellschaft Konkordia, der Zeche Helene durch die A.-G. Nordstern, der Zeche Bommerbänker Tiefbau durch die Gewerkschaft Mont-Cenis u. a. m.;

b) als Mittel, um sich überhaupt oder mindestens mit einem Teil ihrer Produktion von den Kartellen unabhängig zu machen. So konnten z. B. die im rheinisch-westfälischen Roheisen-Syndikat vereinigten Eisenwerke die ihnen zustehenden Beteiligungs-quoten zwar nicht erhöhen, wohl aber ihr Werk lohnender, als es nach den Syndikatsbestimmungen möglich gewesen wäre, beschäftigen, wenn sie gleichzeitig, was mit einer Kombination von Betrieben zu erreichen war, nicht syndizierte Artikel fabrizierten.

In gleicher Weise wurden die Eisenhütten als Abnehmer von Kohlen durch die Bildung des rheinisch-westfälischen Kohlensyndikats veranlaßt, sich Kohlenzechen anzugliedern, weil sich die selbst-geförderte Kohle natürlich billiger stellte, als die vom Syndikat gekaufte.

Als Beispiele können gelten:

Aus dem alten Kohlensyndikat die Fusion der Zeche Vereinigte Westphalia mit dem Eisen- und Stahlwerk Hoesch (1899); der Zeche Vereinigter Hannibal mit Friedrich Krupp (Mai 1890); des Pluto A.-G. mit der A.-G. Schalker Gruben- und Hüttenverein (Juni 1899); der A.-G. Dannenbaum mit der A.-G. Differdingen-Dannenbaum (Ende 1899), der Gewerkschaft General mit dem Lothringischen Hüttenverein Aumetz-Friede (Jan. 1900) und der Gewerkschaft Zentrum mit den Rheinischen Stahlwerken (Mai 1900).

Aus dem späteren Kohlensyndikat: die Vereinigung zweier Werke in den Vereinigten van der Zypen'schen Stahl- und Wissener Eisenwerke A.-G. zu Cöln-Deutz (September 1903); die Vereinigung des Lothringer Hüttenvereins Aumetz-Friede mit den Fentscher Hüttenwerken (Oktober 1903); die (inzwischen wieder aufgelöste) Vereinigung der Oberschlesischen Eisen-industrie A.-G. und der Bismarckhütte (Februar 1904) und der

---

oder Hüttenwerke übergegangen sind] und Heft 5: Bericht über das Kartellwesen in der inländischen Eisenindustrie (auch gesondert erschienen) und Anlage I: Betriebsvereinigungen in der deutschen Eisenindustrie, S. 102 ff.

oben schon erwähnten Henrichshütte der Dortmunder Union mit Hendschel & Sohn, Lokomotivfabrik (März 1904)[1]). Andere Unternehmungen erwarben zu gleichem Zwecke kleinere Felder, auf denen sie selbst Zechen anlegten, so Gebrüder Stumm das Grubenfeld Minister Achenbach, der Georg Marien-Bergwerks-Hüttenverein Felder bei Osnabrück (Werne), die Firma de Wendel die Zeche de Wendel bei Hamm, die Maximilianshütte die Zeche Maximilian bei Hamm, Friedr. Krupp und der Norddeutsche Lloyd die Zeche Emscher-Lippe bei Mengede[2]).

Die Oberschlesische Kohlenkonvention konnte nicht in gleicher Weise die Angliederung von Kohlenzechen durch Hüttenwerke fördern, weil fast alle Großeisenhütten Oberschlesiens, die, meist seit ihrer Gründung, schon vorher eigene Zechen besessen hatten, und dasselbe gilt für das Ruhrgebiet. So besaßen eigene Zechen der Bochumer Gußstahlverein schon seit 1868, die Dortmunder Union schon seit 1872, und das gleiche war der Fall bei Friedr. Krupp, dem Hörder Bergwerks- und Hüttenverein, dem Phönix (bei letzterem infolge des Ankaufs der Meidericher Kohlen-Bergwerksgesellschaft und der Zechen Westend, Ruhr und Rhein 1886) und endlich bei der Firma Aug. Thyssen (infolge des Erwerbs der Zeche Deutscher Kaiser).

Endlich diente die Konzentration von Unternehmungen, abgesehen von den Vorteilen, die damit während des Bestehens der Syndikate verfolgt wurden;

c) als Mittel, um für den Fall des Ablaufs der Syndikate, insbesondere des Rheinisch-Westfälischen Kohlensyndikats (1915) und des am 30. Juni 1912 zu Ende gehenden Stahlwerksverbands, und bei Nichterneuerung desselben, oder bei dessen Sprengung vor Ablauf seiner Dauer eine stärkere Basis und somit eine kleinere Zahl erheblicher Konkurrenten zu bezeichnen oder auch als Mittel, um die Selbstkosten soweit zu ermäßigen, daß man die Auflösung der Syndikate nicht zu fürchten braucht.

In diese Kategorie gehört vor allem die Angliederung der Hüttenwerke: Aachener Hüttenverein Rothe Erde und Schalker Gruben- und Hüttenverein an die Gelsenkirchener Bergwerksgesellschaft (1. Januar 1905). Die Vorteile dieser Fusion werden deshalb erst in der Folge sich zeigen, weil, solange das heutige Kohlensyndikat besteht, auch die Hüttenzechen mit derjenigen Kohlenproduktion, die über den Bedarf hinausgeht, an das Kohlensyndikat, ohne daß hieran irgendwelche Fusionen etwas ändern können, gebunden sind.

---

1) Vgl. Rob. Liefmann, Die kontradiktorischen Verhandlungen usw., S. 544.
2) eod. S. 642/645.

Aus der neuesten Zeit (1910) können als Beispiele hier angezogen werden: der Erwerb der Hälfte der Aktien der Saar- und Mosel-Bergwerks-A.-G. und der Erwerb der Gewerkschaften Kaiser Friedrich und Tremonia durch die Deutsch-Luxemburgische Bergwerks- und Hütten-A.-G.; der Erwerb der Kuxen-Mehrheit der Gewerkschaft Victor durch den Lothringer Hüttenverein Aumetz-Friede, ferner die für Januar 1912 von letzterem geplante Interessengemeinschaft mit dem Façoneisen-Walzwerk L. Mannstaedt als Akt.-Ges. und der Düsseldorfer Eisen- und Drahtindustrie, sowie der Erwerb der Gewerkschaft Lautenberg durch den Phönix A.-G. für Bergbau und Hüttenbetrieb in Hörde. Ebenso gehört hierher die Aufnahme der Dortmunder Union durch die Deutsch-Luxemburgische Bergwerks- und Hütten-A.-G. [1]).

II. Der Einfluß der Banken und ihrer Konzentration auf die Industriekonzentration.

Wenn somit nach dem Vorstehenden die nächsten und vielleicht auch, namentlich bei der schweren Industrie, die wesentlichsten Gründe der Industriekonzentration technische Gründe waren, die aus der Natur des industriellen Betriebs und Großbetriebs und aus der Kartellbildung innerhalb der Industrie sich ergaben, so ist diese Konzentration doch auch durch die Banken und deren Konzentration beeinflußt, gefördert oder sogar ermöglicht worden.

Natürlich ist das Maß dieser Förderung oder Beeinflussung bei den einzelnen Industriezweigen ein verschiedenes, bei einigen ist es wesentlich, bei anderen geringer, bei noch anderen unbedeutend oder überhaupt nicht festzustellen.

1. Auf die von der Kartellbildung wenig oder nicht beeinflußte industrielle Konzentration.

Wenn es erlaubt ist, bei den einzelnen Industriezweigen zwischen Gläubiger-Industrien und Schuldner-Industrien je nach dem Umstande zu unterscheiden, ob sie in der Regel in der Lage sind, Guthaben bei ihren Bankiers zu unterhalten, oder in der Regel genötigt sind, deren Kredit in Anspruch zu nehmen, so darf die elektrotechnische Industrie im allgemeinen [2]) und in ihrer bisherigen Entwicklung wohl überwiegend als eine Schuldnerindustrie, die chemische aber als eine Gläubigerindustrie betrachtet werden, während bei der Montanindustrie das Verhältnis, je nach den Zeiten, Gesellschaften und Konjunkturen, ein durchaus wechselndes ist.

---

1) In bezug auf sonstige Einzelheiten der Konzentration in der Montanindustrie vgl. S. 590 ff.

2) Daß einzelne Firmen, z. B. die A. E. G., seit einer großen Reihe von Jahren bedeutende Guthaben bei ihren Banken unterhalten, ist bekannt.

a) Die elektrotechnische Industrie.

Schon aus der letzterwähnten Tatsache geht, was übrigens auch sonst feststeht, hervor, daß die Entwicklung der elektrotechnischen Industrie (und ähnliches gilt von dem vielfach mit ihr zusammenhängenden Straßen- und Kleinbahnwesen) in jedem einzelnen Stadium ihres Konzentrationsganges ohne Bankenhilfe überhaupt nicht gedacht werden kann. Diese Hilfe war ihr vielmehr gleich zu Anfang, im Beginn der 80er Jahre, um so nötiger und um so erwünschter, als damals die Möglichkeit einer gewerblichen Verbreitung des elektrischen Lichts und der elektrischen Kraft im großen von der überwiegenden Mehrheit aller Schichten der Bevölkerung in Zweifel gezogen wurde. Hier können also die Banken, welche, ungeachtet des großen Risikos, ihre Hilfe nicht versagten, den Anspruch erheben, einen der heute lebenskräftigsten und bedeutendsten deutschen Industriezweige mitgeschaffen zu haben. Um aber im einzelnen den Banken-Einfluß auf die elektrotechnische Industrie klarzustellen, ist es erforderlich, sich zunächst den äußeren Entwicklungsgang dieser Industrie in Deutschland vor Augen zu führen.

Im Jahre 1883 wurde unter kräftiger Mitwirkung einer Reihe von Banken und Bankhäusern die erste deutsche Aktiengesellschaft dieser Industrie von Emil Rathenau mit Siemens & Halske zusammen errichtet, nachdem die Pariser Weltausstellung von 1881 namentlich in Rathenau die Überzeugung von der großen Tragweite der neuen Erfindung wachgerufen hatte. Jene Aktiengesellschaft war die „Deutsche Edison-Gesellschaft für angewandte Elektricität", welche sich 1884 von Siemens & Halske völlig unabhängig machte und 1887 die heutige Firma Allgemeine Elektricitäts-Gesellschaft erhielt. Ihr gelang es, das sogenannte Drehstromsystem so zu verbessern, daß sie im Jahre 1891 300 PS mit sehr günstigem Nutzeffekt 173 km weit nach der elektrischen Ausstellung in Frankfurt a. M. zu leiten vermochte, eine Leistung, die überall einen sehr großen Eindruck hervorrief.

Im Jahre 1896 bestanden schon, wie wir bereits früher erwähnten (oben S. 112), 39 fast durchweg unter Bankenhilfe ins Leben gerufene Aktiengesellschaften in der elektrotechnischen Industrie; im Jahre 1900 waren an deutschen Börsen bereits die Aktien von 34 solcher Aktiengesellschaften mit 436 Mill. M Kapital (in Berlin allein 22 mit 396,70 Mill. M Kapital) zum Handel und zur Notierung zugelassen. Das Dividendeneinkommen eines Aktionärs betrug für jene 34 Aktiengesellschaften in der Zeit von 1883—1900 **8,38 %.**

Die Gesamtproduktion der deutschen elektrotechnischen Industrie belief sich im Jahre 1898 auf 228,7 Mill. M, wovon 211,1 Mill., also 92,3%, auf Fabrikate der Starkstromtechnik kamen, die noch 20 Jahre vorher so gut wie keine Rolle gespielt hatte, während nur 17,6 Mill. M auf die Schwachstromtechnik entfielen. Von der Mitte der 90 er Jahre ab war der Aufschwung der elektrotechnischen Industrie ein überaus großer; dieser starke und sprunghafte Aufschwung hat aber freilich auch die zur Krisis von 1900 führende Überproduktion zu einem wesentlichen Teile mit verschuldet.

Denn in diesen Jahren, bis zur Krisis des Jahres 1900, war innerhalb der Elktrizitätsindustrie geradezu ein Chaos von Unternehmungs- und Finanzierungs-Formen entstanden, aus dem sich als vorläufiges Gründungsprodukt die Bildung von sieben Gruppen mit 27 einzelnen Gesellschaften ergab, und zwar:

I. Die Siemens & Halske-Gruppe mit:

1. der Siemens & Halske-Aktiengesellschaft in Berlin;
2. „ Schweizerischen Gesellschaft für elektrische Industrie in Basel;
3. „ „Siemens" Elektrische Betriebe, Aktiengesellschaft Berlin;
4. „ Elektrische Licht- und Kraftanlagen, Aktiengesellschaft Berlin.

II. Die A. E.-G.-Gruppe mit:

1. „ Allgem. Elektricitäts-Gesellschaft Berlin;
2. „ Bank für elektrische Unternehmungen, Zürich;
3. „ Allgem. Lokal- und Straßenbahngesellschaft Berlin
4. „ Elektricitätslieferungsgesellschaft, Berlin.

III. Die Schuckert-Gruppe mit:

1. der Elektricitäts-Aktiengesellschaft vorm. Schuckert & Co., Nürnberg
2. „ Continentalen Gesellschaft für elektrische Unternehmungen, Nürnberg;
3. „ Rheinischen Schuckert-Gesellschaft für elektrische Industrie, Mannheim;
4. „ Elektra, Aktiengesellschaft, Dresden.

IV. Die U.-E.-G.-Gruppe mit:

1. der Union-Elektricitäts-Gesellschaft, Berlin;
2. „ Gesellschaft für elektrische Unternehmungen, Berlin.

V. Die Helios-Gruppe mit:

1. der Helios Elektricitäts-Aktiengesellschaft, Köln;
2. „ Aktiengesellschaft für Elektricitätsanlagen [Trust-Gesellschaft], Köln;
3. „ Aktiengesellschaft Bayerische Elektricitätswerke, München;
5. „ Elektricitätsgesellschaft [Bau-Gesellschaft] Felix Singer & Co. und Bank für elektrische Industrie[1]), Berlin.

---

1) Die Aktiven und Passiven der Bank für elektrische Industrie, welche etwa 1898 einging, erwarb der Helios, welcher aus dieser Transaktion die Aktien der Elektr.-Gesellschaft (Bau-Gesellschaft) Felix Singer & Co. und die Mehrheit einer Belgischen Trust-Gesellschaft, der Union des Tramways in Brüssel, erwarb.

VI. Die Lahmeyer-Gruppe mit:

1. der Elektricitäts-Aktiengesellschaft vorm. W. Lahmeyer & Co., Frankfurt a. M.
2. „ Deutschen Gesellschaft für elektrische Unternehmungen, Frankfurt a. M.[1]).

VII. Die Kummer-Gruppe mit:

1. der Aktiengesellschaft Elektricitätswerke (vorm. O. L. Kummer & Co.), Dresden;
2. „ Aktiengesellschaft für elektrische Anlagen und Bahnen, Dresden;
3. „ Baltischen Elektricitätsgesellschaft, Kiel;
4. „ Elektricitäts-Aktiengesellschaft vorm. Herm. Pöge, Chemnitz;
5. den Nordischen Elektricitäts- und Stahlwerken, Danzig;
6. der Süddeutschen Elektricitäts-Aktiengesellschaft, Ludwigshafen;
7. „ Elektricitäts-Betriebs-Aktiengesellschaft, Dresden.

Jeder dieser Gruppen war, wie aus Vorstehendem ersichtlich, mindestens eine Trustgesellschaft angegliedert, welche dazu bestimmt war, den Banken einen Teil der sonst kaum noch erträglichen Finanzierungs-(Gründungs-, Umwandlungs-, Emissions-)Operationen abzunehmen, und zwar waren dies die Gesellschaften, welche bei der Gruppe I in Nr. 2 und 4, bei den Gruppen II—VII in Nr. 2 verzeichnet sind. Alle diese Trustgesellschaften sind in den 90er Jahren (von 1894—1898) begründet worden. Diesen gegenüber organisierten sich die selbständigen Installateure im „Verband der elektrotechnischen Installationsfirmen in Deutschland" und die elektrotechnischen Spezialfabriken im „Verein zur Wahrung gemeinsamer Wirtschaftsinteressen der deutschen Elektrotechnik".

Hinter jenen VII Gruppen der elektrischen Unternehmungen standen damals (1900) ebenso viele Banken und Bankiergruppen, deren Bildung durch die gewaltigen Ansprüche, welche die in ihren Gruppen vereinigte elektrotechnische Industrie an die finanzielle Leistungsfähigkeit stellte, bedingt wurde. Es sind dies die folgenden:

I. Siemens & Halske, Aktiengesellschaft.

1. Deutsche Bank.
2. Bank für Handel und Industrie (Darmstädter Bank).
3. Berliner Handelsgesellschaft.
4. Disconto-Gesellschaft.
5. Dresdner Bank.
6. Mitteldeutsche Creditbank.
7. S. Bleichröder.
8. Delbrück, Leo & Co.
9. Jacob S. H. Stern-Frankfurt a. M.
10. L. Speyer-Ellissen-Frankfurt a. M.
11. Bergisch-Märkische Bank.

II. Allgemeine Elektrizitäts-Gesellschaft.

1. Berliner Handelsgesellschaft.
2. Deutsche Bank.
3. Nationalbank für Deutschland.
4. Delbrück, Leo & Co.
5. Hardy & Co.
6. Gebr. Sulzbach-Frankfurt a. M.
7. E. Heimann-Breslau.
8. Rheinische Disconto-Gesellschaft.

---

1) Mit Wirkung vom 1. September 1902 ganz in die Elektricitäts-A.-G. vorm. W. Lahmeyer & Co. aufgegangen. — Im Mai 1905 ist die Fabrikationsabteilung der Aktiengesellschaft vorm. W. Lahmeyer & Co. mit der Firma Felten & Guilleaume Carlswerk A.-G. in Mülheim a. Rh., die zu diesem Zwecke ihr Aktienkapital von

III. Elektricitäts-Aktiengesellschaft, vorm. Schuckert & Co.

1. W. H. Ladenburg & Söhne-Mannheim.
2. Anton Kohn-Nürnberg.
3. Commerz- und Disconto-Bank.
4. von der Heydt-Kersten & Söhne.

5. E. Ladenburg-Frankfurt a. M.
6. J. Dreyfus & Co.-Frankfurt a. M.
7. Bayerische Vereinsbank.
8. Bayrische Hypotheken u. Wechselbank.

IV. Union-Elektricitäts-Gesellschaft.

1. Disconto-Gesellschaft.
2. Dresdner Bank.
3. Bank für Handel und Industrie (Darmstädter Bank).

4. A. Schaaffhausen'scher Bankverein[1]).
5. S. Bleichröder.
6. Born & Busse.

V. Helios Elektricitäts-Aktiengesellschaft.

1. J. L. Eltzbacher & Co.-Köln.
2. J. H. Stein-Köln.
3. Sal. Oppenheim jr. & Co.-Köln.
4. Deutsche Genossenschaftsbank Soergel
Parrisius & Co.

5. Berliner Bank.
6. C. Schlesinger, Trier & Co.
7. Deutsche Effekten- und Wechselbank.
8. L. Behrens Söhne-Hamburg.
9. Niederrheinische Kreditanstalt.

VI. Elektricitäts-Aktiengesellschaft, vorm. W. Lahmeyer & Co.

1. von Erlanger & Söhne-Frankfurt a. M.
2. Bank für Handel und Industrie (Darmstädter Bank).
3. Grunelius & Co.-Frankfurt a. M.
4. Oberrheinische Bank.

5. B. M. Strupp-Gotha.
6. D. und J. de Neufville-Frankfurt a. M.
7. Phil. Nic. Schmidt-Frankfurt a. M.
8. Joh. Goll & Söhne-Frankfurt a. M.

VII. Aktiengesellschaft Elektricitätswerke, vorm. O. L. Kummer & Co.

1. Kreditanstalt für Industrie und Handel, Dresden.
2. Deutsche Genossenschaftsbank Soergel, Parrisius & Co.

Aber auch hierbei ist es nicht geblieben.

Die Kummer-Gruppe (VII in der Tabelle auf S. 583) brach im Jahre 1900 zusammen; die Helios-Gruppe verliert etwa zu gleicher Zeit ihre Bedeutung, die Aktien ihrer Trustgesellschaft, der Aktiengesellschaft für Elektrizitätsanlagen in Köln, gehen 1903 mit dem „Bayerischen Helios" in das Eigentum der zur Siemens & Halske-Gruppe gehörigen Elektrischen Licht- und Kraftanlagen-Aktiengesellschaft über, die Elektrische Gesellschaft Felix Singer & Co. wird liquidiert. Die Aktien der Union des Tramways in Brüssel (s. S. 582, Anm. 1) werden 1904 in Brüssel verkauft. Schließlich verfiel die Helios Elektricitäts-Aktiengesellschaft selbst in Liquidation, die demnächst beendet sein dürfte.

Im Jahre 1902/03 wurde dann eine Interessengemeinschaft zwischen der Allgemeinen Elektricitäts-Gesellschaft und der Union-Elektricitäts-Gesellschaft, der Tochtergesellschaft von Ludwig Loewe

---

36 auf 55 Mill. M erhöhte, vereinigt worden. Die letztere hat die Firma ,,Felten & Guilleaume-Lahmeyer Werke A.-G." erhalten.

1) Der A. Schaaffh. BankVerein ist 1898 aus der Schuckert-Gruppe aus- und zur Loewe-Gruppe (U. E. G.) übergetreten.

& Co., geschlossen[1]), die 1904 durch eine völlige Fusion ersetzt wurde.

Im Jahre 1903 erfolgte ein Zusammenschluß eines Teils der Betriebe von Siemens & Halske und der Schuckert-Aktien-Gesellschaft in den Siemens-Schuckert-Werken G. m. b. H. (Stammkapital 90 Mill. M).

Zu Ende des Jahres 1908 rief die Siemens-Schuckert-Gruppe zusammen mit der A. E. G.-Gruppe die „Elektro-Treuhand-Gesellschaft" mit einem Kapital von 30 Mill. M ins Leben, ein Kreditinstitut, welches elektrische Werte beleihen und auf Grund der hinterlegten Werte Obligationen ausgeben soll, bei deren Ausgabe sie sich der Hilfe der hier vollzählig vereinigten Großbanken bedienen soll. Es scheint beabsichtigt zu sein, großen Abnehmern der Elektrizitätsindustrie, also in erster Linie öffentlichen Körperschaften und Privatgesellschaften bedeutenderen Umfanges, durch in Annuitäten rückzahlbare Vorschüsse die Herstellung von Neu- oder Umbauten auf elektrotechnischem Gebiet zu erleichtern, um auch bei ungünstiger Konjunktur eine dauernde Nachfrage nach Licht und Kraft ohne Festlegung größerer Kapitalien zu ermöglichen.

Zu Anfang des Jahres 1909 ist dann seitens der Felten & Guilleaume-Lahmeyer-Werke A.-G. in Mülheim und Frankfurt a. M. ein entsprechendes Kreditinstitut in der Treuhand-Bank für die elektrische Industrie A.-G. in Cöln (mit einem Aktienkapital von 25 Mill. M) begründet worden.

Die Satzungen beider Gesellschaften, von deren Tätigkeit bisher wenig bekannt geworden ist, gestatten eine Ausgabe von Obligationen in dreifacher Höhe des Aktienkapitals. —

Im Jahre 1910 hat die der A. E. G.-Gruppe angehörige Bank für elektrische Unternehmungen in Zürich (Aktienkapital 40 Mill. Frcs.), das Aktienkapital der Elektricitäts-Aktiengesellschaft vorm. W. Lahmeyer & Co. in Frankfurt a. M. von 25 Mill. M. unter Erhöhung ihres Kapitals auf 60 Mill. Frcs. erworben und damit auch 16 Mill. M der im Besitz letzterer Gesellschaft schon früher befindlichen Aktien der Felten & Guilleaume-Lahmeyer-Werke. Weitere 16 Mill. M Aktien dieser Werke, die im ganzen ein Aktien-

---

1) Die Vorstandsmitglieder traten gegenseitig über, die Aufsichtsräte blieben bestehen. Zur Erledigung bestimmter Fragen wurde ein Delegationsrat gebildet. Im übrigen war bestimmt: Jede Gesellschaft bilanziert und ermittelt ihren Reingewinn selbständig. Die Gewinne werden vereinigt und im Verhältnis 2 : 3, jedoch unter Berücksichtigung der Aktienkapitalien, verteilt. Da sich die letzteren wie 24:60 verhielten, so ergab sich für die A. E. G. eine Quote von $^{15}/_{18}$ und für die U. E. G. eine solche von $^4/_{19}$ (Georg Tischert, Aus der Entwicklung des Loewe-Konzerns [Berlin 1911], S. 86).

kapital von 55 Mill. M besitzen, wurden der A. E. G. selbst im Jahre 1910 von Großaktionären jener Werke gegen Empfang von Aktien der A. E. G. zur Verfügung gestellt. Die A. E. G. verfügt also nunmehr, in Gemeinschaft mit der zu ihrer Gruppe gehörigen Bank für elektrische Unternehmungen in Zürich, über die Mehrheit der Aktien der Felten & Guilleaume-Lahmeyer-Werke (jetzt: Felten & Guilleaume-Carlswerk A.-G.), hat also hier den entscheidenden Einfluß gewonnen. Außerdem hat die A. E. G. gleichzeitig das (in eine selbständige Aktiengesellschaft umgewandelte) Dynamo-Werk der Felten & Guilleaume-Lahmeyer-Werke in Frankfurt a. M. gegen Hergabe von A. E. G.-Aktien erworben und hat behufs Durchführung dieser Transaktionen ihr Aktienkapital um 30 Mill. M, also auf 130 Mill. M, erhöht. Eine Anzahl von Mitgliedern der Verwaltung der A. E. G. sind in den Aufsichtsrat der Felten & Guilleaume-Lahmeyer-Werke eingetreten und umgekehrt.

Damit steht jetzt von den früheren Gruppen im wesentlichen nur noch die überaus mächtig gewordene A. E. G.-Gruppe der Siemens & Halske-Gruppe gegenüber.

Was die Konzentrationsfrage betrifft, so bildete eine jede der großen Elektricitätsgesellschaften durch das geschilderte Netz von Trust-, Betriebs- und Tochter-Gesellschaften, deren Errichtung in der Regel nur mit Hilfe der hinter ihr stehenden Banken erfolgen konnte, eine weitverzweigte Gruppe, deren allmähliche Bildung, Ausdehnung und Differenzierung durch die Banken ermöglicht oder doch mindestens sehr gefördert wurde. Sobald aber solche Einzelgruppen einmal gebildet waren, wuchsen ihre Kreditansprüche sehr rasch weit über die Kräfte einer einzelnen Bank hinaus, die ja auch in der Regel an einer Unzahl anderer industrieller Unternehmungen beteiligt ist. Es bildeten sich dann naturgemäß Bankengruppen hinter den Industriegruppen, so daß in diesem Stadium wieder die Bankenkonzentration durch die Industriekonzentration direkt bedingt und stark gefördert wird. Endlich führten aber die vielen Beziehungen, die zwischen den einzelnen industriellen Gruppen und einzelnen Gruppenbanken bestehen (manche Banken gehörten von vornherein mehreren Gruppen an) dahin, daß umgekehrt wieder Banken ihrerseits auf weitere industrielle Zusammenschließungen hinarbeiteten.

Dies geschah, als nach Herstellung einer Interessengemeinschaft zwischen der A. E. G. und der von der Firma Ludwig Loewe & Co. begründeten Union-Elektricitäts-Gesellschaft (U. E. G.) im Jahre 1902/1903, später (1904) eine völlige Aufnahme der letzteren in die A. E. G. erreicht wurde, womit zugleich die Aufnahme der zur Loewe-Gruppe gehörigen Banken in die A. E. G.-Gruppe, also eine völlige Verschiebung der bisherigen Industrie- und Banken-Gruppen, verbunden war.

Ähnliche Vorgänge spielten sich ab, als im Jahre 1898 der A. Schaaffhausen'sche Bankverein, der bis dahin der Schuckert-Gruppe in führender Stellung angehört hatte, die Verbindung der Schuckert-Gruppe mit der Loewe-Gruppe (U. E. G.-Gruppe) anstrebte, und als er, weil er sie nicht durchsetzen konnte, aus der Schuckert-Gruppe ausschied und zur Loewe-Gruppe überging. Hierdurch wurde nun aber wieder Schuckert zur Anlehnung an eine andere Gruppe genötigt, die im Jahre 1903 in der Form des Zusammenschlusses mit Siemens & Halske erfolgte, ohne daß jedoch hier diese Tatsache die Aufnahme der übrigen Banken der Schuckert-Gruppe in die Siemens & Halske-Gruppe herbeiführte.

Ebenso ging es im Jahre 1910 bei den Transaktionen der A. E. G. mit den Felten & Guilleaume-Lahmeyer-Werken.

Wir sehen hier also ein beständiges Auf- und Abwogen des gegenseitigen Einflusses und der beiderseitigen Konzentrationsentwicklung; wir erkennen klar, wie die Gruppenbildung auf Seiten der Industrie auf die Bankengruppierung und auch, wie diese auf die industrielle Gruppenbildung mächtig einwirkt und wie leicht Veränderungen der einen auch Veränderungen der anderen Seite nach sich ziehen.

b) Die chemische Industrie.

Ein ganz anderes Bild gewährt die Konzentrationsentwicklung innerhalb einer Industrie, von der ich oben sagte, daß man sie seit längerer Zeit im wesentlichen als eine Gläubigerindustrie bezeichnen könnte, der chemischen Industrie, die von den Schwankungen der so stark wechselnden allgemeinen wirtschaftlichen Konjunkturen weit weniger berührt wird, der aber auch täglich neue Aufgaben erwachsen[1]).

In der chemischen Industrie hat sich am Schlusse dieser Periode ein ähnlicher Prozeß wie in der elektrotechnischen vollzogen, und zwar unter den Anilin-Farbenfabriken[2]), die den weitaus größten Teil des Bedarfs der ganzen Welt in künstlichen Farben produzierten, neuerdings aber, infolge der erbitterten Konkurrenz im Inlande, vielfach

---

1) Ich verweise hier besonders auf die in neuerer Zeit gemachten gewaltigen Fortschritte auf den Gebieten der Farben, der Parfümerien und der künstlichen Seide, auf die Herstellung des Stickstoffs aus der Luft, auf die Herstellung neuer Sprengstoffe, der für die Luftschiffahrt erforderlichen Stoffe, auf die Gewinnung immer neuer krankheitverhütender, schmerzlindernder und schlafbringender Mittel, und zuletzt, aber nicht in letzter Linie, auf die Umwandlung der Metalle und sogar von solchen Stoffen, die bisher für Elemente gehalten wurden.

2) Vgl. L. Mueffelmann, Les ententes dans l'industrie chimique Allemande (Revue Economique internationale, Vol. III, No. 4 [15.—20. Dez. 1904], S. 882 bis 890); einzelne Irrtümer sind oben im Text beseitigt.

das Bedürfnis nach Zusammenschluß empfanden. Die bedeutendsten Anilinfarben-(Teerfarben-)Fabriken Deutschlands sind: die Badische Anilin- und Sodafabrik in Ludwigshafen a. Rh.; Farbenfabriken vorm. Friedrich Bayer & Co., Elberfeld; Leopold Cassella & Co. in Frankfurt a. M.; Farbwerke vorm. Meister, Lucius & Brüning in Höchst a. M.; die Aktiengesellschaft für Anilinfabrikation in Treptow bei Berlin [1]).

Im Oktober 1904 vereinbarten nun zunächst die beiden Firmen Farbwerke vorm. Meister, Lucius & Brüning, Höchst a. M. (Aktienkapital damals 20 Mill. M und Obligationenkapital 10 Mill. M) und die Firma Leopold Cassella & Co. in Frankfurt a. M. eine enge Verbindung (mit Wirkung vom 1. Januar 1904), die hauptsächlich deshalb wünschenswert erschien, weil das erstere Werk eine Anzahl von Rohstoffen produziert, deren das letztere für seine Produktion bedarf, und weil sich ferner beide Werke hinsichtlich einer Anzahl von Produkten, die das eine herstellt und das andere braucht, günstig ergänzen können, während in bezug auf die anderen Produkte die Gefahr einer stets wachsenden gegenseitigen Konkurrenz bestand. Man erwartete von dieser Gemeinschaft, welche auch den Austausch von Rohstoffen, gegenseitige Unterstützung in allen Patent- und Lizenzfragen, gemeinsame Kohlenankäufe und gemeinsame Errichtung von Filialen im In- und Ausland zur Folge hatte, die Herbeiführung eines Stillstands in dem enormen Preisrückgang der Teerfarben und eine erhebliche Verstärkung der Stellung dieser Unternehmungen gegenüber der Konkurrenz, insbesondere der Schweiz, in die bisher, was erst infolge des neuen deutsch-schweizerischen Handelsvertrags in beschränktem Umfange geändert worden ist, ein Patentschutz für chemische Erzeugnisse nicht bestanden hatte, so daß Schweizer Fabriken deutsche Erfindungen kostenlos für sich ausnutzen konnten.

Die Gemeinschaft ist derart ausgeführt worden, daß Leopold Cassella & Co. sich in eine Gesellschaft mit beschränkter Haftung mit 20 Mill. M Stammkapital und 10 Mill. M Obligationen verwandelten und den Höchster Farbwerken 5½ Mill. M ihrer Anteile in Umtausch gegen die von letzteren neu emittierten 5½ Mill. M Aktien gaben. Das Kapital der letzteren Firma erhöhte sich dadurch von 20 Mill. M auf 25½ Mill. M. Gleichzeitig traten Teilhaber der Firma Leopold Cassella & Co. in den Aufsichtsrat der Höchster Farbwerke und von dieser Seite traten Verwaltungsmitglieder in den Beirat der Firma Leopold Cassella & Co. ein.

---

1) Dann noch insbesondere Farbwerk Mühlheim, vorm. A. Leonhardt & Co. in Mühlheim; Kalle & Co. in Biebrich (jetzt zur Gemeinschaft Höchster Farbwerke — Cassella gehörig); K. Oehler, Offenbach a. M. (jetzt von der Chemischen Fabrik Griesheim-Elektron aufgenommen).

Im Jahre 1908 trat die Firma Kalle & Co., Aktiengesellschaft in Biebrich a. Rh., der Gemeinschaft bei, was dadurch sichergestellt wurde, daß die Höchster Farbwerke ihr Aktienkapital um 10½ Mill. M, also auf 36 Mill. M, erhöhten und einen Teil (1600 Stück) ihrer neuen Aktien zum Erwerb des größten Teils der Aktien der Aktiengesellschaft Kalle & Co. (3,2 Mill. M) benutzten.

So wurde dieser Zweibund zum Dreibund.

Eine noch engere Gemeinschaft bildeten auf Grund des Vertrages vom 3. Dez. 1904 die zwei großen rheinischen Unternehmungen:

Badische Anilin- und Sodafabrik zu Ludwigshafen
(Aktienkapital 21 000 000 M) und

Farbenfabriken vorm. Friedr. Bayer & Co. in Elberfeld
(Aktienkapital 21 000 000 M),

zusammen mit der während der Verhandlungen zugezogenen

Aktiengesellschaft für Anilinfabrikation in Treptow
bei Berlin (Aktienkapital 9 000 000 M),

welche im Begriffe stand, die Fabrikation neuer Artikel, für die der Patentschutz abgelaufen war, aufzunehmen und ihre Produktion durch eine neue Fabrik in Rheinau zu vergrößern, also der Ludwigshafener Fabrik scharfe Konkurrenz zu machen. So wurde denn mit Wirkung vom 1. Januar 1905 ab auch hier ein Dreibund auf Gewinn und Verlust geschlossen, indem man der letzteren Aktiengesellschaft 14%, jedem der beiden anderen Werke je 43% an den von den drei Werken gemeinsam zu erzielenden Ergebnissen gewährte.

Selbstverständlich wird auch hierbei die Entwicklung nicht stehen bleiben; zwischen der Badischen Anilin- und Sodafabrik und den Höchster Farbwerken ist schon ein Vertrag geschlossen über gemeinsame Fixierung der Verkaufspreise für den von beiden Unternehmungen fabrizierten künstlichen Indigo, und auch zwischen Höchst-Cassella-Kalle & Co. und dem anderen Dreibund (Bad. Anilinfabrik, Bayer und Aktiengesellschaft für Anilinfabrikation) wird sich wohl auch einmal eine Annäherung in irgendeiner Form vollziehen, so daß vielleicht dereinst eine Konsolidation oder doch irgendeine andere losere Gemeinschaft aller Anilinfarbenfabriken zustande kommen könnte, wenn dies auch noch in weiter Zukunft liegt. —

Es ist kein Zweifel, daß in der chemischen Industrie im wesentlichen technische Gründe für die fortschreitende Konzentrationsentwicklung maßgebend gewesen sind, und daß die Initiative für die bisherigen Veränderungen im wesentlichen oder sogar ausschließlich von der chemischen Industrie selbst ausgegangen war, von deren Sonderbedürfnissen der Umfang, die Richtung und die Schnelligkeit der Konzentrationsvorgänge bedingt worden ist.

Jedenfalls ist die Mitwirkung und sicherlich die Initiative der Banken bei allen diesen Verbindungen, Gruppenbildungen usw. innerhalb der chemischen Industrie eine so wenig erkennbare und wohl auch eine so unwesentliche gewesen, daß hier, im starken Gegensatz zu der Konzentrationsentwicklung innerhalb der elektrotechnischen Industrie, ein irgend erheblicher Einfluß der Banken auf die Konzentrationsbildung der chemischen Industrie nicht anzunehmen ist, ebensowenig aber auch ein irgend erheblicher Einfluß der letzteren auf die Bankenkonzentration.

2. **Auf die von der Kartellbildung stark beeinflußte industrielle Konzentration (Montan-Industrie).**

Ein ganz anderes Bild gewährt die innerhalb der Montanindustrie vollzogene Konzentrationsentwicklung, die, wie wir sahen, in hohem Grad von der Kartellbildung abhängig gewesen ist. Hier ist der Einfluß der Banken und ihrer Konzentration auf die Industriekonzentration ein sehr erheblicher, wenn auch ein, wie wir im einzelnen verfolgen werden, sowohl in den einzelnen Bezirken, wie bei den einzelnen Kohlenzechen und Eisenhütten, durchaus verschiedener.

Es ist zunächst kein Zweifel, daß hier, wie in anderen Industrien, die **Formen**, in denen sich die Konzentration vollzogen hat — Fusion, Interessengemeinschaft usw. — nicht ohne Bankeneinfluß und nicht ohne Rücksicht auf deren geschäftliche Interessen und Gesichtspunkte festgestellt worden sind. Dies ergab sich schon daraus, daß in den Aufsichtsräten gerade derjenigen Gesellschaften, welche der Montanindustrie angehören, Bankdirektoren nicht nur sehr stark vertreten sind, sondern auch teilweise infolge des Vorsitzes oder des stellvertretenden Vorsitzes, den sie bekleiden, eine sehr einflußreiche Stellung haben; ferner daraus, daß die enge Verbindung, welche durch den industriellen Kredit- und Kontokorrentverkehr zwischen den Banken und der Industrie, vor allem der Montanindustrie, bestand, gewisse Einwirkungen hinsichtlich der zu wählenden industriellen Konzentrationsformen von selbst nach sich zogen[1]).

Wir haben oben (S. 412/413), bei der Besprechung der industriellen Tätigkeit des A. Schaaffhausenschen Bankvereins, eine große Anzahl von Fällen kennen gelernt, die leicht zu vermehren wären, in welchen dieser nicht nur Gründungen, Umwandlungen und Reorganisationen, sondern auch Fusionen innerhalb der zu seiner Klientel gehörigen Unternehmungen herbeigeführt hat, und zwar solche,

---

1) Vgl. Otto Jeidels a. a. O. S. 123—125, wo auch Beispiele aufgeführt sind; s. auch S. 125.

welche bewußt der Konzentration in der Form von Betriebskombinationen der oben (S. 573) besprochenen Art dienen sollten.

Wir sahen auch, daß der A. Schaaffhausen'sche Bankverein
im Jahre 1899 für den Verband Deutscher Drahtseil-Fabrikanten
direkt die Funktionen des Verkaufsbureaus und der Abrechnungsstelle übernommen und überdies ein besonderes „Syndikatskontor
des A. Schaaffhausen'schen Bankvereins G. m. b. H." mit
1 Mill. M Stammkapital errichtet hat, welches die gleichen Funktionen
auch für andere industriellen Verbände übernehmen sollte.

Es ist ferner zweifellos, daß die gesamte deutsche Bankwelt
das Zustandekommen besonders wichtiger Kartelle, wie des Rheinisch-Westfälischen Kohlen- und Eisensyndikats und des Stahlwerksverbandes, nicht nur, wie zahlreiche Geschäftsberichte beweisen, aufs
freudigste begrüßt, sondern auch gefördert hat, wo sie nur irgend
konnte, und wo es nur irgend mit ihren sonstigen Pflichten vereinbar
war. Sie tat dies sowohl im allgemeinen Interesse, wie in dem der
Industrie, ebenso aber auch im eigenen geschäftlichen Interesse, welches
mit dem Aufschwung und der Rentabilität der Industrie, die durch
die Kartellbildung gefördert werden soll, so eng verknüpft ist.
Eine solche Förderung der Kartellbildung seitens der Banken ist
sicherlich auch in dem viel besprochenen Fall des Phönix erfolgt,
dessen Direktion dem Stahlwerksverband, der ohne ihn nicht zustande kommen konnte, nur bei Gewährung weit größerer Vorteile
beitreten wollte, als dieser sie ihm gewähren zu können glaubte[1]).
Diese Förderung ist mindestens von denjenigen Banken ausgegangen,
welche nicht im Aufsichtsrate des Phönix vertreten, also in ihrem
Handeln völlig frei waren. Die im Aufsichtsrat vertretenen Firmen
haben sich zwar ohne Zweifel, wie sie es auch erklärten, einer direkten
Einwirkung auf ihre Klientel in bezug auf die entscheidende Ab-
stimmung ihrer außerordentlichen Generalversammlung vom 26. April
1904 enthalten, haben aber sicherlich gegenüber den Wünschen, die
auf das Zustandekommen des Stahlwerksverbands gerichtet waren,
eine „wohlwollende Neutralität beobachtet".

Eine derartige „wohlwollende Neutralität", die mitunter auch
bei ähnlichen Anlässen namentlich von solchen Firmen beobachtet
wurde, welche zu ihren Kunden auch Unternehmungen mit ent-
gegengesetzten Interessen zählten, kann ebenso wie im politischen,
auch im wirtschaftlichen Leben von großer Bedeutung sein.
Auch sie kann unter Umständen schon die Aktion der Kartelle
fördern oder doch die Vornahme von Abwehrmaßregeln oder die
Gewährung von Konzessionen ersparen, die sonst nötig gewesen

---

1) Inzwischen hat sich erwiesen, daß sich der Phönix, ungeachtet oder infolge
des Beitritts zum Stahlwerksverband, glänzend entwickelt hat.

wären. So nimmt Hans Gideon Heymann[1]) wohl kaum mit Unrecht an, daß allein die Kontrolle, welche der A. Schaaffhausen'sche Bankverein über die Internationale Bohrgesellschaft durch den Besitz der überwiegenden Mehrheit ihrer Aktien ausübte, es ausschloß, daß von dieser Seite dem Kohlensyndikat, z. B. durch Veräußerung von Grubenfeldern an außerhalb des Syndikats stehende Unternehmer, Schwierigkeiten gemacht wurden.

Eine völlige Neutralität gegenüber einer von der Industrie beabsichtigten Kartellgründung haben, soweit meine Kenntnisse und Erfahrungen reichen, die Banken nur dann beobachtet, wenn sie angesichts des Interessengegensatzes, der vielfach zwischen der Kohlen- und Eisenindustrie besteht, und der besonders gelegentlich der für Kohlen oder Eisen beabsichtigten Syndikatsbildungen zu lebhaftem Ausdruck kam, hierzu durch den Umstand gezwungen wurden, daß sie einflußreiche Klienten in beiden Lagern hatten. Hierdurch war z. B. dem A. Schaaffhausen'schen Bankverein und der Berliner Handelsgesellschaft, die beide der Harpener Bergbaugesellschaft nahe stehen, ihre Haltung diktiert, als das erste Kohlensyndikat begründet werden sollte, da beide Gesellschaften zugleich große Kunden unter den Eisenwerken hatten.

Das gleiche gilt, obwohl hier infolge der ganz verschiedenen Kräfteverteilung den Banken die Entscheidung über ihre Stellungnahme meist leichter fallen wird, von dem Verhalten der Banken in dem bis in die neueste Zeit fortgesetzten Kampfe zwischen den sogenannten gemischten und reinen Werken und in dem Kampfe der letzteren gegen den Stahlwerksverband, insbesondere auch, soweit dabei seitens der reinen Werke die Aufhebung von industriellen Schutzzöllen verlangt wurde, wenn diese zugleich für andere den Banken nahestehenden Industrien weittragende Folgen haben würde.

Alles das schließt natürlich nicht aus, daß in einzelnen Fällen, wo nach vorstehendem an sich Neutralität geboten erscheinen mußte, das Interesse eines einer Bank besonders nahestehenden Klienten so mächtig war, daß eine direkte Unterstützung seiner Zwecke der Bank zur Pflicht wurde.

So hat, wie wir sahen, die Disconto-Gesellschaft gelegentlich der Verhandlungen, die auf die Bildung des ersten (im Sept. 1903 beendeten) Kohlensyndikats abzielten, einen ihrer besten Klienten, die Gelsenkirchener Bergwerksgesellschaft, welche die Hauptträgerin dieser Verhandlungen war, auf das energischste unterstützt. So hat ferner die Darmstädter Bank, nachdem sie einmal durch Gewährung der überaus bedeutenden Mittel, welche zur Reorganisation der Aktiengesellschaft für Eisen- und Kohlenindustrie Differdingen-

---

1) a. a. O., S. 122.

Dannenbaum (jetzt Deutsch-Luxemburgische Bergwerks- und Hütten-Aktiengesellschaft) nötig waren, diese Gesellschaft zu einer der technisch besteingerichteten Unternehmungen erhoben hatte, sicherlich die Bestrebungen unterstützt, welche auf Gründung oder Verlängerung des luxemburgisch-lothringischen Roheisensyndikats gerichtet waren. Dasselbe wird ohne Zweifel auch von dem Verhalten des A. Schaaffhausen'schen Bankvereins gelten können, der durch sein enges Verhältnis zu Aumetz-Friede nach gleicher Richtung tätig werden mußte.

Die Bestrebungen der Banken, welche auf die Abwehr einer Verstaatlichung gerichtet waren, also auf das selbständige Fortbestehen eines Werkes, das nun mit allen Mitteln lebens- und widerstandsfähiger ausgestaltet wird, z. B. der Hibernia-Gesellschaft, können nur insofern hierher gerechnet werden, als auch hier die innerhalb der Großbanken, je nach ihrer industriellen Klientel, bestehende Industrie-Politik in besonders scharfer Weise zum Ausdruck kommt. Denn während auf der einen der Verstaatlichung der Hibernia-Gesellschaft entgegenstehenden Seite mehrere Großbanken, an ihrer Spitze das Bankhaus S. Bleichröder und die Berliner Handelsgesellschaft, standen, suchten auf der anderen Seite zugunsten des Fiskus andere Banken, nämlich die Dresdner Bank und der A. Schaaffhausen'sche Bankverein, in ebenso energischer Weise die Verstaatlichung durchzusetzen, was bekanntlich nicht gelungen ist.

Die Beförderung der Kartellbildung durch die Großbanken hatte in der Regel um so bedeutendere Folgen, als, wie wir sahen, die Bildung der großen Kartelle, also einer Konzentrationsform, meist die Errichtung, Ausgestaltung und Zusammenschließung großer gemischter Werke, also einer anderen Konzentrationsform, in erheblichem Umfange fördert. Dies gilt in erster Linie von den Folgen der Errichtung der großen Kohlen-, Eisen- und Kokssyndikate, insbesondere des auch auf den Export ausgedehnten lothringisch-luxemburgischen Roheisensyndikats, das im Oktober 1879 unter Führung der Händlerfirma Spaeter & Co. begründet wurde, welche an den Rombacher Hüttenwerken besonders beteiligt war.

In der Lothringer Eisenindustrie, deren Anfänge bis in's 13. Jahrhundert zurückreichen, waren übrigens die gemischten Werke schon vorher in der weit überwiegenden Mehrheit; namentlich hatte die Familie de Wendel, die schon 1704 die Hayinger Werke übernahm, bereits im Anfang des 19. Jahrhunderts gemischte Betriebe eingeführt. Nach der Annexion Lothringens wurde aber ein Teil der Werke nach Frankreich verlegt oder es wurden in Frankreich Filialen begründet.

Die Hauptwerke an der Saar (Burbach, Dillingen, Stumm, Röchling) gliederten sich in den 80er und 90er Jahren Hochöfen an[1]; das 1885 begründete Stahlwerk Düdelingen wurde gleich von vornherein als gemischtes Werk errichtet; ein irgend maßgebender Einfluß der Banken bei diesen Konzentrationsbildungen läßt sich nicht nachweisen.

Im Saarrevier, dessen Steinkohlenbergbau bis ins 15. Jahrhundert zurückreicht, verfügt der Preußische Fiskus, da die Kohle dort von Anfang an Regal der Landesherren war, über den weitaus größten Teil der Kohlenfelder. Lediglich de Wendel kommt auf lothringischem Gebiet mit etwa 1 Mill. Tonnen Förderung in Betracht[1] und ferner die Saar- und Mosel-Gesellschaft, die seit 1910 (s. unten S. 601) unter dem Einfluß Thyssens und der Deutsch-Luxemburgischen Bergwerks- und Hütten-Aktiengesellschaft steht, während durch die vom A. Schaaffhausen'schen Bankverein beherrschte Internationale Bohrgesellschaft in Lothringen neue Kohlenfelder gemutet wurden; die letzten beiden Gesellschaften stehen also wieder dem rheinisch-westfälischen Kohlensyndikat nahe.

Von den Eisenhütten im Saarevier besaß die Familie Stumm schon vor 100 Jahren mehr als die Hälfte. Sowohl das Neunkirchener Eisenwerk wie die Dillinger Hütte A.-G. und die Kommanditgesellschaft Gebr. Böcking & Co., die sich gegenseitig in ihrer Produktion keine Konkurrenz machen, sind ganz oder zum Teil Stummscher Besitz; jedes „umfaßt den großen Produktionsprozeß des Eisens vom Erz bis zur fertigen Ware", jedes aber war in der Fertigfabrikation spezialisiert.

Auch hier läßt sich ein erheblicherer Einfluß der Banken auf die Konzentrationsentwicklung kaum annehmen; weder das Koksnoch das Roheisensyndikat reichte hierher, da die Unternehmungen des Saarreviers ihre Produktion selbst verbrauchten.

Dagegen bestand hier ein Interessenkonflikt gegenüber den mit den Banken vielfach in intimen Beziehungen stehenden Mosel- und Ruhrwerken insofern, als man im Saarrevier einen lebhaften Kampf gegen den Moselkanal führte, von dem man eine Schädigung der Saarwerke zugunsten der Mosel- und Ruhrwerke befürchtete. In diesen Kampf einzugreifen mußten die bei den letzteren interessierten Banken tunlichst vermeiden, da sie Rücksichten auf ihre auf der anderen Seite stehende Klientel zu nehmen hatten.

In das Sieger-Gebiet drang der Grubenbetrieb und damit der Einfluß des durch die Banken vertretenen Kapitalismus schon ein, als in den 50er Jahren der Holzkohlenbetrieb durch den Steinkohlenbetrieb ersetzt wurde. Mit der Steinkohle aber erschien der Großbetrieb und mit diesem der Kapitalismus. Als sich 1856 die alten

---

1) Hans Gideon Heymann a. a. O. S. 43.

Hütten des Müsener Stahlbergs zu einem der bedeutendsten gemischten Werke des Zollvereins, dem Köln-Müsener Bergwerks-Aktien-Verein, zusammenschlossen, waren es rheinische Großbankiers und Großkaufleute, wie Deichmann und Mevissen, welche an seiner Spitze standen [1]).

Heute ist die Herrschaft des Großbetriebs und der (hier allerdings nur relativ bedeutenden) großen Unternehmungen im Sieger-Bezirk, in den auch rheinisch-westfälische Hütten, zum Teil unter Bankenhilfe, eingedrungen sind, eine fast unbedingte. Das Kohlensyndikat hat auch hier dahin gewirkt, daß sich immer bedeutendere Hüttenzechen gebildet haben. In gleicher Richtung wirkte der am 1. Februar 1894 begründete Verein für den Verkauf von Siegerländer Eisenstein, welcher noch im gleichen Jahre ein festes Verhältnis zu dem rheinisch-westfälischen Roheisensyndikat einging [2]). Wo sich die kleinen Hochöfen und reinen Walzwerke nicht konsolidierten und deshalb nicht zum gemischten Betriebe übergehen konnten, was in anderen Bezirken unter starker Bankenhilfe in immer größerem Umfange geschehen ist, führt die verbliebene Zahl der kleinen reinen Werke, „die nicht leben und nicht sterben können", vielfach einen verzweifelten Kampf um die Existenz [3]). Ähnlich liegen die Verhältnisse im Lahn- und Dillrevier, das aus Teilen Oberhessens und des Regierungsbezirkes Wiesbaden sowie dem Kreise Wetzlar besteht [4]).

Im Aachener Revier (Regierungsbezirk Aachen), an welches östlich das Eschweiler Kohlenrevier, nördlich das weniger für den Hüttenbetrieb geeignete Wurmrevier sich anschließt, ist die erhebliche Steinkohlenförderung eine kräftige Grundlage der Eisenhütten, die allerdings ihre Steinkohlen auch zum Teil aus dem Ruhrgebiet beziehen.

Infolge des Überganges zum Bessemer-Verfahren Ende der 70er Jahre entwickelte sich zunächst der Aachener Hütten-Aktienverein Rothe Erde rasch zu einem gewaltigen gemischten Stahlwerk, während das Eisen- und Stahlwerk Hoesch A.-G. in Dortmund seine Werke im Revier fast ganz aufgab, als es seinen Schwerpunkt nach Dortmund verlegte und Phönix mit seiner Hütte im Aachener Revier auch nicht recht vorwärts kam. Beide Werke wurden 1903 unter Führung des A. Schaaffhausen'schen Bankvereins in ein einheitliches Unternehmen verschmolzen [5]).

---

1) Hans Gideon Heymann a. a. O. S. 4 u. S. 62
2) eod. S. 72 u. August Hillingraus a. a. O. S. 173.
3) Im Dezember 1911 wurde sogar beim Landeseisenbahnrat beantragt, Siegerländer Erze unter den Selbstkosten der preußischen Staatsbahnen vom Siegerland nach Oberschlesien zu verfrachten. Ein Beschluß darüber ist, soweit bekannt, noch nicht gefaßt, doch soll angeblich die preußische Eisenbahnverwaltung der Detarifierung der Siegerländer Erze sympatisch gegenüberstehen.
4) eod. S. 85—94.
5) eod. S. 107/108.

Der Steinkohlenbergbau im Ruhrrevier hat sich von kleinen
Anfängen, unter fast beständiger Bankenhilfe, zur führenden Industrie
des sowohl von Industrien wie von Banken stark besetzten rheinisch-
westfälischen Bezirks entwickelt. Auch hier waren die höheren Preise,
welche die Syndikate für Kohlen und Koks, insbesondere das
rheinisch-westfälische Kohlensyndikat vom 1. März 1895, feststellten,
die nächste Veranlassung dazu, daß die Eisenhütten eigene Stein-
kohlenzechen erwarben und nun gegenüber den reinen Eisenwerken
eine immer dominierendere Stellung erlangten. 1896 erwarb zunächst der Phönix die Zeche Westende, die Dortmunder Union die
Zeche Adolf von Hansemann (Mengeder Bergwerksgesellschaft);
1897 erwarb die Leiterin des Kohlensyndikats, die Gelsenkirchener
Bergwerks-Aktien-Gesellschaft, die Zeche Westhausen, die Aktien-
Gesellschaft Kannengießer und die Zeche Roland, also Zechen, die
sämtlich syndikatsfrei waren.

Hoesch, Krupp und die rheinischen Stahlwerke folgten mit
dem vielfach durch Banken vermittelten Ankauf von Syndikatszechen. Sie versuchten zunächst vergeblich im Prozeßwege das
Recht zu erstreiten, die Kohlenförderung dieser neu erworbenen
Zechen für ihren eigenen Bedarf verwenden zu dürfen, wußten aber
dieses Recht bald im Vertragswege durchzusetzen. Das Syndikat
mußte nachgeben, weil jene Werke ihm sonst große Schwierigkeiten
gemacht hätten.

Bei der Erneuerung des Kohlensyndikats im Jahre 1903,
die wiederum unter starker, teils offener, teils hinter den Kulissen
sich abspielender Bankenhilfe erfolgte, traten, abgesehen vom Fiskus,
alle Hüttenzechen dem Syndikat bei. Sie hatten es aber nun durchzusetzen gewußt, daß nach dem neuen Vertrag die Förderung derjenigen Zechen, die bereits zu Hüttenwerken gehörten, überhaupt
nicht den Syndikatsbestimmungen unterlag, so daß nur der über
den eigenen Verbrauch der Zechen hinaus verbleibende Überschuß
den Syndikatsbestimmungen unterworfen wurde. Auf der anderen
Seite wurde nun aber den Besitzern von Kohlenzechen untersagt,
ohne vorherige Genehmigung der Zechenbesitzerversammlung Felder
oder Schachtanlagen an Nichtmitglieder des Kohlensyndikats zu veräußern.

Streitig blieb jedoch die Frage, was geschehen solle, wenn
eine Kohlenzeche lediglich zu dem Zwecke an eine Eisenhütte veräußert werde, um deren für den eigenen Verbrauch nicht ausreichende
Kohlen zu vermehren. Der Standpunkt des Kohlensyndikats war
der, daß in solchen Fällen die neu erworbene Zeche dem Syndikat
und dessen Bedingungen für ihre ganze Förderung unterworfen
bleibt. Bei einem Prozesse aber, den die Deutsch-Luxemburgische
Bergwerks- und Hütten-Aktien-Gesellschaft gegen das Syndikat

führte, als sie aus einem solchen Grunde die Zeche Kaiser Friedrich hinzu erworben hatte, wurde der Syndikatsstandpunkt vom Reichsgericht nicht gebilligt. Dieses sprach sich vielmehr, in Übereinstimmung mit dem Standpunkt der letzteren Gesellschaft, dahin aus, daß der für den Selbstverbrauch der Hütte erforderliche Teil der neu erworbenen Zeche der Hütte überwiesen werden dürfe.

Auch der Fall war nicht ausdrücklich geordnet, daß etwa eine Kohlenzeche ein Hüttenwerk anlegen würde, „um in Form von Roheisen oder Stahl ihre Kohle besser zu verwerten als durch den Verkauf an das Syndikat[1]“. Aber einerseits hat das Kohlensyndikat selbst bei der Verlängerung auch „den Erwerb von Grubenfeldern und Bergwerksanteilen“ unter seine Zwecke aufgenommen, andererseits war es, wie wir sahen, schon durch die „wohlwollende Neutralität“, zu welcher der A. Schaaffhausen'sche Bankverein infolge seiner Beziehungen zu ausschlaggebenden Syndikatsfirmen genötigt war, davor geschützt, daß nicht etwa die vom Bankverein abhängige Internationale Bohrgesellschaft aus ihrem Besitz einem outsider Grubenfelder oder Bergwerksanteile veräußerte. Außer dem Besitz der Internationalen Bohrgesellschaft sind aber im Revier weder erhebliche Kohlenlager noch, selbst wenn Phantasiepreise gezahlt werden, Grund und Boden für Neuanlagen oder Erweiterungen vorhanden. Das Erz aber muß seit langer Zeit im wesentlichen vom Ausland hergeschickt werden. Auch hier haben deutsche Banken wiederholt versucht, ihren industriellen Freunden Erzgruben oder Erzlieferungen zu angemessenen Preisen zu verschaffen, z. B. aus Schweden.

Ebenso waren Banken vielfach bei den Verschmelzungen tätig, aus denen die heute im Ruhrrevier dominierenden großen gemischten Werke hervorgingen, die allerdings zum Teil, wie Krupp, Bochumer Verein, Phönix, Hörder Bergwerks- und Hütten-Verein und die Gute Hoffnungshütte, schon in den 50er Jahren entstanden waren. So nahm u. a. zu Beginn der 70er Jahre die unter dem Patronat der Disconto-Gesellschaft stehende Dortmunder Union, die damals bereits als gemischte Werke bestehenden Unternehmungen Heinrichshütte und Neu-Schottland in sich auf. Ebenso erwarb sie die Strousbergschen Werke, an welchen wiederum die Disconto-Gesellschaft interessiert war. Auch nahmen sowohl die westfälische Union wie der westfälische Drahtindustrie-Verein eine Reihe von Drahtwerken des Bezirks in sich auf.

War hier die Mitwirkung der Banken schon eine nicht unerhebliche, so wurde diese in noch weit erheblicherem Umfange um die Mitte und gegen das Ende der 70er Jahre in Anspruch genommen. Damals lag die Eisenindustrie darnieder, selbst der

---

1) Hans Gideon Heymann a. a. O. S. 119.

Phönix und der Bochumer Verein konnten jahrelang keine Divi
dende bezahlen.

Der Hörder Verein geriet in große finanzielle Bedrängnis. Die
Gute Hoffnungshütte sowohl wie die Rheinischen Stahlwerke mußten
ihr Aktienkapital sehr erheblich reduzieren, und die westfälische
Union konnte nur mit starker Bankenhilfe durch eine Sanierung
vom Untergang gerettet werden.

In Oberschlesien, wo der Grund und Boden zu einem großen
Teil und die Eisenerze durchweg im Eigentum der großen feudalen
Grundbesiter standen, drang erst seit den 50er Jahren der kapitalistische Betrieb langsam vorwärts. Hier gab zunächst Borsig das
später von der Maschinenfabrik Hendschel & Sohn in Kassel nach-
geahmte Beispiel der Entwicklung einer Maschinenfabrik zu einem
gewaltigen gemischten Stahlwerk durch Errichtung und Erwerb von
Hochöfen und Walzwerken. In den 70er Jahren gingen die Vereinigte Königs- und Laurahütte und die Donnersmarck-Hütte unter
Bankenvermittlung aus dem Besitz der Magnaten, die aber immer
den noch weitaus überwiegenden Teil der Eisenhütten und Kohlenzechen behielten, in Aktiengesellschaften über, und es entstanden
reine Walzwerke, so u. a. die Bismarckhütte.

Der Schwerpunkt der oberschlesischen Industrie liegt aber
heute nicht in der Eisen-, sondern in der Kohlen- und Kokspro-
duktion[1]), die durch die oberschlesische Kohlenkonvention von 1890
geregelt wird; von dieser Produktion verkaufen allein die beiden
Berliner Firmen Cäsar Wollheim (welche der Dresdner Bank nahesteht) und Emanuel Friedländer & Co. (welche letztere seit 1911 der
Deutschen Bank nahesteht) ungefähr zwei Drittel.

Auch in diesem Bezirk ist es heute kaum noch möglich, Kohlengruben oder Kohlenfelder zu erwerben. Die freie Konkurrenz ist
„in Oberschlesien fast ausgeschaltet"[2]). Hier sind die Montanunternehmungen von jeher gemischte Werke gewesen, und nur hinsichtlich der in neuerer Zeit gegründeten Werke steht auch hier Konzentration und Kombination im engsten Zusammenhang mit der
Kartellbewegung. Sowohl die Konzentration wie die Kartellbewegung ist aber, wenn auch in weit geringerem Umfange wie in
Rheinland-Westfalen, durch die Banken gefördert worden, welche
hinter den einzelnen Unternehmungen stehen, von denen nur noch
das Borsigwerk Privatbesitz ist.

Von den in neuerer Zeit entstandenen Unternehmungen ist
besonders zu erwähnen die 1887 aus den Caro'schen Werken ent-
standeneOberschlesischeEisenindustrie-Aktien-Gesellschaft

---

1) Hans Gideon Heymann, a. a. O. S. 199.
2) a. a. O. S. 204.

(Caro-Hegenscheidt), welche mit der Berliner Handelsgesellschaft in intimen Beziehungen steht. Die Oberschlesische Eisenindustrie-Aktien-Gesellschaft nahm 1889 die Oberschlesische Drahtindustrie A.-G. in sich auf, von der sie bis dahin 25 000 t Roheisen hatte ankaufen müssen, während sie von da ab das Roheisen billiger produzieren konnte, da die Drahtindustrie A.-G. im Jahre 1888 für 20 Jahre die ganze Förderung des Grafen Henckel-Siemianowitz gepachtet hatte. Die Oberschlesische Eisenindustrie-Aktien-Gesellschaft stand andererseits wieder seit 1889 in engen vertragsmäßigen Beziehungen zur Oberschlesischen Eisenbahnbedarfs-Gesellschaft, die der Breslauer Disconto-Bank und damit der Darmstädter Bank nahestand. Die Oberschlesische Eisenbahnbedarfs-Gesellschaft (die sogenannte Oberbedarfs-Gesellschaft) hat sich nun aber wieder im Jahre 1904 mit den der Deutschen Bank nahestehenden Huldchinskyschen Hüttenwerken vereinigt, soweit ersichtlich, aus rein industrietechnischen Gründen und ohne entscheidende Bankenhilfe. Nach dieser Vereinigung schied die Darmstädter Bank aus der Verwaltung der Oberbedarfsgesellschaft aus. Auch für die Interessengemeinschaft zwischen der Bismarckhütte, der Kattowitzer Aktien-Gesellschaft, der Oberschlesischen Eisenindustrie A.-G. und der Oberbedarfs-Gesellschaft scheinen lediglich betriebstechnische und industriepolitische Gründe maßgebend gewesen zu sein. In solchen Fällen besteht die Leistung der befreundeten Banken häufig nur in der Wegräumung von Schwierigkeiten, oder darin, daß sie auch dann nicht störend eingreifen, wo vielleicht die Interessen anderer Klienten ihnen ein solches Eingreifen nahelegen könnten.

Solche Vorgänge sind aber als Ausnahme zu betrachten, und es ist nicht zufällig, daß sie sich gerade im oberschlesischen Bezirk abspielen. Denn hier war infolge der Feudalisierung des Grund und Bodens, der Kohlengruben und Erzgerechtsame, und infolge der Tatsache, daß schon in sehr früher Zeit der gemischte Betrieb dominierte, für Banken und deren Initiative und Hilfe nur eine geringe Basis gegeben.

Ähnlich liegen die Verhältnisse im Saargebiet, wo bei den Eisenhütten die Herrschaft der Familien Stumm, de Wendel und Röchling, die in erster Linie im Anschluß an die Aktiengesellschaften zum Ausdruck gelangende Bankenherrschaft stark zurückdrängte. Überdies hat hier der Fiskus die Herrschaft über die Kohlen, und der ganze Bezirk ist hinsichtlich seiner Koks- und Erzbeschaffung allmählich von Lothringen abhängig geworden.

In immer klarerer und schärferer Weise wird erkennbar, daß die Geschicke der gesamten Montanindustrie nicht in Oberschlesien und nicht an der Saar, sondern in allen wesentlichen Richtungen in zwei Revieren entschieden werden, in denen auch in erster Linie

die Großbanken um den finanziellen Einfluß ringen, im rheinisch-
westfälischen und in dem mit letzterem Revier in sehr engen
Beziehungen stehenden lothringisch-luxemburgischen Bezirk.
Der letztere ist namentlich in der letzten Zeit, und zwar wesentlich
durch Bankenhilfe, zu einer um so hervorragenderen Bedeutung
gelangt, als er durch starken Zechenbesitz im Ruhrgebiet auch im
rheinisch-westfälischen Bezirk ein gewichtiges Wort mitzureden hat.
Es sind denn auch wesentlich die gemischten Eisenhütten dieser
beiden Bezirke gewesen, welche beim Abschluß des zweiten
Kohlensyndikats vom September 1903 ihren Willen und ihre
Interessen auch in diesem zunächst den Kohleninteressen gewidmeten Syndikat durchgesetzt haben. Die Kohle ist durch das
Eisen überwunden worden.

In diesen beiden Bezirken spielt sich also im wesentlichen der
Kampf ab, der bei den Montanunternehmungen auf die industrielle,
bei den Banken auf die finanzielle Vorherrschaft in diesen beiden
„Vororten" der gesamten Montanindustrie gerichtet ist. Es ist hoch
interessant, das Auf- und Abwogen dieses Kampfes und die tausend
Wechselfälle, Überraschungen und Kombinationen zu beobachten,
welche der Aufmarsch und das Aufeinanderprallen der beiden Parteien in reizvoller Fülle und Mannigfaltigkeit dem aufmerksamen
Beobachter vor Augen führt.

In diesen Kämpfen, bei denen es weder an großzügigen Feld-
zugsplänen noch an kleinen Eifersuchtsszenen fehlte, spielt eine
große Rolle die Stellung, welche zwei zu immer größerer Macht
emporgestiegene Industriekapitäne gegenüber den jeweils um Einfluß und Macht ringenden Parteien einnehmen: Aug. Thyssen
(in Firma Thyssen & Co., Mülheim a. Rh.) und Hugo Stinnes,
die beide, bisher wenigstens, soweit irgend möglich die Politik befolgt haben, mit einer Reihe von Banken in freundlichen Beziehungen
zu stehen, sich aber mit keiner zu verheiraten.

Es ist nicht etwa das erste Mal, daß in der industriellen Entwicklung Deutschlands solche Industriekapitäne eine führende Rolle
gespielt haben. Man braucht nur an die Namen Strousberg und
Friedr. Grillo zu erinnern, deren Unternehmungen allerdings teils
zusammengebrochen, teils mit ihrem Tode zerstreut und von der
Disconto-Gesellschaft aufgelöst oder veräußert wurden. Ein Teil der
Grillo'schen Werke ist auf Aug. Thyssen übergegangen, von dem
hier zunächst etwas Näheres gesagt werden soll.

Das zu Anfang der 70er Jahre begründete, zunächst sehr bescheidene Stahl- und Walzwerk Thyssen & Co. in Mülheim a. Rh.
ist allmählich zu einem überaus bedeutenden Siemens-Martin-Stahl-
werk geworden. Es hat zunächst die Gewerkschaft Deutscher
Kaiser, eine Hüttenzeche in Bruckhausen-Hamborn, zu einem

mächtigen gemischten Thomas- und Martin-Stahlwerk ausgebaut und trat 1903 mit seinen überaus leistungsfähigen Hochöfen dem rheinisch-westfälischen Roheisensyndikat bei. Auf dem Gebiet der Gewerk-schaft „Deutscher Kaiser" stehen Träger-, Schienen, Stabeisen- und Walzwerke, in Mülheim Blechwalzwerke. Als Spezialität wird noch Röhren- und Bandeisen-Fabrikation getrieben, in Mülheim außerdem Maschinenbau in großem Umfange. Beide Werke beschäftigen allein mehr als 17 000 Arbeiter und sichern Thyssen nicht nur im Roheisen-syndikat, sondern auch im Stahlwerksverband eine überaus bedeu-tende Rolle.

An dem Schalker Gruben- und Hüttenverein, der ein großes Kohlen- und Hochofenwerk war und überdies die größte in Deutschland existierende Eisengießerei betrieb, und an der von diesem Unternehmen begründeten Gewerkschaft Victor hatte Thyssen einen ausschlaggebenden Anteil. Er besitzt in Lothringen Minette-gruben und hat maßgebenden Einfluß auf das gemischte Stahlwerk, den Hüttenverein Sambre et Moselle, in dessen Nachbar-schaft er auf der Gewerkschaft Jakobus ein neues Hochofen- und Thomas-Stahlwerk baut, beherrscht aber noch mehr das Kohlen-als das Eisengebiet, und zwar nicht etwa nur durch den großen Kohlenbesitz der Gewerkschaft Deutscher Kaiser, sondern auch durch seine starke Beteiligung an der Kohlengesellschaft Mülheimer Bergwerksverein, die er mit Stinnes zusammen kontrolliert. Er war ferner mit Stinnes an der Gewerkschaft Friedlicher Nachbar beteiligt und war Anfang 1904 in den Aufsichtsrat der Gelsen-kirchener Bergwerksgesellschaft eingetreten, deren Kohlenbesitz dem des Schalker Gruben- und Hüttenvereins benachbart ist, nachdem er einen großen Aktienbesitz an diesem Unternehmen, vielleicht die Mehrheit der Aktien, teils selbst erworben hatte, teils durch den Mülheimer Bergwerksverein (3 Mill. M) hatte erwerben lassen. Er hat endlich im Jahre 1903 durch den Erwerb der Bohrgesellschaft Lippermulde seinen Kohlenbesitz so vergrößert und arrondiert, daß dieser Besitz nun östlich des Rheins bis zu den fiskalischen Gruben, südlich bis zu denen der Gewerkschaft Deutscher Kaiser und der Guten Hoffnungshütte, nördlich, nach Erwerb der Tiefbohrgesellschaft Lubisch, bis zur holländischen Grenze (östlich des Rheins) sich erstreckt und etwa doppelt so groß ist wie der dortige Besitz des Fiskus.

Die Saar- und Mosel-Bergwerks-Gesellschaft ist im Sommer 1910 zwischen Thyssen & Co. und der Deutsch-Luxemburgi-schen Bergwerks- und Hütten-Aktiengesellschaft geteilt worden.

Stinnes dagegen, der mit Thyssen, wie schon obige Hinweise zeigen, eng liiert ist und mit ihm die Kohlengesellschaft: Mül-heimer Bergwerksverein beherrscht, leitet die Kohlenzechen Victoria Mathias, Graf Beust, Carolus Magnus, Friedrich, Ernestine und Wellheim. Er besaß ferner die (1904 an die Deutsch-Luxemburgische Bergwerks- und Hüttenaktiengesellschaft abgegebene) Zeche Friedlicher Nachbar, hat die Herrschaft im südlichen Ruhrgebiet fast allein, während er sie im übrigen Ruhrgebiet mit Thyssen teilt. Auch Stinnes trat in den Aufsichtsrat der Gelsenkirchener Bergwerksgesellschaft ein, während er früher Mitglied des Aufsichtsrats des Nordstern und des Aufsichtsrats der Mittelrheinischen Bank in Koblenz und Duisburg, also der in engen Beziehungen zu Spaeter & Co. in Koblenz stehenden Bank, gewesen ist.

Bestritten wird die Thyssen'sche wie die Stinnes'sche Herrschaft im Ruhrgebiet im wesentlichen nur noch seitens des Familienbesitzes einerseits der Familie Haniel, welche die Zeche Rheinpreußen und die an Thyssen'schen Kohlengruben angrenzende Gute Hoffnungshütte besitzt, andererseits seitens des Kohlengrubenbesitzes von Karl Funke in Essen, welcher namentlich die Gewerkschaft König Ludwig besitzt, aber noch an sieben weiteren Steinkohlenbergwerken bedeutend als Gewerke beteiligt ist; der Vorsitz des Grubenvorstands steht ihm für acht Steinkohlenbergwerke zu. Die Familie Haniel war mit der Duisburg-Ruhrorter Bank, Karl Funke mit dem Esssener Bankverein liiert, so daß sowohl Haniel wie Karl Funke, da diese beiden Banken mit der Deutschen Bank in Interessengemeinschaft standen bzw. stehen, der letzteren näher getreten sind. Die Beziehungen von Stinnes zur Firma Spaeter & Co. in Koblenz, bei welcher er seine kaufmännische Ausbildung erhalten hat, werden dadurch verstärkt, daß auch er, wie diese große Rheinschiffahrtsinteressen in seiner Eigenschaft als Kohlenrheder hat.

Beide, Thyssen sowohl wie Stinnes, haben es lange versucht, in den Syndikaten, soweit sie sie nicht bekämpften, dieselbe Rolle durchzuführen, welche sie bisher mit großem Erfolg den Banken gegenüber gespielt haben. Thyssens Schalker Gruben- und Hüttenverein war, wie wir sahen, von vornherein Mitglied des rheinisch-westfälischen Roheisen-Syndikats, während Thyssens Gewerkschaft Deutscher Kaiser diesem Syndikat erst 1903 mit seinen Hochöfen beitrat. Jener (der Schalker Verein) war mit seiner Zeche Pluto und mit seiner Tochtergewerkschaft Victor ebenso wie der Mülheimer Bergwerksverein, an dem auch Stinnes interessiert war, Mitglied des Kohlensyndikats, das seitens der Thyssen'schen Gewerkschaft Deutscher Kaiser aufs heftigste bekämpft wurde.

Stinnes dagegen (der Ende 1892 aus der Firma Mathias Stinnes in Mülheim a. d. Ruhr ausgeschieden ist), trat zwar mit fast allen seinen Zechen dem Kohlensyndikat bei, mit seiner Zeche Friedlicher Nachbar aber blieb er draußen; diesen teilweise recht unleidlichen Zuständen ist, wenigstens zum großen Teile, durch die Syndikatsbestimmungen ein Ende gemacht worden.

Was das oben bereits charakterisierte Verhältnis zwischen den Banken angeht, so hatte Thyssen zunächst intime Verbindungen mit der Disconto-Gesellschaft, welche insbesondere in den 80er und 90er Jahren als Emissionsinstitut für den Schalker Gruben- und Hütten-verein und die Gewerkschaft Deutscher Kaiser fungiert hatte, dann zu der Dresdner Bank, nachdem diese im Jahre 1902 die Thyssen nahestehende Rheinische Bank in Mülheim rekonstruiert hatte und mit ihr eine Interessengemeinschaft eingegangen war.

Hugo Stinnes aber hatte mit der Dresdner Bank durch die mit ihr gemeinsam durchgeführte Reorganisation der Saar- und Mosel-bergwerksgesellschaft und durch den stellvertretenden Vorsitz im Aufsichtsrat der Rheinischen Bank in Mülheim Beziehungen.

Im Jahre 1901 trat Stinnes auch in Beziehungen zur Darmstädter Bank, als er zweiter Vorsitzender des Aufsichtsrats der von dieser technisch und finanziell auf die Höhe gebrachten Deutsch-Luxem-burgischen Bergwerks- und Hütten-Aktien-Gesellschaft wurde, welcher Stinnes die ihm gehörige Zeche Friedlicher Nachbar im Jahre 1904 abtrat.

Durch die am 1. Januar 1905 abgeschlossene Interessengemein-schaft zwischen der Gelsenkirchener Bergwerks-Aktiengesellschaft, dem Aachener Hüttenverein Rote Erde und dem Thyssen'schen Schalker Gruben- und Hüttenverein ist ein Schritt erfolgt, der einer-seits eine Reihe von konkurrierenden Banken, nämlich die Disconto-Gesellschaft, die Deutsche Bank, die Dresdner Bank und den A. Schaaffhausen'schen Bankverein, in einem gemeinsamen Unter-nehmen einigte, dann aber auch wieder die Macht von Hugo Stinnes und Aug. Thyssen vergrößerte, welche dem „gemeinschaftlichen Ausschuß" dieser Interessengemeinschaft als Mitglieder beitraten.

Während damit zugleich im rheinisch-westfälischen Industrie-bezirk ein gewisser Ruhepunkt und eine Vereinfachung der kom-plizierten Erscheinungen der Bank- und Industriepolitik erreicht zu sein scheint, zeigen sich andererseits schon wieder die Anfänge neuer Kämpfe und neuer Gegensätze auf einem anderen Gebiete.

Die lothringisch-luxemburgische Eisenindustrie ist, wie wir sahen, in der letzten Zeit immer mehr an die Spitze der Eisen-industrie getreten, ihre Bedeutung beginnt selbst die der rheinisch-westfälischen zu überragen. Dies liegt einerseits daran, daß die Kosten ihrer Roheisenproduktion erheblich geringer sind als die der rheinisch-westfälischen. Andererseits liegt es daran, daß durch das in die Stahlbereitung neu eingeführte Elektroverfahren die phosphor-reichen und früher deshalb schwer verwertbaren Erze von Luxemburg-Lothringen, deren Mengen auf etwa 2 Milliarden Tonnen geschätzt werden, plötzlich zu Erzen erster Klasse wurden, die sonach von den dicht dabeiliegenden Werken in billigster und vorteilhaftester Weise verwertet werden können[1]).

Die Erkenntnis des nun beginnenden Zuges der deutschen Roheisenindustrie nach Südwesten ist es, welche sowohl die führenden Industriekapitäne wie die führenden Großbanken zu einer Verstärkung ihres Einflusses auf lothringisch-luxemburgischem Gebiet zwingt und immer mehr zwingen wird.

Hier ist die Stellung der Firma Spaeter & Co. in Coblenz, deren Bankverbindung die mit dem A. Schaaffhausen'schen Bankverein in Interessengemeinschaft stehende Mittelrheinische Bank in Coblenz ist, eine sehr bedeutende. Sie ist die Gründerin der Rombacher Hüttenwerke, welche letzteren die Moselhüttenwerke angekauft haben, während in diesem Bezirk Thyssen anfänglich im wesentlichen nur durch seine Beteiligung an dem Hüttenverein Sambre et Moselle, Stinnes aber bisher im wesentlichen nur durch seine Stellung im Aufsichtsrat der jetzt sehr bedeutenden Deutsch-Luxemburgischen Bergwerks- und Hütten-Aktiengesellschaft und seine nicht sehr erheblichen Beziehungen zu Spaeter & Co. Fuß gefaßt hatte[2]).

Spaeter trat ebenso wie Peter Klöckner[3]), der gleich Stinnes im Hause Spaeter & Co., dessen Teilhaber er später wurde, tätig gewesen war, in den Aufsichtsrat des A. Schaaffhausen'schen Bankvereins ein.

Peter Klöckner gründete jedoch bald eine selbständige Firma Klöckner & Co. in Duisburg, sanierte in der Folge den Lothringer Hüttenverein und dessen Stahl- und Walzwerk in Kneuttingen, sanierte, modernisierte das Hasper Eisen- und Stahlwerk und seit 1905 auch die Düsseldorfer Eisen- und Stahlindustrie und sicherte seit ungefähr der gleichen Zeit die Rentabilität des Bergischen Gruben- und Hüttenvereins (Hochdahl).

---

1) Vgl. Ludwig Eschwege, Revolutionierende Tendenzen im deutschen Eisengewerbe in der Bank vom April 1909, S. 313—318 und „Ladon" in der Zukunft vom 3. April 1909, S. 26.

2) Auch den im lothringisch-luxemburgischen Bezirk bisher vorherrschenden Großbanken steht Thyssen fern; er unterhält weder nähere Beziehungen zur Darmstädter Bank, der Gründerin des obengenannten Werkes, noch zum A. Schaaffhausen'schen BankVerein, welcher den (1903 mit dem Fentscher Hüttenaktienverein und der Gewerkschaft Crone fusionierten) Lothringer Hüttenverein Aumetz-Friede reorganisiert und finanziell und technisch ausgestaltet hat.

Auch Stinnes besaß zunächst nur durch seine Aufsichtsratsstelle in der Mittelrheinischen Bank und durch seine Beziehungen zu Spaeter & Co. einige, aber nur geringe BankVerbindungen in jenem Bezirk; dies mag der Grund gewesen sein, weshalb er im Jahre 1901 gern die Gelegenheit benutzte, durch den Eintritt in den Aufsichtsrat der Deutsch-Luxemburgischen Bergwerks- und Hütten-Aktiengesellschaft sich eine kräftige Stellung auch in diesem Bezirk zu sichern.

3) Über diesen jüngsten Industriekapitän, Peter Klöckner, vgl. Georg Tischert in der „Zukunft" vom 6. August 1910, S. 193—204.

Im April 1909 erfolgte ein Schritt, der tief eingriff in die industriellen Macht- und Gruppenverhältnisse und wahrscheinlich auch auf die so vielfach von ihnen abhängigen Verhältnisse der Bankengruppen und der Konzentration einwirken wird. Es ist dies die gewaltige Erhöhung des Aktienkapitals der Gelsenkirchener Bergwerks-Gesellschaft um nom. 56 Mill. M auf nom. 156 Mill. M und des Obligationenkapitals um 20 Mill. M auf 70 Mill. M, obwohl zur Beschaffung neuer Mittel weitere 9 325 000 noch nicht begebene 4% Schuldverschreibungen von 1906 zur Verfügung standen, und vor allem der Zweck jenes Schrittes.

Die Gelsenkirchener Bergwerksgesellschait begründete diesen Schritt, der nicht nur wegen der Größe des Kapitals, welches neu aufgenommen werden sollte, sondern auch deshalb großes Aufsehen machte, weil er mitten in einer Zeit der Geldknappheit und schlechten Konjunktur erfolgte, damit, daß die neuen Mittel im wesentlichen nötig seien für neue Hochöfen und Stahlwerke, die in Esch und Deutsch-Oth errichtet werden sollten. Es wurde auch offiziös darauf hingewiesen, daß es gelte, der Gesellschaft für den Fall der Nichterneuerung des am 30. Juni 1912 zu Ende gebenden Stahlwerksverbandes eine angemessene Stellung, womit wohl auch eine Erhöhung der Beteiligungsziffer gemeint war, zu verschaffen. Die Gelsenkirchener Bergwerksgesellschaft, die ursprünglich nur Kohlen- und Koksproduzentin gewesen war und trotz der 1905 abgeschlossenen Interessengemeinschaft mit „Rothe Erde" und „Schalke", welche sie auch zur Roheisen-, Stahl-, Halbzeug-, Träger- und Schienenproduktion übergehen ließ, noch die größte Beteiligungsziffer beim Kohlensyndikat hatte, verschob damit völlig ihren bisherigen Schwerpunkt, der im Kohlenbergbau gelegen hatte.

Sie war aber auch mit dem neuen Schritt dem Zuge nach Südwesten gefolgt, da sie die neuen Mittel dazu verwenden wollte, um ihre Stahl- und Walzwerke mit den Hochöfen vereint dort zu betreiben, wo die billigsten Herstellungsbedingungen gegeben sind, also im Herzen des lothringisch-luxemburgischen Minettereviers, wo sie selbst große Erzlager besitzt.

Mit diesem Schritt wurde die Gelsenkirchener Bergwerksgesellschaft zugleich direkte Konkurrentin ihres Aufsichtsratsmitglieds Aug. Thyssen, der denn auch sofort die Konsequenzen durch seinen Austritt aus diesem Aufsichtsrat zog[1]). Denn nicht nur besitzt die Thyssen'sche Gewerkschaft Deutscher Kaiser sehr bedeutende Erzgerechtsame im lothringisch-luxemburgischen Revier,

---

[1]) Aus dem Phönix war Thyssen schon früher ausgeschieden, und zwar hier zusammen mit Stinnes, der aber im Aufsichtsrat der Gelsenkirchener Bergwerksgesellschaft geblieben ist.

sondern Thyssen ist auch, wie wir sahen, an der Saar- und Mosel-bergwerksgesellschaft in Karlingen beteiligt, hatte zu Anfang des Jahres 1909 Grund und Boden in jenem Revier für mehrere Millionen Mark und hatte ferner für seine sämtlichen Werke eine Lizenz zur Erzeugung von Elektrostahl erworben.

In der dritten Auflage dieses Buches (April 1910) hatte ich der vorstehenden Darstellung folgende Ansicht über die wahrscheinliche Entwicklung hinzugefügt (S. 565): „So wird der Kampf um die Macht in der nächsten Zeit im wesentlichen im lothringisch-luxemburgischen Revier geführt werden und die leitenden Mächte dürften ihre Kräfte spätestens bei den Verhandlungen messen, die vor dem Ende des Stahlwerksverbandes behufs dessen Verlängerung zu führen sein werden. Die Entwicklung und der Ausgang dieser Kämpfe und etwaiger hierdurch vorher oder nachher bedingter weiterer industrieller Konzentrationen wird aber von den hinter den Industriekapitänen und Industrieunternehmungen stehenden Banken und Bankengruppen, wenn auch nicht entscheidend, doch in gewissem Umfange beeinflußt werden, vielleicht nach der Richtung, daß durch neue Zusammenschlüsse weitere, alle Teile schädigende Kämpfe vermieden werden. Hierbei werden voraussichtlich diejenigen Banken eine bedeutsame Rolle zu spielen haben, welche bei ihren im loth-ringisch-luxemburgischen Revier dominierenden Industrieunterneh-mungen eine maßgebende Stellung einnehmen oder sich bis dahin errungen haben werden. Es wird hoch interessant sein, diese weitere Entwicklung aufmerksamen Auges zu verfolgen. Auch bei dieser werden sich wieder die mannigfachen Verschlingungen und Wechselbeziehungen der Industrie- und Bankenkonzentrationen und -Gruppen in immer neuem Wechselspiel offenbaren."

Die inzwischen eingetretenen Ereignisse haben bereits die Berechtigung dieser Ansicht erwiesen.

An dem Kampfe um die Macht im Lothringisch-Luxemburgi-schen Revier mußten sich die früher unbedingt vorherrschenden Rheinisch-Westfälischen Werke, die früher in den Werken jenes Reviers nur die Erzlieferanten und Koks-Abnehmer gesehen hatten, um so energischer beteiligen, je drohender der Rückgang der Erzförderung ihres eigenen Reviers wurde[1]). Denn hierdurch werden

---

1) Auf der anderen Seite wird auch die Entwicklung des lothringisch-luxem-burgischen Reviers nicht nur durch die ungünstigere Lage zum inländischen und überseeischen Absatzmarkt, sondern auch durch gewisse Tarifherabsetzungen für die Verfrachtung von Eisenerzen und Koks zwischen Lothringen-Luxemburg und Rheinland-Westfalen von 1901 gehemmt, die für den letzteren Bezirk eine Verbilligung von 3,60 M, für Lothringen-Luxemburg aber nur 30 Pfennige für die Tonne Roheisen bedeutete, also eine Differenz von 3,30 M zu Ungunsten des letzteren Bezirks herbeiführten. (Herm. Schumacher, Weltwirtschaftliche Studien, Leipzig, Veit & Co., 1911, S. 401 ff. insbesondere S. 422—424.)

sie in immer wachsendem Umfange auf die Zufuhr von Erzen aus jenem Revier angewiesen, soweit sie nicht über ausreichende Erzzufuhren aus Skandinavien, Spanien und dem französischen Minette-Revier verfügen, in welchem letzteren Thyssen im Jahre 1910 die Société des Hautes Fourneaux de Caën (in der Normandie) begründete. Thyssen hat auch in neuester Zeit[1]) sechs auf eine Jahresproduktion von etwa 660 000 t Roheisen berechnete Hochöfen und ein Stahl- und Walzwerk bei Hagendingen in Lothringen, also ganz in der Nähe der drei Hochöfen der Sambre- und Moselhütte, zu errichten begonnen, welches vielleicht schon Mitte 1912 in Betrieb genommen werden kann.

Die Gelsenkirchner Bergwerksgesellschaft[2]), der in erster Linie die Disconto-Gesellschaft zur Seite steht, verausgabte in den Jahren 1910 und 1911 allein 45 Mill. M für ihre gewaltigen Neuanlagen in Luxemburg und verlangt für diese, insbesondere für die Stahlwerke in Esch mit zunächst fünf Hochöfen, und für die in Deutsch-Oth mit zunächst vier Hochöfen eine Beteiligung von 500 000 t bei dem Stahlwerksverband. Sie scheint dadurch auch den Hauptbetrieb des mit ihr in Interessengemeinschaft stehenden Eisenwerks Rothe Erde bei Aachen nach dem lothringisch-luxemburgischen Revier verlegen und in ihrem Ursprungsgebiet wesentlich die feinere Fertigfabrikation betreiben zu wollen[3]). Zwecks Beschaffung der Mittel zu ihrem Vorgehen hat sie im Oktober 1911 ihr Aktienkapital um weitere 24 Mill. M auf nunmehr 180 Mill. M erhöht.

Auch die Gutehoffnungshütte hat an der Mosel bei Monhofen ein angeblich zur Errichtung eines Stahlwerks bestimmtes Grundstück erworben, und andere Werke des rheinisch-westfälischen Reviers, wie u. a. der Bochumer Verein, der Phönix, die rheinischen Stahlwerke, haben an der französischen Grenze Erzgruben erworben und große Anlagen errichtet[4]). Aber auch die Werke im lothringisch-luxemburgischen Reviere selbst, von denen manche, wie z. B. die Firma de Wendel & Co durch ihren Zechenbesitz bei Hamm, enge Beziehungen zum rhei-

---

1) Nach der Kölnischen Zeitung vom 5. Febr. 1910, No. 128 und vom 26. Okt. 1911, Nr. 1175.

2) Die Gelsenkirchener Bergwerksgesellschaft hat im Jahre 1910 eine Interessengemeinschaft mit der Düsseldorfer Röhrenindustrie-Akt.-Gesellschaft und der Piedboef & Co. Röhrenwerk-Akt.-Gesellschaft abgeschlossen. Ebenso hat der Phönix im Oktober 1910, unter Erhöhung seines Aktienkapitals um 6 Mill.M auf 106 Mill. M. das Düsseldorfer Röhren- und Eisenwalzwerk Vorm. Poensgen erworben und ist damit in eine Ausdehnung seiner Fertigfabrikation durch Aufnahme der Röhrenfabrikation und der Produktion von Grobblech eingetreten.

3) So Herm. Schumacher a. a. O.

4) Vgl. Kölnische Zeitung vom 26. Okt. 1911, Nr. 1175.

nisch-westfälischen Bezirk besitzen, sind inzwischen um so weniger
müssig geblieben, als auch bei ihnen, wie bei ihren Konkurrenten
im rheinisch-westfälischen Revier, angesichts des Ende Juni 1912
bevorstehenden Ablaufs der Vertragsdauer des Stahlwerksverbands,
zugleich die konzentrationsfördernde Tendenz bestand, durch eine
möglichst große Erhöhung ihrer Produktion im Falle der Verlängerung dieses Verbandes eine tunlichst hohe Beteiligungsziffer
zu erlangen, für den Fall der Nichtverlängerung aber sich so zu
rüsten und zu stärken, daß sie in der deutschen Montan-Industrie
und den verbleibenden Montan-Verbänden eine ausschlaggebende
Stellung einnehmen können.   Unter solchen Gesichtspunkten ist
denn auch seitens der lothringisch-luxemburgischen Werke, die
im Oktober 1911, zugleich mit den Siegerländer Werken, dem ver-
längerten Rheinisch-Westfälischen Roheisenverband (vorläufig) beitraten, schon im März 1911 auf Anregung der Firma Gebr. Stumm
in Neunkirchen eine selbständige Stabeisenkonvention[2]) abgeschlossen worden.

Die Deutsch-Luxemburgische Bergwerks- und Hütten-
Aktiengesellschaft stand, unter der Führung von Hugo Stinnes
einerseits und der Darmstädter Bank und anderer Großbanken
andererseits, im Mittelpunkt dieser Bestrebungen.   Sie erwarb zunächst im Jahre 1910 die Saar- und Moselbergwerksgesell-
schaft zur Hälfte (s. oben S. 601), die Zeche Kaiser Friedrich und
die bis dahin zum Konzern der Diconto-Gesellschaft zugehörige Dortmunder Union (Union Aktiengesellschaft für Bergbau-, Eisen- und
Stahlindustrie in Dortmund[3]), und sicherte sich im Jahre 1911 neue,

---

1) Die Statistik der Lothringisch-Luxemburgischen Roheisenerzeugung scheint
allerdings die dort viel verbreitete Ansicht zu bestätigen, daß gerade im lothringisch-
luxemburgischen Revier mit der Gründung des Stahlwerksverbandes (1904) die Eisenproduktion erheblich langsamer zugenommen hat als in anderen Bezirken, während
das Verhältnis von 1898 bis zum Jahre 1904 umgekehrt war (vgl. Kölnische Zeitung
vom 26. Okt. 1911, Nr. 1175) und die dort abgedruckte Tabelle der Roheisen-Erzeugung
von 1898—1910.

2) S. oben S. 157, Anm. 1.

3) Der Geschäftsbericht von Deutsch-Luxemburg empfahl die Fusion mit
der Dortmunder Union u. a. damit, daß die Zechen bei den Gesellschaften, welche nach
der Fusion einen geschlossenen Komplex bilden würden, so daß der Kokstransport zur
Dortmunder Hochofenanlage mit geringen oder gar keinen Zwischenfrachten möglich
sei, sich hinsichtlich ihrer Produktion ergänzten.   Außerdem sei Deutsch-Luxemburg
mit seiner Trägerproduktion an die Grenze seiner auf Grund seiner Beteiligungsziffer möglichen Leistungsfähigkeit angelangt und erhalte durch Übernahme der
Trägerquote der Dortmunder Union eine Quote von 216 000 t, womit es das größte
Trägerwalzwerk Deutschlands werde.   Andererseits sei bei Deutsch-Luxemburg
die Stabeisenproduktion so umfangreich, daß man, bei voller Ausnutzung der Pro-
duktionsmöglichkeit, mehrere 100 000 M Abgabe wegen Quotenüberschreitung habe

wertvolle Erzkonzessionen durch eine auf 30 Jahre abgeschlossene Interessengemeinschaft mit dem Hochofen- und Kohlwerk Rümelingen-St. Ingbert. Gelegentlich dieser Transaktionen erhöhte sie ihr Aktienkapital vom Jahre 1909 ab um 58 auf 100 Mill. M, so daß es heute dem Aktienkapital des Phönix (106 Mill. M) ungefähr gleichsteht und nur vom Aktienkapital von Fr. Krupp (180 Mill. M) und von Gelsenkirchen (180 Mill. M) wesentlich übertroffen wird.

Der Lothringer Hüttenverein Aumetz-Friede, in welchem „rheinisch-westfälisches Kapital mit führenden Persönlichkeiten der rheinisch-westfälischen Eisenindustrie schon seit Jahren maßgebenden Einfluß erlangt'[1], erhöhte im Oktober 1910 sein Kapital um 16,6 Mill. M auf 45 Mill. M zum Zweck des Ankaufs der Kohlenzeche Gewerkschaft Victor bei Rauxel, die für ihre großen Anlagen keinen genügenden Kohlenabsatz hatte[2].

Im Herbst 1911 wurde dann die Burbacher Hütte (Luxemburger Bergwerks- und Saarbrücker Eisenhütten-Aktiengesellschaft Burbacher Hütte) in Saarbrücken sowie die Kommanditgesellschaft Eicher Hütte Le Gallais, Metz & Cie. in Eich im Wege der Fusion an die Düdelinger Hochofengesellschaft (Hautes Fourneaux de Dudelange) angegliedert; die Gesellschaft führt nach der Fusion die Firma: Vereinigte Hüttenwerke Burbach, Eich, Düdelingen, Aktiengesellschaft an mit dem Sitze in Düdelingen (Luxemburg).

Auch eine belgische Gesellschaft (Ongreé-Marinage), die schon im Jahre 1905 das luxemburgische Hochofenwerk Rodingen übernommen hatte, welches seitdem dem Deutschen Stahlwerksverband

---

zahlen müssen, während die Union ihre Quote nicht erreicht habe. Bis zum Ablauf der Verbände werde man aber bei der Union solche Verbesserungen und damit auch eine solche Ermäßigung der Selbstkosten herbeiführen, daß man die eventuelle Auflösung der Verbände nicht zu fürchten brauche, vielmehr in Deutsch-Luxemburg die Massenfabrikation von Handelsartikeln und in Dortmund die Qualitätsfabrikation mit Nutzen betreiben konne. Endlich musse für ein Werk, dessen Schwerpunkt im Westen liege, auch die Möglichkeit einer Ausdehnung nach dem Osten geschaffen werden.

1) Kölnische Zeitung vom 26. Okt. 1911, Nr. 1175: Aus der Lothringisch-Luxemburgischen Eisenindustrie.

2) Der Lothringer Hüttenverein Aumetz-Friede machte sich, da er großen Reichtum an Erzen, aber nur geringe Kohlenmengen besaß, durch diesen Erwerb hinsichtlich des Kohlenbezuges unabhängig und trat schon während des Kohlensyndikats in den Genuß eigener Kohlen. Die Gewerkschaft Victor aber kann nach der Fusion ihre Kohlenförderung bis auf 1 500 000 t steigern. Interessant ist, daß die Transaktion so bewerkstelligt wurde, daß die Gelsenkirchener Bergwerksgesellschaft, welche 414 Kuxe der Gewerkschaft Victor besaß, keine Aktien von Aumetz-Friede erhielt, sondern in baar abgefunden wurde.

beigetreten ist, beteiligte sich an dem Kohlenbergwerk von Bray, an dem Röhrenwalzwerk Usine à tubes de la Meuse und an der Hochofen-Aktiengesellschaft La Chiers.

Weitere Verschmelzungen bedeutender Hochofenwerke stehen bevor, speziell im Becken von Longwy, also an der französischen Grenze von Elsaß-Lothringen, in welchem auch deutsche Werke unter dem Namen französischer Firmen, deren Kapital sich in ihren Händen oder unter ihrer Kontrolle befindet, Erzgerechtsame besitzen.

Durch den geschilderten, sich immer mehr verschärfenden Wettkampf entsteht naturgemäß die Gefahr, daß der Absatz schließlich nicht mehr der Produktion entsprechen kann, welche im lothringisch-luxemburger Revier von 1906 ab wieder erheblich zugenommen hat, und daß das Preisniveau herabgedrückt wird.

Die nächsten Monate werden wohl schon die Entscheidung bringen, ob es gelingen wird, den Stahlwerksverband, was dringend wünschenswert wäre, zu verlängern. Gelingt dies, so dürfte ein gewisser Stillstand der Konzentrationsbewegung im lothringisch-luxemburgischen Revier oder doch wenigstens eine Verlangsamung des Wettlaufs um die Vormacht eintreten.

III. Der Einfluß der Industrie und der Industrie-Konzentration auf die Banken-Konzentration.

Es würde lediglich eine Wiederholung fast alles dessen bedeuten, was wir in diesem Buche erörtert haben, wollten wir hier im einzelnen darlegen, in wie gewaltigem Umfange die Entwicklung der Industrie und der industriellen Konzentration auf die Entwicklung der Großbanken und der Banken-Konzentration eingewirkt hat.

Schritt für Schritt, in jeder Phase und in jeder Zeit der Banken-Entwicklung, und zwar sowohl im laufenden wie im Emissions-, Gründungs- und Umwandlungsgeschäft, in der Banktätigkeit im Inland und im Ausland, ist diese mächtige Einwirkung nachzuweisen und oben in tausend Einzelheiten nachgewiesen worden.

Namentlich ist auch der überaus weitgehende Einfluß der industriellen Kartellbewegung und der industriellen Exportpolitik sowohl auf den Umfang als auf die Schnelligkeit der Banken-Konzentration wie auf die einzelnen Formen und Wege, in denen sich diese Konzentration vollzogen hat, in eingehendster Weise geschildert worden.

Wenn wir sonach auf alle diese früheren Ausführungen einfach verweisen können, so ist doch auch an dieser Stelle nochmals zu betonen, daß der Einfluß der Industrie- und Banken-Konzentration fast immer ein gegenseitiger, und zwar abwechselnder war. Fast jede Gruppenbildung innerhalb der Industrie wirkt auf die Banken-Gruppierung und diese wirkt dann wieder auf die industrielle Gruppenbildung ein oder umgekehrt, und fast jede Veränderung auf der einen zieht auch Veränderungen auf der anderen Seite nach sich.

So erfolgte in der elektrotechnischen Industrie zunächst eine Beeinflussung der industriellen Gruppenbildung durch die Banken in der Art, daß sich durch Bankenhilfe nach und nach sieben große Gruppen von elektrotechnischen Unternehmungen bildeten.

Nachdem dies geschehen war, steigerten sich deren Kreditansprüche so rasch, daß sie weit über die Kraft einzelner Banken hinausgingen. Infolgedessen mußten sich also zunächst hinter den sieben Elektrizitäts-Gruppen ebenso viele Banken-Gruppen bilden, so daß in diesem Stadium wieder umgekehrt die Banken-Konzentration durch die Industrie-Konzentration bedingt und gefördert wurde.

Dann aber führten wiederum die mannigfachen Beziehungen, welche einzelne Banken zu verschiedenen dieser Industrie-Gruppen unterhielten, dahin, daß dann wieder Banken auf weitere oder anderweite industrielle Gruppierungen hin wirkten.

Es findet hier also ein beständiges, für den aufmerksamen Beobachter überaus fesselndes Auf- und Abwogen des gegenseitigen Einflusses statt. —

Abschnitt VI.

Die durch die Konzentrationsbewegung geschaffene Lage; Vorteile und Gefahren der Konzentration: die Aussichten für die Zukunft.

Unter den Werkzeugen der modernen kapitalistischen Wirtschaftsordnung haben zwei vor allem ihr hervorragende Dienste geleistet:

> erstens: die Maschine, welche die Persönlichkeit des Arbeiters verdrängt und die größte Konzentration mechanischer Kräfte ermöglicht, und

> zweitens: die Aktiengesellschaft, welche die Persönlichkeit des Unternehmers verdrängt und die größte Konzentration der Kapitalkräfte herbeiführt.

Dem Zusammenwirken dieser beiden Faktoren ist in erster Linie die Krönung des Gebäudes zu verdanken: die Zusammenfassung der Kräfte und Unternehmungen unter einheitlicher Leitung.

Die „Fülle der Gesichte", welche die Entwicklung der Konzentrationstendenzen in beständigem Wechsel aufzuweisen hat, kann nur bei äußerlicher Betrachtung als beängstigend angesehen werden.

Sehen wir schärfer zu, so finden wir eine fast mit der Kraft eines Naturgesetzes wirkende Regelmäßigkeit der Stufenfolge der Erscheinungen:

Die zunächst den Blick verwirrende Häufung überaus komplizierter Erscheinungen mit einer kaum übersehbaren Menge von Verästelungen läßt bei näherer Betrachtung drei Entwicklungsstufen erkennen: Auf der ersten finden wir eine große Anzahl schwacher, wenig widerstandsfähiger Formen der Einzelunternehmung; auf der zweiten den Übergang dieser Formen in eine Fülle widerstandsfähigerer, aber bei weitem komplizierterer Unternehmungsformen, die auf der dritten Stufe sich wieder vereinfachen zu einer kleineren Anzahl kräftiger Unternehmungsgruppen.

In dieser Form des allmählichen Aufsteigens einer großen Zahl einzelner, aber meist schwacher Individualbetriebe durch tausend verwirrende und scheinbar abirrende Umwege, Haupt- und

Nebengebilde zu einer tunlichst kleinen Zahl starker einheitlicher Unternehmungsgruppen, also zu stets einfacher werdenden Gesamtgebilden, vollzieht sich die äußere Entwicklung des wirtschaftlichen Kampfes ums Dasein, wie ihn die Konzentrationsbewegung auf ökonomischem Gebiete darstellt.

Diesen Werdegang können wir auf allen Gebieten, in der Industrie wie im Bankwesen, gleichermaßen verfolgen:

In der modernsten unserer Industrien, der elektrotechnischen, sehen wir den Vorgang am klarsten vor uns: Aus der großen Menge der in fieberhafter Hast begründeten Gesellschaften hatten sich bis etwa 1900, wie oben (S. 582 ff.) näher ausgeführt ist, sieben Gruppen mit im ganzen 28 Konzerngesellschaften, alle übrigen dominierend, herausgebildet. Aus diesen wieder sind, nachdem einige Gruppen erheblich an Kraft verloren hatten, andere durch Verschmelzungen beseitigt waren, vor allem zwei noch stärkere Gruppen: die Siemens-Schuckertgruppe und die Gruppe der Allgem. Elektricitäts-Gesellschaft hervorgegangen, welche voraussichtlich nicht nur die übrig gebliebenen Gesellschaften in irgendwelcher Form durch Preiskonventionen oder in engerer Form an sich heranziehen werden, sondern auch geeignet sind, den internationalen Wettbewerb im Wege der Verständigung, die vielfach bereits angebahnt ist, in angemessenen Grenzen zu halten.

In der chemischen Industrie sehen wir ähnliche Vorgänge: die in der Form von Interessengemeinschaften vollzogenen Vereinigungen der Höchster Farbwerke und der Firma Leop. Cassella & Co. einerseits, sowie diejenigen der Badischen Anilin- und Sodafabrik, der Farbenfabriken vorm. Friedr. Bayer & Co. und der Aktiengesellschaft für Anilinfabrikation andererseits, sind in der Lage, eine Konsolidation auch aller übrigen Farbenfabriken, soweit dies noch erforderlich ist, und den Kampf der deutschen Anilinfarbenindustrie gegenüber dem ausländischen Wettbewerb erfolgreich durchzuführen.

In der Montanindustrie beginnt sich das „Kartellchaos" seit Begründung des Stahlwerksverbandes zu lichten. Der letztere ist durch Zusammenfassung von Unternehmungen aller Produktionsstadien besser geeignet, sowohl eine gesunde Kartellpolitik durchzuführen, wie behufs Ausschließung des Konkurrenzkampfes durch internationale Vereinbarungen dafür zu sorgen, daß der Export nach den großen ausländischen Absatzgebieten ungefähr nach Maßgabe des bisherigen Absatzes zwischen den konkurrierenden Staaten verteilt wird. Gleichzeitig vollzieht sich in der Montanindustrie mit immer größerer Schnelligkeit eine starke Konzentration und Konsolidation von Unternehmungsgruppen unter Beseitigung und Aufsaugung schwächerer oder kleinerer Betriebe. Nach der Zeitschrift

„Glückauf" Nr. 12 hat sich z. B. von 1850—1908 die Zahl der
Werke im Oberbergamtsbezirk Dortmund um 49, d. h. mehr als
$^1/_6$ vermindert, während die Förderung gleichzeitig auf fast das
Fünfzigfache gestiegen ist. Während im Jahre 1908 im Oberberg-
amt Dortmund noch 154 in Förderung stehende Werke gezählt
wurden, hatte das Rhein.-Westfälische Kohlen-Syndikat, dessen
Förderung sich mit der jenes Bezirks beinahe deckt, am 1. Jan. 1909
(einschl. der zu einem anderen Bezirk gehörigen Zeche Rheinpreußen)
nur noch 75 Mitglieder und es brachten allein fünf der größten
Syndikatswerke $^2/_5$ der Gesamtförderung (von 82 664 647 t) auf.

In der Seeschiffahrt dominieren bei weitem zwei Gesellschaften: die Hamburg-Amerikanische-Packetschiffahrt-Actien-Gesell-
schaft und der Norddeutsche Lloyd, die unter sich und mit einer
amerikanisch-englischen Trust-Gesellschaft durch eine Reihe von
Abmachungen verbunden sind.

Im Bankwesen endlich sind aus einer großen Fülle einzelner
Banken fünf mächtige, im ganzen 41 Konzernbanken umfassende
Gruppen herausgewachsen, mit deren Bildung der Konzentrationsprozeß
voraussichtlich noch nicht erschöpft ist, der vielmehr erst dann aufhören dürfte, wenn das Ziel, tunlichst wenige Gruppenbildungen mit
einer möglichst großen Anzahl von Konzernbanken unter einheitliche Leitung zu stellen, noch mehr als heute erreicht ist. Solange
nicht einigermaßen gleichstarke Gruppen vorhanden sind, die sich
gegenseitig in ihrem Besitzstande respektieren müssen, ist kaum eine
Beendigung des Konzentrationsprozesses zu erwarten.

Überblicken wir diesen Konzentrationsprozeß, so läßt sich, obwohl er noch keineswegs zu Ende, sondern in beständigem Flusse
ist, doch eine Reihe von Vorteilen und Gefahren auch schon
heute klar erkennen.

I. Wir beginnen mit den Vorteilen und zwar:

1. mit denjenigen, die nicht privatwirtschaftlicher Natur sind:

a) Es ist kein Zweifel, daß die Geschäftspolitik einer Großbank
und namentlich einer solchen, die an der Spitze einer Gruppe von
Konzernbanken steht, mehr nach einem einheitlichen Programm,
welches auch den allgemeinen nationalen, staatlichen und
wirtschaftlichen Interessen Rechnung trägt, geleitet werden
kann und wird, als die Geschäftspolitik einer mittleren oder kleinen
Bank oder einer großen Anzahl zerstreuter mittlerer oder kleiner
Banken, welche bei größeren Existenzschwierigkeiten naturgemäß in
weit höherem Grade bloße Dividendenpolitik zu treiben genötigt
sind. Die Erfahrung hat denn auch gelehrt, daß die deutschen
Großbanken der unbedingten Notwendigkeit einer kräftigen Unterstützung der Industrie und des Handels sich bewußt gewesen sind,
und daß sie daraus sowohl durch eine planmäßige Industriepolitik,

insbesondere wie wir S. 421 ff. erörterten, durch eine energische Förderung der industriellen Exportpolitik wie durch Anlegung deutschen Kapitals in auswärtigen Unternehmungen, Geschäften und Werten[1]) und durch eine energische Förderung der deutschen Schiffahrts-, Kolonial-, Kanal- und Kabelpolitik die Konsequenzen gezogen haben.

Der gewaltige Aufschwung, den Deutschlands Handel und Industrie auf dem heimischen Markte und im Weltverkehr aufgewiesen hat, wäre ohne die dauernde und zielbewußte Waffenbrüderschaft des deutschen Bankwesens nicht denkbar gewesen.

b) Es ist ferner sicher, daß die Geschäftsführung der Großbanken einer schärferen Kontrolle der Fachpresse und der öffentlichen Meinung unterliegt, als eine große Zahl isolierter mittlerer und kleiner Bankbetriebe.

c) Weiter ist zweifellos, daß derart einheitlich geleitete mächtige Banken und Bankgruppen mindestens so lange geeignet sind, der Wirtschafts- und Weltpolitik des Deutschen Reiches als eines ihrer kräftigsten Machtmittel dienstbar zu sein, als ihre Leiter sich dieser ihrer wichtigen Aufgabe, wie bisher, bewußt bleiben. Den staatlichen Organen aber ist es ohne Zweifel eine Erleichterung, wirtschaftliche Maßnahmen, welche durch Heranziehung des Privatkapitals verwirklicht werden sollen, und die entweder zunächst vertraulich behandelt werden müssen oder einer raschen Entschließung bedürfen oder (wie Kabel- oder Kolonial-Unternehmungen) eine längere Festlegung erheblicher Kapitalien erfordern, mit einer kleinen Zahl von Großbanken, die ihren Sitz oder Schwerpunkt in Berlin haben, zu verhandeln. —

d) Die konzentrierte Kapitalmacht erleichtert eine elastischere Ausgestaltung des Kreditsystems (s. oben S. 20). Diese aber gestattet in kritischen Zeiten ein rascheres und energischeres Eingreifen zum Zweck der Aufrechterhaltung der Kapital- und Geldmärkte und der Verhinderung einer Panik in den Kapitalistenkreisen, insbesondere Verhütung von kopflosen Kreditkündigungen und Angstverkäufen und ermöglicht es den großen Unternehmungen, kleinere vor dem Zusammenbruch zu bewahren.

e) Die konzentrierte Kapitalmacht gestattet eine bessere Ausgestaltung des Scheck, Überweisungs- und Abrechnungs-Verkehrs, also derjenigen Faktoren, welche den Gebrauch baren Geldes im Zahlungsverkehr vermindern und dieses damit für den Kreditverkehr verwertbar machen und ermöglicht zugleich eine organischere Verbindung des Zahlungs- und Kreditverkehrs (siehe oben S. 3).

---

1) Über die hier zu machenden Vorbehalte vgl. oben S. 425 ff., insbesondere S. 428/429.

Sie setzt aber auch

f) die Großbanken infolge des Umfangs ihrer Geschäfte und ihrer genaueren Kenntnis der wirtschaftlichen und finanziellen Gesamtlage in den Stand, das Herannahen einer wirtschaftlichen, industriellen, Handels- oder Börsen-Krisis früh zu erkennen, rechtzeitig, d. h. vor dem wirklichen Ausbruch der Krisis, zu warnen und diejenigen vorbeugenden Maßnahmen zu ergreifen, welche die Krisis zwar nicht auszuschließen, aber doch in ihrer Heftigkeit zu mildern und in ihrer Dauer zu beschränken vermögen (vgl. oben S. 17 ff).

2. Was die mehr privatwirtschaftlichen Vorteile betrifft, so wachsen solche den Banken sowohl durch diejenige Konzentration, welche sich mittels Angliederung von Unternehmungen oder mittels Schaffung von Interessengemeinschaften (durch Erwerb von Aktien, Gründung von Tochter- und Trustgesellschaften oder durch Vertrag oder Aktienaustausch) vollzieht, als durch die Konzentration, welche mittels Dezentralisation des Betriebes, also durch Begründung von Kommanditen, Filialen, Agenturen und Depositenkassen, erreicht wird.

Denn alle diese Formen der Kapital- und Machtkonzentration gewähren dem Zentralinstitut eine genauere Übersicht über die allgemeine Lage der Industrie und die jeweiligen Bedürfnisse und Konjunkturen der einzelnen Industriezweige, ferner eine eingehende Kenntnis der Vermögenslage, Kredit- und Vertrauenswürdigkeit eines umfangreichen Kundenkreises, und zwar beides auf Grund sachkundiger und objektiver Berichte solcher Auskunftsstellen, welche einerseits mit den lokalen Verhältnissen genau vertraut, andererseits mit dem Zentralinstitut eng verknüpft und befreundet sind.

Durch die derart gewonnene genaue Übersicht und eingehende Kenntnis gewinnt das Zentralinstitut in stets zunehmendem Umfange die Möglichkeit:

a) eine breite und sichere Basis für den Absatz der von ihm für eigene oder fremde Rechnung zu emittierenden staatlichen, industriellen oder kommerziellen Werte zu finden, die es deshalb auch in weiterem Umfange und mit größerer Ruhe erwerben kann, verbunden mit der Gewißheit, daß diese Werte behufs dauernder Kapitalanlage in die Hände guter Abnehmer gelangen, also nicht so bald wieder an den Markt geworfen werden und dann aufgenommen werden müssen;

b) seinem laufenden Geschäft, selbst bei ungünstigen Zeiten, eine angemessene Dividende zu sichern, also weniger auf die Pflege des in schlechten Zeiten ganz oder teilweise fehlenden Emissionsgeschäfts angewiesen zu sein; ferner seinen Kredit im In- und Auslande, insbesondere auch seinen Akzept-Kredit, sowie seine Interventionskraft in kritischen Zeiten und seine Bewegungsfreiheit auf dem Geldmarkte zu erweitern;

c) sein Depositengeschäft auszudehnen durch allmähliche Gewöhnung der Klientel, namentlich der mittleren und kleinen Kapitalisten und Gewerbetreibenden, daran, auch geringfügige verfügbare Mittel behufs produktiver Verwendung der Bank zu überlassen. Hierdurch wird aber jener Klientel zugleich ein Anreiz zur wirtschaftlich überaus wünschenswerten Ansammlung von Reserven, also zu Ersparnissen, und ferner zur Übertragung ihrer Kassenführung an die Bank gegeben, während gleichzeitig der Zahlungsverkehr durch Erweiterung und intensivere Betreibung des Scheckverkehrs, dessen Krönung stets der Überweisungs-(Abrechnungs-)Verkehr sein muß, verbessert, der Kreditverkehr erleichtert, der Bargeldumlauf vermindert und endlich die Aktionsfähigkeit der Bank gesteigert und eine größere Stetigkeit der Dividenden herbeigeführt wird;

d) die Klientel durch zuverlässige Informationen und Erleichterungen jeder Art in ihren geschäftlichen Maßnahmen, namentlich in ihren Anlage-, Wechsel-, Devisen- und Zahlungsbedürfnissen zu unterstützen.

Dagegen ist im bisherigen Verlauf der Konzentrationsbewegung[1]) innerhalb des deutschen Bankwesens eine Verringerung der Geschäfts- und Verwaltungskosten, die sich vielfach bei ausländischen Trusts und trustartigen Zusammenschlüssen erzielen ließ, in Deutschland nicht erreicht worden[2]), zumal hier bisher, soweit nicht Fusionen vorlagen, in der Regel die Selbstständigkeit der Unternehmungen, im Gegensatze zu den Trusts, gewahrt wurde, so daß schon deshalb an Geschäfts- und Verwaltungskosten kaum etwas gespart werden konnte.

Wir haben vielmehr auf S. 380—382 feststellen müssen, daß im allgemeinen sowohl der absolute Betrag der Geschäftsunkosten, als deren Verhältnis zum Bruttogewinn auch bei denjenigen deutschen Banken, welche im Vordergrunde der Konzentrationsbewegung standen, fast ununterbrochen gestiegen ist[3]). Auf die Vermehrung

---

1) Für die Folge ließen sich schon Zusammenschlüsse denken, welche wenigstens eine Ersparnis von Steuern herbeiführen könnten.

2) Wenn Edgar Jaffé (Das englische Bankwesen, 2. Aufl., S. 282 u. 319) es im Gegenteil als „unzweifelhaft" bezeichnet, daß in England im Verlauf der Konzentrationsbewegung große Ersparnisse an den Generalunkosten gemacht worden seien, so ist nicht zu vergessen, daß sich jene Konzentration in England in viel größerem Umfange durch Fusionen vollzogen hat als bei uns.

3) Hinsichtlich der Verhältnisse in England, die ähnlich zu liegen scheinen, s. John Cockburn Macdonald, The economic effects, national and international,

der Steuern, welche dadurch entsteht, daß eine Aktiengesellschaft Aktien einer anderen dauernd besitzt, hat schon Jörgens hingewiesen [1]).

II. Was die schon nach verschiedenen Richtungen hervorgehobenen Gefahren angeht, die mit der Konzentrationsbewegung im Bankgewerbe verbunden sein können, so kann folgendes festgestellt werden:

Im Geschäftsverkehr mit dem Publikum, also im laufenden Geschäft, insbesondere bei Bemessung der Kontokorrent- und Akzept-Provisionen, sowie der Depositen- und Lombardzinsen, hat sich bisher die an sich bei dem Umfange der Konzentration naheliegende monopolistische Tendenz, schon infolge der scharfen Konkurrenz der Banken untereinander, noch in keiner Weise gezeigt. Vielmehr haben die Banken in ihrem bisherigen Konkurrenzkampfe, sogar unter Überschreitung wirtschaftlich angemessener Grenzen, gegen die niedrigsten Provisionen, welche je im deutschen Bankwesen üblich gewesen sind, die größten Dienstleistungen und Verantwortlichkeiten übernommen [2]). Auch brutale Kreditkündigungen, die nach Eugen Kaufmann [3]) den französischen Großbanken eigen sein sollen, sind bei den deutschen Großbanken nicht üblich. Dagegen ließen sich Ansätze zu solchen monopolistischen Tendenzen allerdings bereits erkennen auf dem Gebiete des Wettbewerbs gegenüber den Privatbankiers und außerdem im Bereiche des Emissions- und Submissioswesens, sowie bei der Konkurrenz um die Übernahme von öffentlichen Anleihen oder von Werten öffentlicher oder privater Unternehmungen. Es ist kein Zweifel, daß auf diesen Gebieten die Konkurrenz zwar das Gebot der Großbanken oder der großen Gruppen unterbieten kann, aber doch meist unterliegen muß, wenn sie nicht, sei es in bezug auf die Zahlung oder Abnahme, sei es in bezug auf die Durchführung des Geschäfts, die gleiche Sicherheit zu bieten vermag, und daß manche Konsortien eine Art von Preiskonventionen darstellten, die oft einen monopolistischen Charakter annahmen (s. oben S. 339).

---

of the concentration of capital in few controlling hands (The Institute of Bankers, Okt. 1900, Vol. XXI, Part. VII, p. 371—373).

1) Finanzielle Trustgesellschaften, S. 75.

2) Genau das gleiche stellt für England fest: Edgar Jaffé, Das englische Bankwesen, 2. Aufl. (1910), S. 283; er weist aber auch ferner auf S. 286 u. 287 darauf hin — und auch hier haben sich auch in Deutschland schon ähnliche Erscheinungen gezeigt — daß vielfach die Konkurrenz der Banken so maßlos geworden sei, daß sich mitunter Banken um Geschäfte zu geradezu verlustbringenden Bedingungen beworben hätten und daß der Konkurrenzkampf vielfach zu einem „Kundenfang" ausgeartet sei.

3) Das französische Bankwesen (1911), S. 332.

Ferner kann nicht verkannt werden, daß die als Begleiterscheinung der Konzentrationsbewegung im deutschen Bankwesen aufgetretene starke Schädigung auch der soliden und lebenskräftigen Elemente des mittleren und kleinen Privatbankierstandes, welcher letztere nach meiner Überzeugung auch heute noch, wie im folgenden nachzuweisen ist, wirtschaftlich notwendige und förderliche Aufgaben zu erfüllen hat, eine weitere Schattenseite jener Konzentrationsbewegung bildet.

Dieser Niedergang ist, wie wir oben (S. 506/507) sahen, durch eine fehlerhafte Börsen- und Stempelgesetzgebung nur verschärft und beschleunigt, durch die Konzentrationsbewegung aber im wesentlichen hervorgerufen worden.

Dabei ist freilich festzustellen, daß der — bis zur Novelle zum Börsengesetz in recht scharfer Form eingetretene — Niedergang des Privatbankiergeschäfts nur eine einzelne Etappe jenes modernen auf dem Boden der kapitalistischen Wirtschaftsordnung erwachsenen Kampfes ums Dasein darstellt, welcher mit dem Siege des Großbetriebs und der Konzentration endet, und in welchem die kleine Landwirtschaft und der kleine Mühlenbesitzer gegenüber dem Großgrundbesitz und dem Großmühlenbetrieb, das Handwerk und die Hausindustrie gegenüber der Fabrik, der Detailhandel gegenüber dem Großhandel, insbesondere dem Warenhaus, in ähnlichem Umfange zu unterliegen scheint, wie der mittlere und kleine Bankier gegenüber der Großbank. Während es aber sonst Aufgabe und Pflicht jeder überhaupt möglichen „Mittelstandspolitik" sein muß, den Niedergang zu verhindern, oder, soweit er (was hier nicht der Fall) als unausbleiblich angesehen werden muß, zu mildern und zu verlangsamen, die Beteiligten allmählich auf die Veränderung ihrer wirtschaftlichen Stellung und auf die daraus erwachsenden neuen Aufgaben und Ziele vorzubereiten und sie hierdurch widerstandsfähiger zu machen, ist gegenüber dem mittleren und kleinen Bankierstande durch eine Reihe von Vorschriften des Bankdepot- und Börsen-Gesetzes sowie der Reichsstempelgesetze, wie wir oben (S. 502 ff.) darlegten, geradezu das Gegenteil geschehen. Hierdurch ist nicht nur die Schnelligkeit der Konzentrationsbewegung ungemein gesteigert, sondern auch die aus dieser Bewegung für jenen Teil des Bankierstandes hervorgegangene Lage erheblich verschärft und, was noch viel schlimmer ist, die Widerstandskraft der Privatbankiers in überaus bedauerlicher Weise herabgedrückt worden.

Eine derartige Depression aber, wie sie tatsächlich bis zur Börsengesetz-Novelle eingetreten war und teilweise noch besteht, kann trotzdem in keiner Weise als begründet anerkannt werden.

Es ist immer noch unvermindert richtig, daß auch der mittlere und kleine Bankier berechtigte und notwendige wirtschaftliche Aufgaben hat, und daß ihm weite Gebiete für eine lohnende Betätigung offen stehen [1]. Wie das deutsche Handwerk, ungeachtet des auf ähnlichen Gründen [2] beruhenden Niedergangs, dennoch überall da die Fühlung mit den Konsumenten nicht zu verlieren braucht, wo das Handwerksprodukt lokal und individuell angepaßt werden muß [3], so wird der mittlere und kleine Bankierstand, dessen Geschäftsspesen gegenüber den dezentralisierten Banken auch relativ weit geringere sind, stets dort, wo er rechtzeitig und tatkräftig die Parole: lokale Anpassung und Spezialisierung für seine geschäftliche Tätigkeit maßgebend sein läßt, imstande sein, den Konkurrenzkampf am Orte seiner Niederlassung aufzunehmen und erfolgreich durchzuführen. Eine solche, allerdings nicht durchweg wünschenswerte Spezialisierung ist bisher schon da eingetreten, wo sich der mittlere und kleine Bankierstand speziell mit dem An- und Verkauf von Kuxen oder von Börsenwerten ohne Kursnotiz befaßt, was vielfach geschieht.

Noch immer wird es aber der mittlere und kleine Bankier in erster Linie sein, welchen das große Publikum als seinen natürlichen Berater in allen seinen finanziellen Angelegenheiten, namentlich in der Frage der Kapitalanlagen, ansieht, vorausgesetzt, daß er wie früher, die für eine solche beratende Tätigkeit erforderliche Zeit und Sorgfalt aufwendet.

Er wird deshalb auch mit Erfolg das Wertpapiergeschäft für fremde Rechnung pflegen können, namentlich, in Gemäßheit der Börsengesetznovelle, auf Grund besonderer Deckung seitens der Klientel, während er das infolge der geringen Provisionen und der Besteuerung der Reportgeschäfte neuerdings in besonders erheblichem Umfange betriebene Wertpapiergeschäft für eigene Rechnung eher beschränken sollte.

Ferner wird der mittlere und kleine Bankier auf Grund seiner genauen Kenntnis der persönlichen Verhältnisse seiner Klientel ein berufener Pfleger des persönlichen und insbesondere des Blankokredits bleiben, welcher einer nur bei genauester Kenntnis aller Verhältnisse zu erreichenden Spezialisierung und Individuali-

---

1) Über seine Tätigkeit in der sog. Kulisse und in der Arbitrage vgl. oben S. 504.

2) So Karl Bücher, Die Entstehung der Volkswirtschaft, 3. Aufl., 1901, S. 229: „Konzentrierter Bedarf läßt sich nicht durch zerstreute Produktion befriedigen. Dem Konzentrationsprozeß des Bedarfs mußte ein Konzentrationsprozeß auf dem Gebiete der gewerblichen Produktion zur Seite stehen, und dieser ist es, dem das Handwerk weithin erliegt".

3) Karl Bücher a. a. O. S. 235.

sierung bedarf und deshalb leicht da zu kurz kommt, wo der persönliche Zusammenhang zwischen dem Kreditgeber und dem Kunden mehr zurücktritt[1]).

Der mittlere und kleine Bankier kann auch namentlich dort, wo Depositenkassen und Banken nicht bestehen, den laufenden geschäftlichen Verkehr, und zwar in erster Linie den Scheck-, Wechsel- und Diskontierungs- und Kontokorrentverkehr, mit den mittleren und kleinen Gewerbetreibenden erfolgreich pflegen.

Er ist es, der auf der Börse den Dienst der Kulisse zu versehen, das Börsenmaklergeschäft und das Arbitragegeschäft zu pflegen und in der Tagesspekulation behufs Ausnutzung der kleinen täglichen Kursschwankungen überall da einzutreten hat, wo Angebot und Nachfrage sich nicht decken.

Er ist es, der die Bedürfnisse der Kleinindustrie am besten übersehen und die von ihr ausgegebenen vertrauenswürdigen Wertpapiere (Aktien und Obligationen), deren inneren Wert er am gründlichsten zu studieren und zu erkennen vermag, in die entferntesten Kanäle leiten kann[2]). Dabei kommen namentlich solche von der Kleinindustrie ausgegebenen Schuldverschreibungen in Betracht, welche wegen ihres geringen Kapitalbetrages (unter 1 Mill. M bzw. unter 500 000 M) an deutschen Börsen nicht zum Handel zugelassen werden können, falls deren Güte und Sicherheit außer Zweifel steht[3]). Es ist dagegen bedenklich, wenn der mittlere und kleine Bankierstand infolge der Fehler der Börsengesetzgebung vielfach in erheblichem Umfange selbst industrieller Unternehmer (in Form von starkem Aktienbesitz oder sonstiger Beteiligung) geworden ist.

Ferner ist nicht abzusehen, weshalb nicht auch der zum Großbetrieb führende Weg der Umwandlung von Provinzbankgeschäften — und zwar von einzelnen oder mehreren zusammen — in Aktiengesellschaften oder Gesellschaften mit beschränkter Haftung in großem Umfange gangbar sein soll, der ja auch bereits, mit und ohne Anlehnung an Großbanken, in erheblichem Maße begonnen hat.

---

1) Für England stellt Edgar Jaffé, Das englische Bankwesen, 2. Aufl., S. 282, fest, daß dort aus gleichen Gründen mehr und mehr infolge der Verdrängung des Privatbankgeschäfts das Darlehen gegen marktgängiges Unterpfand an Stelle des Personalkredits tritt.

2) In Frankreich sind von den kleinen Provinz-,,Banken" die meisten Privatgeschäfte (s. Bernh. Mehrens a. a. O. S. 295).

3) Für diese, aber auch für die Mehrzahl der notierten Schuldverschreibungen, ist die Ansicht von Otto Jeidels (a. a. O. S. 55) irrig, daß ,,industrielle Schuldverschreibungen nur geringen Gewinn abwerfen". Meist ist das Gegenteil der Fall.

Ich erinnere an die im Jahre 1905 seitens der Hannoverschen, Osnabrücker und Hildesheimer Bank bewirkte Umwandlung des Privatbankhauses Ludwig Peters Nachfolger in die Braunschweiger Privatbank-Aktiengesellschaft (Aktien-Kapital 6 Mill. M); ferner an die 1905 unter Mitwirkung der Disconto-Gesellschaft und der Berliner Handels-Gesellschaft erfolgte Umwandlung der Bankfirma Perls & Co. in Breslau in die Schlesische Handelsbank, Aktiengesellschaft, in Breslau, welche 1909 je eine Filiale in Beuthen und in Striegau errichtet hat; an die 1906 erfolgte Umwandlung des Bankhauses Joh. Ohligschlaeger in Aachen (Konzern der Rheinisch-Westfälischen Disconto-Gesellschaft) in eine G. m. b. H. mit einem Stammkapital von 5 500 000 M; an die 1908 geschehene Umwandlung des Bankhauses Doertenbach & Co. in Stuttgart in eine G. m. b. H. mit einem Stammkapital von 4 Mill. M und an die 1908 erfolgte Gründung des Hessischen Bankvereins, Aktiengesellschaft, in Kassel durch Verschmelzung der Bankfirma Leopold Plaut & Co. in Kassel und J. C. Plaut & Co. in Eschwege.

Im Jahre 1907 hatte sich die (inzwischen allerdings in Zahlungsschwierigkeiten geratene und in Liquidation getretene) Berliner Bankfirma Carl Neuburger in eine Kommanditgesellschaft auf Aktien umgewandelt. Im Jahre 1911 endlich hat sich die Kommanditgesellschaft Glück & Dornhöfer in Coblenz in eine Aktiengesellschaft mit einem Grundkapital von 1 500 000 M unter der Firma Coblenzer Bank umgewandelt.

Einen besonderen Weg ging das Bankhaus L. & E. Wertheimber in Frankfurt a. M., indem es unter der Firma: Bank- und Wechselstuben-Gesellschaft m. b. H. ein besonderes Unternehmen in Frankfurt a. M. begründete, welches daselbst Wechselstuben betreiben soll und dessen Stammkapital von 2 Mill. M im Besitze der Inhaber des fortbestehenden Bankhauses L. & E. Wertheimber bleibt.

In Berlin haben sich im Jahre 1911 zwei alte Bankgeschäfte: Delbrück Leo & Co. und Gebr. Schickler zur Firma Delbrück, Schickler & Co. zusammengeschlossen.

Es ist überdies auch in Deutschland ohne Zweifel das möglich, was im Auslande gelungen ist [1]:. der Zusammenschluß von mittleren und kleineren Bankiers in Syndikaten oder

---

1) In Frankreich hat sich aus dem Kreise der Privatbankiers sowohl das „Syndicat des banquiers de la province française", wie die „Banque de l'Union Parisienne" (Mallet freres, Vérnes et Cie., de Neuflize et Cie. usw. gebildet. — Das erstere Syndikat, über das bei Eugen Kaufmann, Das französische Bankwesen (1911), S. 325 ff. und bei Bernh. Mehrens a. a. O. S. 328 ff. näheres nachzulesen ist, gibt auch ein eigenes Organ: „La France économique

Gruppen, welche nicht nur ohne jede Spitze gegen die Großbanken, sondern am besten auf Grund bestimmter Vereinbarungen mit diesen in Aktion treten könnten.

Wenn aber etwa infolge der seit dem Februar 1909 freiwillig erfolgenden periodischen Rohbilanzpublikationen seitens der meisten Aktienbanken der Fortbetrieb des Depositengeschäfts der Privatbankiers in Frage gestellt würde, so könnte sehr wohl daran gedacht werden, diesen Geschäftszweig durch eine zeitgemäß zu modifizierende Erneuerung des Gedankens der römischen, solidarisch haftenden Argentariersozietäten (Bankier-Genossenschaften mit unbeschränkter Haftpflicht) für das Privatbankgeschäft zu retten.

Endlich mehren sich die Anzeichen, daß seit der Novelle zum Börsengesetz vom 8. Mai 1908 wieder eine gewisse Aufwärtsbewegung im Privatbankgeschäft eingetreten ist, die auch eine, wie es scheint, nicht ganz unwesentliche Vermehrung der Zahl der Neuerrichtungen von Bankgeschäften zur Folge hatte. Und es mehren sich die Anzeichen, daß auch bei uns, wie in Frankreich viele von der Konzentrations-Entwicklung der Kreditbanken noch unberührt gebliebene Bankiers gerade durch das Beispiel der starken Initiative der Banken aus ihrer Resignation herausgerissen worden sind[1]).

Soviel über den Einfluß der Konzentrationsbewegung auf den mittleren und kleinen Bankierstand. —

Auf die Bedenken, welche daraus für die Zentralbanken und die Liquidität ihrer Bilanzen entstehen könnten, daß die Tochter- und Trustgesellschaften, Filialen, Kommanditen und Agenturen, sowie die durch die Interessengemeinschaft verbundenen Institute zu große Geld- und Kreditansprüche, noch dazu vielleicht in kritischen Zeiten, an die Zentralbanken stellen könnten, während die Zentralbank die zweckmäßige Verwendung der Gelder und Kredite in immer geringer werdendem Umfange kontrollieren kann, haben wir schon wiederholt aufmerksam gemacht. Wir sahen ferner im Verlaufe der Konzentrationsbewegung eine bis 1908 fast beständig wachsende, durchaus nicht unbedenkliche Verschlechterung in der Liquidität der Bilanzen der Großbanken eintreten (s. oben S. 452/453). Diese kann aber, wenn nicht natürliche Gründe oder die eigene oder öffentliche

---

et financière heraus und besitzt seit 1905 ein ausführendes Organ, die Société Centrale des Banques de Province, mit (1909) 400 Mitgliedern und 600 Geschäftsstellen. In Deutschland sind ähnliche Vorschläge gemacht worden, u. a. von Jul. Kohen (Aschersleben) im Plutus vom 1. Juli 1904: „Bankiergenossenschaft als Einkaufsvereinigung" und von Ludwig Eschwege in der Hilfe vom 3. Juli 1904, No. 27. Vgl. Alfred Lansburgh, Die Selbsthilfe des Provinzialbankiers (Bank-Archiv vom Nov. 1910, S. 1007—1019).

1) Vgl. Bernh. Mehrens a. a. O. S. 292.

Kritik, welche durch die jetzt freiwillig veröffentlichten zweimonatlichen Rohbilanzen wachgerufen wird, eine Besserung bewirken, die
schon 1908 in freilich nicht allzu erheblichem Maße begonnen hat,
leicht dahin führen, daß die Aktionsfähigkeit der Banken gerade in
kritischen und kriegerischen Zeiten, also da vermindert wird, wo
eine solche Verminderung am gefährlichsten ist. Auch ist zuzugeben, daß mit der Vergrößerung und Dezentralisation der Großbanken und ihrer Gruppen ein ausreichendes Verständnis der
von ihnen ausgehenden Geschäftsberichte und Bilanzen
immer mehr erschwert wird, weil eine auch nur einigermaßen genügende Bilanzklarheit und Übersichtlichkeit kaum mehr erreicht
werden kann.

Hinsichtlich der Bankbeamten kann folgendes gesagt werden:
Es steht fest, daß sich im Verlaufe der Konzentrationsbewegung
sowohl die Zahl der Abhängigen wie das Verhältnis der in großen
Betrieben tätigen zu den in mittleren und kleinen Betrieben beschäftigten Angestellten stark vermehrt hat, ein Vorgang, der sich
auch auf anderen Gebieten zeigt.

Nach der Zählung des Jahres 1882 gab es im Deutschen Reiche
erst 28 Banken mit einem Personal von 50 und mehr Personen
und mit im ganzen 2697 Angestellten.

13 Jahre später, nach der Zählung des Jahres 1895, gab es
schon 66 Banken mit einem Personal von 50 und mehr Personen
und mit im ganzen 7802 Angestellten.

Es hatten also die in jenen Großbetrieben tätigen Personen in diesen 13 Jahren um 189,3% zugenommen, während
sich die Zahl der in kleinen Bankbetrieben mit weniger als
5 Gehilfen tätigen Personen nur um 59,9%, der in Bankbetrieben
mit 6—50 Gehilfen (also in mittleren Bankbetrieben) tätigen
Personen nur um 34,5% erhöht hat[1]).

Von der Zählung von 1907 fehlen die Angaben über diese
Frage noch in dem Momente, wo ich diese Zeilen niederschreibe,
doch ist es wahrscheinlich, daß die Zahl der in Großbetrieben
(Banken) tätigen Personen (Angestellten) im Jahre 1907 $1/_3$ aller im
„Geld- und Kredithandel" erwerbstätigen Personen darstellte, während
sie 1895 nur etwas mehr als $1/_5$ (21,60%), und 1882 sogar nur etwas
mehr als $1/_{10}$ (11,8%) betrug.

Auf Grund dieser Zahlen läßt sich feststellen, daß sich die
Zahl derer im Verlauf der Konzentrationsbewegung stark vermehrt
hat, welche wenig Aussicht haben, ein eigenes Bankgeschäft betreiben zu können; denn es ist kaum zweifelhaft, daß die Möglichkeit der Begründung eines Privatbankgeschäfts schon infolge der

---

1) Vgl. W. Sombart, Die deutsche Volkswirtschaft, 2. Aufl., S. 191.

immer größeren Vorherrschaft der großen Bankkapitalien und der auch aus anderen Gründen eingetretenen Verminderung des Macht- und Wirkungsbereichs der Privatbankiers erheblich geringer geworden ist.

Auch die Stellung der Bankbeamten dürfte als solche im Verlaufe der Konzentration, nach innen wenigstens, nach manchen Richtungen nicht gerade gewonnen haben. Je größer die Anzahl der Bankbeamten wird, die ich für Ende 1910 bei den sechs Berliner Großbanken auf etwa 18 000 schätze, und je vielgestaltiger die Zahl der Bankaufgaben wird, um so häufiger wird eine immer größere (freilich nicht nur im bankmäßigen Großbetrieb eingetretene) Spezialisierung der Tätigkeit der einzelnen Beamten, die damit an Vielseitigkeit der Fachausbildung verlieren. Dies aber kann einerseits leicht die Arbeitsfreudigkeit und den weiten Blick vermindern, andererseits die Möglichkeit des Übergangs zu anderen Ressorts oder Berufen erschweren. Nur bei einer nicht allzu erheblichen Zahl von Banken ist allerdings die im Interesse der Beamten und wohl auch der Banken selbst sehr wünschenswerte Einrichtung periodischen Wechsels der Beschäftigung getroffen worden [1].

Ferner ist, im Falle der Entlassung eines Beamten dessen Übergang zu einer anderen Bank nach der Natur der Sache (nicht auf Grund irgendwelcher Vereinbarungen) erschwert, wenigstens soweit es sich um die immer größer werdende Zahl derjenigen Banken handelt, welche zu der gleichen Bankengruppe gehören, während die Freizügigkeit der Beamten, also die Möglichkeit des freiwilligen Übergangs von Bankbeamten von einer Bank zur anderen, nach Erledigung vorübergehender Zweifel und Bedenken, innerhalb der im Interesse beider Teile notwendigen Grenzen gesichert erscheint. Dagegen hat sich erfreulicher Weise, wie ich zuverlässig, auch durch Befragung von Vertretern der Bankbeamtenvereine, feststellen konnte, die naheliegende Befürchtung nicht bewahrheitet, daß infolge der zahlreichen Fusionen von Banken und Aufnahmen von Privatbankgeschäften etwa Entlassungen entbehrlich gewordener Arbeitskräfte in einem irgend nennenswerten Umfange eintreten könnten. Im Gegenteil hat in beiden Fällen in der Regel die unverkürzte Übernahme der bisherigen überhaupt brauchbaren Angestellten stattgefunden, zumal im allgemeinen bei

---

[1] In England ist nach Edgar Jaffé, Das englische Bankwesen, 2. Aufl., S. 271, ein „fortwährendes, nicht nach einer bestimmten Reihenfolge erfolgendes Auswechseln der Beamten untereinander, so daß keiner auf längere Zeit hinaus die betreffende Arbeit allein macht", ganz allgemein üblich, aber nicht als soziale Maßregel im Interesse vielseitiger Ausbildung der Beamten, sondern „als bestes Mittel gegen Veruntreuung".

Fusionen und bei der Begründung von Filialen an Stelle bisheriger
Privatbankgeschäfte eine Ausdehnung des bisherigen Geschäftskreises
und damit eher die Notwendigkeit der Vermehrung als der Verminderung der bisherigen Arbeitskräfte eintrat.

Es sind auch, je größer die Kräfte und die Kapitalien der
Banken geworden sind, die Fälle immer seltener geworden, in
welchen im Falle völligen Darniederliegens des geschäftlichen Lebens
oder im Falle von Krisen eine Entlassung von Angestellten
stattgefunden hat.

Auch die sozialen Verpflichtungen gegenüber den Angestellten sind im Verlauf der Konzentrationsbewegung auf Grund
gemeinsamer Arbeit der Banken und Bankiers und des Centralverbands des Deutschen Bank- und Bankiergewerbes in steigendem
Maße beachtet worden.

Schon im Jahre 1903, also bevor die Reichsregierung ähnliche
Pläne in bezug auf alle Privatangestellte amtlich verfolgte, hat der
letztgenannte Centralverband umfangreiche und mühevolle Vorarbeiten
in der Frage der Pensions- und Reliktenversorgung der Bankbeamten angestellt[1]) und am 11. Juli 1909 ist, unter Mitwirkung
weiter Kreise des deutschen Bankwesens und der Bankbeamten
selbst, der „Beamtenversicherungsverein des deutschen
Bank- und Bankiergewerbes" (a. G.) in Berlin begründet
worden, der den im Verein befindlichen deutschen Bankbeamten
(nach Ablauf von 10 Dienstjahren) im Falle der Dienstunfähigkeit
eine Pension und im Falle des Todes ihren Witwen und Kindern angemessene Witwengelder und Waisenrenten sichert. Im (ehrenamt-
lichen) Aufsichtsrat dieses in Deutschland bisher ersten Vereins
dieser Art sitzen Chefs und Angestellte zusammen, Vorsitzender des
Aufsichtsrats ist der Verfasser dieses Buches. Bei den deutschen
Großbanken hatten übrigens bisher schon durchweg derartige Versicherungen in Form selbständiger oder an die Bank angegliederter

---

1) Nach dem ausgezeichneten und erschöpfenden (als besondere Schrift ge-
druckten) Referat, welches der (inzwischen leider verstorbene) Geschäftsführer des
Centralverbands des Deutschen Bank- und Bankiergewerbes, Rechtsanwalt Wittner
zu Berlin, dem III. Allgemeinen Deutschen Bankiertage zu Hamburg im September
1907 erstattet hat, ist ein von der Versicherungskommission des Centralverbands
zwecks statistischer Feststellung der persönlichen und Familienverhältnisse sowie
der Gehaltsverhältnisse der deutschen Bankbeamten ausgearbeiteter Fragebogen
in etwa 38 000 Exemplaren an ca. 4000 Bankinstitute und Bankfirmen versandt
worden. Von diesen Zählkarten, die dann vom Centralverband bearbeitet wurden,
sind 24 146, also etwa 65 %, ausgefüllt zurückgesandt worden, ausgehend von 1247
Firmen mit 24 146 Angestellten, und zwar von 264 Aktienbanken mit 16 391 Angestellten, 708 Privatbankgeschäften mit 5938 Angestellten und 275 ge-
nossenschaftlichen Bankinstituten mit 1817 Angestellten.

Kassen oder besonderer Versicherungen bestanden, ebenso bei vielen anderen Kreditbanken sowie bei den großen und einer Reihe von größeren Privatbankgeschäften.

Was endlich die Gehälter der Bankbeamten angeht, so ist in dem auf S. 626 Anm. 1 erwähnten Referat Wittners zum erstenmal authentisches Material hierüber beigebracht worden, soweit es durch die angestellte Enquête des Centralverbands beschafft werden konnte. Es ist aber behufs richtiger Würdigung der im Nachstehenden hieraus mitgeteilten Zahlen zu beachten, daß nur die festen Gehälter, nicht aber die üblichen Nebeneinnahmen der Bankbeamten, wie Neujahrs-, Abschluß- oder Weihnachtsgratifikationen, berücksichtigt sind, welche meist ein mehrfaches eines Monatsgehaltes betragen.

Das durchschnittliche Jahresgehalt eines Bankbeamten (ausschließlich der Unterbeamten) betrug nach der Enquête des Centralverbandes des Deutschen Bank- und Bankiergewerbes vom März 1906:

bei einem Alter (in Jahren)	Mark	gegenüber dem durchschnittlichen Jahreseinkommen der deutschen Privatangestellten überhaupt von: Mark
unter 20	1210	1064
von 20—24	1459	1467
„ 25—29	2085	1954
„ 30—34	2783	2265
„ 35—39	3351	2380
„ 40—44	3638	2413
„ 45—49	3746	2404
„ 50—54	4044	2358
„ 55—59	3899	2264
„ 60—64	3806	2175
„ 65—69	3525	2007
„ 70 u. darüber	2592	1879

Die hier festgestellten Gehälter [1]) sind somit (bis auf die Altersstufe von 20—24 Jahren) durchweg höher, zum Teil wesentlich höher, als die in der Denkschrift des Reichsamts des Innern vom 14. März 1907 [2]) angegebenen Durchschnittsgehälter der deutschen Privatangestellten überhaupt und sind auf diese Höhe allmählich im Verlaufe der Konzentrationsbewegung gestiegen.

Dagegen läßt es sich nicht mit auch nur annähernder Sicherheit sagen, ob diese Erhöhung der Gehälter lediglich der gleich-

---

1) Es sind hier lediglich die festen Gehälter, nicht aber die sehr erheblich ins Gewicht fallenden Gratifikationen und Tantièmen berücksichtigt. Die Tabelle ergibt: bei Einschluß der Unterbeamten (Lehrlinge, Kassenboten, Portiers und Bureaudiener) ein jährliches Durchschnittsgehalt von 2287 M. und bei Ausschluß der Unterbeamten von 2453 M.

2) „Denkschrift betreffend die von den Organisationen der Privatangestellten im Oktober 1903 angestellten Erhebungen über die wirtschaftliche Lage der Privatangestellten", dem Reichstage zugegangen am 14. März 1907.

zeitigen Steigerung der Lebenshaltung und Ausgaben der Bankbeamten entsprach, oder ob sie, was allein eine dauernde Verbesserung bedeuten würde, darüber hinausging.

Irgendeine Ausbeutung unbezahlter Kräfte (also von Lehr-
lingen) hat, soweit meine Kenntnisse und Erfahrungen reichen, bei
den deutschen Kreditbanken niemals stattgefunden; die Berliner
Großbanken beschäftigen Lehrlinge überhaupt nur in Ausnahmefällen. —

Das Aufsteigen der Bankbeamten zu selbständigen Stellungen
innerhalb der Bank ist, wie fast überall im Großbetriebe, durchschnittlich ein langsames gewesen; die Konzentration hat aber
immerhin hier insofern eine offensichtliche Besserung herbeigeführt,
als durch die Begründung der zahlreichen Filialen, Kommanditen,
Depositenkassen, Agenturen und Tochterbanken im In- und Auslande den tüchtigen Beamten reichlichere Gelegenheit zum Vorrücken
gegeben ist als früher.

Gewisse soziale Fortschritte, auf die auch der Centralverband
des Deutschen Bank- und Bankiergewerbes beständig hingewirkt
hat, wie die Ausdehnung der Sonntagsruhe, der Sonnabend-
frühschluß und eine bessere Regelung der Urlaubszeiten[1]),
sind, wenn auch nicht überall durchgeführt, so doch gerade durch
die Konzentrationsentwicklung und Vereinheitlichung des Bankwesens der allgemeinen Einführung näher gebracht worden.

Was die Leiter der Großbanken angeht, welche unter Umständen die Geschäftspolitik ganzer Gruppen nach einheitlichen Gesichtspunkten zu bestimmen haben, und von denen es in erster Linie
abhängt, ob diese Geschäftspolitik nicht lediglich auf eine Dividendenpolitik hinausläuft, so wird es mit dem Wachstum der Unternehmungen und dem Untergang so vieler bedeutender Privatbankgeschäfte immer schwerer werden, Persönlichkeiten zu finden, die,
neben Tüchtigkeit, Ehrlichkeit und banktechnischen und wirtschaftlichen Kenntnissen und Erfahrungen, den für solche Stellungen notwendigen weiten Blick, sowie starke Initiative und Energie und jene
organisatorische Befähigung besitzen, der Deutschlands große Unternehmungen in Handel, Industrie und Bankwesen so überaus viel
verdanken und die sich nur in Privatbetrieben voll und frei entwickeln können. Ein Scheitern aber der Aufgabe, derartige Per-

---

1) Wenn nach Edgar Jaffé, Das englische Bankwesen, 2. Aufl., S. 271,
sogar ein Zwang für jeden Bankbeamten besteht, einen jährlichen mindestens 14 Tage
dauernden Urlaub zu nehmen, so ist dies auch (s. S. 625 Anm. 1) nicht oder jedenfalls
nicht in erster Reihe auf soziale Rücksichten zurückzuführen, sondern auf die richtige
Erkenntnis, daß hierin ein Mittel, vielleicht sogar das beste Mittel liegt, um etwa
vorgekommene Unterschlagungen, Buchfälschungen usw. zu entdecken

sonen ausfindig zu machen, würde nicht nur für den Fortgang der Konzentrationsbewegung, sondern auch für unsere gesamte wirtschaftliche Entwicklung ungemein bedenkliche Folgen haben können [1]). Was die Einwirkung der Konzentrationsbewegung auf die Funktionen und die Gestaltung der Börse betrifft, so ist es eine Tatsache, daß durch das Zusammenströmen der Aufträge bei den großen Banken diese bis zu einem gewissen Grade auf dem Wege der Kompensation der Kauf- und Verkaufsaufträge ihrerseits Funktionen der Börse übernehmen, während sie nur den nicht kompensierbaren Teil dieser Aufträge an die Börse bringen. Dies gilt gleichermaßen auf dem Gebiete des Wertpapierhandels, also sowohl auf dem Kapitalmarkt, wie auf dem Gebiete des Diskontverkehrs, also auf dem Geldmarkt.

So kommt es, daß die bereits durch die Börsengesetzgebung in hohem Grade desorganisierte Börse in immer wachsendem Umfange große Mengen des für eine richtige Preisbildung unerläßlichen Materials einbüßt, also von neuem geschwächt wird, was namentlich in kritischen Zeiten, wie schlimme Beispiele bewiesen haben [2]), überaus bedenkliche Folgen zeitigt.

Daraus ergibt sich dann auch, daß die Börse die für die Gesamtwirtschaft und den Wertpapierverkehr unerläßliche Eigenschaft immer mehr verliert, nicht nur das feinste Meßinstrument, sondern auch ein „beinahe automatisch wirkender Regulator der an ihr zusammenströmenden wirtschaftlichen Bewegungen" [3]) zu sein, und daß sie immer weniger in der Lage ist, „durch ihre Kursbewegung die gesamte öffentliche Meinung über die Kreditwürdigkeit und die Art der Verwaltung der meisten Staaten, Kommunen, Aktiengesellschaften und Korporationen" einerseits zum Ausdruck zu bringen und andererseits zu kontrollieren.

---

1) Nach einem Artikel des Professors der Staatswissenschaften an der Universität zu New-Haven, Henry Crosby Emery, über Bank- und Börsenwesen (in dem Buche von Ernst v. Halle, Amerika, seine Bedeutung für die Weltwirtschaft und seine wirtschaftlichen Beziehungen zu Deutschland, insbesondere zu Hamburg, Verlag der Hamb. Börsenhalle 1905), S. 344, hatte man in Amerika in der mit einem Kapital von 7 000 000 Pfd. begründeten International Banking Corporation eine Bank mit amerikanischen Direktoren und Personal und amerikanischen Kunden schaffen wollen. Aber es erwies sich als unmöglich, heimische Sachkundige hierfür zu finden, und „heute sind alle Filialleiter Engländer". — In diesen Fragen ist eben nicht immer ein Weg gegeben, wenn der „Wille" vorhanden ist.

2) Aus neuerer Zeit ist hier auf den Tag des Ausbruchs des russisch-japanischen Krieges zu verweisen.

3) Diese und die zu diesem Thema weiter folgenden Zitate aus Riesser: „Die Notwendigkeit einer Revision des Börsengesetzes" (Berlin 1901, Leonh. Simion Nachf.), S. 42 u. 43.

Auf diese Weise muß die Preisbildung und Preisnotierung
an der Börse, welche letztere früher, soweit dies überhaupt erreichbar
ist, ein untrügliches Spiegelbild „der sonst nirgends in dieser Zuverlässigkeit zusammengefaßten und ihrer Gesamtheit sonst nirgends
derart erkennbaren wirtschaftlichen Vorgänge", also namentlich von
Angebot und Nachfrage, darbot, sowohl an Genauigkeit wie
an Stetigkeit und Sicherheit verlieren, was im öffentlichen Interesse
überaus bedauerlich ist.

Zudem steht zu befürchten, daß auf diesem Wege, der zugleich
immer mehr die Ausschaltung von Vermittlungsorganen
(Maklern usw.) bedingt, ein auf die Dauer immer schärfer werdender Gegensatz zwischen Banken und Börse sich herausbilden
könnte, der gleichfalls sehr bedenklich wäre. Dieser Gegensatz aber
würde seinen Ausdruck finden nicht nur in einer gewissen, schon
bisher vielfach erkennbar gewesenen Spannung zwischen Banken
und anderen Börseninteressenten, sondern auch auf dem eigensten
Gebiete der Börse, der Preisbildung.

Tatsächlich werden heute bereits von sachkundiger Seite die
Begriffe: Bank und Börse, die von manchen, was allerdings durchaus unrichtig ist, als völlig gleichbedeutend hingestellt werden[1]),
vielfach als direkte Gegensätze bezeichnet[2]), was ebensowenig
richtig ist.

Von sozialistischer Seite hat man als unabweisbares Ergebnis
der fast auf allen Gebieten erkennbaren Konzentrationsbewegung
vorausgesetzt, daß sich auf der einen Seite alles Kapital und
alles Einkommen, auf der andern alles Elend und alle Armut
in stets größerem Umfange ansammeln werde. Diese Folge ist
nicht eingetreten und wird wohl auch in Zukunft nicht eintreten. Die sozialistische Verelendungstheorie ist vielmehr gerade
im Lauf und zum Teil auch in Folge der Konzentration in Industrie
und Bankwesen ad absurdum geführt worden; Kaufkraft und Lebenshaltung der Arbeiterschaft hat sich gehoben, das Einkommen der
mittleren und unteren Klassen hat sich relativ mehr erhöht, als
das der oberen, und es sind in stets wachsendem Umfange Mitglieder
der unteren in die oberen Klassen aufgestiegen[3]).

In bezug auf „die Entwicklung der gewerblichen Löhne seit
der Begründung des Deutschen Reiches" besitzen wir nun in der

---

1) So namentlich von Eschenbach in den Verhandlungen des Vereins für
Sozialpolitik vom 16. Sept. 1903 (Schriften CXIII).

2) Vgl. Ernst Loeb in der Nationalzeitung vom 18. April 1904, No. 244.

3) Vgl. oben S. 89 ff. Im Jahre 1910 betrug die veranlagte Bevölkerung
in Preußen 48,6 %, im Jahre 1903 dagegen nur 35,9 % und im Jahre 1896 sogar nur
29,3 % der Gesamtbevölkerung. Allerdings ist hierbei die Veranlagungs-Reform zu
berücksichtigen.

diesen Titel tragenden, überaus wertvollen Arbeit des Direktors des Statistischen Amts der Stadt Schöneberg, R. Kuczynski (Berlin, Georg Reimer 1909), ein sehr reichhaltiges und zuverlässiges Material, welches sich erstreckt auf die in dieser Zeit gezahlten Löhne im deutschen Bergbau (Steinkohlen-, Braunkohlen-, Salz- und Erzbergbau); im Baugewerbe (Maurer, Zimmerer, Maler, Installateure); im Steinverarbeitungs- und Holzverarbeitungs- gewerbe (Bau-, Möbel-, Modelltischler, Arbeiter der Jalousie- fabrikation); im Metallverarbeitungs- und Buchgewerbe, so- wie endlich im Verkehrswesen (Fuhrwesen, Eisenbahnbetrieb und Seeschiffahrt).

Wenn es auch unmöglich ist, den Inhalt dieser dauerndes Interesse beanspruchenden Arbeit hier auch nur annähernd wieder- zugeben, so kann doch gesagt werden, daß die Entwicklung aller dieser in der zweiten Epoche gezahlten Löhne eine stark aufsteigende Kurve zeigt, und zwar mehr oder weniger, je nach der Branche, der Konjunktur, dem Sitze der Unter- nehmung, dem Unterschied von Stadt und Land, der Art der Produkte, der Arbeitszeit, aber auch, soweit es sich um Aktien- gesellschaften handelt, offensichtlich auch je nach den höheren oder geringeren von diesen gezahlten Dividenden, was in jedem ein- zelnen Fall durch eine diese Frage allein berührende Tabelle klar- zustellen wichtig wäre. Dies ist auch der Grund, weshalb ich hier darauf verzichte, aus diesem großen Material Stichproben zu ent- nehmen, gegen die man stets einwenden könnte, daß sie willkürlich herausgegriffen seien.

Noch wichtiger allerdings wären Anschlußtabellen über die während der betreffenden Zeit in Geltung gewesenen Lebens- mittelpreise. Einerseits, um zu zeigen, ob, wie ich glaube, die Ansicht richtig ist, „daß jede Erhöhung der Lebensmittel- preise bei den Arbeitern das Bestreben auslöst, höhere Löhne zu bekommen"[1]), was freilich, da dieses Bestreben infolge berechtigter oder unberechtigter Widerstände nicht immer verwirk- licht wird, statistisch kaum je in befriedigender Weise nachgewiesen werden kann[2]).

---

[1]) So Ludwig Pohle, Deutschland am Scheidewege, Leipzig, B. G. Teubner, 1902 S. 199; vgl. dessen Polemik eod. (S. 197/198) gegen Dietzel's Theorie, daß Arbeitslohn und Kornpreis angeblich die Tendenz hätten, sich in entgegengesetzter Richtung zu ändern, zu der auch ich mich nicht bekennen kann.

[2]) Wenn Muthesius in seiner überaus interessanten Rektoratsrede vom 26. Jan. 1910 über: „Die Entwicklung der Eisenindustrie in Deutschland", S. 10, auf die offiziellen Mitteilungen der Krupp'schen Konsumanstalt hinweist, wonach „in den Preisen der wesentlichsten Lebensmittel eine nennenswerte Steigerung in den letzten 20 Jahren nicht stattgefunden hat", so ist diese an sich überaus erfreuliche

Andererseits wären solche Anschlußtabellen nötig, um zu untersuchen, ob und inwieweit die durchgesetzten Lohnsteigerungen in ihrem
Werte für die Arbeiter wieder ausgeglichen oder gar übertroffen
worden sind durch gleichzeitig oder schon vorher erfolgte Steigerung der Lebensmittelpreise, wobei jedoch schon heute gesagt werden
kann, daß die Löhne im allgemeinen und in den meisten Gewerben
mehr gestiegen sind, als der Einfluß der seit 1879 auf Lebensmittel
(Getreide, Mehl, Vieh, Fleisch, Speck und Schmalz) eingeführten
Zölle auf die Steigerung der Lebensmittelpreise hat reichen können.

Solange derartige Parelleluntersuchungen zu den einzelnen
statistischen Angaben nicht vorliegen, bleiben die aus diesen zu
ziehenden Schlüsse natürlich unvollständig und anfechtbar und müssen
ergänzt werden durch zuverlässige Untersuchungen über die Wohlstandsentwicklung und die allgemeine Lebenshaltung der arbeitenden
Klassen, zu welchen u. a. in den „Materialien zur Beurteilung der
Wohlstandsentwicklung Deutschlands im letzten Menschenalter"
(Teil III der Beilagen der Reichsfinanzreformvorlagen von 1908)
viel wichtiges und wertvolles Material beigebracht ist.

Hier kommt aber auch der Hinweis von Troeltsch[1]) in Betracht, daß bei den Beiträgen, welche die in der Alters- und In-
validitätsversicherung einbegriffenen Personen zu leisten haben, in
der Zeit von 1891—1897 der relative Anteil der niedrigeren
Lohnklassen an diesen Beiträgen zurückgegangen ist, was besonders wichtig ist, da Lohnerhöhungen innerhalb jener einzelnen
Lohnklassen überhaupt nicht und außerhalb jener Lohnklassen entweder vielfach ungenau und verspätet zum Ausdruck kommen,
während in der Vergleichszeit eine größere Zahl von besonders
niedrig bezahlten Hausgewerbetreibenden erst für versicherungs-
pflichtig erklärt, also in jene niedrigsten Lohnklassen eingetreten sind.

Endlich ist nicht unwichtig die gleichfalls von Troeltsch[2])
mitgeteilte Tatsache, daß an den württembergischen Bezirkssspar-
kassen als Einlagen von Spareinlagen 25% aller Arbeiter beteiligt
sind, und zwar betrugen dort die Gesamtguthaben pro Kopf
eines Arbeiters 1802: 525,1 M und 1896: 571,7 M.

Auch die andere von sozialistischer Seite vorausgesagte Konsequenz der Konzentrationsbewegung, daß sie schließlich zu der von
jener Seite erstrebten und im „Zukunftsstaat" durchzuführenden
Vergesellschaftung der Produktionsmittel führen müsse, hat
sich in Deutschland nicht verwirklicht und dürfte sich auch in der

---

Feststellung doch mit Vorsicht zu verwerten, da es sich hier doch ohne Zweifel um
besonders gelagerte Verhältnisse handelt.

1) Walter Troeltsch, „Über die neuesten Veränderungen im deutschen
Wirtschaftsleben", Stuttgart 1899, S. 145.

2) a. a. O. S. 147/148.

Folge kaum verwirklichen. Abgesehen von anderen Gründen schon um deswillen nicht, weil das dem deutschen Volke in besonders hohem Grade innewohnende Bedürfnis nach Erhaltung der individuellen Selbständigkeit sich bisher selbst auf dem Gebiete der Kartelle mächtig erwiesen und dort in Deutschland bis heute den Übergang zur reinen Trustform verhindert hat, so groß auch die gerade mit dieser Form verbundenen technischen Vorteile sein mögen.

Endlich hat die Konzentrationsbewegung bisher nicht zu der von vielen Seiten für nötig oder dringend wünschenswert erachteten umfassenden Verstaatlichung der Betriebe geführt, und wird wohl auch in Zukunft dazu nicht führen, wenn nicht ganz unvorhergesehene Ereignisse eintreten sollten. Die — an sich nur auf einen mehr automatisch sich vollziehenden Betrieb anwendbare — Verstaatlichung der Betriebe stellt, wo sie nicht für einen einzelnen Industriezweig aus zwingenden Gründen, also etwa im Interesse der staatlichen Selbsterhaltung, erforderlich ist, oder soweit sie nicht im Interesse der Sicherheit, Schnelligkeit und Ausdehnung des Verkehrs unabweisbar ist, im allgemeinen jedenfalls, einen wirtschaftlichen Rückschritt dar.

Weder die für den Fortschritt der Gesamtwirtschaft unerläßliche Initiative, noch der notwendige Wagemut der Leiter kann in Staatsbetrieben in ausreichendem Umfange betätigt werden. Durch eine über die angedeuteten Grenzen hinausgehende Verstaatlichung von Privatunternehmungen, welche insoweit der kollektivistischen Betriebsorganisation der Sozialdemokratie durchaus ähnelt, wird überdies der Erwerbstrieb, also die mächtigste Triebkraft jedes wirtschaftlichen Fortschritts, vermindert, überdies aber auch die freie Entwicklung unternehmungskräftiger, weitblickender Persönlichkeiten ausgeschaltet, deren energischer und unbeengter Initiative wir in Deutschland so viel verdanken.

Die wiederholt aufgetretenen Übertreibungen der staatssozialistischen Richtung, welcher vielfach Staatsmonopole und ein bis zur Expropriation reichendes Anziehen der Steuerschraube ungemein sympathisch sind, können nach meiner Überzeugung Deutschland noch weit größere Schädigungen zufügen, als es die rein individualistische Richtung, so wenig ich sie empfehlen möchte, je herbeizuführen vermocht hat.

Gerade in Deutschland, wo leider oft schon die bloße Möglichkeit von Gefahren und Übergriffen[1]) den Wunsch und den

---

1) Man hat unter diese Übergriffe auch den bekannten Hibernia-Fall insofern rechnen wollen, als hier mittels einer Koalition von Banken und der durch diese bewirkten Aktienankäufe die Ablehnung der Regierungsofferte herbeigeführt worden sei. Dies ist aber eine einseitige, also unrichtige Auslegung. Denn es darf

Ruf nach staatlichem Einschreiten zeitigt, sollte man vor allem eines nicht vergessen:

Für die Konzentrationstendenzen muß im allgemeinen etwas ähnliches gelten, was für die Kartelle gilt, daß sie nämlich, wenn auch nicht „Kinder der Not", so doch „Kinder der Notwendigkeit" sind. Sie stellen die Waffen dar, mit denen die einzelnen Zweige der Gesamtwirtschaft ihren Existenzkampf namentlich nach außen mit der relativ größten Aussicht auf Erfolg führen zu können überzeugt sind. Schon die Übereinstimmung der nämlichen Vorgänge in fast allen Kulturstaaten, die auf ähnlicher wirtschaftlicher Höhe stehen, macht es wahrscheinlich, daß diese Überzeugung begründet ist, und daß ein — zudem ohne Angabe klarer Ziele — mitunter verlangtes sofortiges gesetzgeberisches Einschreiten, um eine weitere Entwicklung der Konzentrationstendenzen zu verhindern, also eine einseitige wirtschaftliche Abrüstung zu bewirken, in hohem Grade nützlich ... für andere Länder wäre.

In Deutschland haben wir besonderen Grund unsere Waffen scharf zu halten:

Wir wissen, daß die Landwirtschaft, auch nachdem ihre Kraft erfreulicher Weise durch die neuen Handelsverträge gestärkt ist, vorerst jedenfalls, nicht imstande sein wird, die für Deutschlands stark anwachsende Bevölkerung erforderlichen Nahrungsmittel selbst zu produzieren, obwohl es ihr ohne Zweifel möglich sein wird, ihre Produktionskraft ebenso wie ihre Produktionsflächen und Produktionsmengen noch erheblich zu verstärken. Wir wissen ferner, daß wir der Einfuhr auch für eine Reihe von Rohstoffen, und zwar nicht nur für eine Anzahl von tropischen Erzeugnissen, sondern auch von Eisenerzen, Hölzern, Futter- und Düngemitteln usw., bedürfen und zum großen Teil auch in der Folge bedürfen werden [1]). Wir wissen endlich, daß in manchen Industriezweigen der Export, wenn auch wohl nur vorübergehend, nachgelassen hat, und daß die Export-

---

nicht vergessen werden, daß auch auf seiten der Freunde der Regierungsofferte Großbanken — die Dresdner Bank und der A. Schaaffhausen'sche Bankverein — standen, daß ferner auch ohne die Konzentrationsbewegung eine Koalition von Banken zu einem bestimmten Zwecke möglich sein würde, und daß endlich jede der verbündeten Großbanken auch für sich allein mächtig genug gewesen wäre, einen zur Ablehnung der Regierungsofferte ausreichenden Aktienbestand aufzukaufen.

1) Wohl etwas zu weitgehend, wenigstens hinsichtlich der tropischen Erzeugnisse, die wir in immer größerem Umfang aus unseren eigenen Kolonien zu beziehen hoffen können, sagt Max Sering: „Die Frage, ob wir die Einfuhr durch eigene Produktion ersetzen könnten, ist absolut zu verneinen ... Ist dies aber der Fall, so müssen wir auch exportieren, um jene Waren bezahlen zu können" (Handels- und Machtpolitik, Bd. II, S. 38/39, Stuttgart, J. G. Cottas Nachf., 1900). Auch eine, sogar nicht unerhebliche, Verminderung der landwirtschaftlichen Einfuhr dürfte noch erreicht werden können und ist schon in erheblichem Umfang erreicht worden.

möglichkeit, an der zum Teil, z. B. beim Zuckerexport, auch die Landwirtschaft direkt beteiligt ist, im allgemeinen stark bedroht ist. Denn in unseren wesentlichsten auswärtigen Absatzländern kommen entweder eigene Industrien auf, die jene Länder in wachsendem Umfange von der Einfuhr unserer Fabrikate unabhängig machen, oder es ist die Einführung von hohen Einfuhrzöllen oder von Vorzugszöllen für das Mutterland oder endlich eine weit stärkere und gefährlichere Konkurrenz anderer Länder zu befürchten, wie z. B. diejenige Nordamerikas in den mittel- und südamerikanischen Staaten. Dagegen scheinen unsere Kapitalanlagen im Auslande, aus deren Erträgnissen wir einen wesentlichen Teil des Passivsaldos unserer Handelsbilanz zu decken haben, nicht im gleichen Maße, wie der Überschuß der ausländischen Einfuhr über unsere Ausfuhr zu wachsen. Mit Rücksicht auf diese Tatsachen und auf die vielfach noch weit stärkere und geschlossenere Konzentration im Auslande glaube ich also nicht, daß wir in Deutschland derzeit auch nur das Recht haben, der Weiterentwicklung der (bei den Großbanken an sich bereits nachlassenden) Konzentrationsbewegung in die Zügel zu fallen, sofern nicht etwa, wie bei den Kartellen, zunächst nur informatorische Maßregeln [1]) oder rein sozialpolitische Maßnahmen, wie etwa die oben (S. 631/632) erwähnten, in Frage kommen.

Diese Ansicht wird durch eine naheliegende Erwägung noch erheblich gestärkt:

Wir haben in Deutschland die Konzentrationsbewegung in der Industrie und im Bankwesen im wesentlichen nur als eine aufsteigende kennen gelernt. Ungünstige Zeiten für Deutschlands Industrie und Handel, mit denen immer zu rechnen ist, werden ihren Einfluß auf die mit jenen Zweigen der Gesamtwirtschaft eng verbundenen Banken nicht verfehlen können, deren so sehr angewachsene Kapitalien, wenn sie eine angemessene Dividende ergeben sollen, auf guten Geschäftsgang im Handel und in der Indusrie angewiesen sind. Ein schlechter Geschäftsgang könnte daher nicht nur zu einem Stillstand der Konzentrationsbewegung führen, wie er aus diesem Grunde und aus anderen Gründen schon 1907 und 1908 bei den Großbanken eintrat, sondern unter Umständen auch zu Rückbildungen, wie wir sie in der Bankenentwicklung schon

---

1) So bei den Kartellen die Einführung der Pflicht zur Einreichung der Satzungen und bestimmter Beschlüsse (z. B. hinsichtlich der Exportprämien), der Pflicht zu Auskünften, sowie der Vorschrift gewisser Veröffentlichungen. Der Wunsch Schmollers daß „alle wichtigeren Beschlüsse" einzureichen seien, dürfte schon wegen der Unbestimmtheit dieser Formulierung unausführbar sein (Leitsatz 7 im Referat, erstattet der Generalversammlung des Vereins für Sozialpolitik in Mannheim vom 27. Sept. 1905, abgedruckt in Schmollers Jahrb. f. Gesetzg. usw., 29. Jahrg., Heft 4, S. 326 ff. und speziell S. 362).

mehr als einmal und in der letzten Zeit u. a. in der Auflösung der Interessengemeinschaft Dresdner Bank mit dem A. Schaaffhausen'-schen Bankverein, erlebt haben [1]).

Derartige Ausnahmegesetze werden aber am besten dadurch verhindert werden, daß seitens der Leiter unserer großen Unternehmungen eine immer engere Fühlung mit dem starken sozialen Empfinden unserer Bevölkerung hergestellt wird. Als im Dezember 1893 — so berichtete Brentano in einer Generalversammlung des Vereins für Sozialpolitik [2]) — einer der größten Grubenbesitzer Englands vorschlug, sämtliche englische Kohlengruben in einem einzigen Trust zu vereinigen, machte er gleichzeitig den Vorschlag, Vertreter der Arbeiterorganisationen nicht etwa nur zu Verhandlungen über den Lohn und die sonstigen Arbeitsbedingungen, sondern auch als ordentliche Mitglieder des Verwaltungsrats jenes Trusts heranzuziehen. Dieser Gedanke entsprach sicherlich der berechtigten Überzeugung, daß damit den Arbeitern nicht nur Rechte gewährt, sondern auch Pflichten auferlegt würden, und daß wir gerechterweise niemanden für seine wirtschaftliche Haltung verantwortlich machen können, dem wir nicht zuvor Gelegenheit gegeben haben, sich zu einem Gefühl persönlicher Verantwortlichkeit zu erziehen.

Jener Vorschlag entsprach also ebenso den Anforderungen geschäftlicher Klugheit, wie sozialpolitischer Einsicht, von der wir in Deutschland noch weit entfernt sind, wo man vielfach noch immer glaubt, der angesichts der Konzentration der Unternehmungen doppelt nötigen Anerkennung der Koalitionsfreiheit der Arbeiter und derjenigen der Arbeitervertretungen auf die Dauer entgehen zu können, während nach meiner Überzeugung ein, wenn auch nur passiver Widerstand gegen diese Forderungen, der auf die Dauer doch nutzlos ist, nicht nur die Gegensätze, sondern auch die Forderungen selbst verschärfen und vermehren wird.

Unsere wirtschaftliche Entwicklung wird in vielen Richtungen beeinflußt werden von dem Grade sozialpolitischer Einsicht der Leiter unserer großen Unternehmungen, von dem Umfange ihres Verständnisses für die ihnen besonders obliegenden sozialen Pflichten und Aufgaben, und von der wirtschaftlichen Selbstbeschränkung, die sie sich auferlegen werden — ein „Staat im Staate" wird und kann niemals geduldet werden.

Vor allem aber wird die Zukunft des deutschen Bankwesens wesentlich von der Frage abhängen, ob auch in der Folge an der

---

1) Vgl. hierzu namentlich den sehr lehrreichen Abschnitt: „Die Liquidationen" [„Entgründungen"] bei Paul Wallich a. a. O. S. 34—48.
2) Schriften des Vereins für Sozialpolitik, LXI, S. 183/84.

Spitze unserer großen Banken, wie dies bisher in der Regel der Fall war, vorsichtige Leiter stehen werden, die ganz genau wissen, daß man den Bogen nicht überspannen darf, und daß man nicht ohne Gefahr lange Zeit mit überhitzten Kesseln fahren kann.

Ich hoffe zuversichtlich, daß das deutsche Bankwesen aus sich heraus die Kraft finden wird, alle Elemente von leitenden Stellungen fernzuhalten, die, wie sich Waentig ausdrückt[1]), ein „robustes Gewissen" haben und alle sozialen und ethischen Rücksichten als unnützen Ballast über Bord werfen.

Sollte es aber wider Hoffen und Erwarten einmal anders kommen, so wird rascher und energischer, als dies je in irgendeiner Epoche unserer wirtschaftlichen Entwicklung der Fall war, die Öffentlichkeit reagieren, die gerade die größten Unternehmungen und deren Leitung in schärfster Weise überwacht.

Es ist eine der erfreulichsten Begleiterscheinungen unseres wirtschaftlichen Werdegangs, daß das soziale Empfinden und die Empfindlichkeit gegen jeden Übergriff nicht nur in gleichem, sondern in weit höherem Maße gestiegen ist als der Umfang und die Schnelligkeit der Konzentrationsbewegung.

---

1) Heinr. Waentig, Industriekartelle und Trusts und das Problem ihrer rechtlichen Regelung (Schmollers Jahrb. f. Gesetzgebung usw., 25. Jahrg., 1901, Heft 4), S. 19.

Beilage I.
Literaturübersicht.
(Zu Seite 25.)

A. Wesen und Entwicklung der Kreditbanken.

1870. Ad. Wagner, Banken und Bankwesen in H. Rentsch, Handwörterbuch der Volkswirtschaftslehre, 2. Ausgabe, S. 80—91.

1880. Felix Hecht, Bankwesen und Bankpolitik in den süddeutschen Staaten, 1819—1875 (Jena, Gust. Fischer).

1890. Walther Lotz, Die Technik des deutschen Emissionsgeschäfts (Leipzig, Duncker & Humblot).

— Heinr. Sattler, Die Effektenbanken (Leipzig, C. F. Wintersche Verlagshandlung).

1891. Karl V. Lumm, Die Entwicklung des Bankwesens in Elsaß-Lothringen seit .der Annexion (Staatsw. Studien, herausg. v. Elster, Bd. III, Heft 7).

1896. Paul Model, Die großen Berliner Effektenbanken (aus dem Nachlaß des Verfassers herausg. und vervollständigt von Ernst Loeb) (Jena, Gust. Fischer).

— H. Banck, Geschichte der sächsischen Banken mit Berücksichtigung der Wirtschaftsverhältnisse (Berliner Diss.).

1898. André Sayous, Concentration du trafic de banque en Allemagne (Journal des Économistes v. 15. Dez. 1898).

— Derselbe, Les Banques allemandes en cas de crise ou de guerre (Revue d'Économie Politique v. 1898).

1900. Ernst Heinemann, Die Berliner Großbanken an der Wende des Jahrhunderts (Conrads Jahrb., 3. Folge, Bd. XX, S. 86—97).

1901. André Sayous, Les Banques de dépot, les Banques de Crédit et les Sociétés financières (Paris 1901, L. Larose).

— Die Disconto-Gesellschaft 1851—1901. Denkschrift zum 50jährigen Jubiläum (Berlin).

— H. Fleischhammer, Zentralisation im Bankwesen in Deutschland (Schmollers Jahrbuch für Gesetzgebung, Verwaltung u. Volkswirtschaft, 24. Jahrg., S. 241 bis 269).

1902. Ad. Weber, Depositenbanken und Spekulationsbanken (Leipzig, Duncker & Humblot).

— Felix Hecht, Die Mannheimer Banken 1870—1900 (Schmollers staats- und sozialw. Forschungen, Bd. XX, Heft 6).

1903. Otto Warschauer, Physiologie der deutschen Banken (Berlin, Wilhelm Baensch).

— Ernst Loeb, Die Berliner Großbanken in den Jahren 1895—1902 und die Krisis der Jahre 1900 und 1901 (Schriften des Vereins f. Sozialpolitik, Bd. CX, und Störungen im deutschen Wirtschaftsleben, Bd. VI, S. 81—319).

— Joh. Plenge, Gründung und Geschichte des Crédit mobilier (Tübingen, Verlag der H. Lauppschen Buchhandlung).

— Ad. Weber, Die Rhein.-Westf. Provinzialbanken und die Krisis (Schriften des Vereins f. Sozialpolitik, Bd. CX; Störungen im deutschen Wirtschaftsleben, Bd. VI, S. 321—372).

1903. Rich. Ehrenberg, Deutsches Bankwesen. Rückblicke und Ausblicke (Deutsche Rundschau, 29. Jahrg., Heft 5, Febr. 1903, S. 295—301).

1904. Emil Herz (Ludwigshafen a. Rh.), Die Banken der Pfalz und ihre Beziehungen zur Pfälzer Industrie (Hirths Annalen des Deutschen Reichs, 1904, No. 1, S. 43—55 und No. 2, S. 113—145).

— Edgar Jaffé, Das englische Bankwesen (2. Aufl., 1910).

— Siegfried Schreiber, Schilderung des sächsischen Lokalbankwesens (Inaug.-Dissertation). Leipzig, Druck v. Oskar Brandstetter.

— Rich. Rosendorff, Die deutschen Banken im überseeischen Verkehr (Schmollers Jahrb., Bd. XXVIII, Heft 4, S. 93—134).

— Alfred Salzmann, Ursprung und Ziel der modernen Bankentwicklung Dresden (Dissert.).

1905. Otto Jeidels, Das Verhältnis der deutschen Großbanken zur Industrie, mit besonderer Berücksichtigung der Eisenindustrie (in den staats- und sozialwissensch. Forschungen v. Schmoller u. Sering, Bd. XXIV, Heft 2, Leipzig, Duncker & Humblot), und hier insbesondere Abschnitt II, Die Entwicklung der Großbanken.

— Albert Blumenberg, Die Konzentration im deutschen Bankwesen (Inaug.-Dissert., Leipzig, Aug. Hoffmann).

— Edgard Dépitre, Le mouvement de Concentration dans les Banques allemandes (Paris, Arthur Rousseau).

1905/06. Julius Steinberg, Die Konzentration im Bankgewerbe (Berlin, Franz Siemenroth).

— Paul Wallich, Die Konzentration im deutschen Bankwesen (in den Münch. Volkswirtschaftl. Studien, herausg. von Lujo Brentano u. Walther Lotz, 74. Stück Stuttgart u. Berlin, J. G. Cottasche Buchhandl. Nachf.

1906. Herm. Schumacher, Die Ursachen und Wirkungen der Konzentration im deutschen Bankwesen (in Schmollers Jahrb., Bd. XXX, Heft 3, S. 1—331).

— Arthur Feiler, Das Bankwesen (in v. Halle: Die Weltwirtschaft, I. Jahrg. 1906, I. Teil, S. 116—140 und eodem Jahrg. 1907, I. Teil, S. 118—136).

— F. von Pritzbuer, Bank-Kredit- und Gründungsverhältnisse (eod. I, Jahrg. 1906, II. Teil, S. 189—200, eod. III. Jahrg. 1908, II. Teil, S. 173—178).

— Richard Rosendorff, Le Développement des Banques allemandes á L'Étranger (Revue Economique internationale, Sept. u. Oct. 1906.

1907. Otto Soltau, die französischen Kolonialbanken (Abh. d. statist. Seminars zu Straßburg, Heft 23) Straßburg i. E., Karl J. Trübner.

1908. Rudolf Kaulla, Die Organisation des Bankwesens im Königreich Württemberg in ihrer geschichtlichen Entwicklung (Stuttgart, Ferdinand Enke).

— Paul Wallich, Das Bankwesen (in v. Halle, Die Weltwirtschaft, III. Jahrg., 1908, I. Teil, S. 42—49).

— C. Hegemann, Die Entwicklung des französischen Großbankbetriebes. Münster, Theissingsche Buchhandlung.

1908/09. André E. Sayous, Les Banques Allemandes et le Commerce d'Outre-Mer im „Bulletin Mensuel de la Fédération des Industriels et des Commerçants Français", 5. Jahrg., No. 52 u. No. 70 (unter dem Titel: „Pourquoi et comment il faut former en France des Banques d'exportation. L'exemple des banques allemandes d'outre-mer").

1909. Alfred Lansburgh, Das deutsche Bankwesen (Berlin, Bankverlag, 1909).

— Heilfron, Geld-, Bank- und Börsenwesen (Berlin, Speyer & Peters, 2. Aufl. 1911).

1909. Georges Diouritch, „L'expansion des Banques Allemandes á l'Étranger" (Paris, Arthur Rousseau).

Nasse und Lexis, im Artikel: Banken im Handwörterbuch d. Staatswissenschaften, 3. Aufl., Bd. II, S. 328 ff

— R. Grabower, Die finanzielle Entwicklung der Aktiengesellschaften und ihre Beziehungen zur Bankwelt, Leipzig, Duncker & Humblot.

Rob. Liefmann, Beteiligungs- und Finanzierungsgesellschaften, Jena, Gustav Fischer.

— Charles A. Conant, A history of the modern banks of issue. New-York and London.

— H. A. Simon, Die Banken und der Hamburger Überseehandel. Stuttgart und Berlin.

— Herm. Levy, Monopole, Kartelle und Trusts in ihren Beziehungen zur Organisation der kapitalistischen Industrie (Jena, Gust. Fischer, 1909).

— Robert Franz, Die deutschen Banken im Jahre 1908.

1910. Jean G. Raffard, Le mouvement de Concentration dans les Banques de Dépot en Angleterre (Paris, Arthur Rousseau).

— Karl Kleine, Die Entwicklung des Halleschen Bankgewerbes. Halle a. S.

— Veröffentlichungen der National Monetary Commission des Senats der Vereinigten Staaten, insbesondere Document No. 578: Statistics for Great Britain, Germany and France 1867—1909, worunter für Deutschland Part I: General Statistics illustrating the growth of population, wealth, business and commerce 1871—1908. Part II: Statistics of banks and banking in Germany. Part III: Statistics of money, gold supply, gold movements and foreign exchange.

1911. Robert Franz, Die deutschen Banken im Jahre 1910 (Sonderabdruck aus dem Deutschen Ökonomist). Ebenso für die vorausgegangenen Jahre.

— Bernhard Mehrens, Die Entstehung und Entwicklung der großen französischen Kreditinstitute (Stuttgart u. Berlin, J. G. Cottasche Buchhandlung Nachf., 1911), Münchener Volksw. Studien, herausgeg. v. Brentano u. Lotz, 107. Stück.

— Eugen Kaufmann, Das französische Bankwesen, Tübingen.

— Lévy, Raphael Georges, Banques d'émission et trésors publics. Paris.

— Walter Meynen, Das belgische Bankwesen. Berlin.

— Max Levy (Ingenieur), Die Nationalbank für Deutschland zu Berlin, 1881 bis 1909.

— G. v. Schanz, im Artikel Banken; im Wörterbuch der Volkswirtschaft, 3. Aufl., S. 325.

— F. Vallier, Les Banques d'Exportation à l'Étranger et en France, Paris.

B. Technik des Bankgeschäfts.
I. Allgemeine Lehr- und Handbücher.

1871. Alois Bischof, Das Geld-, Kredit- und Bankwesen. Kurzgefaßtes Lehrbuch. Pest.

1883. Max Wirth, Handbuch des Bankwesens, 3. Aufl., Köln.

1891. Bernhard Gerothwohl, Das Bank-Geschäft. Ein Handbuch für Kaufleute und Kapitalisten, 2. Aufl. von „Das Bankgeschäft nach Einführung der Markrechnung", Frankfurt a. M.

1894. Hans Belohlawek, Handbuch des Bank- und Börsenwesens. Lehr- und Hilfsbuch, Stuttgart.

1897. Bondi, Die Berufspflichten des Bankiers auf Grund der neuesten Gesetzgebung.

1901. Jacob Kautsch, Handbuch des Bank- und Börsenwesens für Bankbeamte, Kaufleute, Kapitalisten, sowie für den Selbstunterricht, 2. Aufl., Berlin.
— Henry Warren, Banks and their customers, 4 th. ed., London.
1903. R. Beigel, Handbuch des Bank- und Börsenwesens, Leipzig.
— F. Leitner, Das Bankgeschäft und seine Technik, Frankfurt a. M. (2. Aufl., 1910).
— Joh. Fr. Schär, Technik des Bankgeschäfts, Berlin (3. Aufl., 1908).
1904. Buchwald, Die Technik des Bankbetriebes. Ein Hand- und Lehrbuch des praktischen Bank- und Börsenwesens, Berlin (6. Aufl., 1910).
1905. L. Voigt und A. Doerr, Handelsbetriebslehre, 2. Teil, Bankgeschäft und gewerbliche Unternehmungen, Leipzig.
1907. Georg Obst, Geld-, Bank- und Börsenwesen, Leipzig, 4. Aufl. (6. Aufl., 1911).
1908. Georg Schweitzer, Leitfaden des Bank- und Börsenwesens, Leipzig.
1909. Bastian, Banktechnisches für junge Juristen und Volkswirtschaftler, Bankbeamte und Kaufleute, Stuttgart.
— Joh. Fr. Schär, Die Bank im Dienste des Kaufmanns, Leipzig.
— Georg Obst, Banken und Bankpolitik, Leipzig.
1910. Walter Conrad, Technik des Bankwesens (Leipzig, G. J. Göschen'sche Verlagshandlung).
— W. Rothholz, Geld-, Bank- und Börsenwesen (2. Aufl.), Leipzig.
— Heinrich Sonnenschein, Die Bankpraxis, Wien.

II. Bankbuchhaltung, Bankkorrespondenz, Bankkontrolle.

Außer den zu I genannten:

1903. Brosius, Lehrbuch der Bankbuchhaltung, Leipzig.
— Muntendorf, Defraudationsschutz, Brünn.
— Porges, Die Kontrolle bei der Manipulation und Buchführung in Banken usw., Wien.
1904. Spielmann, Lehrbuch der Bankkorrespondenz, Berlin.
1905. Römer, Die Bücherrevisionspraxis in Deutschland und England, Berlin.
1908. Julius Chenaux-Repond, Einführung in die Bankbuchhaltung, Stuttgart.
— Schmidt, Die Bücher- und Bilanzrevision, Wien.
— Beigel, Theorie und Praxis der Buchführungs- und Bilanzrevision, Dresden.
1909. Schwatzer, Lehrbuch der Bankkorrespondenz, Wien und Leipzig.
— Leitner, Grundriß der Buchhaltungs- und Bilanzkunde, Berlin.
1910. R. Passow, Die Bilanzen der privaten Unternehmungen, Leipzig.
— Zollinger, Tabellen zur Kurs- und Rentabilitätsberechnung von Anleihet, Frauenfeld.

III. Kontokorrentverkehr.

1884. J. A. Levy, Der Kontokorrentvertrag. Herausgeg. von Riesser, Freiburg i. B. und Tübingen.
1893. Greber, Das Kontokorrentverhältnis, Freiburg i. B. und Leipzig.
1897. Franz Kammer, Der Kontokorrentverkehr, München.
1901. A. C. Widemann, Theorie und Praxis des Bankkontokorrents (3. Aufl.), Basel.
1902. Josef Mohr, Der Kontokorrentverkehr, Berlin.
1904. Siegfried Buff, Das Kontokorrentgeschäft im deutschen Bankgewerbe, Stuttgart1
— J. K. Die Kreibig, Kontokorrentlehre, Wien.
1905. Karl Ziegel, Die hauptsächlichsten Methoden des Kontokorrentrechnens.

1906. A. Bergmann, Praktische Kontokorrentlehre, Karlsruhe.
1907. Schmidberger, Das Kontokorrent. Seine Technik und seine rechtliche Bedeutung, Frankfurt a. M.
1910. Kremer, Das Kontokorrent, Wien.

IV. Depositenwesen. Scheck-Giro-Abrechnungsverkehr.

1. Beschreibende Literatur.

1881. Carl Berger, Katechismus des Girowesens, Leipzig.
1883. Georg Siemens, Die Lage des Scheckwesens in Deutschland. Referat, Berlin.
— R. Koch, Abrechnungsstellen in Deutschland und deren Vorgänger, Stuttgart.
1884. W. Howarth, Our Clearing System and Clearing Houses, London.
— v. Stieglitz, Wesen und Vorzüge des Depositen- und Scheckverkehrs, Berlin.
1886. Heinrich Rauchberg, Der Claring- und Giroverkehr. Ein statistischer Beitrag zur Kenntnis des volkswirtschaftlichen Zahlungsprozesses, Wien.
1888. Franz Bubenik, Die Technik des Giroverkehrs bei der österreichisch-ungarischen Bank, Wien.
1889. Hanausek, Der Scheck im Giroverkehr der österreichisch-ungarischen Bank, Wien.
1894. Adolf Neumann-Hofer, Depositengeschäfte und Depositenbanken. Theorie des Depositenbankwesens, Leipzig.
1896. J. Kanitz, Die Technik des Giroverkehrs, Wien.
1897. Heinrich Rauchberg, Der Clearing- und Giroverkehr in Österreich-Ungarn und im Auslande, Wien.
1898. Schinkel, Reichsbank und Giroverkehr, Hamburg.
1899. Georg Obst, Theorie und Praxis des Scheckverkehrs, Stuttgart.
1900. Bank des Berliner Kassenvereins 1850—1900. Denkschrift zum 1. Oktober 1900.
1901. Dunker, Geldersparende Zahlungsmethoden im heutigen Bankverkehr Deutschlands, München.
1907. S. Buff, Der gegenwärtige Stand und die Zukunft des Scheckverkehrs in Deutschland, München.
1908. Proebst, Die Grundlagen unseres Depositen- und Scheckwesens.
1910. Otto Heyn, Reform des Postscheckverkehrs, Berlin.

2. Schriften zum deutschen Scheckgesetzentwurf.

1908. Riesser, „Bemerkungen zum vorläufigen Entwurf eines deutschen Scheckgesetzes", Berlin.
— Hoppenstedt, Der Scheckgesetzentwurf von 1907, Berlin.

3. Kommentare und erläuterte Textausgaben zum Scheckgesetz vom 11. März 1908.

1908. Apt, Berlin.
— Buff, Stuttgart und Leipzig.
— Heim, Leipzig.
— Henschel, Berlin.
— Kuhlenbeck, Breslau und Leipzig.
— Lessing, München.
— Merzbacher, München.
— Schiebler, Leipzig.
1909. Jehle, Leipzig.

4. Monographien zum neuen Scheckgesetz.

1908. Conrad, Handbuch des deutschen Scheckgesetzes, Stuttgart.
— Breit, Pflichten und Rechte des Bankiers unter dem Scheckgesetz, Leipzig.
— Helbing, Der Scheckverkehr nach dem neuen Recht, Stuttgart.
— Obst, Scheck, Scheckverkehr, Scheckgesetz, Leipzig.
1910. Langen, Zum Scheckrecht.

V. Wechseldiskontgeschäft.

1899. Maync, Der Diskont.
1901. Eduard Deimel, Der Diskontmarkt, 2. Aufl., Leipzig.
1903. Palgrave, Bank-rate and the money-market in England, France, Germany, Holland and Belgium, London.
1907. W. Prion, Das deutsche Wechseldiskontgeschäft mit besonderer Berücksichtigung des Berliner Geldmarktes, Berlin.
— Heiligenstadt, Der deutsche Geldmarkt in Schmoller's Jahrb., Bd. XXXI, S. 1539.
1909. Karl Nordhoff, Das Wechseldiskontgeschäft, Halle a. S.
1910. Snyckers, Französische und deutsche Diskontpolitik, Leipzig.
— Paul M. Warburg, The Discount System in Europe (No. 402 der Veröffentlichungen der National Monetary Commission des Senats der Vereinigten Staaten).
1911. Otto Schwarz, Diskontpolitik, Leipzig.

VI. Bankmäßige Kreditgewährung.

1882. W. Schaefer, Der gewerbliche Kredit. Vom privatökonomischen Standpunkte für Techniker und angehende Industrielle dargestellt. Leipzig und Heidelberg.
1883. M. Schraut, Die Organisation des Kredits, Leipzig.
1891. H. Jacoby, Die Krediterkundigung nach ihrer wirtschaftlichen und nach ihrer rechtlichen Seite, Berlin.
1895. W. Schimmelpfeng, Kaufmännische Erkundigung, Berlin.
1902. Eugen Sutro, Die kaufmännische Krediterkundigung, Leipzig.
1904. Herzfelder, Das Problem der Kreditversicherung, Leipzig.
1905. E. v. Liebig, Beiträge und Vorschläge zum Problem der Kreditversicherung, Berlin.
1909. Hecht, Die Organisation des langfristigen industriellen Kredits (Veröffentlichungen des Mitteleuropäischen Wirtschaftsvereins, Heft 6).
1911. Rudolf Henrich, Die Stuttgarter Kreditversicherung, Stuttgart.

VII. Aufbewahrung fremder Wertpapiere, Kassenschrankfachgeschäft.

1892. Julian Goldschmidt und Lesse. Zur Reform des Bankdepotwesens. Zwei Vorträge. Berlin.
1896. F. Lusensky, Gesetz betr. die Pflichten der Kaufleute bei Aufbewahrung fremder Wertpapiere. Berlin (2. Aufl., 1905).
1897. W. Frhr. v. Pechmann, Das Reichsgesetz über die Pflichten der Kaufleute bei Aufbewahrung fremder Wertpapiere usw. vom 5. Juli 1896. Erlangen.
-- Riesser, Das Bankdepotgesetz vom 5. Juli 1896. Aus der Praxis und für die Praxis. 2. völlig umgearb. Aufl., 1906, Berlin.
1899. Franz Schweyer, Die Bankdepotgeschäfte in geschichtlicher, wirtschaftlicher und rechtlicher Beziehung, München.
1903. Wettstein, Das Kassenschrankgeschäft, Bern.
1908. Gumbel, Der Stahlkammerfachvertrag der deutschen Banken, Berlin.

VIII. Effektenkommissionsgeschäft.

1895. A. Endemann, Das moderne Börsenkommissionsgeschäft im Effekten-Verkehr, Berlin.
1899. James Breit, Der Selbsteintritt des Kommissionärs nach dem neuen deutschen Handelsgesetzbuch.
1908. Weidemann, Das Kommissionsgeschäft. Systematische Darstellung der Bank- und Warenkommission, Rostock.
1909. James Breit, Das Recht der Effektenkommission (im Zentralverbandskommentar zum Börsengesetz vgl unter IX).

IX. Börsengeschäfte.

1. Beschreibende Literatur.

1876. Willy Becker, Die praktische Arbitrage, Berlin.
1882. Alfred Junckerstorff, Die Arbitrage. Münz- und Währungsverhältnisse. Das Prämien- und Stellagegeschäft, Berlin.
1883. Isidor Szkolny, Theorie und Praxis der Prämiengeschäfte, Frankfurt a. M.
1897. Eugen Hülsner, Die Börsengeschäfte in rechtlicher und volkswirtschaftlicher Beziehung, Berlin.
1897. Adolf Wachtel, Prämien-, Stellage- und Nochgeschäfte, Wien.
— Heinrich Brosius, Die Geld-, Wechsel- und Effekten-Arbitrage, Leipzig.
— André E. Sayous, Étude économique et juridique sur les Bourses Allemandes de valeur et de commerce, Paris.
1899. Mayer, Die Effektenbörse und ihre Geschäfte, Wien.
— Georg Bernhard, Der Verkehr in Wertpapieren. Ein Handbuch für alle Interessenkreise, Berlin.
1901. Robert Stern, Die Arbitrage im Bank- und Börsenverkehr, Leipzig.
1903. Paul Wiener und Walter Stoerk, Praktische Arbitragerechnungen, Leipzig.
1908. Max Fürst, Prämien-, Stellage- und Nochgeschäfte, Berlin.
— Bronzin, Theorie der Prämiengeschäfte, Leipzig und Wien.
1909. Swoboda, Die Arbitrage in Wertpapieren, Wechseln, Münzen und Edelmetallen. Handbuch des Börsen-, Münz- und Geldwesens sämtlicher Handelsplätze der Welt, 13. Aufl., neubearbeitet und vermehrt von Max Fürst, Berlin.
1910. Jos. Henggeler, Beiträge zum Börsenstrafrecht, Aarau.
— W. Prion, Die Preisbildung an der Wertpapierbörse, Leipzig.
1911. Saling's Börsen-Jahrbuch 1911/12. Ein Handbuch für Bankiers und Kapitalisten, 35. Aufl., Berlin, Leipzig, Hamburg.
— Schneider-Dahlheim, Usancen der Berliner Fondsbörse, 16. Aufl., Berlin.

2. Schriften zur Börsengesetzgebung und ihre Reform.

1895. Gustav Cohn, Beiträge zur deutschen Börsenreform, Leipzig.
1896/97. F. J. Pfleger und L. Gschwindt, Börsenreform in Deutschland, Stuttgart.
1898. Wiedenfeld, Die Börse in ihrer wirtschaftlichen Funktion und in ihrer rechtlichen Entwicklung vor und unter dem Börsengesetz, Berlin.
1900. Riesser, Die handelsrechtlichen Lieferungsgeschäfte, eine Kritik der Rechtsprechung des Reichsgerichts, Berlin.
1902. Verhandlungen des I. Allgemeinen Deutschen Bankiertages zu Frankfurt a. M., Frankfurt a. M.
— Riesser, Die Notwendigkeit einer Revision des Börsengesetzes, Berlin.
— N. Müller, Differenztheorie und Börsengeschäfte, Berlin.

1903. Denkschrift betr. die Wirkungen des Börsengesetzes vom 22. Juni 1896 und der durch das Reichsstempelgesetz vom 14. Juni 1900 eingeführten Börsensteuererhöhung. Herausgeg. vom Centralverband des Deutschen Bank- und Bankiergewerbes, Berlin.

— G. Wermert, Börse, Börsengesetz und Börsengeschäft, Leipzig.

1904. Verhandlungen des II. Allgemeinen Bankiertages zu Berlin, Berlin.

— Neukamp, Differenzgeschäft und Börsentermingeschäft in der Gesetzgebung und Rechtsprechung. Herausgeg. vom Zentralverband des Deutschen Bank- und Bankiergewerbes, Berlin.

1907. Verhandlungen des III. Allgemeinen Deutschen Bankiertages zu Hamburg, Berlin (Referate von Riesser u. Warburg).

— Riesser, Stand und Aussichten der Börsengesetzreform, Berlin.

3. Kommentare und erläuternde Textausgaben zum Börsengesetz.

1909. Apt, Trumpler, Weißbart, 5. Aufl., Berlin.

1908. Hemptenmacher, 2. Aufl., Berlin.

1909. Rehm, Trumpler, Dove, Neumkap, Schmidt-Ernsthausen, Breit, herausgeg. vom Centralverband des Deutschen Bank- und Bankiergewerbes mit Vorwort von Riesser, Berlin.

1909. J. Kahn, München.

1910. A. Nußbaum, München.

1910. Otto Bernstein, Leipzig.

X. Emissions- und Finanzierungsgeschäft.

1890. W. Lotz, Die Technik des deutschen Emissionsgeschäfts. Anleihen, Konversionen und Gründungen. Leipzig.

1902. Max Jörgens, Finanzielle Trustgesellschaften, Stuttgart und Berlin.

1905. E. Leist, Die Sanierung von Aktiengesellschaften, Berlin.

1907. G. S. Freund, Die Rechtsverhältnisse der öffentlichen Anleihen, Berlin.

1908. E. Wolff und F. Birkenbiehl, Die Praxis der Finanzierung bei Errichtung, Erweiterung, Verbesserung, Fusionierung und Sanierung der Aktiengesellschaften, Berlin (2. Aufl.).

C. Zeitschriften und Zeitungen.

Archiv für Sozialwissenschaften und Sozialpolitik, herausgegeben von Edgar Jaffé. Tübingen.

Die Bank, Berlin (ed. Lansburgh).

Bankarchiv, Zeitschrift für Bank- und Börsenwesen, Berlin (ed. Riesser).

Bankbeamtenzeitung, Berlin.

The Bankers', Insurance managers' and agents' Magazine, London.

The Bankers' Magazine, New York.

Berichte über Handel und Industrie, Berlin.

Berliner Börsencourier.

Berliner Börsenzeitung.

Berliner Jahrbuch für Handel und Industrie.

Berliner Tageblatt.

Blätter für Genossenschaftswesen, Berlin.

Busch's Archiv für Theorie und Praxis des allgemeinen deutschen Handelsrechts.

The Commercial and Financial Chronicle, New-York.

Deutsche Monatsschrift für Handel, Schiffahrt und Verkehrswesen (Rostock).

Der Deutsche Ökonomist, Berlin.

Deutsche Wirtschaftszeitung, Berlin.
Deutsches Handelsarchiv, Berlin.
Deutsches Handelsblatt, Berlin.
The Economist, London.
L'Économiste Européen, Paris.
L'Économiste Français, Paris.
Finanzarchiv (Schanz), Stuttgart.
Frankfurter Zeitung
Hamburger Börsenhalle.
Hamburger Correspondent.
Hamburger Nachrichten.
Handel und Gewerbe, Berlin.
Hannoverscher Courier.
Internationaler Volkswirt, Berlin.
Jahrbücher für Gesetzgebung, Verwaltung und Volkswirtschaft (Schmoller), Leipzig.
Jahrbücher für Nationalökonomie und Statistik (Conrad), Jena.
Journal des Économistes, Paris.
Journal of the Institute of Bankers, London
Kölnische Zeitung.
Kölnische Volkszeitung.
Leipziger Zeitschrift für Handels-, Konkurs- und Versicherungsrecht, München.
Merkur, Berlin.
Monatsschrift für Handelsrecht und Bankwesen, Berlin.
Moniteur des Intérêts Matériels, Bruxelles.
Münchner volkswirtschaftliche Studien, herausgegeben von Lujo Bretano und
     Walther Lotz.
Neue Freie Presse, Wien.
Pester Lloyd.
Plutus, Berlin.
Preußisches Handelsarchiv, Berlin.
Reuters Finanz Chronik, London.
Revue économique internationale, Paris.
Die Sparkasse, Hildesheim.
Vierteljahrshefte zur Statistik des Deutschen Reichs, Berlin.
Vierteljahrsschrift für Staats- und Volkswirtschaft (Frankenstein) Leipzig.
Vierteljahrsschrift für Volkswirtschaft, Politik und Kulturgeschichte, Berlin.
Volkswirtschaftliche Wochenschrift (Dorn), Wien.
Vossische Zeitung.
Zeitschrift des Königl. Statistischen Bureaus, Berlin.
Zeitschrift für das gesamte Aktienwesen, Leipzig.
Zeitschrift für das gesamte Handelsrecht, begründet von Goldschmidt, Stuttgart.
Zeitschrift für die gesamte Staatswissenschaft, Tübingen.
Zeitschrift für die Deutsche Volkswirtschaft (Schuck), Berlin.
Zeitschrift für Kapital und Rente, Berlin.
Zeitschrift für Literatur und Geschichte der Staatswissenschaften, Leipzig.
Zeitschrift für Handelswissenschaft und Handelspraxis, Leipzig.

Beilage II.

Die in den Jahren 1848—1856 gegründeten Kreditbanken.

(Zu Seite 41).

Sitz	Firma	Jahr der Grün-dung	Eingezahltes Aktienkapital Ende 1857 (in 1000 M)
Berlin	Disconto-Gesellschaft	1851	39 131
Berlin	Berliner Handels-Gesellschaft	1856	11 220
Breslau	Schlesischer BankVerein	1856	7 500
Coburg	Coburg-Gothaer Credit-Gesellschaft . . .	1856	1 700
Darmstadt (Berlin) .	Bank für Handel u. Industrie	1853	42 936
Dessau	Creditanstalt für Industrie u. Handel . .	1856	1 800
Eisleben	Eislebener Disconto-Gesellschaft	1856	600
Hamburg	Norddeutsche Bank	1856	30 000
Hamburg	Vereinsbank	1856	6 000
Köln	A. Schaaffhausen'scher BankVerein . . .	1848	15 561
Leipzig	Allgemeine Deutsche Credit-Anstalt . . .	1856	22 292
Mülhausen i. E. . . .	Comptoir d'Escompte de Mulhouse . . .	1854	800
Oldenburg	Oldenburgische Spar- u. Leih-Bank . . .	1845	1 200
Straßburg i. E. . .	Straßburger Bank (Stähling)	1852	2 400
	Insgesamt 14 Banken mit einem Kapital von Mark		183 140

Beilage III.

Deutsche Kreditbanken im Jahre 1872[1]).

(Zu Seite 164.)

Domizil	Firma	Jahr der Gründung	Eingezahltes Aktienkapital Ende 1872 (in 1000 M)
Aachen	Aachener Bank für Handel u. Industrie. .	1872	2 400
,, ...	,, Discontogesellschaft (Rheinische)	1872	2 400
Aschaffenburg . . .	BankVerein Aschaffenburg	1872	1 500
Augsburg	Augsburger Bank	1871	2 400
Barmen	Barmer Bankver., Hinsberg, Fischer & Co.	1867	12 000
Berlin	Allgem. Bau- u. Handelsbank	1873	1 200
,, ...	,, Deutsche Handelsgesellschaft . .	1871	3 000
,, ...	Berliner Bank	1871	8 400
,, ...	Börsenbank für Maklergeschäfte	1871	1 800
,, ...	Berliner BankVerein	1871	18 000
,, ...	Börsen-Handels-Verein	1872	3 600
,, ...	Centralbank für Handel u. Industrie . .	1871	22 500
,, ...	Commissions- u. Maklerbank	1872	3 000
,, ...	Berliner Commerz- u. Wechselbank . . .	1871	4 500
,, ...	Deutsche Bank	1870	45 000
,, ...	,, Handelsbank	1869	900
,, ...	,, Unionbank	1871	36 000
,, ...	Disconto-Gesellschaft	**1851**	60 000
,, ...	Deutsche Genossenschaftsbank, Sörgel, Parrisius & Co.	1865	7 500
,, ...	Gewerbebank, H. Schuster & Co. . . .	1863	18 000
,, ...	Generalbank für Maklergeschäfte	1872	3 000
,, ...	Hamburg-Berliner Bank	1872	9 000
,, ...	Berliner Handelsgesellschaft	**1856**	31 500
,, ...	Internationale Handelsgesellschaft . . .	1871	5 250
,, ...	Berliner Lombardbank	1871	1 500
,, ...	,, Maklerbank	1871	2 400
,, ...	Maklervereinsbank	1871	2 400
,, ...	Preußische Creditanstalt	1872	15 000
,, ...	Provinzial-Disconto-Gesellschaft	1871	18 000
,, ...	Provinzial-Gewerbebank	1872	6 000
,, ...	Vereinsbank, Quistorp & Co.	1870	7 500
,, ...	Wechselstuben A.-G.	1872	4 500
,, ...	Berliner Wechslerbank	1871	15 000

1) Vgl. D. Ökonomist vom 27. Jan. 1906 (XXIV. Jahrg., No. 1205), wo jedoch auch die Noten-, Hypotheken-, Bau-, Handels- und Produktenbanken aufgezählt sind, die oben weggelassen sind. Die Maklerbanken sind dagegen aufgenommen, und es war eine Reihe von Änderungen der Tabelle des D. Ökonomist nötig.

Die fettgedruckten Jahreszahlen kennzeichnen die in den 50 er Jahren des 19. Jahrhunderts begründeten Banken.

Domizil	Firma	Jahr der Gründung	Eingezahltes Aktienkapital Ende 1872 (in 1000 M)
Beuthen (Oberschl.)	Oberschlesische Bank für Handel u. Ind. .	1872	3 000
Bielefeld	Westfälische Bank	1868	6 000
Braunschweig . . .	Braunschweiger Creditanstalt	1871	9 000
Bremen	Bremer BankVerein	1871	3 000
,, ...	Deutsche Nationalbank	1871	13 500
Breslau	Breslauer Discontobank	1870	30 000
,, ...	,, Maklerbank	1871	1 800
,, ...	Provinzial-Maklerbank	1872	2 400
,, ...	Maklervereinsbank	1872	1 800
,, ...	Breslauer Wechslerbank	1871	9 000
,, ...	Provinzial-Wechslerbank	1872	3 000
,, ...	Schlesischer BankVerein	1856	22 500
,, ...	Schlesische Vereinsbank	1872	7 200
Bromberg . . .	Ostdeutsche Wechslervereinsbank	1872	3 000
Cassel	Hessische Bank	1871	3 000
Chemnitz	Chemnitzer BankVerein	1871	3 000
Coburg	Coburg-Gothaer Credit-Gesellschaft . . .	1856	9 000
Cottbus	Niederlausitzer Bank	1871	3 000
Crefeld	BankVerein von Gebr. Peter & Co. . . .	1862	1 500
Danzig	Danziger BankVerein	1871	3 000
Darmstadt (Berlin) .	Bank für Handel u. Industrie	1853	34 000
Dessau	Creditanstalt für Industrie u. Handel . .	1856	1 800
Dresden (Berlin) .	Dresdner Bank	1872	9 600
,, ...	,, Handelsbank	1872	3 000
,, ...	,, Wechslerbank	1872	6 000
,, ...	Sächsischer BankVerein	1872	5 250
,, ...	Sächsische Creditbank	1871	9 000
,, ...	,, Discont (Lomb.)-Bank	1868	1 500
Eisleben	Eisleber Disconto-Gesellschaft	1856	900
Elberfeld	Bergisch-Märkische Bank	1871	8 100
,, ...	Elberfelder Disconto- u. Wechslerbank .	1872	6 000
,, ...	,, Handels-Gesellschaft	1872	1 200
Emden	Emder (Genossenschafts) Bank	1867	167
Erfurt	Thüringer BankVerein	1871	4 500
Essen	Essener Credit-Anstalt	1872	9 000
Frankfurt a. M. . .	Frankfurter BankVerein	1870	18 000
,, .	Deutsche Creditbank	1872	3 000
.	,, Effekten- u. Wechselbank . . .	1872	12 000
.	,, Handels-Gesellschaft	1872	9 000
.	,, Vereinsbank	1871	30 000
,, .	Österreichisch-Deutsche Bank	1871	23 800
,, .	Frankfurter Wechslerbank	1871	7 200
Freiberg i. S. . . .	Vorschußbank	1870	240
Geestemünde . . .	Geestemünder Bank	1872	750
Gera	Geraer Handels-Creditbank	1872	· 6 000
Görlitz	Görlitzer Vereinsbank	1872	2 400
Grünberg i. Schles.	Niederschlesischer KassenVerein	1868	3 000
Halle	Hallescher BankVerein	1866	4 500
,, ...	Hallesche Creditanstalt	1872	2 100
Hamburg	Waaren-Creditanstalt	1871	3 600
,, . . .	Anglo-Deutsche Bank	1871	24 000
,, ...	BankVerein in Hamburg	1872	9 000
,, (Berlin) .	Commerz- u. Disconto-Bank	1870	21 000
,, ...	Internationale Bank	1870	18 000
,, ...	Norddeutsche Bank	1856	45 000
,, ...	Vereinsbank	1856	9 000
,, ...	Maklerbank	1871	1 200
,, ...	Wechslerbank	1872	1 500
Hannover . . .	Hannoversche Disconto- u. Wechslerbank	1872	4 800
Kiel	Kieler Bank	1872	2 400

Domizil	Firma	Jahr der Gründung	Eingezahltes Aktienkapital Ende 1872 (in 1000 M)
Köln	Bank für Rheinland u. Westfalen . . .	1871	15 000
„	Rheinische Effektenbank	1872	12 000
„	Rheinisch-Westfäl. Genossenschaftsbank .	1872	1 500
„ (Berlin . . .	A. Schaaffhausen'scher BankVerein . . .	1848	48 000
„	Kölner Wechsler- u. Comm.-Bank . . .	1871	3 000
Königsberg i. Pr.	Königsberger Vereinsbank	1871	4 200
Leer	Ostfriesische Bank	1872	900
Leipzig	Allgemeine Deutsche Credit-Anstalt . . .	1856	30 000
„	Communalbank des Königreichs Sachsen	1871	600
„	F. Schönheimer'scher BankVerein	1872	3 000
„	Leipziger Disconto-Gesellschaft	1872	9 600
„	„ Vereinsbank	1871	8 400
„	„ Wechslerbank	1872	3 150
„	„ Wechsler- u. Depositenbank . .	1872	2 400
Lübeck	Lübecker Bank	1871	1 500
„	Vorschuß- u. SparVerein	1864	72
Magdeburg	Magdeburger BankVerein	1867	3 000
„	„ Wechsler- u. Discontobank .	1872	2 400
Mannheim	Pfälzer BankVerein	1871	4 800
„	Rheinische Creditbank	1870	12 000
Mühlhausen i. Thür.	Vereinsbank	1872	1 200
Mülhausen i. Els. .	Banque de Mulhouse	1871	4 800
„	Comptoir d'Escompte de Mulhouse . . .	1854	800
München	Bayerische Handelsbank	1869	5 100
„	„ Vereinsbank	1869	9 000
„	„ Wechslerbank	1872	3 600
Nürnberg	Vereinsbank	1871	3 600
Oldenburg . . .	Oldenburger Spar- u. Leihbank	1845	1 200
Posen	Bank für Landwirtschaft u. Industrie . .	1870	2 269
„	Ostdeutsche Bank	1871	6 000
„	Provinzial-Wechsler- u. Discontobank . .	1872	3 000
Ratibor	Oberschlesischer Creditverein	1871	1 800
Rostock	Rostocker Vereinsbank	1871	3 000
„	„ Gewerbebank	1872	240
Stettin	Stettiner Vereinsbank	1871	4 500
„	„ Maklerbank	1872	1 200
Straßburg i. Els.	Straßburger Bank (Stäbling)	1852	2 400
„ . .	Bank für Elsaß u. Lothringen	1871	4 800
Stuttgart	Stuttgarter Bank	1871	7 200
„	Süddeutsche Provinzialbank	1872	3 600
„	Württemberger Commissionsbank . . .	1872	600
„	„ Vereinsbank	1869	6 800
Wernigerode . . .	Wernigeroder Comm.-Gesellschaft a. G. .	1865	150
Wismar	Vereinsbank	1868	375
Zittau	Oberlausitzer Bank	1871	4 800
Zwickau	Zwickauer Bank	1872	1 200

Insgesamt 139 Banken mit einem Kapital von M 1 122 113 000,
von denen aber viele recht bald wieder verschwanden.

Beilage IV.

Die Vertretung von Großbanken im Aufsichtsrat von Aktiengesellschaften.

(Zu Seite 304.)

Zahl der Aufsichtsrats-Sitze	Bank für Handel und Industrie ist vertreten im Aufsichtsrat der folgenden Aktien-Gesellschaften:
	Bergbau, Hütten- und Salinenwerke.
2 (St. Vors.)	Deutsch-Luxemburgische Bergwerks- u. Hütten-Actien-Gesellschaft in Bochum.
	Harpener Bergbau-A.-G., Dortmund.
	Internationale Kohlenbergwerks-A.-G., Cöln.
	„Phönix", A.-G. für Bergbau und Hüttenbetrieb, Hoerde.
	Rheinische Actien-Gesellschaft für Braunkohlenbergbau und Brikettfabrikation in Cöln.
1 (Vors.)	Rheinische Bergbau- und Hüttenwesen-A.G., Duisburg.
2 (Vors.)	A. Riebeck'sche Montanwerke A.-G., Halle a. S.
1	Saar- und Mosel-Bergwerks-Gesellschaft, Spittel-Karlingen.
	Salzwerk Heilbronn.
	Industrie der Steine und Erden.
1 (St. Vors.)	A.-G. für Glasindustrie vorm. Friedr. Siemens, Dresden.
1 (St. Vors.)	Annawerk, Chamotte- u. Tonwarenfabrik A.-G., vorm. J. R. Geith. Oeslau b. Coburg.
1 (Vors.)	Deutsche Steinwerke C. Vetter A.-G., Berlin.
	Metallverarbeitung.
1 (St. Vors.)	Deutsche Gold- und Silberscheideanstalt, Frankfurt a. M.
1 (Vors.)	„Phönix" A.-G. für Stuhl-, Herd- und Ofen-Industrie, Oberhausen.
	Industrie der Maschinen und Instrumente.
1 (Vors.)	Adlerwerke vorm. Heinrich Kleyer A.-G , Frankfurt a. M.
1	A.-G. für Feinmechanik vorm. Jetter & Scheerer, Tuttlingen.
	Deutsche Niles-Werkzeugmaschinenfabrik, Oberschöneweide.
	Ludw. Loewe & Co. A.-G., Berlin.
	Maschinenbau-Gesellschaft, Heilbronn.
	Marswerke Doos b. Nürnberg.
1	Polytechn. Arbeits-Institut, vorm., J. Schröder, A.-G., Darmstadt.
1 (Vors.)	Reiniger, Gebbert & Schall, A.-G. Berlin.
1	„Veithwerke A.-G.", Sandbach b. Höchst, Automobil- und Fahrradfabrik.

Zahl der Aufsichtsrats-Sitze	Bank für Handel und Industrie ist vertreten im Aufsichtsrat der folgenden Aktien-Gesellschaften:

Elektrizitäts-Industrie.

	A.-G. Körting's Elektrizitäts-Werke, Berlin.
	A.-G. Mix & Genest, Berlin-Schöneberg.
	Allgemeine Elektricitäts-Gesellschaft, Berlin.
	Deutsch-Überseeische Elektrizitäts-Gesellschaft, Berlin.
1	Elektrizitäts-A.-G., vorm W. Lahmeyer & Co., Frankfurt a. M.
2 (St. Vors.)	Elektrizitätswerk Homburg v. d. H.
1	Felten und Guilleaume-Lahmeyer-Werke A.-G., Mülheim a. Rh.
1	Ges. f. elektrische Unternehmungen, Berlin.
1 (St. Vors.)	Lech-Elektrizitätswerke A.-G., Augsburg.
1	Rheinisch-Westfälisches Elektrizitätswerk A.-G., Essen.

Chemische Industrie.

1	Bayerische Stickstoffwerke A.-G., München.
1 (Vors.)	Chemische Fabrik Griesheim-Elektron, Frankfurt a. M.
1 (Vors.)	Chemische Fabrik Grünau, Landshoff & Meyer A.-G.
1 (St. Vors.)	Chemische Werke, vorm. H. und E. Albert, Biebrich.

Industrie der forstwirtschaftlichen Nebenprodukte, Leuchtstoffe, Seifen, Fette, Öle, Firnisse.

1	Deutsche Petroleum-A.-G., Berlin.
1 (St. Vors.)	Frankfurter Gasgesellschaft, Frankfurt a. M.
1 (Vors.)	Holzverkohlungs-Industrie-A.-G., Konstanz.
1	Hugo Schneider A.-G., Leipzig.

Textil- und Lederindustrie.

1	J. P. Bemberg A.-G., Oehde.
1 (St. Vors.)	Gruschwitz, Textilwerke A.-G., Neusalz.
1	Eduard Lingel, Schuhfabrik A.-G., Erfurt.
2 (St. Vors.)	Vereinigte Kunstseide-Fabrik A.-G., Frankfurt a. M.
1 (Vors.)	Württembergische Kattun-Manufaktur, Heidenheim.

Papierindustrie.

A.-G. für Buntpapier- und Leimfabrikation, Aschaffenburg.

Industrie der Holz- und Schnitzstoffe.

Bayrische Celluloidwarenfabrik vorm. Albert Wacker A.-G., Nürnberg.

Industrie der Nahrungs- und Genußmittel.

1 (Vors.)	Aktien-Zuckerfabrik, Gr.- Gerau.
1	Aktien-Zuckerfabrik Wetterau, Friedeberg i. Hessen.
1 (Vors.)	Altmünster Brauerei, Mainz.
1	Bären- und Eckenbüttenerbräu A.-G.,-Bamberg.
1 (Vors.)	Bayrische Aktien-Bierbrauerei, Aschaffenburg.

Zahl der Aufsichtsrats-Sitze	Bank für Handel und Industrie ist vertreten im Aufsichtsrat der folgenden Aktien-Gesellschaften:
1	Bierbrauerei-Gesellschaft, vorm. Gebr. Lederer, Nürnberg.
1 (Vors.)	Brauerei Gebr. Dieterich A.-G., Düsseldorf.
1	Conserven-Fabrik Joh. Braun A.-G., Worms.
1 (St. Vors.)	Deutsche Bierbrauerei A.-G., Berlin.
1 (St. Vors.)	Gebr. Stollwerck A.-G., Cöln a. Rh.
1	Stollwerckhaus A.-G., Cöln a. Rh.

Handelsgewerbe.

	Bank des Berliner KassenVereins, Berlin.
1	Berg- und Metallbank A.-G., Frankfurt a. M.
2 (St. Vors.)	Berliner Hypothekenbank A.-G., Berlin.
2 (Vors.)	Breslauer Disconto-Bank, Breslau.
1	Deutsch-Asiatische Bank, Shanghai-Berlin.
	Deutsche Hypothekenbank, Meiningen.
1	Deutsche Treuhandgesellschaft, Berlin.
2 (St. Vors.)	Ostbank für Handel u. Gewerbe, Posen.
1	Preußische Pfandbriefbank, Berlin.
	Süddeutsche Bodenkreditbank, München.
1	Treuhand-Bank für elektrische Industrie A.-G., Berlin.
2 (St. Vors.)	Württembergische Bankanstalt, vorm. Pflaum & Co., Stuttgart.

Grundstücksgesellschaften.

2 (Vors., St. Vors.)	Boden-A.-G. am Amtsgericht Pankow, Berlin.
3 (Vors., St. Vors.)	Boden-A.-G. Berlin-Nord, Berlin.
1	Borsigwalder Terrain-A.-G., Berlin.
	Immobilien-Verkehrsbank, Berlin.
1	Neue Boden-A.-G., Berlin.
4 (St. Vors.)	Süddeutsche Immobilien-Gesellschaft, Mainz.
1 (Vors.)	Terrain-A.-G. Nürnberg-Sud, Nürnberg.
2 (St. Vors.)	Terrain-A.-G. Park Witzleben, Charlottenburg.
1 (Vors.)	Terraingesellschaft Berlin und Vororte A.-G., Berlin.
1	Wittenauer Boden-A.-G., Berlin.

Versicherungsgewerbe.

	„Allianz", Versicherungs-A.-G., Berlin.
	Deutsche Lebensversicherungsbank A.-G., Berlin.
	„Industrie", Versicherungs-A.-G., Berlin.
1	Münchener Rückversicherungsgesellschaft, München.
1 (St. Vors.)	„Providentia", Frankfurter Versicherungs-Gesellschaft, Frankfurt a.M.
1	„Union", Allgem. Versicherungs A.-G.,-Berlin.

Verkehrsgewerbe.

1 (Vors.)	Dessauer Straßenbahn-Gesellschaft, Dessau.
1	Deutsch-Atlantische Telegraphengesellschaft, Cöln.

Zahl der Aufsichtsrats-Sitze	Bank für Handel und Industrie ist vertreten im Aufsichtsrat der folgenden Aktien-Gesellschaften:
1	Deutsche Luftschiffahrts-A.-G., Frankfurt a. M.
	Deutsch-Niederländische Telegraphen-A.-G., Cöln.
1	Deutsch-Südamerikanische Telegraphen-A.-G., Cöln.
2 (Vors.)	Frankfurter Lokalbahn-A.-G., Frankfurt a. M.
1	Große Berliner Straßenbahn, Berlin.
1	Kamerun Eisenbahn-Gesellschaft, Berlin.
1 (St. Vors.)	„Midgard", Deutsche Seeverkehrs-A.-G., Nordenham.
1 (St. Vors.)	Santa Katharina-Eisenbahn-A.-G., Berlin.
1	Schantung-Eisenbahn-Gesellschaft.
2 (St. Vors.)	Süddeutsche Eisenbahn-Gesellschaft, Darmstadt.
1	Westdeutsche Eisenbahn-Gesellschaft, Coln.
	Westliche Berliner Vorortbahn, Berlin.
	Ausländische Gesellschaften.
3	Amsterdamsche Bank, Amsterdam.
1	Banca Commerciale Itahana, Mailand.
	Banca Marmorosch Blank & Co., Bukarest.
	Bank für elektrische Unternehmungen, Zürich.
	K. k. priv. Bank- und Wechselstuben-A.-G. „Mercur", Wien.
	Consolidated Mines Selection Company Ltd., London.
	Crédit Anversois, Antwerpen.
	Gesellschaft für elektrische Beleuchtung vom Jahre 1886, St. Petersburg.
	Kaliwerke, Kolin.
1	Société Générale Belge d'Entreprises Électriques, Brüssel.

Zahl der Aufsichtsrats-Sitze	Berliner Handels-Gesellschaft ist vertreten im Aufsichtsrat der folgenden Aktien-Gesellschaften:
	Bergbau, Hütten- u. Salinenwerke.
3 (Vors., St. Vors.)	A.-G. Thiederhall, Thiede b. Braunschweig.
1	Bergwerks-A.-G. „Consolidation", Gelsenkirchen.
	Bergwerks-Gesellschaft „Hibernia", Herne.
1	„Bismarckhütte" in Bismarckhütte.
2 (Vors.)	Bochumer Verein für Bergbau und Gußstahlfabrikation, Bochum.
1 (St. Vors.)	Braunkohlen- und Brikett-Industrie, Berlin.
1	Diamantenpachtgesellschaft, Berlin.
1 (St. Vors.)	Eisenhütte Silesia, Paruschowitz, O.S.
1	Harpener Bergbau-A.-G., Dortmund.
	Internationale Kohlenbergwerks-A.-G., Cöln.
1	Metallhütte A.-G., Duisburg.
1 (St. Vors).	Oberschlesische Eisenindustrie, A.-G. f. Bergbau und Hüttenbetrieb, Gleiwitz.
2	Planiawerke A.-G. für Kohlenfabrikation, Plania b. Ratibor.

Zahl der Aufsichtsrats-Sitze	Berliner Handels-Gesellschaft ist vertreten im Aufsichtsrat der folgenden Aktien-Gesellschaften :
1 (St. Vor.)	A. Riebeck'sche Montanwerke in Halle a. S.
1	Rombacher Hüttenwerke, Rombach.
1	Schantung-Bergbau-Gesellschaft, Berlin.
3 (Vors., St. Vors.)	Schlesische Kohlen- und Kokswerke, Gottesberg i. Schl.
2 (Vors.)	Wasserwerke für das nördliche westfälische Kohlenrevier, Gelsenkirchen.

Industrie der Steine und Erden.

1 (Vors.)	A.-G. für Glasindustrie, vorm. Friedr. Siemens, Dresden.
1 (Vors.)	Vereinigte Lausitzer Glaswerke A.-G., Weißwasser.

Metallverarbeitung.

2 (Vors.)	Blechwalzwerk Schulz-Knaudt A.-G., Essen.
1	Deutscher Eisenhandel, A.-G. Berlin.
	Eisen- und Stahlwerke Bethlen-Falva-A.-G., Bethlen-Falva.
	Gebr. Körting A.-G., Körtingsdorf b. Hannover.
	Mannesmannröhren-Werke, Düsseldorf.
1	Rheinische Stahlwerke, Meiderich.
2 (Vors.)	Russische Eisenindustrie-A.-G., Gleiwitz.
1	Vereinigte Deutsche Nickelwerke A.-G., Schwerte.
2 (Vors.)	Westfälische Drahtindustrie, Hamm i. Westf.

Industrie der Maschinen und Instrumente.

	Berlin-Anhaltische Maschinenbau-A.-G., Berlin.
1	Berliner Maschinenbau-A.-G., vorm. L. Schwartzkopff, Berlin.
2 (St. Vors.)	Deutsche Niles-Werkzeugmaschinen-Fabrik, Oberschöneweide.
1	Ludwig Loewe & Co. A.-G., Berlin.
	Stettiner Maschinenbau-A.-G. „Vulcan", Stettin.

Elektrizitäts-Industrie.

1 (Vors.)	Accumulatorenfabrik A.-G., Berlin.
1	Brown, Boveri & Cie. A.-G., Mannheim.
2 (Vors., St. Vors.)	Allgemeine Elektrizitäts-Gesellschaft, Berlin.
1 (St. Vors.)	Berliner Elektricitäts-Werke, Berlin.
1	Deutsch-Überseeische Elektrizitätsgesellschaft, Berlin.
1 (St. Vors.)	Elektrizitäts-Lieferungsgesellschaft, Berlin.
1	Elektrizitätswerk Straßburg i. E.
1	Gesellschaft für elektrische Unternehmungen, Berlin.
1 (Vors.)	Kraftübertragungswerke Rheinfelden, Rheinfelden.
1	Lech-Elektrizitäts-Werke A.-G., Augsburg.
1 (St. Vors.)	Julius Pintsch A.-G., Berlin.

Zahl der Aufsichtsrats-Sitze	Berliner Handels-Gesellschaft ist vertreten im Aufsichtsrat der folgenden Aktien-Gesellschaften:
	Textil-Industrie.
2 (St. Vors.)	Baumwoll-Spinnerei, Erlangen.
2 (St. Vors.)	Baumwoll-Spinnerei, Unterhausen.
2 (St. Vors.)	Spinnerei und Buntweberei, Pfersee b. Augsburg.
	Chemische Industrie.
2 (St. Vors.)	Rütgers-Werke A.-G., Charlottenburg
	Industrie der forstwirtschaftlichen Nebenprodukte, Leuchtstoffe, Seifen, Fette, Öle, Firnisse.
	A.-G. für Teer- und Erdölindustrie, Berlin.
1	Deutsche Continentale Gasgesellschaft, Dessau.
1 (St. Vors.)	Schlesische Elektrizitäts- und Gas-A.-G., Breslau.
	Industrie der Nahrungs- und Genußmittel.
2 (Vors.)	Leipziger Bierbrauerei, Reudnitz, Riebeck & Co. A.-G., Reudnitz.
1 (St. Vors.)	„Reichelbräu" A.-G., Kulmbach.
1	W. A. Scholten, Stärke- und Syrupfabrikant, A.-G., Brandenburg.
1 (St. Vors.)	Zuckerraffinerie Tangermünde, Fr. Meyers Sohn, Tangermünde.
	Handelsgewerbe.
1	Bank des Berliner KassenVereins, Berlin.
1 (Vors.)	Bank für deutsche Eisenbahnwerte, Berlin.
1	Berliner Maklerverein, Berlin.
	Deutsch-Asiatische Bank, Shanghai-Berlin.
1	Deutsche Treuhandgesellschaft, Berlin.
1 (Vors.)	Deutsche Hypothekenbank A.-G., Berlin.
1	Liquidationsverein für Zeitgeschäfte an der Berliner Fondsbörse, Berlin.
2 (St. Vors.)	Metallbank und Metallurgische Ges. A.-G., Frankfurt a. M.
1	Ostbank für Handel und Gewerbe, Posen.
	Grundstücksgesellschaften.
2 (Vors.)	A.-G. für Erwerb und Verwertung von Industrie- und Hafengeländen in Hamburg-Neuhof.
1	Bahnhof Jungfernheide, Boden-A.-G., Berlin.
4 (Vors.)	Handelsgesellschaft für Grundbesitz, Berlin.
1	Industriegelände Schöneberg, A.-G., Berlin.
	Versicherungsgewerbe.
1 (St. Vors.)	„Deutscher Anker", Pensions- und Lebensversicherungs-A.-G., Berlin.
	Verkehrsgewerbe.
2 (Vors.)	A.-G. für Verkehrswesen, Berlin.
2 (Vors.)	Allgemeine Lokal- und Straßenbahn-Gesellschaft, Berlin.
1	Braunschweig-Schöninger Eisenbahn, Braunschweig.
1 (Vors.)	Deutsche Kolonial-Eisenbahn-Bau- u. Betriebs-Gesellschaft, Berlin.
1 (Vors.)	Kamerun-Eisenbahn-Gesellschaft, Berlin.

Zahl der Aufsichtsrats-Sitze	**Berliner Handels-Gesellschaft** ist vertreten im Aufsichtsrat der folgenden Aktien-Gesellschaften:
2	Leipziger elektrische Straßenbahn, Leipzig.
1 (St. Vors.)	Oberschlesische Kleinbahn- und Elektrizitätswerke A.-G.
2 (St. Vors.)	Ostdeutsche Eisenbahn-Gesellschaft, Königsberg.
1	Schantung Eisenbahngesellschaft, Berlin.
	Westdeutsche Eisenbahn-Gesellschaft, Cöln.
	Ausländische Gesellschaften.
	Ägyptische Eisenbahn-Gesellschaft Keneh-Assuan, Kairo.
	A.-G. „Elektrizität", Warschau.
	Aluminium-Industrie, A.-G., Neuhausen (Schweiz).
	Banca Commerciale Italiana.
2	Banca Marmorosch, Blank & Co., Bucarest.
2 (Vors.)	Bank für elektrische Unternehmungen, Zürich.
1	Compañía Barcelonesa de Electricidad, Barcelona.
1 (Vors.)	Haftpflicht-Versicherungs-A.-G. „Danubius", Wien.
1	Kraftwerk Laufenburg in Laufenburg (Schweiz).
	Österreich. Alpine Montan-Gesellschaft, Wien.
1	Prager Eisenindustrie-Gesellschaft, Wien.
2 (Vors.)	Süddeutsche Donau-Dampfschiffahrts-Gesellschaft, Wien.
1	Züricher Eisenbahn-Bank, Zürich.

Zahl der Aufsichtsrats-Sitze	**Deutsche Bank** ist vertreten im Aufsichtsrat der folgenden Aktien-Gesellschaften:
	Bergbau, Hütten- und Salinenwerke.
1	A.-G. Deutsche Kaliwerke, Bernterode.
1 (Vors.)	Bleichertsche Braunkohlenwerke A.-G., Neukirchen-Wyhra.
1 (St. Vors.)	Bochumer Verein für Bergbau u. Gußstahlfabrikation, Bochum.
1	Continentale Wasserwerks-Gesellschaft, Berlin.
	Eisenhütte Silesia, A.-G., Paruschowitz, O.S.
1	Essener Bergwerksverein „König Wilhelm", Essen.
2 (St. Vors.)	Essener Steinkohlenbergwerke A.-G., Essen.
1	Gelsenkirchener Bergwerks-A.-G., Gelsenkirchen.
1	Harpener Bergbau-A.-G., Dortmund.
1 (Vors.)	Hohenlohewerke A.-G., Hohenlohehütte.
1 (St. Vors.)	„Königsborn" A.-G. für Bergbau, Salinen- u. Solbad-Betrieb.
1	Otavimenen- und Eisenbahngesellschaft, Berlin.
	Niederlausitzer Kohlenwerke, Senftenberg.
	„Phönix", A.-G. für Bergbau und Hüttenbetrieb, Hoerde.
	Rombacher Hüttenwerke.
	Wasserwerke für das nördliche westfälische Kohlenrevier, Gelsenkirchen.

Zahl der Aufsichtsrats-Sitze	Deutsche Bank ist vertreten im Aufsichtsrat der folgenden Aktien-Gesellschaften:
	Industrie der Steine und Erden.
	„Adler", Deutsche Portland-Cementfabrik, A.-G.
	Schalker Herd- und Ofenfabrik, F. Küppersbusch und Söhne A.-G., Schalke.
1 (St. Vors.)	Steingutfabrik A.-G., Sörnewitz b. Meißen.
1 (Vors.)	Frankfurter Asbestwerke A.-G., vorm. Louis Wertheim, Frankfurt a. M.
	Metallverarbeitung.
1 (St. Vors.)	Hirsch, Kupfer- und Messingwerke A.-G., Halberstadt.
1 (Vors.)	Mannesmannröhren-Werke, Düsseldorf.
1	Sächsische Gußstahlfabrik, Döhlen.
2 (St. Vors.)	Steffens & Nölle A.-G., Berlin.
	Industrie der Maschinen und Instrumente
1 (St. Vors.)	Ascherslebener Maschinenbau-A.-G. vorm. W. Schmidt u. Co., Aschersleben.
	Berlin-Anhaltische Maschinenbau-A.-G., Berlin.
	Chemnitzer Werkzeugmaschinenfabrik, vorm. Joh. Zimmermann, Chemnitz.
	Deutsche Maschinenfabrik, A.-G., Duisburg.
	J. Frerichs & Co. A.-G., Osterholz-Scharmbeck.
	Großenhainer Webstuhl- und Maschinenfabrik A.-G., Großenhain.
1	Carl Hamel A.-G., Schönau.
1 (Vors.)	„Ica" A.-G., Fabrik photographischer Apparate, Fresden.
1	Maschinenfabrik Augsburg-Nürnberg A.-G., Augsburg.
	Nähmaschinenfabrik und Eisengießerei, vorm. H. Koch & Co., Bielefeld.
1 (Vors.)	Norddeutsche Motoren- und Automobil-A.-G., Bremen.
1	Oberschlesische Eisenbahnbedarfs-A.-G., Friedenshütte.
1 (St. Vors.)	Orenstein & Koppel-Arthur Koppel, A.-G. für Feld- und Kleinbahnbedarf, Berlin.
	Pfälzische Nähmaschinen- und Fahrräder-Fabrik, vorm. Gebr. Kayser, Ludwigshafen.
1 (Vors.)	Reichelt, Metallschrauben-A.-G., Finsterwalde.
	Elektrizitäts-Industrie.
1 (St. Vors.)	Accumulatorenfabrik A.-G., Berlin.
1	A.-G. für Elektrizitätsanlagen, Berlin.
1 (Vors.)	Bayrische Elektrizitätswerke, München.
2	Bergmann, Elektrizitätswerke A.-G., Berlin.
1	Berliner Elektricitäts-Werke, Berlin.
1 (Vors.)	Deutsch-Überseeische Elektricitäts-Gesellschaft, Berlin.
3 (Vors.)	Elektrische Licht- und Kraftanlagen A.-G., Berlin.

Zahl der Aufsichtsrats-Sitze	Deutsche Bank ist vertreten im Aufsichtsrat der folgenden Aktien-Gesellschaften:
1 (St. Vors.) 1 1 1 (Vors.)	Kraftübertragungswerk A.-G., Rheinfelden. Julius Pintsch A.-G., Berlin. Rheinisch-Westfälisches Elektrizitätswerk, Essen. Siemens & Halske A.-G., Berlin. Voigt & Haeffner A.-G., Frankfurt a. M.

Chemische Industrie.

1 (Vors.) 1	A.-G. für Anilinfabrikation, Treptow. Dresdner Dynamitfabrik, Dresden. J. D. Riedel A.-G., Berlin.

Industrie der forstwirtschaftlichen Nebenprodukte, Leuchtstoffe, Seifen, Fette, Öle, Firnisse.

Deutsche Continentale Gas-Gesellschaft, Dessau.
Deutsche Mineralöl-Industrie A.-G., Cöln.
Deutsche Petroleum-A.-G., Berlin.

Textilindustrie.

Allgäuer Baumwollspinnerei u. Weberei, Blaichach, vorm. Heinr. Gyr, Blaichach.
Bremer Tauwerkfabrik A.-G., vorm. C. H. Michelsen in Grohn bei Vegesack.

1 (St. Vors.) 1 1 (Vors.) 1 1 (St. Vors.) 1	Bremer Wollkämmerei Blumenthal (Haim). Kammgarnspinnerei Stöhr & Co., Leipzig. Sächsische Kammgarnspinnerei, Harthau i. Erzgeb. Schlesische Textilwerke, Methner & Erahne A.-G., Landeshut. Vereinigte Glanzstoff-Fabriken, Elberfeld. Vereinigte Fränkische Schuhfabriken, vorm. Max Brust, vorm. B. Berneis, Nürnberg.

Papierindustrie.

Paul Süß, A.-G. für Luxuspapierfabrikation, Mügeln bei Dresden.

Gummiindustrie.

1 (Vors.)	Vereinigte Berlin-Frankfurter Gummiwaren-Fabriken, Berlin.

Industrie der Nahrungs- und Genußmittel.

Aktien-Mühlenwerke Stockau-Reichertshofen-Manching.
Societätsbrauerei Waldschlößchen, Dresden.
Zuckerfabrik Pröbeln A.-G., Pröbeln b. Löwen i. Schl.

Baugewerbe.

Internationale Baugesellschaft, Frankfurt a. M.

Zahl der Aufsichtsrats-Sitze	Deutsche Bank ist vertreten im Aufsichtsrat der folgenden Aktien-Gesellschaften:
	Künstlerische Gewerbe.
1 (Vors.)	Kunstdruck- u. Verlagsanstalt, Wezel & Naumann A.-G., Leipzig.
1 (St. Vors.)	Moritz Prescher Nachf. A.-G., Leutzsch-Leipzig.
	Handelsgewerbe.
2	Bank des Berliner KassenVereins, Berlin.
2 (Vors.)	Bergisch-Märkische Bank, Elberfeld.
1	Berliner Maklerverein, Berlin.
1	Deutsche Hypothekenbank, Meiningen.
1 (Vors.)	Deutsche Treuhand-Gesellschaft, Berlin.
8 (Vors., St. Vors.)	Deutsche Überseeische Bank, Berlin.
1 (St. Vors.)	Deutsch-Ost-Afrikanische Bank, Berlin.
2 (Vors.)	Deutsch-Asiatische Bank Shanghai-Berlin.
1 (St. Vors.)	Essener BankVerein, Essen.
1	Essener Credit-Anstalt, Essen.
1	Hannoversche Bank, Hannover.
1 (Vors.)	Mecklenburgische Hypotheken- und Wechselbank, Schwerin.
1	Mecklenburgische Sparbank, Schwerin.
1	Norddeutsche Credit-Anstalt, Königsberg i. Pr.
1 (Vors.)	Preußische Boden-Credit-Actien-Bank, Berlin.
1 (Vors.)	Preußische Hypotheken-Actien-Bank, Berlin.
1	Privatbank zu Gotha.
	Rheinische Creditbank, Mannheim.
1	Sächsische Bank, Dresden.
1 (Vors.)	Schlesischer BankVerein, Breslau.
1	Süddeutsche Bank, Mannheim.
	Grundstücksgesellschaften.
1 (Vors.)	Berliner Terrain- und Bau-A.-G., Berlin.
1 (St. Vors.)	Bodengesellschaft am Hochbahnhof Schönhauser Allee A.-G., Berlin.
1 (Vors.)	Neu-Westend, A.-G. für Grundstücksverwertung, Charlottenburg.
2 (Vors.)	Tempelhofer-Feld, A.-G. für Grundstücksverwertung, Berlin.
1 (Vors.)	Terrain-A.-G. Holzhausen-Park, Frankfurt a. M.
1	Terraingesellschaft am Teltow-Kanal Rudow-Johannisthal A.-G., Berlin.
1 (Vors.)	Terraingesellschaft Neu-Westend A.-G., München.
1	Willmersdorfer Terrain „Rheingau" A.-G., Berlin.
	Versicherungsgewerbe.
	Allgemeine Versicherungsgesellschaft für See-, Fluß- u. Landtransport, Dresden.
1 (St. Vors.)	„Allianz", Versicherungs-A.-G., Berlin.
1	„Atlas", Deutsche Lebensversicherungs-Gesellschaft, Ludwigshafen.

Zahl der Aufsichtsrats-Sitze	**Deutsche Bank** ist vertreten im Aufsichtsrat der folgenden Aktien-Gesellschaften:
1 1 (Vors.)	Continentale Versicherungs-Gesellschaft, Mannheim. Mannheimer Versicherungs-Gesellschaft, Mannheim. Sächsische Rückversicherungs-Gesellschaft, Dresden. Transatlantische Güterversicherungs-Gesellschaft, Berlin.
	Verkehrsgewerbe.
1 1 (St. Vors.) 1 2 2 (Vors.)	A.-G. „Weser" Bremen. Deutsche Waggonleihanstalt, A.-G., Berlin. Elektrische Straßenbahnen, Barmen-Elberfeld, Elberfeld. Gesellschaft für elektrische Hoch- und Untergrundbahnen, Berlin. Norddeutscher Lloyd, Bremen. Ostafrikanische Eisenbahn-Gesellschaft, Berlin. Santa Catharina Eisenbahn-A.-G., Berlin.
	Ausländische Gesellschaften.
1 2 (Vors.) 2 (Vors.) 1 2 (St. Vors.) 1 (St. Vors.) 2 (Vors.) 1 1 1 (Vors.) 1 2 (Vors.) 1 3 (St. Vors.) 1	Aluminium-Industrie, A.-G., Neuhausen (Schweiz). Anatolische Eisenbahn-Gesellschaft, Constantinopel. Bagdad Eisenbahn-Gesellschaft, Constantinopel. Banca Commerciale Italiana, Mailand. Bank für elektrische Unternehmungen, Zürich. Bank für orientalische Eisenbahnen, Zürich. Betriebsgesellschaft der orientalischen Eisenbahnen, Constantinopel. Compañía Barcelonesa de Electricidad, Barcelona. Eisenbahn-Gesellschaft Mersina-Adana. Gesellschaft für elektrische Beleuchtung vom Jahre 1886, St. Petersburg. A. Goerz & Co., Ltd., London. National Bank of South-Africa, London. Steua Romana, A.-G. für Petroleumindustrie, Bukarest. Société du Chemin de Fer Ottoman Salonique-Monastir, Constantinopel. Société du Port de Haidar-Pascha, Constantinopel. South West Africa Company, Ltd., London. K. u. k. privilegierte Südbahn-Gesellschaft, Wien.

Zahl der Aufsichtsrats-Sitze	**Direction der Disconto-Gesellschaft** ist vertreten im Aufsichtsrat der folgenden Aktien-Gesellschaften:
	Bergbau, Hütten- und Salinenwerke.
3 (Vors., St. Vors.) 2	Bochumer Bergwerks-A.-G., Bochum. Deutsch-Luxemburgische Bergwerks- u. Hütten-A.-G., Bochum. Eschweiler BergwerksVerein, Kohlscherd bei Aachen.

Zahl der Aufsichtsrats-Sitze	Direction der Disconto-Gesellschaft ist vertreten im Aufsichtsrat der folgenden Aktien-Gesellschaften:
5 (Vors., St. Vors.)	Gelsenkirchener Bergwerks-A.-G., Rhein-Elbe.
1	Hüstener Gewerkschaft A.-G., Hüsten.
1	Ilseder Hütte, Gr.-Ilsede.
4 (Vors., St. Vors.)	Kaliwerke Aschersleben, Aschersleben.
1	Otavi Minen- und Eisenbahn-Gesellschaft, Berlin.
	„Phönix", A.-G. für Bergbau und Hüttenbetrieb, Hoerde.
	H. B. Sloman & Co., Salpeterwerke A.-G., Hamburg.
	Vereinigte Königs- und Laurahütte, Berlin.

Industrie der Steine und Erden.

Chamotte und Klinker-Fabrik Waldsassen, A.-G., Waldsassen.
Porzellanfabrik Kahla, Kahla S.-A.

Metallverarbeitung.

	Berg- und Metallwaren A.-G., Frankfurt a. M.
1	Gebr. Böhler & Co. A.-G., Berlin.
1 (Vors.)	Gasapparate und Gußwerk-A.-G., Mainz.
1	Heddernheimer Kupferwerke und Süddeutsche Kabelwerke A.-G.
	Neuwalzwerk A.-G., Bösperde.
	Rheinische Stahlwerke Meiderich, Meiderich.

Industrie der Maschinen und Instrumente.

1 (St. Vors.)	Berliner Maschinenbau-A.-G., vorm. L. Schwartzkopf, Berlin.
1	Deutsche Waffen- und Munitionsfabriken, Berlin.
1	Karlsruher Maschinenbau-A.-G., Karlsruhe.
2 (Vors.)	Ludwig Loewe & Co. A.-G., Berlin.
3	Maschinenfabrik u. Mühlbau-Anstalt, G. Luther A.-G., Braunschweig.
1 (Vors.)	Reiherstieg, Schiffswerft und Maschinenfabrik, Hamburg.
1	Sächsische Maschinenfabrik, vorm. Rich. Hartmann A.-G., Chemnitz.

Elektrizitätsindustrie.

A.-G. Mix & Genest, Telephon- und Telegraphenwerke, Berlin.
Allgemeine Elektrizitäts-Gesellschaft, Berlin.
Bergmann Elektricitätswerke A.-G., Berlin.
Gesellschaft für elektrische Unternehmungen, Berlin.
Rheinisch-Westfälische Elektrizitätswerke, Essen.

Textilindustrie.

„Concordia" Spinnerei und Weberei, Bunzlau-Marklissa.
Deutsche Linoleumwerke „Hansa", Delmenhorst,.

Zahl der Aufsichtsrats-Sitze	Direction der Disconto-Gesellschaft ist vertreten im Aufsichtsrat der folgenden Aktien-Gesellschaften:
	Jutespinnerei und Weberei, Hamburg-Harburg.
	Lederfabrik Hirschberg, vorm. Heinrich Koch, Hirschberg.

Gummiindustrie.

Mitteldeutsche Gummiwarenfabrik Louis Peter A.-G., Frankfurt a. M.

Chemische Industrie.

1 (St. Vors.)	Anglo-Continent. (vorm. Ohlendorffsche) Guano-Werke, Hamburg.
1	Deutsche Sprengstoff-A.-G., Hamburg.
1 (Vors.)	Dynamit-A.-G., vorm. Alfred Nobel & Co., Hamburg.
1	Rheinisch-Westfälische Sprengstoff-A.-G., Cöln.

Industrie der forstwirtschaftlichen Nebenprodukte, Leuchtstoffe, Seifen, Fette, Öle, Firnisse,

1	Gebr. Adt A.-G., Forbach.
1 (Vors.)	Allgem. Gas- und Elektrizitätsgesellschaft, Bremen.
3 (Vors.)	Allgemeine Petroleumindustrie A.-G., Berlin.
1 (St. Vors.)	Bremer Ölfabrik, Bremen.
1 (Vors.)	„Hammonia", Stearinfabriken, Hamburg.
1 (Vors.)	Internationale Wasserstoff-A.-G., Berlin.

Industrie der Nahrungs- und Genußmittel.

Freiherrlich v. Tuchersche Brauerei A.-G., Nürnberg.

Handelsgewerbe.

	Allgemeine Deutsche Credit-Anstalt, Leipzig.
2	Bank des Berliner Kassenvereins, Berlin.
2 (St. Vors.)	Bank für Thüringen vorm. B. M. Strupp A.-G., Meiningen.
1	Barmer BankVerein, Hinsberg, Fischer & Co., Barmen.
	Bayerische Disconto- und Wechselbank, Nürnberg.
	Bayerische Revisions- und Vermögensverwaltungs-A.-G., München.
1	Berliner Maklerverein, Berlin.
2 (Vors., St. Vors.)	Brasilianische Bank für Deutschland, Hamburg.
2 (St. Vors.)	A. Busse & Co., A.-G., Berlin.
1	Deutsche Afrika-Bank, Hamburg.
3 (St. Vors.)	Deutsch-Asiatische Bank, Shanghai-Berlin.
2	Deutsche Grundkreditbank, Gotha.

Zahl der Aufsichtsrats-Sitze	**Direction der Disconto-Gesellschaft** ist vertreten im Aufsichtsrat der folgenden Aktien-Gesellschaften:
	Deutsche Hypothekenbank, Meiningen.
1	Deutsche Hypothekenbank A.G., Berlin.
1 (Vors.)	Landbank, Berlin.
1	Magdeburger BankVerein, Magdeburg.
2 (Vors.)	Norddeutsche Bank, Hamburg [1]).
1	Oberlausitzer Bank, Zittau.
1 (Vors.)	Preußische Central-Bodencredit-A.-G., Berlin.
1	Preußische Hypotheken-Actien-Bank, Berlin.
1 (Vors.)	Reis- und Handels-A.-G., Bremen.
3 (Vors., St. Vors.)	„Revision", Treuhand-A.-G., Berlin.
2 (St. Vors.)	Stahl & Federer A.-G., Stuttgart.
3 (St. Vors.)	Süddeutsche Disconto-Gesellschaft, Mannheim.

Grundstücksgesellschaften.

3 (Vors., St. Vors.)	Terrain-Gesellschaft Berlin-Südwesten.

Versicherungsgewerbe.

	„Franconia", Rück- und Mitversicherungsgesellschaft, Frankfurt a. M.
	Frankfurter Transport-, Unfall- und Glasversicherungs-A.-G., Frankfurt a. M.
2 (Vors.)	„Nordstern", Lebensversicherung A.-G., Berlin.
2 (Vors.)	„Nordstern", Unfall- und Altersversicherung A.-G., Berlin.

Verkehrsgewerbe.

	Badische Lokal-Eisenbahn-A.-G., Karlsruhe.
1	Berlin-Charlottenburger Straßenbahn-Gesellschaft, Berlin.
1 (St. Vors.)	Bröhthaler Eisenbahngesellschaft, Hennef a. d. Sieg.
1	Deutsche Afrika-Linie, Hamburg.
1 (St. Vors.)	Deutsch-Atlantische Telegraphengesellschaft, Cöln.
1 (St. Vors.)	Deutsch-Überseeische Elektrizitäts-Gesellschaft, Berlin.
1	Deutsch-Niederländische Telegraphen-A.-G., Cöln.
	Deutsch-Südamerikanische Dampfschifffahrts-Gesellschaft, Hamburg.
	Große Berliner Straßenbahn, Berlin.
1	Große Leipziger Straßenbahn, Leipzig.
3 (Vors., St. Vors.)	Große Venezuela Eisenbahn-Gesellschaft, Berlin.
1 (Vors.)	Hamburg-Amerika-Pacetfahrt-A.-G., Hamburg.
1 (St. Vors.)	Ostafrikanische Eisenbahngesellschaft, Berlin.
1 (Vors.)	Schantung-Eisenbahn-Gesellschaft.
2	Westdeutsche Eisenbahn-Gesellschaft, Berlin.

1) Da die sämtlichen Aktien der Norddeutschen Bank sich im Portefeuille der Disconto-Gesellschaft befinden, sind wohl sämtliche Aufsichtsratsmitglieder als Vertreter anzunehmen.

Zahl der Aufsichtsrats- Sitze	Direction der Disconto-Gesellschaft ist vertreten im Aufsichtsrat der folgenden Aktien-Gesellschaften:
	Ausländische Gesellschaften.
1 .	Banca Commerciale Italiana, Mailand.
2 (Vors.)	Banqe de Crédit, Sofia.
1 (Vors.)	Banca Generala Romana, Bukarest.
	„Crédit Petrolifer", Gesellschaft zur Förderung der Entwicklung der rumänischen Petroleumindustrie, Bukarest.
	The Nobel Dynamite Trust, Ltd., London.
	Schweizerischer Bankverein, Basel.
	„Vega", Rumänische Petroleum-Raffinerie A.-G. Bukarest.
	Warschau-Wiener Eisenbahn-Gesellschaft, Warschau.

Zahl der Aufsichtsrats- Sitze	Dresdner Bank ist vertreten im Aufsichtsrat der folgenden Aktien-Gesellschaften:
	Bergbau. Hütten- und Salinenwerke.
1	„Bismarckhütte", Bismarckhütte.
3 (Vors. St. Vors.)	Deutsch-Österreichische Bergwerks-Gesellschaft, Dresden.
1	Gelsenkirchener Bergwerks-A.-G., Gelsenkirchen.
	Harpener Bergbau-A.-G., Bochum.
	Mühlheimer Bergwerksverein, Mühlheim a. Rh.
1	„Phönix", A.-G. für Bergbau und Hüttenbetrieb, Hoerde.
3 (Vors.)	Saar- und Mosel-Bergwerks-Gesellschaft zu Karlingen.
1	Schlesische A.-G. für Bergbau und Zinkhütten-Betrieb, Lipine, O.-S.
	Vereinigte Königs- u. Laurahütte, A.-G. f. Bergbau u. Huttenbetrieb, Berlin.
	Industrie der Steine und Erden.
2 (Vors.)	Porzellanfabrik Ph. Rosenthal & Co. A.-G., Selb.
2 (Vors.)	Sächsisch-Böhmische Portland-Cementfabrik A.-G., Dresden.
	Metallverarbeitung.
1 (St. Vors.)	A.-G. Lauchhammer, Lauchhammer.
1	Balcke, Tellering & Co. A.-G., Benrath.
	Gebr. Böhler & Co., A.-G. Berlin.
	Sächsische Gußstahlfabrik Döhlen bei Dresden.

Zahl der Aufsichtsrats- Sitze	**Dresdner Bank.** ist vertreten im Aufsichtsrat der folgenden Aktien-Gesellschaften:
	Industrie der Maschinen und Instrumente.
1	Deutsche Waffen- und Munitionsfabriken, Berlin.
1 (St. Vors.)	Ludw. Loewe & Co. A.-G., Berlin.
1 (Vors.)	Maschinenbau-A.-G. Markt-Redwitz, vorm. H. Rockstroh, Markt-Redwitz.
1	Mühlenbauanstalt und Maschinenfabrik vorm. Gebr. Seck, Dresden.
1 (Vors.)	Orenstein & Koppel-Arthur Koppel, A.-G. für Kleinbahnen usw., Berlin.
1 (St. Vors.)	Wanderer, Fahrradwerke vorm. Winkelhöfer & Jänicke A.-G., Schönau bei Chemnitz.
	Elektrizitätsindustrie.
	Allgemeine Elektricitäts-Gesellschaft, Berlin.
	Deutsch-Überseeische Elektrizitätsgesellschaft, Berlin.
1	Felten und Guilleaume-Lahmayer-Werke, A.-G., Mülheim a. Rh.
1 (St. Vors.)	Gesellschaft für elektrische Unternehmungen, Berlin.
1	Max Kohl A.-G., Chemnitz.
1	Kraftübertragungswerk Rheinfelden, Rheinfelden.
1 (Vors.)	Osteuropäische Telegraphen-Gesellschaft, Cöln.
1	Rheinisch-Westfälisches Elektrizitätswerk A.-G., Essen.
	Chemische Industrie.
1	Chemische Fabrik von Heyden A.-G., Radebeul b. Dresden.
1 (Vors.)	Gehe & Co. A.-G., Dresden.
	Textilindustrie.
1 (Vors.)	Baumwollspinnerei Zwickau.
1 (St. Vors.)	Erdmannsdorfer A.-G. für Flachsgarn-, Maschinenspinnerei u. Weberei, Erdmannsdorf.
	Kammgarnspinnerei Schaefer & Co. A.-G., Harthau i. Erzgeb.
1	Vereinigte Strohstoffabriken, Dresden.
1 (Vors.)	Zwickauer Kammgarnspinnerei, Zwickau.
	Papierindustrie.
	A.-G. Kartonnagenindustrie, Loschwitz bei Dresden.
	Patentpapierfabrik, Penig.
	Vereinigte Bautzener Papierfabriken, Bautzen.
	Industrie der Nahrungs- und Genußmittel.
2 (Vors.)	Aktien-Bierbrauerei zu Reisewitz, Dresden-Löbtau.
1 (St. Vors.)	Sächsische Malzfabrik, Dresden-Plauen.

Zahl der Aufsichtsrats- Sitze	Dresdner Bank ist vertreten im Aufsichtsrat der folgenden Aktien-Gesellschaften:
	Handelsgewerbe.
	Banque de Mulhouse, Mülhausen i. Els.
	Baubank für die Residenzstadt Dresden, Dresden.
1	Berliner Maklerverein, Berlin.
1 (Vors.)	Berlinische Boden-Credit-A.-G. Berlin.
1	Centralbank für Eisenbahnwerte, Berlin.
	Deutsch-Asiatische Bank Shanghai Berlin.
1	Deutsche Grund-Credit-Bank, Gotha.
2 (Vors.)	Deutsche Orientbank A.-G., Berlin.
2	Deutsch-Südamerikanische Bank, Berlin.
1	Märkische Bank, Bochum.
1 (St. Vors.)	Mecklenburgische Bank, Schwerin i. M.
1 (Vors.)	Norddeutsche Lagerhaus-A.-G., Berlin.
1 (Vors.)	Preußische Pfandbriefbank, Berlin.
1	Rheinische Bank, Essen.
1	Rheinisch-Westfälische Boden-Credit-Bank, Cöln.
2 (Vors.)	Sächsische Boden-Credit-Anstalt, Dresden.
3	A. Schaaffhausen'scher Bankverein, Cöln.
1	Schwarzburg. Hypothekenbank, Sondershausen.
1 (St. Vors.)	Schwarzburg. Landesbank, Sondershausen.
1	Treuhand-Vereinigung A.-G., Berlin.
	Grundstücksgesellschaften.
1	Allgemeine Boden-A.-G., Berlin.
1 (Vors.)	Berlinische Bodengesellschaft, Berlin.
2 (Vors., St. Vors.)	Bodengesellschaft Kurfürstendamm, Berlin.
2 (Vors., St. Vors.)	Schmargendorfer Boden-A.-G., Berlin.
1	Tempelhofer Feld-Verwertungs-A-G., Berlin.
	Terrain-A.-G., Park Witzleben, Berlin.
1	Terraingesellschaft Berlin-Südwesten, Berlin.
2 (Vors.)	Terraingesellschaft am Centralviehhof A.-G., Berlin.
2 (St. Vors.)	Terraingesellschaft Dresden-Süd, Dresden.
	Baugewerbe.
2 (Vors.)	Dresdner Baugesellschaft, Dresden.
1	Grün & Bilfinger A.-G., Mannheim.

Zahl der Aufsichtsrats-Sitze	**Dresdner Bank** ist vertreten im Aufsichtsrat der folgenden Aktien-Gesellschaften:
	Versicherungsgewerbe.
	„Allianz", Versicherungs-A.-G., Berlin.
	„Deutscher Anker", Pensions- und LebensVersicherungs-A.-G., Berlin.
	Magdeburger Feuerversicherungs-Gesellschaft, Magdeburg.
	Verkehrsgewerbe.
1	Allgemeine Deutsche Kleinbahn-A.-G., Berlin..
1 (Vors.)	Berlin-Charlottenburger Straßenbahn, Berlin.
2 (Vors.)	Continentale Eisenbahn-Bau- und Betriebs-Gesellschaft, Berlin.
1 (St. Vors.)	Deutsch-Atlantische Telegraphen-Gesellschaft, Cöln.
1 (Vors.)	Deutsch-Niederländische Telegraphen-Gesellschaft, Cöln.
1	Große Berliner Straßenbahn, Berlin.
	Große Leipziger Straßenbahn, Leipzig.
1	Magdeburger Straßenbahn, Magdeburg.
1 (Vors.)	Osteuropäische Telegraphen-Gesellschaft, Berlin.
1	Sächsisch-Böhmische Dampfschiffahrts-Gesellschaft, Dresden.
1 (St. Vors.)	Straßeneisenbahn-Gesellschaft, Hamburg.
1 (St. Vors.)	Vereinigte Elbeschiffahrtsgesellschaften A.-G., Dresden.
1	Westliche Berliner Vorortbahn, Berlin.
	Gast- und Schankwirtschaft.
1 (St. Vors.)	Deutsche Eisenbahn-Speisewagen-Gesellschaft, Berlin.
	Ausländische Gesellschaften.
	A.-G. v. Speyr & Co., Basel.
	Banca Commerciale Italiana, Mailand.
	Bank für elektrische Unternehmungen, Zürich.
	Bank für Orientalische Eisenbahnen, Zürich.
	Banque J. Allard et Co., Paris.
	Belgische Eisenbahnbank, Brüssel.
	Betriebs-Gesellschaft für Orientalische Eisenbahnen, Constantinopel.
	Dobsinaer Kupferwerke A.-G., Budapest.
	Gen. Mining and Finance-Comp. Ltd., Johannesburg-London.
	Kraftübertragungswerk Laufenburg, Laufenburg.
	Schweizerische Gesellschaft für nordamerikanische Werte, Basel.
	Victoria Falls Tower Company Ltd., London.

Zahl der Aufsichtsrats-Sitze	**A. Schaaffhausen'scher Bankverein** ist vertreten im Aufsichtsrat der folgenden Aktien-Gesellschaften:
	Bergbau, Hütten- und Salinenwerke.
1 (St. Vors.)	Bergwerks-Gesellschaft „Glückaufsegen", Hacheney bei Hoerde.
1	Deutsch-Luxemburg. Bergwerks- uud Hütten-A.-G., Bochum.
	Eschweiler BergwerksVerein, Kohlscheid bei Aachen.
	Gelsenkirchener Bergwerks-A.-G., Rhein-Elbe.
1	Harpener Bergbau-A.-G., Dortmund.
6 (Vors.)	Internationale Bohrgesellschaft, Erkelenz.
2 (Vors.)	Internationale Kohlenbergwerks-A.-G., St. Avold.
1 (St. Vors.)	Kölner BergwerksVerein, Altenessen.
1 (Vors.)	Lothringer HüttenVerein Aumetz-Friede, Kneutlingen i. L.
2	„Phönix", A.-G., für Bergbau u. Hüttenbetrieb Hoerde.
	Rheinische Wasserwerks-Gesellschaft, Köln.
	Rombacher Hüttenwerke, Köln.
3	Sieg.-Rhein. Hütten-A.-G., Friedrich-Wilhelmshütte a. d. Sieg.
2	Vereinigte Stahlwerke v. d. Zypen & Wissener Eisenhütten-A.-G., Köln-Deutz.
	Zechau-Kriebitzscher Kohlenwerke „Glückauf", A.-G., Zechau (S.-A.).
	Industrie der Steine und Erden.
1 (St. Vors.)	A.-G. für Rhein.-Westfäl. Cementindustrie, Beckum.
1	Annaburger Steingutfabrik A.-G.
1 (Vors.)	Glas- und Spiegelmanufaktur Schalke, Schalke.
1	Weseler Portland-Cement- und Tonwerke, Wesel.
	Metallverarbeitung.
	A.-G. de Fries & Co., Düsseldorf.
1	A.-G. Westfälische Drahtwerke, Langendreer.
1 (St. Vors.)	Alexanderwerk A. v. d. Nahmer, A.-G., Remscheid.
1 (Vors.)	Cöln-Lindenthaler Metallwerke A.-G.
2 (Vors., St. Vors.)	Façoneisen Walzwerk L. Mannstaedt & Cie. A.-G., Kalk b. Cöln.
2	Norddeutsche Seekabelwerke, Nordenham.
1	Orenstein und Koppel-Arthur Koppel A.-G., Berlin.
1 (Vors.)	Schwelmer Eisenwerk Müller & Co. A.-G., Schwelm i. Westf.
1	Walther & Co., Delbrück bei Köln.
	Industrie der Maschinen und Instrumente.
	Berlin-Anhaltische Maschinenbau-A.-G., Berlin.
	Anker-Werke A.-G., vorm. Hengstenberg & Co., Bielefeld.
1	Deutsche Waffen- und Munitionsfabriken, Berlin.
1 (Vors.)	Gasmotorenfabrik „Deutz".

Zahl der Aufsichtsrats-Sitze	A. Schaaffhausen'scher Bankverein ist vertreten im Aufsichtsrat der folgenden Aktien-Gesellschaften:
1	Gildemeister & Co. Werkzeugmaschinenfabrik A.-G., Bielfeld.
2 (Vors.)	Kalker Werkzeugmaschinenfabrik Breuer, Schumacher & Co. A.-G., Kalk b. Cöln.
	Kottbuser Maschinenbauanstalt und Eisengießerei A.-G., Kottbus.
1	Ludwig Loewe & Co., A.-G., Berlin.
1 (Vors., St. Vors.)	Maschinen-Bauanstalt Humboldt, Kalk b. Cöln.
1 (Vors.)	Maschinenfabrik „Deutschland" A.-G., Dortmund.
2	Maschinenfabrik Grevenbroich, Grevenbroich.
2 (Vors.)	Waggonfabrik A.-G., vorm. P. Herbrandt & Co., Cöln-Ehrenfeld.
1 (Vors.)	Waggonfabrik A.-G., Ürdingen.
1	Weyersberg, Kirschbaum & Co. A.-G., für Waffen und Fahrradteile, Solingen.

Elektrizitätsindustrie.

Allgemeine Elektricitäts-Gesellschaft, Berlin.
Bergmann Elektrizitätswerke A.-G., Berlin.
Felten und Guilleaume-Lahmeyer-Werke, Mülheim a. Rh.
Gesellschaft für elektrische Unternehmungen, Berlin.

Chemische Industrie.

1 (St. Vors.)	A.-G. für chemische Industrie, Gelsenkirchen-Schalke.
1	Chemische Fabrik Hönningen, vorm. Walther Feld & Co. A.-G., Hönningen.
	Chemische Werke Schuster & Wilhelmy, Reichenbach.
	Rütgerswerke A.-G., Charlottenburg.
	Vereinigte Cöln-Rottweiler Pulverfabriken, Berlin.

Industrie der forstwirtschaftlichen Nebenprodukte, Leuchtstoffe, Seifen, Fette, Öle, Firnisse.

2 (Vors.)	Deutsche Mineralöl-Industrie A.-G., Cöln.

Textilindustrie.

1 (St. Vors.)	Dülkener Baumwollspinnerei A.-G., Dülken.
1	Krefelder Teppichfabrik A.-G., Krefeld.
1 (Vors.)	Schöllersche und Eitorfer Kammgarnspinnerei A -G., Breslau-Eitorf
1	Süddeutsche Juteindustrie, Mannheim-Waldhof.

Papierindustrie.

1	Carl Ernst & Co. A.-G., Berlin.
1 (Vors.)	W. Hagelberg A.-G., Berlin.

Zahl der Aufsichtsrats-Sitze	**A. Schaaffhausen'scher Bankverein** ist vertreten im Aufsichtsrat der folgenden Aktien-Gesellschaften:

Industrie der Nahrungs- und Genußmittel.

Gebrüder Stollwerck, A.-G., Cöln.

Rositzer Zuckerraffinerie, Rositz.

Baugewerbe.

1 (Vors.)	A.-G. für Brückenbau, Tiefbohrung und Eisenkonstruktionen, Neuwied a. Rh.
	Dyckerhoff & Widmann A.-G., Biebrich.
	Held & Francke A.-G., Berlin.
1	Rhein. Baugesellschaft, Cöln.
1 (Vors.)	Tiefbau und Kälteindustrie A.-G., vorm. Gebhardt & König, Nordhausen.

Handelsgewerbe.

1 (St. Vors.)	A.-G. für Rhein.-Westfäl. Industrie, Cöln.
1	Bank für deutsche Eisenbahnwerte, Berlin.
	Cölnische Hausrenten A.-G., Cöln.
	Deutsch-Asiatische Bank.
2	Deutsche Orientbank A.-G., Berlin.
3 (St. Vors.)	Deutsch-Südamerikanische Bank A.-G., Berlin.
2	Dresdner Bank, Dresden.
1	Düsseldorfer Baubank, Düsseldorf.
	Mecklenburgische Bank, Schwerin.
	Mittelrhein. Bank, Koblenz.
	Oldenburg. Landesbank, Oldenburg i. Gr.
	Ostbank für Handel und Gewerbe, Posen.
1	Preußische Pfandbriefbank, Berlin.
2 (St. Vors.)	Rheinische Bank, Essen a. d. Ruhr.
2 (Vors.)	Rhein.-Westfäl. Boden-Credit-Bank, Cöln.
1 (St. Vors.)	Schwarzburg. Hypothekenbank, Sondershausen.
1	Schwarzburg. Landesbank, Sondershausen.
	Treuhandbank für Elektrizitätsindustrie A.-G., Berlin.
1	Treuhand-Vereinigung A.-G., Berlin.
2 (Vors.)	Westfälisch-Lippische Vereinsbank in Bielefeld.

Grundstücksgesellschaften.

1 (St. Vors.)	Allgemeine Boden-A.-G., Berlin.
1	Boden-A.-G., Charlottenburg-West, Berlin.
1 (St. Vors.)	Bodengesellschaft Bayenthal, Cöln.
1 (Vors.)	Neue Boden-A.-G., Berlin.

Versicherungsgewerbe.

„Atlas", Deutsche Lebensversicherungsgesellschaft, Ludwigshafen.

Cölnische Feuerversicherungs-Gesellschaft „Colonia", Cöln.

Zahl der Aufsichtsrats-Sitze	A. Schaaffhausen'scher Bankverein ist vertreten im Aufsichtsrat der folgenden Aktien-Gesellschaften:
1 (St. Vors.) 1	Cölnische Unfall-Versicherungs-A.-G., Cöln. „Rhenania", Versicherungs-A.-G. in Cöln. Rückversicherungs-A.-G. „Colonia", Cöln.

Verkehrsgewerbe.

	A.-G. für Verkehrswesen, Berlin.
	Badische Lokaleisenbahnen-A.-G., Karlsruhe.
1	Berlin-Charlottenburger Straßenbahn, Berlin.
1 (Vors.)	Braunschweig-Schöninger Eisenbahn-Gesellschaft, Braunschweig.
1 (St. Vors.)	Bröhltal-Eisenbahn-Gesellschaft, Cöln.
1	Dampfschiffahrtsgesellschaft für den Mittel- und Nieder-Rhein, Cöln.
2 (Vors.)	Deutsch-Atlantische Telegraphengesellschaft, Cöln.
1 (St. Vors.)	Deutsch-Niederländische Telegraphenaktiengesellschaft, Cöln.
3 (Vors.)	Deutsch-Südamerikanische Telegraphengesellschaft, Cöln.
1	Große Berliner Straßenbahn, Berlin.
1	Kamerun-Eisenbahn-Gesellschaft, Berlin.
1 (Vors.)	Mödrath-Liblar-Brühler-Eisenbahn-A.-G., Cöln.
1 (Vors.)	Moselbahn-A.-G., Trier.
1 (St. Vors.)	Rinteln-Stadthagener Eisenbahn-Gesellschaft, Rinteln.
1	Schantung-Eisenbahn-Gesellschaft, Berlin.
1 (St. Vors.)	Schlesische Dampfer-Compagnie, Breslau.
1 (Vors.)	Vereinigte Westdeutsche Kleinbahn-A.-G., Cöln.
1 (Vors.)	Westdeutsche Eisenbahn-Gesellschaft, Cöln.
1 (Vors.)	Württembergische Nebenbahnen-A.-G., Stuttgart.

Ausländische Gesellschaften.

	Astra Romana, soc. an., Bukarest.
	Banque Internationale de Bruxelles, Brüssel.
	Foraky, Soc. an. Belge de l'Entreprise de Forage et de Fonçage, Brüssel.
1	General Mining and Finance-Corporation Ltd., Johannisburg.
1 (St. Vors.)	Rumänische A.-G. für Industrie, Königreich Rumänien, Bukarest.
1	Société française de Forage et de Recherches Minères (Brevet Raky), Paris.

Beilage V.

Gesamtsumme der an der Berliner Börse in den Jahren 1882—1910 emittierten Werte.

(Zu Seite 326.)

Bank für Handel und Industrie.

Gesamtsumme der an der Berliner Börse in den Jahren 1882—1910 emittierten Werte.

Jahr¹)	Von der Bank allein emittiert	In Gemeinschaft mit anderen Groß-banken emittiert	In Gemeinschaft mit anderen Banken²) emittiert	In Gemeinschaft mit anderen Groß-banken und Banken²) emittiert
1882	10 500 000	6 500 000		
1883	11 600 000	20 000 000		.
1884	12 850 000	.		39 437 200
1885	.	209 512 800	.	75 380 800
1886	71 757 200	.	10 000 000	.
1887	10 000 000	.	.	22 440 000
1888	87 852 800	21 500 000	3 000 000	314 620 000
1889	68 440 000	28 000 000	16 000 000	1 123 509 740
1890	8 000 000	.	77 600 000	495 195 694
1891	.	38 250 400	.	531 925 020
1892	.	9 600 000	.	398 800 000
1893	3 000 000	3 000 000	2 330 000	194 902 700
1894	14 358 400	3 000 000	.	110 000 000
1895	19 873 500	39 000 000	40 234 525	110 000 000
1896	25 756 000	41 183 500	8 000 000	109 100 000
1897	232 394 000	5 700 000	.	74 750 000
1898	112 386 000	21 750 000	14 703 000	125 000 000
1899	75 400 000	36 500 000	6 939 500	118 700 000
1900	2 300 000	8 200 000	83 139 500	247 400 000
1901	68 500 000	14 500 000	1 079 000	303 691 250
1902	140 265 700	23 000 000	7 500 000	1 261 099 500
1903	284 050 000	30 000 000	1 250 000	3 434 609 074
1904	24 625 000	44 000 000	35 000 000	197 723 570
1905	70 000 000	80 250 000	21 400 000	820 611 000
1906	110 000 000	184 000 000	82 497 200	274 798 000
1907	13 400 000	118 000 000	9 750 000	6 584 005 232
1908	9 310 000	136 200 000	3 300 000	505 000 000
1909	5 000 000	255 951 500	15 300 000	220 200 000
1910	53 700 000	121 920 000	6 900 000	1 089 263 180

1) Es sind nur die Jahre berücksichtigt worden, in denen Werte emittiert worden sind.

2) Einschließlich der privaten Bankfirmen.

Zum Handel an der Berliner Börse in den Jahren 1882—1910 zugelassene Emissionen.

Jahr[1])	Von der Bank alein emittiert	In Gemeinschaft mit anderen Groß-banken emittiert	In Gemeinschaft mit anderen Banken[2]) emittiert	In Gemeinschaft mit anderen Groß-banken und Banken[2]) emittiert
Deutsche Fonds.				
1882	4 500 000	.		
1884	10 000 000			.
1886	.		10 000 000	
1887	10 000 000		.	
1888	.		3 000 000	40 000 000
1889	4 040 000		.	.
1890	.			235 000 000
1891	.			450 000 000
1892	.	.	.	340 000 000
1893	2 000 000	3 000 000	2 330 000	25 000 000
1894	13 000 000	.		10 000 000
1895	16 280 700	.	39 034 525	
1896	17 750 000	2 321 000	8 000 000	2 800 000
1897	98 250 000	.	.	20 000 000
1898	.	.	14 703 000	6 000 000
1899	21 500 000	7 500 000	4 939 500	27 700 000
1900	2 300 000	3 000 000	3 639 500	57 500 000
1901	1 500 000	14 500 000	1 079 000	5 000 000
1902	.	6 000 000	6 000 000	17 000 000
1903		.		26 960 100
1904	.	16 000 000	35 000 000	17 000 000
1905	9 000 000	12 000 000	.	24 000 000
1906	.	50 000 000	9 017 200	26 000 000
1907	5 000 000	42 500 000	2 250 000	24 500 000
1908	2 000 000	67 000 000	.	190 000 000
1909	2 000 000	231 951 500	10 300 000	62 800 000
1910	1 500 000	87 000 000	.	36 000 000
Ausländische Fonds.				
1886	51 757 200	.		.
1887	.			22 440 000
1888	40 252 800		.	274 620 000
1889	16 400 000	.	.	247 020 000
1890	.		28 000 000	148 906 944
1891	.	34 650 400	.	50 750 000
1893	.			138 902 700
1895	.	26 000 000		.
1896	.	14 062 500		.
1898	.	.		51 000 000
1900	.			102 000 000
1901	.			226 191 250
1902	.			1 166 599 500
1903	280 000 000			3 383 148 974
1904	.		.	90 426 570
1905	.			678 300 000
1906	80 000 000		48 480 000	28 350 000
1907	.		.	6 481 565 232
1908	.			127 500 000
1910	.			539 367 500

1) Es sind nur die Jahre berücksichtigt worden, in denen Werte emittiert worden sind.

2) Einschließlich der privaten Bankfirmen.

Jahr[1]	Von der Bank allein emittiert	In Gemeinschaft mit anderen Groß-banken emittiert	In Gemeinschaft mit anderen Banken[2]) emittiert	In Gemeinschaft mit anderen Groß-banken und Banken[2]) emittiert
Deutsche Pfandbriefe.				
1888	30 000 000	.		
1889	10 000 000	.		
1896	.	20 000 000		
1897	115 000 000	.		
1898	55 300 000		.	
1900		.	75 000 000	
1902	26 040 700	10 000 000	.	
1903	.	20 000 000		
1904	.	25 000 000		
1905	.	65 000 000	20 000 000	
1906	.	.	25 000 000	
Ausländische Pfandbriefe.				
1896	.	.	.	51 000 000
1897	.			51 000 000
1904	.			34 000 000
Deutsche Eisenbahn-Aktien.				
1896	.	.	.	1 800 000
1897	.			1 250 000
1898	13 150 000			.
1900	.			1 200 000
1902	11 450 000			2 000 000
1904	.			24 297 000
1906	.			4 024 000
1908	.			11 000 000
Ausländische Eisenbahn-Aktien.				
1888	17 600 000	.	.	
1890	.		49 600 000	
1892	.	5 600 000	.	
1910	.	.		374 755 080
Deutsche Eisenbahn-Obligationen.				
1888	.	2 500 000	.	
1890	8 000 000	.		
1897	.	5 700 000		2 500 000
1900	.	.		3 000 000
1901	.			5 500 000
1902	.			4 000 000
1905	3 000 000			5 000 000
1906	7 000 000			4 500 000
1910	.		1 000 000	.
Ausländische Eisenbahn-Obligationen.				
1882	.	6 500 000	.	
1883	.	20 000 000		
1884	.	.		39 437 200
1885	.	209 512 800	.	75 380 800
1886	20 000 000	.		
1889	.	16 000 000	16 000 000	876 489 740

1) Es sind nur die Jahre berücksichtigt worden, in denen Werte emittiert worden sind.

2) Einschließlich der privaten Bankfirmen.

43*

Jahr¹)	Von der Bank allein emittiert	In Gemeinschaft mit anderen Groß-banken emittiert	In Gemeinschaft mit anderen Banken²) emittiert	In Gemeinschaft mit anderen Groß-banken und Banken²) emittiert
1890	.			111 288 750
1891	.			31 175 020
1892	.			52 800 000
1893	.			16 000 000
1894	.			100 000 000
1895	.			100 000 000
1899	48 000 000			.
1901	.			87 000 000
1906	.	.		1 687 500
1907	.	42 000 000	.	

Deutsche Straßenbahn-Obligationen.

1896	.	.	.	7 500 000

Bank-Aktien.

1882	6 000 000	.		.
1889	20 000 000			.
1896	3 000 000			16 000 000
1897	16 200 000			
1898	28 000 000			8 000 000
1899	.			17 000 000
1901	.			24 000 000
1902	52 000 000	.		.
1903	.	4 000 000		
1904	.			12 500 000
1905	22 000 000	3 000 000		16 000 000
1906	19 000 000	18 000 000		33 250 000
1907	3 400 000	.		20 000 000
1908	3 000 000			8 000 000
1909	.	6 000 000		4 500 000
1910	51 200 000	25 920 000		.

Industrie-Aktien.

1888	.	19 000 000		
1889	7 000 000	12 000 000		
1891	.	3 600 000		
1892	.	4 000 000		
1893	1 000 000	.		
1894	1 358 400	3 000 000		
1895	3 592 800	13 000 000		
1896	5 006 000	4 800 000	.	30 000 000
1897	2 944 000	.		
1898	2 436 000	9 750 000	.	20 000 000
1899	5 900 000	29 000 000	2 000 000	74 000 000
1900	.	5 200 000	2 500 000	48 700 000
1901	41 000 000	.		.
1902	25 675 000	1 000 000	1 500 000	28 000 000
1903	4 050 000	5 000 000	1 250 000	12 500 000
1904	10 625 000	3 000 000	.	25 000 000
1905	26 000 000	250 000	1 400 000	80 311 000
1906	4 000 000	96 000 000	.	145 589 000
1907	5 000 000	30 000 000	7 500 000	43 000 000
1908	4 310 000	24 200 000	3 300 000	54 530 000
1909	.	8 000 000	5 000 000	74 360 000
1910	1 000 000	1 000 000	900 000	91 585 000

1) Es sind nur die Jahre berücksichtigt worden, in denen Werte emittiert worden sind.

2) Einschließlich der privaten Bankfirmen.

Jahr[1]	Von der Bank allein emittiert	In Gemeinschaft mit anderen Großbanken emittiert	In Gemeinschaft mit anderen Banken[2] emittiert	In Gemeinschaft mit anderen Großbanken und Banken[2] emittiert
		Industrie-Obligationen.		
1883	11 600 000	.		
1884	2 850 000			.
1889	11 000 000			.
1892	.			6 000 000
1893	.		.	15 000 000
1895	.	.	1 200 000	10 000 000
1898	13 500 000	12 000 000	.	40 000 000
1900	.	.	2 000 000	35 000 000
1901	26 000 000	.	.	23 000 000
1902	25 100 000	6 000 000		43 500 000
1903	.	1 000 000		12 000 000
1904	14 000 000	.		4 500 000
1905	10 000 000	.		17 000 000
1906	.	20 000 000		31 397 500
1907	.	3 500 000		15 000 000
1908	.	45 000 000		174 570 000
1909	3 000 000	10 000 000	.	78 600 000
1910	.	8 000 000	5 000 000	47 550 600

Berliner Handels-Gesellschaft.

Gesamtsumme der an der Berliner Börse in den Jahren 1882—1910 emittierten Werte.

1882	.	.	.	
1883	35 730 000	.	12 000 000	
1884	35 486 380	14 225 000	196 043 820	
1885	60 975 000	.	14 000 000	.
1886	57 975 000	16 000 000	519 249 720	48 645 000
1887	173 015 000	.	21 000 000	96 726 500
1888	17 900 000	19 000 000	444 620 000	344 620 000
1889	62 198 600	204 000 000	9 999 500	214 520 000
1880	.	.	16 800 000	419 906 944
1891	3 716 000	3 600 000	7 000 000	473 770 000
1892	15 000 000	14 600 000	40 400 000	522 250 000
1893	1 050 000	6 000 000	14 350 800	117 000 000
1894	8 313 000	7 000 000	108 320 000	149 118 000
1895	13 025 000	42 000 000	62 233 000	196 219 000
1896	339 936 530	4 800 000	55 056 600	172 236 000
1897	25 848 000	29 350 000	65 685 500	288 760 000
1898	13 980 000	69 700 500	40 700 000	313 598 500
1899	19 600 000	85 000 000	85 198 000	155 100 000
1900	10 500 000	15 200 000	28 500 000	104 300 000
1901	4 000 000	54 200 000	.	235 000 000
1902	171 508 800	73 300 000	22 350 000	478 800 000
1903	10 225 000	63 000 000	16 100 000	3 396 623 974
1904	19 000 000	35 500 000	38 250 000	65 100 000
1905	28 350 000	112 150 000	5 000 000	604 000 000
1906	21 173 750	69 100 000	.	254 309 000
1907	8 000 000	73 296 000	24 920 000	6 591 435 232
1908	18 000 000	69 910 000	62 000 000	438 920 000
1909	27 404 720	44 600 000	49 340 000	272 234 000
1910	37 000 000	37 200 000	21 945 480	735 470 520

1) Es sind nur die Jahre berücksichtigt worden, in denen Werte emittiert worden sind.

2) Einschließlich der privaten Bankfirmen.

Zum Handel an der Berliner Börse in den Jahren 1882—1910 zugelassene Emissionen.

Jahr[1]	Von der Bank allein emittiert	In Gemeinschaft mit anderen Groß- banken emittiert	In Gemeinschaft mit anderen Banken[1] emittiert	In Gemeinschaft mit anderen Groß- banken und Banken[2] emittiert
Deutsche Fonds.				
1883	2 000 000	.		.
1888	.			40 000 000
1889	3 500 000			.
1890	.			235 000 000
1891				450 000 000
1892				340 000 000
1893	.	3 000 000		50 000 000
1894	.	.	.	10 000 000
1895	.	3 500 000	10 500 000	2 000 000
1987	.	2 750 000	.	.
1899	.	.	6 000 000	16 700 000
1900	.		14 000 000	.
1901	.	.	.	3 000 000
1902	.	.	12 000 000	.
1903	.	3 000 000	.	
1904	.	.	27 000 000	.
1905	8 000 000	.	.	24 000 000
1906	.	.	.	26 000 000
1907	.	9 796 000	12 000 000	20 000 000
1908	.	3 000 000	60 000 000	85 000 000
1909	4 000 000	.	30 000 000	6 000 000
1910	.	8 000 000	.	.
Ausländische Fonds.				
1884	.	.	32 860 320	
1886	.		492 129 720	
1887	.		5 000 000	22 440 000
1888	.		300 620 000	304 620 000
1889	.		.	170 520 000
1890	.		.	148 906 944
1892	.	.	.	11 250 000
1895	.	26 000 000	38 250 000	.
1896	287 786 520	.	.	
1898	.	46 406 500		.
1902	.	66 300 000		393 000 000
1903	.	.		3 399 323 974
1905	.			500 000 000
1906	.			28 350 000
1907	.			6 481 565 232
1908	.			127 500 000
1910	30 000 000			81 910 440
Deutsche Pfandbriefe.				
1892	.	.	20 000 000	30 000 000
1894	.	.	.	74 118 000
1895	.	.	.	20 000 000
1896	20 000 000	.	30 000 000	25 000 000
1898	.	.	20 000 000	.
1899	.	70 000 000	20 000 000	

1) Es sind nur die Jahre berücksichtigt worden, in denen Werte emittiert worden sind.

2) Einschließlich der privaten Bankfirmen.

Jahr¹)	Von der Bank allein emittiert	In Gemeinschaft mit anderen Groß-banken emittiert	In Gemeinschaft mit anderen Banken²) emittiert	In Gemeinschaft mit anderen Groß-banken und Banken²) emittiert
1901	.	20 000 000	.	.
1903	.	40 000 000		
1904	.	15 000 000		
1905	.	75 000 000	.	
1907	.	.	10 000 000	
1908	.	20 000 000	.	
1910	.	.	10 000 000	

Ausländische Pfandbriefe.

1883	7 425 000	.	.	
1886	9 375 000		.	
1887	13 975 000		.	
1893	.		10 600 800	
1902	.		6 750 000	
1904	.	.	11 250 000	
1906	.	22 500 000	.	
1909	.	.	11 340 000	
1910	.	.	4 050 000	

Deutsche Eisenbahn-Aktien.

1883	1 905 000	.	12 000 000	
1884	2 000 000		.	
1889	3 150 000			
1891	2 316 000		.	.
1895	.		.	3 000 000
1896	2 000 000		3 650 000	.
1897	.		.	3 500 000
1898	1 400 000		.	6 500 000
1899	2 100 000	.	.	11 050 000
1900	.		8 500 000	8 600 000
1902	1 350 000		600 000	.
1903	3 725 000		.	
1904	1 500 000			5 300 000
1906	.		.	4 024 000
1908	.	4 210 000		11 000 000
1909	2 500 000	.		10 000 000

Ausländische Eisenbahn-Aktien.

1883	16 000 000	.	.	
1884	25 486 380		.	
1885	51 975 000		.	
1888	.		144 000 000	.
1889	.		.	24 000 000
1892	.	5 600 000	.	
1894	.	.	11 000 000	
1909	.	.	.	80 757 000

Deutsche Eisenbahn-Obligationen.

1885	3 000 000	.	.	
1886	.		4 500 000	.
1893	1 050 000		.	2 000 000
1894	2 638 000		.	
1895	4 275 000		.	
1896	.		960 600	15 000 000
1897	.	.	.	2 300 000

1) Es sind nur die Jahre berücksichtigt worden, in denen Werte emittiert worden sind.

2) Einschließlich der privaten Bankfirmen.

Jahr¹)	Von der Bank allein emittiert	In Gemeinschaft mit anderen Großbanken emittiert	In Gemeinschaft mit anderen Banken²) emittiert	In Gemeinschaft mit anderen Großbanken und Banken²) emittiert
1898	1 830 000			10 000 000
1899	.			12 500 000
1900	.			14 000 000
1901	4 000 000			4 000 000
1902	.			19 650 000
1903	1 500 000			.
1904	2 000 000			4 300 000
1906	.	.		11 700 000
1907	.	2 000 000		10 000 000
1909		.		15 000 000

Ausländische Eisenbahn-Obligationen.

Jahr¹)	Von der Bank allein emittiert	In Gemeinschaft mit anderen Großbanken emittiert	In Gemeinschaft mit anderen Banken²) emittiert	In Gemeinschaft mit anderen Großbanken und Banken²) emittiert
1883	8 400 000	.	.	
1884	.		161 683 500	.
1885	.	.	14 000 000	
1886	21 000 000	16 000 000	21 420 000	48 645 000
1887	149 040 000	.	11 000 000	67 286 500
1889	6 753 600	185 000 000	6 800 000	16 000 000
1890	.	.	10 200 000	36 000 000
1891	.		.	9 770 000
1892	.		20 400 000	132 000 000
1893	.		.	16 000 000
1894	.		75 820 000	60 000 000
1895	.		.	158 219 000
1896	.		7 446 000	56 736 000
1897	.		36 955 500	243 210 000
1898	.		.	228 300 000
1899	.		44 800 000	.
1900	.		.	27 000 000
1901	.		.	160 000 000
1902	170 158 800		.	.
1906	.	.		1 687 500
1907	.	42 000 000	.	
1909	.	.	.	40 657 000
1910	.	.	7 895 480	510 506 080

Deutsche Straßenbahn-Aktien.

Jahr¹)	Von der Bank allein emittiert	In Gemeinschaft mit anderen Großbanken emittiert	In Gemeinschaft mit anderen Banken²) emittiert	In Gemeinschaft mit anderen Großbanken und Banken²) emittiert
1896	.	.	.	1 200 000

Bank-Aktien.

Jahr¹)	Von der Bank allein emittiert	In Gemeinschaft mit anderen Großbanken emittiert	In Gemeinschaft mit anderen Banken²) emittiert	In Gemeinschaft mit anderen Großbanken und Banken²) emittiert
1886	17 000 000	.		.
1889	11 043 000			.
1891	1 400 000			1 500 000
1892	15 000 000	.		3 000 000
1894	1 000 000	4 000 000		.
1895	5 000 000	9 500 000	.	3 000 000
1896	15 000 000	.	10 000 000	40 000 000
1897	3 498 000		.	25 500 000
1898	7 500 000		.	8 000 000
1899	10 000 000		5 000 000	.
1901	.	.		8 000 000
1903	.	4 000 000		.
1904	10 000 000	5 000 000		12 500 000

1) Es sind nur die Jahre berücksichtigt worden, in denen Werte emittiert worden sind.

2) Einschließlich der privaten Bankfirmen.

Jahr[1])	Von der Bank allein emittiert	In Gemeinschaft mit anderen Groß-banken emittiert	In Gemeinschaft mit anderen Banken[2]) emittiert	In Gemeinschaft mit anderen Groß-banken und Banken[2]) emittiert
1905	.	.		16 000 000
1906	10 923 750	24 000 000		10 000 000
1907	.	.		20 000 000
1908	18 000 000	.		8 000 000
1909	.	18 000 000		4 500 000
1910	.	.		14 000 000

Industrie-Aktien.

1884	6 000 000	.	1 500 000	
1885	6 000 000		.	
1886	10 600 000		1 200 000	
1887	4 000 000	.		7 000 000
1888	17 900 000	19 000 000	.	.
1889	37 752 000	19 000 000	3 199 500	4 000 000
1890	.		6 600 000	.
1891	.	3 600 000	1 000 000	
1892	.	4 000 000	.	
1893	.	.	3 750 000	
1894	675 000	3 000 000	21 500 000	
1895	3 750 000	3 000 000	2 000 000	
1896	12 150 000	4 800 000	3 000 000	.
1897	12 350 000	.	.	14 250 000
1898	3 250 000	6 294 000	10 000 800	40 798 000
1899	7 500 000	8 000 000	9 398 000	91 850 000
1900	3 000 000	15 200 000	6 000 000	25 700 000
1901	.	18 200 000	.	5 000 000
1902	.	1 000 000	.	29 050 000
1903	5 000 000	10 000 000	11 600 000	.
1904	1 000 000	11 000 000		35 000 000
1905	13 850 000	1 750 000	5 000 000	56 500 000
1906	10 250 000	17 800 000	.	152 200 000
1907	4 000 000	9 000 000		55 870 000
1908	.	21 200 000	1 000 000	46 100 000
1909	20 800 200	26 600 000	3 000 000	55 320 000
1910	3 000 000	17 200 000	.	71 700 000

Industrie Obligationen.

1884	2 000 000	14 225 000	.	
1887	6 000 000	.	5 000 000	.
1891	.	.	6 000 000	12 500 000
1892	.	5 000 000	.	6 000 000
1893	.	3 000 000	.	49 000 000
1894	4 000 000	.	.	5 000 000
1895	.	.	11 483 000	10 000 000
1896	3 000 000	.	.	34 3000 00
1897	10 000 000	26 600 000	28 730 000	.
1898	.	17 000 000	10 700 000	20 000 000
1899	.	7 000 000	.	24 000 000
1900	7 500 000	.		29 000 000
1901	.	16 000 000		55 000 000
1902	.	6 000 000	3 000 000	37 100 000
1903	.	6 000 00	4 500 000	17 3000 00
1904	4 500 000	4 500 000	.	8 000 000

1) Es sind nur die Jahre berücksichtigt worden, in denen Werte emittiert worden sind.

2) Einschließlich der privaten Bankfirmen.

Jahr[1])	Von der Bank allein emittiert	In Gemeinschaft mit anderen Großbanken emittiert	In Gemeinschaft mit anderen Banken[2]) emittiert	In Gemeinschaft mit anderen Großbanken und Banken[2]) emittiert
1905	6 500 000	35 400 000	.	7 500 000
1906	.	4 800 000	.	20 347 500
1907	4 000 000	10 500 000	2 920 000	4 000 000
1908	.	21 500 000	1 000 000	161 320 000
1909	8 000 000	.	5 000 000	75 500 000
1910	4 000 000	12 000 000	.	57 360 000

Deutsche Bank.

Gesamtsumme der an der Berliner Börse in den Jahren 1882—1910 emittierten Werte.

1882	.	1 500 000	.	35 782 560
1883	14 400 000	2 600 000	15 000 000	.
1884	323 465 080	6 980 000	17 400 000	
1885	23 875 700	220 612 800		
1886	124 375 000		1 678 966 538	.
1887	69 460 000	210 000 000	16 000 000	7 000 000
1888	78 354 600	100 000 000	5 000 000	85 734 200
1889	71 000 000	547 132 048	59 446 397	321 080 000
1890	135 116 800	.	.	401 306 944
1891	34 320 000	34 910 400	3 000 000	572 400 000
1892	136 100 000	10 600 000	.	366 750 000
1893	67 100 000	.		64 750 000
1894	54 140 000	8 500 000	.	158 000 000
1895	180 243 600	35 450 000	18 500 000	33 000 000
1896	1 433 080 000	10 000 000	27 600 000	178 550 000
1897	67 655 000	11 700 000	6 500 000	65 800 000
1898	171 379 480	68 406 500	21 998 400	116 198 400
1899	329 430 000	77 500 000	10 000 000	606 430 000
1900	455 747 000	74 591 200	41 228 000	133 350 000
1901	81 378 800	241 700 000	119 320 000	183 000 000
1902	144 530 000	118 300 000	65 772 000	388 050 000
1903	603 334 040	59 500 000	110 650 800	3 209 204 490
1904	710 269 800	80 887 000	691 038 408	130 100 000
1905	635 947 900	235 687 000	109 092 000	829 900 000
1906	737 543 800	259 100 000	250 125 000	234 950 000
1907	227 963 600	370 270 000	97 265 000	6 603 235 232
1908	206 395 000	220 064 900	72 900 000	6 308 030 000
1909	408 030 800	457 245 736	110 831 170	261 980 000
1910	658 248 172	131 200 000	163 470 920	702 550 600

Zum Handel an der Berliner Börse in den Jahren 1882—1910 zugelassene Emissionen.

Deutsche Fonds.

1882	.	1 500 000		
1886	12 000 000	.		
1887	41 200 000			.
1888	9 854 200			40 000 000

1) Es sind nur die Jahre berücksichtigt worden, in denen Werte emittiert worden sind.

2) Einschließlich der privaten Bankfirmen.

Jahr[1]	Von der Bank allein emittiert	In Gemeinschaft mit anderen Groß- banken emittiert	In Gemeinschaft mit anderen Banken[2]) emittiert	In Gemeinschaft mit anderen Groß- banken und Banken emittiert
1889	.		7 000 000	.
1890	38 500 000		.	235 000 000
1891	.			508 000 000
1892	1 000 000			352 500 000
1893	1 100 000			25 000 000
1894	21 500 000	.		.
1895	6 000 000	3 000 000		10 000 000
1896	47 000 000	.		57 800 000
1897	8 950 000		.	24 000 000
1898	6 500 000	4 000 000	3 000 000	.
1899	208 200 000	7 500 000	.	10 000 000
1900	48 200 000	5 000 000	3 228 000	59 000 000
1901	13 310 000	172 500 000	88 570 000	19 000 000
1902	12 300 000	42 000 000	1 272 000	74 000 000
1903	11 873 200	3 500 000	1 000 000	69 865 000
1904	16 500 000	20 937 000	.	60 000 000
1905	28 000 000	58 937 000	3 952 000	60 000 000
1906	42 400 000	75 500 000	20 000 000	44 000 000
1907	59 464 000	125 000 000	2 165 000	7 500 000
1908	52 575 000	123 654 900	29 000 000	73 000 000
1909	31 000 000	333 951 500	.	47 300 000
1910	121 700 000	75 000 000		53 500 000

Ausländische Fonds.

1883	14 400 000	.		
1884	14 055 600			
1885	16 000 000		.	
1886	16 000 000		1 626 966 538	
1887	14 400 000	.	.	.
1888	19 200 000	.	.	45 734 320
1889	21 600 000	294 132 048	51 546 048	.
1890	.	.	.	148 906 944
1891	.	34 610 400		
1892	.	.		22 250 000
1895	.	26 000 000	.	
1896	.	.	20 400 000	
1898	116 767 080	46 406 500	.	51 000 000
1899	.	.		463 080 000
1902	.	66 300 000		242 250 000
1903	.	.	.	3 121 539 490
1904	.	.	651 219 408	.
1905	216 960 000	.		678 300 000
1906	75 850 000	.	173 400 000	.
1907	.	142 800 000	.	6 481 565 232
1909	105 000 000	67 569 236	22 159 170	.
1910	200 600 000	.	.	443 700 000

Deutsche Pfandbriefe.

1886	5 000 000	.		
1888	1 500 000			
1892	.			10 000 000
1894		.		70 000 000
1895	3 453 600	4 450 000		.

1) Es sind nur die Jahre berücksichtigt worden, in denen Werte emittiert worden sind.

2) Einschließlich der privaten Bankfirmen.

Jahr[1]	Von der Bank allein emittiert	In Gemeinschaft mit anderen Groß-banken emittiert	In Gemeinschaft mit anderen Banken[2] emittiert	In Gemeinschaft mit anderen Groß-banken und Banken emittiert
1896	.	10 000 000	.	25 000 000
1899	5 000 000	70 000 000	10 000 000	.
1900	45 000 000	.	10 000 000	
1901	30 000 000	35 000 000	30 000 000	
1902	46 000 000	10 000 000	60 000 000	
1903	76 000 000	45 000 000	100 000 000	
1904	25 000 000	29 000 000	.	
1905	32 420 000	100 000 000	80 000 000	
1906	30 000 000	15 000 000	50 000 000	
1907	50 000 000	10 000 000	60 000 000	
1908	.	30 000 000	40 000 000	
1909	93 000 000	.	30 000 000	
1910	.	10 000 000	40 000 000	

Ausländische Pfandbriefe.

Jahr	Von der Bank allein emittiert	In Gemeinschaft mit anderen Groß-banken emittiert	In Gemeinschaft mit anderen Banken emittiert	In Gemeinschaft mit anderen Groß-banken und Banken emittiert
1885	5 100 000	.	.	
1886	6 375 000	.	52 000 000	
1887	.	20 000 000	16 000 000	
1895	17 000 000	.	17 000 000	
1896	110 500 000		.	
1898	8 100 000			
1899	11 250 000			
1900	.	13 931 200		
1902	33 750 000	.		
1903	45 000 000			
1904	67 500 000			
1905	56 250 000			

Deutsche Eisenbahn-Aktien.

Jahr	Von der Bank allein emittiert	In Gemeinschaft mit anderen Groß-banken emittiert	In Gemeinschaft mit anderen Banken emittiert	In Gemeinschaft mit anderen Groß-banken und Banken emittiert
1889	2 200 000	.	.	.
1891	1 200 000			.
1895	.			3 000 000
1897	.			3 500 000
1899	.			5 000 000
1900	.			600 000
1902	.			2 000 000
1904	.	.		26 300 000
1906	1 700 000	40 000 000		.
1908	.	4 210 000		
1909	.	.		10 000 000

Deutsche Eisenbahn-Obligationen.

Jahr	Von der Bank allein emittiert	In Gemeinschaft mit anderen Groß-banken emittiert	In Gemeinschaft mit anderen Banken emittiert	In Gemeinschaft mit anderen Groß-banken und Banken emittiert
1884	6 000 000	.	.	
1885	2 775 700			
1888	500 000			
1891	1 000 000			.
1893	.			2 000 000
1895	1 000 000			
1896	.	.		15 000 000
1897	.	5 700 000		2 300 000
1899	.	.		12 500 000
1900	.			10 000 000
1902	.			23 650 000

1) Es sind nur die Jahre berücksichtigt worden, in denen Werte emittiert worden sind.

2) Einschließlich der privaten Bankfirmen.

Jahr[1]	Von der Bank allein emittiert	In Gemeinschaft mit anderen Großbanken emittiert	In Gemeinschaft mit anderen Banken[2]) emittiert	In Gemeinschaft mit anderen Großbanken und Banken emittiert
1903	2 000 000			.
1904	.			4 300 000
1906	2 500 000	.		7 200 000
1907	.	2 000 000		10 000 000
1909	2 000 000	.		15 000 000

Ausländische Eisenbahn-Aktien.

Jahr	Von der Bank allein emittiert	In Gemeinschaft mit anderen Großbanken emittiert	In Gemeinschaft mit anderen Banken emittiert	In Gemeinschaft mit anderen Großbanken und Banken emittiert
1884	.	.	10 800 000	.
1889	.	.	.	24 000 000
1892	.	5 600 000		.
1899	52 500 000	.		.
1900	331 162 000	48 960 000		
1901	.	.		80 000 000
1902	23 100 000	.		.
1903	404 835 840			
1904	525 000 000			
1905	136 743 600			
1906	481 042 800			.
1907	73 500 000			
1909	21 000 000	.		20 000 000
1910	25 200 000		87 970 920	.

Ausländische Eisenbahn-Obligationen.

Jahr	Von der Bank allein emittiert	In Gemeinschaft mit anderen Großbanken emittiert	In Gemeinschaft mit anderen Banken emittiert	In Gemeinschaft mit anderen Großbanken und Banken emittiert
1882	.	.	.	35 782 560
1884	303 409 480	.		.
1885	.	209 512 800		
1886	84 000 000	.		
1887	13 860 000	190 00 000		
1888	27 300 000	100 000 000		
1889	46 200 000	169 000 000		293 080 000
1890	92 100 000	.		
1891	26 120 000			
1892	132 000 000			
1893	64 000 000			
1894	32 640 000			
1895	132 640 000			
1896	1 176 730 800			
1909	.		21 250 000	.
1910	134 684 472		.	

Deutsche Straßenbahn-Aktien.

Jahr	Von der Bank allein emittiert	In Gemeinschaft mit anderen Großbanken emittiert	In Gemeinschaft mit anderen Banken emittiert	In Gemeinschaft mit anderen Großbanken und Banken emittiert
1896	.	.	.	1 200 000

Deutsche Straßenbahn-Obligationen.

Jahr	Von der Bank allein emittiert	In Gemeinschaft mit anderen Großbanken emittiert	In Gemeinschaft mit anderen Banken emittiert	In Gemeinschaft mit anderen Großbanken und Banken emittiert
1894	.	.	.	16 000 000

Bank-Aktien.

Jahr	Von der Bank allein emittiert	In Gemeinschaft mit anderen Großbanken emittiert	In Gemeinschaft mit anderen Banken emittiert	In Gemeinschaft mit anderen Großbanken und Banken emittiert
1888	20 000 400	.		
1989	.	68 000 000		
1891	3 000 000	300 000		1 500 000
1892	.			3 000 000
1894	.	5 500 000		36 500 000
1895	5 000 000	2 000 000		3 000 000

1) Es sind nur die Jahre berücksichtigt worden, in denen Werte emittiert worden sind.
2) Einschließlich der privaten Bankfirmen.

Jahr¹)	Von der Bank allein emittiert	In Gemeinschaft mit anderen Groß- banken emittiert	In Gemeinschaft mit anderen Banken²) emittiert	In Gemeinschaft mit anderen Groß- banken und Banken emittiert
1896	93 249 200	.		42 250 000
1897	50 000 000	6 000 000		25 500 000
1898	24 201 600	9 000 000		8 000 000
1899	17 880 000	.		.
1900	18 000 000			.
1901	.			24 000 000
1902	9 252 000			.
1903	18 400 000			.
1904	44 750 800	.	.	12 500 000
1905	108 500 800	4 500 000	11 400 000	16 000 000
1906	71 316 000	34 000 000	13 500 000	6 250 000
1907	23 999 600	.	.	20 000 000
1908	39 220 000	.		.
1909	22 280 800	12 000 000	3 000 000	.
1910	79 638 700	.	10 000 000	14 000 000

Bank-Obligationen.

1881	.	.		50 400 000
1909	67 500 000			.

Industrie-Aktien.

1883	.	2 600 000		
1884	.	1 980 000		
1885	.	11 100 000		.
1887	.	.	.	7 000 000
1888	.		900 000	
1889	.	16 000 000	900 000	4 000 000
1890	3 316 800	.	.	17 400 000
1891	3 000 000			.
1792	1 600 000			
1893	2 000 000			3 750 000
1894	.		.	15 500 000
1895	12 150 000		1 500 000	2 000 000
1896	4 600 000		4 700 000	3 000 000
1897	8 705 000	.		10 500 000
1898	7 810 800	4 000 000	18 998 400	37 198 400
1899	34 600 000	.	.	91 850 000
1900	7 385 000	6 700 000	5 000 000	34 750 000
1901	38 068 800	18 200 000	750 000	5 000 000
1902	7 600 000	.	4 500 000	29 050 000
1903	10 100 000	10 000 000	1 000 000	5 000 000
1904	27 519 000	2 450 000	30 219 000	19 000 000
1905	18 423 500	59 250 000	5 000 000	68 100 000
1906	21 235 000	36 800 000	13 225 000	162 300 000
1907	10 000 000	44 000 000	15 100 000	42 670 000
1908	74 400 000	34 700 000	3 900 000	66 780 000
1909	35 250 000	36 725 000	30 422 000	86 080 000
1910	82 800 000	24 200 000	22 500 000	145 160 000

Industrie-Obligationen.

1883	.	.	15 000 000	
1884	.	5 000 000	6 600 000	
1886	1 000 000	.	.	

1) Es sind nur die Jahre berücksichtigt worden, in denen Werte emittiert worden sind.

2) Einschließlich der privaten Bankfirmen.

Jahr¹)	Von der Bank allein emittiert	In Gemeinschaft mit anderen Großbanken emittiert	In Gemeinschaft mit anderen Banken²) emittiert	In Gemeinschaft mit anderen Großbanken und Banken emittiert
1888	.		4 100 000	
1889	1 000 000	.	.	.
1890	1 200 000		.	.
1891	.	.	3 000 000	12 500 000
1892	1 500 000	5 000 000	.	.
1983	.	.		34 000 000
1894	.	3 000 000		20 000 000
1895	3 000 000	.	.	15 000 000
1896	1 000 000		2 500 000	34 300 000
1897	.	.	6 500 000	.
1898	8 000 000	5 000 000	.	20 000 000
1899	.	.	.	24 000 000
1900	6 000 000	.	23 000 000	21 000 000
1901	.	16 000 000	.	55 000 000
1902	12 528 000	.	.	17 100 000
1903	35 125 000	1 000 000	8 650 800	12 800 000
1904	4 000 000	28 500 000	9 600 000	8 000 000
1905	38 650 000	13 000 000	8 740 000	7 500 000
1906	11 500 000	57 800 000	.	15 200 000
1907	11 000 000	46 470 000	20 000 000	41 500 000
1908	40 200 000	27 500 000	.	168 250 000
1909	31 000 000	7 000 000	4 000 000	83 600 000
1910	13 625 000	22 000 000	3 000 000	46 190 600

Disconto-Gesellschaft.

Gesamtsumme der an der Berliner Börse in den Jahren 1882—1910 emittierten Werte.

1882	136 360 000	8 000 000	.	85 782 560
1883	42 550 000	20 000 000		.
1884	13 000 000	19 225 000	12 800 000	39 437 200
1885	197 565 260	.	4 000 000	75 380 800
1886	46 328 000	16 000 000	65 250 000	48 645 000
1887	30 509 250	210 000 000	253 377 090	67 286 500
1888	30 615 300	94 500 000	169 838 345	34 418 825
1889	65 205 400	148 392 048	1 315 738 680	924 869 360
1890	3 600 000	.	1 495 903 264	349 738 750
1891	53 400 000	.	224 800 000	482 374 000
1892	9 500 000	8 100 000	66 987 500	415 300 000
1893	42 000 000	.	294 231 632	237 252 700
1894	33 138 000	.	2 940 992 200	215 618 000
1895	104 807 000	7 500 000	182 730 000	198 219 000
1896	73 550 000	24 000 000	1 883 595 700	2?1 986 000
1897	711 692 000	30 350 000	331 900 000	315 960 000
1898	67 680 000	27 251 600	632 690 784	417 813 280
1899	185 724 000	41 100 000	357 200 000	67 500 000
1900	122 610 000	23 031 200	204 200 000	240 450 000
1901	49 464 600	179 000 000	89 400 000	516 492 000
1902	171 000 000	52 000 000	561 600 000	1 505 349 500
1903	213 615 188	32 213 000	159 850 000	3 214 824 590
1904	169 000 800	64 937 000	21 500 000	585 540 570

1) Es sind nur die Jahre berücksichtigt worden, in denen Werte emittiert worden sind.

2) Einschließlich der privaten Bankfirmen.

Jahr¹)	Von der Bank allein emittiert	In Gemeinschaft mit anderen Groß-banken emittiert	In Gemeinschaft mit anderen Banken²) emittiert	In Gemeinschaft mit anderen Groß-banken und Banken²) emittiert
1905	2 193 322 000	231 337 000	487 771 330	1 141 250 000
1906	23 322 340	172 500 000	8 000 000	218 559 000
1907	53 499 600	333 796 000	92 550 000	6 575 015 232
1908	97 600 000	165 000 000	61 700 000	531 820 000
1909	74 250 000	424 520 000	2 000 000	729 514 000
1910	54 593 800	159 920 000	147 280 000	550 450 540

Zum Handel an der Berliner Börse in den Jahren 1882—1910 zugelassene Emissionen.

Deutsche Fonds.

1882	6 050 000	1 500 000		
1883	15 000 000	.		
1884	2 000 000		.	
1885	.		4 000 000	
1886	5 000 000		.	
1888	13 740 000			.
1890	.		11 500 000	235 000 000
1891	.		3 000 000	458 000 000
1892	7 500 000		.	342 500 000
1893	12 000 000			50 000 000
1894	.	.	32 000 000	10 000 000
1895	36 357 000	3 500 000	6 230 000	10 000 000
1896	.		115 395 700	3 000 000
1897	18 552 5000	2 750 000	40 000 000	.
1898	.	4 000 000	.	6 000 000
1899	.	7 500 000		12 000 000
1900	.		8 000 000	7 500 000
1901	6 275 800	169 000 000	67 000 000	10 000 000
1902	.	42 000 000	.	138 000 000
1903	4 092 500	9 500 000		64 960 100
1904	54 000 000	11 937 000		408 317 000
1905	15 488 000	23 937 000		474 000 000
1906	1 000 000	56 000 000	.	26 000 000
1907	.	127 296 000	25 000 000	20 000 000
1908	36 200 000	106 000 000	5 000 000	190 000 000
1909	11 000 000	317 951 500	.	47 300 000
1910	5 000 000	95 000 000		52 500 000

Ausländische Fonds.

1882	118 560 000	.	.	
1883	4 050 000			
1884	.		12 800 000	
1886	7 128 000		54 000 000	.
1887	18 009 250		238 500 000	
1888	.		161 064 455	34 418 825
1889	.	148 392 048	1 081 561 680	76 500 000
1890	.	.	1 425 887 664	.
1891	.		206 400 000	
1892	.		36 187 500	
1893	.		40 000 000	133 502 700
1894	.		2 883 035 200	

1) Es sind nur die Jahre berücksichtigt worden, in denen Werte emittiert worden sind.

2) Einschließlich der privaten Bankfirmen.

Jahr¹)	Von der Bank allein emittiert	In Gemeinschaft mit anderen Großbanken emittiert	In Gemeinschaft mit anderen Banken²) emittiert	In Gemeinschaft mit anderen Großbanken und Banken²) emittiert
1895	.		108 000 000	
1896			1 757 700 000	
1897			286 900 000	
1898			448 200 000	51 000 000
1899			357 200 000	.
1900	.		151 200 000	102 000 000
1901			.	212 500 000
1902	.		561 600 000	1 317 349 500
1903			149 850 000	3 125 364 490
1904		.		90 426 570
1905		.	424 936 530	500 000 000
1907	.	142 800 000	.	6 481 565 232
1908	.	.	56 700 000	127 500 000
1909	.	67 569 236	.	.
1910	.	.	103 680 000	222 523 940

Deutsche Pfandbriefe.

1887	.	.	3 500 000	.
1981	.		4 000 000	3 000 000
1892	.		20 000 000	20 000 000
1893	.		10 000 000	.
1894	30 000 000		.	4 118 000
1895	20 000 000		60 000 000	20 000 000
1896	.	20 000 000	.	50 000 000
1897	678 139 500	.		.
1898	31 000 000			
1900	10 000 000		30 000 000	
1901	.	.	22 400 000	
1902	70 000 000	10 000 000	.	
1903	150 000 000	10 000 000		
1904	16 000 000	29 000 000	12 500 000	
1905	32 000 000	115 000 000	40 634 800	
1907	.	.	23 950 000	
1908	23 000 000	20 000 000	.	

Ausländische Pfandbriefe.

1886	.	.	11 250 000	
1887	.	20 000 000	11 377 090	
1888	7 800 300	.		
1889	.		26 775 000	
1891	.		3 400 000	
1982	.		850 000	
1893	.		244 231 632	.
1896	.		.	51 000 000
1897	.		.	51 000 000
1898	.	.	184 490 784	.
1900	.	13 931 200	.	.
1904	.	.		34 000 000
1907	22 500 000	.		.

Deutsche Eisenbahn-Aktien.

1883	1 500 000	.		
1890	1 500 000			
1891	2 400 000			
1894	1 938 000	.	.	.

1) Es sind nur die Jahre berücksichtigt worden, in denen Werte emittiert worden sind.

2) Einschließlich der privaten Bankfirmen.

690 Beilage V

Jahr¹)	Von der Bank allein emittiert	In Gemeinschaft mit anderen Großbanken emittiert	In Gemeinschaft mit anderen Banken²) emittiert	In Gemeinschaft mit anderen Großbanken und Banken²) emittiert
1896				1 800 000
1897	.			1 250 000
1898	.			5 000 000
1899	.			5 000 000
1900	6 000 000			9 200 000
1901	1 560 000			
1904	.			35 297 000
1906	3 199 200			4 024 000
1908	.			11 000 000

Deutsche Eisenbahn-Obligationen.

Jahr	Von der Bank allein	In Gem. Großbanken	In Gem. Banken	In Gem. Großb. u. Banken
1888	.	2 500 000	.	
1894	1 200 000	.		
1986	6 000 000			.
1897	.		.	3 500 000
1898	.			10 000 000
1999	25 000 000			.
1900	42 000 000			7 000 000
1901	1 560 000			9 500 000
1905	.			5 000 000
1906	.			4 500 000
1907	500 000			.

Ausländische Eisenbahn-Aktien.

Jahr	Von der Bank allein	In Gem. Großbanken	In Gem. Banken	In Gem. Großb. u. Banken
1885	37 120 000	.	.	
1888	4 800 000	.	6 913 890	
1891	36 000 000	.	8 000 000	
1892	.	5 600 000	.	
1897	.	.		243 210 000
1898	.			273 013 280
1899	126 000 000			
1900	.			27 000 000
1901	.			214 992 000
1903	56 522 688			
1904	42 000 000			.
1905	2 100 000 000			105 000 000
1909	.			141 414 000
1910	.			135 751 000

Ausländische Eisenbahn-Obligationen.

Jahr	Von der Bank allein	In Gem. Großbanken	In Gem. Banken	In Gem. Großb. u. Banken
1882	.	6 500 000	.	85 782 560
1883	16 000 000	20 000 000		
1884		.		39 437 200
1885	160 445 260	.		75 380 800
1886	15 200 000	16 000 000		48 645 000
1887	.	190 000 000		67 286 500
1888	.	92 000 000		
1889	22 450 000	.	207 402 000	848 369 650
1890	.		46 515 600	111 288 750
1891	.		.	21 374 000
1892	.			52 800 000
1893	.			16 000 000
1894	.		25 957 000	160 000 000

1) Es sind nur die Jahre berücksichtigt worden, in denen Werte emittiert worden sind.

2) Einschließlich der privaten Bankfirmen.

Jahr[1])	Von der Bank allein emittiert	In Gemeinschaft mit anderen Groß-banken emittiert	In Gemeinschaft mit anderen Banken[2]) emittiert	In Gemeinschaft mit anderen Groß-banken und Banken[2]) emittiert
1895	.			158 219 000
1896	.			56 736 000
1906	.			1 687 500

Deutsche Straßenbahn-Obligationen.

Jahr				
1894	.	.	.	16 000 000
1896	.			7 500 000

Bank-Aktien.

Jahr				
1887	2 500 000	.		
1889	16 500 000			
1891	15 000 000		.	
1892	.		9 950 000	.
1894	.		.	4 500 000
1895	41 500 000		.	.
1896	14 500 000	.	10 500 000	28 250 000
1897	.	6 000 000	.	18 000 000
1898	24 500 000	9 000 000		8 000 000
1899	4 000 000	.		17 000 000
1900	27 510 000			.
1901	7 800 000			24 000 000
1902	36 500 000	.	.	
1903	.	7 713 000	10 000 000	.
1904	30 000 800	.	9 000 000	12 500 000
1905	30 834 000	.	16 000 000	16 000 000
1906	1 008 000	6 000 000	8 000 000	23 250 000
1907	21 999 600	.	33 600 000	20 000 000
1908	4 500 000		.	.
1909	35 000 000	.		
1910	25 644 800	28 920 000	43 600 000	

Industrie-Aktien.

Jahr				
1882	6 750 000	.	.	
1888	.		1 860 000	
1889	22 440 400			.
1890	2 100 000		12 000 000	2 450 000
1893	.		.	3 750 000
1894	.	.	.	6 000 000
1895	4 950 000	1 750 000	5 000 000	
1896	47 050 000	4 000 000	.	36 200 000
1897	15 000 000	.	5 000 000	.
1898	12 180 900	11 751 600		24 800 000
1899	30 724 000	28 600 000		33 500 000
1900	31 100 000	9 100 000	5 000 000	52 750 000
1901	4 768 800	.	.	.
1902	62 000 000	.		20 000 000
1903	3 000 000	5 000 000	.	12 500 000
1904	27 000 000	.	.	5 000 000
1905	14 900 000	50 000 000	6 200 000	41 250 000
1906	16 315 140	57 500 000	.	131 700 000
1907	4 500 000	54 000 000		38 450 000
1908	12 900 000	21 000 000		22 000 000
1909	7 000 000	33 000 000		45 100 000
1910	17 250 000	14 000 000	.	104 125 000

1) Es sind nur die Jahre berücksichtigt worden, in denen Werte emittiert worden sind.

2) Einschließlich der privaten Bankfirmen.

Jahr[1]	Von der Bank allein emittiert	In Gemeinschaft mit anderen Groß-banken emittiert	In Gemeinschaft mit anderen Banken[2] emittiert	In Gemeinschaft mit anderen Groß-banken und Banken[2] emittiert
		Industrie-Obligationen.		
1882	5 000 000	·		
1883	6 000 000	·		
1884	11 000 000	9 225 000		
1886	19 000 000	·		
1887	10 000 000			
1888	4 275 000			
1889	3 815 000	·		
1892	2 000 000	2 500 000		·
1893	30 000 000	·		34 000 000
1894	·		·	15 000 000
1895	2 000 000	2 500 000	3 500 000	10 000 000
1896	6 000 000	·	·	7 500 000
1897	·	21 600 000		·
1898	·	2 500 000		40 000 000
1899	·	5 000 000	·	·
1900	6 000 000	·	10 000 000	35 000 000
1901	27 500 000	10 000 000	·	45 500 000
1902	2 500 000	·		30 000 000
1903	·	,		12 000 000
1904	·	24 000 000		·
1905	·	42 400 000		·
1906	1 800 000	53 000 000	·	27 397 500
1907	4 000 000	9 700 000	10 000 000	15 000 000
1908	21 000 000	18 000 000	·	181 320 000
1909	21 250 000	6 000 000	2 000 000	70 000 000
1910	6 699 000	22 000 000	·	35 550 600

Dresdner Bank.

Gesamtsumme der an der Berliner Börse in den Jahren 1882—1910 emittierten Werte.

1882	12 920 000			
1883	25 000 200			
1884	26 413 200		·	
1885	7 000 000		·	
1886	320 000		31 966 800	·
1887	14 000 000		·	
1888	36 650 000	·	·	158 340 000
1889	82 138 200	213 740 000	4 000 000	170 520 000
1890	6 100 000	·	15 500 000	256 150 000
1891	·	3 900 000	29 499 900	628 470 000
1892	10 140 000	6 000 000	41 000 000	372 000 000
1893	·	34 000 000	66 500 000	92 750 000
1894	13 825 000	3 000 000	6 000 000	100 758 000
1895	155 323 000	16 250 000	106 000 000	52 640 000
1896	100 648 000	30 362 500	38 900 000	119 500 000
1897	84 350 000	·	131 000 000	23 750 000
1898	31 450 000	14 001 600	132 000 000	69 200 000
1899	90 650 000	40 100 000	605 080 000	44 700 000

1) Es sind nur die Jahre berücksichtigt worden, in denen Werte emittiert worden sind.
2) Einschließlich der privaten Bankfirmen.

Jahr[1])	Von der Bank allein emittiert	In Gemeinschaft mit anderen Groß-banken emittiert	In Gemeinschaft mit anderen Banken[2]) emittiert	In Gemeinschaft mit anderen Groß-banken und Banken[2]) emittiert
1900	37 734 400	62 200 000	30 000 000	142 900 000
1901	20 839 000	143 000 000	24 491 250	172 000 000
1902	50 000 000	13 000 000	242 250 000	480 000 000
1903	43 293 100	32 713 000	36 260 000	85 404 900
1904	100 393 000	225 229 000	10 000 000	498 114 000
1905	128 247 400	457 070 000	684 000 000	158 700 000
1906	25 200 000	320 415 200	5 000 000	121 835 750
1907	47 550 000	357 990 000	.	6 620 315 232
1908	209 734 400	278 154 900	.	268 120 000
1909	72 900 000	384 374 500	6 000 000	88 570 000
1910	101 425 000	155 000 000	.	702 821 600

Zum Handel an der Berliner Börse in den Jahren 1882—1910 zugelassene Emissionen.

Deutsche Fonds.

1883	3 000 000	.	.	.
1890	.		12 000 000	235 000 000
1891	.		.	508 000 000
1892	.		12 000 000	340 000 000
1893	.		66 500 000	25 000 000
1894	1 000 000		.	10 000 000
1895	11 100 000		106 000 000	.
1896	.		4 000 000	48 000 000
1897	1 750 000		20 000 000	29 000 000
1898	17 000 000		75 000 000	.
1899	4 000 000	.	112 000 000	15 700 000
1900	13 000 000	5 000 000	.	50 000 000
1901	15 000 000	118 000 000	9 800 000	17 000 000
1902	12 500 000	.	.	416 000 000
1903	29 142 100		35 000 000	54 904 900
1904	6 000 000	48 779 000	.	460 317 000
1905	5 652 400	67 000 000	3 200 000	60 000 000
1906	10 000 000	81 500 000	.	.
1907	24 000 000	63 720 000		.
1908	7 000 000	118 154 900		65 000 000
1909	20 000 000	236 951 500		6 570 000
1910	40 000 000	81 000 000		62 500 000

Ausländische Fonds.

1888	10 400 000	.		158 340 000
1889	26 520 000	145 740 000		170 520 000
1891	.	.		50 750 000
1892	.		14 000 000	.
1894	6 750 000	.	.	
1895	117 748 000	.		
1896	.	14 062 500	.	
1898	.		51 000 000	
1899	.		463 080 000	
1901	.		13 691 250	
1902	.		242 250 000	
1905	.	77 520 000	678 300 000	.
1907	.	142 800 000	.	6 481 565 232

1) Es sind nur die Jahre berücksichtigt worden, in denen Werte emittiert worden sind.

2) Einschließlich der privaten Bankfirmen.

Jahr¹)	Von der Bank allein emittiert	In Gemeinschaft mit anderen Groß-banken emittiert	In Gemeinschaft mit anderen Banken²) emittiert	In Gemeinschaft mit anderen Groß-banken und Banken²) emittiert
1908	199 834 400	.		
1909	40 800 000	33 538 000		
1910		.		488 646 000

Deutsche Pfandbriefe.

Jahr	allein	Großbanken	Banken	Großbanken und Banken
1885	7 000 000	.		
1889	15 718 200			.
1891	.			3 000 000
1892				20 000 000
1894				4 118 000
1895	.			20 000 000
1896	30 000 000		.	.
1897	.		60 000 000	
1899	.		30 000 000	
1900	.		30 000 000	
1901	.	15 000 000		.
1902	.	10 000 000		
1903	.	25 000 000		
1904	30 000 000	120 000 000		
1905	.	220 000 000		15 000 000
1906	.	15 000 000		.
1907	.	55 000 000		50 000 000
1908	.	90 000 000		
1909	.	45 000 000		10 000 000
1910	.	60 000 000		.

Ausländische Pfandbriefe.

Jahr	allein	Großbanken	Banken	Großbanken und Banken
1895	6 075 000	.	.	
1896	9 000 000		17 000 000	
1905	67 500 000		.	

Deutsche Eisenbahn-Aktien.

Jahr	allein	Großbanken	Banken	Großbanken und Banken
1894	1 200 000	.	.	.
1896	.			1 800 000
1906	.	40 000 000		
1909	.	1 000 000		
1910	.	3 000 000	.	

Deutsche Eisenbahn-Obligationen.

Jahr	allein	Großbanken	Banken	Großbanken und Banken
1899	25 000 000	.		
1900	4 000 000			
1901	1 839 000			.
1905	.			11 900 000
1906	.	.		4 500 000
1908	.	4 000 000	.	

Ausländische Eisenbahn-Aktien.

Jahr	allein	Großbanken	Banken	Großbanken und Banken
1882	12 920 000		.	
1890	2 740 060	.		
1900	.	48 000 000		.
1901	.			80 000 000
1904	.	25 500 000		.
1905	25 000 000	15 300 000		

1) Es sind nur die Jahre berücksichtigt worden, in denen Werte emittiert worden sind.

2) Einschließlich der privaten Bankfirmen.

Jahr[1])	Von der Bank allein emittiert	In Gemeinschaft mit anderen Groß-banken emittiert	In Gemeinschaft mit anderen Banken[2]) emittiert	In Gemeinschaft mit anderen Groß-banken und Banken[2]) emittiert
Ausländische Eisenbahn-Obligationen.				
1883	10 000 200	.	.	
1884	26 413 200		.	.
1890	.		.	20 400 000
1891	.		29 499 900	16 320 000
1892	.		15 000 000	12 000 000
1893	.		.	64 000 000
1894	.			32 640 000
1895	.			32 640 000
1896	48 948 000	.		.
1906	.		.	1 687 500
1909	.	8 160 000		.
Deutsche Straßenbahn-Aktien.				
1894	4 275 000	.	.	
1895	3 000 000			.
1896	8 650 000			
1897	1 350 000		.	1 250 000
1898	.		6 000 000	
1899	26 000 000		.	.
1900	.			1 200 000
1902	23 000 000			
1904	.			14 297 000
1906	.			500 000
Deutsche Straßenbahn-Obligationen.				
1894	.	.	.	16 000 000
1896	.			7 500 000
1897	.			2 500 000
1900	.			3 000 000
1901	.		.	5 500 000
Bank-Aktien.				
1883	12 000 000	.		
1887	12 000 0000	.		
1889	16 800 000	68 000 000		.
1891	.	300 000		50 400 000
1892	10 000 000	.		.
1894	.			32 000 000
1895	15 000 000			.
1896	.		2 900 000	26 000 000
1897	78 000 000		.	.
1898	9 600 000			8 000 000
1899	29 600 000			.
1901	.	.		24 000 000
1903	.	7 713 000		
1904	41 000 000	.		12 500 000
1905	300 000	6 500 000		16 000 000
1906	10 500 000	22 100 000		6 250 000
1907	20 600 000	25 500 000		20 000 000
1909	1 000 000	8 500 000		
1910	50 150 000	3 000 000		

1) Es sind nur die Jahre berücksichtigt worden, in denen Werte emittiert worden sind.

2) Einschließlich der privaten Bankfirmen.

Jahr[1]	Von der Bank allein emittiert	In Gemeinschaft mit anderen Groß-banken emittiert	In Gemeinschaft mit anderen Banken[2]) emittiert	In Gemeinschaft mit anderen Groß-banken und Banken[2]) emittiert
Industrie-Aktien.				
1886	320 000		31 966 800	
1887	2 000 000			
1888	15 000 000			
1889	10 500 000	.	4 000 000	
1890	3 360 000	.	3 500 000	750 000
1891	.	3 600 000	.	.
1892	140 000	.		
1893	.		.	3 750 000
1894	600 000	3 000 000	6 000 000	6 000 000
1895	2 400 000	4 750 000	.	.
1986	2 800 000	8 800 000	15 000 000	36 200 000
1897	750 000	.	.	
1898	4 850 000	2 000 600		21 200 000
1899	6 050 000	40 100 000	.	29 000 000
1900	20 734 400	9 200 000	.	53 700 000
1902	1 000 000	.		28 000 000
1903	5 700 000	.	1 260 000	18 500 000
1904	20 193 000	10 950 000	.	11 000 000
1905	28 195 000	60 750 000		49 800 000
1906	4 700 000	79 315 200	5 000 000	91 750 750
1907	2 950 000	37 000 000	.	41 250 000
1908	2 900 000	23 000 000		31 800 000
1909	5 000 000	41 225 000		57 100 000
1910	8 275 000	.		104 125 000
Industrie-Obligationen.				
1888	11 250 000	.		
1889	12 600 000	.		
1892	.	6 000 000		
1893	.	34 000 000		
1895	.	11 500 000		
1896	1 250 000	7 500 000		
1897	2 500 000	.		
1898	.	12 000 000		40 000 000
1900	.	.	.	35 000 000
1901	4 000 000	10 000 000	1 000 000	45 500 000
1902	13 500 000	3 000 000	.	36 000 000
1903	8 451 000	.		12 000 000
1904	3 200 000	20 000 000	10 000 000	
1905	1 600 000	10 000 000	2 500 000	6 000 000
1906	.	82 500 000	.	17 147 500
1907	.	33 970 000		27 500 000
1908	.	43 000 000	.	171 320 000
1909	6 100 000	10 000 000	6 000 000	15 000 000
1910	3 000 000	8 000 000	.	47 550 600

1) Es sind nur die Jahre berücksichtigt worden, in denen Werte emittiert worden sind.

2) Einschließlich der privaten Bankfir.men.

A. Schaaffhausen'scher Bankverein.

Gesamtsumme der an der Berliner Börse in den Jahren 1882—1910 emittierten Werte.

Jahr[1]	Von der Bank allein emittiert	In Gemeinschaft mit anderen Großbanken emittiert	In Gemeinschaft mit anderen Banken[2]) emittiert	In Gemeinschaft mit anderen Großbanken und Banken[2]) emittiert
1890	.			20 100 000
1891	.		.	450 000 000
1892	18 000 000	.	3 000 000	346 000 000
1893	19 980 000	3 000 000	.	.
1894	36 189 000	.	12 000 000	110 500 000
1895	106 000 000	17 000 000	2 500 000	15 500 000
1896	40 870 000	7 121 000	18 850 000	5 050 000
1897	127 558 600	11 000 000	17 780 000	20 000 000
1898	135 589 000	43 544 000	5 000 000	23 000 000
1899	69 950 000	27 780 000	.	29 700 000
1900	45 700 000	17 600 000	12 500 000	130 450 000
1901	4 800 000	33 700 000	21 000 000	101 500 000
1902	44 500 000	11 000 000	26 000 000	76 000 000
1903	8 600 000	43 400 000	30 000 000	37 000 000
1904	37 784 000	231 179 000	60 000 000	68 797 000
1905	13 550 000	290 297 770	30 000 000	749 600 000
1906	60 500 000	185 815 200	31 000 000	140 359 000
1907	4 684 600	154 920 000	31 520 000	105 500 000
1908	600 000	238 320 000	30 000 000	216 870 000
1909	25 300 000	194 360 000	750 000	106 600 000
1910	2 000 000	174 000 000	11 400 000	720 375 600

Deutsche Fonds.

Zum Handel an der Berliner Börse in den Jahren 1882—1910 zugelassene Emissionen.

Jahr	Von der Bank allein	In Gemeinschaft mit anderen Großbanken	In Gemeinschaft mit anderen Banken	In Gemeinschaft mit anderen Großbanken und Banken
1891	.	.	.	450 000 000
1892	.		3 000 000	340 000 000
1894	2 500 000	.	.	
1895	5 5000 00	3 000 000	2 500 000	12 000 000
1896	.	2 321 000	8 100 000	2 800 000
1897	3 500 000	.	17 500 000	20 000 000
1898	.	4 000 000	.	
1899	.	7 500 000		15 700 000
1900	.	.	10 000 000	40 000 000
1901	.	2 500 000	15 000 000	5 000 000
1902	23 000 000	.	26 000 000	50 000 000
1903	5 000 000	6 000 000	30 000 000	.
1904	.	39 779 000	60 000 000	18 000 000
1905	.	10 000 000	30 000 000	.
1906	.	2 000 000	30 000 000	
1907	.	41 220 000	30 000 000	.
1908	.	96 500 000	30 000 000	65 000 000
1909	14 500 000	65 000 000	.	16 000 000
1910	.	75 000 000		29 000 000

Ausländische Fonds.

Jahr				
1905	.	77 625 170		678 300 000
1910	.	.	.	443 700 000

1) Es sind nur die Jahre berücksichtigt worden, in denen Werte emittiert worden sind.

2) Einschließlich der privaten Bankfirmen.

Jahr[1]	Von der Bank allein emittiert	In Gemeinschaft mit anderen Groß-banken emittiert	In Gemeinschaft mit anderen Banken[2] emittiert	In Gemeinschaft mit anderen Groß-banken und Banken[2] emittiert
Deutsche Pfandbriefe.				
1894	20 000 000			
1895	80 000 000			
1897	20 000 000			
1898	60 000 000			
1900	30 000 000			
1902	20 000 000			
1903	.	20 000 000		
1904	.	110 000 000		.
1905	.	165 000 000		15 000 000
1907	.	45 000 000		50 000 000
1908	.	60 000 000		.
1909	.	45 000 000		10 000 000
1910	.	50 000 000		.
Deutsche Eisenbahn-Aktien.				
1898	.	.	5 000 000	5 000 000
1899	.		.	5 000 000
1900	.			9 200 000
1904	.			14 297 000
1906	.			4 024 000
1908	.	.		11 000 000
Ausländische Eisenbahn-Aktien.				
1901	.	.	.	60 000 000
1904	.	25 500 000		.
1905	.	15 300 000		
1906	.		.	1 687 500
Deutsche Eisenbahn-Obligationen.				
1898	.	.	.	10 000 000
1900	.			13 000 000
1901	.			9 500 000
1905	.			11 900 000
1906	.	.	.	4 500 000
Ausländische Eisenbahn-Obligationen.				
1894	.	.	.	100 000 000
1909	.	8 160 000		.
Bank-Aktien.				
1892	12 000 000	.		.
1894	4 000 000			4 500 000
1895	12 000 000	7 500 000		.
1896	4 000 000			2 250 000
1897	30 000 000	6 000 000		.
1898	5 500 000	9 000 000		8 000 000
1899	30 800 000		.	.
1901	600 000		6 000 000	24 000 000
1904	25 000 000		.	12 500 000
1905	8 750 000	6 500 000		16 000 000
1906	35 200 000	22 100 000		16 250 000
1907	.	.		20 000 000
1909	.	8 500 000		4 500 000
1910	8 000 000	.	.	.

1) Es sind nur die Jahre berücksichtigt worden, in denen Werte emittiert worden sind.

2) Einschließlich der privaten Bankfirmen.

Jahr[1])	Von der Bank allein emittiert	In Gemeinschafz mit anderen Groß-banke nemittiert	In Gemeinschaft mit anderen Banken[2]) emittiert	In Gemeinschaft mit anderen Groß-banken und Banken[2]) emittiert
		Ondustrie-Aktien.		
1890	.	.		20 100 000
1892	1 500 000	.		.
1893	16 980 000	3 000 000	.	.
1894	3 689 000	.	12 000 000	6 000 000
1895	8 500 000	.		.
1896	33 620 000	4 800 000	750 000	
1987	74 058 600	.	370 000	
1898	29 589 000	16 044 000	.	.
1899	36 150 000	8 380 000		9 000 000
1900	15 700 000	18 600 000	2 500 000	43 250 250
1901	3 200 000	15 200 000	.	
1902	1 500 000	8 000 000		.
1903	3 600 000	11 400 000		25 000 000
1904	12 784 000	25 400 000		21 000 000
1905	4 800 000	5 872 600	.	22 400 000
1906	25 300 000	104 415 200	1 000 000	89 500 000
1907	4 684 600	51 000 000	1 520 000	20 500 000
1908	600 000	22 700 000	.	34 550 000
1909	10 800 000	59 700 000	750 000	61 100 000
1910	2 000 000	19 000 000	31 400 000	104 125 000
		Industrie-Obligationen.		
1892	4 500 000	.	.	6 000 000
1893	3 000 000			.
1894	6 000 000	.		.
1895	.	4 500 000	.	3 500 000
1896	3 250 000	.	10 000 000	.
1897	.	5 000 000	.	
1898	40 500 000	14 500 000		
1899	.	12 000 000		.
1900	.	.		25 000 000
1901	.	15 *00 000		4 000 000
1902	.	3 000 000		26 000 000
1903	.	6 000 000		12 000 000
1904	.	30 500 000		3 000 000
1905	.	10 000 000		6 000 000
1906	.	57 300 000		24 397 500
1907	.	17 700 000		15 000 000
1908	.	59 120 000		106 320 000
1909	.	8 000 000		15 000 000
1910	.	22 000 000		43 550 600

1) Es sind nur die Jahre berücksıchtigt worden, in denen Werte emittiert worden sind.

2) Einschließlich der privaten Bankfirmen.

Beilage VI.

Gesamtsumme der an sämtlichen deutschen Börsen in den Jahren 1897—1910 emittierten Werte.

(Zu Seite 326.)

Bank für Handel und Industrie.

Gesamtsumme der an sämtlichen deutschen Börsen in den Jahren 1897—1910 emittierten Werte.

Jahr[1])	Von der Bank allein emittiert	In Gemeinschaft mit anderen Großbanken emittiert	In Gemeinschaft mit anderen Banken[2]) emittiert	In Gemeinschaft mit anderen Großbanken und Banken[2]) emittiert
1897	421 644 000	5 700 000	.	74 750 000
1898	269 840 000	68 156 500	25 703 000	451 400 000
1899	85 500 000	36 500 000	6 939 500	118 700 000
1900	31 600 000	8 200 000	83 139 500	247 400 000
1901	73 100 000	34 500 000	5 079 000	386 691 250
1902	187 815 700	43 000 000	12 500 000	1 261 099 500
1903	421 374 700	30 000 000	11 906 800	3 434 609 074
1904	54 509 000	44 000 000	38 500 000	586 040 570
1905	90 050 000	81 450 000	21 400 000	1 183 611 000
1906	203 250 000	184 000 000	82 497 200	420 158 200
1907	14 550 000	190 000 000	9 750 000	7 008 815 232
1908	48 810 000	142 700 000	3 300 000	1 573 185 000
1909	41 800 000	368 551 500	26 400 000	1 234 060 000
1910	360 925 000	268 087 500	11 400 000	1 883 407 580

Zum Handel an sämtlichen deutschen Börsen in den Jahren 1897—1910 zugelassene Emissionen.

Deutsche Fonds.

1897	287 500 000	.	.	20 000 000
1898	14 703 000	.	24 703 000	6 000 000
1899	26 500 000	7 500 000	4 939 500	27 700 000
1900	2 300 000	3 000 000	3 639 500	57 500 000
1901	4 500 000	14 500 000	1 079 000	28 000 000
1902	1 050 000	6 000 000	8 500 000	17 000 000
1903	13 000 000		10 656 800	26 960 100
1904	.	16 000 000	35 000 000	405 317 000
1905	12 500 000	12 000 000	.	387 000 000
1906	2 000 000	50 000 000	9 017 200	44 000 000
1907	5 000 000	42 5000 00	2 250 000	438 500 000
1908	6 000 000	67 000 000	.	1 133 325 000
1909	4 000 000	272 751 000	21 300 000	968 300 000
1910	46 500 000	87 000 000	600 000	380 500 000

1) Es sind nur die Jahre berücksichtigt worden, in denen Werte emittiert worden sind.
2) Einschließlich der privaten Bankfirmen.

Jahr[1]	Von der Bank allein emittiert	In Gemeinschaft mit anderen Großbanken emittiert	In Gemeinschaft mit anderen Banken[2] emittiert	In Gemeinschaft mit anderen Großbanken und Banken[2] emittiert
Ausländische Fonds.				
1898	.	46 406 500		377 400 000
1900	.	.		102 000 000
1901	.			226 191 250
1902	.			1 166 599 500
1903	280 000 000		.	3 383 148 974
1904	.		.	90 426 570
1905	.		.	678 300 000
1906	80 000 000		48 480 000	28 350 000
1907	.		.	6 481 565 232
1908	.	.		191 760 000
1910	.	95 667 500		983 067 500
Deutsche Pfandbriefe.				
1897	115 000 000	.		
1898	85 300 000			.
1900	20 000 000	.	75 000 000	
1902	66 040 700	30 000 000	.	
1903	124 324 700	20 000 000		
1904	21 500 000	25 000 000		.
1905	.	65 000 000	20 000 000	.
1906	45 000 000	.	25 000 000	95 360 200
1907	.		.	10 750 000
1908	30 000 000	.		.
1909	20 000 000	30 000 000	.	15 000 000
1910	80 000 000	45 000 000	2 175 000	.
Ausländische Pfandbriefe.				
1987	.	.	.	51 000 000
1904	.	.	.	34 000 000
Deutsche Eisenbahn-Aktien.				
1897	.	.	.	1 250 000
1898	19 800 000			
1900	.			1 200 000
1902	11 450 000			2 000 000
1904	.			14 297 000
1906	.	.		4 024 000
1908	.	.		11 000 000
1909	.	1 000 000		.
Deutsche Eisenbahn-Obligationen.				
1897	.	5 700 000	.	2 500 000
1898	7 500 000	.		
1900	1 300 000			3 000 000
1901	.			5 500 000
1902	.			4 000 000
1905	10 000 000			5 000 000
1906	7 000 000			4 500 000
1908	.	4 000 000	.	.
1910	.	.	1 000 000	.

1) Es sind nur die Jahre berücksichtigt worden, in denen Werte emittiert worden sind.

2) Einschließlich der privaten Bankfirmen.

Jahr¹)	Von der Bank allein emittiert	In Gemeinschaft mit anderen Groß-banken emittiert	In Gemeinschaft mit anderen Banken²) emittiert	In Gemeinschaft mit anderen Groß-banken und Banken²) emittiert
Ausländische Eisenbahn-Obligationen.				
1898	48 000 000	.	.	
1899	48 000 000			.
1901	.			80 000 000
1906	.	.		1 687 500
1907	.	42 000 000		
1910	.	.		374 745 080
Bank-Aktien.				
1897	16 200 000	.		.
1898	78 101 000			8 000 000
1899	1 500 000			17 000 000
1900	3 000 000			.
1901	.			24 000 000
1902	52 000 000	.		.
1903	.	4 000 000		.
1904	.	.		12 500 000
1905	22 000 000	3 000 000		16 000 000
1906	19 000 000	18 000 000		33 250 000
1907	3 400 000	.		20 000 000
1908	6 000 000			8 000 000
1909	.	6 000 000		4 500 000
1910	225 200 000	25 920 000		.
Industrie-Aktien.				
1897	2 944 000	.		.
1898	2 936 000	9 750 000	.	20 000 000
1899	9 500 000	29 000 000	2 000 000	74 000 000
1900	.	5 200 000	2 500 000	48 700 000
1901	41 000 000	.		
1902	30 675 000	1 000 000	2 750 000	28 000 000
1903	4 050 000	5 000 000	1 250 000	12 500 000
1904	19 009 000	3 000 000	.	25 000 000
1905	33 000 000	1 450 000	1 400 000	80 311 000
1906	49 500 000	96 000 000	.	173 589 000
1907	5 150 000	102 000 000	7 500 000	43 000 000
1908	6 810 000	24 200 000	3 300 000	54 530 000
1909	14 800 000	46 800 000	5 000 000	92 160 000
1910	9 225 000	14 500 000	7 625 000	145 085 000
Industrie-Obligationen.				
1898	13 500 000	12 000 000	1 000 000	40 000 000
1899	.	.		.
1900	5 000 000	.	2 000 000	35 000 000
1901	27 600 000	20 000 000	4 000 000	23 000 000
1902	26 000 000	6 000 000	1 250 000	43 500 000
1903	.	1 000 000	.	12 000 000
1904	14 000 000	.	3 500 000	4 500 000
1905	12 550 000	.	.	17 000 000
1906	750 000	20 000 000		35 397 500
1907	1 000 000	3 500 000		15 000 000
1908	.	47 500 000		174 570 000
1909	3 000 000	18 000 000		104 600 000
1910	.	14 190 600	6 500 000	83 910 600

1) Es sind nur die Jahre berücksichtigt worden, in denen Werte emittiert worden sind.

2) Einschließlich der privaten Bankfirmen.

Berliner Handels-Gesellschaft.

Gesamtsumme der an sämtlichen deutschen Börsen in den
Jahren 1897—1910 emittierten Werte.

Jahr[1])	Von der Bank allein emittiert	In Gemeinschaft mit anderen Groß- banken emittiert	In Gemeinschaft mit anderen Banken[2]) emittiert	In Gemeinschaft mit anderen Groß- banken und Banken[2]) emittiert
1897	25 848 000	29 350 000	65 685 500	288 760 000
1898	13 980 000	69 700 500	40 700 000	313 598 500
1899	19 600 000	85 000 000	85 198 000	155 100 000
1900	10 500 000	15 500 000	28 500 000	104 300 000
1901	4 000 000	54 200 000	.	235 000 000
1902	171 508 800	73 300 000	22 350 000	478 800 000
1903	10 225 000	63 000 000	16 100 000	3 396 623 974
1904	19 000 000	35 500 000	38 250 000	65 100 000
1905	28 350 000	112 150 000	14 000 000	604 000 000
1906	21 173 750	69 100 000	.	254 309 000
1907	8 000 000	73 296 000	24 910 000	6 791 435 232
1908	18 000 000	69 910 000	62 000 000	438 920 000
1909	27 404 720	44 600 000	49 340 000	272 234 000
1910	37 000 000	37 200 000	21 945 480	735 476 520

Deutsche Fonds.

Zum Handel an sämtlichen deutschen Börsen in den
Jahren 1897—1910 zugelassene Emissionen.

1897	.	7 250 000	.	.
1899	.	.	6 000 000	15 700 000
1900	.	.	14 000 000	.
1901	.	.	.	3 000 000
1902	.	.	12 000 000	.
1903	.	3 000 000	.	.
1904	.	.	27 000 000	.
1905	8 000 000	.	.	24 000 000
1906	.	.	.	26 000 000
1907	.	9 796 000	12 000 000	20 000 000
1908	.	3 000 000	60 000 000	85 000 000
1909	4 000 000	.	30 000 000	6 000 000
1910	.	8 000 000	.	.

Ausländische Fonds.

1898	.	46 406 500		.
1902	.	66 300 000		393 000 000
1903	.	.		3 379 323 974
1905	.			500 000 000
1906	.			28 350 000
1907	.			6 481 565 232
1908	.			127 500 000
1910	30 000 000	.		81 910 440

Deutsche Pfandbriefe.

1898	.	.	20 000 000	
1899	.	70 000 000	20 000 000	
1901	.	20 000 000	.	
1903	.	40 000 000		

1) Es sind nur die Jahre berücksichtigt worden, in denen Werte emittiert
worden sind.
2) Einschließlich der privaten Bankfirmen.

Beilage VI.

Jahr[1])	Von der Bank allein emittiert	In Gemeinschaft mit anderen Groß-banken emittiert	In Gemeinschaft mit anderen Banken[2]) emittiert	In Gemeinschaft mit anderen Groß-banken und Banken[2]) emittiert
1904	.	15 000 000		
1905	.	75 000 000		
1907	.	.	10 000 000	
1908	.	20 000 000	.	
1910	.	.	10 000 000	

Ausländische Pfandbriefe.

Jahr	Von der Bank allein emittiert	In Gemeinschaft mit anderen Groß-banken emittiert	In Gemeinschaft mit anderen Banken emittiert	In Gemeinschaft mit anderen Groß-banken und Banken emittiert
1902	.	.	6 750 000	
1904	.	.	11 250 000	
1906	.	22 500 000	.	
1909	.	.	11 340 000	
1910	.	.	4 050 000	

Deutsche Eisenbahn-Aktien.

Jahr	Von der Bank allein emittiert	In Gemeinschaft mit anderen Groß-banken emittiert	In Gemeinschaft mit anderen Banken emittiert	In Gemeinschaft mit anderen Groß-banken und Banken emittiert
1897		.	.	3 500 000
1898	1 400 000			6 500 000
1899	2 100 000		.	11 050 000
1900	.		8 500 000	8 600 000
1902	1 350 000		600 000	.
1903	3 725 000		.	
1904	1 500 000			5 300 000
1906	.	.		4 024 000
1908	.	4 210 000		1 100 000
1909	2 500 000	.		10 000 000

Deutsche Eisenbahn-Obligationen.

Jahr	Von der Bank allein emittiert	In Gemeinschaft mit anderen Groß-banken emittiert	In Gemeinschaft mit anderen Banken emittiert	In Gemeinschaft mit anderen Groß-banken und Banken emittiert
1897	.		.	2 300 000
1898	1 830 000			10 000 000
1899	.			12 500 000
1900	.			14 000 000
1901	4 000 000			4 000 000
1902	.			19 650 000
1903	1 500 000			.
1904	2 000 000			4 300 000
1906	.	.		11 700 000
1907	.	2 000 000		10 000 000
1909	.	.		15 000 000

Ausländische Eisenbahn-Aktien.

Jahr	Von der Bank allein emittiert	In Gemeinschaft mit anderen Groß-banken emittiert	In Gemeinschaft mit anderen Banken emittiert	In Gemeinschaft mit anderen Groß-banken und Banken emittiert
1909	.	.	.	80 757 000

Ausländische Eisenbahn-Obligationen.

Jahr	Von der Bank allein emittiert	In Gemeinschaft mit anderen Groß-banken emittiert	In Gemeinschaft mit anderen Banken emittiert	In Gemeinschaft mit anderen Groß-banken und Banken emittiert
1897	.	.	36 955 500	243 210 000
1898	.	.		228 300 500
1899	.		44 800 000	.
1900	.			27 000 000
1901	.			160 000 000
1902	170 158 800			.
1906	.			1 687 500
1907	.	42 000 000		.
1909	.	.		40 657 000
1910	.	.	7 895 480	510 506 080

1) Es sind nur die Jahre berücksichtigt worden, in denen Werte emittiert worden sind.

2) Einschließlich der privaten Bankfirmen.

Jahr[1]	Von der Bank allein emittiert	In Gemeinschaft mit anderen Groß-banken emittiert	In Gemeinschaft mit anderen Banken[2] emittiert	In Gemeinschaft mit anderen Groß-banken und Banken[2] emittiert
Bank-Aktien.				
1897	3 498 000	.		2 550 000
1898	7 500 000		.	8 000 000
1899	10 000 000		5 000 000	.
1901	.	.	.	8 000 000
1903	.	4 000 000		.
1904	10 000 000	5 000 000		12 5000 000
1905	.	.		16 000 000
1906	10 923 750	24 000 000		10 000 000
1907	.	.		20 000 000
1908	18 000 000	.		8 000 000
1909	.	18 000 000		4 500 000
1910	.	.		14 000 000
Industrie-Aktien.				
1897	12 350 000	.	.	14 250 000
1898	3 250 000	6 294 000	10 000 000	40 798 000
1899	7 500 000	8 000 000	9 398 000	91 850 000
1900	3 000 000	15 200 000	6 000 000	25 700 000
1901	.	18 200 000	.	5 000 000
1902	.	1 000 000	.	29 050 000
1903	5 000 000	10 000 000	11 600 000	.
1904	1 000 000	11 000 000	.	35 000 000
1905	13 850 000	1 750 000	14 000 000	56 500 000
1906	10 250 000	17 800 000	.	152 200 000
1907	4 000 000	9 000 000	.	55 870 000
1908	.	21 200 000	1 000 000	46 100 000
1909	20 800 200	26 600 000	3 000 000	55 320 000
1910	3 000 000	17 200 000	.	71 700 000
Industrie-Obligationen.				
1897	100 00 000	26 600 000	28 730 000	.
1898	.	17 000 000	10 700 000	20 000 000
1899	.	7 000 000	.	24 000 000
1900	7 500 000	.		29 000 000
1901	.	16 000 000	.	55 000 000
1902	.	6 000 000	3 000 000	37 100 000
1903	.	6 000 000	4 500 000	17 300 000
1904	4 500 000	4 500 000	.	8 000 000
1905	6 500 000	35 400 000		7 500 000
1906	.	4 800 000	.	20 347 500
1907	4 000 000	10 500 000	2 920 000	4 000 000
1908	.	21 500 000	1 000 000	161 320 000
1909	8 000 000	.	5 000 000	75 500 000
1910	4 000 000	12 000 000	.	57 360 000

Deutsche Bank.

Gesamtsumme der an sämtlichen deutschen Börsen in den Jahren 1897—1910 emittierten Werte.

1897	103 955 000	11 700 000	27 950 000	65 800 000
1898	258 279 480	68 406 500	247 149 480	489 004 900
1899	347 330 000	77 500 000	10 000 000	606 430 000

1) Es sind nur die Jahre berücksichtigt worden, in denen Werte emittiert worden sind.

2) Einschließlich der privaten Bankfirmen.

Jahr[1])	Von der Bank allein emittiert	In Gemeinschaft mit anderen Groß-banken emittiert	In Gemeinschaft mit anderen Banken[2]) emittiert	In Gemeinschaft mit anderen Groß-banken und Banken[2]) emittiert
1900	476 497 000	74 591 200	61 228 000	133 350 000
1901	98 347 550	261 700 000	125 320 000	200 000 000
1902	217 030 000	140 500 000	172 632 000	705 650 000
1903	656 134 040	60 750 000	131 566 300	3 221 204 490
1904	736 019 800	82 887 000	843 338 408	527 417 000
1905	688 797 900	235 687 000	129 842 000	1 346 550 000
1906	762 043 800	267 037 000	291 125 000	1 555 674 856
1907	252 763 600	370 270 000	107 915 000	7 100 435 232
1908	241 945 000	221 264 000	318 000 000	1 315 865 000
1909	907 330 800	542 276 972	633 114 976	2 592 247 900
1910	1 532 871 916	161 890 600	663 396 432	2 600 670 600

Zum Handel an sämtlichen deutschen Börsen in den Jahren 1897—1910 zugelassene Emissionen.

1897	37 950 000	.	2 450 000	24 000 000
1898	8 000 000	4 000 000	3 000 000	.
1899	208 200 000	7 500 000	.	10 000 000
1900	48 200 000	5 000 000	3 228 000	59 000 000
1901	13 310 000	172 500 000	94 570 000	42 000 000
1902	13 800 000	45 000 000	5 272 000	388 000 000
1903	11 873 200	3 500 000	1 000 000	81 865 000
1904	17 600 000	20 937 000	3 800 000	448 317 000
1905	28 000 000	58 937 000	3 952 000	450 000 000
1906	42 400 000	83 437 000	32 000 000	1 321 720 600
1907	59 464 000	125 000 000	10 165 000	481 500 000
1908	52 575 000	123 654 900	245 000 000	1 016 325 000
1909	31 000 000	334 751 500	12 000 000	2 136 751 500
1910	440 900 000	75 000 000	40 000 000	976 000 000

Ausländische Fonds.

1898	116 767 080	46 406 500	86 551 080	423 806 500
1899	.	.	.	463 080 000
1901	7 818 750	.	.	.
1902	.	66 300 000	85 860 000	242 250 000
1903	.	.	4 387 500	3 121 539 490
1904	.	.	798 219 408	.
1905	216 960 000	.	.	698 700 000
1906	75 860 000	.	173 400 000	.
1907	.	142 800 000	.	6 481 565 232
1908	.	.	.	64 260 000
1909	277 500 000	98 000 472	179 749 576	67 076 000
1910	401 200 000	.	3 100 000	1 331 100 000

Deutsche Pfandbriefe.

1898	80 000 000	.	120 000 000	
1899	5 000 000	70 000 000	10 000 000	
1900	55 000 000	.	10 000 000	
1901	30 000 000	35 000 000	30 000 000	
1902	101 000 000	10 000 000	60 000 000	
1903	126 000 000	45 000 000	110 000 000	
1904	45 000 000	29 000 000	.	

1) Es sind nur die Jahre berücksichtigt worden, in denen Werte emittiert worden sind.

2) Einschließlich der privaten Bankfirmen.

Jahr[1]	Von der Bank allein emittiert	In Gemeinschaft mit anderen Groß- banken emittiert	In Gemeinschaft mit anderen Banken[2] emittiert	In Gemeinschaft mit anderen Groß- banken und Banken[2] emittiert
1905	82 420 000	100 040 000	90 000 000	.
1906	45 000 000	15 000 000	50 000 000	34 000 000
1907	80 000 000	10 000 000	60 000 000	
1908	30 000 000	30 000 000	55 000 000	
1909	289 000 000	.	90 000 000	
1910	154 935 200	10 000 000	40 000 000	

Ausländische Pfandbriefe.

1898	8 100 000	.	.	
1899	11 250 000			
1900	.	13 931 200		
1902	33 750 000	.		
1903	45 000 000			
1904	67 500 000			
1905	56 260 000			

Deutsche Eisenbahn-Aktien.

1897	.		8 500 000	3 500 000
1898	5 400 000		.	
1899	.			5 000 000
1900	.			600 000
1901	1 800 000			
1902	.			2 000 000
1904	.	.		26 300 000
1906	1 700 000	40 000 000		.
1908	.	4 210 000		
1909	.	.		118 000 000

Deutsche Eisenbahn-Obligationen.

1897	.	5 700 000	.	2 300 000
1899	5 000 000	.		12 500 000
1900	.			10 000 000
1901	900 000			.
1902	.			23 650 000
1903	2 000 000			
1904	.			4 300 000
1906	3 500 000	.		16 204 256
1907	.	2 000 000		10 000 000
1909	2 000 000	.		15 000 000

Ausländische Eisenbahn-Aktien.

1899	52 500 000	.	.	
1900	331 162 000	48 960 000		.
1901	.	.		80 000 000
1902	23 100 000			.
1903	404 835 840			
1904	525 000 000			.
1905	136 743 600			105 000 000
1906	481 042 800			.
1907	73 500 000		.	
1909	21 000 000		151 418 400	20 000 000
1910	25 200 000		316 208 688	.

1) Es sind nur die Jahre berücksichtigt worden, in denen Werte emittiert worden sind.
2) Einschließlich der privaten Bankfirmen.

Jahr¹)	Von der Bank allein emittiert	In Gemeinschaft mit anderen Groß-banken emittiert	In Gemeinschaft mit anderen Banken²) emittiert	In Gemeinschaft mit anderen Groß-banken und Banken²) emittiert
Ausländische Eisenbahn-Obligationen.				
1909	.	.	63 750 000	
1910	263 273 016	.	128 588 544	
Bank-Aktien.				
1897	52 000 000	6 000 000		25 500 000
1898	24 201 600	9 000 000		8 000 000
1899	20 880 000	.		.
1900	18 000 000			
1901	.			24 000 000
1902	10 252 000			.
1903	19 400 000			
1904	44 750 800	.	.	12 500 000
1905	109 500 800	4 500 000	14 400 000	15 000 000
1906	72 816 000	34 000 000	13 500 000	6 250 000
1907	24 999 600	.	.	20 000 000
1908	43 220 000			
1909	101 080 800	12 000 000	5 000 000	.
1910	124 338 700	.	82 999 200	14 000 000
Bank-Obligationen.				
1909	67 500 000	.		
Industrie-Aktien.				
1897	10 505 000	.	10 500 000	10 500 000
1898	7 810 800	4 000 000	36 498 400	37 198 400
1899	38 000 000	.	.	91 850 000
1900	18 135 000	6 700 000	5 000 000	34 750 000
1901	44 518 800	18 200 000	750 000	5 000 000
1902	22 600 000	19 200 000	5 500 000	29 050 000
1903	10 000 100	11 250 000	1 000 000	5 000 000
1904	29 669 000	2 450 000	30 969 000	26 600 000
1905	20 273 500	59 250 000	12 750 000	69 350 000
1906	25 235 000	36 800 000	22 225 000	162 300 000
1907	13 000 000	44 000 000	17 000 000	62 670 000
1908	75 950 000	35 900 000	18 900 000	67 030 000
1909	87 250 000	90 525 000	112 197 000	254 820 400
1910	105 400 000	45 700 000	49 500 000	191 660 000
Industrie-Obligationen.				
1897	3 500 000	.	6 500 000	.
1898	8 000 000	5 000 000	1 100 000	20 000 000
1899	5 500 000	.	.	24 000 000
1900	6 000 000	.	43 000 000	29 000 000
1901	.	36 000 000	.	55 000 000
1902	12 528 000	.	16 000 000	20 700 000
1903	36 925 000	1 000 000	15 178 800	12 800 000
1904	6 500 000	30 500 000	10 350 000	9 400 000
1905	38 650 000	13 000 000	8 740 000	7 500 000
1906	15 500 000	57 800 000	.	15 200 000
1907	11 800 000	46 470 000	20 750 000	44 700 000
1908	40 200 000	27 500 000	.	168 250 000
1909	31 000 000	7 000 000	19 000 000	98 600 000
1910	17 625 000	30 190 600	3 000 000	87 910 600

1) Es sind nur die Jahre berücksichtigt worden, in denen Werte emittiert worden sind.

2) Einschließlich der privaten Bankfirmen.

Disconto-Gesellschaft.

Gesamtsumme der an sämtlichen deutschen Börsen in den
Jahren 1897—1910 emittierten Werte.

Jahr[2])	Von der Bank allein emittiert	In Gemeinschaft mit anderen Groß-banken emittiert	In Gemeinschaft mit anderen Banken[2]) emittiert	In Gemeinschaft mit anderen Groß-banken und Banken[2]) emittiert
1897	711 692 000	30 350 000	331 900 000	365 960 000
1898	67 680 900	27 251 600	632 690 784	417 813 280
1899	185 724 000	41 100 000	357 200 000	67 500 000
1900	122 610 000	23 031 200	204 200 000	240 450 000
1901	49 464 600	179 000 000	89 400 000	561 492 000
1902	72 000 000	72 000 000	561 600 000	1 505 349 500
1903	213 615 188	32 213 000	159 850 000	3 214 824 590
1904	259 000 800	64 937 000	51 500 000	585 540 570
1905	193 222 000	231 337 000	521 271 330	1 141 250 000
1906	93 022 340	180 437 000	25 942 200	246 559 000
1907	77 499 600	405 796 000	94 550 000	7 010 415 232
1908	137 850 000	169 000 000	75 300 000	1 539 655 000
1909	445 063 000	620 942 572	403 500 000	1 440 762 600
1910	262 084 886	261 087 500	195 460 000	812 899 940

Deutsche Fonds.

Zum Handel an sämtlichen deutschen Börsen in den
Jahren 1897—1910 zugelassene Emissionen.

1897	18 552 500	2 750 000	40 000 000	.
1898	.	4 000 000	.	6 000 000
1899	.	7 500 000	.	12 000 000
1900	.	.	8 000 000	7 500 000
1901	6 275 800	169 000 000	67 000 000	10 000 000
1902	1 000 000	42 000 000	.	138 000 000
1903	4 092 500	· 9 500 000	.	64 960 100
1904	94 000 000	11 937 000	30 000 000	408 317 000
1905	15 488 000	23 937 000	31 500 000	474 000 000
1906	2 000 000	63 937 000	.	26 000 000
1907	.	127 296 000	25 000 000	434 000 000
1908	43 200 000	106 000 000	7 000 000	1 133 325 000
1909	93 000 000	368 751 500	.	1 009 800 000
1910	5 000 000	95 000 000	36 680 000	297 000 000

Ausländische Fonds.

1897	.	.	286 900 000	.
1898	.	.	448 200 000	51 000 000
1899	.	.	357 200 000	.
1900	.	.	151 200 000	102 000 000
1901	.	.	.	212 500 000
1902	.	.	561 600 000	1 317 349 500
1903	.	.	149 850 000	3 125 364 490
1904	.	.	.	90 426 570
1905	.	.	424 936 530	500 000 000
1907	.	142 800 000	.	6 461 565 232
1908	.	.	56 700 000	191 760 000
1909	56 700 000	98 000 472	.	33 538 000
1910	103 680 000	95 667 500	103 680 000	222 523 940

1) Es sind nur die Jahre berücksichtigt worden, in denen Werte emittiert
worden sind.
2) Einschließlich der privaten Bankfirmen.

Beilage VI.

Jahr¹)	Von der Bank allein emittiert	In Gemeinschaft mit anderen Groß-banken emittiert	In Gemeinschaft mit anderen Banken²) emittiert	In Gemeinschaft mit anderen Groß-banken und Banken²) emittiert
Deutsche Pfandbriefe.				
1897	678 139 500	.		50 000 000
1898	31 000 000		.	
1901	10 000 000		30 000 000	
1901	.		22 400 000	
1902	70 000 000	30 000 000	.	
1903	150 000 000	10 000 000		
1904	66 000 000	29 000 000	12 500 000	
1905	32 000 000	115 000 000	40 634 800	
1906	65 000 000	.	17 942 200	
1907	24 000 000		23 950 000	
1908	55 000 000	20 000 000	11 600 000	
Ausländische Pfandbriefe.				
1897	.	.		51 000 000
1898	.	.	184 490 784	
1900	.	13 931 200	.	
1904	.	.		34 000 000
1907	22 500 000	.		
1909	80 000 000	20 000 000		
Deutsche Eisenbahn-Aktien.				
1897	.	.	.	1 250 000
1898	.			5 000 000
1899	.			5 000 000
1900	6 000 000			9 200 000
1901	1 560 000			.
1904	.			35 297 000
1906	3 199 200			4 024 000
1908	.			11 000 000
Deutsche Eisenbahn-Obligationen.				
1897	.	.	.	2 500 000
1898	.			10 000 000
1899	25 000 000			
1900	42 000 000			7 000 000
1901	1 560 000			9 500 000
1905	.			5 000 000
1906	.	.		4 500 000
1907	500 000	.		
1908	.	4 000 000		
Ausländische Eisenbahn-Aktien.				
1897	.	.	.	243 210 000
1898	.			273 013 280
1899	126 000 000			.
1900	.			27 000 000
1901	.			214 992 000
1903	56 522 688			.
1904	42 000 000			.
1905	2 100 000 000			105 000 000
1909	.			195 414 000
1910	72 751 000			135 751 000

1) Es sind nur die Jahre berücksichtigt worden, in denen Werte emittiert worden sind.

2) Einschließlich der privaten Bankfirmen.

Jahr[1]	Von der Bank allein emittiert	In Gemeinschaft mit anderen Großbanken emittiert	In Gemeinschaft mit anderen Banken[2]) emittiert	In Gemeinschaft mit anderen Großbanken und Banken[2]) emittiert
Ausländische Eisenbahn-Obligationen.				
1906	.	.	.	1 687 500
1909	121 414 000	.	.	.
Bank-Aktien.				
1897	.	6 000 000	.	18 000 000
1898	24 500 000	9 000 000	.	8 000 000
1899	4 000 000	.	.	17 000 000
1900	27 510 000	.	.	.
1901	7 800 000	.	.	24 000 000
1902	36 500 000	.	.	.
1903	.	7 713 000	10 000 000	.
1904	30 000 800	.	9 000 000	12 500 000
1905	30 834 000	.	16 000 000	16 000 000
1906	3 508 000	6 000 000	8 000 000	23 250 000
1907	21 999 600	.	33 600 000	20 000 000
1908	4 500 000	.	.	.
1909	55 000 000	.	35 000 000	.
1910	56 003 886	28 920 000	47 100 000	.
Industrie-Aktien.				
1897	15 000 000	.	5 000 000	.
1898	12 180 900	11 751 600	.	24 800 000
1899	30 724 000	28 600 000	.	33 500 000
1900	31 100 000	9 100 000	5 000 000	52 750 000
1901	4 768 800	.	.	.
1902	62 000 000	.	.	20 000 000
1903	3 000 000	5 000 000	.	12 500 00
1904	27 000 000	.	.	5 000 000
1905	14 900 000	50 000 000	6 200 000	41 250 000
1906	16 315 140	57 500 000	.	159 700 000
1907	4 500 000	126 000 000	.	58 450 000
1908	14 150 000	21 000 000	.	22 250 000
1909	10 000 000	92 000 000	20 000 000	53 100 000
1910	24 650 000	41 500 000	8 000 000	157 625 000
Industrie-Obligationen.				
1897	.	21 600 000	.	.
1898	.	2 500 000	.	40 000 000
1899	.	5 000 000	.	.
1900	6 000 000	.	10 000 000	35 000 000
1901	27 500 000	10 000 000	.	45 500 000
1902	3 500 000	.	.	30 000 000
1903	.	.	.	12 000 000
1904	.	24 000 000	.	.
1905	.	42 400 000	2 000 000	.
1906	3 000 000	53 000 000	.	27 397 500
1907	4 000 000	9 700 000	12 000 000	16 400 000
1908	21 000 000	18 000 000	.	181 320 000
1909	21 250 000	14 000 000	3 350 000	85 000 000
1910	7 699 000	28 190 600	.	63 910 600

1) Es sind nur die Jahre berücksichtigt worden, in denen Werte emittiert worden sind.

2) Einschließlich der privaten Bankfirmen.

Dresdner Bank.

Gesamtsumme der an sämtlichen deutschen Börsen in den Jahren 1897–1910 emittierten Werte.

Jahr¹)	Von der Bank allein emittiert	In Gemeinschaft mit anderen Großbanken emittiert	In Gemeinschaft mit anderen Banken²) emittiert	In Gemeinschaft mit anderen Großbanken und Banken²) emittiert
1897	85 350 000	.	82 000 000	23 750 000
1898	47 451 600	14 001 600	134 000 000	69 200 000
1999	101 700 000	40 100 000	605 980 000	44 700 000
1900	44 613 400	62 200 000	32 500 000	142 900 000
1901	28 439 000	143 000 000	26 991 250	172 000 000
1902	59 546 900	35 200 000	280 530 000	480 000 000
1903	47 053 100	33 963 000	1 260 000	90 404 900
1904	106 893 000	225 229 000	48 200 000	505 714 000
1905	136 122 400	458 270 000	721 400 000	541 700 000
1906	66 551 400	320 415 000	662 400 000	1 509 720 806
1907	56 820 000	357 990 000	15 000 000	7 091 065 232
1908	210 734 400	280 654 900	32 570 000	1 222 380 000
1909	173 310 000	487 949 500	114 234 300	2 470 567 900
1910	410 550 000	224 690 000	222 996 000	1 376 500 200

Deutsche Fonds.

Zum Handel an sämtlichen deutschen Börsen in den Jahren 1897—1910 zugelassene Emissionen.

1897	1 750 000		20 000 000	20 000 000
1988	29 000 000		75 000 000	.
1899	10 000 000	.	112 000 000	15 700 000
1900	13 000 000	5 000 000	.	50 000 000
1901	15 000 000	118 000 000	9 800 000	17 000 000
1902	14 000 000	3 000 000	37 280 000	41 6 000 000
1903	29 142 100	.		54 904 900
1904	6 000 000	48 779 000	6 200 000	4 60 317 000
1905	5 652 400	67 000 000	16 500 000	4 43 000 000
1906	10 000 000	81 500 000	562 400 000	1 277 720 600
1907	25 500 000	63 720 000	12 000 000	460 000 000
1908	7 000 000	118 154 900	29 500 000	955 000 000
1909	25 000 000	236 951 500	41 000 000	2 003 451 500
1910	41 850 000	81 000 000	5 000 000	991 000 000

Ausländische Fonds.

1898	.	.	51 000 000	
1899	.		463 080 000	
1901	.		13 691 250	
1902	.	.	242 250 000	.
1905	7 875 000	77 520 000	698 700 000	
1907	.	142 800 000	.	6 481 565 232
1908	199 834 4000			64 260 000
1909	40 800 000	33 538 000 ·		67 076 000
1910	.		44 946 000	1 376 046 000

　　1) Es sind nur die Jahre berücksichtigt worden, in denen Werte emittiert worden sind.

　　2) Einschließlich der privaten Bankfirmen.

Jahr¹)	Von der Bank allein emittiert	In Gemeinschaft mit anderen Groß-banken emittiert	In Gemeinschaft mit anderen Banken²) emittiert	In Gemeinschaft mit anderen Groß-banken und Banken²) emittiert
Deutsche Pfandbriefe.				
1897	.	.	60 000 000	
1899	.	.	30 000 000	
1910	.	.	30 000 000	
1901	.	15 000 000	.	
1902	.	10 000 000		
1903	.	25 000 000		
1904	30 000 000	120 000 000		.
1905	.	220 000 000	.	15 000 000
1906	35 000 000	15 000 000	95 000 000	95 360 200
1907	.	55 000 000	.	60 750 000
1908	.	90 000 000	.	.
1909	75 000 000	115 000 000	20 000 000	25 000 000
1910	150 000 000	105 000 000	136 850 000	.
Ausländische Pfandbriefe.				
1905	67 500 000	.	.	.
Deutsche Eisenbahn-Aktien.				
1906	.	40 000 000		.
1909	.	1 000 000		108 000 000
Deutsche Eisenbahn-Obligationen.				
1898	.	.	2 000 000	
1989	25 000 000		.	
1900	6 479 000			
1901	8 839 000			
1902	.		1 000 000	
1903	1 500 000			
1904	.		7 000 000	.
1905	.		.	11 900 000
1906	.		.	13 504 256
1908	.	4 000 000	2 000 000	.
1909	.	.	2 500 000	
Ausländische Eisenbahn-Aktien.				
1900	.	48 000 000	.	.
1901	.			80 000 000
1904	.	25 500 000		
1905	25 000 000	15 300 000		
Ausländische Eisenbahn-Obligationen.				
1906	.	.	.	1 687 500
1909	8 160 000	8 160 000		.
Deutsche Straßenbahn-Aktien.				
1897	1 350 000	.	.	1 250 000
1898	.		6 000 000	.
1899	26 000 000		.	
1900	.		.	1 200 000
1901	.		1 000 000	.

1) Es sind nur die Jahre berücksichtigt worden, in denen Werte emittiert worden sind.
2) Einschließlich der privaten Bankfirmen.

Jahr¹)	Von der Bank allein emittiert	In Gemeinschaft mit anderen Groß-banken emittiert	In Gemeinschaft mit anderen Banken²) emittiert	In Gemeinschaft mit anderen Groß-banken und Banken²) emittiert
1902	26 795 000			
1904	.			12 497 000
1906	.			500 000

Deutsche Straßenbahn-Obligationen.

1897	.	.	.	2 500 000
1900	.			3 000 000
1901	.		.	5 500 000
1909	.		1 000 000	.

Bank-Aktien.

1897	78 000 000	.		.
1898	9 600 000			8 000 000
1899	29 900 000			.
1901		.		24 000 000
1903	.	7 713 000	.	.
1904	41 000 000	.	25 000 000	12 500 000
1905	300 000	6 500 000	.	16 000 000
1906	10 500 000	22 100 000		6 250 000
1907	22 600 000	25 500 000		20 000 000
1909	1 000 000	10 500 000		.
1910	195 650 000	3 000 000		

Bank-Obligationen.

1909	.	.	38 784 300	

Industrie-Aktien.

1897	1 750 000	.	2 060 000	.
1898	8 851 600	2 001 600	.	21 200 000
1899	7 850 000	40 100 000		29 000 000
1900	25 134 400	9 200 000		53 700 000
1901	600 000	.	.	
1902	1 500 000	19 200 000		28 000 000
1903	7 460 000	1 250 000	1 260 000	23 500 000
1904	20 193 000	10 950 000	.	18 600 000
1905	28 195 000	61 950 000	2 500 000	49 800 000
1906	9 550 000	79 315 200	5 000 000	91 750 750
1907	5 720 000	37 000 000	3 000 000	41 250 000
1908	3 900 000	23 000 000	1 000 000	31 800 000
1909	7 500 000	64 800 000	2 200 000	226 040 400
1910	20 550 000	19 500 000	30 400 000	150 625 000

Industrie-Obligationen.

1987	2 500 000	.		.
1898	.	12 000 000	.	40 000 000
1899	3 250 000	.	900 000	.
1900	.	.	2 500 000	35 000 000
1901	4 000 000	10 000 000	2 500 000	45 500 000
1902	16 000 000	3 000 000	.	36 000 000
1903	8 951 000	.		12 000 000
1904	9 700 000	20 000 000	10 000 000	.
1905	1 600 000	10 000 000	4 000 000	6 000 000

1) Es sind nur die Jahre berücksichtigt worden, in denen Werte emittiert worden sind.

2) Einschließlich der privaten Bankfirmen.

Jahr[1])	Von der Bank allein emittiert	In Gemeinschaft mit anderen Groß-banken emittiert	In Gemeinschaft mit anderen Banken[2]) emittiert	In Gemeinschaft mit anderen Groß-banken und Banken[2]) emittiert
1906	1 501 400	82 500 000	.	22 947 500
1907	3 000 000	33 970 000	.	27 500 000
1908	.	45 500 000	.	171 320 000
1909	15 850 000	18 000 000	8 753 000	41 000 000
1910	3 500 000	16 190 000	5 800 000	97 270 600

A. Schaaffhausen'scher Bankverein.

Gesamtsumme der an sämtlichen deutschen Börsen in den Jahren 1897—1910 emittierten Werte.

1897	127 558 600	11 000 000	17 870 000	20 000 000
1898	135 589 000	34 544 000	27 250 000	23 000 000
1899	85 450 000	27 780 000	1 350 000	29 700 000
1900	45 700 000	18 600 000	14 500 000	130 450 000
1901	4 800 000	33 700 000	21 000 000	101 500 000
1902	46 000 000	11 000 000	26 000 000	76 000 000
1903	11 600 000	. 43 400 000	30 000 000	37 000 000
1904	39 284 000	321 179 000	417 617 000	68 797 000
1905	20 550 000	290 297 770	31 250 000	749 600 000
1906	60 500 000	185 815 200	31 000 000	140 359 000
1907	184 684 600	154 920 000	33 470 000	105 500 000
1908	5 100 000	238 320 000	30 000 000	215 870 000
1909	29 800 000	186 200 000	72 510 000	118 100 000
1910	15 100 000	166 000 006	39 400 000	620 375 000

Deutsche Fonds.

Zum Handel an sämtlichen deutschen Börsen in den Jahren 1897—1910 zugelassene Emissionen.

1897	3 500 000	.	17 500 000	20 000 000
1898	.	4 000 000	.	.
1899	.	7 500 000	.	15 700 000
1900	.	.	10 000 000	40 000 000
1901	.	2 500 000	15 000 000	5 000 000
1902	23 000 000	.	26 000 000	50 000 000
1903	5 000 000	6 000 000	30 000 000	.
1904	.	39 779 000	408 317 000	18 000 000
1905	.	10 000 000	30 000 000	.
1906	.	2 000 000	30 000 000	.
1907	.	41 220 000	30 000 000	.
1908	.	96 500 000	30 000 000	65 000 000
1909	19 000 000	65 000 000	.	32 000 000
1910	.	75 000 000	.	29 000 000

Ausländische Fonds.

1905	.	77 625 170	.	678 300 000
1910	.	.	.	443 700 000

---

1) Es sind nur die Jahre berücksichtigt worden, in denen Werte emittiert worden sind.

2) Einschließlich der privaten Bankfirmen

Jahr[1])	Von der Bank allein emittiert	In Gemeinschaft mit anderen Groß-banken emittiert	In Gemeinschaft mit anderen Banken[2]) emittiert	In Gemeinschaft mit anderen Groß-banken und Banken[2]) emittiert
Deutsche Pfandbriefe.				
1897	20 000 000	.		
1898	60 000 000			
1900	30 000 000			
1902	20 000 000	.		
1903	.	20 000 000		
1904	.	110 000 000		.
1904	.	165 000 000		15 000 000
1907	.	45 000 000		50 000 000
1908	.	60 00 : 000		.
1909	.	45 000 000		10 000 000
1910	.	50 000 000		.
Deutsche Eisenbahn-Aktien.				
1898		.	5 000 000	5 000 000
1899			.	5 000 000
1900				9 200 000
1904				14 297 000
1906				4 024 000
1908				11 000 000
Ausländische Eisenbahn-Aktien.				
1901		.	.	60 000 000
1904	.	25 500 000		
1905	.	15 300 000		.
1906		.	.	1 687 500
1909			54 000 000	.
Deutsche Eisenbahn-Obligationen.				
1898	.	.	10 000 000	10 000 000
1900	.		.	13 000 000
1901	.		.	9 500 000
1904	.		3 680 000	.
1905	.		1 250 000	11 900 000
1906	.		.	4 500 000
Ausländische Eisenbahn-Obligationen.				
1909	.	8 160 000	.	
Bank-Aktien.				
1897	30 000 000	6 000 000		.
1898	5 500 000	9 000 000		8 000 000
1899	34 800 000	.		.
1901	600 000		6 000 000	24 000 000
1904	25 000 000	.	.	12 500 000
1905	8 750 000	6 500 000		16 000 000
1906	35 200 000	22 100 000		16 250 000
1907	180 000 000	.		20 000 000
1909	.	8 500 000		4 500 000
1910	8 000 000	.		.

1) Es sind nur die Jahre berücksichtigt worden, in denen Werte emittiert worden sind.
2) Einschließlich der privaten Bankfirmen.

Jahr[1]	Von der Bank allein emittiert	In Gemeinschaft mit anderen Groß-banken emittiert	In Gemeinschaft mit anderen Banken[2] emittiert	In Gemeinschaft mit anderen Groß-banken und Banken[2] emittiert
Industrie-Aktien.				
1897	74 058 600	.	370 000	.
1898	29 589 000	16 044 000	9 750 000	.
1899	40 650 000	8 280 000	1 350 000	9 000 000
1900	15 700 000	18 600 000	4 500 000	43 250 000
1901	4 200 000	15 200 000	.	.
1902	3 000 000	8 000 000	.	.
1903	3 600 000	11 400 000	.	25 000 000
1904	12 784 000	25 400 000	1 620 000	21 000 000
1905	4 800 000	5 872 600	.	22 400 000
1906	25 300 000	104 415 200	1 000 000	89 500 000
1907	4 684 600	51 000 000	3 470 000	20 500 000
1908	3 100 000	22 700 000	.	34 550 000
1909	10 800 000	59 700 000	10 350 000	61 100 000
1910	5 600 000	19 000 000	37 400 000	104 125 000
Industrie-Obligationen.				
1897	.	5 000 000	.	.
1898	40 500 000	14 500 000	2 500 000	.
1899	10 000 000	12 000 000	.	.
1900	.		.	25 000 000
1901	.	16 000 000	.	3 000 000
1902	.	3 000 000	.	26 000 000
1903	3 000 000	6 000 000	.	12 000 000
1904	1 500 000	30 500 000	4 000 000	3 000 000
1905	7 000 000	10 000 000	.	6 000 000
1906	.	57 300 000	.	24 397 500
1907	.	17 700 000	.	15 000 000
1908	2 000 000	59 120 000	.	106 320 000
1909	.	8 000 000	.	15 000 000
1910	1 500 000	22 000 000	2 000 000	43 550 600

1) Es sind nur die Jahre berücksichtigt worden, in denen Werte emittiert worden sind.
2) Einschließlich der privaten Bankfirmen.

Beilage VII.

(zu S. 519.)

Die Konzentrationsentwicklung bei den deutschen Großbanken (einschließlich der Commerz- und Dicsonto-Bank und der Nationalbank für Deutschland)[1].

I. Bank für Handel und Industrie in Berlin und Darmstadt.

Begr. in Darmstadt 1853, Berlin 1871.

Kapital: 160 000 000 M,
Reserven: 32 000 000   „

Filialen 10: (Frankfurt a. M. seit 1864, aber schon seit 1854 Agentur (mit 3 Depositenkassen); Hannover seit 1901 (mit 2 Depositenkassen und Geschäftsstelle vorm. Kohrs & Seeba); Straßburg i. E. seit 1901 (mit Bureau in Kehl); Halle a. S. und Stettin (mit 2 Depositenkassen) seit 1906; Leipzig (mit 4 Depositenkassen) seit 1908; Mannheim seit 1909; München, Nürnberg und Düsseldorf seit 1910.

Niederlassungen: 13 (Bamberg, Cottbus, Forst (Lausitz), Frankfurt o. O., Freiburg i. B., Fürth i. Bay., Gießen, Guben, Landau (Pfalz), Neustadt (Haardt), Offenbach a. M., Quedlinburg, Wiesbaden (vorm. Martin Wiener).

Depositenkassen (von 1900 ab) 48 und zwar: in Berlin 24, Leipzig 4, Frankfurt a. M. 3, Charlottenburg, Hannover, Stettin und Zehlendorf je 2, Halensee und Groß-Lichterfelde W. je 1; sowie je 1 in Darmstadt, Greifswald, Prenzlau, Sorau, Spremberg (Mark), Stargard (Pommern), Ludwigshafen a. Rh.

Agenturen: 6 (in Alsfeld, Butzbach, Herborn, Pasewalk, Sangerhausen und Senftenberg).

Kommanditen[2]: 3 (Rümelin & Co., Heilbronn; Schmitz, Heidelberger & Co., Mainz; Fuld & Co., Pforzheim).

---

1) Nach alphabetischer Reihenfolge. Die Aktienkapitalien und Reserven sind, wo nicht etwas anderes ausdrücklich bemerkt ist, so angegeben, wie sie sich per 31. Dezember 1910 stellten.
2) Bei den Kommanditen, d. h. den Firmen, bei welchen eine Bank mit Einlagen als Kommandistin beteiligt ist, werden hier, wie auch später, nur die Kommanditierungen von Bankfirmen berücksichtigt.

Die Darmstädter Bank hat als Tochtergesellschaften[1]) begründet oder mitbegründet:

1871 Die Amsterdam'sche Bank in Amsterdam (Aktienkapital 10 000 000 fl.).

1881 Die Württembergische Bankanstalt, vorm. Pflaum & Co. in Stuttgart (Aktienkapital 12 000 000 M, Reserven 3 300 000 M). Diese steht seit 18ы1 in (vertragsmäßiger) Interessengemeinschaft mit der 1869 begründeten Württembergischen Vereinsbank in Stuttgart (Aktienkapital 36 000 000 M), derart, daß bis Ende 1930 Gewinn und Verlust pro rata des Aktienkapitals, also im Verhältnis von 1 : 3, auf beide Institute verteilt wird[2]).
  1909: Übernahme der Bankfirma J. M. Hausmeister in Stuttgart.

1889 Die Deutsch-Asiatische Bank in Shanghai (siehe oben S. 371, Nr. 1).

1894 Die Banca Commerciale Italiana in Mailand (Aktienkapital 130 000 000 Lire) (zusammen mit anderen deutschen, österreichischen und schweizerischen Firmen).
  Filialen: 33 (in Italien).

1898 Die Banque Internationale de Bruxelles in Brüssel (Aktienkapital 25 000 000 Frcs., vollbezahlt) zusammen mit anderen inländischen und ausländischen Firmen).

1904/05 Die Banca Marmarosch Blank & Co., Societate anonima in Bukarest, frühere Kommandite der Bank (Aktienkapital 10 000 000 Lei) (zusammen mit der Berliner Handelsgesellschaft).
  Die Bank für Handel und Industrie ist im Aufsichtsrat der angeführten Firmen vertreten[3]).

1911 Die Handelsbank für Ostafrika (vgl. oben S. 374 Nr. 6).

Die Darmstädter Bank hat in sich aufgenommen:

1900 die Bankfirma Gust. Maier & Co. in Frankfurt a. M.,
1900 ,,   ,,   R. Haussig in Stettin,
1901 ,,   ,,   G. Kubale in Stettin,
1901 ,,   ,,   H. Oppenheimer in Hannover,
1901 ,,   ,,   Otto Davisson in Hannover,
1901 ,,   ,,   Bernhard Lilienthal in Güstrow,
1902 ,, Bank für Süddeutschland in Darmstadt (Aktienkapital 15 672 300 M),

---

1) Institute, die, wie die Bank für Brauindustrie (gegründet 1899, Aktienkapital 7 000 000 M), zwar Finanzierungsinstitute, aber keine eigentlichen Banken sind, werden hier nicht berücksichtigt; ebensowenig die im Jahre 1871 von der Bank für Handel und Industrie begründete Süddeutsche Bodenkreditl ank in München (in deren Aufsichtsrat die Bank mehrfach vertreten ist), und die Süddeutsche Immobiliengesellschaft in Mainz, in deren Aufsichtsrat die Bank gleichfalls mehrfach vertreten ist.
2) Beide Institute haben Anfang 1906 das bis dahin in der Form einer offenen Handelsgesellschaft betriebene Bankgeschäft der Kgl. Württembergischen Hofbank, unter Mitwirkung der Kgl. Privatvermögensverwaltung, in eine Gesellschaft m. b. H. (Stammkapital 10 000 000 M) umgewandelt. Alle drei Institute haben dann 1908 die Bankfirma Doertenbach & Co. in Stuttgart in eine G. m. b. H. mit einem Stammkapital von 4 000 000 M umgewandelt. Näheres über die Württembergische Vereinsbank s. S. 731 unter c.
3) Vgl. Beilage IV, S. 651 ff.

1902 das Bankgeschäft Conrad Dietz in Gießen,
1902 die Berliner Niederlassung der Breslauer Disconto-Bank,
1904/05 die Bankfirma Robert Warschauer & Co. in Berlin (bis dahin Kommandite),
1905   „   „   Philipp Nicolaus Schmidt in Frankfurt a. M.,
1906   „   „   Hermann Arnhold & Co., Bankkommandite in Halle a. S. (bis dahin Kommandite),
1907   „   „   Ed. Loeb & Co. in Neustadt a. d. H. und Landau (bis dahin Kommandite),
1907   „   „   Max Klette in Prenzlau,
1909   „   „   Wingenroth Scherr & Co. iu Mannheim (bis dahin Kommandite,
1910   „   Bayerische Bank für Handel und Industrie, München (Aktien-kapital 17 750 000 M)[1]),
1910   „   Bankfirma J. Sander in Darmstadt,
1910/11 „   „   Kohrs & Seeba, Hannover,
1901/11 „   „   Martin Wiener, Wiesbaden.

Die Darmstädter Bank steht in Interessengemeinschaft[2]) durch Aktienbesitz:

1. Seit 1902 mit der **Breslauer Disconto-Bank** in Breslau (Aktienkapital 25 000 000 M, gegründet: 17. Mai 1870 als Kommandit-Gesellschaft auf Aktien unter der Firma Breslauer Disconto-Bank Friedenthal & Co., spätere Firmierung: Breslauer Disconto-Bank Hugo Heimann & Co., 1887 in eine Aktiengesellschaft umgewandelt unter obiger Firma.) Diese hat:
   Filialen: 12 [in Beuthen (O.-Schl.), Glatz, Gleiwitz, Görlitz, Kattowitz, Lauban, Myslowitz (O.-Schl.), Neustadt (O.-Schl.), Oppeln, Ratibor, Zabrze (O.-Schl.) und Ziegenhals].
   Depositenkassen: 6 (in Breslau).
   Agenturen: 2 (in Habelschwerdt und Krappitz).
   Geschäftsstellen: 1 (in Leobschütz).
   Hat in sich aufgenommen:
      1888 Perls & Co. in Gleiwitz,
      1900 Landsberger & Co. in Kattowitz,
      1905 L. Silberberg in Myslowitz,
      1905 L. Reymann in Oppeln,
      1905 die Zabrzer Discontobank Kochmann & Co. in Zabrze,
      1908 die Bankfirma Karl Schubert Nachf. in Görlitz.
      In ihren Aufsichtsrat delegiert sind zwei Mitglieder der Verwaltung der Bank für Handel und Industrie.
2. Seit 1902 mit der **Ostbank für Handel und Gewerbe** in Posen (Aktienkapital 22 500 000 M). Diese hat:
   Filialen: 10 (in Allenstein, Bromberg, Danzig, Graudenz, Königsberg i. Pr., Landsberg a. W., Memel, Stolp i. P., Tilsit und Thorn).

---

1) Die Bayrische Bank für Handel und Industrie hatte ihrerseits Filialen: 4 (in Bamberg, Fürth, Nürnberg, und Würzburg). Wechselstube: 1 (in Nürnberg).
   Sie hatte in sich aufgenommen:
      1905 die Bankfirma Gutleben & Weidert in München,
      1907   „   „   Erdmann & Frankenau in Nürnberg,
      1908   „   „   Gerh. Mühlenbeck in Mülheim a. d. Ruhr.
   Über die Entwicklung der Bayerischen Bank für Handel und Industrie. vgl. 3. Aufl., S. 669 Anm. 2.
2) Der Besitz an Aktien der Deutschen Nationalbank. Kommanditgesellschaft auf Aktien, frühere Nordwestdeutschen Bank, in Bremen, ist 1906 abgestoßen worden, doch bestehen auch weiterhin nähere Beziehungen.

Depositenkassen: 27 [in Bartenstein, Braunsberg, Culm (Wpr.),
Danzig-Langfuhr, Eydtkuhnen, Gnesen, Hohensalza, Insterburg,
Königsberg i. Pr. (2), Köslin, Konitz, Krotoschin, Lissa i. Pr.,
Lyck i. Ostpr., Marienburg, Marienwerder, Neustettin, Osterode,
Posen (4), Rastenburg, Rawitsch, Schneidemühl, Schwerin a. W.]
Wechselstuben: 2 (in Neu-Skalmierschütz und Prostken).

Hat in sich aufgenommen:

    1898 die Bankfirma Heimann Saul in Posen,
    1899 ,,   ,,   C. W. Quilitz in Landsberg a. d. W.,
    1905 ,,   ,,   Ostdeutsche Bank vorm. J. Simon
    Wwe. & Söhne in Königsberg (Aktienkapital 10000000 M),
    welche ihrerseits in sich aufgenommen hatte: die Bank-
    firmen J. Simon Wwe. & Söhne in Königsberg in Pr.
    und M. Friedländer in Bromberg und welche 2 Filialen
    (in Tilsit und Danzig) besaß,
    1906 die von der Ostdeutschen Bank begründete Bromberger
    Bank für Handel und Gewerbe (Aktienkapital
    2 000 000 M), welche die Bromberger Filiale der Ost-
    deutschen Bank übernommen und ihrerseits aufgenommen
    hatte: 1901 die Bankfirma Franz Lietz in Hohensalza.
    1908 die Bankfirma Hermann Küster in Stolp i. Pom.

Nähere Geschäftsbeziehungen bestehen ferner zu:

    1. der Vereinsbank in Wismar, welche die frühere Depositenkasse der
Bank für Handel und Industrie in Rostock übernahm (Aktienkapital 1 500 000 M.
Agenturen in Mecklenburg: 59);

    2. der K. K. priv. Bank- und Wechselstuben-Actiengesellschaft
„Mercur" in Wien (Aktienkapital 40 Mill. Kr. mit 18 Filialen), welche die Kundschaft
der früheren Kommandite der Bank (Dutschka & Co. in Wien), übernommen hat und
in deren Verwaltungsrat die Bank durch zwei Mitglieder ihrer Verwaltung vertreten ist
(vgl. oben S. 367);

    3. dem Crédit Anversois in Antwerpen (Aktienapital 12 500 000 Frcs.).
Die Bank ist im Verwaltungsrat vertreten.

II. Berliner Handelsgesellschaft, Berlin.

Begr. 1856.

Kommanditkapital 110 000 000 M,
Reserven rund   34 500 000 ,, = 31,63% des Aktienkapitals

Filialen: o.
Kommanditen: 1, S. L. Landsberger in Berlin und Breslau.
Depositenkassen: o [1]).
Hat in sich aufgenommen:

    1901 die Bankfirma Breest & Gelpcke in Berlin, welche ihrerseits 1891 die
    Internationale Bank (Kapital 40 000 000 M) aufgenommen hatte.

---

    1) Dagegen seit dem 1. Oktober 1911 ein „Stadtbureau".

Hat folgende Bankinstitute[1]) mitbegründet:

    1872 Den Schweizerischen Bankverein in Basel (Aktienkapital 50 000 000 Frcs.).

    1889 Die Deutsch-Asiatische Bank in Shanghai (vgl. oben S. 371 Nr. 1).

    1894 Die Banca commerciale Italiana in Mailand,

    1898 Die Banque Internationale de Bruxelles in Brüssel,

    1904/05 Die Banca Marmorosch Blank & Co., Societate anonima in Bukarest (zusammen mit der Bank für Handel und Industrie),

    1910 Die Bank Andréevits & Co., A.-G. in Belgrad.

In bezug auf die Commerz- und Disconto-Bank s. Anm.[2]).

———— ·—·—·

1) Hier bleibt unberücksichtigt die 1896 begründete Bank für deutsche Eisenbahnwerte (Kapital 10 000 000 M — mit 25% einbezahlt — und 5 Mill. M Obligationen).

2) Commerz- und Disconto-Bank in Hamburg. Begr. 1870. Aktienkapital: 85 000 000 M, Reserven: 13 000 017 M.

Niederlassungen: Hamburg, Berlin.

Filialen: 3 (Altona, Hannover und Kiel).

Depositenkassen: 60 (11 in Hamburg, 2 in Altona-Ottensen, je 1 in Wandsbek, Blankenese, Neumünster, 30 in Berlin, 2 in Charlottenburg, 2 in Schöneberg, je 1 in Wilmersdorf, Friedenau, Steglitz, Cöpenick, Rixdorf, Weißensee, Halensee, Potsdam, Spandau und Eberswalde.

Kommanditen: 1 (S. Kaufmann & Co. in Berlin).

Die Commerz- und Disconto-Bank hat in sich aufgenommen:

    1904/05 Die Berliner Bank in Berlin (Aktienkapital 42 000 000 M).

        Diese hatte: 14 Depositenkassen, nämlich:

in Berlin	9
„ Charlottenburg	1
„ Schöneberg	1
„ Spandau	1
„ Eberswalde	1
„ Neustrelitz	1

        Kommanditen: 1 (S. Kaufmann & Co. in Berlin), und hatte ferner in sich aufgenommen:

        1889 Die Berliner Handelsbank, E. G., in Berlin,

        1889 Die Bankfirma A. Ruß jun. in Berlin,

        1901 Franz Gaedicke in Berlin,

        1901 A. Horwitz in Potsdam,

        1907 Die Bankfirma B. Magnus in Hannover.

Die Commerz- und Disconto-Bank hat als Tochtergesellschaft begründet:

    1905 (gemeinsam mit der Disconto-Gesellschaft) die Revisions- und Vermögensverwaltungs-Aktiengesellschaft Berlin (Aktien, kapital 1 000 000 M) mit 4 Filialen (in Hamburg, Hof, Leipzig und München).

Die Commerz- und Disconto-Bank steht seit 1872 in Interessengemeinschaft durch Aktienbesitz (30 000 Aktien mit 10 £ bzw. 12 £ einbezahlt = 321 400 £):

    mit der London and Hanseatic Bank Limited in London. (Im ganzen besteht das Kapital aus 60 000 Aktien.)

Sie hat seit 1904 freundschaftliche Beziehungen mit

    der Credit- und Spar-Bank in Leipzig (Aktienkapital 10 350 000), welche ihrerseits aufgenommen hat:

        1888 den Kredit- und Sparbankverein in Leipzig und

        1907 die Bankfirma Franz H. Möschlers Söhne in Altenburg und kommanditiert hatte:

        die Bankfirma Schirmer & Schlick (in Liquid.) in Leipzig.

[Ende 1911 ist die Credit- und Spar-Bank von der Commerz- und Disconto-Bank übernommen worden.]

III. Deutsche Bank in Berlin.

Begr. 1870.

Aktienkapital: 200 000 000 M,

Reserven 107 781 653 „

Filialen: 10 (Bremen seit 1871; Hamburg seit 1872; London seit 1873; Frankfurt a. M. seit 1886 [unter Übernahme der Aktiva und Passiva des „Frankfurter Bankvereins"]; München seit 1889[1]); Leipzig und Dresden seit 1900, Nürnberg seit 1905 und Konstantinopel und Brüssel seit 1909). Kommanditen[2]: 2 (Rosenfeld & Co. in Wien und seit 1905 G. E. Heydemann in Bautzen mit Filialen in Löbau und Zittau).

Depositenkassen: 93 In Berlin 27

„	Charlottenburg	7
„	Schöneberg	3
„	Rixdorf	1
„	Steglitz	1
„	Wilmersdorf	2
„	Friedenau	1
„	Lichtenberg	1
„	Weißensee	1
„	Spandau	1
„	Potsdam	1
„	Wiesbaden	1
„	Deuben	1
,.	Meißen	1
,	Augsburg	1
„	Hamburg (nebst Bergedorf)	16
„	Leipzig	10
„	Dresden	9
„	Chemnitz	1
„	München	1
„	Frankfurt a. M. (nebst Bockenheim)	6

Die Deutsche Bank hat als Tochtergesellschaften[3] begründet oder mitbegründet:

1889 die Deutsch-Asiatische Bank (zusammen mit inländischen und ausländischen Firmen); vgl oben S. 371, Nr. 1,

1890 die Deutsche Treuhand-Gesellschaft in Berlin (Aktienkapital 2 600 000 M). (Frühere Firma: Deutsch-Amerikanische Treuhand-Gesellschaft),

---

1) Die Filiale in München errichtete 1906 Depositenkassen in München und Augsburg, unter Übernahme der Bankfirma Bähler & Heymann in München und Augsburg; die Filiale in Dresden errichtete 1907 eine Depositenkasse in Meißen und 1908 eine solche in Radeberg i. S.

2) Die frühere Kommandite Guillermo Vogel & Co. in Madrid ist in eine Filiale der Deutschen Überseeischen Bank umgewandelt worden (s. oben S. 355).

3) Institute, die wie die „Bank für elektrische Unternehmungen" in Zürich, hegr. 1895 (Aktienkapital 33 Mill. Frcs.) und die „Bank für orientalische Eisenbahnen" in Zürich, hegr. 1896 (Aktienkapital 50 Mill. Frcs.), zwar Finanzierungsinstitute, aber keine eigentlichen Banken sind, werden hier nicht berücksichtigt.

1890 die Deutsche Überseeische Bank in Berlin, welche an die Stelle der 1886 begründeten „Deutschen Überseebank" trat. (Aktienkapital 30 000 000 M), vgl. oben S. 354 sub a.

Filialen: 23 (Santiago de Chile, Antofagasta, Concepción, Iquique, Temuco, Valdivia und Osorno in Chile, Buenos-Aires, Bahia-Blanca, Córdoba, Mendoza und Tucuman in Argentinien; Lima, Callao, Trujillo und Arequipa in Peru, La Paz und Oruro in Bolivien, Montevideo in Uruguay, Rio de Janeiro in Brasilien, sowie Madrid und Barcelona in Spanien.

1894 die Banca Commerciale Italiana in Mailand zusammen mit inländischen und ausländischen Firmen); vgl. oben S. 372 Nr. 2.

Filialen: 33 (in Italien).

1904/05 die Deutsch-Ostafrikanische Bank (zusammen mit neun anderen deutschen Firmen, worunter die Deutsch-Ostafrikanische Handelsgesellschaft, Aktienkapital 2 000 000 M; vgl. oben S. 372 Nr. 3).

1905 die Aktiengesellschaft für überseeische Bauunternehmungen (bis 1906 unter der Firma Zentralamerika-Bank, Aktiengesellschaft) in Berlin (zusammen mit der Deutschen Überseeischen Bank, dem Bankhause Lazard Speyer-Ellissen in Frankfurt a. M. und der Schweizerischen Creditanstalt), Aktienkapital 10 000 000 M, worauf zunächst 25% eingezahlt sind; vgl. oben S. 359 sub l.

1906 die Mexikanische Bank für Handel und Industrie (Banco Mejicano de Commercio é Industria) in Mexiko (zusammen mit dem Bankhause Speyer & Co. in New-York), Aktienkapital 16 000 000 Pesos; die Bank übernahm die Geschäfte der Banco-Alemán Transatlántico in Mexiko; die Konzession dauert 40 Jahre ab 19. März 1897 (s. oben S. 359 sub m).

1911 die Handelsbank für Ostafrika (vgl. oben S. 374 Nr. 6).

Die Deutsche Bank hat in sich aufgenommen[1]):

1886 den Frankfurter Bankverein in Frankfurt a. M,
1901 die Bankfirma Menz, Blochmann & Co. in Dresden,
1905 „   „   H. Chr. Schmidt in Hamburg,
1906 „   „   Bühler & Heymann in München und Augsburg.

Die Deutsche Bank steht in Interessengemeinschaft durch Aktienbesitz:

1. Seit 1897 mit der Bergisch-Märkischen Bank in Elberfeld (Aktienkapital 80 000 000 M).
   Die Bergisch-Märkische Bank hat:
   Filialen: 19 (Aachen, Barmen, Berncastel-Cues, Bocholt, Bonn, Coblenz, Cöln, Crefeld, Düsseldorf, Hagen, Hamm, Cöln, M.-Gladbach, Mülheim a. Rh., Paderborn, Remscheid, Rheydt, Saarbrücken, Solingen, Trier).

---

1) Außerdem hat die Deutsche Bank auch die Liquidation und damit die Kundschaft der Allgemeinen Depositenbank, der Elberfelder Disconto- und Wechselbank und der Deutschen Unionsbank (in den Jahren 1871—1874), des Berliner Bankvereins, der Berliner Wechslerbank und der Niederlausitzer Bank in Cottbus (1875—1886) übernommen; vgl. Karl Wallich a. a. O., S. 16—24, Deutscher Ökonomist vom 27. Januar 1906, Jahrg. 24, Nr. 1205, S. 35, hinsichtlich der La Plata-Bank s. oben S. 354.

Depositenkassen: 15 (Cronenberg, Düsseldorf-Wehrhahn, Goch'
Haspe, Hilden, Lippstadt, Moers, Neuß, Opladen, Ronsdorf'
Schlebusch, Schwelm, Soest, Wald, Warburg).

Kommanditen: 1 (D. Fleck & Scheuer in Liqu. in Düsseldorf),
und hat in sich aufgenommen:

1895 H. & L. Metz in Cöln,
1895 J. H. Brink & Co. in Elberfeld,
1895 Salomon Philip in Ruhrort,
1898 die Remscheider Bank (Aktienkapital 2 000 000 M),
1898 die Bankfirma Hüser & Co. in Solingen,
1901 A. & C. Sohmann in Crefeld,
1901 Goldschmidt & Co. in Bonn.

>   Im gleichen Jahre übernahm sie auch die Liquidation
>   der Bankfirmen von Beckerath-Heilmann in Crefeld
>   und Rob. Suermondt & Co. in Aachen.

1902 die Barmer Handelsbank in Barmen,
1904 den Paderstein'schen Bankverein in Paderborn und
Warburg (Aktienkapital 1,5 Mill. M),
1904 die Kommanditgesellschaft Lazard, Brach & Co. in St.
Johann-Saarbrücken,
1904 die Trierer Bank in Trier (Aktienkapital 2 000 000 M),
1904 A. Molenaar & Co., Kommanditgesellschaft auf Aktien
in Crefeld (Aktienkapital 1 260 000 M),
1909 die Niederrheinische Bank, Filiale der Duisburg-
Ruhrorter Bank,
1910 die Kredit- und Sparbank Ronsdorf e. G. m. b. H.
in Ronsdorf,
1910 die Berncasteler Volksbank in Berncastel,
1910 die Bankkommandite Max Gerson & Co. in Hamm i. W.
mit Filiale in Soest,
1911 die Mülheimer Handelsbank Act.-Ges. in Mülheim a. Rh.
mit Filialen in Opladen und Schebusch.

>   Sie delegiert 1 Mitglied ihrer Verwaltung in den
>   Aufsichtsrat der Deutschen Bank.
> Die Deutsche Bank delegiert 2 Mitglieder ihrer Ver-
> waltung in den Aufsichtsrat der Bergisch-Märkischen Bank.

Die Bergisch-Märkische Bank steht ihrerseits in Beziehungen zu
der Siegener Bank für Handel und Gewerbe in Siegen i. W.
(Aktienkapital 6 000 000 M, Reserven 1 460 000 M), in deren Aufsichtsrat sie vertreten ist.

2. Seit 1897 mit dem Schlesischen Bankverein in Breslau (Aktienkapital
40 000 000 M, Reserven Ende 1910 15 500 000 M).

Dieser hat:

Filialen: 14 (Beuthen (O.-Schl.), Glatz, Gleiwitz, Glogau, Görlitz,
Hirschberg in Schl., Königshütte (O.-Schl.), Leobschütz, Liegnitz,
Neisse, Rybnik (O.-Schl.), Sprottau, Waldenburg in Schl.
und Zabrze);

Depositenkassen: 5 (in Breslau).

Kommanditen: 3 (Georg Fromberg & Co. in Berlin; Rich.
Vogt & Co. in Frankenstein in Schl. und Hugo Scherzer
in Schweidnitz).

Hat in sich aufgenommen:

    1905 die Hirschberger Abteilung des Bankhauses Abraham Schlesinger.

Ist durch erheblichen Aktienbesitz interessiert seit:

    1904 bei dem Kattowitzer BankVerein A.-G. in Kattowitz O. Schl.

    1905 bei dem Oberschlesischen Credit-Verein in Ratibor und bei der Niederlausitzer Bank A.-G. in Cottbus; letztere unterhält:

    Filialen: in Frankfurt a. O., Guben (errichtet 1906 durch Übernahme der Firma Wilhelm Wilke), Lübben, Sommerfeld (errichtet 1911 durch Übernahme der Firma Karl Müller) und Weißwasser.

Der Schlesische Bankverein ist vertreten durch ein Direktions mitglied in dem Aufsichtsrat der Deutschen Bank.

Die Deutsche Bank hat 1 Mitglied ihrer Direktion in den Aufsichtsrat des Schlesischen BankVereins delegiert.

3. Seit 1897 mit der **Hannoverschen Bank** in Hannover (Aktienkapital 30 000 000 M).

    Diese hat:

    Filialen: 5 (Celle, Hameln, Harburg, a. E. Lüneburg und Verden).

    Depositenkassen: 1 (Linden).

    Kommanditen: 1[1]) (Schwarz, Goldschmidt & Co. in Berlin).

    In sich aufgenommen und als Filialen weitergeführt:

        1899 Simon Heinemann in Lüneburg,

        1903 A. Leeser & Co. in Stade[2]),

        1906 A. Lehmann in Verden.

        Die Hannoversche Bank steht in Interessengemeinschaft durch Aktienbesitz:

        a) mit der Osnabrücker Bank in Osnabrück (Aktienkapital 14 500 000 M), welche einen Teil der Aktien der Artländer Bank in Quakenbrück als dauernde Beteiligung in Besitz hat; die Osnabrücker Bank hat:

            Filialen- 12 (in Aurich, Emden, Esens, Haselünne, Herford, Leer, Lingen, Meppen, Münster, Norden, Salzuflen, Weener).

            Agenturen: 14,

            und hat in sich aufgenommen:

                1905 die Ostfriesische Bank in Leer (Aktienkapital 3 000 000 M), mit Filiale Weener und 11 Agenturen, diese Bank wird unter der Firma Ostfriesische Bank, Zweiganstalt der Osnabrücker Bank, fortgeführt.

---

    1) Frühere Kommanditbeteiligungen: H. F. Klettwig & Reibstein in Göttingen, Hann. Münden und Menz, sowie Blochmann & Co. in Dresden sind wieder aufgehoben; die Kommandite David Daniel in Celle ist 1901 in eine Filiale der Bank umgewandelt.

    2) 1910 der Leher Bank als Filiale angegliedert.

1905 die Bankfirma Marcus D. Ganz in
Herford, die unter der Firma Her-
forder Bank, Zweiganstalt der Osnabrücker Bank, fortgeführt wird,

1906 die Harlingerländische Bank,
Eyben, Bode & Janssen in Esens
(Ostfriesland),

1907 die Bankfirma R. van Hoorn zu
Leer in Ostfriesland),

1907 die Emder Bank in Emden (Aktienkapital 1 000 350 M), mit Filiale
Weener,

1908 die Bankfirma Karl Krecke in
Salzuflen,

1908 die Volksbank Arenberg-Mep-
pen,

1908 die Bankfirma Langschmidt & Sohn
in Lingen;

b) mit der Hildesheimer Bank in Hildesheim
(Aktienkapital 10 000 000 M [1]), welche 2 Filialen
(in Göttingen, Goslar), 2 Depositenkassen (Harz-
burg, Langspringe), 6 Kommanditen (Joseph
Kayser & Co. in Einbeck, Siegfried Benfey in Göttingen, Brandt in Langspringe, M. Falck in Einbeck,
M. Katz in Duderstadt, Schwarz, Goldschmidt
& Co. [2]) in Berlin), und in sich aufgenommen hat:
1886 M. Davidsohn in Hildesheim,
1886 Schiff & Traube in Hildesheim,
1905 die Bankfirma Benfey & Co. in Göttingen.

c) mit der Braunschweiger Privatbank in
Braunschweig, mit Depositenkassen in Wolfen-
büttel, Braunschweig (auf Grund des 1909 übernommenen Bankgeschäfts Louis Bremer & Co.)
und Helmstedt;

d) mit der Leber Bank in Lehe mit Filiale in Stade.
Die Deutsche Bank ist im Aufsichtsrate der Hannoverschen
Bank vertreten;

4. Seit **1897** mit der **Mecklenburgischen Hypotheken- und Wechselbank** in
Schwerin (Aktienkapital 9 000 000 M). Diese hat 63 Agenturen und steht
ihrerseits durch Aktienbesitz in Interessengemeinschaft mit:
der Mecklenburgischen Sparbank (Aktienkapital 5 000 000 M),
welche Filialen in Rostock und Schönberg in Mecklenburg und
79 Agenturen hat.

Die Deutsche Bank ist im Aufsichtsrat der Mecklenburgischen Hypotheken-
und Wechselbank vertreten, welche ihrerseits im Aufsichtsrat der
Deutschen Bank vertreten ist.

---

1) Ende 1911 auf 12 000 000 M erhöht.
2) Gleichzeitig Kommandite der Hannoverschen Bank.

5. Seit 1903 mit der **Essener Credit-Anstalt** in Essen a. d. Ruhr (Aktienkapital 72 000 000 M). Diese hat:

> Filialen: 12 (in Bocholt, Bochum, Dortmund, Duisburg, Gelsen-
> kirchen, Iserlohn, Mülheim (Ruhr), Münster i. Westf., Ober-
> hausen (Rhld), Recklinghausen, Ruhrort und Wesel).
> Agenturen: 8 (in Altenessen, Dorsten, Hamborn, Herne i.W., Hom-
> berg a. Rh., Lünen, Witten und Wanne).
> Depositenkassen: 2 (in Essen-Rüttenscheid und Essen-West).
> Kommanditen: 3 (Ernst Osthaus in Hagen, C. Basse in Lüdenscheid
> und J. A. Hölling in Buer)

und hat in sich aufgenommen:

> 1895 die Bankfirma LeVi Hirschland in Essen,
> 1902　,,　Kreditbank in Recklinghausen,
> 1903　,,　Bankfirma S. Hanf in Witten,
> 1905　,,　Iserlohner Volksbank (Aktienkapital 1 000 000 M,
> vollbezahlt und 1 000 000 M mit 25%).
> 1905　,,　Bankfirma Poppe & Schmoelder in Wesel,
> 1906 den Westfälischen BankVerein in Münster (Aktienkapital
> 8 Mill. M, Filiale in Bocholt),
> 1908 die Bankfirma Alb. Heinr. Rost in Münster,
> 1909 die Duisburg-Ruhrorter Bank in Duisburg, mit den
> Niederlassungen in Duisburg-Ruhrort, Homberg und Ober-
> hausen[1]).

6. Seit 1904 mit der **Sächsischen Bank** in Dresden (Akt.-Kap. 30 000 000 M).
> Filialen: 8 (Annaberg, Chemnitz, Leipzig, Meerane, Plauen i. V.,
> Reichenbach i. V., Zittau und Zwickau).

7. Seit 1904 mit dem **Essener Bankverein** in Essen a. d. R. (Aktienkapital
25 000 000 M), entstanden im Jahre 1899 aus der Bankfirma Rebling
& Rehn).
> Filialen: 4 (Borbeck, Bottrop i. W., Hattingen und Oberhausen).
> Depositenkassen: 2 (Altenessen und Essen Rüttenscheid).

Die Deutsche Bank ist im Aufsichtsrat vertreten:

8. Seit 1904 mit der **Oldenburgischen Spar- u. Leihbank** in Oldenburg i. G.
(Aktienkapital 4 000 000 M)[2]).
> Filialen: 9 (Brake, Cloppenburg, Delmenhorst, Jever, Lohne,
> Nordenham, Ovelgönne, Varel, Wilhelmshaven).

9. Seit 1904 mit der **Privatbank zu Gotha** (Aktienkapital 10 000 000 M).
> Filialen: 4 (Erfurt, Leipzig, Mühlhausen i. Th., Weimar).

Die Deutsche Bank ist im Aufsichtsrat vertreten:

10. Seit 1905 mit der Deutsch-Ostafrikanischen Bank in Berlin mit Niederlassung in Daressalam.

---

1) Die Niederlassung in Düsseldorf ging nicht mit über. Dieselbe bestand seit
1897 unter der Firma Niederrheinische Bank, Zweiganstalt der Duisburg-
Ruhrorter Bank. Die Duisburg-Ruhrorter Bank hatte ihrerseits die Homberger
Volksbank in Homberg übernommen.
2) Die Deutsche Bank hat 1904 per 1. Jan. 1905 nom. 1 000 000 M neu ausgegebene Aktien der Oldenburgischen Spar- und Leihbank übernommen, welche
bisher abweichend von den alten Aktien, nicht an der Börse notiert sind.

Die Deutsche Bank steht ferner in Interessengemeinschaft durch Vertrag (mit wechselseitigen Aufsichtsratsdelegationen):

1. Seit 1904 mit der **Rheinischen Creditbank** in Mannheim (Aktienkapital 95 000 000 M).

Diese hat:

Filialen: 14 (Baden-Baden, Freiburg i. B., Heidelberg, Kaiserslautern, Karlsruhe, Konstanz, Lahr i. B., Mülhausen i. E., Offenburg, Pforzheim, Speyer, Straßburg i. E., Triberg und Zweibrücken).

Depositenkassen: 4 (Bruchsal 1, Mannheim 2 und Weinheim 1).

Agenturen: 6 (Furtwangen, Lörach, Neunkirchen im Reg.-Bez. Trier, Rastatt, Villingen und Zell i. W).

Kommanditen: 2 (G. F. Grobé-Henrich & Co. in Saarbrücken und B. Burger & Co. in Wolfach).

Hat in sich aufgenommen:

1871 die Bankfirma Joseph Sautier in Freiburg i. B.,
1874 den Pfälzer Bankverein in Mannheim,
1874 die Bankfirma Gebrüder Zimmermann in Heidelberg,
1897 die Bankfirma G. Mülller & Kons. in Karsruhe und Baden-Baden,
— Die Bankfirma Franz Funck vorm. Gebr. Wolff in Baden-Baden,
1898 die Kaiserslauterer Bank vorm. Böcking, Karcher & Co. in Kaiserslautern,
1899 die Ortenauer Kreditbank in Offenburg,
1899 ,, Bank-Kommandite Kauffmann, Engelhorn & Co. in Straßburg i. E.,
— die Bankfirma Ed. Strohmeyer in Baden-Baden,
— ,, Lahrer Kreditbank Karl Bader & Co.,
1901 ,, Mannheimer Bank A.-G. (Aktienkapital 6 000 000 M),
1903 die Bankfirma Gebr. Kapferer in Freiburg i. B.,
1904 ,, Kredit- und Depositenbauk in Zweibrücken (Aktienkapital 4 000 000 M),
1905 die Oberrheinische Bank (Aktienkapital 20 000 000 M, vorm. Köster & Co.) in Mannheim (Aktienkapital 20 000 000 M, Die Oberrheinische Bank hatte 9 Filialen (Heidelberg, Karlsruhe, Freiberg i. B., Rastatt, Bruchsal, Baden-Baden, Straßburg i. E., Mülhausen i. E., Basel), 1 Depositenkasse (Ludwigshafen und) 2 Kommanditen (Baden-Baden und Rastatt) und hatte in sich aufgenommen:
    1883 Köster & Co. in Mannheim,
    1896 C. Schwarzmann in Straßburg,
    1898 Christian Metz in Freiburg,
    1898 R. Nicolai & Co in Baden-Baden und Rastatt,
    1898 F. S. Meyer in Baden-Baden,
    1903 Ed. Koelle in Karlsruhe,
1906 die Bankfirma A. Sulzberger in Konstanz,
— ,, ,, Julius Kahn & Co. in Pforzheim (früher Kommandite der Württembergischen Vereinsbank),
1907 die Gewerbebank in Speyer,
1909 den Schwarzwälder Bankverein in Triberg,

Die Rheinische Creditbank steht in Interessengemeinschaft mit der Pfälzischen Bank in Ludwigshafen a. Rh. [1])
Aktienkapital 50 000 000 M, Reserven 10 000 000 M).

Filialen: 16 (Alzey, Bamberg, Bensheim a. d. B., Bad-Dürk-
  heim, Frankenthal, Frankfurt a. M., Kaiserslautern,
  Landau i. d Pfalz, Mannheim, München, Neustadt a. d. H.,
  Nürnberg, Pirmasens, Speyer, Worms und Zweibrücken).

Agenturen: 4 (Donaueschingen, Germersheim, Grünstadt und
  Osthofen (Rheinhessen).

Wechselstuben und Depositenkassen: 12 (Frankfurt a. M. 4,
  München 3, Lambrecht 1, Lampertheim 1, Landstuhl 1,
  Homburg i. d. Pfalz 1, Gernsheim a. Rh. 1,

Die Pfälzische Bank ist 1886 hervorgegangen aus der 1883 eingetragenen Actien-Gesellschaft „Volksbank Ludwigshafen a. Rh." und hat in sich aufgenommen:

1894 die Bankfirma Joh. Francki n Worms a. Rh.,
1894   ,,   ,,   Louis Dacqué in Neustadt a. d. H.,
1895   ,, Deutsche Unionbank in Mannheim (1873 mit
  6 000 000 M begründet) und in Frankfurt a. M., welche
  ihrerseits in sich aufgenommen hatte:
  das Bankgeschäft Gebr. Sonneberg in Frankfurt a. M.,
1896 die Bankfirma J. F. Haid in Speyer,
1897 ,   ,,   Müller & Weyland in Landau,
1897 ,   ,,   Karl Weyland in Landau,
1897 ,   ,,   Hermann Menner in Landau,
1897 , Zweibrücker Bank, Lehmann, Müller & Co. in
  Zweibrücken,
1898 , Bankfirma Bloch & Co. in München und Nürnberg,
1898 ,   ,,   Seb. Pichlers sel. Erben in München,
1898 ,   ,,   Reichard & Glaser in Frankenthal,
1899 den Vorschußverein in Bamberg,
1899 ,,   ,,   in Alzey,
1900 die Bankfirma Markus Levy in Worms a. Rh.,
1900 , Volksbank in Bensheim,
1908 , Bankfirma Baruch Bonn in Frankfurt a. M.,
1908 , Volksbank in Germersheim.

Die Rheinische Creditbank delegiert zwei Mitglieder ihrer
Verwaltung in den Aufsichtsrat der Deutschen Bank.

Die Deutsche Bank delegiert zwei Mitglieder ihrer Verwaltung
in den Aufsichtsrat der Rhein. Kreditbank.

---

1) In der außerordentlichen Generalversammlung der Pfälzischen Bank vom
21. Juni wurde die Interessengemeinschaft mit der Rheinischen Creditbank in Mannheim
auf die Dauer von 30 Jahren genehmigt und gleichzeitig die Fusion mit der in Interessengemeinschaft mit der Rheinischen Creditbank und der Deutschen Bank
stehenden Süddeutschen Bank in Mannheim beschlossen. Im Vollzug dieser Beschlüsse
wurden von den Aktionären der Pfälzischen Bank 10 000 000 M Aktien der Gesellschaft freiwillig zur Verfügung gestellt, welche die Aktionäre der Süddeutschen Bank
im Umtausch für die 12 000 000 M Aktien der Süddeutschen Bank erhalten haben.
Die Süddeutsche Bank ist dadurch vollständig in der Pfälzischen Bank aufgegangen.

Die Deutsche Bank steht endlich in freundschaftlichen Beziehungen [1]).

a) Zur Anhalt-Dessauischen Landesbank in Dessau, welche besitzt:

  Filialen: 6 (in Ballenstedt, Finsterwalde, Köthen, Wittenberg, Torgau, Zerbst),

  Depositen: 7 (in Coswig, Dahme, Hoyerswerda, Jeßnitz, Kirchhain N.-L., Raguhn, Roßlau in Anhalt),

b) zur Braunschweigischen Bank und Kreditanstalt A.-G. in Braunschweig mit 6 Filialen (in Blankenburg a. H., Goslar, Holzminden, Osterode a. H., Schöningen, Wernigerode), 3 Depositenkassen (in Bad Lauterberg, Oschersleben und Schöppenstedt) und 3 Kommanditen;

  diese hat übernommen:

  1908 die Blankenburger Bank in Blankenburg a. H.

  1908 die Bankfirma C. Uhl & Co. in Braunschweig,

  1909 (behufs Begründung einer Depositenkasse) die Bankfirma F. Heine in Oschersleben:

  1910 den Osterroder BankVerein (Aktienkapital 750 000 M),

  1910 die Bankfirma Hugo Rennau & Co. in Schöningen (bisher Kommandite),

  1911 die Bankfirma Ballin & Co. in Holzminden, nebst Filialen in Stadtoldendorf, Höxter und Brakel (bisher Kommandite);

c) zur Württembergischen Vereinsbank (36 000 000 M) in Stuttgart mit 10 Filialen (in Aalen, Gmund, Göppingen, Heidenheim a. B., Heilbronn, Leutkirch, Ravensburg, Reutlingen, Tübingen und Ulm [mit Wechselstube in Neu-Ulm]), 16 Depositenkassen (in Stuttgart 3, Crailsheim, Ehingen a. D., Ellwangen, Feuerbach, Friedrichshafen, Giengen a. Br., Heckingen, Horb a. N., Isny a. N., Waiblingen, Wangen i. A., Weingarten und Zuffenhausen je 1), sowie 10 Kommaditen.

d) zur Danziger Privat-Actien-Bank in Danzig (mit 3 Filialen, 6 Depositenkassen, 7 Agenturen und 2 Kommanditen);

  sie hat übernommen:

  1900 die Bankfirma Ernst Poschmann in Danzig;

e) zur Norddeutschen Creditanstalt in Königsberg i. Pr. (Aktienkapital 24 Mill. M) mit 8 Filialen in: Danzig, Posen, Stettin, Bromberg, Culmsee, Elbing, Thorn, ferner Depositenkassen in: Briesen, Bütow i. P., Gumbinnen, Hohensalza, Kolberg, Langfuhr, Lötzen, Neustadt (Westpr.), Oliva, Tiegenhof und Zoppot und lokalen Depositenkassen in: Königsberg i. Pr., Danzig, Posen, Stettin, sowie mit einer Reihe von Agenturen;

f) zur Mitteldeutschen Privatbank, Aktiengesellschaft in Magdeburg (näheres s. oben S. 511 ff.);

g) zur Bayerischen Handelsbank in München (näheres s. oben. S. 512);

1) Die Beziehungen zum Chemnitzer Bankverein in Chemnitz (Kapital 15 000 000 M mit 11 Filialen und 6 Kassenstellen) sind 1911 gelöst worden.

h) zur Bayerischen Vereinsbank in München (näheres
s. oben S. 512);
i) zur Lübecker Privatbank in Lübeck mit 2 Depositenkassen;
k) zur Commerz-Bank in Lübeck;
l) zur Deutschen Vereinsbank in Frankfurt a. M., welche
1908 die Bankfirma Gebrüder Schuster daselbst aufgenommen
hat und 1 Filiale (Darmstadt), 1 Depositenkasse (Offenbach a, M.) und 4 Kommanditen besitzt.

—-

IV. Die Disconto-Gesellschaft (Direction der Disconto-Gesellschaft) in Berlin.
Begr. 1851 (in jetziger Form 1856).

Aktienkapital: 200 000 000 M
Reserven rund: 80 000 000 „

Filialen: 6 (London seit 1900; Frankfurt a. M. seit 1901; Bremen seit 1904;
Mainz seit 1909; Essen und Saarbrücken seit 1911).
Zweigstellen: 6 (Wiesbaden seit 1908; Potsdam, Hoechst a. M., Homburg v. d. H.
seit 1910; Offenbach a. M., Frankfurt a. O. seit 1911).
Depositenkassen (seit 1902): 25 (in Berlin 13, in Charlottenburg 3, in Frankfurt a. M.
und Schöneberg je 2, Friedenau, Halensee, Rixdorf, Steglitz und Wilmersdorf je 1,

Sie hat als Tochtergesellschaften begründet oder mitbegründet:
1887 die Brasilianische Bank für Deutschland in Hamburg (Aktienkapital 10 000 000 M) (zusammen mit der Norddeutschen Bank).
Filialen: 5 (Rio de Janeiro, São Paulo, Santos, Porto Alegre und
Bahia).
1889 die Deutsch-Asiatische Bank in Shanghai (s. oben S. 371, Nr. 1),
1894 die Banca Commerciale Italiana in Mailand (Aktienkapital
105 000 000 Lire) (zusammen mit inländischen und ausländischen Ban-)
firmen, vgl. oben S. 372 Nr. 2).
Filialen: 33 in Italien.
1895 die Bank für Chile und Deutschland in Hamburg (Aktienkapital
10 000 000 M, eingezahlt mit 25% = 2 500 000 M) (zusammen mit der
Norddeutschen Bank).
Filialen: 8, in Valparaiso, Santiago, Concepción, Temuco Antofagasta, Victoria und Valdivia (in Chile); Oruro (in
Bolivien).
1897 die Banca Generala Romana in Bukarest (Aktienkapital 10 Mill. Lei)
Filialen: 6 (in Braila, Constantza, Crajowa, Giurgiu, Ploesti,
Turnu-Magurela).
1898 die Banque Internationale de Bruxelles (Aktienkapital 25 000 000
Frcs.; vgl. S. 362 sub h).

1900 die Compagnie commerciale Belge, anciennement H. Albert
de Bary & Co., société anonyme in Antwerpen (Aktienkap.
5 000 000 Frcs.

1905 die Bayerische Disconto- uud Wechselbank A.-G., Nürnberg
(Aktienkapital 12 000 000 M) (zusammen mit der Bayerischen Hypo-
theken- und Wechselbank in München).

Filialen: 15 (in Augsburg, Bamberg, Bayreuth, Hersbruck, Hof,
Kempten, Kitzingen, Kulmbach, Lauf, Regensburg, Roth i.B.,
Schwabach, Schweinfurt, Uffenheim, Würzburg).

Depositenkassen: 4 (in Neumark in der Oberpfalz, Pfaffenhofen
a. d. Iler, Rothenburg o. d. T. und Weißenburg).

Hat aufgenommen:

1905 die Bankfirma	G. J. Gutmann in Nürnberg,
1905 ,,	,,	P. C. Bonnet in Augsburg,
1905 ,,	,,	Friedrich Günthert in Würzburg,
1905 ,,	,,	Jonas Nordschilds Nachf. in Schwein-furt
1905 ,,	,,	Conrad Arnold in Lauf und Hersbruck,
1906 ,,	,,	Klunk & Gerber in Hof,
1906 ,,	,,	Jos. S. Schmid in Bamberg,
1906 ,,	,,	Max Feichtmeier in Regensburg,
1906 ,,	,,	Friedr. Grieninger & Sohn i. Uffenheim und Rothenburg,
1906 ,,	,,	M. Oettinger Söhne in Neumarkt in der Oberpfalz,
1907 ,,	,,	Julius Leisser in Würzburg,
1907 ,,	,,	S. Schwabacher Nachf. in Bayreuth und Kulmbach,
1908 ,,	,,	G. W. Loos in Weißenburg,
1908 ,,	,,	Hans Schmitt in Bamberg,
1908 ,,	,,	Siegmund Edenfeld in Würzburg,
1908 ,,	,,	Abrell & Deffner in Kempten,
1908 ,,	,,	Jonas Nordschild in Schweinfurt a. M.,
1909 ,,	,,	August Ahammer & Co. in Weißenburg a. D., die mit der dortigen Depositen-kasse der Bank vereinigt wird,

1905 die Süddeutsche Disconto-Gesellschaft in Mannheim (Aktienkapital 38 500 000 M), gegründet am 25. Januar 1905, hervorgegangen
aus der Firma W. H. Ladenburg & Söhne. Sie hat:

Filialen: 8 (in Bruchsal, Freiburg i. Br., Heidelberg, Karlsruhe,
Lahr i. B., Landau, Pforzheim und Worms).

Depositenkassen: 1 (in Heidelberg).

Agenturen: 9 (Annweiler, Bergzabern, Edenkoben, Germersheim, Haslach, Müllheim i B., Neustadt i. Schw., Pirmasens
und Schwetzingen).

Kommanditen: 1 (E. Ladenburg in Frankfurt a. M., beteiligt
mit 5 000 000 M)

und hat in sich aufgenommen:

1906 die Bankfirma Weil & Benjamin, Kommanditgesellschaft in Mannheim,

1906 die Bankabteilung der Firma Stösser & Fischer in
Lahr i. B.,

1906 die Bankfirma J. M. Bernion in Landau i. d. Pfalz,
1908 ,,   ,,   Jacob Bär in Bruchsal,
1909 die Pfälzische Spar- und Kreditbank vorm.
Landauer Volksbank in Landau i. d. Pfalz,
1910 die Bankfirma Ludwig Weil in Freiburg i. Br.

1905 die Revisions- und Vermögensverwaltungs-Aktien-Gesell-
schaft (die Firma ist 1909 geändert in: „Revision", Treuhand-Aktien-
gesellschaft), Berlin. (Aktienkapital 1 000 000 M, im Jahre 1909 auf
2 000 000 M erhöht.)
    Filialen: 3 (in Cöln, Dresden, Leipzig) (zusammen mit der Com-
        merz- und Disconto-Bank); die frühere Filiale in München
        ist 1907 unter der Firma: Bayerische Revisions- und
        Vermögensverwaltungs-Aktiengesellschaft in ein
        selbständiges Unternehmen verwandelt worden (Aktien-
        kapital 400 000 M).
1905 die Bank für Thüringen vormals B. M. Strupp, Aktiengesellschaft
in Meiningen, Aktienkapital 10 000 000 M (zusammen mit dem früheren
Bankhause B. M. Strupp, der Mitteldeutschen Creditbank und der
Allgemeinen Deutschen Credit-Anstalt).
    Filialen: 15 (in Apolda, Coburg, Eisenach, Frankenhausen a. Kyffh.,
        Gotha, Hildburghausen, Jena, Kahla S.-A., Neustadt a.d.Orla.
        Pößneck, Ruhla, Saalfeld, Salzungen, Sonneberg und
        Weimar).
    Hat aufgenommen:
        1905 das Bankhaus B. M. Strupp in Meiningen, mit Zweig-
            stellen in Gotha, Hildburghausen, Salzungen, Ruhla
            und Jena,
        1906 das Bankhaus Hermann Lobe in Sonneberg,
        1906 die Meininger Filiale der Mitteldeutschen Creditbank.
        1906 das Bankhaus J. G. Böhme & Sohn in Apolda,
        1906 ,,   ,,   Richard Eberlein in Pößneck,
        1907 ,,   ,,   Severus Ziegler in Eisenach,
        1907 ,,   ,,   Nikol. Martin Scheler & Sohn in Saalfeld,
        1909 den Bankverein Frankenhausen a. Kyffh.,
1906 die Deutsche Afrika-Bank (Aktienkap. 1 000 000; Filialen in
Swakopmund, Windhuk und Lüderitzbucht, Agentur in Santa Cruz).
1906 die Banque de Crédit (Kreditna Banka) in Sofia, Aktienkapital
3 000 000 Gold Leva (Francs), wovon eingezahlt sind 1 000 000 Gold
Leva (zusammen mit S. Bleichröder und der Norddeutschen Bank).
1906 die Stahl & Federer Aktiengesellschaft in Stuttgart (Aktienkapital
12 000 000 M). Dieselbe hat
    Zweigniederlassungen: 11 (Cannstatt, Esslingen, Friedrichs-
        hafen, Heilbronn, Ludwigsburg, Pfullingen, Ravensburg,
        Reutlingen, Schwäb. Hall, Tübingen, Zuffenhausen).
    Kommandite: 1 (Bankkommandite Horb, Carl Weil & Co.
        in Horb seit 1910).
    Sie hat aufgenommen:
        1907 die Bankfirma I. Gumbel am Markt in Heilbronn,
        1907 ,,   ,,   Emil Ruoff in Reutlingen,
        1908 ,,   ,,   Johannes Rieger in Pfullingen,
        1909 ,,   ,,   J. Kraebel in Cannstatt,
        1910 die Eßlinger Actien-Bank in Eßlingen,

1910 die Bankfirma   Hummel & Co. in Stuttgart,
1911 ,,   ,,   Adolf Stützner in Schw. Hall,
1911 ,,   ,,   Eberle & Co., Kommanditgesellschaft
    in Ravensburg
und steht in Interessengemeinschaft mit der Gewerbebank in Ulm.
1911 die Handelsbank für Ostafrika, vgl. S. 374 unter 6.

Die Disconto-Gesellschaft hat in sich aufgenommen:

1904 die Bankfirma J. Schultze & Wolde in Bremen,
1906 ,,   ,,   Eugen Schlieper & Co. in Berlin,
1906 ,,   ,,   Gebr. Neustadt in Frankfurt a. M.,
1907/08 die Bankfirma Meyer Cohn in Berlin,
1909 die Bankfirma Bamberger & Co. in Mainz, welche November 1908 die
    Bankfirma Gebr. Oppenheim in Mainz aufgenommen hatte.
1910/11 die Bankfirma L. Mende in Frankfurt a. O.

Die Disconto-Gesellschaft steht in Interessengemeinschaft durch Aktienbesitz:

1. Seit 1895 mit der **Norddeutschen Bank** in Hamburg (Aktienkapital
   50 000 000 M; Bareinlage der Komplementare 1 200 000 M; ordentliche
   Reserve 5 120 000 M; Spezialreserve 7 680 000 M); das Aktienkapital
   ist völlig im Besitz der Disconto-Gesellschaft.
   Diese besitzt:
   Filialen: 1 (in Altona).
   Depositen(Giro-)Kassen: 8 (in Hamburg 7 und in Harburg 1).
   Kommanditen: 1 (die Bankfirma Ephraim Meyer & Sohn in
   Hannover).
   Hat in sich aufgenommen:
   1904 die Bankfirma W. S. Warburg in Altona.

2. Seit **1901** mit der **Allgemeinen Deutschen Credit-Anstalt** in Leipzig
   (Aktienkapital 90 000 000 M und 37 850 751 M Reserven).
   Diese hat:
   Zweiganstalten: 27 (Dresden, Altenburg (S.-A.), Annaberg
   (Erzg.), Aue (Erzg.), Bautzen, Bernburg, Chemnitz, Frei-
   berg, Gera (Reuß) Glauchau, Greiz, Grimma, Leopoldshall,
   Limbach (S.), Markranstädt, Meerane, Meuselwitz, Oschatz
   Pirna, Potschappel, Riesa, Schkeuditz, Schmölln (S.-A.),
   Siegmar, Wurzen, Zeitz, Zittau.
   Depositenkassen: 15 (9 in Leipzig und den Vororten, 6 in
   Dresden und Vororten).
   Kommanditen: 0.
   Die Allgem. Deutsche Credit-Anstalt hat in sich aufgenommen:
   1873 Lingke & Co in Altenburg,
   1901 die Bankfirma Becker & Co., Commandit-
       Gesellschaft auf Actien in Leipzig und Greiz,
       an welcher bis dahin die Disconto-Gesellschaft be-
       teiligt war,
   1902 die Bankfirma C. F. Blaufuß in Gera,
   1903 ,,   ,,   Günther & Rudolph in Dresden,
   1905 ,, Vereinsbank in Grimma (Aktienkapital
       500 000 M),

1905 die Bankfirma Ernst Berndt in Annaberg,

1905   „   „   C. G. Lochmanns Wwe. Sohn in
                           Oschatz.

1905   „   „   Kunath & Nieritz in Chemnitz,

1907   „   „   Ketzscher & Andrae, in Pirna

1907   „   „   Bernburger BankVerein Wichmann
                           & Co. in Bernburg und Leopoldshall
                           (Staßfurt),

1907   „   „   Ferdinand Heyne in Glauchau,

1907   „   „   Ludwig & Co. in Freiberg (Sachsen),

1909   „   „   Franz H. Möschler Söhne in Meerane,

1910   „   „   Menz, Blochmann & Co in Pirna,

1911   „   „   J. S. Salefsky in Leipzig.

Die Allgem. Deutsche Credit-Anstalt steht in Interessengemeinschaft durch Aktienbesitz mit:

1. der Communalbank des Königreichs Sachsen in
   Leipzig (Aktienkapital nom. 3 000 000 M, eingezahlt
   2 250 000 M).

2. der Vogtländischen Bank in Plauen i. V. (Aktienkapital 5 500 000 M), mit Filialen in Auerbach i. V.,
   Falkenstein i. V., Klingenthal i. S., Reichenbach i. V.,

3. A. Busse & Co. A.-G., Berlin,

4. der Bayerischen Disconto- und Wechselbank
   A.-G. in Nürnberg,

5. der Bank für Thüringen vorm. B. M. Strupp A.-G
   in Meiningen.

6. der Oberlausitzer Bank zu Zittau (Aktienkapital
   2 700 000 M, mit Filiale in Neugersdorf)[1]).
   Die für den Umtausch von Aktien dieser Bank
   erforderlichen Aktien der Allgem. Deutschen Credit-
   Anstalt wurden zunächst aus dem Bestande der
   Disconto-Gesellschaft geliefert. Im Aufsichtsrat der
   Oberlausitzer Bank ist sowohl die Allgem. Deutsche
   Credit-Anstalt wie die Disconto-Gesellschaft ver-
   treten.

7. der Vereinsbank in Zwickau (Aktienkapital 4 500 000 M).
   Die für den Umtausch von Aktien dieser Bank
   erforderlichen Aktien der Allgem. Deutschen Credit-
   Anstalt wurde zunächst aus dem Bestande der
   Disconto-Gesellschaft geliefert.

3. Seit 1904 mit dem **Barmer Bank-Verein Hinsberg, Fischer & Comp.** in
   Barmen (Aktienkapital 74 481 200 M). Dieser hat:

   Filialen: 20 (Bielfeld, Bonn, Cöln, Crefeld, Dortmund, Düssel-
       dorf, Duisburg, Hagen, Hamm, Iserlohn, Lennep, Lüden-
       scheid, M.-Gladbach, Ohligs, Osnabrück, Remscheid, Rheydt,
       Soest, Solingen und Wermelskirchen.

   Depositenkassen: 7 (je 1 in Barmen-Rittershausen, Cöln, Hohen-
       limburg, Siegburg, Uerdingen und 2 in Düsseldorf).

---

1) Ein Teil der Aktien befindet sich im Besitz der Disconto-Gesellschaft.

Hat in sich aufgenommen:

1898 die Bankfirma Gladbacher BankVerein Quack & Co. in M.-Gladbach,

1900 die Bankfirma Leffmann in Hagen,

1902 den Düsseldorfer BankVerein (Aktienkapital 9 000 000 M),

1904 den Dortmunder BankVerein, mit Filialen in Hamm und Soest,

1905 die Bankfirma A. W. Dreyer Wwe. in Bielefeld,

1905 ,, ,, Wallach & Emanuel in Iserlohn,

1905 ,, ,, N. Blumenfeld in Osnabrück,

1905 ,, Crefelder Gewerbebank in Crefeld (Aktienkapital 2 000 000 M),

1905 die Lüdenscheider Bank, früher Lüdenscheider Volksbank (Aktienkapital 1 250 000 M),

1906 die Bankfirma Albert Simon & Co., Kommanditgesellschaft in Cöln.

1907 die Lenneper Volksbank in Lennep,

1908 ,, Bonner Privatbank in Bonn.

1909 ,, Wermelskirchener Bank in Wermelskirchen.

Die Disconto-Gesellschaft delegiert einen Geschäftsinhaber in den Aufsichtsrat des Barmer Bank-Vereins, der Barmer Bank-Verein delegiert einen Direktor in den Aufsichtsrat der Disconto-Gesellschaft.

4. mit der **Geestemünder Bank** in Geestemünde.

Die Disconto-Gesellschaft ist im Aufsichtsrat der Geestemünder Bank vertreten.

5. mit dem **Magdeburger Bankverein** in Magdeburg (s. oben S. 509).

V. Dresdner Bank in Dresden.

Begr. 1872.

Kapital: 200 000 000 M.

Reserven: 61 000 000 ,,

Filialen: 25 (Augsburg, Berlin, Beuthen (O.-Schl.), Bremen, Buckeburg, Breslau, Cassel, Chemnitz, Freiburg i. B., Frankfurt a. M., Fürth, Gleiwitz, Hamburg, Hannover, Harburg, Kattowitz, Leipzig, London, Lübeck, Mannheim, München, Nurnberg, Plauen i. V., Stettin und Zwickau).

Geschäftsstellen: 20 (Bautzen, Bunzlau, Corbach, Detmold, Emden, Eschwege, Frankfurt a. O., Fulda, Göttingen, Greiz, Heidelberg, Heilbronn, Königshütte (O.-Schl.), Leer, Liegnitz, Meißen, Tarnowitz, Ulm, Wiesbaden, Zittau).

Depositenkassen (seit 1895): 81 (in Groß-Berlin 48, Breslau 4, Dresden 6, Leipzig 4, Hamburg 14, Nürnberg 2, Chemnitz, Frankfurt a. M., Linden bei Hannover je 1.

Die Dresdner Bank hat als Tochtergesellschaften mit-begründet[1]):

1889 die Deutsch-Asiatische Bank (zusammen mit anderen Firmen); vgl. S. 373.

1894 die Banca Commerciale Italiana (zusammen mit anderen Firmen); vgl S. 373.

1904 die Deutsch-Westafrikanische Bank (zusammen mit der Deutsch-Westafrikanischen Handelsgesellschaft); vgl S. 374 sub 4.

> Das Kapital beträgt 1 000 000 M. Die Bank ist eine Kolonial-gesellschaft mit dem Sitz in Berlin und Filialen in Hamburg, Lome und Duala, soll den Geldumlauf und die Zahlungsausgleichungen in den Schutzgebieten Togo und Kamerun und deren Geldverkehr mit dem Auslande regeln und erleichtern, sowie Bankgeschäfte nach Maßgabe der Konzessionen betreiben.

1904 die Aktiengesellschaft von Speyr & Co. in Basel (Aktienkapital 15 000 000 Frcs.),

1905[1]) die Treuhand-Vereinigung, Aktiengesellschaft, in Berlin (Aktienkapital 1 000 000 M), mit Filiale in Dresden und Geschäftsstelle in Cöln (zusammen mit dem A. Schaaffh. BankVerein).

1906 die Deutsche Orientbank, Aktiengesellschaft in Berlin (Aktienkapital 32 000 000 M) (zusammen mit dem A. Schaaffh. BankVerein und der Nationalbank für Deutschland); vgl. S. 364 unter g.

1906 die Deutsch-Südamerikanische Bank, Aktien-Gesellschaft in Berlin, mit Aktienkapital 20 000 000 M (zusammen mit dem A. Schaaffh. BankVerein und der Nationalbank für Deutschland).

Die Dresdner Bank hat in sich aufgenommen:

1872 die Bankfirma Michael Kaskel in Dresden,

1873 den Sächsischen BankVerein (Aktienkapital 5 250 000 M),

1877 die Sächsische Kreditbank (Aktienkapitla 9 000 000 M),

1891 die Bankfirma R. Thode & Co.,

1892 die Anglo-Deutsche Bank in Hamburg (Aktienkapital 12 300 000 M),

1895 die Bremer Bank in Bremen (Aktienkapital 20 000 000 M),

1896 die Bankfirma S. E. Wertheimber in Nürnberg und Fürth,

1898 die Bankfirma Alexander Simon in Hannover,

1898 die Bankfirma W. J. Gutmann in Nürnberg,

1899 die Niedersächsische Bank in Bückeburg (Aktienkapital 6 000 000 M),

1904 die Deutsche Genossenschaftsbank Sörgel, Parrisius & Co., in Frankfurt a. M. und Berlin (Aktienkapital 30 000 000 M).

> Die Deutsche Genossenschaftsbank stand in Interessengemein-schaft durch Aktienbesitz mit:
>> der Württembergischen Landesbank in Stuttgart, die im Jahre 1910 von der Dresdner übernommen wurde.
>
> (Behufs Überleitung und Weiterführung der Geschäfte der Genossen-schaftsbank hat die Dresdner Bank besondere Genossenschaftsabtei-lungen mit Genossenschaftsbeiräten im Interesse der Deutschen Er-

---

1) Von der Dresdner Bank mitbegründete Institute, die, wie die Bank für orientalische Eisenbahnen in Zürich oder die Zentralbank für Eisenbahn-werte in Berlin (Aktienkapital 7 500 000 M), zwar Finanzinstitute, aber keine eigent-lichen Banken sind, werden hier nicht berücksichtigt, ebensowenig die General Mining & Finance Corporation Limited (Kapital 1 875 000 £) in London, an der die Dresdner Bank erheblich interessiert ist.

werbs- und Wirtschaftsgenossenschaften in Berlin und Frankfurt a. M. eingerichtet).

1904 die Bankfirma v. Erlanger & Söhne in Frankfurt a. M. (gemeinschaftlich mit dem A. Schaaffhausen'schen BankVerein).

Die Firma v. Erlanger & Söhne stand in Interessengemeinschaft durch Aktienbesitz[1]) mit:

    a) der Oldenburgischen Landesbank in Oldenburg (Aktienkapital 3 000 000 M, eingezahlt mit 40% = 1 200 000 M); diese gehört jetzt zum Konzern der Deutschen Bank, s. unten S. 740 unter 3;

    b) der Mecklenburgischen Bank in Schwerin (Aktienkapital 5 000 000 M mit 40% Einzahlung = 2 000 000 M), s. unten S. 740 unter 4;

    c) der Landgräflich Hessischen konzessionierten Landesbank in Homburg v. d. H. (Aktienkapital 1 000 000 M) vgl. unten S. 740 unter 5;

    d) der Schwarzburgischen Landesbank zu Sondershausen (Aktienkapital 2 500 000 M, eingezahlt 1 000 000 M), vgl. unten S. 740 unter 6;

1906 die Bankfirma Ed. Kauffmann & Fehr in Freiburg i. B.[2]),

1906 ,,   ,,   Ernst Heydemann in Meißen,

1906 ,,   ,,   C. H. Reinhardt in Bautzen,

1907 ,,   ,,   Paul von Stetten in Augsburg,

1908 ,,   ,,   M. Kapeller in München,

1908 ,,   ,,   Eduard Bauermeister in Zwickau,

1908 die Geschäfte der in Liquidation getretenen Bankfirma Kahl & Oelschlägel in Dresden,

1908 die Bankfirma Mauer & Plaut in Kassel,

1909 ,,   ,,   David M. Kahn in Eschwege,

1909 ,,   ,,   F. Wallach in Fulda,

1910 die Württembergische Landesbank in Stuttgart, mit Filialen in Ulm und Heilbronn und Depositenkasse in Cannstadt.

1910 die Breslauer Wechslerbank in Breslau,

1911 die Oberschlesische Bank in Beuthen. mit Depositenkassen in Königshütte und Tarnowitz.

Die Dresdner Bank steht in Interessengemeinschaft durch Aktienbesitz[3]):

    1. Seit 1903 mit der Märkischen Bank in Bochum (Aktienkapital 9 000 000 M). Filialen: 11 (Arnsberg, Beckum. Castrop, Dortmund, Gelsenkirchen. Herne, Langendreer, Münster i. W., Neubeckum, Recklinghausen und Witten).

---

    1) Der ständige Besitz an Aktien der Eisenbahnbank und Eisenbahnrentenbank in Frankfurt a. M., welche Finanzinstitute, aber keine eigentlichen Banken sind, bleibt hier außer Betracht.

    2) Außerdem übernahm die Dresdner Bank 1906 die sämtlichen Aktiven der in Liquidation getretenen Zwickauer Gewerbebank.

    3) Ich nehme an, daß mit den unter 3—6 bezeichneten Banken und der Dresdner Bank mindestens ein die gegenseitige Geschäftsverbindung regelnder Vertrag geschlossen ist.

Agenturen: 2 (Buer, Oelde).

Wechselstube: 1 (Wanne).

Hat in sich aufgenommen:

1898 die Bankfirma Albert Lauffs in Bochum,

1899 die Herner Bank in Herne (Aktienkapital 1 000 000 M).

2. Seit 1903 mit der Rheinischen Bank in Essen, fruher Mülheim a. d. Rh. (Aktienkapital 21 000 000 M)[1].

Filialen: 4 (Mülheim, Duisburg, Meiderich, Dinslaken).

Wechselstube: 1 (Hochfeld).

Hat in sich aufgenommen:

1897 die Bankfirma Gust. Hanau in Mülheim a. d. R.,

1905 „   „   Herm. Thate in Meiderich,

1906 „   „   Dietr. Schröter in Dinslaken,

1907 „   „   Fr. H. Moeschlers Söhne in Meerane (i. S.)

Die Dresdner Bank ist im Aufsichtsrat der Rheinischen Bank vertreten.

3. der **Oldenburgischen Landesbank** in Oldenburg mit 10 Filialen und 58 Agenturen (Aktienkapital 3 000 000 M, eingezahlt mit 40 % 1 200 000 M);

4. der **Mecklenburgischen Bank** in Schwerin mit einer Filiale (in Neubrandenburg) und 67 Agenturen (Aktienkapital 5 000 000 M, eingezahlt mit 2 000 000) welche ihrerseits in Interessengemeinschaft steht mit:

    a) der Rostocker Gewerbebank A.-G. in Rostock mit 31 Agenturen (Aktienkapital 2 000 000 M);

    b) der Neuvorpommerschen Spar- und Kreditbank A.-G. in Stralsund mit 34 Agenturen (Aktienkapital 1 000 000 M);

5. der **Landgräflich Hessischen konzessionierten Landesbank** in Homburg v. d. H. mit 2 Filialen in Nauheim und Friedberg in Hesesn (Aktienkapital 1 000 000 M);

6. der **Schwarzburgischen Landesbank zu Sondershausen** mit 6 Filialen (Aktienkapital 2 500 000 M, eingezahlt 1 000 000 M)[2], mit 7 Filialen (in Arnstadt, Stadt Ilm, Ilmenau, Rudolstadt, Saalfeld, Suhl und Weida).

7. der **Mülheimer Bank** in Mülheim a. d. R., Aktienkapital 9 000 000 M mit 3 Filialen (Oberhausen, Hambom, Sterkrade),

Die Dresdner Bank stand seit 1903 bis Ende des Jahres 1908 in Interessengemeinschaft durch Vertrag:

Mit dem **A. Schaaffhausen'schen Bankverein** in Köln (Aktienkapital 145 000 000 M).

---

1) Von den 1905 behufs Erhöhung des damaligen Aktienkapitals von 10 000 000 M auf 21 000 000 M ausgegebenen Aktien übernahm der A. Schaaffhausen'sche Bankverein nom. 6 000 000 M Aktien al pari als dauernden Besitz, dagegen ließ er die Geschäfte seiner Zweigniederlassung in Essen vom 1. Juli 1905 ab auf die Rheinische Bank übergehen. Die Leitung der Rhein. Bank übernahm ein bisheriger Direktor des A. Schaaffhausen'schen BankVereins; in den Aufsichtsrat der Rhein. Bank traten zwei Mitglieder des Vorstandes des A. Schaaffhaus. Bankvereins und der Vorsitzende des Aufsichtsrats der Mittelrheinischen Bank ein. Die Rheinische Bank übernahm ihrerseits 1906 nom. 2 000 000 M des von ihr mitbegründeten BankVereins Gelsenkirchen in Gelsenkirchen mit Filiale in Wattenscheid.

2) Die unter 3—6 aufgezählten Banken kann man vielleicht bei der Dresdner Bank eher unter die Interessengemeinschaften durch Vertrag rechnen. Zunächst hatte es sich hier für die Dresdner Bank nur um ständigen Aktienbesitz, nicht um durch Aktien-Austausch entstandene Interessengemeinschaften, gehandelt.

Der Vertrag ging im wesentlichen dahin:

Die Interessengemeinschaft sollte vom 1. Januar 1904 ab auf 30 Jahre laufen. Eine Vereinigung der Gesellschaften fand nicht statt. die Geschäfte wurden aber gemeinschaftlich geführt, die erzielten Reingewinne zusammengeworfen und nach dem Verhältnis des jeweiligen Aktienkapitals zuzüglich der bilanzmäßigen Reservefonds (außer dem gesetzlichen Reservefonds) verteilt. Als letztere kamen nur diejenigen dauernd in die Bilanz eingestellten Reservefonds in Rechnung, welche wirkliche Rücklagen darstellten und nicht gegen besondere Risiken validierten.

Die Zusammenwerfung der Jahresgewinne erfolgte mit der Maßgabe, daß zunächst jede Gesellschaft eine Gewinn- oder Verlustrechnung ohne Berücksichtigung des GemeinschaftsVerhältnisses aufmachte. Vom Bruttogewinn waren, nach Abzug sämtlicher Unkosten und der nach gesetzlichen oder statutarischen Vorschriften erforderlichen Abschreibungen und Rücklagen, die unter obiger Voraussetzung rechnungsmäßig festgestellten Tantiemen der Vorstandsmitglieder, Filialdirektoren, Beamten und Mitglieder des Aufsichtsrates, sowie die Beamtengratifikationen und angemessene Abschreibungen von den Bankgebäuden abzusetzen. Die danach verbleibenden Reingewinne gingen in die gemeinschaftliche Masse und wurden nach obigem Schlüssel verteilt. Jede Gesellschaft stellte alsdann, nachdem ihr Reingewinn aus der Teilungsmasse festgestellt war, ihre endgültige Bilanz und Gewinn- und Verlustrechnung selbständig nach den gesetzlichen und statutarischen Bestimmungen auf. Der Betrag, der nach obiger Rechnung die eine Gesellschaft an die andere etwa herauszuzahlen hatte, war als Verlust bzw. Gewinn in die Gewinn- und Verlustrechnungen einzustellen, verminderte also den Reingewinn der herauszuzahlenden und erhöhte Reingewinn der empfangenden Gesellschaft. Der Berechnung der effektiven Tantiemen der Mitglieder des Vorstandes und Aufsichtsrats waren daher nicht die Zahlen der provisorischen Gewinn- und Verlustrechnung, sondern die endgültigen Reingewinne zugrunde zu legen.

Die Zusammenlegung erstreckte sich nur auf die Jahres-Reingewinne, nicht auf die Verluste. Trat in einem Jahre bei einer Gesellschaft Verlust ein, so hatte die verlierende Gesellschaft den Verlust, soweit er nicht durch ihren Anteil an dem Gewinne der anderen ausgeglichen war, aus ihrem Reservefonds oder anderweit dergestalt zu decken, daß der Jahresgewinn des folgenden Jahres durch einen verbleibenden Verlustsaldo nicht geschmälert werden sollte.

Zur Sicherung einer gemeinschaftlichen Geschäftsführung nach einheitlichen Gesichtspunkten war vorgesehen und auch ausgeführt worden: 1. daß aus jeder Gesellschaft zwei Vorstands- und drei Aufsichtsratsmitglieder dem Aufsichtsrat der anderen Gesellschaft zugewählt wurden; 2. daß der Aufsichtsrat jeder Gesellschaft zur Vorberatung wichtiger Geschäfte aus seiner Mitte einen aus gleicher Mitgliederzahl bestehenden Ausschuß ernannte, welchem zwei der aus der anderen Gesellschaft zugewählte Personen, in der Regel deren Vorstandsmitglieder, angehören mußten; 3. daß aus den Vereinigten Ausschüssen ein Delegationsrat gebildet wurde.

Dem Delegationsrat sollte, außer der Entscheidung von Meinungsverschiedenheiten, namentlich die Genehmigung der von jeder Gesellschaft zur Ermittlung des Gemeinschaftsgewinnes aufzustellenden provisorischen Jahresbilanz und Gewinn- und Verlustrechnung, sowie die Genehmigung der Verteilung der sich daraus ergebenden Gemeinschaftsmasse zustehen, insbesondere auch die Entscheidung über die bei dieser Gewinnberechnung vorzunehmenden Abschreibungen und Rücklagen.

Grundkapitalerhöhungen sollten bei jeder der beiden Gesellschaften von der Genehmigung des Delegationsrats dergestalt abhängig sein, daß eine ohne diese Genehmigung etwa durchgeführte Kapitalerhöhung bei der Verteilung der Jahresgewinne nicht berücksichtigt werden, und daß überdies die andere Gesellschaft zum Rücktritt vom Vertrage berechtigt sein sollte.

Es war ferner vereinbart, daß, wenn sich an Hand der gemachten Erfahrungen eine Modifikation der Vereinbarungen in einzelnen Punkten

als ein Bedürfnis erweisen sollte, hierzu, wie zu der erstmaligen Verein-
barung, die Zustimmung von mindestens zwei Dritteilen sämtlicher
Aufsichtsratsmitglieder erforderlich sein solle.
Diese Interessengemeinschaft hat jedoch mit dem 1. Januar 1909 tatsächlich
sein Ende erreicht, obwohl der Geschäftsbericht nur von einer „Änderung" spricht.
Es ist aber durch eine neue Vereinbarung für die Fortdauer der intimen geschäftlichen
Beziehungen und der gegenseitigen Vertretung in den beiden Aufsichtsräten „Vorsorge
getroffen worden".

In bezug auf die **Nationalbank für Deutschland** s. Anm.[1]).

- - - - - .- - - -

VI. A. Schaaffhausen'scher Bankverein, in Cöln a. Rh.
Begr. 1848.

Aktienkapital: 145 000 000 M.

Reserven: 34 159 756 „

Zweigniederlassungen: 11[2]) (Berlin seit 1892, Bonn, Cleve, Crefeld, Duis-
burg, Düsseldorf, Neuss, Neuwied, Rheydt, Ruhrort und Viersen).
Kommanditen: 1 (Philipp Elimeyer in Dresden seit 1898).
Depositenkassen: 33 (Coln 5, Berlin 9, Charlottenburg 3, Cöpenick, Oranienburg,
Potsdam, Schmargendorf, Schöneberg, Steglitz, Wilmersdorf, Crefeld, Dulken,
Emmerich, Godesberg, Grevenbroich, Kempen, Moers, Odenkirchen, Wesel).

**Hat als Tochtergesellschaften[3]) begründet oder mit-
begründet:**

----

1) Nationalbank für Deutschland in Berlin. Begr. 1881. Aktienkapital:
90 000 000 M, Reserven: 15 270 000 M.
Depositenkassen: 19 (in Berlin 14, in Charlottenburg, Fürstenwalde, Nieder-
schönweide, Potsdam und Steglitz je 1).
Hat (zusammen mit einer Reihe anderer Firmen) als Tochtergesellschaften
errichtet:
    zusammen mit einer Reihe anderer Firmen:
    1889 die Deutsch-Asiatische Bank; vgl. S. 371 unter 1.
    1895 den Credito Italiano in Rom (Aktienkapital 75 000 000 Lire,
        18 Filialen);
    zusammen mit der Banqe Nationale de Grèce:
    1904 die Banque d'Orient in Athen (Aktienkapital 10 000 000 Frcs.).
        Filialen: Saloniki, Smyrna, Alexandrien, Kairo.
    1905 (zusammen mit der Dresdner Bank und dem A. Schaaffhausen'schen
        BankVerein): die Deutsche Orientbank (Akt.-Ges. in Berlin), vgl.
        oben S. 364 unter g.
    1906 (zusammen mit der Dresdner Bank und dem A. Schaaffhausen'schen
        BankVerein): die Deutsch-Südamerikanische Bank A.-G. in
        Berlin, vgl. oben S. 365 unter h.
Hat in sich aufgenommen:
    1898 die Bankfirma Jakob Landau in Berlin,
    1907 die (zunächst 1905 als Kommandite der Bank mit anderen Geschäfts-
        inhabern fortgeführte) Bankfirma Born & Busse in Berlin.
2) Die frühere Zweigniederlassung in Essen ist vom 1. Juli 1905 ab auf die
Rheinische Bank übergegangen (vgl. S. 740 Anm. 1).
3) Institute, die, wie die „Bank für deutsche Eisenbahnwerte" (Aktienkapital 10 000 000 M), welch letztere der A. Schaaffhausen'sche BankVerein zusammen
mit anderen Firmen im Jahre 1896 begründet hat, zwar Finanzinstitute, aber keine
eigentlichen Banken sind, werden hier nicht berücksichtigt.

1889 die Deutsch-Asiatische Bank (zusammen mit inländischen und ausländischen Firmen); vgl. S. 665 u. 670.

1898 die Banque Internationale de Bruxelles (zusammen mit anderen Firmen); vgl. S. 665.

1900 die Westfälisch-Lippische Vereinsbank, A.-G. in Bielefeld (Aktienkapital 7 000 000 M). Diese hat:

    Filialen: 4 (Detmold, Herford, Lemgo, Minden),

    Depositenkassen: 3 (Oeynhausen, Rinteln a. d. Weser und Salzuflen),

    hat in sich aufgenommen:

        1900 die Bankfirma Katzenstein & Söhne in Bielefeld;

        1900 „   „   Gebrüder Siekmann in Herford;

        1900 „   „   Salomon & Oppenheimer in Detmold und Lemgo.

1905 (zusammen mit der Dresdner Bank) die Treuhand-Vereinigung, Aktiengesellschaft, in Berlin (Aktienkapital 1 000 000 M),

1906 (zusammen mit der Dresdner Bank und der Nationalbank für Deutschland) die Deutsche Orientbank, Aktiengesellschaft in Berlin (Aktienkapital 30 000 000 M); vgl. S. 364 unter g.

1906 (zusammen mit der Dresdner Bank) die Deutsch-Südamerikanische Bank, Aktiengesellschaft in Berlin (Aktienkaptial 20 000 000 M); vgl. S. 365 unter h.

Der A. Schaaffhausen'sche Bankverein hat in sich aufgenommen:

1903 die Bankfirma A. & L. Camphausen in Cöln a. Rh.,

1904 die Westdeutsche Bank, vorm. Jonas Cahn in Bonn (Aktienkapital 8 000 000 M).

    (Dieselbe war entstanden 1896 aus der Bankfirma Jonas Cahn in Bonn und übernahm 1898 die Bankfirma Solmitz & Cohen in Cöln a. Rh.).

1904 die Niederrheinische Kredit-Anstalt, vorm. Peters & Co., in Crefeld (Aktienkapital 21 000 000 M),

1904 (zusammen mit der Dresdner Bank) das Bankhaus von Erlanger & Söhne in Frankfurt a. M.

1908 die Bankfirma Blumberg & Gollmick in Berlin.

I. Der A. Schaaffhausen'sche Bankverein ist durch größeren Aktienbesitz beteiligt an [1]):

    1. der **Mittelrheinischen Bank** in Koblenz (Aktienkapital 20 000 000 M).

    Filialen: 4 (Duisburg, Haspe, Meiderich und Metz).

    Die Mittelrheinische Bank steht ihrerseits in Interessengemeinschaft mit:

    der Dorstener Bank in Dorsten [2]).

---

1) Über das Verhältnis des A. Schaaffhausen'schen BankVereins zur Rheinischen Bank siehe oben S. 740, Anm. 1.

2) Die früher bestandene Interessengemeinschaft mit der Mülheimer Bank in Mülheim a. d. Ruhr (begr. 1889, Aktienkapital 9000000 M) mit den Filialen in Hamborn Oberhausen und Sterkrade ist 1910 durch Abstoßen des Aktienbesitzes gelöst worden. Der ebenfalls mit der Mittelrheinischen Bank in Interessengemeinschaft stehende Märkische BankVerein in Gevelsberg ist 1911 liquidiert worden.

In den Aufsichtsrat der Mittelrheinischen Bank sind zwei Direktoren
des A. Schaaffhausen'schen Bankvereins und ein früherer Direktor
des letzteren (jetzt Direktor der Rheinischen Bank) eingetreten.

2. der **Rheinischen Bank** in Essen (s. oben S. 740).

II. Durch Vertrag

hatte der A. Schaaffhausen'sche BankVerein von 1903 ab bis zum 1. Januar
1909 in Interessengemeinschaft mit der **Dresdner Bank** gestanden (der
Inhalt des früheren Vertrages ist oben S. 741 bei der Dresdner Bank mitgeteilt); seitdem bestehen infolge einer neuen Vereinbarung lediglich ,,in-
time geschäftliche Beziehungen'', denen man auch dadurch Ausdruck gegeben hat, daß ,,für die Fortdauer der gegenseitigen Vertretung in beiden
Aufsichtsräten Vorsorge getroffen'' worden ist.

Beilage VIII.

Der Konzentrationsgang innerhalb der einzelnen Großbanken und der Konzernbanken.

Die Großbanken hatten:

Tab. 1.

Ende des Jahres	Nieder-lassungen (Sitz und Filialen) im Deutschen Reich	Depositen-kassen und Wechselstuben im Deutschen Reich	Kommanditen (Bank-geschäfte im Deutschen Reich)	Ständige Beteiligungen an deutschen Aktien-banken	Summe der Anstalten
1895	16	14	11	1	42
1896	18	18	11	1	48
1900	21	40	11	8	80
1902	29	72	10	16	127
1905	42	110	8	34	194
1911	104	276	7	63	450

Im einzelnen:

1. Darmstädter Bank.

Tab. 2.

Ende des Jahres	Nieder-lassungen (Sitz und Filialen) im Deutschen Reich	Depositen-kassen und Wechselstuben im Deutschen Reich	Kommanditen (Bank-geschäfte im Deutschen Reich)	Ständige Beteiligungen an deutschen Aktien-banken	Summe der Anstalten
1895	3	1	10	—	14
1896	3	1	10	—	14
1900	3	4	8	—	15
1902	5	10	8	4	27
1905	6[1])	21[2])	5[3])	4[4])	36
1911	25	43	3	3	74

1) Außerdem 6 Agenturen; Filialen im Ausland sind nicht vorhanden.

2) Die Depositenkasse in Rostock ist auf die Vereinsbank in Wismar über-gegangen.

3) Die Bukarester Kommandite ist 1904/05 in eine Aktiengesellschaft verwandelt, bliebe hier aber auch sonst, da es sich um eine ausländische Bank handelt, außer Betracht.

4) Die dauernden Aktienbeteiligungen bei den ausländischen Aktiengesell-schaften: K. K. priv. Bank- und Wechselstuben-Aktiengesellschaft „Mercur" in Wien nnd Banca Marmorosch Blank & Co. in Bukarest, sowie bei dem Bankers Tradıng Syndicate in London, werden hier nicht mitgezählt.

2. Berliner Handelsgesellschaft.   *Tab. 3.*

Ende des Jahres	Niederlassungen (Sitz und Filialen) im Deutschen Reich	Depositenkassen und Wechselstuben im Deutschen Reich	Kommanditen (Bankgeschäfte im Deutschen Reich)	Ständige Beteiligungen an deutschen Aktienbanken	Summe der Anstalten
1895	1	—	1	—	2
1896	1	—	1	—	2
1900	1	—	1	—	2
1902	1	—	—	—	1
1905	. 1	—	—	—	1
1911	1	1	1	5	8

3. Deutsche Bank.   *Tab. 4.*

Ende des Jahres	Niederlassungen (Sitz und Filialen) im Deutschen Reich	Depositenkassen und Wechselstuben im Deutschen Reich	Kommanditen (Bankgeschäfte im Deutschen Reich)	Ständige Beteiligungen an deutschen Aktienbanken	Summe der Anstalten
1895	5	12	—	—	17
1896	5	12	—	—	17
1900	5	17	—	5	27
1902	7	35	—	5	47
1905	9[1])	44	1[2])	11[3])	64
1911	9[4])	93	2	15	119

4. Direktion der Disconto-Gesellschaft.   *Tab. 5.*

Ende des Jahres	Niederlassungen (Sitz und Filialen) im Deutschen Reich	Depositenkassen und Wechselstuben im Deutschen Reich	Kommanditen (Bankgeschäfte im Deutschen Reich)	Ständige Beteiligungen an deutschen Aktienbanken	Summe der Anstalten
1895	1	1	—	1	3
1896	1	1	—	1	3
1900	1	1	—	3	5
1902	2	5	—	3	10
1905	3[5])	8	—[6])	7[7])	18
1911	12[6])	25		15[7])	52

1) Außerdem eine Niederlassung (agency) in London.

2) Außerdem zwei Kommanditen im Ausland, die hier außer Betracht bleiben.

3) Berücksichtigt sind nur Beteiligungen durch Aktienbesitz (s. oben S. 548—549 außer Betracht bleiben hier überall diejenigen Interessengemeinschaften, welche wieder die 13 Konzernbanken ihrerseits abgeschlossen haben; diese gehen aus S. 748 hervor und sind bei den einzelnen Gruppen in der Tabelle 8, letzte Spalte aufgezählt. Ebenso bleibt außer Betracht die Beteiligung an der Zentralamerika-Bank, Aktiengesellschaft, obwohl diese ihren Sitz in Berlin hat.

4) Ferner in London, Konstantinopel und Brüssel.

5) Außerdem eine Niederlassung in London.

6) Eine Kommandite im Auslande, jetzt aufgegeben.

7) Die Aktienbeteiligung bei der Rheinisch-Westfälischen Disconto-Gesellschaft ist nicht mitgezählt.

5. Dresdner Bank.   *Tab. 6.*

Ende des Jahres	Niederlassungen (Sitz und Filialen) im Deutschen Reich	Depositenkassen und Wechselstuben im Deutschen Reich	Kommanditen (Bankgeschäfte im Deutschen Reich)	Ständige Beteiligungen an deutschen Aktienbanken	Summe der Anstalten
1895	4	—	—	—	7
1896	6	4	—	—	10
1900	10	17	—	—	27
1902	11	21	—	—	32
1905	14[1])	24	1	9[2])	48
1911	45[1])	81	—	19	145

6. A. Schaaffhausen'scher Bankverein.   *Tab. 7.*

Ende des Jahres	Niederlassungen (Sitz und Filialen) im Deutschen Reich	Depositenkassen und Wechselstuben im Deutschen Reich	Kommanditen (Bankgeschäfte im Deutschen Reich)	Ständige Beteiligungen an deutschen Aktienbanken	Summe der Anstalten
1895	2	—	—	—	2
1896	2	—	—	—	2
1900	2	1	2	—	5
1902	4	1	2	3	10
1905	10[3])	13	1	3	27
1911	12	33	1	6	25

In der nachfolgenden Tabelle 8 stellen wir die Gesamtkonzentrationsentwicklung der Provinzialbanken dar, welche zum Konzern derjenigen fünf Berliner Großbanken gehören, die, wie wir sahen, Gruppen bildeten.

Die 41 Banken, welche den Interessengemeinschaften der Großbanken angehören (Konzern-Banken, mit Ausschluß der Tochterbanken[4]), hatten am 1. Okt. 1911:

---

1) Außerdem eine Niederlassung in London.

2) Der Besitz von Aktien der Eisenbahnbank und der Eisenbahnrentenbank in Frankfurt a. M., welche Finanzinstitute, aber keine eigentlichen Banken sind, bleibt hier außer Betracht, ebenso der Besitz von Aktien der (ausländischen) Aktiengesellschaft von Speyr & Co. in Basel u. a. m. Außer Betracht bleibt auch der Besitz an Aktien der Orientbank und der Deutsch-Südamerikanischen Bank, obwohl der Sitz dieser Bank in Berlin ist.

3) Die Filiale Essen ist weggefallen (auf die Rheinische Bank übergegangen).

4) Sofern aber wieder Interessengemeinschaften zwischen einer Konzernbank und Tochterbanken der führenden Bank entstanden sind, sind diese Beziehungen berücksichtigt.

Konzern der:	Filialen	Agenturen	Kommanditen	Depositenkassen (einschl. Geschäftsstellen und Wechselstuben)	In sich aufgenommen		Interessengemeinschaft durch Aktienbesitz u. Aktienaustausch.
					Privatbankgeschäfte	Banken	
I. Bank f. Handel u. Industrie[1]) (Darmstädter Bank.)							
1. Breslauer Discontobank .	12	2	—	7	5	1	—
2. Ostbank für Handel und Gewerbe	10	—	1	29	3	2[2])	—
II. Deutschen Bank[3]).							
1. Bergisch-Märkische Bank	19	—	1	15	8	9	1
mit der Siegener Bank für Handel und Gewerbe. . .	—	—	—	—	—	—·	—
2. Schlesischer BankVerein .	14	—	3	5	1	—	3
3. Hannoversche Bank . . .	5	—	1	1	3	—	4
mit der a) Osnabrücker Bank	12	14	—	—	4	4	—
mit der b) Hildesheimer Bank	2	—	6	2	3	—	—
mit der c) Braunschweiger Privatbank A.-G...	—	—	—	3	1	—	—
mit der d) Leher Bank . .	—	—	—	—	—	—	—
4. Essener Credit-Anstalt . .	12	8	3	2	4	4	—
5. Sächsische Bank	8	—	—	—	—	—	—
6. Essener BankVerein . . .	4	—	—	2	—	—	—
7. Oldenburgische Spar- und Leihbank	6	—	—	—	—	—	—
8. Privatbank zu Gotha . .	4	—	—	—	—	—	—
9. Mecklenburger Hypotheken- u. Wechselbank	—	63	—	—	—	—	1
mit der Mecklenburgischen Spatbank	2	79	—	1	—	—	—
10. Rheinische Creditbank[4]) .	14	6	2	4	9	8	1
mit der Pfälzischen Bank	16	4	—	12	12	5	—
Summa	140	176	17	83	53	33	10

1) Zum Konzern der Darmstädter Bank gebören auch von inländischen Tochtergesellschaften die Württemb. Bankanstalt vorm. Pflaum & Co., welche mit der Württemb. Vereinsbank in (vertragsmäßiger) Interessengemeinschaft steht.

2) Darunter die Ostdeutsche Bank vorm. J. Simon Wwe. & Söhne in Königsberg, welche letztere zwei Filialen besaß und zwei Privatbankfirmen in sich aufgenommen hatte.

3) Zum Konzern der Deutschen Bank gehört von inlänsdichen und für das Inlandgeschäft bestimmten (hier nicht berücksichtigten) Tochtergesellschaften noch die Deutsche Treuhand-Gesellschaft in Berlin.

4) Die von der Rheinischen Creditbank im Jahre 1904 aufgenommene Oberrheinische Bank vorm. Köster & Co. hatte 9 Filialen, 2 Kommanditen, eine Depositenkasse, hatte ferner 6 Privatbankgeschäfte in sich aufgenommen und stand (gemeinsam mit der Deutschen Bank) in Interessengemeinschaft durch Aktienbesitz mit der Süddeutschen Bank in Mannheim, die seit 1911 mit der Pfälzischen Bank verschmolzen ist.

Konzern der:	Filialen	Agenturen	Kommanditen	Depositenkassen (einschl. Geschäftsstellen und Wechselstuben)	In sich aufgenommen		Interessengemeinschaft durch Aktionbesitz u. Aktionaustausch.
					Privatbankgeschäfte	Banken	
Transport von S. 748	140	176	17	83	53	33	10
III. Disconto-Gesellschaft¹).							
1. Norddeutsche Bank ...	1	—	1	8	1	—	—
2. Allgemeine Deutsche Credit-Anstalt	27	—	—	15	14	1	7
mit der a) Communalbank des Königr, Sachsen	—	—	—	—	—	—	—
mit der b) Vogtländischen Bank	4	—	—	—	—	—	—
mit der c) A. Busse & Co. A.-G.	—	—	—	—	—	—	—
mit der d) Bayerische Disconto- und Wechselbank	15	—	—	4	18	—	—
mit der e) Bank für Thüringen, vorm. B. M. Strupp A.-G.	15	—	—	—	7	1	—
mit der f) Oberlausitzer Bank	1	—	—	—	—	—	—
mit der g) Vereinsbank in Zwickau	—	—	—	1	—	—	—
3. Barmer Bank-Verein Hinsberg, Fischer & Comp. ..	20	—	—	7	5	8	—
4. Süddeutsche Disconto-Gesellschaft	8	9	1	1	5	1	—
5. Geestemünder Bank ...	1	—	—	—	—	—	—
6. Magdeburger BankVerein .	10	—	2	5	11	—	—
IV. Dresdner Bank²).							
1. Märkische Bank	11	2	—	1	1	1	—
2. Rheinische Bank	5	—	—	1	1	—	—
3. Oldenburgische Landesbank	10	58	—	—	—	—	—
4. Mecklenburgische Bank ..	1	67	—	—	—	—	2
Summa	269	312	21	126	116	45	19

1) Die Rheinisch-Westfälische Disconto-Gesellschaft A.-G. gehört nicht, wie in der 1. Auflage angenommen wurde, zum Konzern der Disconto-Gesellschaft. Sie hat jetzt (1. Okt. 1911) 18 Filialen, 2 Kommanditen, 6 Depositenkassen, hat 2 Privatbankgeschäfte und 9 Banken in sich aufgenommen, und steht mit 10 anderen Banken in Interessengemeinschaft durch Aktienbesitz. Die Revisions- und Vermögens-Verwaltungs-Aktien-Gesellschaft in Berlin mit 2 Filialen ist hier nicht mitgerechnet.

2) Dem Konzern der Dresdner Bank gehört von inländischen Tochtergesellschaften ferner an: die Treuhand-Vereinigung, Aktiengesellschaft, in Berlin.

Konzern der:	Filialen	Agenturen	Kommanditen	Depositenkassen (einschl. Geschäfts- stellen u. Wechsel- stuben)	In sich aufgenommen		Interessen- gemeinschaft durch Aktien- besitz u. Aktien- austausch
					Privat- bankge- schäfte	Banken	
Transport von S. 749	269	312	21	126	116	46	19
mit der a) Rostocker Ge- werbebank, Aktien- gesellschaft	—	31	—	—	—	—	—
mit der b) Neuvorpommer- schen Spar- u. Kredit- bank	—	34	—	—	—	—	—
5. Landgräfl. Hessische konzes. Landesbank	2	—	—	—	—	—	—
6. Schwarzburgische Landes- bank	7	—	—	—	—	—	—
7. Mülheimer Bank	3	—	—	—	—	—	—
V. A. Schaaffhausen'scher Bank- verein[1]).							
Mittelrheinische Bank	4	—	—	—	—	—	1
Summa	285	377	21	126	116	45	20

1) Ausgeschieden aus dem Konzern des A. Schaaffhausen'schen BankVereins ist im Jahre 1911 die Pfälzische Bank die jetzt infolge ihrer Interessengemein- schaft mit der Rheinischen Creditbank zum Konzern der Deutschen Bank gehört, Es schied ferner aus die Mülheimer Bank. Die Ostbank für Handel und Gewerbe gehört dagegen nunmehr gleichzeitig dem Konzern der Darmstädter Bank, die Rheinische Bank in Essen gleichzeitig dem der Dresdner Bank an.

Sachregister.

U.

Überseebanken in Deutschland im Vergleich zum Ausland 374.

Überseegeschäft der Banken 344.

— Bedeutung 430.

Ultimogeld 260, 261, 262.

Umwandlungsgeschäft, Gefahren 286.

„Unionbanken" 545.

Union-Elektricitäts-Gesellschaft, Zugehörige Gesellschaften 582.

— Bankgruppe 584.

United Staates Steel Corporation 159, 517.

— Auslandspolitik 150[4], 151[1].

Einfluß auf die deutsche Konzentration 517.

Unterbeteiligungen und Konsortien, 327.

V.

Vereinigte Staaten von Amerika, Wirtschaftskrisen 14 Anm.

— Nationalbanken, s. dies.

Vereinigung rheinisch-westfälischer Hochofenwerke 152[2].

Vereinsbank in Zwickau 521, 726.

Verkaufsvereinigung deutscher Hochofenwerke G. m. b. H. 152[2].

Versicherungsgesellschaft und Kapitalexport 430.

Viehzählung, Ergebnisse für 1907 95[5].

Vogtländische Bank 521, 736.

Volkseinkommen, Deutsches V. 80, 82.

— Französisches und englisches V. 83[1].

Vorschüsse auf Konnossemente 349.

W.

Warenwechsel, Ersetzung durch das Bankakzept 233.

Warschauer, Reformvorschläge auf dem Gebiete des Bankdepositenwesens 439, 460.

Wechselbestand, Deutschland 246.

— bei den Banken 248.

— Höhe und wirtschaftliche Entwicklung 246.

Wechseldiskontgeschäft in Deutschland Anfang des 19. Jahrhunderts 37.

— in der Gegenwart 243.

— Literatur 243[2].

Wechseldiskontgeschäft, Frankreich 247.

— England 250.

— Erkennen der wahren Natur des Wechsels 237.

Wechselinkasso der Banken 223.

Wechsellombardierung der Großbanken 182, 260.

Wechselpensionsgeschäft 183.

Wechselverkehr, Bedenken gegen einen direkten W. zwischen Urproduzent und Fabrikant 233.

— Internationaler W. und Bankpolitik 344

Weimarische Bank 4[2].

Werften, Deutsche W. 125.

Wertpapiere, Aufbewahrung und Verwaltung 223.

— Besitz an ausländischen W. 81[5], 84, 103.

Westfälisch-Lippische Vereinsbank A.-G. 523, 546, 743.

„Window-dressing" 447[1].

Wirtschaftsentwicklung der zweiten Periode, Tabellarische Übersicht 73.

— Gesamtcharakter 77.

Wirtschaftskrisen, s. Krisen.

Württembergische Bankanstalt, Vorm. Pflaum & Co. 367, 522, 712.

— Interessengemeinschaft mit der Württembergischen Vereinsbank 541.

Württembergische Vereinsbank, Entgründung der Stuttgarter Bank 515.

— Interessengemeinschaft mit der Württembergischen Bankanstalt 541.

— Entwicklung 731.

Z.

Zahlstellen, Industrielle Z. der Großbanken 300.

Zahlungsbilanz, Aufrechterhalten aktiver Z. 103.

— Vermittels Diskontpolitik 140.

— vermittels Auslandsanleihen 317, 433.

— Z. und Kapitalexport 424, 430.

Zahlungsverkehr, Hebung durch Banken und Bankiers 2.

— bargeldsparende Formen 3.

— Anfang des 19. Jahrhunderts 37.

Berichtigungen und Ergänzungen.

Anm. 1 auf S. 35 gehört als Anm. 3 zu S. 34.

Anm. 6 auf S. 77 (im Text Zeile 2 v. o.) muß heißen: Anm. 1.

Auf S. 153, 7. und 8. Zeile von oben muß es heißen statt: auf fernere 5 Jahre, also bis zum 30. April 1912: „auf fernere 5 Jahre vom 30. Juni 1907 ab, also bis zum 30. Juni 1912".

Auf S. 217, 7. nnd 13. Zeile von oben muß es heißen statt: „drei": „vier".

Auf S. 217, 15. Zeile von oben ist hinter „Wiener Bankverein" einzufügen: „K. K. priv. Österreichische Credit-Anstalt für Handel und Gewerbe".

Druck von Anton Kämpfe, Jena.

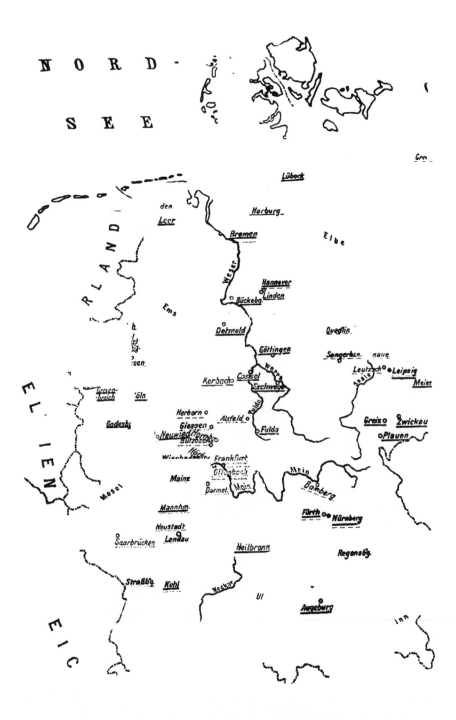

Übersichtskarte
des Filialnetzes der deutschen Großbanken.

Zeichenerklärung:

▨ *STADT in der alle Großbanken vertreten sind.*

Städte in denen sich Großbankenniederlassungen befinden, sind unterstrichen und x

Die Deutsche Bank, mit   *Die Bank für Handel u. Industrie, mit _ _ _*

. Dresdner „ , . ▬▬▬   *A. Schaffhaus. Bank-Verein,*   *.*

. Disconto-Ges. , . ▬▬▬

PLEASE DO NOT REMOVE
CARDS OR SLIPS FROM THIS POCKET

UNIVERSITY OF TORONTO LIBRARY

Lightning Source UK Ltd.
Milton Keynes UK
UKHW012251171218
334172UK00012B/487/P